★ 학습 계획표 ★

고전 산문에는 우선적으로 공부해야 할 갈래와 작품이 있어요.
오른쪽 표에서 소설의 출제 비중은 다른 갈래에 비해 월등히 높은 걸 알 수 있죠.
이걸 참고해 공부 시간을 안배하면 학습 효율을 최대로 높일 수 있어요.
자신이 약한 부분이 있다면 다음 일정표를 이용해 맞춤 학습을 해 보아요.

소설
67%

판소리
사설
12%

수필
10%

설화
8%

민속극
3%

▲ 갈래별 기출 지문 비중

소설

1강 만복사저포기 (체크!)	2강 하생기우전	3강 주생전	4강 숙향전	5강 운영전	6강 채봉감별곡	7강 매화전	8강 춘향전 (시작이 반이다)
16강 홍계월전	15강 김영철전	14강 소대성전	13강 조웅전	12강 임장군전	11강 최척전	10강 유충렬전	9강 최고운전
17강 박씨전	18강 이대봉전	19강 사씨남정기	20강 창선감의록	21강 정을선전	22강 황월선전	23강 허생전	24강 민옹전

가전체·판소리 사설

32강 공방전	31강 옥루몽	30강 구운몽	29강 황새결송	28강 장끼전	27강 옹고집전	26강 배비장전	25강 이춘풍전

거의 다 왔다

설화·수필·민속극

33강 국순전	34강 심청가	35강 흥보가	36강 주몽 신화	37강 조신의 꿈	38강 지하국 대적 퇴치 설화	39강 산성일기	40강 수오재기

복합

48강 ·우화 소설의 세계 ·서대주전 ·별주부전	47강 ·임진록 ·명량	46강 ·우리나라 전기 소설 ·김현감호 ·이생규장전	45강 ·금령전 ·심청전	44강 하회 별신굿 탈놀이	43강 꼭두각시 놀음	42강 일야구도하기	41강 포화옥기

49강 ·태산이~ ·사청사우 ·이옥설	50강 ·한의 문학 ·별사미인곡 ·봉산 탈춤

고전 산문 완전 정복!

이 책을 집필하신 선생님들

김철회 성신여자고등학교 교사
김은정 진성고등학교 교사
이경호 중동고등학교 교사
이민희 세화여자고등학교 교사
이병민 세화여자고등학교 교사
이승철 목동고등학교 교사
조형주 한성고등학교 교사

최우선순
고전 산문
문제편

구성과 특징

1 출제 우선순으로 고전 산문을 독파한다!

출제 가능성을 고려하여 단원을 구성하였습니다. 모든 산문 갈래를 다루되, 소설 작품을 전면 배치하고, 교과서를 기반으로 갈래별로 작품을 보완하여 효율적인 시험 대비가 되도록 하였습니다.

▶ **실전에 최적화된 단원 구성**

모든 산문 갈래를 다루되, 소설 등 중요 갈래를 먼저, 집중적으로 학습하여 시험에 효율적으로 대처할 수 있도록 하였습니다.

2 중요한 내용은 반복적으로!

선택·집중과 반복으로 최우선 강자가 된다

Step 1, 2, 3을 통해 각 작품에 대해 독해 실력과 문제풀이 능력을 동시에 향상시킬 수 있는 학습이 되도록 하였습니다.

▶ **Step 1 포인트 분석**

배경, 인물, 사건, 갈등, 서술 등 수능식 독해 키워드를 통해 문제로 직결되는 내용을 정리해 가며 고전 산문 독해 훈련을 해 보세요.

고전 독해와 문제풀이를 한번에!

해설과
고전 실전 어휘로
점수를 플러스한다

▶ Step2 포인트 체크

○× 문제와 빈칸 문제를 통해 방금 독해한 내용을 빠르게 점검해 보세요. 객관식 문제의 선지로 다시 활용되는 간단 문제들을 통해 지문이 어떻게 문제화되는지에 대한 감각을 기를 수 있습니다.

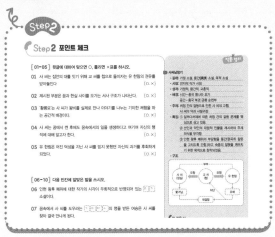

▶ Step3 실전 문제

중요 내신, 수능 문제를 포함한 객관식 문제들과 서술형 문제를 통해 한 작품에 대한 이해와 문제풀이 대비를 완성해 보세요.

3 마무리는 해법의 습득으로!

해설을 통해 고전 산문 문제에 대한 해법을, 고전 산문 실전 어휘를 통해 고전 산문 독해에 대한 해법을 제공합니다.

▶ 정답과 해설

지금 틀린 것은 중요하지 않아요. D-day의 성공을 위해 차근차근 정·오답 해설과 개념 Q&A를 통해 작품마다 학습을 완성합니다.

▶ [부록] 고전 산문 실전 어휘

고전 산문에 자주 출몰하는 어휘와 한자 성어를 예시 문장과 함께 익혀 두면 보다 빠르고 정확하게 고전 산문을 읽어 낼 수 있습니다.

차례

내신·수능에서의 중요 갈래, 작품을 우선하여 집중적으로 제시!

작품 찾아보기

고전 소설은

주제가 주로 '권선징악'을 형상화하고 있습니다.
주인공의 일대기 형식을 취하고,
대개 행복한 결말을 보입니다.
주로 평면적 인물이 등장하여
선악의 대결 구도를 펼치고,
도술, 술법 등의 전기적인 사건이 자주 일어납니다.

소 설

만복사저포기(萬福寺樗蒲記) | 김시습

출제 포인트 ▷ #애정 소설 #전기(傳奇) 소설 #명혼 소설 #생사를 초월한 남녀 간의 사랑 #비극적 결말

전라도 남원에 살고 있는 양생은 일찍이 어버이를 여읜 뒤 여태껏 장가를 들지 못하고 만복사 동쪽 골방에서 홀로 세월을 보내고 있었다.❶ 고요한 그 골방 문 앞에는 배나무 한 그루가 우뚝 서 있었는데, 바야흐로 **봄**을 맞이하여 꽃이 활짝 피어 온 뜰 안 가득 백옥의 세계를 환하게 밝혀 놓았다.❷ 그는 달 밝은 밤이면 언제나 객회(客懷)*를 억누르지 못하여 나무 밑을 거닐곤 했는데, 어느 날 밤 그 꽃다운 정서를 걷잡지 못하고 문득 ⓐ시 두 수를 지어 읊었다.❸

한 그루 배꽃나무 적료함을 짝하고 / 가련하다 달 밝은 밤 헛되이 보내나니
젊은이만 홀로 누운 외로운 창가에 / 어디서 **고운 님**은 옥통소를 불고 있나

짝 못 지은 비취새 외로이 날아가고 / 짝 잃은 원앙도 맑은 강에 노니는데
뉘 집에서 바둑 두리란 약속이 있으련가 / 밤이면 서러운 창에 기대 불꽃점을 쳐 보네.

시를 다 읊고 나자 별안간 공중에서 이상한 말소리가 들려왔다.
"진정으로 자네가 좋은 배필을 얻고자 하는데 그 무엇이 어려울 게 있으리오."❹
이 소리를 듣고 양생은 크게 기뻐하였다.❺

그 이튿날은 마침 삼월 이십사일이었다. 해마다 이날이 되면 그곳 마을의 많은 청춘 남녀들이 으레 만복사를 찾아가 향불을 피우고는 각기 제 소원을 비는 풍습이 있었다. 이날 양생은 저녁에 기도가 끝나자 법당에 들어가서 소매 깊이 간직하고 갔던 [A] 저포(樗蒲)를 꺼내어 불전에 던지기 전에 먼저 소원을 빌었다.

"자비로운 부처님, 오늘 저녁엔 제가 부처님과 함께 저포 놀이를 하려고 합니다. 만약에 제가 지면 법연(法筵)을 차려서 부처님께 갚아드릴 것이고, 만일 부처님께서 지시면 반드시 제 소원인 어여쁜 아가씨를 얻게 해 주시옵소서."❻

ⓑ축원을 마치고는 즉시 저포를 던지자, 과연 그는 소원대로 승리를 얻게 되었다. 그는 매우 기뻐서 다시금 불전에 꿇어앉아 말씀을 드렸다.
"부처님이시여, 저의 아름다운 인연은 이미 정해졌사오니, 원컨대 자비하신 부처님께서는 소생을 저버리지 마시기를 바라옵니다."
하고 그는 불좌 뒤 깊숙한 곳에 앉아서 동정을 살폈다.

얼마 안 되어 과연 아가씨 하나가 들어오는데, 나이는 한 열대여섯 살쯤 되어 보이고, 새까만 머리에 화장을 곱게 한 얼굴이 마치 채운(彩雲)*을 타고 내려온 월궁의 선녀와 같고 자세히 보면 볼수록 너무나도 곱고 얌전하였다.❼
[B] 그녀는 백옥 같은 손으로 등잔에 기름을 부어 불을 켜고 향로에다 향을 꽂은 뒤 세 번 절을 하고는 꿇어앉아 슬피 탄식하였다.

"아아, 인생이 박명*하다고는 하나 어찌 이와 같을 줄 알았겠는가?"

Step 1 포인트 분석

▶ 김시습, 「만복사저포기」

제목의 의미
'만복사'는 주인공 양생이 여인을 만나게 되는 절이자, 자신의 소원을 성취하려고 '저포' 놀이, 즉 주사위 놀이를 하는 장소이다. 부처님은 양생이 저포 놀이에서 이기자 배필을 얻고자 하는 양생의 소원을 들어주고 양생은 여인과 만나게 된다.

배경
❶, ❷ 만복사 동쪽~밝혀 놓았다.
➡ 공간은 만복사(전라도 남원), 시간은 봄을 배경으로 하고 있음. 배꽃은 청초하고 순결한 이미지로 표상되는 경우가 많음. 여기서는 배나무 한 그루만이 서 있는 배경 제시를 통해 양생의 외로운 심정을 암시함.

인물
❶ 양생은 일찍이~보내고 있었다.
➡ 주인공 양생이 외로운 처지에 놓여 있음.
❻ "자비로운 부처님,~해 주시옵소서".
➡ 부처님과 내기를 하는 양생의 모습으로, 주사위 놀이에 자신의 운명을 맡기는 양생의 운명관이 나타남.
❼ 얼마 안 되어~곱고 얌전하였다.
➡ 양생과 인연을 맺게 될 여인의 모습으로, 양생의 소원이 실현되고 있음을 드러냄.

사건
❹ 별안간 공중에서~어려울 게 있으리오."
➡ 양생의 시를 들은 부처의 반응: 비현실적인 사건으로, 이 소설의 전기적 성격을 보여 줌. 양생의 처지에 변화가 있을 것을 암시함.

갈등
❸ 어느 날~지어 읊었다.
➡ 양생의 내적 갈등: 외로움을 해소하고자 하는 마음을 시를 통해 나타냄.

서술
❺ 이 소리를~크게 기뻐하였다.
➡ 전지적 작가 시점: 인물의 심리를 서술자가 제시함.
❼ 얼마 안 되어~곱고 얌전하였다.
➡ 인물의 외양 묘사: 새로 등장하는 인물의 외양을 비유 등을 통해 묘사함.

여인은 품속에서 뭔가 **글**이 적힌 종이를 꺼내어 탁자 앞에 바쳤다. 그 내용은 다음과 같았다. ❽

아무 고을 아무 땅에 사는 아무개가 아뢰옵니다.

지난날 변방을 잘 지키지 못해 왜구가 침략하였습니다. 창과 칼이 난무하고 위급을 알리는 봉화가 몇 해나 이어지더니 가옥이 불타고 백성들이 노략질 당하였습니다. 이리저리로 달아나 숨는 사이 친척이며 하인들은 모두 흩어져 버렸습니다. 저는 연약한 여자인지라 멀리 달아나지 못하고 스스로 규방 속에 들어가 끝내 정절을 지켜서 무도한 재앙을 피하였습니다. 부모님은 여자가 절개를 지킨 일을 옳게 여기셔서 외진 땅 외진 곳의 풀밭에 임시 거처를 마련해 주셨으니, 제가 그곳에 머문 지도 이미 삼 년이 되었습니다. 저는 가을 하늘에 뜬 달을 보고 **봄**에 핀 꽃을 보며 헛되이 세월 보냄을 가슴 아파하고, 떠가는 구름처럼 흐르는 시냇물처럼 무료한 하루하루를 보낼 따름입니다. 텅 빈 골짜기 깊숙한 곳에서 기구한 제 운명에 한숨짓고, 좋은 밤을 홀로 지새우며 오색찬란한 난새가 혼자서 추는 춤에 마음 아파합니다. **날이 가고 달이 갈수록** 제 넋은 녹아 없어지고, 여름밤 겨울밤마다 애간장이 찢어집니다. ❾ 바라옵나니 부처님이시여, 제 처지를 가엾게 여겨 주소서. 제 앞날이 이미 정해져 있다면 어쩔 수 없겠으나, 기구한 운명일망정 인연이 있다면 하루빨리 기쁨을 얻게 하시어 제 간절한 기도를 저버리지 말아 주소서. ❿

여인은 소원이 담긴 종이를 던지고 목메어 슬피 울었다. 양생이 좁은 틈 사이로 여인의 자태를 보고는 정을 억누르지 못하고 뛰쳐나가 말했다.

"좀 전에 부처님께 글을 바친 건 무슨 일 때문입니까?"

㉠양생은 종이에 쓴 글을 읽어 보더니 기쁨이 얼굴에 가득한 채 이렇게 말했다.⓫

"당신은 도대체 누구시기에 이 밤에 여기까지 오셨소?"

그녀는 대답했다. / "저도 역시 사람입니다. 저를 의아한 눈으로 보지 마십시오. 당신은 다만 좋은 배필을 얻으려는 것이지요?" (중략)

두 사람은 서로 웃으며 함께 개령동으로 향하였다. 어느 한 곳에 이르니 다북쑥이 들을 덮고 참천한˚ 고목 속에 정쇄한˚ 수간 초당이 나타났다.⓬ 양생은 아가씨가 이끄는 대로 따라 들어갔다.

방 안에는 침구와 휘장이 잘 정리되어 있고, 밥상을 올리는데 모든 음식이 어젯밤 만복사의 차림과 차이가 없었다. 양생은 퍽이나 기쁜 마음으로 이틀 동안을 유유히 보냈다.⓭

시녀는 얼굴이 매우 아름답고 조금도 교활한 면이 없었다. 좌우에 진열되어 있는 **그릇**들은 깨끗하고 품위가 있어 그는 간혹 의아한 마음을 금하지 못하였다. 그러나 그녀의 은근한 정에 마음이 끌려 다시금 그런 생각을 되풀이하지 않았다.

어느 날 갑자기 그녀는 양생에게 말했다.

"당신은 잘 모르시겠지만 이곳의 사흘은 인간의 삼 년과 같습니다. 가연˚을 맺은 지가 잠깐인 듯하오나 오래 되었사오니, 너무 서운하긴 하나 당신은 다시 인간으로 돌아가셔서 옛날의 살림을 돌보심이 어떻겠습니까?"⓮

배경
⓬ 어느 한 곳에~수간 초당이 나타났다.
→ 개령동의 한 초당. '다북쑥'과 '고목'의 풍경을 통해 신비로운 분위기를 조성함.

인물
❾, ❿ 지난날 변방을~말아 주소서.
→ 여인은 글을 통해, 왜구의 침략으로 목숨을 잃고 외롭게 지내 온 사연과 외로운 처지에서 벗어나 인연을 맺기를 바라는 마음을 밝힘.
⓫ 양생은 종이에~이렇게 말했다.
→ 양생은 배필을 만나고 싶다는 소원이 있었는데, 여인의 소원이 자신의 소원과 같음을 알게 되어 기뻐함.

사건
❽ 여인은 품속에서~다음과 같았다.
→ 종이를 꺼내는 여인: 사건의 흐름을 보면 여인이 부처에게 자신의 기구한 운명을 토로할 것을 짐작하게 해 줌.
⓭ 양생은 퍽이나~유유히 보냈다.
→ 생사를 초월한 사랑: 자신의 소원대로 배필을 만나 행복한 시간을 보냄.
⓮ 어느 날~돌보심이 어떻겠습니까?"
→ 양생에게 이별을 고하는 여인: 여인은 양생과 달리 이승과 저승의 차이를 알고 있음.

갈등
❾ 날이 가고~애간장이 찢어집니다.
→ 여인의 내적 갈등: 임시로 매장된 채 홀로 지내는 여인의 심적 고통이 나타남. 외로운 처지와 이러한 처지에서 벗어나고 싶어 하는 소망으로 인한 내적 갈등임.

서술
❾, ❿ 지난날 변방을~말아 주소서.
→ 여인이 쓴 글의 내용 제시: 인물이 지닌 심정을 구체적으로 전달함.

• **객회**: 객지에서 느끼게 되는 울적하고 쓸쓸한 느낌.
• **채운**: 상서로운 구름.
• **박명**: 복이 없고 팔자가 사나움.
• **참천한**: 하늘을 찌를 듯이 공중으로 높이 솟아서 늘어선.
• **정쇄한**: 매우 맑고 깨끗한.
• **가연**: 아름다운 인연.

"여보시오. 이별이라니 갑작스레 그게 웬 말이오?"

"오늘 **못 다 이룬 소원**은 내세*에 다시 만나 다 이룰 수 있을 것입니다. 그리고 이곳의 예절도 인간과 다름이 없사오니 저의 친척과 이웃 동무들을 만나 보고 떠나심이 어떻겠습니까?" / "그렇게 합시다."

[전체 줄거리] 전라도 남원에서 외롭게 살던 양생은 부처님과의 저포 놀이에서 이긴 후 자신의 소원대로 아름다운 여인을 만나게 된다. 인간 세상의 것이 아닌 듯한 여인의 거처에서 사흘을 머물며 행복한 시간을 보낸 후 여인은 양생에게 이별의 시간이 왔음을 고하고 은그릇을 주면서 자신을 기다리라고 말한다. 양생은 여인의 말을 따르는 와중에 여인의 상을 치르러 가는 부모를 만나 여인이 이미 죽은 사람임을 알게 된다. 이후 양생은 절에서 여인과 하룻밤을 보내고 영원히 이별하게 된다. 양생은 자신의 전 재산을 팔아 여인의 명복을 빌어 주는데, 여인은 양생의 은덕으로 타국에서 남자의 몸으로 다시 태어난다. 이후 양생은 장가도 들지 않고 지리산에 들어가 약초를 캐며 산다.

* 내세: 죽은 뒤에 다시 태어나 산다는 미래의 세상.

Step 2 포인트 체크

[01~05] 윗글에 대하여 맞으면 ○, 틀리면 ×표를 하시오.

01 양생에게 '이상한 말소리'가 들려온 것은 전기적 요소에 해당한다. 〔○. ×〕

02 양생은 시대 현실과의 갈등으로 인한 괴로움을 시로 표현했다. 〔○. ×〕

03 양생은 부처님과 저포 놀이를 해서 이긴 후에 자신의 소원을 말하였다. 〔○. ×〕

04 여인이 양생을 만나 데리고 간 초당은 신비로운 분위기를 자아내는 공간이다. 〔○. ×〕

05 여인은 왜구의 침략으로 죽음에 이른 후, 임시로 매장된 채 지내고 있었다. 〔○. ×〕

[06~10] 다음 빈칸에 알맞은 말을 쓰시오.

06 이승 인물과 저승 인물의 사랑을 다루고 있는 ⓐⓩ 소설이다.

07 등장인물의 심리를 서술자가 제시하며 사건이 진행되고 있는 ⓩⓩⓩ 작가 시점이다.

08 양생은 ⓑⓝⓜ를 자신의 처지와 유사한 대상으로 여기고 있다.

09 저포 놀이 후 양생에게 나타난 여인을 ⓢⓝ에 비유하여 외양을 묘사하고 있다.

10 양생에게 이별을 고한 여인은 ⓝⓢ에 다시 만나 소원을 이룰 수 있을 것이라고 말했다.

■ 만복사저포기

• 갈래: 애정 소설, 전기 소설, 명혼 소설
• 시점: 전지적 작가 시점
• 성격: 전기적, 비극적, 낭만적
• 배경: 시간 – 고려 말기~조선 초기 / 공간 – 전라도 남원
• 주제: 생사를 초월한 남녀 간의 애절한 사랑
• 특징: ① 전기적 요소를 바탕으로 이승 인물과 저승 인물의 사랑을 다룸.
② 불교적 윤회 사상을 바탕으로 사건을 전개함.
③ 시를 삽입하여 인물의 심리를 효과적으로 전달함.
• 구조

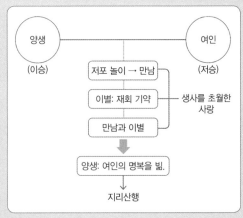

한 걸음 더

「만복사저포기」에 담긴 작가의 사상
이 작품은 이승과 저승의 남녀가 사랑을 나눈다는 설정에서 사랑이 생사를 초월할 수 있다는 작가의 애정 지상주의를 엿볼 수 있다. 또한, 부처님께 처지를 한탄하고 소원을 비는 발원 사상, 죽은 인물이 남자로 환생한다는 점에서 윤회 사상 등 불교적 사상도 반영되어 있다. 이밖에 저승 사람인 여인이 떠나게 된다는 결말에서 운명에 순종할 수밖에 없다는 작가의 인생관이 담겨 있기도 하다.

01

윗글에 대한 설명으로 가장 적절한 것은?

① 시간의 흐름에 따라 인물의 성격이 변화하고 있다.
② 인물 간의 대립 구도를 바탕으로 갈등이 심화되고 있다.
③ 인물이 지닌 내적 고통이 해소되는 과정이 나타나 있다.
④ 서술자가 작중에 개입하여 사건의 변화를 주도하고 있다.
⑤ 서술자의 요약적 진술을 통해 사건의 전말을 밝히고 있다.

02

윗글의 '양생'과 '여인'에 대한 이해로 적절하지 않은 것은?

① 양생은 달 밝은 밤이면 나무 밑을 거니는 행동을 반복하면서 지내 왔는데, 이는 골방에서 지내는 외로움이 심화되었기 때문이로군.
② 양생은 우연적인 사건에 기대어 자신의 소원을 성취하고자 했는데, 이는 양생의 운명관을 알 수 있게 해 주는 것이군.
③ 여인은 자신의 정체를 궁금해하는 양생의 마음을 짐작하고 있었지만, 일부러 이를 모른 척하며 자신을 의심하지 말라고 양생에게 당부하고 있군.
④ 여인은 양생에게 이별 의사를 밝히고 있는데, 이 과정에서 여인은 양생을 인간 세상으로 보내는 서운함을 직접적으로 내비치고 있군.
⑤ 양생은 이별을 고하는 여인의 말을 미처 예상하지 못한 모습을 보이지만, 결국 여인의 말에 따라 이별하기로 마음먹고 있군.

03

ⓐ와 ⓑ를 비교한 내용으로 가장 적절한 것은?

① ⓐ는 ⓑ에 비해 화자의 다양한 소망이 열거되고 있다.
② ⓐ는 ⓑ와 달리 자연물에 감정을 투영하여 자신의 정서를 표출하고 있다.
③ ⓑ는 ⓐ에 비해 본심을 숨긴 채 우회적으로 의사를 전달하고 있다.
④ ⓑ는 ⓐ와 달리 미래에 대한 부정적인 전망을 암시하고 있다.
⑤ ⓐ와 ⓑ는 모두 가정적인 상황을 설정하여 화자의 강한 의지를 드러내고 있다.

04

〈보기〉를 참고하여 윗글을 감상한 내용으로 적절하지 않은 것은?

> ┤ 보기 ├
>
> 「만복사저포기」의 양생은 불우한 삶으로 인해 현실 속에서 자신의 욕망을 실현하지 못하는 인물이다. 양생은 결국 현실에서 문제 해결의 출구를 만들지 못하다가 환상 세계의 존재와 교류하게 됨으로써 욕망의 충족을 경험한다. 하지만 현실 세계와 환상 세계는 서로 다른 질서로 이루어져 있다. 그래서 환상 세계에서 이룬 욕망의 성취는 현실 세계에까지 이어지지 못한다.

① 양생이 부처님에게 저포 놀이를 하자고 제안한 것은, 현실 세계와 환상 세계의 대립을 해소하려는 시도로 볼 수 있겠군.
② 양생과 여인이 서로 만나 즐거움을 나누는 곳이라는 점에서, 만복사는 현실 세계의 존재와 환상 세계의 존재가 교류하는 공간으로 볼 수 있겠군.
③ 여인이 양생에게 이곳의 사흘이 인간 세계의 삼 년과 같다고 말하는 장면은, 현실 세계와 환상 세계의 질서가 다름을 말하는 것으로 볼 수 있겠군.
④ 양생이 여인과 이별하고 인간 세계로 돌아가야 한다는 것은, 환상 세계에서 성취된 욕망이 현실 세계에까지 이어질 수 없음을 의미하는 것으로 볼 수 있겠군.
⑤ 양생이 좋은 배필을 얻고자 했으나 여태껏 장가를 들지 못했다는 것은, 그가 현실 세계에서는 충족되지 못한 욕망을 안고 살아왔다는 것으로 볼 수 있겠군.

05

[A]와 [B]에 대한 설명으로 가장 적절한 것은?

① [A]는 [B]와 달리, 시간이 흐름에 따라 새로 등장한 인물의 면모가 직접 제시의 방법으로 나타나 있다.

② [B]는 [A]와 달리, 상대가 소원을 들어줄 존재라고 여기는 모습이 담긴 인물의 발화가 제시되어 있다.

③ [A]와 [B] 모두에 인물이 한 행동의 배경이 되는 공동체의 전통이 설명되어 있다.

④ [A]는 미래의 상황에 대한 인물의 기대가 담긴 발화가, [B]는 자기 삶에 대한 인물의 한탄이 담긴 발화가 제시되어 있다.

⑤ [A]는 대상을 직접 호명하면서 자신이 할 일을 전하는 인물의 태도가, [B]는 대상을 완곡하게 비판하면서 상대가 할 일을 요구하는 인물의 태도가 드러나 있다.

06

'양생'이 ㉠과 같은 반응을 보인 이유를 〈조건〉에 맞게 서술하시오.

┤ 조건 ├

1. 여인의 글에서 궁극적으로 여인이 바라는 바를 답안 내용에 포함할 것.
2. '1'의 내용과 연관 지어 양생이 보인 반응의 이유를 서술할 것.

07

〈보기〉를 바탕으로 윗글을 감상한 내용으로 적절하지 않은 것은?

┤ 보기 ├

이 작품은 이승의 인물인 양생과 저승의 인물인 여인 사이의 깊은 연정을 중심으로 이야기가 전개되고 있다. 작품에서는 다양한 장치를 바탕으로 각 인물의 처지를 드러내기도 하고, 배경 묘사와 그에 따른 인물의 심리적 반응, 인물 간의 대화 등을 통해 이승과 저승을 둘러싼 만남과 이별이 번갈아 제시되는 서사적 구도를 보여 주고 있다.

① 양생이 지은 두 수의 시에서 '고운 님'은 저승의 인물인 여인에 대응된다고 이해할 수 있겠군.

② 여인이 품속에서 꺼내어 놓았던 '글'을 통해 '날이 가고 달이 갈수록' 여인의 내적 갈등은 깊어져 왔다고 이해할 수 있겠군.

③ 양생이 '그릇'을 보고 의아한 생각을 되풀이하는 것은 두 인물 간의 만남 이후 찾아올 이별이 필연적임을 보여 준다고 이해할 수 있겠군.

④ 양생이 맞이한 '봄'과 여인의 글에서 언급된 '봄'은 모두 두 인물의 만남이 이루어지기 전에 그들 각각의 불우한 처지를 심화시키는 배경으로 작용했다고 이해할 수 있겠군.

⑤ 여인과 양생이 '못 다 이룬 소원'은 내세에 다시 만나 이루게 될 것이라고 말한 것으로 미루어 볼 때, 이별 상황에서도 두 사람의 깊은 연정이 남아 있었다고 이해할 수 있겠군.

08

윗글의 내용을 근거로 하여 윗글에 나타난 작가의 사상을 다음 측면에서 서술하시오.

(1) 애정 지상주의의 측면: _____

(2) 불교적 발원 사상과 윤회 사상의 측면: _____

하생기우전(何生奇遇傳) | 신광한

출제 포인트 › #애정 소설 #전기(傳奇) 소설 #명혼 소설 #혼사 장애 극복 #애정과 입신양명의 실현

[앞부분의 줄거리] 하생은 재주가 뛰어났으나 벼슬을 하지 못하고 울적한 날들을 보낸다. 그러던 어느 날 하생은 점쟁이의 도움을 받아 남문 밖에 있는 한 여인과 인연을 맺고 하룻밤을 보내게 된다.

    날이 밝아 올 무렵 여인은 하생의 팔을 베고 누워 있다가 문득 흐느끼며 눈물을 흘렸다. 하생은 깜짝 놀라 이렇게 말했다.❶

    "이제 겨우 좋은 만남을 이루었거늘 갑자기 왜 그러오?"

    "여기가 실은 인간 세상이 아닙니다. 저는 시중(侍中)* 아무개의 딸입니다. 죽어서 이곳에 장례 지낸 지 오늘로 사흘이 되었군요.❷ 제 아버지는 오랫동안 요직을 지내며 권세를 누리셨는데, 아버지께 밉보여 해코지를 당한 사람들이 많았답니다. 원래 아버지는 아들 다섯과 딸 하나를 두셨지만, 다섯 오빠가 모두 아버지보다 먼저 세상을 뜨고 저 혼자 아버지 곁에 있다가 지금 또 이 지경에 이르고 말았어요.❸ 그런데 어제 옥황상제께서 저를 부르시더니, '네 부친이 큰 옥사를 처결하면서 죄 없는 사람 수십 명의 목숨을 모두 구해 주었으니, 이로써 지난날 뭇사람들을 해코지했던 죄를 용서받을 만하다. 다섯 아들은 이미 죽은 지 오래되어 돌이킬 수 없으니 너를 돌려보내야겠다.'❹ 라고 하셨습니다. 저는 절하고 물러나왔어요. 그런데 옥황상제께서 약속하신 날이 바로 오늘 아침 이에요. 이때를 놓치면 저는 다시 살아날 가망이 없답니다.❺ 지금 서방님을 만났으니 이 또한 하늘이 정한 운명이겠지요. 오래오래 행복하게 살며 죽을 때까지 서방님을 받들고자 하는데 허락해 주시겠어요?"

    하생 또한 눈물을 흘리며 말했다.

    "그대의 말대로라면 생사를 걸고 그대의 뜻을 따르겠소."

    그러자 여인은 베갯머리에서 ⓐ금척을 뽑아 하생에게 주며 말했다.❻

    "서방님께선 이 물건을 가지고 가서 서울 저잣거리*의 큰 절 앞에 있는 노둣돌* 위에 올려 두십시오. 그러면 분명 이 물건을 알아보는 자가 있을 겁니다. 어떤 곤욕을 당하더라도 제 말을 부디 잊지 말아 주세요." / "알겠소." (중략)

    "너는 어떤 사람이며, 이 물건은 어디서 얻었느냐?"❼

    "저는 태학의 학생입니다. 그 금척은 무덤 속에서 얻었습니다."

    "너는 입으로는 시와 예를 말하면서 뒤로는 남의 무덤을 파헤치는 자란 말이냐?"❽

    하생은 웃으며 말했다.

    "우선 결박한 몸을 풀고 어르신께 가까이 다가갈 수 있게 해 주십시오. 매우 기쁜 소식을 알려 드리려 합니다. 어르신께서는 장차 제게 무엇으로 보답을 할까 생각하셔야 할 텐데 도리어 화를 내시는군요."

    시중은 즉시 하인들에게 분부를 내려 하생의 결박을 풀고 섬돌 위로 올라오게 했다. 마침내 하생은 지금까지 있었던 일을 찬찬히 말해 주었다. 시중은 차츰 얼굴에 부끄러운 빛을 띠더니 한참 뒤에 이렇게 말했다.

Step 1 포인트 분석

신광한, 「하생기우전」

제목의 의미
'하생'은 죽은 여인의 혼령과 사랑에 빠지는 인물을, '기우'는 여인과의 만남이 기이한 인연이라는 의미를 표현한다. 즉, 죽은 여인의 혼령과 인연을 맺고 그녀가 살아나 혼인을 하게 되는 하생의 이야기라는 의미를 담고 있다.

배경
❷ "여기가 실은~사흘이 되었군요.
  ➜ '여기'는 인간 세상이 아닌 곳임. 이를 통해 비현실적 공간을 배경으로 하고 있다는 것과 명혼 소설로서의 특징을 드러냄.

인물
❶ 하생은 깜짝 놀라 이렇게 말했다.
  ➜ 하생은 인연을 맺은 후에 여인이 슬퍼하는 모습을 미처 예상하지 못함.
❷ "여기가 실은~사흘이 되었군요.
  ➜ 하생과 인연을 맺은 여인의 정체가 사실은 죽은 이의 환신이었음을 알 수 있음.
❹ '네 부친이~너를 돌려보내야겠다.'
  ➜ 아버지 대신 죽음에 이른 여인이 옥황상제에 의해 다시 살아나게 됨.
❼ "너는 어떤~어디서 얻었느냐?"
  ➜ 하생과 여인 사이의 일을 모르는 시중(여인의 아버지)이 신중한 태도로 하생에게 묻는 모습이 나타남.

사건
❸ 제 아버지는~이르고 말았어요.
  ➜ 여인이 죽음에 이르게 된 내력: 여인이 아버지의 죄를 대신해 죽게 되었음을 보여 줌.
❻ 그러자 여인은~주며 말했다.
  ➜ 하생이 겪을 일을 예상하는 여인: 금척은 여인의 무덤에 들어 있던 물건으로, 이후의 일을 예상하며 여인이 하생에게 건넴. 하생을 여인의 부모와 연결하는 매개물로 작용함.

갈등
❽ "너는 입으로는~자란 말이냐?"
  ➜ 하생을 비판하는 시중: 하생의 대답을 듣고 무덤 속 물건을 훔친 것으로 안 시중이 하생을 겉과 속이 다른 표리부동한 인물로 여기며 갈등을 빚고 있음.

서술
❺ 그런데 옥황상제께서~가망이 없답니다.
  ➜ 작품에 긴장감을 높이는 서술: '오늘 아침'이 여인이 다시 살아날 수 있는 기한이라는 내용을 제시함.

"어찌 그런 일이 있을 수 있단 말인가?" / 남녀종들 모두가 서로를 돌아보며 탄식했다. 그때 주렴 안에서 울음 섞인 목소리가 들렸다.

"헤아리기 어려운 일이니 철저히 확인하고 나서 죄를 물어도 늦지 않겠어요. 저 선비의 이야기를 듣자니 평소 우리 딸아이의 용모며 옷차림과 의심의 여지없이 똑같아요."⁹ 시중이 말했다.

"그렇군. 즉시 삽과 삼태기*를 준비하고 가마를 대령하라. 내가 직접 가 봐야겠다." 시중은 하인 몇 명을 남겨 하생을 지키게 하고 길을 나섰다.⁰

잠시 후 묘역에 이르러 보니 봉분(封墳)*의 모습은 예전 그대로 변함이 없었다. 시중은 의아히 여겨 무덤을 파 보았다. 무덤 속의 딸은 안색이 산 사람과 같았다. 심장 있는 쪽을 만져 보니 조금 온기가 있는 것이 아닌가. 시중은 유모를 시켜 딸을 안게 하고 가마에 태워 돌아왔다. 무당이나 의원을 부를 겨를도 없이 가만히 안정을 취하도록 할 따름이었다.

해 질 녘이 되자 시중의 딸이 깨어났다.⁰ 여인은 부모를 보더니 한 번 가느다란 소리를 내어 흐느꼈다. 기운이 차츰 진정되자 부모가 물었다.

"네가 죽고 난 뒤에 무슨 이상한 일이 있었니?"

"저는 꿈인 줄만 알고 있었는데, 제가 정말 죽었었나요? 별다른 일은 없었어요."

여인은 그렇게 말하며 뭔가 수줍어하는 기색이었다.⁰ 부모가 무슨 일이 있었는지 재차 캐묻자 여인이 어쩔 수 없이 이야기를 시작하는데 하생이 했던 말과 꼭 들어맞는 것이었다. 온 집안사람들이 무릎을 치며 놀랐다. 이제 하생은 그 집 사람들에게 몹시 융숭한 대접을 받게 되었다. / 며칠이 지나자 여인은 평상시의 모습을 완전히 회복했다. 시중은 하생을 위로하기 위해 성대한 잔치를 베풀었다. 그 자리에서 시중은 하생의 집안에 대해 묻고, 또 하생이 혼인했는지 여부를 물었다. 하생은 아직 혼인하지 않았다고 말한 뒤 부친은 평원 고을의 유생으로 오래전에 작고하셨다고 대답했다. 시중은 고개를 끄덕이더니 안으로 들어가서 아내와 의논하였다.⁰

"하생의 용모와 재주가 참으로 범상치 않으니 사위로 삼는다 해도 문제될 건 전혀 없겠소만 집안이 서로 걸맞지 않는구려. 더구나 이번에 겪는 일이 너무 괴상망측하고 보니 이 일을 계기로 혼인을 시켰다가는 세상 사람들의 입에 오르내리지 않을까 싶소. 그래서 나는 그냥 재물이나 후하게 주어 사례하는 것으로 끝냈으면 싶소."

부인이 말했다. / "이 일은 당신이 결정할 문제인데, 아녀자가 어찌 나서겠어요?"⁴

하루는 시중이 또 잔치를 열어 하생을 위로하며 소원을 물었지만 혼사에 관한 언급은 일절 하지 않았다. 하생은 답답하고 불쾌한 마음으로 숙소에 돌아와 가슴을 치고 속을 태우며 약속을 잊은 여인을 원망했다.⁰ 하생은 곧바로 절구 한 편을 지어 작은 종이에 쓰더니 여인의 유모더러 그 종이를 여인에게 전해 달라고 부탁했다. 하생의 시는 다음과 같았다.⁰

[A]

비록 **흙탕물**이 묻어도 **옥**은 더러워지지 않지만
봉황은 **자기 둥지**를 찾았으니 **잡새**를 돌아보려 하겠는가.
팔 위의 눈물 자국 아직도 가시지 않았는데,
다만 이제는 도리어 **꿈속에서나 그대를 보겠구나**.

인물

⑨ "헤아리기 어려운~여지없이 똑같아요."
→ 시중의 아내는 여인이 자신의 딸일지 모른다는 생각을 하고 있음.

⑩ "그렇군. 즉시~길을 나섰다.
→ 하생이 한 말을 반신반의하는 시중의 말과 행동이 나타남.

⑫ 여인은 그렇게~수줍어하는 기색이었다.
→ 여인이 하생과 있었던 일에 대해서 말하기를 수줍어함.

⑭ "이 일은~어찌 나서겠어요?"
→ 부창부수(/여필종부)의 태도로 남편의 말을 따르는 부인의 생각이 나타남. 중요 결정에 아내자가 나서지 않는다는 남성 중심적 사고를 반영함.

사건

⑬ 그 자리에서~아내와 의논하였다.
→ 시중의 생각 변화: 하생을 딸과 혼인시키고자 하생의 집안에 대해 물었으나, 하생의 대답을 듣고 생각이 달라지게 되어 아내와 의논하게 됨.

갈등

⑮, ⑯ 하루는 시중이~다음과 같았다.
→ 하생의 내적 갈등: 하생은 여인이 자신과 한 약속을 저버렸다고 여겨 여인에게 배신감을 느끼며 원망함. 여인에 대한 원망의 심정을 시로 표현함.

구성

⑪ 해 질 녘이~딸이 깨어났다.
→ 전기적 구성: 죽은 여인이 다시 살아난다는 비현실적 사건 전개로 전기적 특성이 나타남.

⑯ 하루는 시중이~여인을 원망했다.
→ 혼사 장애 모티프: 집안과 주변 사람들의 이목을 중시하는 시중에 의해 하생과 여인의 혼사에 어려움이 발생함.

서술

⑮ 하생은 답답하고~여인을 원망했다.
→ 전지적 작가 시점: 인물의 심리를 서술자가 직접 서술함.

• 시중: 고려 시대 문하부의 으뜸 벼슬.
• 저잣거리: 가게가 죽 늘어서 있는 거리.
• 노둣돌: 말에 오르거나 내릴 때에 발돋움하기 위하여 대문 앞에 놓은 큰 돌.
• 삼태기: 흙이나 쓰레기, 거름 따위를 담아 나르는 데 쓰는 기구.
• 봉분: 흙을 둥글게 쌓아 올려서 만든 무덤.

여인은 하생의 시를 보고 깜짝 놀랐다. 저간의 사정을 물은 뒤에야 비로소 부모가 하생의 마음을 저버렸다는 사실을 알게 되었다. 여인은 그 즉시 병들었다며 음식을 입에 대지 않았다.⑰

인물
⑰ 여인은 그 즉시~대지 않았다.
➡ 하생과 결혼하겠다는 의지를 부모에게 보여 주고자 하는 여인의 심리가 반영된 행동임.

[전체 줄거리] 불우한 환경에서도 재주가 남달랐던 하생은 고을 수령에 의해 태학에 입학한다. 어지러운 정치로 인해 조정에 등용되지 못하고 울적한 나날을 보내던 하생은 점쟁이를 찾아가 점괘를 얻고 점쟁이의 예언대로 아름다운 여인을 만나 인연을 맺는다. 이후 여인의 환생을 돕고자 금척을 가지고 도성의 저잣거리에 갔다가 여인의 부모를 만나게 되고, 이를 계기로 여인은 집으로 돌아와 환생하게 되지만 여인의 부모가 하생과의 혼인을 반대한다. 이에 여인은 식음을 전폐하고 부모를 설득해 결혼을 허락받아 결국 하생과 부부가 된다. 하생은 과거에 급제하여 상서령의 벼슬까지 오르고, 두 사람은 서로를 공경하여 행복한 여생을 보낸다.

Step 2 포인트 체크

[01~05] 윗글에 대하여 맞으면 ○, 틀리면 ×표를 하시오.

01 하생이 여인과 처음 인연을 맺고 지낸 곳은 초월적 세계였다. [○ · ×]

02 여인은 아버지에게 해코지를 당한 사람들에 의해 죽음을 맞이했다. [○ · ×]

03 하생은 자신과 인연을 맺은 여인이 슬퍼할 것을 예상하고 있었다. [○ · ×]

04 하생은 약속을 지키는 일과 관련해 여인에게 배신감을 느꼈다. [○ · ×]

05 시중이 하생을 위로한 후 혼사를 언급하지 않자 하생이 느꼈던 심리가 직접 제시되고 있다. [○ · ×]

[06~10] 다음 빈칸에 알맞은 말을 쓰시오.

06 이 작품은 혼령의 존재로 있던 인물이 이승의 인물과 인연을 맺게 되는 ㅁㅎ 소설이다.

07 여인은 하생과 자신의 인연이 하늘이 정해 준 ㅊㅅㅇㅂ이라고 생각한다.

08 죽은 여인이 집으로 돌아온 후 깨어난 것은 작품의 ㅈㄱㅈ 특성을 보여 주는 부분이다.

09 작은 종이에 쓰인 ㅅ에서는 여인과 만날 수 없을 것이라는 하생의 안타까운 심정이 담겨 있다.

10 이 작품은 ㅎㅅㅈㅇ 모티프를 바탕으로 한 결연담이 전개된다.

정답 | 01 ○ 02 × 03 × 04 ○ 05 ○ 06 명혼 07 천상연분 08 전기적 09 시 10 혼사 장애

작품 정리

하생기우전
- **갈래:** 애정 소설, 전기 소설, 명혼 소설
- **시점:** 전지적 작가 시점
- **성격:** 염정적, 전기적, 유교적
- **배경:** 시간 – 고려 시대 / 공간 – 깊은 산속, 여인의 집
- **주제:** 혼사 장애의 극복을 통한 애정과 입신양명의 실현
- **특징:** ① 초월적 세계와 현실적 세계를 바탕으로 한 전기적 사건이 전개됨.
  ② 사회 모순에 의해 능력을 제한받는 모습을 통해 사회를 비판함.
  ③ 부모의 반대라는 혼사 장애 모티프를 기반으로 결연담이 전개됨.

- **구조**

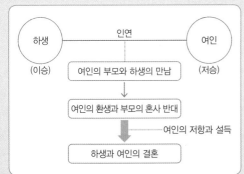

한 걸음 더

「하생기우전」의 혼사 장애 극복 과정
하생과 여인의 인연에는 두 종류의 혼사 장애 요소가 존재한다. 첫째는 현실적 세계인 '인간계'와 초월적 세계인 '명혼계' 사이의 차이이다. 이는 전기적 사건 구성을 통해 두 인물이 인연을 맺게 되는 것으로 진행된다. 둘째는 집안의 차이이다. 이는 여인의 결연 성취를 향한 의지적 행동에 의해 해소된다.

01

윗글에 대한 설명으로 가장 적절한 것은?

① 인물 간의 대화를 통해 사건 전개상의 비현실적 성격이 제시되고 있다.

② 공간적 배경을 상세하게 묘사하여 인물의 심리 변화 양상을 암시하고 있다.

③ 다양한 작중 인물의 발화를 통해 특정 인물이 지닌 양면성이 드러나고 있다.

④ 서술자가 자신의 체험을 직접 서술하여 인물의 심리를 생생하게 전달하고 있다.

⑤ 과거와 현재에 일어난 사건을 반복 교차하여 사건 전개에 입체감을 부여하고 있다.

02

윗글을 통해 알 수 있는 내용이 <u>아닌</u> 것은?

① 하생은 여인에 의해 자신이 있는 곳이 인간 세상이 아님을 알게 되었다.

② 시중이 옥사를 처결하는 과정에서 보여 준 선행은 여인을 살리게 만드는 계기가 되었다.

③ 여인은 자신의 부탁으로 인해 하생이 겪게 될 일을 예상하며 당부의 말을 덧붙이고 있다.

④ 시중이 딸의 무덤으로 가면서 하인에게 하생을 지키게 한 것은 하생의 말을 모두 믿지는 않았기 때문이다.

⑤ 다시 살아난 여인은 자신이 겪은 과거의 일들을 잊고 있었다가 부모의 말을 듣고 하생과의 인연을 떠올릴 수 있었다.

03

[A]에 대한 이해로 가장 적절한 것은?

① 하생은 여인과의 만남의 상황을 '흙탕물'과 '옥'에 비유하며 자신으로 인해 위기에 처한 여인의 처지를 시로 표현하고 있군.

② 하생은 '봉황'이 '잡새'에게 보일 법한 태도를 설의적으로 표현하여 시중이 자신을 대했던 태도를 우회적으로 비판하고 있군.

③ 하생이 시를 적은 종이를 여인에게 전해 달라고 부탁한 것은 '팔 위의 눈물 자국'을 알 리 없는 여인이 자신의 마음을 알아주기를 원했기 때문이라고 볼 수 있군.

④ 여인이 깜짝 놀란 것은 '꿈속에서나 그대를 보겠구나.'의 시 구절을 접하고 자기 뜻과 달리 하생과 이별할 수도 있음을 알았기 때문으로 볼 수 있군.

⑤ 여인이 병들었다며 음식을 입에 대지 않은 것은 '자기 둥지'를 찾지 못한 하생의 삶에 대한 안타까움으로 마음의 병이 깊어졌기 때문이라고 볼 수 있군.

04

고난도 기출 변형 2016학년도 6월 고2 교육청

〈보기〉를 참고할 때 윗글에 대한 이해로 적절하지 <u>않은</u> 것은?

> ┤ 보기 ├
>
> 이 작품은 남녀 주인공이 두 번의 시련을 극복하고 마침내 혼인에 이르는 과정을 보여 주고 있다. 첫 번째 시련은 비현실적인 요소에서 비롯되며, 두 번째 시련은 현실적인 문제 때문에 겪게 된다. 그리고 시련의 발생과 그것을 극복하는 과정에서 소재와 공간적 배경이 중요한 역할을 한다.

① 여인의 집이 무덤이었다는 점에서 비현실적인 요소를 발견할 수 있다.

② 하생의 첫 번째 시련은 혼인을 약속한 대상이 죽은 여인이었다는 것에서 비롯된다.

③ 하생이 금척을 받으며 여인의 뜻을 따르는 것에서 첫 번째 시련을 극복하고자 하는 태도가 드러난다.

④ 시중이 집안 차이라는 현실적인 문제로 둘의 혼인을 반대하는 것이 두 번째 시련이다.

⑤ 시중의 집에서 하생을 위해 잔치를 베푼 것은 두 번째 시련을 극복했다는 것을 의미한다.

05

오늘 아침 과 해 질 녘 에 대한 설명으로 가장 적절한 것은?

① '오늘 아침'은 여인의 환생이 결정되는 시간이고, '해 질 녘'은 여인의 환생이 실현되었음을 확인하는 시간 이다.

② '오늘 아침'은 여인과 하생의 인연이 한시적이었음을 알려 주는 시간이고, '해 질 녘'은 여인의 환생이 위기 에 처했음을 보여 주는 시간이다.

③ '오늘 아침'은 여인의 환생을 위해 주어진 기한에 해당 하는 시간이고, '해 질 녘'은 여인을 집으로 데려온 시 중의 불안감이 가중되는 시간이다.

④ '오늘 아침'은 여인이 환생할 가능성이 없어졌음을 확 인하는 시간이고, '해 질 녘'은 사라진 가능성이 반전되 었음을 보여 주는 시간이다.

⑤ '오늘 아침'은 여인이 환생함으로써 하생과 함께하고자 하는 소망이 실현될 것임을 암시하는 시간이고, '해 질 녘'은 여인의 소망이 좌절될 것임을 암시하는 시간이다.

06

서술형

사건의 전개상 ⓐ가 지닌 의미를 〈조건〉에 맞게 서술하시오.

┤ 조건 ├

1. 여인이 ⓐ와 관련한 부탁을 하생에게 건네는 이유를 여인의 처지 변화 측면에서 서술할 것.
2. 사건 전개상 ⓐ가 지니는 기능을 서술할 것.

[07~08] 〈보기〉는 윗글을 포함한 이 작품의 전체 서사 구조 를 나타낸 것이다. 이를 바탕으로 다음 물음에 답하시오.

┤ 보기 ├

| ⑦ | 불우한 나날을 보내던 하생은 점쟁이를 찾아가 점을 치고 점쟁이의 예언에 따라 여인을 만나게 됨. |

⇩

| ⑭ | 죽은 여인과 인연을 맺게 된 하생은 여인과 부부가 될 것을 약속하며 여인의 환생을 도움. |

⇩

| ⑮ | 여인은 다시 살아나지만, 여인의 부모가 두 사람의 결 혼을 반대하게 됨. |

⇩

| ㉑ | 여인의 적극적인 행동으로 부모의 허락을 받아 두 사 람은 부부가 되고 즐거운 여생을 보냄. |

07

윗글과 〈보기〉를 종합하여 내린 판단으로 적절하지 않은 것 은?

① ⑦에 제시된 하생의 불우한 삶은 ⑭에서 발생한 사건 을 계기로 전환되기 시작했다고 볼 수 있겠군.

② ⑭에서 하생이 죽은 여인과 인연을 맺게 된 것은 ⑦의 '점쟁이의 예언'을 극복했다는 의미를 지닌 것이라 볼 수 있겠군.

③ ⑮에서 사람들의 이목을 중시하는 시중의 태도가 하생 과 여인의 결혼을 반대했던 이유 중 하나로 작용했다 고 볼 수 있겠군.

④ ㉑에서 여인이 적극적인 행동을 보인 것에는 ⑮의 상 황에서 하생과의 신의를 지키고자 하는 의지가 담겼다 고 볼 수 있겠군.

⑤ ⑦~㉑는 인물 간의 결연이 이루어지는 과정을 바탕으 로 행복한 결말에 이르는 서사 구조를 띤다고 볼 수 있 겠군.

08

서술형

〈보기〉의 ⑮에서 '혼사 장애' 상황과 관련해 여인의 어머니가 보인 태도를 나타내는 한자 성어를 쓰고, 그러한 태도에 반영 된 당대의 가치관이 무엇인지 밝혀 서술하시오.

주생전(周生傳) | 권필

출제 포인트 > #애정 소설 #액자 소설 #미완성의 결말 #운명에 대한 인간의 나약성 #비극적 사랑

주생의 친척 중에 장 씨라는 사람이 있었다. 주생이 장 씨 집에 몸을 의탁하러 가니, 장 노인은 주생을 매우 관대하게 맞아 주었다. 주생은 비록 몸은 편했지만, 선화를 그리워하는 마음은 시간이 갈수록 더욱 깊어만 갔다.❶ 이렇듯 선화에 대한 생각으로 잠을 이루지 못하는 사이에 어느덧 봄이 돌아왔는데, 그 해는 바로 만력 20년 임진년이었다.❷ 장 노인이 주생의 얼굴이 날이 갈수록 수척해지는 것을 보고 이상하게 생각하여 그 까닭을 묻자, 주생은 감히 숨기지 못하고 사실대로 말씀을 드렸다. 이에 장 노인이 말했다.

"너에게 그런 사연이 있었다면, 왜 일찍 말을 하지 않았느냐? 내 처가 노 승상과 동성(同姓)˚으로, 그 집안은 대대로 우리와 통혼했던 사이다. 내가 마땅히 너를 위해 혼사를 추진하겠다."❸

이튿날 장 노인은 아내 노 씨로 하여금 ㉠편지를 쓰게 하고, 늙은 하인을 전당에 보내어 혼사를 의논하게 하였다.❹

선화는 주생과 이별한 이후 침상에 누워서 지리한 세월을 보내니, 어여쁜 얼굴이 몹시 야위고 초췌해 있었다.❺ 부인도 선화가 주생을 사모하는 것을 알고 그 뜻을 이루어 주고 싶었으나 주생이 이미 떠나 버렸기 때문에 어찌할 도리가 없었다. 그런데 뜻밖에 노 씨 부인의 편지를 받고 온 집안이 놀라며 기뻐하였으며, 선화도 억지로 침상에서 일어나 머리를 빗고 세수를 하니 예전의 모습이 되살아나는 듯했다.❻ 그리하여 마침내 두 집안은 그 해 9월에 혼인하기로 약속하였다.

주생은 날마다 포구에 나가서 선화네 집에 보낸 하인이 돌아오길 기다리고 있었다. 채 열흘이 못 되어 하인이 돌아와 정혼한 뜻을 전하고, 선화가 손수 쓴 편지를 주생에게 주었다. 주생이 ㉡편지를 뜯어보니, 분 향기가 나고 군데군데 떨어진 눈물 자국이 배어 있었다. 그래서 주생은 편지지만으로도 선화의 슬픔과 원망을 상상할 수가 있었다.❼

'박명한 여인 선화는 정성을 다해서 주랑께 글월을 올립니다. 언덕 위의 푸른 버들을 볼 때마다 임 생각이 간절하였습니다. 가지 위에 앉은 꾀꼬리 소리를 들을 때면 새벽의 꿈길이 몽롱하더니, 하루아침에 고운 나비는 정을 전하고 백학은 길을 인도하여, 동산에 달 휘영청 밝은 저녁 낭군님은 담을 뛰어넘어 내 방에 찾아와서 깊은 언약을 맺지 않았습니까? 사랑하는 마음이야 어느 땐들 변할 리 있었겠습니까마는 뜻대로 되지 않는 애달픈 심정은 그지없었습니다. 아름다운 기약을 이루지 못하게 되니, 마음은 여전히 사랑하면서도 몸은 절로 야위어 갔습니다. 님이 떠난 뒤 봄은 다시 찾아왔지만 고기는 물속으로 숨고 기러기는 날아가 버렸으며, 빗줄기는 배꽃을 때렸습니다.❽ ㉢날이 저물면 문을 닫고 온갖 상념에 젖어 잠을 이루지 못하고 뒤척이었으니, 제 몸이 이렇듯 수척하게 된 것도 모두 낭군 때문입니다.❾ ……'

Step 1 포인트 분석

▶ 권필, 「주생전」

제목의 의미
주인공 '주생'의 이름을 제목으로 삼고 있는 작품으로, 주생을 둘러싸고 배도와 선화라는 두 여인 사이의 삼각관계를 다루고 있다.

배경
❷ 어느덧 봄이~20년 임진년이었다.
➡ '만력 20년 임진년(1592년)'이라는 실제의 시간적 배경을 제시하여 작품에 사실성을 부여함. 봄은 만물이 소생하는 긍정의 이미지라는 점에서 주생의 처지 및 심경과 대비됨.

인물
❶ 선화를 그리워하는~깊어만 갔다.
➡ 주생은 배도를 만나 인연을 맺은 후 이웃 승상 댁 딸 선화에게 한눈에 반했던 경험이 있음. 선화에 대한 그리움이 심화됨.
❸ 내 처가~혼사를 추진하겠다."
➡ 장 노인은 자신의 처와 선화의 아버지인 노 승상 사이의 관계를 바탕으로 주생을 돕고자 함. 주생과 선화의 결연을 위한 조력자의 역할을 함.
❺ 선화는 주생과~초췌해 있었다.
➡ 주생에 대한 그리움이 깊었음을 선화의 외양 변화(어여쁜 얼굴→야위고 초췌함.)를 통해 제시함.
❼ 주생이 편지를~상상할 수가 있었다.
➡ 주생은 자신을 그리워하며 선화가 흘린 눈물 자국을 확인하고 선화가 느꼈을 고통에 공감함. 이심전심의 상황임.
❽ 님이 떠난 뒤~배꽃을 때렸습니다.
➡ 주생과 이별한 슬픔으로 봄의 풍경마저 부정적인 모습으로 표현됨.

사건
❹ 이튿날 장 노인은~의논하게 하였다.
➡ 장 노인의 도움: 장 노인이 주생에게 도움을 주는 사건으로, 주생의 어려움이 해소될 가능성을 암시함.
❻ 노 씨 부인의~되살아나는 듯했다.
➡ 편지의 도착: 편지의 도착이 선화 집안의 분위기와 인물의 모습을 바꾸는 계기가 됨. 편지에는 선화의 상사병을 해소할 수 있는 소식이 담겨 있기 때문임.

갈등
❾ 날이 저물면~낭군 때문입니다.
➡ 선화의 내적 갈등: 주생을 잊지 못하고 그리워하는 오매불망의 태도를 보이면서도 자신을 떠나 버린 주생에 대한 원망의 정서를 지니고 있었음.

[중략 부분의 줄거리] 선화의 편지를 받은 주생은 반가운 마음에 선화와의 혼인을 앞당기려는 편지를 쓴다. 그리고 장 노인에게 요청하여 그 편지를 다시 전당에 보내려고 한다.

이때 조선이 왜적의 침략을 받고 매우 다급하게 중국에 구원병을 요청하였다.⑩ 명나라 황제는 조선의 요청을 받자 이렇게 말하였다.

"중국과 조선은 오랜 기간 친하게 지낸 이웃 나라이므로 그 나라가 위급함을 보고 어찌 돕지 않을 수 있으랴! 만약 조선이 패배하면 압록강 서쪽은 편히 잠잘 수 없을 것이니라."

하고 이여송 장군에게 명령하여 군사를 거느리고 조선을 도와 왜적을 토벌하게 하였다.⑪

이리하여 절강 지역 여러 고을에서 다급하게 병사를 징발*하였다. 이때 유격장군은 본래부터 주생의 이름을 잘 알고 있는 자로서, 주생을 불러들여 서기의 임무를 맡겼다.⑫ 주생은 사양했으나 장군이 들어주지 않아 어쩔 수 없이 서기의 임무를 맡았다.⑬

이듬해 계사년 봄에 명나라 군사가 왜적을 대파하고 경상도까지 추격해 왔다. 주생은 선화를 한시도 잊지 못하다가 병이 들어서 군대를 따라 남하하지 못하고 송도에 머물렀다.⑭

내가 마침 일이 있어 송도에 갔다가 객사에서 주생을 만났다.⑮ 그러나 말이 서로 통하지 않아 글로써만 마음을 통할 수가 있었다. 주생은 내가 글을 안다 하여 매우 극진하게 대우하였는데, 내가 병이 나게 된 까닭을 묻자 주생은 슬픈 표정만 지을 뿐 대답하지 않았다. 이날 비가 내려서 나는 주생과 함께 등불을 밝히고 밤새도록 이야기를 하였다.⑯ 이때 주생이 「답사행」 한 수를 지어 나에게 보여 주었다.⑰

외로운 그림자는 의지할 곳 없고, / 이별의 회한은 토로하기 어려운데,
어둠 속에서 돌아가는 기러기는 강가 나무숲에 이르렀네.
이미 객사의 희미한 등불에 마음 설레었으니,
어찌 다시 황혼에 내리는 빗소리를 감내하리?

[A]

낭원(閬苑)*은 구름이 아득하고,
영주(瀛州)*는 바다에 막혔으니,
옥루의 구슬주렴은 어디에 있는고?
외로운 발자취 물 위의 부평초 되어,
하룻밤 사이에 오강(吳江)으로 떠가길 바랄 뿐.

내가 이 시를 손에서 놓지 않고 두세 번 읽어 시 속에 담긴 연정을 알아냈다. 그러자 주생은 감히 속이지 못하고 내가 앞에 썼던 대로 처음부터 끝까지 상세하게 이야기를 하였다. 이튿날 아침에 나는 눈물을 흘리며 그와 이별하였다. 그는 재삼 나에게 사례하면서 간절히 부탁하였다.

"다른 사람에게는 이 이야기를 말하지 않길 바랍니다."

나는 그 시가 아름다웠던 탓인지 그들의 기이한 만남과 아름다운 기약에 슬픔을 금할 수가 없었다. 그래서 내 방으로 돌아와 붓을 잡고 이 이야기를 쓴다.

배경
⑩ 이때 조선이~구원병을 요청하였다.
➜ 임진왜란이 발생한 시대적 현실을 반영하여 사건 전개의 사실성을 높임.
⑯ 이날 비가~이야기를 하였다.
➜ 비가 내리는 배경을 제시함으로써 주생의 슬픈 사연을 부각함.

인물
⑬ 주생은 사양했으나~임무를 맡았다.
➜ 구원병으로 징집되면 사랑하는 여인인 선화와 정혼할 수 없어서 서기의 임무를 사양했으나, 유격장군의 뜻에 따라 서기의 임무를 맡을 수밖에 없었음.
⑭ 주생은 선화를~송도에 머물렀다.
➜ 결국, 선화와의 약속을 지키지 못하고 송도에 머물게 된 주생의 처지가 나타남.
⑰ 이때 주생이~나에게 보여 주었다.
➜ 「답사행」이라는 시를 통해 주생이 자신의 심정을 토로함.

사건
⑫ 이때 유격장군은~임무를 맡겼다.
➜ 구원병으로 징집된 주생: 주생이 조선의 구원병으로 징집되어 선화와의 정혼 약속을 지키지 못하게 됨.

갈등
⑩ 이때 조선이~구원병을 요청하였다.
➜ 외적 갈등: 임진왜란이라는 시대적 현실이 결국 주인공의 소망을 좌절시키는 결과를 초래함.

구성
⑭ 주생은 선화를~송도에 머물렀다.
➜ 액자식 구성: '나'가 주생으로부터 전해 들은 이야기, 즉 내화의 결말에 해당함. 주생과 선화의 만남에 대한 결말을 미완성으로 남겨 둠으로써 비극적 사랑의 여운을 극대화함.

서술
⑪ 이여송 장군에게~토벌하게 하였다.
➜ 작품에 사실성 부여: 실존 인물을 작품에 제시하여 작품의 사실성을 높임.
⑮ 내가 마침~주생을 만났다.
➜ 1인칭 관찰자 시점: 실제로 주생을 만난 '나'가 그의 이야기를 전해 들은 것으로 설정하여 주생의 이야기에 신빙성을 더함. 내화가 끝나고 외화가 시작됨.

• **동성**: 같은 성씨. 일가족.
• **징발**: 국가에서 특별한 일에 필요한 사람이나 물자를 강제로 모으거나 거둠.
• **낭원, 영주**: 신선이 사는 곳.

[전체 줄거리] 중국 명나라의 주생은 과거에 여러 차례 떨어진 후 장사꾼으로 떠돌며 지낸다. 그러던 중, 어릴 적 친구인 배도를 만나 사랑하는 사이가 되지만 배도가 자주 드나드는 노 승상 댁 딸 선화와 사랑에 빠진다. 이를 안 배도는 괴로움으로 결국 세상을 떠난다. 이후 정처 없는 방랑을 하던 주생은 친척 장 씨의 도움으로 선화와 혼인을 약속하게 되지만 조선에 임진왜란이 일어나자 명나라 군대에 징집되어 조선으로 파병된다. 이후 주생은 송도의 객사에서 '나'에게 자신의 이야기를 전하고 '나'는 이를 기록으로 남긴다.

Step 2 포인트 체크

[01~05] 윗글에 대하여 맞으면 ○, 틀리면 ×표를 하시오.

01 주생은 장 씨의 집에 머물며 선화에 대한 그리움을 점차 잊게 되었다.
〔○, ×〕

02 선화는 주생과의 이별로 그리움과 원망의 양가적 감정을 느낀다. 〔○, ×〕

03 선화가 쓴 편지에 따르면, '푸른 버들'은 주생에 대한 선화의 그리움을 심화시키는 기능을 한다. 〔○, ×〕

04 주생은 유격장군의 뜻에 따라 서기의 임무를 맡을 수밖에 없었다. 〔○, ×〕

05 '나'는 자신의 슬픈 사연을 직접 소개하는 인물로 등장하고 있다. 〔○, ×〕

[06~10] 다음 빈칸에 알맞은 말을 쓰시오.

06 이 작품은 역사적 전란인 ㅇㅈㅇㄹ 으로 인한 비극적 사랑을 다루고 있는 애정 소설이다.

07 이 작품은 외부 이야기와 내부 이야기가 존재하는 ㅇㅈㅅ 구성으로 되어 있다.

08 이 작품 속의 「ㄷㅅㅎ」은 선화에게 돌아가고 싶은 주생의 마음을 함축적으로 드러낸 시이다.

09 '나'가 다른 일이 있어 송도에 갔다가 객사에서 주생을 만났다는 점에서 두 사람 간의 만남은 ㅇㅇ 한 만남의 성격을 지닌다.

10 이 작품의 주제는 ㅇㅁ 에 대한 인간의 나약성과 비극적 사랑이다.

작품 정리

주생전
- **갈래**: 애정 소설, 액자 소설
- **시점**: 내화–전지적 작가 시점 / 외화–1인칭 관찰자 시점
- **성격**: 비극적, 사실적
- **배경**: 시간–중국 명나라 때
  공간–내화: 전당 땅, 송도 등 / 외화: 송도의 객사
- **주제**: 운명에 대한 인간의 나약성과 비극적 사랑
- **특징**: ① 주인공 주생이 서술자에게 자신의 이야기를 전하는 액자 소설임.
  ② 역사적 사건인 임진왜란을 배경으로 극적 긴장도를 높임.
  ③ 미완성의 결말 처리로 여운을 남기고 작품의 비극성을 높임.
- **구조**

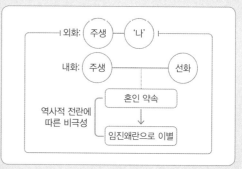

한 걸음 더

「주생전」의 특징을 통해 본 문학사적 위치
이 작품은 기존 전기(傳奇) 소설의 특징을 반영하는 모습과 탈피하는 모습이 공존한다. 사회적 재난을 배경으로 지속 불가능한 사랑의 비극성이 나타난다는 점은 기존 전기 소설의 특징이 반영된 것에, 현실 세계를 살아가는 인간만이 등장하며 자신의 욕망을 성취하고자 다른 여성을 선택하는 주인공의 모습이 나타난다는 점은 이전의 전기 소설에서 탈피한 것에 해당한다. 이는 조선 전기와 후기 소설을 잇는 작품으로 「주생전」을 평가하는 근거가 되기도 한다.

01

윗글의 서술상 특징으로 가장 적절한 것은?

① 대립적인 두 인물을 통해 인물 간 갈등을 구체화하고 있다.
② 시적 장치를 작품에 삽입하여 인물의 미래를 암시하고 있다.
③ 자연물을 조력자로 등장시켜 사건의 흐름을 반전시키고 있다.
④ 구체적인 시간적 배경과 실존하는 인물 제시를 통해 사실감을 높이고 있다.
⑤ 인물 간의 대화를 중심으로 서사를 진행해 사건의 진행 속도를 지연시키고 있다.

02

고난도 기출 2014학년도 6월 고2 교육청 A형

다음을 바탕으로 윗글을 이해한 내용으로 가장 적절한 것은?

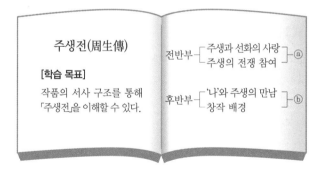

주생전(周生傳)

[학습 목표]
작품의 서사 구조를 통해 「주생전」을 이해할 수 있다.

전반부 ┌ 주생과 선화의 사랑 ┐ ⓐ
         └ 주생의 전쟁 참여 ┘
후반부 ┌ '나'와 주생의 만남 ┐ ⓑ
         └ 창작 배경 ┘

① ⓐ의 중심인물이 ⓑ에서는 주변 인물이 된다.
② ⓐ가 ⓑ에 비해 장면의 전환이 빈번하게 일어난다.
③ ⓐ에서 표출된 인물 간의 갈등이 ⓑ에서 해소된다.
④ ⓐ와 ⓑ 모두 기이한 사건이 발생한다.
⑤ ⓐ와 ⓑ 모두 서술자가 개입하여 인물에 대해 논평한다.

03

윗글의 내용에 대한 이해로 가장 적절한 것은?

① 선화의 어머니는 선화가 주생과 혼인하고자 하는 것을 못마땅해하면서도 결국 딸의 뜻을 따르기로 했군.
② 주생이 선화의 집에 보낸 하인으로부터 전해 들은 소식은 주생 자신이 바라는 바와는 어긋나는 것이었군.
③ 선화는 주생과 이별한 현재의 고통 속에서도 과거에 주생과 인연을 맺었던 일을 아름답게 기억하고 있군.
④ '나'는 주생과 밤새도록 이야기를 나누어 사연을 알게 된 후에야 그가 병이 난 것을 확인할 수 있었군.
⑤ 주생과 선화 사이에 있었던 일에 대해 '나'는 아름다우면서도 기이한 면이 있어 그 일의 진위를 알아보고자 했군.

04

고난도

〈보기〉를 바탕으로 윗글을 감상한 내용으로 적절하지 않은 것은?

┤ 보기 ├
「주생전」은 운명에서 벗어나지 못한 채 불우하게 살다 간 인물들의 삶을 다룬 작품으로, 다양한 요소들이 작품의 비극적 분위기를 조성하는 데 이바지하고 있다. 이러한 작품의 분위기는 현실에 적응하지 못하고 짧은 생애를 살다 간 작가가 삶에 대해 지닌 우울한 인식을 우회적으로 형상화한 것으로 이해되기도 한다.

① 주생이 병이 들어 송도에 머무르게 된 것은 결국 자신의 운명에서 벗어나지 못한 채 지내게 된 모습에 해당한다고 볼 수 있겠군.
② 주생과 선화가 혼인 약속을 맺었음에도 이를 이룰 수 없게 된 것은 불우한 삶을 살 수밖에 없었던 인물들의 처지에 해당한다고 볼 수 있겠군.
③ 조선이 왜적의 침략을 받은 사건은 불우한 삶에서 벗어나기 위한 주생의 노력이 허사가 되게 함으로써 작품의 비극성을 강화한다고 볼 수 있겠군.
④ 주생과 '나'가 이야기를 나누는 동안에 비가 내리는 상황은 고국과 선화를 떠나 있는 주생의 처지와 조응되어 작품의 비극적 분위기를 조성한다고 볼 수 있겠군.
⑤ 주생이 자신의 이야기를 들려준 후 떠나는 것은 현실에 적응하지 못했던 작가가 삶에 대해 지닌 우울한 인식을 우회적으로 해소하고자 했던 것이라고 볼 수 있겠군.

05

㉠과 ㉡에 대한 이해로 적절하지 <u>않은</u> 것은?

① ㉠은 주생의 사연을 알게 된 장 씨의 주도로 쓰인 것으로, 선화 집안의 분위기를 바꾸는 계기가 된다.

② ㉡에는 이별의 괴로움으로 인해 주변의 풍경들이 부정적으로 보였던 때의 일이 적혀 있다.

③ ㉠은 주생의 마음을 다른 인물이 전한 것이고, ㉡은 선화가 직접 본인의 마음을 담아 작성한 것에 해당한다.

④ ㉠이 전달됨으로써 주생과 선화는 혼인 약속을 하게 되고, ㉡이 전달됨으로써 주생은 선화의 심경에 공감하게 된다.

⑤ ㉠을 통해 선화는 이별 후 주생이 날로 수척해져 갔음을 확인하고, ㉡을 통해 주생은 선화가 슬퍼했던 모습의 흔적을 발견한다.

06

고난도

윗글의 이튿날 , 이듬해 , 이튿날 아침 을 중심으로 작품을 감상한 내용으로 적절하지 <u>않은</u> 것은?

① '이튿날' 이전과 이후 모두 주생에 대한 장 씨의 태도는 변화하지 않고 있다.

② '이튿날' 이전에 장 씨가 주생에게 약속했던 것이 그 이후에 실제로 이루어지고 있다.

③ '이듬해' 이전에 주생이 전쟁에 참여하게 된 것은 '이듬해'에 주생이 송도에 머무르게 된 원인으로 작용하고 있다.

④ '이듬해' 이전에 유격장군이 주생에게 시련을 주는 인물이었다면, '이듬해'에 만난 '나'는 주생과 진심으로 교류하는 인물이다.

⑤ '이튿날 아침' 이전에 주생의 시를 통해 그의 마음을 알아챘던 '나'는 '이튿날 아침'에 주생의 시를 다시 읽으며 자신을 돌아보고 있다.

07

기출 2014학년도 6월 고2 교육청 A형

㉢의 상황을 나타내는 말로 가장 적절한 것은?

① 고군분투(孤軍奮鬪)　　② 사고무친(四顧無親)

③ 오매불망(寤寐不忘)　　④ 전전긍긍(戰戰兢兢)

⑤ 진퇴양난(進退兩難)

08

서술형

윗글의 구성상 내화가 끝나는 마지막 문장을 찾아 처음과 끝 각각의 두 어절을 쓰고, 이를 통해 알 수 있는 내화의 결말 처리 방식의 특징과 그 효과를 서술하시오.

09

서술형

〈보기〉의 ㉮와 유사한 기능을 하는 소재를 윗글의 [A]에서 모두 찾아 쓰고, 이들의 공통된 시적 의미를 〈조건〉에 맞게 서술하시오.

┤ 보기 ├

천상(天上)의 견우직녀(牽牛織女) 은하수(銀河水) 막혔어도
칠월 칠석(七月七夕) 일년일도(一年一度) 실기(失期)치 아니거든
우리 임 가신 후는 무슨 ㉮약수(弱水) 가렸관대
오거니 가거니 소식(消息)조차 그쳤는고

– 허난설헌, 「규원가」 중에서

┤ 조건 ├

당대의 사회적 배경과 그에 따른 인물의 처지가 드러나게 서술할 것.

숙향전(淑香傳) | 작자 미상

출제 포인트 › #애정 소설 #적강 소설 #이원적 공간 구조 #영웅 서사 구조 #고난 극복을 통한 사랑의 성취

[앞부분의 줄거리] 송나라 때 김전은 어부들에게 잡힌 거북을 구해 준 이후, 어느 날 홍수로 죽을 위기에 처하지만 거북의 도움으로 목숨을 구한다. 늦도록 자식이 없던 김전과 부인 장 씨 사이에서 숙향이 태어나는데, 전쟁이 나 피난하던 과정에서 숙향은 부모와 헤어지게 된다.

산은 첩첩하고 물은 중중한데, 잠자려는 새들은 숲으로 들어가 객회(客懷)를 자아내니 숙향이 갈 데 없어서 앉아서 울고 있었다.❶ 문득 **파랑새가 꽃봉오리**를 물고 손등에 앉거늘 숙향이 배고픔을 견디지 못해 꽃봉오리를 먹으니 눈이 맑아지고 배가 불러 정신이 상쾌하며 몸에 향내 진동하더라.❷

일어나서 파랑새가 가는 대로 따라 두어 고개를 넘어가니 산골짜기에 한 궁궐이 있는데, 그 새가 큰 문으로 들어가거늘 숙향이 따라 들어갔다. 한 계집이 마중 나와 숙향을 안고 들어가 큰 전각(殿閣) 앞에 놓으니 한 부인이 머리에 화관(花冠)을 쓰고 황금 의자에 앉아 있다가 숙향을 맞아 팔을 밀어 동편 백옥 의자에 앉기를 청하거늘 숙향이 어찌할 줄 모르고 다만 울 뿐이었다.

부인 왈,

㉠"선녀께서 인간 세상에 내려와 더러운 물을 많이 먹었으니 정신이 바뀌어 전생 일을 모르나이다."❸

선녀에게 명해 **경액(瓊液)**을 드리라 한대 선녀가 만호잔에 호박대를 받쳐 이슬 같은 것을 부어 드리거늘 숙향이 받아먹으니 맛은 젖맛 같고 매우 향기롭더라. 먹은 후에 천상의 일과 인간 세상에 내려와 부모 잃고 헤매며 고생한 일을 일일이 알게 되니❹ ⓐ몸은 비록 아이나 마음은 어른이라.❺ 즉시 일어나 부인께 예를 표해 왈,

"첩은 **천상에 득죄(得罪)하여 인간 세상에 내려**와 고초가 심하거늘 이다지도 불쌍히 여겨 대접하시니 지극히 감격하나이다."

"선녀께서는 저를 알아보시겠나이까?"

㉡"인간 세상에 내려와 정신이 바뀌었사오니 자세히 아옵지 못하나이다."

"이 땅은 명사계(冥司界)요, 저는 후토 부인이니이다. ㉢선녀께서 인간 세상에 내려와 고생을 겪었으매 접때 잔나비와 황새를 보내 도와 드렸고 이번에는 파랑새를 보내었삽더니 보셨나이까?"❻

㉣"다 보았사오나 부인의 하늘 같은 은혜를 갚을 길이 없사오니 부인의 시비*나 되어 만분지일이나 갚사올까 바라나이다."

부인이 정색하고 왈,

"저는 한낱 조그마한 신령이요, 그대는 **월궁의 으뜸 선녀**라. 비록 **천상에서 지은 죄로 인간 세상에 내려**와 일시 고생을 겪었으나 그런 말씀을 어찌 하시나이까?❼ [A]선녀 가실 곳이 또한 머오니 그 사이에 고생을 많이 겪을 것이오매 쉬어 내일 가소서."

하고, 잔치를 배설*하여 환대하니 음식과 보배 등이 극히 화려하더라.

Step 1 포인트 분석

▶ 작자 미상, 「숙향전」

제목의 의미

주인공 '숙향'의 이름을 제목으로 삼고 있는 작품으로, 숙향이 겪는 수난과 극복 과정을 영웅 서사 구조로 다루고 있다.

배경

❶산은 첩첩하고~울고 있었다.
→ 전쟁으로 부모와 헤어져 고난의 처지에 놓인 숙향의 상황을 밤중 깊은 산속이라는 시·공간적 배경을 통해 제시함.

❻"이 땅은~보내었삽더니 보셨나이까?"
→ 작품의 배경이 현실 세계뿐만 아니라 초월적 세계를 바탕으로 한 이원적 특징을 띰.

인물

❷문득 파랑새가~향내 진동하더라.
→ '파랑새'는 일종의 조력자로 파랑새의 도움으로 숙향이 후토 부인을 만남.

❸"선녀께서 인간~일을 모르나이다."
→ 후토 부인이 숙향을 '선녀'라고 부르는 것으로 보아, 숙향은 천상계와 연결된 인물임을 알 수 있음. 후토 부인은 숙향이 속세에서 고생하며 살아왔음을 알고 있음.

❼"저는 한낱~어찌 하시나이까?
→ 천상계에서는 숙향이 후토 부인보다 높은 신분이었음.

사건

❷문득 파랑새가~향내 진동하더라.
→ 파랑새가 꽃봉오리를 물고 옴: 갑자기 파랑새가 꽃봉오리를 물고 온다는 우연성과 꽃봉오리를 먹은 이후의 상황을 통해 전기적 사건이 발생함을 보여 줌.

❹먹은 후에~알게 되니
→ 자신의 전생을 알게 되는 숙향: 숙향은 경액이라는 신비로운 약물을 받아먹고 자신이 본래 천상의 존재였음을 알게 됨.

구성

❹먹은 후에~알게 되니
→ 적강 모티프: 숙향이 천상에서 인간 세상으로 적강한 존재라는 상황을 통해 적강 소설의 특징을 알 수 있음.

서술

❺몸은 비록 아이나 마음은 어른이라.
→ 편집자적 논평: 나이가 어림에도 성숙한 마음을 지닌 숙향의 품성을 서술자가 제시함.

❻"이 땅은~보내었삽더니 보셨나이까?"
→ 사건의 요약적 제시: 과거에 있었던 일을 인물의 말을 통해 압축적으로 제시함.

숙향이 부인께 왈,

"첩이 전일 듣사오니 **명사계는 시왕(十王)**°이 계신 데라 하더니 그러하오이까?"

"그러하여이다."/ "그러하오면 시왕전이 어디오이까?" / "멀지 아니하오이다."

"인간 세상의 부모가 난중에 죽었으면 시왕전에 왔사올 것이니 반가이 만나 볼 수 있겠나이까?"

ⓜ"그대 부모는 인간 세상에 반석같이 계시고 그들도 원래 인간 세상 사람이 아니요, **봉래산 선관 선녀로서 인간 세상에 귀양** 왔사오니 **기한이 차면 봉래로 돌아갈 것이요**, 이곳은 오지 아니하리이다." (중략)

이선이 숙향이 보내 온 **혈서**를 보고 크게 놀라 통곡하고 그 편지를 숙모께 드리고 낙양 옥중에 가서 숙향과 함께 죽으려 하더니 숙부인 왈,

"아직 자세히 알지도 못하는데 성급히 굴지 마라."

하며 하인을 불러 할미 집에 가 보고 오라 하고, 그 고을의 이방 원통을 불러서 그 연고를 물으니 ⑨ 원통이 고하기를,

"상서께서 명을 내리시어 숙향을 잡아다가 죽이라 하신 고로 원님이 상서 명을 거역하지 못하여 어젯밤에 숙향을 잡아다 죽이려고 큰 매로 치라 하되 집장 사령이 매를 들지 못하여 죽이지 못하였사오나 원님이 오늘 죽이려 하옵고 큰 칼을 씌워 옥에 가두었나이다."⑩

숙부인이 듣고 크게 놀라 왈,

"선이 비록 상서의 아들이나 내가 양자로 들였으매 선과 숙향이 혼사를 치르도록 했거늘, 내게 묻지 아니하고 나를 과부라 업신여겨 이러하니 내 황성에 들어가 상서에게 일러 듣지 아니하면 황후께 아뢰어 황제께서 아시게 하리라."

하고 즉시 행장을 차려서 장안으로 가니라. ⑪

한편 이선은 집에 들어가 울며 숙향이 죽었으면 함께 죽으리라고 하더라.

이튿날 김전이 숙향을 올리라 하니 이때 낭자가 옥 같은 두 귀 밑에 흐르나니 눈물이라. 연약한 몸이 큰칼 쓰고 ⓑ여러 사람에게 붙들려 가니 반은 죽은 사람이라. 이를 보는 사람이 눈물 아니 짓는 이가 없더라.⑫

김전이 왈,

"네 고향은 어디며 이름은 무엇이며 나이는 몇이나 되며 뉘 집 딸이라 하나뇨?"

낭자 왈, / "오 세에 부모를 난중에 잃고 사방에 유리(流離)하옵다가 겨우 의탁한 몸 되었사오니 고향과 부모의 성명은 모르오되 나이 찬 후에 혹 듣사오니 김 상서의 딸이라 하오며 이름은 숙향이요 나이는 십육 세로소이다."

김전의 아내 장 씨가 그 말을 듣고 눈물을 흘리며 김전에게 왈,

"그 여자의 얼굴을 보오니 죽은 우리 딸과 같삽고 연치(年齒) 또한 같사오되 다만 김 상서의 딸이라 하니 그 근본을 자세히 모르나 이름도 같고 나이도 같으니 혹 죽은 자식이 살아서 돌아다니는지 마음이 자연 비창(悲愴)하오니 아직 죽이지 말고 상서께 기별하여 스스로 처치하게 하오소서."⑬

김전이 부인의 말을 옳게 여겨 숙향을 도로 하옥하라 하고, 이 사연을 이 상서에게 **회보(回報)**하니라.

배경

❽"그대 부모는~오지 아니하리이다."
→ 지상계가 천상계에서 죄를 지은 자들의 귀양지로 설정되어 있으며, 기한이 차야 천상계로 복귀할 수 있음을 보여 줌.

인물

❽"그대 부모는~오지 아니하리이다."
→ 숙향의 부모도 천상계의 존재였음을 알 수 있음.

❾"아직 자세히~연고를 물으니
→ 일의 자초지종을 살피려는 숙부인의 말과 행동을 통해 차분한 성격을 간접적으로 제시함.

❿"상서께서 명을~옥에 가두었나이다."
→ 앞으로 고난을 겪게 될 것이라는 후토부인의 말대로 실제로 숙향이 고난을 겪으며 위기에 처함.

⓭김전의 아내~처치하게 하오소서"
→ 숙향이 자신의 딸일지 모른다는 생각으로 숙향에 대한 형 집행을 미루게 하려는 장 씨의 모습. 이후 장 씨는 숙향이 자신의 딸임을 알게 됨.

사건

❿"상서께서 명을~옥에 가두었나이다."
→ 옥에 갇혀 죽을 위기에 처한 숙향: 이선의 아버지가 이선과 숙향 사이의 결연을 방해하는 혼사 장애 설화를 반영함.

갈등

⑪"내게 묻지~장안으로 가니라.
→ 상서와 숙부인의 갈등: 숙부인은 상서가 자신을 업신여기며 이선과 숙향의 혼사를 막은 일에 불만을 표출함.

서술

❿"상서께서 명을~옥에 가두었나이다."
→ 사건의 요약적 제시: 인물의 발화를 통해 과거에 있었던 일을 압축적으로 제시함.

⑫연약한 몸이~이가 없더라.
→ 인물의 외양 묘사, 편집자적 논평: 숙향이 처한 위기 상황을 인물의 외양 묘사와 편집자의 논평을 통해 제시함.

- **경액**: 신선이 마신다는 신비로운 약물.
- **시비**: 시중을 드는 여자 종.
- **배설**: 연회나 의식에 쓰는 물건을 차려 놓음.
- **시왕**: 저승에서 죽은 사람을 재판하는 열 명의 대왕.

[전체 줄거리] 송나라 때 김전은 명산대찰에 빌어 어렵게 숙향을 얻는다. 피난 과정에서 부모와 헤어진 후 장 승상의 수양딸이 된 숙향은 여종 사향의 모함으로 쫓겨나게 되고 물에 빠져 죽으려던 순간에는 용녀, 불에 타 죽을 위기에서는 화덕진군에 의해 구출되어 마고할미와 수를 놓으며 살게 된다. 어느 날 숙향의 수를 본 이선은 수의 그림이 자신의 꿈과 같음을 보고 숙향과 가연을 맺게 되지만 이를 안 **이선의 부친 상서**는 김전에게 **숙향을 죽이도록 명**한다. 김전은 숙향이 자신의 딸인 줄도 모르고 그녀를 죽이려 한다. 이후 마고할미의 도움으로 풀려난 숙향은 마음씨가 곱고 착함을 상서에게 인정받고 이선은 장원 급제하여 숙향과 혼인한다. 후에 황태후의 병을 고치기 위해 선계로 가 선약을 구해 온 공으로 이선은 초나라 왕이 되어 숙향과 행복하게 살다가 둘은 천상계로 돌아간다.

Step2 포인트 체크

[01~05] 윗글에 대하여 맞으면 ○; 틀리면 ×표를 하시오.

01 숙향은 천상계에서 높은 신분의 선녀였었다. 〔○. ×〕

02 숙향의 상황을 두고 숙부인과 상서 간 갈등이 나타난다. 〔○. ×〕

03 상서는 숙향을 죽이고자 집장 사령에게 매로 치라 명한다. 〔○. ×〕

04 명사계는 숙향이 부모와 만나기로 약속한 공간적 배경이다. 〔○. ×〕

05 김전은 사회적 재난으로 숙향과 이별하게 된다. 〔○. ×〕

[06~10] 다음 빈칸에 알맞은 말을 쓰시오.

06 이 작품은 천상계와 지상계의 ⃞ㅇⅠㅇⅠㅈ 공간을 중심으로 사건이 전개된다.

07 이 작품은 과거의 사건을 인물의 말을 통해 ⃞ㅇㅊㅈ으로 제시하고 있다.

08 파랑새가 꽃봉오리를 물고 숙향에게 날아간 일은 고전 소설에서 나타나는 사건의 ⃞ㅇㅇㅈ, ⃞ㅈㄱㅈ 성격을 보여 준다.

09 ⃞ㅎㅌㅂㅇ은 숙향의 과거 일을 이미 알고 있던 신령이다.

10 ⃞ㅈㄴㅂ와 황새는 인간 세상에서 숙향을 조력했던 자연물로 제시되고 있다.

정답 | 01 ○ 02 ○ 03 × 04 × 05 ○ 06 이원적 07 입체적 08 우연성, 전기적 09 화덕진군 10 청노새

01

윗글의 서술상 특징으로 가장 적절한 것은?

① 초현실적 인물을 등장시켜 인물 간 갈등을 중재하고 있다.
② 인물 간의 대화를 통해 사건 발생의 과정이 드러나고 있다.
③ 인물에 대한 외양 묘사를 통해 성격 변화를 암시하고 있다.
④ 시대적 배경을 제시하여 사건 전개의 사실성을 부여하고 있다.
⑤ 같은 시간에 일어난 여러 사건을 나란히 제시하여 사건 간의 연관성을 부각하고 있다.

02

윗글의 서사 구조를 〈보기〉와 같이 도식화했을 때, ㉮~㉲에 대한 설명으로 가장 적절한 것은?

┤ 보기 ├

㉮ 깊은 숲속에서 명사계로 이동하는 숙향
⇩
㉯ 자신에게 있었던 일에 대해 알게 되는 숙향
⇩
㉰ 부모에 대한 소식을 듣게 되는 숙향
⇩
㉱ 숙향의 소식을 접한 숙부인과 이선
⇩
㉲ 숙향에 대한 김전의 처결

① ㉮에서 숙향은 전각 앞에서 자신에게 일어날 일을 예상한다.
② ㉯에서 후토 부인은 은혜를 갚고자 한다는 숙향의 말에 만족하며 화려한 잔치를 열어 준다.
③ ㉰에서 숙향은 부모가 피난 과정에서 죽었을지도 모른다고 추측하며 재회할 수도 있다고 여긴다.
④ ㉱에서 숙부인은 이선과 달리 숙향에게 일어난 일을 전해 들은 후 당황하는 모습을 보인다.
⑤ ㉲에서 숙향은 자신이 딸임을 김전이 눈치챌 수 있게 하려고 이름과 나이를 밝혀 말한다.

03

기출 2015학년도 수능 B형

윗글의 인물에 대한 이해로 적절하지 <u>않은</u> 것은?

① 후토 부인은 숙향을 명사계로 인도하여 전생에서의 숙향의 정체를 깨닫게 해 주고 있다.
② 이선은 숙향이 처한 상황을 알고서 숙향과 생사를 같이하겠다고 다짐하고 있다.
③ 숙부인은 숙향과 이선의 혼사가 이루어지도록 이 상서로 하여금 황후에게 아뢰게 하고 있다.
④ 김전은 장 씨의 말을 수용하여 숙향에 대한 형 집행을 미루고 있다.
⑤ 장 씨는 숙향을 보고서 자신의 딸을 떠올리며 숙향에게 연민을 느끼고 있다.

04

㉠~㉤에 대한 설명으로 가장 적절한 것은?

① ㉠: 자신보다 고귀한 위치에 있던 상대방의 과거 일화와 그와 반대되는 현재의 모습을 대비시키며 위로하는 말을 건네고 있다.
② ㉡: 상대를 알아보지 못하는 것이 자신의 상황 변화에 원인이 있는지 의문을 가지면서도 이를 감추며 물음에 대답하고 있다.
③ ㉢: 상대에게 도움을 주었던 이전의 일을 언급하며 자신이 조력자로서 뛰어난 능력을 지니고 있음을 은근히 과시하고 있다.
④ ㉣: 상대보다 비천한 신분으로 새롭게 살아갈 것을 자처함으로써 자신의 잘못을 뉘우치고자 하는 의지를 드러내고 있다.
⑤ ㉤: 상대가 궁금해하는 존재들의 생사에 대한 확신을 드러내면서 그들에 대한 추가적인 정보를 제공하고 있다.

05

 2015학년도 수능 B형

〈보기〉를 참고하여 윗글을 감상한 내용으로 적절하지 <u>않은</u> 것은?

┤보기├

　고전 소설 중에는 '천상'과 '선계'를 포함하는 '천상계'와 인간 세상인 '지상계'가 인과응보의 원리에 의해 연결되어 서사가 진행되는 작품들이 많다. 이는 '천상계-지상계-천상계'의 순환 구조를 기반으로 하여 천상계에서 죄를 지으면 지상계에서 벌을 받는 것으로 구현된다. 이 원리를 토대로 하여 인물에게 주어지는 처벌과 보상, 인물이 겪는 고난의 정도와 기한이 결정된다.

① 숙향이 '천상에 득죄하여 인간 세상에 내려'왔다는 것에는 천상계와 지상계가 인과응보의 원리에 의해 연결되어 있다는 생각이 반영되어 있군.

② 숙향이 '월궁의 으뜸 선녀'였으나 '천상에서 지은 죄로 인간 세상에 내려'왔다는 것에는, 천상계에서 높은 신분의 인물도 죄를 지으면 벌을 받는다는 생각이 반영되어 있군.

③ 숙향이 '명사계는 시왕이 계신 데'임을 확인하는 것에는, 천상계와 지상계 사이의 순환 구조 원리에 따라 고난 극복 이후에 보상이 주어질 것이라는 기대감이 반영되어 있군.

④ 숙향의 부모가 '봉래산 선관 선녀'였으나 '인간 세상에 귀양'을 왔다는 것에는, 지상계가 천상계에서 죄를 지은 자들의 귀양지라는 생각이 반영되어 있군.

⑤ 숙향의 부모가 '기한이 차면 봉래로 돌아갈 것'이라는 것에는 죄의 대가로 정해진 고난의 기한이 차야 천상계로 돌아갈 수 있다는 생각이 반영되어 있군.

06

서술형

ⓐ와 ⓑ의 공통된 서술상 특징을 두 어절의 용어로 밝히고, 이를 통해 얻을 수 있는 효과를 인물의 특징 및 처지의 측면에서 각각 서술하시오.

07

〈보기〉를 바탕으로 윗글을 이해한 내용으로 적절하지 <u>않은</u> 것은?

┤보기├

　이 작품에는 숙향의 고난과 극복 과정에서 다양한 소재가 등장하고 있다. 이러한 소재들은 우연·전기적(傳奇的) 사건의 발생, 인물의 사연과 인연, 인물 간 갈등과 심리적 태도 등 작품 전반의 요소들과 긴밀한 관계를 맺고 있다.

① '파랑새'는 숙향이 부모와 헤어져 고난을 겪는 상황에 우연히 등장하여 고난 해소를 돕고 있군.

② '꽃봉오리'는 숙향의 변화를 일으키는 매개이자 전기적 사건의 장치로 활용 되고 있군.

③ '경액'은 숙향이 적강한 존재라는 사실을 알게 해 주는 동시에 후토 부인과의 과거 인연을 자각하게 해 주고 있군.

④ '혈서'는 숙부인이 자신을 업신여기는 상서의 태도를 문제 삼아 갈등 관계를 일으키게 되는 계기가 되고 있군.

⑤ '회보'는 자신의 딸이 생각나 숙향에 대한 처단을 미루라는 아내의 부탁을 김전이 수용한 내용이 담겨 있군.

08

〈보기〉의 정보를 바탕으로 [A]가 지닌 의미를 〈조건〉에 맞게 서술하시오.

┤보기├

　이 작품에서 이선과 숙향은 사랑을 성취해 가는 인물로 등장하는데, 이선은 부모에게 고하지 않고 숙향과 가연을 맺게 된다. 그리고 이 상서가 이러한 사실을 알게 된다.

┤조건├

1. '중략' 이후에 발생한 핵심 사건을 간략하게 제시하되, 사건에 반영된 설화의 갈래를 밝혀 서술할 것.
2. 핵심 사건과 관련지어 [A]가 지닌 서사적 기능을 포함하여 서술할 것.

운영전(雲英傳) | 작자 미상

출제 포인트 › #애정 소설 #1인칭 서술 #액자식 구조 #비극적 결말

[앞부분의 줄거리] 안평 대군은 열 명의 궁녀를 뽑아 자신의 궁에 두고서❶ 외부와의 교류를 금하고 시 짓기를 가르쳤다.

"처음 보았을 때에는 우열을 가릴 수 없었으나 거듭 읽노라니 자란의 시가 뜻이 심원하여* 나도 모르게 감탄하고 흥겨운 마음이 드는구나. 나머지 시들 또한 모두 맑고 좋은데, 유독 운영의 시만은 서글피 누군가를 그리워하는 마음이 보이거늘 그리는 사람이 누군지 모르겠다.❷ **준엄히 캐물을 일이로되**❸ 그 재주가 아까워 그냥 덮어 두기로 한다."

[A]

저는 뜰로 내려가 엎드려 울며 대답했습니다.❹

"시를 짓는 중에 우연히 나온 말이지, 어찌 다른 뜻이 있겠습니까? 지금 주군께 의심을 받으니 첩은 **만 번 죽어도 유감이 없나이다.**"

대군은 자리에 앉으라 명하고 이렇게 말했습니다.

㉠"시는 진정한 마음에서 우러나오는 것이라서 가리고 숨길 수가 없는 법이다. 너는 더 말하지 말아라."❺

그리고는 비단 열 꾸러미를 내어 우리 열 사람에게 나누어 주었습니다. 대군이 일찍이 제게 사사로운 마음을 보인 적이 없으나 궁중 사람들은 모두 대군의 마음이 제게 있다는 걸 알고 있었습니다.❻

우리 열 사람은 방으로 돌아와 아름다운 등불을 환히 밝히고는 칠보로 만든 책상 위에 『당율』 한 권을 놓아두고 **궁녀들의 원망을 담은 옛사람들의 시** 중 어떤 작품이 훌륭한지 토론을 벌였습니다. 저 혼자 병풍에 기대어 흙으로 빚어 놓은 인형처럼 근심스레 말이 없자❼ 소옥이 저를 돌아보고 말했습니다.

[B]

"낮에 연기를 읊은 시로 주군에게 의심을 받더니 그 때문에 근심스러워 말이 없는 거니? 아니면 주군의 뜻이 네게 있겠기에 속으로 기뻐서 말이 없는 거니? 네 속을 모르겠구나."❽

제가 옷깃을 여미고 대답했습니다.

"너는 내가 아닌데 어찌 내 마음을 안단 말이니? 지금 막 시 한 편을 지으려는데, 묘안*이 떠오르지 않아 고심하느라 말하지 않았던 것뿐이야."

은섬이 이렇게 말했습니다.

"어딘가 뜻이 향하는 곳이 있어 마음이 여기 있지 않으니 옆 사람의 말이 지나가는 바람 소리처럼 들리겠지. 네가 말하지 않는 까닭을 알긴 어렵지 않아. 어디 내가 한 번 맞혀 볼까?"

그러더니 창밖의 포도 시렁을 주제로 칠언 사운*의 시를 지어 보라 재촉하더군요.

[중략 부분의 줄거리] 운영은 진사와 처음 만났을 때의 일을 들려주며 자란에게 진사에 대한 자신의 마음을 털어놓는다.

Step 1 포인트 분석

▶ 작자 미상, 「운영전」

제목의 의미

'운영전'의 '운영'은 여자 주인공의 이름이다. 일반적으로 고전 소설의 제목에는 남자 주인공의 이름이 제시되지만, 이 작품은 여자 주인공의 이름을 제시하였다. 이를 통해 궁궐 안에서의 억압적인 삶에서 벗어나 참된 삶을 살고자 했으나 이를 이루지 못한 여주인공의 비극적 삶이 작품의 중심 서사임을 나타낸다.

배경

❶ 안평 대군은~궁에 두고서
→ 조선 시대 세종의 셋째 아들인 안평 대군의 옛집 수성궁을 배경으로 함. 궁중이라는 특수 사회와 궁녀라는 신분으로 인물의 행동에 제약이 생김.

❸ 준엄히 캐물을 일이로되
→ 궁녀의 사랑이 죄가 되었던 시대를 배경으로 삼고 있음. 궁녀는 자신이 모시는 윗사람에 대한 충심과 절개를 지켜야 한다는 이유로 다른 남자를 사랑할 수 없었음. 다른 남자를 사랑하면 충절을 지키지 못한 죄를 저지른 것으로 벌을 받았음.

인물

❺ "시는 진정한~말하지 말아라."
→ 안평 대군은 운영을 아끼는 마음에 운영이 의심되지만 문제 삼지 않고 넘어가려고 하고 있음.

❻ 대군이 일찍이~알고 있었습니다.
→ 운영은 안평 대군이 자신을 마음에 품고 있음을 알고 있음.

❽ "낮에 연기를~네 속을 모르겠구나."
→ 소옥이 말이 없는 운영의 태도에 대해 못마땅해함.

사건

❷ 나머지 시들~누군지 모르겠다.
→ 안평 대군의 운영에 대한 의심: 운영의 시를 읽고 운영이 누군가를 사모하는 마음을 품고 있음을 짐작함.

갈등

❼ 저 혼자~근심스레 말이 없자
→ 운영의 내적 갈등: 운영이 고뇌로 근심스러운 표정을 지으며 말을 하지 않음.

서술

❹ 저는 뜰로~울며 대답했습니다.
→ 1인칭 주인공의 서술: 이 작품은 외화와 내화로 이루어져 있는 액자식 구성 방식임. 내화의 경우, 주인공인 운영과 김 진사가 서술자의 역할을 함.

"나는 이때부터 자려 해도 잠을 이루지 못하고 먹는 것이 줄었으며 마음이 답답하여 모르는 사이에 옷과 허리띠가 헐렁해졌단다. 너는 이 일을 기억 못하겠니?"

자란이 이렇게 대답했습니다. / "잊고 있었는데 지금 네 말을 듣고 보니 술에서 막 깨어난 듯 어슴푸레 생각이 날 듯 말 듯 하구나."

그 뒤로 대군이 진사와 자주 만났으나 저희들을 가까이 두지 않았기에 저는 그때마다 **문틈으로 엿보고 했**답니다.❾ 하루는 고운 종이에 오언 사운의 시 한 수를 적었어요.

베옷 입고 가죽 띠 두른 선비
옥 같은 얼굴 신선과 같지.
늘 주렴 사이로만 바라보나니
월하노인*의 인연 어디 없는지?❿
얼굴 씻으매 눈물이 물을 이루고
거문고 타매 한스러움 현을 울리네.
가슴 속 원망 끝이 없어서
고개 들고 하늘에 하소연하네.⓫

이 시와 금비녀 하나를 함께 싸서 열 겹으로 거듭 봉하여 진사에게 주고자 했지만 전달할 방법이 없었답니다.⓬ 그날, 달 밝은 밤에 대군이 술자리를 크게 열어 손님을 모으고 진사의 재주를 매우 칭찬하며 일전에 진사가 지은 시 두 편을 내보였습니다. 모인 사람들이 돌려 보며 칭찬하기를 마지않더니 모두들 진사를 한번 만나 보고 싶어 했습니다. 대군이 즉시 하인과 말을 보내 진사를 초청했습니다. 잠시 후 진사가 도착하여 자리로 오는데, ⓛ얼굴이 수척하고 몸은 홀쭉한 것이 예전의 기상이라곤 전혀 찾아볼 수가 없었습니다.⓭ 대군이 위로하며 이렇게 말했습니다.

"진사는 굴원의 마음이 있는 것도 아니면서 연못가에서의 초췌한 모습부터 미리 가진 게요?"

모여 있던 이들이 한바탕 크게 웃었지요. 진사가 일어나 인사하고 말했습니다.

"저는 빈천한 유생으로서 외람되이 나리의 은총을 받았습니다. 그러나 복이 지나치면 재앙이 생기는 법인지, 질병이 온몸을 휘감아 요사이 식음을 전폐하고 있습니다. 다른 사람의 도움 없이는 움직이기 어려우나 지금 부르심을 받자와 겨우 부축을 받고 와서 인사드립니다."

손님들이 모두 몸가짐을 바루어 공손함을 표했습니다. 진사는 나이 어린 유생으로서 말석에 앉았기에 저희가 있던 안쪽 방과는 단지 벽 하나를 사이에 두고 있을 뿐이었습니다.

[C] 밤이 이미 다하여 손님들이 모두 취했을 때입니다. 제가 벽에 구멍을 뚫고 엿보니 진사 역시 제 뜻을 알고 모퉁이를 향해 앉아 있더군요. 저는 봉한 편지를 구멍 사이로 던졌습니다. 진사는 편지를 주워 집으로 돌아가서 뜯어보고는 슬픔을 이기지 못해 편지를 차마 손에서 놓지 못했답니다.⓮ 그리워하는 정이 지난날보다 곱절이 되어 버틸 수 없을 지경이었고, **답장을 보내고자 하나 전할 방도가 없**는지라 홀로 수심*에 잠겨 탄식할 뿐이었지요.

배경

⓬이 시와 금비녀~방법이 없었답니다.
→ 당대에 궁녀는 외부와 철저히 단절된 생활을 해야 했음. 그에 따라 운영이 진사에게 시와 금비녀를 전달할 수 있는 방법이 없었음. 이를 통해 운영이 처해 있는 상황이 드러남.

인물

❾저는 그때마다~엿보고 했답니다.
→ 운영은 김 진사를 사모하는 마음 때문에 김 진사가 보고 싶어 문틈으로 대군과 김 진사가 만나는 것을 엿봄.

❿늘 주렴~어디 없는지?
→ 운영은 김 진사와의 사랑을 이루기 힘든 처지에 있어 주렴 사이로만 김 진사를 바라보면서 월하노인이 김 진사와의 인연을 맺어 주기를 바라고 있음.

⓮진사는 편지를~놓지 못했답니다.
→ 김 진사는 운영을 사모하며 그리워하는 정이 너무 깊어 운영이 건네준 편지를 손에서 놓지 못함. 사랑을 이룰 수 없는 비극적 처지와 그로 인한 슬픔과 안타까움이 드러남.

사건

⓭대군이 즉시~찾아볼 수가 없었습니다.
→ 대군의 진사 초청: 진사를 볼 수 없던 상황에서 대군이 진사를 초청하여 운영이 진사를 볼 수 있게 됨. 수척한 진사의 모습을 통해 운영을 깊이 사모하고 있는 진사의 심정을 나타냄.

갈등

⓫가슴 속 원망~하늘에 하소연하네.
→ 운영의 내적 갈등: 김 진사와의 만남조차 마음대로 할 수 없는 현실에 대한 원망이 커 하늘을 향해 하소연을 함. 김 진사와의 사랑을 이룰 수 없는 현실로 인한 운영의 내적 갈등이 매우 심하다는 것이 드러남.

• 심원하여: 헤아리기 어려울 만큼 깊어.
• 묘안: 뛰어나게 좋은 생각.
• 사운: 네 개의 운각으로 된 율시.
• 월하노인: 부부의 인연을 맺어 주는 전설상의 늙은이.
• 수심: 매우 근심함. 또는 그런 마음.

[전체 줄거리] 선조 때 선비 유영이 안평 대군의 옛집인 수성궁 터에 가 술을 마시다 잠이 든다. 유영은 꿈속에서 운영과 김 진사를 만나 그들로부터 지난 이야기를 듣는다. 안평 대군의 궁녀인 운영은 대군을 찾아와 시와 풍류를 즐기던 김 진사를 보고 사랑에 빠지게 된다. 두 사람은 현실의 장애 때문에 여러 어려움을 겪고 궁을 드나드는 무녀를 통해 몰래 편지를 주고받으며 사랑을 나눈다. 김 진사의 종 '특'과 운영의 동료인 '자란' 등의 도움으로 운영과 김 진사는 달아날 계획을 세우나 안평 대군에게 들키게 되고 운영은 죄책감 때문에 자결한다. 이 소식을 들은 김 진사는 운영이 남긴 보화를 부처에게 바쳐 내세를 기약하고자 하나 특이 모두 가로챈다. 이에 김 진사가 억울함을 부처께 고한다. 그러자 특은 우물에 빠져 죽는다. 이후 김 진사는 슬픔을 이기지 못해 죽게 된다. 유영이 깨어 보니, 운영과 김 진사의 일이 기록된 책만 남아 있었다. 유영은 그것을 가지고 돌아와 명산 대천을 두루 돌아다니다 생을 마쳤다.

Step 2 포인트 체크

[01~04] 윗글에 대하여 맞으면 ○, 틀리면 ×표를 하시오.

01 대군은 여러 궁녀의 시들 중에 자란의 시가 뛰어나다고 평가했다. 〔○. ×〕

02 대군은 운영의 시를 통해 다른 남자를 그리워하는 운영의 마음을 알고 운영을 반드시 벌해야 한다고 생각했다. 〔○. ×〕

03 여러 궁녀가 옛 시에 대한 토론을 벌일 때 운영이 보인 태도에 대해 소옥은 못마땅했다. 〔○. ×〕

04 소옥이 운영의 마음에 대해 묻자 운영은 자신의 심적 상태를 솔직하게 말했다. 〔○. ×〕

[05~09] 다음 빈칸에 알맞은 말을 쓰시오.

05 이 작품은 내화와 외화로 구성된 액자 소설이며, 내화에서 ⎡○⎤⎡○⎤은 1인칭 서술자와 같은 역할을 하고 있다.

06 이 작품에서는 ⎡○⎤⎡ㅂ⎤⎡ㅅ⎤⎡ㄱ⎤와 단절된 궁중에서 살아가는 궁녀들의 억압된 생활상이 드러나고 있다.

07 이 작품은 현실의 여러 장애에도 불구하고 사랑을 이어 가고자 하는 인물들의 모습을 통해 당대인들의 ⎡ㅈ⎤⎡○⎤⎡○⎤⎡○⎤에 대한 열망을 담아내고 있다.

08 인물들이 자신의 욕망을 현실에서 이루지 못했다는 점에서 ⎡ㅂ⎤⎡ㄱ⎤⎡ㅈ⎤ 성격을 나타내고 있다.

09 인물이 지은 ⎡ㅅ⎤를 제시하여 인물이 처한 상황이나 인물의 심리·태도를 나타내고 있다.

작품 정리

운영전

- **갈래:** 애정 소설, 몽유 소설, 액자 소설
- **시점:** 외화－전지적 작가 시점,
  내화－1인칭 주인공 시점
- **성격:** 비극적, 염정적
- **배경:** 시간－조선 초기~조선 중기
  공간－한양의 수성궁, 천상계
- **주제:** 신분을 초월한 남녀 간의 비극적 사랑
- **특징:** ① 액자식 구성으로 되어 있음.
  ② '현실－꿈－현실'과 같은 몽유 소설의 구성 방식을 취함.
  ③ 권선징악이라는 고전 소설의 보편적 주제에서 벗어나 자유로운 연애 사상을 보여 줌.
- **구조**

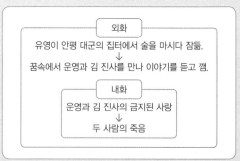

```
                    외화
  유영이 안평 대군의 집터에서 술을 마시다 잠듦.
                     ↓
  꿈속에서 운영과 김 진사를 만나 이야기를 듣고 깸.

                    내화
     운영과 김 진사의 금지된 사랑
                     ↓
            두 사람의 죽음
```

한 걸음 더

「운영전」의 전체 구성

외화	내화	외화
• 배경: 선조 때 • 서술자: 전지적 작가 • 내용: 유영이 운영과 김 진사를 만남.	• 배경: 세종 때 • 서술자: 운영, 김 진사 • 내용: 운영과 김 진사의 애절하고 비극적인 사랑	• 배경: 선조 때 • 서술자: 전지적 작가 • 내용: 유영이 잠에서 깨어 이후 명산 대첩을 두루 돌아다니다 생을 마침.

01

윗글에 대한 설명으로 가장 적절한 것은?

① 서술자가 개입하여 인물이 처한 상황에 대한 논평을 제시하고 있다.
② 공간적 배경을 묘사하여 앞으로 전개될 사건의 방향을 암시하고 있다.
③ 과거의 사건과 현재의 사건을 대비해 인물 간의 갈등의 원인을 부각하고 있다.
④ 작중 인물이 자신의 과거 경험을 타인에게 전달하는 형식으로 이야기를 서술하고 있다.
⑤ 구체적인 시대 상황을 서술하여 주인공을 둘러싸고 일어나는 사건의 개연성을 높이고 있다.

02

윗글에 대한 이해로 적절하지 <u>않은</u> 것은?

① 대군은 김 진사가 지은 시를 보고 시를 짓는 김 진사의 능력을 높이 평가했군.
② 궁중 사람들은 대군이 운영 앞에서 운영을 좋아하는 마음을 드러내는 것을 보았군.
③ 운영은 김 진사에게 자신의 마음을 전하기 위해 시와 함께 금비녀를 전달하고자 했군.
④ 운영은 김 진사를 사모하는 마음으로 인해 제대로 잠을 못 자고 음식을 못 먹어 수척해졌군.
⑤ 자란은 운영에게 운영이 들려준 김 진사와의 일들에 대해 명확하게 기억이 나지 않는다고 말했군.

03

기출 2017학년도 3월 고1 교육청

윗글과 관련하여 [이 시]를 이해한 내용으로 적절하지 <u>않은</u> 것은?

① '베옷 입고 가죽 띠 두른 선비 / 옥 같은 얼굴 신선과 같지'는 진사에 대한 운영의 호감을 반영한 표현으로 볼 수 있군.
② '주렴 사이로만 바라보나니'는 진사를 문틈으로 엿볼 수밖에 없었던 운영의 처지와 유사한 구절로 볼 수 있군.
③ '월하노인의 인연 어디 없는지?'는 진사와 인연을 맺기 어려운 자신의 처지에 대한 운영의 한탄이 담긴 것으로 볼 수 있군.
④ '얼굴 씻으매' 흐르는 '눈물'은 자신의 마음을 알아채지 못했던 자란에 대한 운영의 서운함을 드러낸 것으로 볼 수 있군.
⑤ '거문고를 타매' 드러나는 '한스러움'은 혼자 병풍에 기대어 근심스레 말이 없던 운영의 심정과 연결할 수 있군.

04

기출 2017학년도 3월 고1 교육청

[A], [B]에 대한 설명으로 적절하지 <u>않은</u> 것은?

① [A]에서 대군은 여러 궁녀들의 시와 비교하면서 운영의 시에 대한 평가를 내리고 있다.
② [A]에서 대군은 시에 대한 자신의 생각을 근거로 운영의 대답을 거짓이라고 판단하고 있다.
③ [B]에서 소옥은 [A]의 상황에 근거하여 운영이 침묵하는 이유를 추측하고 있다.
④ 운영은 [A]의 대군과 [B]의 소옥 모두에게 자신의 진심을 우회적으로 드러내고 있다.
⑤ [B]에서 은섬은 운영이 딴 곳에 마음을 두고 있음을 언급하면서 운영의 말이 사실인지를 시험하려 하고 있다.

05

[C]를 〈보기〉와 같이 바꾸어 서술했을 때의 효과로 가장 적절한 것은?

┤ 보기 ├

밤은 이미 다하여 손님들이 모두 취했을 때이다. 운영이 벽에 구멍을 뚫고 엿보니 진사 역시 운영의 뜻을 알고 모퉁이를 향해 앉아 있었다. 운영은 봉한 편지를 구멍 사이로 던졌다. 진사는 편지를 주워 집으로 돌아가서 뜯어보고는 편지를 차마 손에서 놓지 못한 채로 연거푸 탄식을 내뱉을 뿐이었다.

① [C]에 비해 운영과 진사의 행동이나 태도를 객관적으로 제시하고 있다.
② [C]에 비해 사건에 대응하는 진사의 내면을 구체적으로 서술하고 있다.
③ [C]와 달리 진사가 겪은 일들을 요약적으로 제시해 긴장감을 높이고 있다.
④ [C]와 달리 운영의 행동을 순차적으로 묘사해 사건의 전개 속도를 늦추고 있다.
⑤ [C]와 달리 운영과 진사의 심리가 상황에 따라 변화하는 양상을 보여 주고 있다.

06

㉠에 전제되어 있는 생각을 〈조건〉에 맞게 서술하시오.

┤ 조건 ├

1. '시에는'으로 시작하는 한 문장으로 서술할 것.
2. 시에 반영된 것을 포함하여 서술할 것.

07

〈보기〉를 참고하여 윗글을 감상한 내용으로 적절하지 않은 것은?

┤ 보기 ├

「운영전」에서 운영과 김 진사의 사랑은 당대의 현실을 고려할 때 이루어지기 매우 어려운 것이었다. 운영은 안평 대군의 궁녀로, 궁녀는 궁에서 외부와 단절된 채 생활했으며 다른 남자를 사모하는 것은 큰 죄로 여겨졌다. 그렇기 때문에 운영도 오로지 안평 대군의 여인으로서만 억압된 삶을 살아야 했으며, 궁 밖의 사람과 소통할 수 없었다. 이 작품에는 당대의 이러한 현실로 인해 두 사람이 힘들게 사랑을 이어 가는 모습이 그려지고 있다.

① 대군이 운영에게 '준엄히 캐물을 일이로되'라고 말한 데서, 운영이 대군 외의 다른 사람을 사모하는 마음을 품는 것이 큰 죄가 될 수 있음을 짐작할 수 있다.
② 운영이 대군에게 '만 번 죽어도 유감이 없나이다.'라고 말한 데서, 궁녀가 다른 남자를 사모하는 것을 죄로 여겼던 당대인의 의식을 엿볼 수 있다.
③ 운영을 비롯한 여러 궁녀가 '궁녀들의 원망을 담은 옛 사람들의 시'에 대해 토론한 데서, 궁녀들이 억압된 삶으로부터 벗어날 희망을 문학에서 찾았음을 알 수 있다.
④ 대군이 김 진사와 만났을 때마다 운영이 '문틈으로 엿보고 했'던 데서, 현실의 장애 때문에 힘들게 사랑을 이어 갔던 모습을 엿볼 수 있다.
⑤ 김 진사가 운영으로부터 받은 편지에 대한 '답장을 보내고자 하나 전할 방도가 없'는 데서, 궁녀와 궁 밖의 사람이 소통하는 방법이 철저하게 단절되어 있었음을 알 수 있다.

08

서술형

윗글을 바탕으로 ㉡과 같이 진사의 모습이 변화한 이유를 추론해 한 문장으로 서술하시오.

채봉감별곡(彩鳳感別曲) | 작자 미상

출제 포인트 › #애정 소설 #혼사 장애 #현실 비판적 #근대적 여성관

[앞부분의 줄거리] 채봉과 장필성은 혼약을 하지만, 김 진사는 허 판서에게 돈을 주는 것과 채봉을 허 판서의 첩으로 들이는 것을 대가로 벼슬을 약속받는다.

김 진사 내외가 상경하여 이왕 객줏집으로 임시 거처를 정하고,❶ 이튿날 허 판서를 가서 보니, 허 판서가 김 진사를 보고 반겨,

"아! 김 현감 오시나. 그래 올라오는데 노독이나 아니 났나? 자, 우선 급한데 과천 현감을 구경하려나."

하더니, 문갑에서 ㉠현감 칙지*를 내어 주는지라.❷ 김 진사가 칙지를 보고 가슴이 주저앉으며 혼 빠진 사람처럼 앉아서 눈물만 흘리고 받지를 못한다.❸ 허 판서가 거동을 보고 껄껄 웃으며, / "왜 그래? 너무 반가워서 그러하지."

김 진사가 일어나 절을 하여 칙지를 받아 앞에 놓고,

"대감 혜택으로 천은*을 입었습니다마는, 운수가 불길하여 올라오다가 죽을 풍파*를 겪고 올라왔으나,❹ 대감 뵈올 낯이 없습니다."

허 판서가 깜짝 놀라며, / "응, 그게 무슨 소리냐? 풍파를 겪다니?"

[A]
김 진사가 전후의 말을 다하니, 허 판서가 별안간 눈이 실쭉하여지며, 조금도 가엾은 생각이 없이,❺ / "허! 이런 맹랑한 놈 보아! 제가 어찌하였든지 과천 현감은 할 터이니까, 내려갈 때에는 허락을 다하고 지금은 딴소리를 해."

하며, 부르르 놀라는 체하고 김 진사의 얼굴을 훑어보며,

"대단히 놀라운 말일세. 재물은 도적이 가져갔거니와, 딸이야 못 찾아 가지고 온단 말인가?"

"아무리 찾아도 찾을 수가 있어야지요. 대감 위력이나 빌어 가지고 찾고자 하여 올라왔습니다."

허 판서가 왈칵 성을 내어 큰 소리로 꾸짖어 가로되, / "이놈, 부모가 되어서 난(亂) 중에 자식을 잃고 찾을 생각도 아니하고, 뉘 위력을 빌어서 찾으려고 내버리고 왔어. 맹랑한 놈." / 하더니, 하인을 불러서 구류를 시키라 하며,❻

"이놈, 네 딸을 데려오든지, 그렇지 않으면 돈 오천 냥을 마저 바치든지 해야 무사하리라.❼ 이놈아, 이따위 소리를 뉘 앞에서 하느냐. 시골 내려간 동안에 주선을 다해서 주마고 하였더니, 현감은 할 터이니까, 지금 와서 그까짓 소리를 한단 말이냐." / 하고, 다시 말할 새 없이 가두더라. (중략)

이때 채봉은 취향과 약속한 후 만리교에서 이 부인이 잠든 틈을 타서 도망하여 취향과 취향 어미를 데리고 평양으로 도로 내려와 취향의 집에서 있으며, 부친의 기별을 기다리고, 차차 길을 얻어 장필성에게 통하려고 우선 서화(書畵)에서 즐거움을 찾고 있었다. 채봉이는 만리교에서 도적이 들기 전 두어 식경이나 앞서 도망한 고로, 김 진사가 그 지경이 된 줄은 모르고 있더라.❽ 이때 부인이 주야 열흘 만에 평양에 당도하니 어디

Step 1 포인트 분석

▶ 작자 미상, 「채봉감별곡」

제목의 의미
'채봉'은 여주인공의 이름이고, '감별곡'은 사랑하는 임을 간절히 그리워하는 내용의 노래이다. 제목은 이 작품이 남녀 간의 애정을 다루고 있는 소설임을 보여 준다. 여주인공을 중심으로 일어나는 여러 사건을 통해 남녀 주인공이 현실의 장애를 극복하고 사랑을 이루는 과정을 형상화한 작품이다.

배경
❼ "이놈, 네 딸을~해야 무사하리라.
➡ 조선 후기에는 매관매직이 크게 성행하였음. 이러한 당대의 부정적 세태가 작품에 반영되어 있음.

인물
❷ 문갑에서 현감 칙지를 내어 주는지라.
➡ 허 판서는 문갑에서 현감 칙지를 내어 보이며 김 진사로부터 돈을 받고 김 진사의 딸을 첩으로 들이고자 함. 허 판서의 속물적인 속성이 드러남.
❸ 김 진사가 칙지를~받지를 못한다.
➡ 김 진사의 행동에는 도적에게 재산을 빼앗겨 허 판서에게 줄 돈이 없어 난감한 심정과 벼슬을 구하기 힘들어진 자신의 처지에 대해 스스로 안타까워하는 마음이 드러남.
❺ 조금도 가엾은 생각이 없이,
➡ 허 판서의 인정 없고 물욕만 가득한 비인간적 속성이 드러남.

사건
❶ 김 진사 내외가~거처를 정하고,
➡ 김 진사 내외의 상경: 김 진사 내외는 허 판서를 통해 벼슬을 얻고자 평양의 가산을 정리해 상경함.
❹ 운수가 불길하여~겪고 올라왔으나,
➡ 도적에 의한 재산 탈취: 평양의 가산을 정리하고 상경하던 중에 도적을 만나 재물을 빼앗기는 일을 겪음.
❻ 하인을 불러서 구류를 시키라 하며,
➡ 허 판서에 의한 김 진사의 투옥: 돈을 바치고 딸을 첩으로 주겠다는 약속을 지키지 않았다는 이유로 김 진사를 옥에 가둠.

서술
❽ 이때 채봉은~모르고 있더라.
➡ 요약적 서술: 채봉의 행적을 요약적으로 서술함. 채봉이 상경하던 부모로부터 도망쳐 평양으로 다시 돌아와 취향의 집에서 생활하기까지의 과정을 제시함.

로 가리오. 속으로 생각하되,

ⓐ'애기가 이리로 오면 필연 취향의 집으로 왔을 터이니, 취향의 집으로 찾아가는 것이 옳다.' / 하고 대동문을 들어서며 좌우를 돌아보고, 탄식하는 말이,

ⓑ"산천과 물색은 의구하다마는 나는 불과 한 달 동안에 행색이 이렇게 초췌하여졌단 말이냐?"❾

이렇듯 한숨지으며 고을에 들어서서 취향의 집으로 들어가니, 이때 채봉은 취향을 데리고 선후 방침을 의논하며 앉았는데, 이 부인이 안으로 들어오며 취향부터 부른다.

"취향아, 취향아!"

채봉과 취향이 부인의 음성을 어찌 모르리오. 한걸음에 우르르 뛰어나오는데, 이 부인이 미처 채봉은 보지 못하고 앞선 취향부터 보고, / "취향아, 우리 댁 아기씨 여기 왔니?"

채봉이 급히 이 부인의 손을 잡고, / "어머니, 나 여기 있소."

이 부인이 얼싸안고, / "ⓒ이 일을 어찌하면 좋단 말인가? 우리 집이 오늘날같이 불시에 망할 줄을 꿈에나 생각하였을까?"❿

채봉이 이 말을 듣고 소스라쳐 놀라 울며,

"망하다니! 불초녀(不肖女)로 무슨 풍파가 났소?"⓫

이 부인이 정신을 진정하고 방으로 들어가 앉으며,

"어떻게 되어서 네가 이리로 왔니?"

채봉이 부인의 행색을 보고, 이 말에는 대답을 아니하고 도리어 묻기부터 한다.

"글쎄 어머니, 나 여기에 온 것을 장차 이야기할 것이니, 어머니의 이야기부터 하시오. 아버지는 어디 계시며, 어머니는 무슨 일로 이렇듯이 혼자 오시오?"

하는데, 부인은 한참 동안 가슴이 답답하여 앉았다가, 만리교에서 도적을 만난 일과, 서울에 갔다가 허 판서가 영감을 가두고 윽박지르던 말을 다 하며,

"이를 어떻게 하면 좋으냐? 돈을 오천 냥을 하여 놓든지, 너를 데려오든지 하라 하니, 너는 아버지를 살리려거든 나와 같이 서울로 올라가자."⓬

채봉이 이 말을 듣고 눈물을 머금고 지난날 만리교 주막에서 취향과 약속하고 밤중에 도망하여 온 말을 대강하여 말하고,

ⓛ"어머니, 나는 죽어도 서울로 올라가기는 싫소. 이 자식은 죽은 걸로 아십시오."⓭

"네가 아니 가면 아버지는 아주 돌아가시란 말이냐. 너를 찾아 놓든지, 돈을 해서 놓아라 하니, 너라도 가야지." / 채봉이 묵묵히 앉아서 홀로 사세를 생각하니,

[B] ⓓ'가련한 부모는 이미 범의 아구리에 들었으며, 가산은 탕진한 것과 다를 바가 없고, 이 몸은 죽어도 먹은 마음 변할 생각이 없으니⓮ 이 일을 어찌하리오. 내가 올라가면 장필성의 죄인이 될 것이요, 돈도 못 하고 나도 아니 올라가면 부모는 환란˚을 면하지 못할 것이니 차라리 이 몸이 죽으면 모를까.⓯ 죽으면 나는 허물이 없는 사람이 되려니와, 늙고 병든 부모는 속절없이 죽는 사람이라. ⓔ죽기도 살기도 어려우니 슬프다. 천지가 광활하나 가련한 박명 여자의 한 몸을 용납할 곳이 없는가. 세상에 뉘가 만일 돈을 주어 내 부모를 구하게 하는 사람이 있으면, 나를 데려다가 종노릇을 시키거든 종노릇을 하고, 기생 노릇을 시키거든 기생 노릇이라도 하리라.'⓰

이와 같이 결심하니, 세상에 한없는 것은 눈물이라.

인물

❾ "산천과 물색은~말이냐?"
➔ 이 부인은 오랜 시간 변함 없는 자연의 모습과 자신의 변화된 상황을 대비하여, 재산을 잃고 궁색한 처지로 내몰린 자신의 암담한 상황에 대해 한탄함.

⓫ "망하다니!~풍파가 났소?"
➔ 도적에게 재산을 빼앗기고 아버지인 김 진사가 투옥된 사실을 모르고 있던 채봉이 불시에 망했다는 말을 듣고 놀람.

⓮ 이 몸은 죽어도~생각이 없으니
➔ 혼인을 약속한 장필성에 대한 지조를 지키겠다는 채봉의 의지가 드러남.

⓰ 세상에 뉘가~노릇이라도 하리라.'
➔ 채봉은 부모를 구할 돈을 얻을 수 있다면 종이든 기생이든 될 수 있다고 생각함. 후에 채봉은 기생이 되어 아버지를 구할 돈을 얻음.

갈등

⓭ "어머니, 나는~죽은 걸로 아십시오."
➔ 이 부인과 채봉의 대립: 김 진사를 구하기 위해 채봉이 서울로 가야 한다는 이 부인의 말에 대해 채봉은 올라가지 않겠다고 선언함. 채봉은 허 판서의 첩이 되지 않고, 장필성을 향한 지조를 지키고자 하는 의지를 보여 줌.

⓯ 내가 올라가면~죽으면 모를까.
➔ 채봉의 내적 갈등: 장필성에 대한 지조를 지키지 않을 수도 없고, 부모를 환란으로부터 구하지 않을 수도 없는 상황에서 갈등함.

사건

❿ 우리 집이~꿈에나 생각하였을까?"
➔ 채봉 집의 몰락: 상경하던 중에 도적을 만나 재산을 빼앗기고 김 진사가 투옥된 일에 대하여 '불시에 망함'이라고 말함.

⓬ "이를 어떻게~서울로 올라가자."
➔ 김 진사를 구하기 위한 방안 마련: 이 부인은 김 진사를 구하기 위해서는 채봉이 서울로 올라가야 한다고 생각함.

• **칙지**: 왕이 내린 명령.
• **천은**: 하늘의 은혜.
• **풍파**: 세상살이의 어려움이나 고통.
• **환란**: 근심과 재앙을 통틀어 이르는 말.

[전체 줄거리] 평양에 사는 김 진사가 벼슬을 구하기 위해 서울에 간 사이 그의 딸 채봉은 우연히 장필성이라는 가난한 선비를 만나 혼인을 약속한다. 김 진사는 세도가인 허 판서를 만나 벼슬을 얻는 대가로 돈을 주는 것 외에 딸을 첩으로 주기로 약속한다. 김 진사 내외는 평양의 가산을 정리하고 채봉과 함께 상경하는데, 도중에 채봉은 평양으로 돌아가고 내외는 도적을 만나 재산을 빼앗긴다. 재산을 잃은 채로 김 진사는 허 판서를 만나는데, 분노한 허 판서가 김 진사를 옥에 가둔다. 이에 이 부인은 채봉을 찾아와 첩이 되어 아비를 구하자고 한다. 그러나 채봉은 송이라는 기생이 되어 자신의 몸값을 어미에게 준다. 새로 부임한 평안 감사가 송이를 비서로 채용하고, 장필성은 송이를 보기 위해 선비임에도 이방으로 자원하여 감영에 들어온다. 이러한 사연을 알게 된 평안 감사는 둘을 결혼시킨다. 한편 허 판서는 파국을 맞이하게 된다.

Step 2 포인트 체크

[01~05] 윗글에 대하여 맞으면 ○, 틀리면 ×표를 하시오.

01 허 판서는 김 진사가 자신에게 돈뿐만 아니라 딸까지 줄 것이라고 기대하고 김 진사를 반갑게 맞이했다. 〔○ . ×〕

02 김 진사가 눈물만 흘리고 허 판서로부터 칙지를 받지 못한 것은 허 판서에게 그 대가를 지불할 수 없기 때문이다. 〔○ . ×〕

03 김 진사는 자신의 딸을 찾는 데 허 판서가 어떤 도움도 주지 않을 것이라고 생각했다. 〔○ . ×〕

04 상경하던 중에 도적을 만나 재산을 빼앗긴 김 진사의 처지에 대해 허 판서는 불쌍하게 여겼다. 〔○ . ×〕

05 이 부인은 김 진사를 옥에서 나오게 하기 위해서는 채봉이 허 판서의 첩이 되어야 한다고 생각했다. 〔○ . ×〕

[06~09] 다음 빈칸에 알맞은 말을 쓰시오.

06 채봉은 부모의 속물적인 욕심에 굴복하지 않고 장필성과의 사랑을 쟁취하고자 노력하는 ⒵Ⓒ⒵인 성격의 인물이다.

07 허 판서가 채봉을 첩으로 맞이하려 한 것은 채봉이 장필성과 혼인하는 데 ⒵Ⓞ로 작용하고 있다.

08 조선 후기에 매관매직이 성행했던 현실을 사실적으로 보여 줌으로써 현실을 ⒝Ⓟ하고 있다.

09 채봉은 필성을 향한 ⒵⒵를 버릴 수도 없고 아버지가 옥에 갇힌 처지를 저버릴 수도 없어 괴로워했다.

작품 정리

채봉감별곡

- **갈래:** 애정 소설, 염정 소설
- **시점:** 전지적 작가 시점
- **성격:** 사실적, 비판적
- **배경:** 시간 - 조선 후기 / 공간 - 평양, 한양
- **주제:** 권세에 굴하지 않는 지고지순한 사랑
- **특징:** ① 자신의 삶의 방향을 스스로 결정하는 근대적 여성관이 나타남.
  ② 조선 후기의 타락한 세태가 사실적으로 드러남.
  ③ 고전 소설의 특징인 전기성과 우연성이 사건 구성에 잘 나타나지 않음.
- **구조**

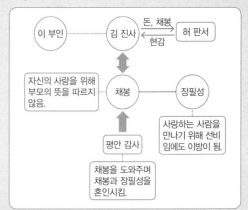

한 걸음 더

「채봉감별곡」에 반영되어 있는 시대상
이 작품에는 돈으로 관직을 사고파는 매관매직의 현실이 반영되어 있다. 조선 후기에 들어서 매관매직이 크게 성행하였는데 매관매직은 수요에 비해 공급이 부족했기 때문에 벼슬을 파는 이들의 횡포가 심했다. 이러한 세태가 허 판서의 태도를 통해 작품에서 드러나고 있다.
한편 이 작품에는 진취적인 여성상이 반영되어 있다. 자신의 사랑을 위해 부모의 뜻을 거역하는 채봉의 모습에서 사랑을 위해 적극적이고 주체적으로 행동하는 여성상을 엿볼 수 있다. 이는 당대에 여성 의식이 성장했음을 보여 준다.

01

윗글에 대한 설명으로 적절한 것은?

① 공간적 배경의 묘사를 통해 인물의 심리가 변화하는 양상을 암시하고 있다.

② 과거와 현재의 사건을 교차해 제시함으로써 서사를 입체적으로 전개하고 있다.

③ 과장된 상황의 설정을 통해 인물들이 처해 있는 현실의 부조리함을 강조하고 있다.

④ 위기에 처한 인물을 구하기 위한 방책을 마련하는 과정에서 긴장감이 고조되고 있다.

⑤ 사건에 대응하는 여러 인물의 태도를 제시하여 인물들의 공통된 성격을 나타내고 있다.

02

기출 2016학년도 7월 고3 교육청

윗글에 대한 이해로 가장 적절한 것은?

① 이 부인은 재물을 잃은 것이 채봉의 탓이라고 생각했다.

② 채봉은 도망 후 부모와 연을 끊으려고 취향의 집에 숨었다.

③ 김 진사는 허 판서에게 채봉을 찾아 데려오겠다고 약속했다.

④ 채봉은 이 부인과 재회한 후, 도망 온 대강의 사연을 이 부인에게 말했다.

⑤ 김 진사는 허 판서와의 약속을 지키지 못했기 때문에 칙지를 받는 것을 끝까지 거부했다.

03

㉠에 대한 설명으로 적절한 것은?

① 허 판서가 자신의 세도를 드러내는 방편이 되고 있다.

② 김 진사가 허 판서의 마음을 사로잡은 계기가 되고 있다.

③ 김 진사를 향한 허 판서의 부정적 감정을 나타내고 있다.

④ 김 진사에게 딸을 찾을 수 있는 수단으로 인식되고 있다.

⑤ 허 판서와 김 진사의 갈등이 발생한 직접적 원인이 되고 있다.

04

[A]를 이해한 것으로 적절하지 <u>않은</u> 것은?

① 허 판서가 김 진사를 보고 반긴 것은 김 진사가 자신이 원하는 것을 가져왔을 것이라고 기대했기 때문이겠군.

② 김 진사가 허 판서가 내준 칙지를 보고 가슴이 주저앉은 것은 칙지를 받을 수 없는 자신의 절망적 처지 때문이겠군.

③ 허 판서가 김 진사가 풍파를 겪었다는 말에 놀란 것은 김 진사가 고초를 겪은 것에 안타까운 마음이 들어서겠군.

④ 김 진사는 허 판서의 집에 가면 딸을 찾는 데 허 판서의 도움을 받을 수도 있을 것이란 생각을 했겠군.

⑤ 허 판서가 하인에게 김 진사를 구류시키라고 명령한 것은 김 진사를 옥에 가둠으로써 자신의 이익을 도모하기 위함이었겠군.

05

기출 2016학년도 7월 고3 교육청

ⓐ~ⓔ에 대한 설명으로 적절하지 않은 것은?

① ⓐ: 내적 독백을 통해 이 부인이 취향의 집으로 가려는 이유를 나타내고 있다.

② ⓑ: 자연과 대비되는 이 부인의 상황을 제시하여 이 부인의 암담한 처지를 드러내고 있다.

③ ⓒ: 의문의 진술을 통해 이 부인의 막막한 심정을 드러내고 있다.

④ ⓓ: 비유적 표현을 통해 채봉의 부모가 직면한 상황의 절박함을 드러내고 있다.

⑤ ⓔ: 편집자적 논평을 통해 채봉의 행위에 대한 서술자의 견해를 제시하고 있다.

06

[B]에서 드러나는 '채봉'의 내적 갈등 양상을 다음과 같이 정리할 때, ㉮와 ㉯에 들어갈 적절한 말을 쓰시오.

```
(   ㉮   )이/가 됨.          (   ㉯   )을/를 지킴.
       ↓                          ↓
장필성에게 죄인이 됨.    ⇔    부모가 환란을 면하지 못함.
```
⇩
```
부모를 구할 돈을 얻을 수 있다면 종이든 기생이든 될 수 있음.
```

㉮: _____

㉯: _____

07

과난도 기출 2016학년도 7월 고3 교육청

〈보기〉를 바탕으로 윗글을 감상한 내용으로 적절하지 않은 것은?

┤ 보기 ├

「채봉감별곡」은 주인공이 장애를 극복하고 사랑을 이루어 가는 과정을 보여 주는 소설이다. 조선 후기의 사회 현실을 배경으로 한 이 소설에서는 인물들의 행위가 현실적인 욕망에서 기인하며, 주인공이 장애를 극복하는 과정에 전기적(傳奇的)인 요소가 거의 없고 우연적인 요소가 적다는 특징이 있다. 또한 사랑을 이루기 위해 자신의 뜻에 따라 행동하며 자신에게 닥친 문제에 대한 해결책을 스스로 모색하고자 하는 능동적인 인물을 제시한 점이 이 소설의 특징이다.

① 채봉은 혼약을 지키려고 평양으로 돌아왔다는 점에서 자신의 뜻에 따라 행동하는 인물이라고 할 수 있겠군.

② 채봉은 천한 신분이 되는 것을 감수하고서라도 스스로 문제를 해결하고자 하는 능동적인 인물로 볼 수 있겠군.

③ 허 판서의 매관매직과 횡포로 채봉의 집안이 고통을 겪고 있다는 점에서 조선 후기의 부정적 현실이 드러나 있군.

④ 김 진사는 딸을 첩으로 보내면서까지 출세하려고 했다는 점에서 세속적인 욕망을 추구하는 인물이라고 할 수 있겠군.

⑤ 채봉이 만리교에서 도적이 들 것을 예측하고 피했다는 점에서 사건의 구성에 비현실적 요소가 남아 있다는 것을 알 수 있군.

08

서술형

ⓛ을 통해 드러나고 있는 '채봉'의 태도에 대해 한 문장으로 서술하시오.

_____

_____

애정 소설

07강

매화전(梅花傳) | 작자 미상

출제 포인트 > #애정 소설 #계모에 의한 갈등 유발 #도술적(비현실적)

[앞부분의 줄거리] 도술이 뛰어난 장단골 김 주부는 조정 간신들에게 쫓기다 딸 매화와 헤어져 아내와 구월산에 들어간다. 매화는 조 병사에게 구원되고 그 아들 양유와 사랑에 빠진다. 양유의 계모 최 씨는 상처*한 자신의 동생과 혼인시키고자 매화를 탐낸다.

하루는 병사 내당에 들어와 부인 최 씨를 대하여 가로되,

"전일 관상쟁이가 이러이러하니❶ **앞으로 닥칠 길흉**을 어찌하리요. 매화는 내 집에 있을 뿐 아니라 양유와 동갑이요, 인물이 비범하니 혼사함이 어떠하리이까?"

부인이 변색하여 가로되,

㉮"병사 어찌 그런 말씀을 하시나이까? 양유는 사부(士夫) 후계요, 매화는 유리걸식(流離乞食)하는 아이라. 근본도 아지 못 하고 어찌 인물만 탐하리까?"❷

병사 옳이 여겨 가로되,

ⓐ"부인 말씀이 옳도다. 일후에 장단골 가서 매화의 근본을 알리라."❸

하고 나아가거늘,

부인이 그 말을 듣고 제 동생을 불러 이르되,

ⓑ"병사께서 장단골 가서 매화의 근본을 알고자 하니 네 먼저 가서 재물을 많이 그 근처 사람에게 주어라. 그러면 매화 너의 짝이 될지라. 저런 인물을 어찌 그저 두리요."❹

한대 최 씨 동생이 이 말을 듣고 재물을 많이 가지고 장단골 연화동을 찾아가더라.❺

이때에 병사 길을 떠나 여러 날 만에 장단골을 찾아가니❻ 어떤 사람 길가에 앉았거늘 병사 말을 머무르고 물어 가로되, / "이곳이 연화동이냐?"

"연화동이로소이다."

병사 물어 가로되, / "연화동이라면 김 주부라 하는 양반 있느뇨?"

그 사람이 웃고 대답하여 가로되,

"주부라 하는 놈이 있더니 남의 재물을 많이 쓰고 도망하였나이다."❼

하거늘 병사 이 말을 들으매 정신이 아득하여 어찌 할 줄을 모르다가 다시 생각하여 가로되, / "날이 저물은지라 유하고 갈 터이니 주점을 이르라."

한대 그 사람이 한 집을 인도하거늘 병사 들어가니 또 한 사람이 물어 가로되,

"말 타고 온 손님은 어떠한 양반인고?"

주모가 가로되, / "저러한 양반이 김 주부 같은 놈을 찾아왔다."

하고 냉소하여 가로되,

"주부라 하는 놈은 이미 도망하였거니와 저희 딸 매화 비록 **천인(賤人)의 자식**이나 인물이 절색이라. 아무 데로 가더라도 남을 속이리라."❽

하거늘 병사 주모더러 물어 가로되, / "이곳에 김 주부라 하는 재인이 있느냐?"

주모가 가로되, / "수년 전에 어디론가 도망하였삽더니 들사오니 제 딸 매화는 남복을 입고 황해도 연안 지경에 있단 말을 들었나이다."

Step 1 포인트 분석

▶ 작자 미상, 「매화전」

제목의 의미

여주인공 '매화'를 중심으로 서사가 전개되는 작품으로, 매화가 시련을 겪고 조력자에게 구출되어 양육된 후 재차 시련을 극복하는 과정을 제시하고 있다.

배경

❻ 장단골을 찾아가니
→ 공간적 배경인 '장단골'은 본래 김 주부가 매화와 함께 살던 곳임. 이곳에서 매화의 근본을 왜곡하는 모략이 벌어짐.

인물

❷ "병사 어찌~인물만 탐하리까?"
→ 최씨 부인은 신분을 중시하는 당대의 보편적 가치관을 근거로 혼인에 반대함. 이는 자신의 동생과 매화를 혼인시키기 위한 것임.

❸ "부인 말씀이~근본을 알리라."
→ 조 병사는 최씨 부인의 말이 옳다고 말한 데서 신분을 중시하는 가치관이 드러남.

사건

❶ "전일 관상쟁이가 이러이러하니
→ 관상쟁이의 예언: 양유의 관상을 보고 귀하게 될 상이나 호환(虎患)이 있을 것이니 매화와 혼인을 시켜야 한다고 말함. 이에 따라 조 병사가 아내에게 양유와 매화를 혼인시키는 것이 어떨지 의견을 묻고 있음.

❹ "병사께서 장단골~그저 두리요."
→ 최씨 부인의 계략: 조 병사가 매화의 근본을 알기 위해 장단골에 가려 하자, 동생을 미리 보내 그 지역의 사람을 매수하여 매화의 근본에 대해 거짓을 말하게 함.

❼ "주부라 하는~쓰고 도망하였나이다."
→ 매화의 근본에 대한 모략: 매화의 아버지인 김 주부를 남의 돈을 떼어먹는 악인으로 만들어 매화의 근본을 왜곡함.

❽ "주부라 하는 놈은~남을 속이리라."
→ 매화의 신분과 인물됨에 대한 왜곡: 최씨 부인의 모략에 따라 매화가 그 신분이 천하며 남을 속이는 것을 잘하는 인물이라고 왜곡함.

서술

❺ 한대 최 씨~연화동을 찾아가더라.
→ 청자에게 전달하는 듯한 말투 사용: '-더라'는 상대에게 말을 전달할 때 사용하는 어미임. 이 어미를 사용하여 판소리처럼 청자에게 사실을 전달하듯이 사건을 제시함.

병사 이 말을 들으니 다시는 의혹이 없는지라.❾ 그날 밤을 겨우 지내어 말을 몰아 집에 돌아와 부인께 답하여 가로되,

ⓒ"만일 부인의 말씀을 듣지 아니하고 혼사를 하였던들 사대부 집안에 대단 비웃음을 살 뻔하였도다. 매화는 천인 자식이라 내쫓으라."❿

한대 부인이 가로되,

ⓓ"매화 아무리 천인의 자식이라도 혼사 아니 하면 무슨 허물 있으리까?"

병사 또 학당에 가 양유를 불러 가로되,

"매화로 더불어 공부하던 일이 분하도다. 앞으로는 매화를 대면치 말라."

하시거늘 양유 이 말을 듣고 정신이 아득하여 엎어지더라.⓫

[중략 부분의 줄거리] 조 병사 집을 나온 매화는 부모를 만나 구월산으로 간다. 김 주부는 매화 모르게 동자를 호랑이로 변신시켜 양유를 잡아 와 방에 가두고, 양유는 동자에게 살려 달라고 한다.

"동자는 불쌍한 사람을 살려 주소서." / 한대 동자 가로되,

"원명⁰ 그뿐이라 낸들 어찌하리요. 만일 여자 혼신(魂神)⁰ 들어와 절하거든 맞절하소서. 정성이 지극하면 천행으로 살아갈까 하나이다."

[A]
　문을 잠그고 나가거늘 양유 촉하에 앉았으니 정신 산란한지라.⓬ 창천에 월색은 명랑한데 구름만 얼른하여도 범이 오는가 하고 바람만 수수하여도 귀신인가 의심할 제 이팔청춘 어린아이 일천간장 다 녹인다.⓭ 이윽하여 밖으로 공성이 들리거늘 정신 차려 살펴보니,

"아가 들어가자."

"어머님, 어머님, 못 가겠소."

부인이 가로되, / "밤이 깊었으니 어서 바삐 들어가자."

매화가 가슴을 치며, / ⓓ"나는 죽어도 못 가겠소."

[B]
　문고리 떨렁 방문이 와당탕, 양유 깜짝 놀래어 금침을 무릅쓰고 동정을 살펴보니 어떠한 낭자 녹의홍상을 입고 들어와 벽을 안고 슬피 울거늘 양유 정신이 아득하여 실로 꿈만 같은지라. 귀신이냐, 호랑이냐, 어찌할 줄을 모르더니 과연 낭자 일어나 사배(四拜)하거늘 양유 내념(內念)에 행여 살려 줄까⓮ 일어나 극진히 절하고 거동을 살펴보니 문득 광풍이 일어나며 방문이 열치며 한 ⓐ봉서가 내려지거늘 그 글 보니 하였으되,

'만산초목이 다 피었으되 양유·매화는 봄소식을 모르는도다.'

하였거늘⓯ 양유 그 글을 보고 여자를 살펴보니,

"연연한 거동은 매화와 방불하다마는 이러한 산중에 어찌 매화가 왔으리요."

낭자도 추파⁰를 번듯 들어 수재⁰를 살펴보며 가로되,

"산중이라고 어찌 매화 없으리요마는 양유 없는 게 한이로다."

하거늘 양유 이 말을 듣고 크게 놀라고 매우 기뻐하여 자세히 살펴보니 매화가 분명하거늘 양유가 가로되,

ⓔ"네가 죽은 혼이냐. 명천이 감동하사 매화 얼굴 다시 보니 죽어도 무슨 한이 있으리요."

하고 기절하거늘 매화는 흉중이 막히어 아무 말도 못 하고 다만 눈물만 흘리는지라.

인물

❾ 병사 이 말을~의혹이 없는지라.
→ 조 병사는 매화가 천인의 자식이므로 양유의 처로 적합하지 않다고 확신함.

⓫ 양유 이 말을~아득하여 엎어지더라.
→ 양유는 매화와 혼인하기를 희망함. 그런데 부친이 매화를 대면치 말라는 명령을 함. 이로 인해 양유는 정신이 아득해지며 절망함.

⓬ 양유 촉하에~정신 산란한지라.
→ 호랑이로 변한한 동자에게 잡혀 온 양유는 방에서 불안하고 초조한 심리 상태를 보임.

사건

❿ "만일 부인의~자식이라 내쫓으라."
→ 조 병사가 매화를 내쫓음: 최씨 부인의 모략에 따라 매화가 천인의 자식으로 남을 잘 속인다고 믿게 된 조 병사가 매화를 집에서 내쫓음.

⓯ 문득 광풍이~하였거늘
→ 다시 만난 매화와 양유: 양유가 있는 방에 매화가 들어와 두 사람의 만남이 이루어지자 봉서가 내려짐. 이 봉서에서 '봄소식'은 양유와 매화에게 좋은 일이 일어날 것임을 나타냄.

서술

⓭ 창천에 월색은~다 녹인다, ⓮ 양유 정신이~살려 줄까
→ 서술자에 의한 인물의 내면 설명: 전지적 서술자가 불안해하는 양유의 내면 심리 상태를 설명함.

• **상처**: 아내의 죽음을 당함.
• **원명**: 본디 타고난 목숨.
• **혼신**: 영혼과 정신.
• **추파**: 미인의 맑고 아름다운 눈길.
• **수재**: 미혼 남자를 높여 부르는 말.

[전체 줄거리] 경기도 장단에 사는 김 주부는 도술에 능했으며, 무남독녀 매화를 두고 있었다. 조정의 간신배들이 김 주부를 해치려 하자 그는 매화를 남장시켜 길에 버리고 아내와 함께 구월산으로 피한다. 매화는 조 병사에 의해 구출되어 조 병사의 아들 양유와 함께 공부하며 자란다. 그러던 중 매화는 양유에게 사연을 털어놓고, 두 사람은 부모의 승낙을 받은 뒤 혼약하기로 한다. 어느 날 관상쟁이가 와서 양유의 관상을 보더니 귀하게 될 상이나 호환(虎患)이 있을 것이니 매화와 혼인시켜야 한다는 글을 남겨 놓고 사라진다. 이때 양유의 계모는 매화를 자기 동생과 혼인시키려는 계략을 세운다. 계모는 사람을 매수하여 매화의 아버지가 나쁜 인물이라고 소문을 낸다. 이를 들은 조 병사는 매화를 구박하다가 결국 내쫓는다. 계모의 남동생에게 쫓긴 매화는 강물에 투신하는데, 아버지 김 주부가 도술로 매화를 구출한다. 양유는 다른 여인과 혼인하기 전날 호랑이에 물려 구월산에 잡혀 와 혼례를 치르게 되었는데 신부가 바로 매화였다. 김 주부는 조 병사를 구월산으로 불러 아들과 만나게 하고, 이곳에서 이들은 임진왜란을 피한다. 그 후 김 주부는 신선이 되었고, 다른 사람들은 고향에 돌아가 행복하게 살았다.

Step 2 포인트 체크

[01~05] 윗글에 대하여 맞으면 ○, 틀리면 ×표를 하시오.

01 조 병사는 관상쟁이가 예언한 대로 양유에게 길흉이 닥칠 수 있다고 생각했다. (○, ×)

02 최씨 부인은 처음부터 매화가 천인의 자식이라고 생각했다. (○, ×)

03 조 병사는 장단골 연화동에 가면 매화의 근본을 아는 사람들이 있을 것이라고 생각했다. (○, ×)

04 조 병사는 매화가 남을 속인다는 주모의 말에 의심을 품고 그 말이 진위를 따져 보았다. (○, ×)

05 매화는 부모가 자신을 양유가 아닌 다른 사람과 혼인시키려 한다고 생각했다. (○, ×)

[06~09] 다음 빈칸에 알맞은 말을 쓰시오.

06 이 작품은 계모의 간계에 의해 인물들이 시련을 겪는 사건이 일어난다는 점에서 [ㄱ][ㅈ] [ㅅ][ㅅ]의 성격을 지니고 있다고 볼 수 있다.

07 김 주부가 동자를 호랑이로 변신시킨 것은 작품의 [ㅈ][ㄱ][ㅈ] 성격을 보여 준다.

08 [ㄱ] [ㅈ][ㅂ]는 도술을 부려 양유를 구월산에 데려옴으로써 매화와 양유가 혼사 장애를 극복할 수 있게 돕는다.

09 '-더라'와 같이 사실을 청자에게 전달할 때 사용하는 어미가 서술에 사용된 것으로 보아 이 작품이 [ㅍ][ㅅ][ㄹ][ㄱ] [ㅅ][ㅅ] 문체의 영향을 받았음을 알 수 있다.

정답 | 01 ○ 02 × 03 ○ 04 × 05 ○ 06 가정 소설 07 전기적 08 김 주부 09 판소리계 소설

작품 정리

매화전

- **갈래:** 애정 소설, 도술 소설, 가정 소설
- **시점:** 전지적 작가 시점
- **성격:** 염정적, 전기적(傳奇的)
- **배경:** 시간–임진왜란 전후 / 공간–경기도 장단, 구월산
- **주제:** 남녀의 애틋한 이별과 우여곡절 끝에 이루어진 남녀의 사랑
- **특징:** ① 남녀 주인공의 결연담을 중심으로 서사가 전개됨.
  ② 인물의 도술에 의해 사건이 전개되는 등 전기적인 요소가 나타남.
  ③ 혼사 장애 모티프가 서사 전개에 활용됨.
- **구조**

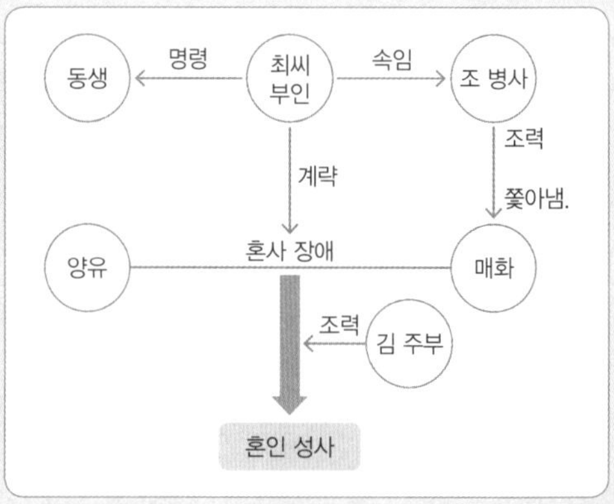

한 걸음 더

「매화전」의 복합적 성격

「매화전」은 여러 유형의 소설에 나타나는 요소를 지니고 있다. 이는 창작 당시 기존 소설을 다층적으로 수용한 결과이자 대중 소설을 지향한 결과로 볼 수 있다. 남녀 주인공인 매화와 양유의 결연담을 중심으로 놓고 보면 애정 소설로 볼 수 있으며, 매화의 아버지 김 주부의 도술적인 행위와 신분을 놓고 보면 도술 소설의 경향도 짙다. 더불어 매화와 양유의 혼사를 방해하는 인물로 양유의 계모가 설정되어 있어서 가정 소설적인 요소 또한 지니고 있다.

정답 012쪽

01

기출 2014학년도 10월 고3 교육청 A형

윗글에 대한 설명으로 가장 적절한 것은?

① 우의적인 소재를 통하여 대상을 희화화하고 있다.
② 인물 간의 대화를 중심으로 사건이 전개되고 있다.
③ 역사적 인물을 언급하여 특정 인물을 예찬하고 있다.
④ 시대 배경을 구체적으로 서술하여 사실성을 높이고 있다.
⑤ 인물의 외양을 자세히 묘사하여 그 성격을 드러내고 있다.

02

기출 2014학년도 10월 고3 교육청 A형

윗글에 대한 이해로 적절하지 <u>않은</u> 것은?

① 최씨 부인의 동생은 조 병사보다 앞서 장단골에 갔다.
② 매화 모녀는 양유가 있는 방 앞에서 실랑이를 벌였다.
③ 양유는 동자가 나간 후 호랑이를 물리칠 결심을 했다.
④ 주모는 조 병사에게 매화가 천인의 자식이라고 말했다.
⑤ 조 병사의 도움을 받은 매화는 양유와 함께 공부를 했다.

03

기출 2014학년도 10월 고3 교육청 A형

㉠의 기능으로 가장 적절한 것은?

① 인물들의 성격 변화를 야기하는 매개가 된다.
② 인물들 사이에 쌓였던 갈등이 촉발되는 계기가 된다.
③ 인물들이 잘못된 당시 세태를 비판하는 수단이 된다.
④ 인물들이 상대의 정체를 파악하게 되는 실마리가 된다.
⑤ 불합리한 상황에 대한 인물의 분노를 표출하는 방법이 된다.

04

ⓐ~ⓔ에 대한 설명으로 적절하지 <u>않은</u> 것은?

① ⓐ: 조 병사가 신분을 중시하는 가치관을 지니고 있음이 드러나고 있다.
② ⓑ: 최씨 부인의 간사한 성격이 드러나고 있다.
③ ⓒ: 조 병사가 매화의 신분이 천하다고 확신했음이 드러나고 있다.
④ ⓓ: 양유를 향한 매화의 마음에 변화가 생겼음이 드러나고 있다.
⑤ ⓔ: 양유는 매화가 죽었다고 생각했음이 드러나고 있다.

05

[A]와 [B]의 공통점으로 가장 적절한 것은?

① 서술자가 인물의 내면 심리 상태를 진술하고 있다.
② 배경 묘사를 통해 인물에게 일어날 사건을 암시하고 있다.
③ 인물이 겪은 과거의 일들을 시간적 순서대로 요약하고 있다.
④ 서술자의 논평을 통해 인물 간의 갈등 양상을 설명하고 있다.
⑤ 환상적인 분위기의 조성을 위해 비현실적인 사건을 제시하고 있다.

06

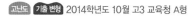 고난도 기출 변형 2014학년도 10월 고3 교육청 A형

〈보기〉를 바탕으로 윗글을 이해한 내용으로 적절하지 **않은** 것은?

┤ 보기 ├

고전 소설에서 혼사 장애담은 남녀 주인공의 혼사가 어떤 장애 요인으로 보류되지만 다시 장애를 극복하고 혼사에 성공하는 이야기를 말한다. 이러한 혼사 장애담은 일반적으로 아래의 과정에 따라 사건이 전개된다.

① 조 병사는 A에 앞서 혼사에 대한 최씨 부인의 의견을 물었군.
② 최씨 부인이 매화를 탐내 간계를 부리는 데서 B가 비롯되었군.
③ 조 병사는 장단골에 다녀온 후 매화의 집안을 문제 삼아 양유에게 C를 명령했군.
④ 매화는 C의 상태에서 양유를 그리워하는 마음을 품고 있었군.
⑤ 양유는 매화가 방에 들어오기 전에 D를 통해 B가 극복될 것이라고 확신했군.

07

서술형

'조 병사'와 '최씨 부인'에게 장단골 연화동 이 각각 어떤 의미를 지니고 있는지 서술하시오.

08

〈보기〉를 참고하여 윗글을 설명한 내용으로 적절한 것은?

┤ 보기 ├

「매화전」은 대중 소설적 특성을 지니고 있다. 이를 보여 주는 대표적인 요소로 인물 간 또는 인물과 독자 간의 '속이고 속음', '감추고 드러냄'을 들 수 있다. 해당 사건을 겪는 당사자는 사건의 정황을 구체적으로 모르고 있는데 사건을 주도하는 인물과 주변 인물, 독자만 아는 것이 반복되는 것이다. 이는 맥락에 따라 여러 가지 서사적 기능을 수행하고 있다.

① 동자가 김 주부와 달리 양유의 방에 들어올 사람을 모르는 것이 서사의 흥미를 높이고 있다.
② 관상쟁이가 예고한 '앞으로 닥칠 길흉'을 조 병사가 모름으로써 독자의 관심을 유발하고 있다.
③ 매화가 '천인의 자식'이라는 주모의 말을 믿는 조 병사의 모습은 서사적 긴장감을 형성하고 있다.
④ 매화의 어머니가 매화를 속여 양유의 방에 들여보내는 것이 사건의 반전을 가능하게 만들고 있다.
⑤ 최씨 부인이 조 병사와 달리 매화의 근본을 모르는 것이 새로운 사건이 발생하는 계기로 작용하고 있다.

09

㉮와 ㉯의 말하기 방식을 다음과 같이 설명하고자 할 때, 빈칸에 들어갈 적절한 말을 쓰시오.

㉮	( )을/를 막기 위해 조 병사에게 매화의 ( )에 대한 문제 제기를 하고 있다.
㉯	( )을/를 위하는 척하는 말로 자신의 ( )을/를 감추고 있다.

춘향전(春香傳) | 작자 미상

출제 포인트 › #애정 소설 #판소리계 소설 #해학적 #풍자적 #신분을 초월한 사랑

[앞부분의 줄거리] 퇴기 월매의 딸 춘향은 단옷날에 남원 부사의 아들 이몽룡을 만난다. 이후 두 사람은 서로 사랑하는 사이가 되어 백년가약을 맺는다. 그러던 어느 날 이몽룡은 아버지의 부름을 받는다.

도련님 들어가니 **사또** 말씀하시되, / "서울에서 동부승지˚ 교지가 내려왔다. 나는 문서나 장부를 처리하고 갈 것이니 너는 식구들을 데리고 내일 바로 떠나거라."❶

[A] ┌ 도련님 아버지 명을 듣고 한편으로 반갑고 다른 한편으로는 춘향을 생각하니 흉중˚
    │ 이 답답하다.❷ 사지에 맥이 풀리고 간장이 녹는 듯, 두 눈에서 더운 눈물이 펄펄 솟아
    └ 옥 같은 얼굴을 적시거늘 사또 보시고,

"너 왜 우느냐. 내가 남원에서 평생 살 줄 알았더냐. 내직(內職)˚으로 승진하였으니 섭섭하게 생각 말고 오늘부터 짐을 급히 꾸려 내일 오전 중에 떠나거라."

㉮ ┌ 겨우 대답하고 물러나와 안채로 들어간다. 사람이 직위 고하를 막론하고 **모친**과는
  └ 거리낌이 적은지라. 춘향이 얘기를 울며 하다가 꾸중만 실컷 듣고❸ 춘향의 집으로 간다.
설움은 기가 막히나 노상에서 울 수 없어 참고 나오는데 속에서 부글부글 끓는지라.❹
춘향 문전 당도하니 통째 건더기째 보자기째 왈칵 쏟아져 놓으니,

"어푸 어푸 어허." / **춘향**이 깜짝 놀라 왈칵 뛰어 내달아,

"애고 이게 웬일이오? 안으로 들어가시더니 꾸중을 들으셨소? 오시다가 무슨 분한 일을 당하여 계시오? 서울서 무슨 기별이 왔다더니 상복 입을 일이 생겼소? 점잖으신 도련님이 이것이 웬일이오?"❺

춘향이 도련님 목을 담쏙 안고 치맛자락을 걷어잡고 옥 같은 얼굴에 흐르는 눈물을 이리 씻고 저리 씻으면서, / "울지 마오. 울지 마오."

도련님 기가 막혀 울음이란 것이 말리는 사람이 있으면 더 울던 것이었다. 춘향이 화를 내어, / "여보 도련님! 우는 입 보기 싫소. 그만 울고 까닭이나 말해 보오."

"사또께옵서 동부승지가 되셨단다."

춘향이 좋아하여,❻ / "댁의 경사요. 그러면 왜 운단 말이오?"

"너를 버리고 갈 터이니 내 아니 답답하냐."

"언제는 남원 땅에서 평생 사실 줄로 알았겠소. ㉠나와 어찌 함께 가기를 바라리오. 도련님 먼저 올라가시면 나는 여기서 팔 것 팔고 추후에 올라갈 것이니 아무 걱정 마시오. 내 말대로 하면 궁색하지 않고 좋을 것이오. 내가 올라가더라도 도련님 큰 댁으로 가서 살 수 없을 것이니 큰 댁 가까이 방이나 두엇 되는 조그마한 집이면 족하오니 염탐하여 사 두소서. 우리 식구가 가더라도 공밥 먹지는 아니할 터이니 그렁저렁 지내다가, 도련님 나만 믿고 장가 아니 갈 수 있소. 부귀공명 재상가 요조숙녀를 가리어서 혼인할지라도 아주 잊지는 마옵소서. ㉡도련님 과거 급제하여 벼슬 높아 임지로 떠나가서 신임 관리로 행차할 때 첩으로 내세우면 무슨 말이 되오리까?❼ 그리 알아 조처하오."

Step 1 포인트 분석

▶ 작자 미상, 「춘향전」

제목의 의미
기생의 딸 '춘향'과 양반인 '이몽룡'의 신분을 초월한 사랑 이야기를 담은 작품이다. 춘향이 이몽룡과 백년가약을 맺고 이몽룡이 떠난 뒤 변학도에게 수청을 강요당해 시련을 겪고 이몽룡과 재회해 결연을 맺는 일련의 이야기가 춘향을 중심으로 전개되고 있다.

배경
❸ 꾸중만 실컷 듣고
➡ 양반인 몽룡이 기생의 딸인 춘향과 사랑하는 것을 치기 어린 행동으로 치부하고 나무란 것임. 당대에 양반이 기생과 사귀는 것은 정식으로 인정받을 수 있는 교제가 아니었음. 이 작품은 이러한 당대의 보편적인 인식을 초월하는 사랑을 보여 줌.

인물
❷ 도련님 아버지~흉중이 답답하다.
➡ 몽룡은 남원 부사에서 동부승지로 아버지가 영전해 기쁜 마음도 들지만, 춘향과의 이별을 감내해야만 하는 상황으로 인해 답답함과 슬픔도 느낌.

❹ 설움은 기가~부글부글 끓는지라.
➡ 몽룡은 춘향과 이별하는 문제를 해결할 수 없어 답답함을 느꼈는데, 그것을 이해해 주는 사람이 없어 설움이 더 커짐.

❺ "애고 이게~이것이 웬일이오?"
➡ 몽룡이 자신의 집에 들어와 평소와 다른 행동을 보이자 놀란 춘향이 무슨 일이 있는지 묻고 있음.

❻ 춘향이 좋아하여,
➡ 몽룡이 춘향의 집에 이르러 매우 슬퍼하는 모습을 보이는 것과 반대로 춘향은 기뻐하는 모습을 보임. 두 사람의 대조적인 태도는 사건 전개의 입체성을 높임.

❼ 우리 식구가~말이 되오리까?
➡ 춘향은 당장 몽룡과 함께 서울로 올라갈 수는 없어도 차후에 따로 서울에 올라가 몽룡의 첩으로 살 수 있을 것이라고 생각함. 이는 신분의 차이를 고려하여 현실적으로 가능한 미래의 삶에 대해 기대하는 바를 나타낸 것으로 볼 수 있음.

사건
❶ "서울에서 동부승지~바로 떠나거라."
➡ 동부승지 교지의 도착: 몽룡의 아버지가 동부승지에 임명되었다는 교지가 도착하여 갑작스럽게 몽룡이 가족과 함께 서울로 올라가야만 함.

"그게 이를 말이냐. 사정이 그렇기로 네 얘기를 아버님께는 못 여쭈고 어머님께 여쭈오니 꾸중이 대단하시더라. ㉢양반 자식이 부형 따라 지방에 왔다가 기생집에서 첩을 만나 데려가면 앞날에도 좋지 않고 조정에 들어 벼슬도 못 한다더구나.❽ **불가불 이별이 될밖에 별 수 없다.**"

[B] 춘향이 이 말을 듣더니 별안간 얼굴색을 바꾸며 안절부절이라. 붉으락푸르락 눈을 가늘게 뜨고 눈썹이 꼿꼿하여지면서 코가 벌렁벌렁하며 이를 뽀드득 뽀드득 갈며, 온몸을 수수잎 틀 듯하고 매가 꿩을 꿰 차는 듯하고 앉더니,❾ / "허허 이게 웬 말이오."

㉣왈칵 뛰어 달려들며 치맛자락도 와드득 좌르륵 찢어 버리고 머리도 와드득 쥐어뜯어 싹싹 비벼 도련님 앞에다 던지면서,❿ / "무엇이 어쩌고 어째요. 이것도 쓸데없다."

거울이며 빗이며 두루 쳐 방문 밖에 탕탕 부딪치며, 발도 동동 굴러 손뼉치고 돌아앉아 **자탄가(自嘆歌)**로 우는 말이,

"서방 없는 춘향이가 세간살이* 무엇하며 단장하여 뉘 눈에 사랑받을꼬? 몹쓸 년의 팔자로다. 이팔청춘 젊은 것이 이별 될 줄 어찌 알랴. 부질없는 이내 몸을 허망하신 말씀 때문에 신세 버렸구나. 애고 애고 내 신세야."⓫

천연히 돌아앉아,

[C] "여보 도련님, 이제 막 하신 말씀 참말이오 농담이오. 우리 둘이 처음 만나 백년언약 맺은 일도 마님과 사또께옵서 시키시던 일이오니까?⓬ 웬 핑계요. 광한루에서 잠깐 보고 내 집에 찾아와서 밤 깊어 인적 없는 한밤중에 도련님은 저기 앉고 춘향 나는 여기 앉아 날더러 하신 말씀, 오월 단오 밤에 내 손길 부여잡고 우둥퉁퉁 밖에 나와 맑은 하늘 천 번이나 가리키며 ⓐ굳은 언약 어기지 않겠노라고 만 번이나 맹세하기에 내 정녕 믿었더니 결국 가실 때는 톡 떼어 버리시니 이팔청춘 젊은 것이 낭군 없이 어찌 살꼬. 가을 길고도 깊은 밤 외로운 방에 홀로 님 생각 어찌할꼬. 모질도다 모질도다 도련님이 모질도다. 독하도다 독하도다 서울 양반 독하도다. ㉤원수로다 원수로다 존비귀천(尊卑貴賤)* 원수로다.⓭ 천하에 다정한 게 부부간 정이건만 이렇듯 독한 양반 이 세상에 또 있을까. 애고 애고 내 일이야. 여보 도련님 춘향 몸이 천하다고 함부로 버려도 되는 줄로 알지 마오. 박명한 신세 춘향이가 입맛 없어 밥 못 먹고 잠이 안 와 잠 못 자면 며칠이나 살 듯하오. 사랑에 병이 들어 애통해하다가 죽게 되면 가련한 내 영혼은 억울하게 죽은 귀신이 될 것이니, 존귀하신 도련님께 그것은 어찌 재앙 아니리오? 사람 대접을 그리 마오. 사람을 대하는 법이 그런 법이 왜 있을꼬. 죽고지고 죽고지고. 애고 애고 설운지고."

한참 이리 진이 빠지도록 서럽게 울 때 **춘향 어미**는 전후 사정도 모르고,

"애고 저것들 또 사랑싸움이 났구나. 어 참 아니꼽다. ㉥눈구석에 쌍가래톳 설 일 많이 보네."

하고 아모리 들어도 울음이 장차 질구다. 하던 일을 밀쳐 놓고 춘향 방 영창 밖으로 가만가만 들어가며 아무리 들어도 이별이로구나.

"허허 이것 별일 낫다."

두 손뼉 땅땅 마주치며,

"허허 동네 사람 다 들어 보오. ㉦오늘날로 우리 집에 사람 둘 죽습네."⓮

인물

⓫"서방 없는~내 신세야."
→ 몽룡의 백년가약을 믿고 몽룡과 사랑을 나누다가 몽룡만 서울로 간다는 말에 홀로 남는 자신의 신세를 한탄함.

⓬"여보 도련님,~시키시던 일이오니까?"
→ 자신의 처지를 한탄하던 춘향이 겉으로 아무렇지 않은 듯한 태도로, 주체적으로 문제를 해결하지 않는 몽룡에 대한 원망의 심정을 표출함.

⓮"허허 동네~둘 죽습네."
→ 춘향 어미인 월매는 춘향이가 우는 것이 몽룡과의 이별 때문임을 알고 '사람 둘 죽습네.'라고 말하고 있음. 이는 춘향 어미 또한 몽룡과 춘향의 이별로 인한 절망감이 매우 큼을 나타냄.

사건

❽양반 자식이~별 수 없다."
→ 이별의 상황을 받아들이는 몽룡: 몽룡은 춘향과의 신분 차이에 따른 문제 때문에 이별할 수밖에 없다고 이별을 통보함.

갈등

❿왈칵 뛰어~앞에다 던지면서,
→ 몽룡의 이별 통보에 분노하는 춘향: 춘향은 몽룡과의 백년가약을 이어 가고자 하는 욕망이 좌절되자 격한 반응을 보임.

서술

❾붉으락푸르락 눈을~듯하고 앉더니,
→ 생동감 있는 인물 묘사: 음성 상징어와 비유적 표현을 사용하여 인물의 표정, 행동 등을 생동감 있게 묘사함.

❿왈칵 뛰어~앞에다 던지면서,
→ 춘향의 심리에 대한 과장적 표현: 춘향은 몽룡과의 백년가약을 이어 가고자 하는 욕망이 좌절되자 그 슬픔과 절망감을 행동으로 표출하고 있는데, 그것을 서술자가 과장된 표현으로 진술함.

⓭모질도다 모질도다~존비귀천 원수로다.
→ 반복을 통한 리듬감 형성: 동일한 말과 '~도다 ~도다 ~(이) ~도다'의 <A-A-B-A> 통사 형식을 반복적으로 사용하여 리듬감을 형성함. 이를 통해 몽룡에 대한 원망, 자신의 처지에 대한 한탄의 심정을 효과적으로 나타냄.

• **동부승지**: 조선 시대에, 승정원에 속한 정삼품 벼슬.
• **흉중**: 마음속. 또는 마음속에 품고 있는 생각.
• **내직**: 기관의 중앙 부서에 있는 직책.
• **세간살이**: 집안 살림에 쓰는 온갖 물건.
• **존비귀천**: 사회적 지위나 신분의 높음과 낮음 또는 귀함과 천함.

Step 2 포인트 체크

[01~05] 윗글에 대하여 맞으면 ○, 틀리면 ×표를 하시오.

01 도련님은 아버지의 허락을 받으면 춘향을 서울로 데리고 갈 수 있다고 생각했다. 〔○, ×〕

02 사또는 도련님이 우는 것을 보고 그 이유를 알기 위해 도련님에게 사정을 물었다. 〔○, ×〕

03 도련님은 춘향의 집으로 가서 춘향에게 이별하지 않기 위한 방안을 제시했다. 〔○, ×〕

04 춘향은 도련님으로부터 사또가 동부승지로 승진했다는 소식을 접하고 이별에 대한 걱정부터 앞세웠다. 〔○, ×〕

05 춘향 어미는 춘향이 우는 것을 듣고 처음에는 춘향과 도련님이 사랑싸움을 한다고 여겼다. 〔○, ×〕

[06~09] 다음 빈칸에 알맞은 말을 쓰시오.

06 춘향은 자신의 ㅅㄹ을 지키기 위해 ㅂㄴ의 표출을 서슴지 않는 열정적인 태도를 보여 주고 있다.

07 이 작품은 판소리계 소설로 산문체와 4·4조의 운율을 지닌 ㅇㅁㅊ가 섞여 있다.

08 이 작품은 인물의 성격을 ㅎㅎㅈ으로 형상화하여 웃음을 유발하고 있다.

09 춘향과 이몽룡의 결연은 당대의 백성이 품었던 ㅅㅂㅅㅅ의 욕구가 반영된 것이라고 볼 수 있다.

작품 정리

춘향전
- **갈래:** 판소리계 소설, 애정 소설
- **시점:** 전지적 작가 시점
- **성격:** 해학적, 풍자적, 애정적
- **배경:** 시간-조선 후기(숙종 때) / 공간-전라도 남원
- **주제:** 신분을 초월한 사랑, 지배층의 횡포에 대한 백성의 저항
- **특징:** ① 판소리계 소설로 판소리 사설의 문체적 특징을 보여 줌.
  ② 양반층과 서민층의 언어가 공존함.
  ③ 자유연애, 인간 평등, 사회 개혁 사상이 반영됨.
- **구조**

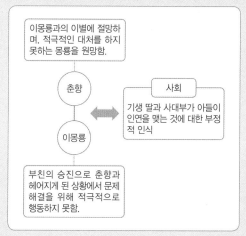

```
이몽룡과의 이별에 절망하
며, 적극적인 대처를 하지
못하는 몽룡을 원망함.
         │
춘향 ─── 사회
  │      기생 딸과 사대부가 아들이
  │  ⟷  인연을 맺는 것에 대한 부정
이몽룡      적 인식
         │
부친의 승진으로 춘향과
헤어지게 된 상황에서 문제
해결을 위해 적극적으로
행동하지 못함.
```

한 걸음 더

「춘향전」의 배경 사상
「춘향전」은 신분을 초월한 사랑의 실현을 통해 인간 평등사상을 보여 주고 있으며, 탐관오리를 징벌하는 것을 통해 사회 개혁 사상을 보여 주고 있다. 그리고 봉건 사회의 도덕률을 파괴하면서 남녀 간의 자유연애를 보여 주고 있다는 점에서 자유연애 사상도 반영되어 있다고 볼 수 있다.

01

기출 변형 2014학년도 6월 고1 교육청

윗글에 나타난 서술상 특징으로 가장 적절한 것은?

① 배경 묘사를 통해 감정의 변화 양상을 드러낸다.
② 비현실적 사건을 통해 환상적 분위기를 형성한다.
③ 음성 상징어를 통해 인물의 행위를 생동감 있게 묘사한다.
④ 주변 인물의 말을 통해 중심인물의 긍정적 면모를 부각한다.
⑤ 과거와 현재의 반복적 교차를 통해 이야기에 입체감을 부여한다.

02

기출 변형 2014학년도 6월 고1 교육청

윗글의 내용과 일치하는 것은?

① 춘향 어미는 춘향이 당면한 문제를 알아차리지 못하고 있다.
② 도련님은 춘향과의 관계를 지속할 수 없다고 판단하고 있다.
③ 모친은 아들이 춘향을 서울로 데리고 가도 좋다고 생각하고 있다.
④ 사또는 자신의 승진 소식을 들은 아들이 슬퍼하는 이유를 이해하고 있다.
⑤ 춘향은 가족이 서울로 떠난 후에도 도련님이 남원에 계속 머무를 것이라고 믿고 있다.

03

기출 2014학년도 6월 고1 교육청

㉠~㉤을 이해한 내용으로 적절하지 않은 것은?

① ㉠: 욕망의 실현을 가로막는 현실을 비판하려는 춘향의 의도를 알 수 있다.
② ㉡: 춘향이 도련님을 통해 달성하고자 하는 욕망이 무엇인지 알 수 있다.
③ ㉢: 춘향의 욕망이 달성되기 어려운 이유를 알 수 있다.
④ ㉣: 욕망이 좌절된 것에 대한 춘향의 감정을 알 수 있다.
⑤ ㉤: 욕망 좌절의 원인이 신분 제도와 관련 있음을 알 수 있다.

04

[A]와 [B]에 대한 설명으로 가장 적절한 것은?

① [A]는 [B]와 달리 인물의 외양 묘사를 통해 인물의 심리가 변화하는 과정을 제시하고 있다.
② [A]는 [B]와 달리 인물과 유사한 처지의 자연물에 빗대어 인물이 처한 상황을 표현하고 있다.
③ [B]는 [A]와 달리 당면한 사건에 대응하는 인물의 이중적 태도가 나타나고 있다.
④ [B]는 [A]와 달리 당면한 상황에 대한 인물의 불편한 심정이 표정과 행동을 통해 구체적으로 드러나고 있다.
⑤ [A]와 [B]는 모두 인물의 내면을 드러내어 현실에 대한 인물의 불합리한 인식을 제시하고 있다.

05

[C]에 대한 설명으로 적절하지 않은 것은?

① 당면한 문제에 대응하는 도련님의 태도를 못마땅하게 여기는 춘향의 심정이 드러나고 있다.
② 현재와 대조되는 도련님의 과거 태도가 춘향의 말을 통해 언급되고 있다.
③ 도련님이 떠나고 난 뒤의 외로운 처지에 대한 춘향의 한탄이 제시되고 있다.
④ 춘향이 자신의 처지와 관련해 사회의 신분 제도를 문제 삼는 태도가 나타나고 있다.
⑤ 미래에 춘향의 영향으로 나타날 도련님의 처지 변화 양상을 단계적으로 제시하고 있다.

06

〈보기〉를 참고하여 윗글을 감상한 내용으로 적절하지 <u>않은</u> 것은?

┤ 보기 ├

「춘향전」은 조선 후기 사회에서 일어났을 법한 일들을 서사의 요소로 취해 사건의 개연성을 높이고, 장면을 구체적으로 제시함으로써 표현의 사실성을 획득하고 있다. 이에 따라 사건과 그 사건에 대응하는 인물들의 심리·태도를 통해 당대인들의 의식 또한 잘 드러나고 있다. 그리고 주인공을 둘러싸고 벌어지는 여러 사건을 중심으로 당시의 각 계층을 대표하는 인물들의 성격을 전형적으로 잘 표현하고 있으며, 이를 통해 신분을 초월한 사랑을 입체적으로 형상화하고 있다.

① 도련님과 아버지, 춘향의 대화를 중심으로 서사를 전개함으로써 장면의 구체성을 획득하고 있다고 할 수 있어.

② 도련님의 아버지가 동부승지로 승진하는 것을 도련님과 춘향의 이별 요인으로 제시함으로써 사건의 개연성을 높이고 있다고 할 수 있어.

③ 춘향이 '거울이며 빗이며 두루 치'며 '자탄가'로 우는 것은 춘향이 속한 신분 계층의 전형적인 신분 상승 욕구를 보여 주고 있다고 할 수 있어.

④ 도련님이 춘향에게 '불가불 이별이 될밖에 별 수 없다'라고 말한 것은 신분을 초월한 사랑의 실현이 현실적으로 쉽지 않은 것임을 나타내고 있다고 할 수 있어.

⑤ 모친이 춘향과 관련하여 도련님을 심하게 꾸중한 것은 입신양명을 할 때 기생과의 교제가 부정적으로 작용할 수 있다고 생각하는 당대의 인식을 보여 주고 있다고 할 수 있어.

07

기출 2014학년도 6월 고1 교육청

ⓐ에 나타난 '도련님'의 행동을 가장 잘 표현한 것은?

① 금상첨화(錦上添花)
② 동병상련(同病相憐)
③ 일구이언(一口二言)
④ 정저지와(井底之蛙)
⑤ 천생연분(天生緣分)

08

서술형

〈보기〉의 밑줄 친 설명과 관련하여 윗글의 ㉮에서 찾을 수 있는 특징을 한 문장으로 서술하시오.

┤ 보기 ├

「춘향전」은 판소리계 소설로 작품 곳곳에서 판소리 공연의 현장성과 관련 있는 문체적인 특징을 보여 준다.

_____

_____

09

㉯와 ㉰를 통해 알 수 있는 '춘향 어미'의 심정을 다음과 같이 나타낼 때, 빈칸에 들어갈 적절한 말을 쓰시오.

㉯	춘향이 사랑싸움으로 눈물을 흘린다고 생각하고 그 모습이 보기에 ( ) 비위에 거슬린다고 말한 것이다.
㉰	춘향이 도련님으로부터 이별을 당한 상황을 파악하고 느낀 ( )인 심정을 표출한 것이다.

㉯: _____

㉰: _____

최고운전(崔孤雲傳) | 작자 미상

출제 포인트 › #영웅 소설 #군담 소설 #전기 소설 #영웅의 고행담과 무용담을 중심으로 구성 #최치원의 비범성과 기지

승상 나업은 딸 하나가 있었다. 재예(才藝)가 당대에 빼어났다.❶ 아이는 이 말을 듣고 헌 옷으로 갈아입고 거울 고치는 장사라 속여 승상 집 앞에 가서❷ "거울 고치시오!"라 외쳤다. 소저는 이 말을 듣고 ⓐ거울을 꺼내 유모에게 주어 보냈다. 소저는 유모 뒤를 따라 바깥문 안쪽까지 나가 문틈으로 엿보았다. 장사가 소저의 얼굴을 언뜻 보고 반해, ㉠손에 쥐었던 거울을 일부러 떨어뜨려 깨뜨렸다. 유모가 놀라 화내며 때리자 장사가 울며 말했다.

"거울이 이미 깨졌거늘 때려 무엇 하세요? 저를 노비로 삼아 거울값을 갚게 해 주세요."❸

유모가 들어가 이를 승상께 아뢰니 허락하였다. 승상은 그의 이름을 거울을 깨뜨린 노비라는 뜻으로 파경노(破鏡奴)라 짓고 말 먹이는 일을 시켰다. 말들은 저절로 살쪄 여윈 것이 하나도 없었다.

하루는 천상의 선관들이 구름처럼 몰려와 말 먹일 꼴을 다투어 그에게 주었다. 이에 파경노는 말들을 풀어놓고 누워만 있었다. 날이 저물어 말들이 파경노가 누워 있는 곳에 와 그를 향해 머리를 숙이며 늘어서자 보는 자마다 모두 기이하게 여겼다. 승상 부인은 이 말을 듣고 승상에게 말했다.

"파경노는 용모가 기이하고 탄복할 일이 많으니 필시 비범한 사람일 것입니다. 마부 일도, 천한 일도 맡기지 마세요."❹

승상이 옳게 여겨 그 말을 따랐다. 이전에 승상은 동산에 꽃과 나무를 많이 심었는데, 파경노에게 이를 기르게 했다. 이때부터 동산의 화초가 무성하며 조금도 시들지 않아, 봉황이 쌍쌍이 날아들어 꽃가지에 깃들었다.

열흘이 지났다. 파경노는 소저가 동산의 꽃을 보고 싶으나 파경노가 부끄러워 오지 못한다는 말을 들었다. 이에 파경노는 승상을 뵙고 말했다.

"제가 이곳에 온 지 여러 해 지났습니다. 한 번도 노모를 뵙지 못했으니, 노모를 뵙고 올 말미를 주십시오."❺

승상은 닷새를 주었다. 소저는 파경노가 귀향했다는 소식을 듣고 동산에 들어와 꽃을 보고,❻

"꽃이 난간 앞에서 웃는데 소리는 들리지 않네."라고 시를 지었다. 파경노는 꽃 사이에 숨어 있다가,

"새가 숲 아래서 우는데 눈물 보기 어렵네."라고 시로 화답했다.❼ 소저가 부끄러워 얼굴을 붉히며 돌아갔다.❽

[중략 부분의 줄거리] 중국 황제는 신라 왕에게 석함*을 보내, 그 안에 있는 물건을 알아내 시를 지어 올리라 명한다. 신라 왕은 이를 해결하지 못하고 나업에게 과업을 넘긴다.

Step 1 포인트 분석

▶ 작자 미상, 「최고운전」

제목의 의미
'최고운'은 '최치원'의 자(본이름 외에 부르는 이름)로, 최고운이라는 인물이 살아온 평생 사적을 기록한 글이라는 뜻을 담고 있다.

배경
❷ 승상 집 앞에 가서
➡ 앞으로 사건이 승상의 집을 배경으로 펼쳐지게 될 것임을 알 수 있음.

인물
❶ 승상 나업은~당대에 빼어났다.
➡ 승상 나업의 딸이 빼어난 재예를 가지고 있었으며, 이것이 최고운을 승상 집으로 이끄는 요소가 되고 있음.
❹ "파경노는 용모가~맡기지 마세요."
➡ 파경노에 대한 승상 부인의 생각을 알 수 있으며, 파경노가 비범한 인물임을 엿볼 수 있음.
❽ 소저가 부끄러워~붉히며 돌아갔다.
➡ 꽃밭에서 시를 주고받으며 파경노와 인연을 맺게 된 소저의 심리를 엿볼 수 있음.

사건
❸ 저를 노비로~갚게 해 주세요."
➡ 파경노의 계획: 파경노가 소저와의 인연을 맺기 위해 일부러 승상 집의 노비가 되기를 자청했음을 알 수 있음.
❺ "제가 이곳에~말미를 주십시오."
➡ 파경노의 속마음: 파경노가 일부러 자신의 행방을 속여 소저와의 만남을 도모하고 있음.
❻ 소저는 파경노가~꽃을 보고,
➡ 파경노와 소저의 만남: 파경노와 소저의 만남이 꽃밭에서 이루어지게 되었음을 알 수 있음.

서술
❼ "꽃이 난간~시로 화답했다.
➡ 전지적 작가 시점: 전체적으로 전지적 시점에서 서술하면서도 중간에 시를 삽입하여 인물의 심리를 간접적·암시적으로 드러내는 효과를 줌.

• 재예: 재능과 기예.
• 석함: 돌로 만든 함.
• 노둔하다: 둔하고 어리석어 미련하다.

나업은 집으로 돌아와 석함을 안고 통곡했다.❾ 파경노는 이 말을 듣고 사람들에게 왜 우는지를 물었다. 사람들이 모두 말해 주자, 자못 기쁨을 띠며 꽃가지를 꺾어 외청으로 갔다.

소저가 슬피 울다가 문득 벽에 걸린 ⓑ거울에 비친 그림자를 보았다. 속으로 놀라 창 틈으로 엿보니 파경노가 꽃을 들고 서 있었다. 소저가 이상히 여겨 묻자, 시치미를 떼며 말했다.

"그대가 이 꽃을 보고 싶다 하여 그대를 위해 가져왔소. 시들기 전에 받아 보시오."

소저가 한숨을 크게 쉬니, 파경노가 위로하며 말했다.

"거울 속에 비친 이가 반드시 그대 근심을 없애 줄 것이오. 근심치 말고 꽃을 받으시 오."❿

소저가 꽃을 받고 부끄러워하며 안으로 들어갔다.

얼마 뒤 소저는 파경노의 말을 괴이히 여겨 승상께 말했다.

"파경노가 비록 어리지만 재주가 남보다 뛰어나고, 신인(神人)의 기운이 있어 석함 속의 물건을 알아내어 [시]를 지을 수 있을 것입니다."

승상이 말했다.

"너는 어찌 쉽게 말하느냐? 만약 파경노가 할 수 있다면 나라의 이름난 선비 가운데 한 명도 시를 짓지 못해 이 석함을 나에게 맡겼겠느냐?"⓫

소저가 말했다.

"뱁새는 비록 작지만 큰 새매를 살린다 합니다. 그가 비록 노둔하나* 큰 재주를 지니 고 있는지 어찌 알겠습니까?"⓬

이어서 파경노가 걱정하지 말라고 했음을 고했다.

"만약 그가 시를 지을 수 없다면 어찌 그런 말을 냈겠습니까? 원컨대 그를 불러 시험 삼아 시를 짓게 하소서."

승상이 파경노를 불러 구슬리며 말했다.

"만약 이 석함 속의 물건을 알아내 시를 짓는다면 후한 상을 줄 것이며, 마땅히 네 뜻 을 이루어 주겠다."

파경노가 거절하며 말했다.

ⓒ"비록 후한 상을 준다 한들 제가 어찌 시를 짓겠습니까?"

소저가 이 말을 듣고 승상에게 말했다.

"살고 싶고 죽기 싫은 것이 인지상정입니다. 옛날에 어떤 이가 사형을 당하게 되었을 때, 그에게 '네가 만약 시를 짓는다면 내 마땅히 사면해 주겠다.' 했습니다. 그 사람은 무식한 이였으나 그 명을 따랐습니다. 하물며 파경노는 문학이 넉넉해 시를 지을 수 있지만 거짓으로 못하는 체하고 있습니다. 지금 아버님께서 그를 겁박하시면 어찌 삶 을 좋아하고 죽음을 싫어하는 마음이 없어 복종치 않겠습니까?"⓭

승상이 그럴듯하다 여기고 파경노를 불렀다.

인물
⓬"뱁새는 비록~어찌 알겠습니까?"
➡ 소저는 파경노의 비범함을 간파하고 그 가 문제를 해결해 줄 것이라는 믿음을 갖 고 있음.

사건
❾나업은 집으로~안고 통곡했다.
➡ 위기에 처한 나업: 나업에게 부과된 과 업으로 인해 나업이 곤란한 상황에 처하 게 됨으로써 사건이 위기로 치닫고 있음.
❿"거울 속에~꽃을 받으시오."
➡ 소저를 위로하는 파경노: 파경노가 결 국 승상의 집에 닥친 문제를 해결하게 될 것임을 알려 주는 복선으로 볼 수 있음.
⓭"소저가 이 말을~복종치 않겠습니까?"
➡ 소저의 확신: 소저는 승상의 문제를 파 경노가 해결해 줄 것임을 확신하고 있음. 또한 이를 위해 승상이 어떻게 해야 하는 지를 알려 주는 소저의 말을 통해 앞으로 전개될 사건의 방향도 제시됨.

갈등
⓫"너는 어찌~나에게 맡겼겠느냐?"
➡ 승상의 내적 갈등: 소저의 권유에도 파 경노를 신뢰하지 못해 갈등하는 승상의 복잡한 내면을 엿볼 수 있음.

[전체 줄거리] 기지를 발휘하여 자신의 부인을 납치한 금돼지를 죽이고 부인을 구한 최충은 후에 부인이 아들(최치원)을 낳자 그 아이가 금돼지의 자식일지도 모른다는 생각에 아이를 내다 버린다. 그러 나 신이한 일들이 계속되자 최충은 최치 원을 다시 데려다 키운다. 성장한 최치원 은 나업의 딸과 인연을 맺기 위해 스스 로 나업의 집을 찾아가 종이 된다. 당시 중국의 황제는 신라를 칠 구실을 만들기 위해서 석함 속에 계란을 넣고 상자 속 의 물건을 시로 지어 바칠 것을 명한다. 이 과업을 대신 받은 나업은 최치원에게 시를 짓도록 청한다. 나업은 최치원의 도 움으로 상자 안에 계란이 들어 있음을 알게 되고, 이에 감탄한 황제는 최치원을 중국에 초대한다. 우여곡절 끝에 중국에 도착한 최치원은 자신의 재주를 뽐내며 높은 벼슬을 얻게 되고, 황소의 난을 다 스려 황제의 신임을 얻는다. 그러나 그를 시기한 신하들의 모함으로 결국 유배를 가게 된다. 그러다 다시 황제의 부름을 받아 낙양으로 돌아온 후 최치원은 신라 로 돌아간다. 그리고 백발이 된 아내를 다시 소녀로 만든 후 가야산에 들어가 스스로 신선이 된다.

Step 2 포인트 체크

[01~06] 윗글에 대하여 맞으면 ○, 틀리면 ×표를 하시오.

01 이 작품은 실제 인물에 관한 이야기를 가공하여 쓴 작품이다. 〔○. ×〕

02 소저는 주인공과 인연을 맺기 위해 거울을 이용하였다. 〔○. ×〕

03 주인공이 자청하여 '파경노'가 된 것은 초월적 존재의 명이 있었기 때문이다. 〔○. ×〕

04 승상 부인은 파경노가 돌보는 말들에 관한 이야기를 듣고 파경노의 비범성을 알아차렸다. 〔○. ×〕

05 승상은 석함 속 물건과 관련된 과제를 풀지 못해 괴로워했다. 〔○. ×〕

06 주인공의 무용(武勇)을 부각하는 일반적인 영웅 소설과는 달리 문재(文才)를 부각하고 있다. 〔○. ×〕

[07~12] 다음 빈칸에 알맞은 말을 쓰시오.

07 이 작품은 특정 인물의 일생을 허구화한 ㅈㄱㅈ 영웅 소설이다.

08 신라 말기의 학자 ㅊㅊㅇ의 생애를 허구적으로 꾸며 영웅화하고 있다.

09 이 작품은 다양한 전래 민담 화소들을 이용한 ㅂㅎㅈ 구성을 보여 준다.

10 주인공의 ㄴㅁㅅㄹ까지 서술이 가능한 시점으로 이야기를 전개하고 있다.

11 동산에서 화답한 ㅅ는 파경노가 소저와 교감하기 위해 읊은 것이다.

12 소저는 파경노가 ㅅㅎ 속에 있는 물건을 알아낼 능력이 있다는 것을 믿고 있었다.

작품 정리

▶ **최고운전**

- **갈래**: 영웅 소설, 군담 소설
- **시점**: 전지적 작가 시점
- **성격**: 설화적, 영웅적, 전기적, 민족적
- **배경**: 시간―통일 신라 시대 / 공간―신라와 중국
- **주제**: 최치원의 일대기를 통한 민족적 자긍심 고취
- **특징**: ① 다양한 전래 민담 화소들이 삽입된 복합적 구성을 취함.
  ② 역사적 인물을 허구화하여 영웅 서사를 구성함.
  ③ 중국과 당당히 맞서는 우리 민족의 우월성을 드러냄.
- **구조**

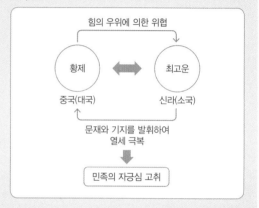

한 걸음 더

「최고운전」의 설화적 요소
이 작품은 역사적 인물인 최치원을 설화화하여 주인공으로 삼아 형상화한 영웅 소설이다. 기본적으로는 영웅 서사의 영웅 일대기를 바탕으로 하고 있으며, 여기에 적강, 기아, 글재주 다툼, 문제 알아맞히기, 기계(奇計) 등 다양한 전래 화소들이 복합되어 있다. 이뿐만 아니라 금돼지의 최치원 어머니 납치, 늙은 할미[老姑]와 용의 아들인 이목과의 만남, 그들의 최치원에 대한 뒷바라지, 최치원과 선녀와의 만남 등 다양한 설화적 요소가 많이 수용되어 있다.

「최고운전」에 나타난 작가의 상상력
이 작품은 역사적 인물을 모델로 삼고 있지만, 작가의 상상력이 가미되어 역사적 사실과는 일정한 거리가 있다. 주인공이 신이한 능력을 발휘하여 위기를 극복해 가는 일련의 내용을 보면, 역사적 사실을 기반으로 하면서도 작가의 허구적 상상력이 상당히 가미되어 있음을 알 수 있다. 특히 최치원이 기지와 초월적인 능력을 발휘해 중국 황제가 낸 문제를 해결해 가는 모습은 소국 신라가 대국인 당나라와 겨뤄 당당하게 이기도록 이야기가 구성되었다는 점에서 신라의 위상과 민족의 우월성을 표현하고 싶은 민중들의 욕망이 문학에 투영된 것으로 평가할 수 있다.

01

기출 2021학년도 고3 수능

윗글의 서술상 특징으로 가장 적절한 것은?

① 시간의 역전을 통해 사건의 진상을 밝히고 있다.
② 서술자의 개입을 통해 사건의 전모를 밝히고 있다.
③ 인물의 희화화를 통해 사건의 반전 효과를 나타내고 있다.
④ 인물 간의 대화를 통해 사건 해결의 방안을 제시하고 있다.
⑤ 꿈과 현실의 교차를 통해 앞으로 일어날 사건을 암시하고 있다.

02

고난도 기출 2021학년도 고3 수능

〈보기〉를 참고하여 윗글을 감상한 내용으로 적절하지 않은 것은?

 보기

「최고운전」은 비범한 인물로서의 최치원을 형상화했다. 주인공은 문제 해결의 국면에서 치밀함, 기지, 당당함을 보인다. 또한 초월적 존재의 도움을 받으면서도 이에 전적으로 의존하지 않고 자신이 지닌 신이한 능력을 발휘하여 개인의 문제와 국가의 과제를 직접 해결한다. 이는 당대 독자들이 원했던 새로운 영웅상을 최치원에 투영하여 작품 속에서 구현한 것이다.

① 아이가 헌 옷으로 바꾸어 입고 거울 고치는 장사라 속이는 장면은 최치원이 치밀한 면모를 지닌 인물임을 보여 주는군.
② 파경노에게 선관들이 몰려와 말먹이를 가져다주는 장면은 최치원이 초월적 존재에게 도움을 받는 인물임을 보여 주는군.
③ 파경노가 기른 뒤로 화초가 시들지 않아 봉황이 날아드는 장면은 최치원이 신이한 능력을 지닌 인물임을 보여 주는군.
④ 파경노가 노모를 핑계 삼아 말미를 얻는 장면은 최치원이 원하는 바를 얻기 위해 기지를 발휘하는 인물임을 보여 주는군.
⑤ 파경노가 승상의 제안을 거절하는 장면은 최치원이 보상을 추구하기보다 스스로 국가의 과제를 해결하려는 당당한 인물임을 보여 주는군.

03

㉠의 이유로 가장 적절한 것은?

① 승상 나업의 눈에 띄어 자신의 능력을 발휘할 기회를 얻으려고
② 승상 나업의 집에 들어갈 기회를 만들어 소저와 인연을 맺으려고
③ 소저의 환심을 사서 승상 나업이 겪고 있는 문제를 해결해 주려고
④ 소저의 마음을 확인하여 자신이 앞으로 해야 할 행동을 결정하려고
⑤ 소저의 관심을 다른 곳으로 돌려 자신의 속셈을 알아차리지 못하도록 하려고

04

윗글에 대한 설명으로 가장 적절한 것은?

① 신분이 낮은 인물이 신분 상승을 이루기 위해 노력하는 과정이 제시되고 있다.
② 부당한 위협을 받게 된 인물이 난관을 하나씩 극복해 가는 과정이 나타나 있다.
③ 비범한 능력을 지닌 인물이 기지를 발휘하여 뜻을 이루어 가는 과정이 나타나 있다.
④ 천상계에서 현실 세계로 쫓겨난 인물이 자신의 신분을 확인해 가는 과정이 제시되어 있다.
⑤ 평범한 인물이 인내와 노력을 통해 다른 사람에게 인정을 받게 되는 과정이 그려지고 있다.

05

윗글의 내용과 일치하지 <u>않는</u> 것은?

① '파경노'라는 이름은 주인공이 일부러 한 행위와 관련이 있다.

② 천상의 선관들이 스스로 찾아와 파경노에게 맡겨진 일을 도왔다.

③ 승상 부인은 파경노의 비범함을 알면서도 겉으로 드러내지 않았다.

④ 소저는 파경노가 없을 것으로 생각하며 꽃을 보기 위해 동산을 찾았다.

⑤ 소저는 파경노가 승상에게 닥친 문제를 해결할 능력이 있음을 굳게 믿었다.

06

ⓐ와 ⓑ에 대한 이해로 적절한 것은?

① ⓐ는 ⓑ와 달리 아이가 소저의 환심을 얻기 위해 활용한 도구이다.

② ⓑ는 ⓐ와 달리 파경노가 소저의 동정심을 유발하기 위해 동원한 수단이다.

③ ⓐ는 아이가 소저를 만날 수 있는 기회를 만들고, ⓑ는 파경노가 소저에게 자신의 능력을 인정받는 계기를 만든다.

④ ⓐ는 아이가 소저의 집에 들어가는 계기를 만들고, ⓑ는 파경노가 소저에게 자신의 존재감을 드러내는 계기를 만든다.

⑤ ⓐ와 ⓑ는 모두 인물이 가지고 있는 과거의 기억과 연결되어 갈등 해소의 전기를 마련해 준다.

07

 기출 변형 2021학년도 고3 수능

시에 대한 설명으로 적절한 것을 〈보기〉에서 있는 대로 고른 것은?

┤ 보기 ├

ㄱ. 나업의 내적 고뇌를 유발하는 과업이다.

ㄴ. 소저와 교감하기 위해 파경노가 읊은 것이다.

ㄷ. 파경노가 해결할 수 있다고 소저가 기대하는 과제이다.

ㄹ. 파경노가 소저의 걱정을 해소시켜 줄 수 있는 수단이다.

① ㄱ, ㄴ, ㄷ   ② ㄱ, ㄴ, ㄹ

③ ㄱ, ㄷ, ㄹ   ④ ㄴ, ㄷ, ㄹ

⑤ ㄱ, ㄴ, ㄷ, ㄹ

08

 서술형

〈보기〉는 윗글에 이어지는 내용을 정리한 것이다. 〈보기〉를 참고할 때, ⓛ에 나타난 인물의 대응 방식을 서술하시오.

┤ 보기 ├

파경노는 승상의 위협에도 시를 짓지 않고 버티다가 소저와 부부의 연을 맺게 해 주어야만 시를 짓겠다고 한다. 승상은 이를 못마땅해하면서도 어쩔 수 없어 결국 파경노의 청을 수락한다. 파경노는 함에 든 것이 달걀에서 부화한 병아리라는 것을 알고 그에 대한 시를 지음으로써 중국 황제의 칭송을 받게 된다.

┤ 조건 ├

1. 〈보기〉의 내용을 활용하여 인물의 말에 담긴 의도를 서술할 것.

2. '~(하)기 위해 ~고 있다.'의 형태로 서술할 것.

_____

_____

09

서술형

문맥을 고려할 때, '파경노'가 시를 짓도록 하는 방법으로 '소저'가 '승상'에게 제안한 방법이 무엇인지 서술하시오.

_____

유충렬전(劉忠烈傳) | 작자 미상

출제 포인트 › #영웅 소설 #군담 소설 #영웅의 활약상 #선인과 악인의 대립 구도 #작품에 반영된 당대 조선의 현실

이때 천자가 옥새°를 목에 걸고 항서°를 손에 든 채 진문 밖으로 나오다가 보니,❶ 뜻밖에 호통 소리가 나며 어떤 한 대장이 적장 문걸의 머리를 베어 들고 중군으로 들어가거늘,❷ 매우 놀라고 또 기뻐서 말하기를,

"적장 벤 장수 성명이 무엇이냐? 빨리 모시고 들어오라."

충렬이 말에서 내려 천자 앞에서 땅에 엎드리니, 천자 급히 물어 말하기를,

"그대는 뉘신데 죽을 사람을 살리는가?"

충렬이 부친 유심의 죽음과 어려서 홀로 된 자신을 길러 준 장인 강희주의 죽음을 몹시 원통하고 분하게 여겨 통곡하며 여쭈되,❸

[A] ┌ "소장은 동성문 안에 살던 유심의 아들 충렬입니다. 사방을 떠돌아다니면서 빌어먹으며 만 리 밖에 있다가 아비의 원수를 갚으려고 여기 왔습니다. 폐하께서 정한담에게 핍박을 당하리라곤 꿈에도 생각지 못했습니다. 예전에 정한담과 최일귀를 충신이라 하시더니 충신도 역적이 될 수 있습니까? 그자의 말을 듣고 충신을 멀리 귀양 보내어 죽이고 이런 환난을 만나시니, 천지가 아득하고 해와 달이 빛을 잃은 듯합니다."❹

하고, 슬피 통곡하며 머리를 땅에 두드리니, 산천초목이 슬퍼하며 진중의 군사들도 **눈물을 흘리지 않는 이가** 없더라.❺ 천자도 이 말을 들으시고 후회가 막급하나 할 말 없어 우두커니 앉아 있더라.

한편 적진에 잡혀갔던 태자는, 본진에서 문걸의 목을 베는 것을 보고 급히 도주해 와서 천자 곁에 앉아 있다가, 충렬의 말을 듣고 버선발로 내려와서 충렬의 손을 붙들고 말하였다.

[B] ┌ "경이 이게 웬 말인가? 옛날 주나라 성왕도 관숙과 채숙의 말을 듣고 주공을 의심하다가 잘못을 깨닫고 스스로 꾸짖어 훌륭한 임금이 되었으니, 충신이 죽는 것은 모두 다 하늘에 달린 일이라. 그런 말을 말고 온 힘으로 충성을 다하여 천자를 도우시면, 태산 같은 그대 공로는 천하를 반분하고, 하해 같은 그 은혜는 죽은 뒤에라도 풀을 맺어 갚으리라."

충렬이 울음을 그치고 태자의 얼굴을 보니, 천자의 기상이 뚜렷하고 한 시대의 성군이 될 듯하여❻ 투구를 벗어 땅에 놓고 천자 앞에 사죄하여 말하였다.

"소장이 아비의 죽음을 한탄하여 분한 마음이 있는 까닭에 격절한 말씀을 폐하께 아뢰었으니 죄가 무거워 죽어도 안타깝지 아니합니다. 소장이 죽을지언정 어찌 폐하를 돕지 아니하겠습니까?"❼

천자가 ⓐ충렬의 말을 듣고 친히 계단 아래로 내려와서 투구를 씌우고 대원수를 명하며 손을 잡고 하는 말이, / **"과인은 보지 말고** 그대 선조의 입국 공업을 생각하여 나라를 도와주면, 태자가 말한 대로 그대의 공을 갚으리라."

Step1 포인트 분석

작자 미상, 「유충렬전」

제목의 의미
'유충렬전'은 유충렬이라는 영웅적 인물의 일대기를 기록한 소설이라는 의미를 담고 있다.

배경
❶ 이때 천자가~나오다가 보니,
➡ 사건이 펼쳐지는 장소가 천자가 적장에게 항복하기 위해 나온 진문 밖으로 설정되어 있음.

인물
❸ 충렬이 부친~통곡하며 여쭈되,
➡ 충렬이 오랫동안 마음속에 부친과 장인의 일과 관련된 원통함과 한을 품고 있었음을 알 수 있음.
❻ 충렬이 울음을~성군이 될 듯하여
➡ 태자가 충렬의 마음을 돌릴 만큼 성군의 자질을 지니고 있음을 보여 줌.

사건
❷ 뜻밖에 호통~중군으로 들어가거늘,
➡ **충렬의 활약**: 천자가 뜻밖에도 위기에서 벗어날 수 있게 되었음을 알 수 있음.
❹ "소장은 동성문~잃은 듯합니다."
➡ **충렬의 하소연**: 천자의 잘못된 판단 때문에 충렬이 과거에 겪었던 억울한 일들이 밝혀지고 있음.
❼ "소장이 아비의~돕지 아니하겠습니까?"
➡ **충렬의 다짐**: 충렬이 마음을 돌려 천자를 돕기로 하였음을 알 수 있음.

서술
❺ 산천초목이 슬퍼하며~이가 없더라.
➡ **전지적 작가 시점**: 인물의 내면뿐 아니라 자연물에 감정을 이입한 표현까지 제시함으로써 인물의 심정을 부각함.

• 옥새: 옥으로 만든, 나라를 대표하는 도장.
• 항서: 항복을 인정하는 문서.

[중략 부분의 줄거리] 유충렬은 남적의 선봉장이 된 정한담과의 대결에서 승리하고, 다시금 위기에 처했던 천자·황후·태후·태자를 구출한다. 이후, 유심과 강희주를 구하고 모친과 부인을 찾은 후 장안으로 돌아온다.

이때 장안의 온 백성들이 남적에게 잡혀갔던 며느리며 딸이며 동생들이 본국으로 돌아온다는 말을 듣고, 호산대 십 리 뜰에 빈틈없이 마중 나와 손과 치마를 부여잡고 그리던 마음 못내 즐거워하는지라,❾ 이들의 울음소리가 공중에 뒤섞이어 호산대가 떠나갈 듯하였으며, 원수 유충렬과 모친 장 부인을 치사하는 소리 낭자하고 요란하였다.

금산성에 이르러 천자와 태후가 가마에서 바삐 내려 장막 밖으로 나오는지라,❾ 원수가 갑옷과 투구를 갖추고 군사의 예로써 천자께 인사를 올리니, 천자와 태후가 원수의 손을 잡고 못내 치사하며 말하였다.

"과인의 수족을 만리타국에 보내고 밤낮으로 염려하였는데, 이렇듯 무사히 돌아오니 즐거운 마음을 어찌 다 말로 하겠는가. 옥문관으로 귀양 간 승상 강희주를 찾아 구하고 더불어 남적을 물리친 일과, 돌아오는 길에 그간 죽은 줄 알았던 그대의 모친과 부인 강 낭자를 만나 데려온 일은 모두 천추에 드문 일이다. 그대의 은혜는 죽어도 잊기 어려운지라, 입이 열 개라도 어떻게 그 말을 다 하리오."❿

태후가 유 원수를 치사한 후에 조카 강 승상을 부르시니, 강 승상이 바삐 들어와 땅에 엎드리는지라, ⓑ 태후가 강 승상을 보고 하시는 말씀이야 어찌 말로 다 표현할 수 있으리오. 천자가 내려와 강 승상의 손을 잡고 위로하며 말하였다.

"과인이 현명하지 못하여 역적의 말을 듣고 충신을 먼 지방으로 귀양을 보내어 가족들과도 이별을 했으니, 무슨 면목으로 경을 대면하리오. 그러나 이미 지나간 일이니 잘잘못을 따지지 말기 바라오."⓫

한편 이미 장안으로 돌아와 연왕이 된 유심은 장 부인이 온다는 소식을 듣고 마음이 공중에 떠서 충렬이 나오기를 고대하였다. 원수가 천자께 물러 나와 연왕 앞에 엎드려 아뢰기를,

[C]

⎡ "불효자 충렬이 남적을 소멸하고 오는 길에 회수에 와 모친을 기리는 제사를 지내다가, 천행인지, 뜻밖에도 죽은 줄 알았던 모친을 만나 모시고 왔습니다!"⓬
하니, 연왕이 반가움을 이기지 못하여 말하였다.

"너의 모친이 어디 오느냐?"

이때 장 부인이 이미 휘장 밖에 있다가 남편 유심의 말소리를 듣고 반가운 마음을 어찌하지 못하고 미친 듯이 취한 듯이 들어가니,⓭ 연왕이 부인을 붙들고 말하였다.

"멀고 먼 황천길에 죽은 사람도 살아오는 법 있는가? 백골이 된 당신을 어떤 사람이 살려 왔느냐. 뉘 집 자손이 모셔 왔느냐. 충렬아, 네가 분명 살려 왔느냐? 간신의 모함으로 유배를 가게 된 내가 북방 천리만리 호국 일당에 잡히어 죽을 줄 알았더니, 십 년 전에 헤어진 부인을 다시 만나고, 일곱 살에 부모와 이별하여 갖은 고난을 겪은 충렬을 이렇듯이 다시 만나 영화를 볼 줄이야 꿈속에서나 생각할 수 있었겠는가!"
⎣

배경
❾ 금산성에 이르러~밖으로 나오는지라.
→ 충렬이 강희주와 그의 모친 등을 구해 오자 천자와 태후가 금산성에 직접 마중 나와 그를 맞이하고 있음.

인물
❿ "과인의 수족을~다 하리오."
→ 천자와 태후가 충렬에게 깊은 고마움을 느끼고 있음을 알 수 있음.
⓭ 이때 장 부인이~취한 듯이 들어가니.
→ 오랫동안 헤어져 있던 남편 유심과 해후하게 된 장 부인의 반가운 심정을 엿볼 수 있음.

사건
❽ 이때 장안의~못내 즐거워하는지라.
→ 백성들의 기쁨: 충렬의 큰 활약으로 남적에게 가족을 빼앗겼던 백성들이 가족과 다시 만날 수 있게 되었음을 알 수 있음.
⓫ "과인이 현명하지~말기 바라오."
→ 천자의 뉘우침: 천자가 강 승상에게 과거의 사건을 언급하며 자신의 과오를 사과함.
⓬ "불효자 충렬이~모시고 왔습니다!"
→ 유심과 장 부인의 해후: 충렬의 활약으로 유심과 장 부인이 다시 만나게 되었음을 알 수 있음.

[전체 줄거리] 명나라 때 정언주부의 벼슬을 하고 있던 유심은 늦도록 자식이 없다가 신이한 태몽을 꾼 뒤, 귀하게 아들을 얻어 충렬이라 이름을 짓고 키운다. 이때 조정의 신하 중에 정한담과 최일귀 등이 옥관 도사의 도움을 받아 정적인 유심을 모함하여 귀양 보내고, 유심의 집에 불을 놓아 충렬 모자마저 살해하려 한다. 천우신조로 정한담의 마수에서 벗어난 충렬은 고난을 겪다가 퇴재상 강희주를 만나 그의 사위가 된다. 강희주는 유심을 구하려고 상소를 올렸으나 그 역시 정한담의 모함을 입어 귀양을 가게 되고, 강희주의 가족은 난을 피하여 모두 흩어진다. 충렬은 강 낭자와 이별하고 백용사의 노승을 만나 무예를 배우며 때를 기다린다. 이때 남적과 북적이 명나라에 쳐들어오자 정한담은 자원 출전하여 남적에게 항복하고, 남적의 선봉장이 되어 천자를 공격한다. 정한담에게 여러 번 패한 천자가 항복하려 할 즈음, 충렬이 등장하여 남적의 선봉 정문걸을 죽이고 천자를 구출한다. 충렬은 홀로 반란군을 쳐부수고 정한담을 사로잡는다. 그리고 호왕에게 잡혀간 황후·태후·태자를 구출하였으며, 유배지에서 고생하던 아버지 유심과 장인 강희주를 구하여 개선한다. 또한 이별하였던 어머니와 아내를 찾고 정한담 일파를 물리친 뒤 높은 벼슬에 올라서 부귀영화를 누린다.

Step 2 포인트 체크

[01~06] 윗글에 대하여 맞으면 ○, 틀리면 ×표를 하시오.

01 조선에서 일어난 실제 사건을 배경으로 삼고 있다. 〔 ○, × 〕

02 꿈과 현실을 교차하여 사건을 입체적으로 구성한다. 〔 ○, × 〕

03 작품 중간에 서술자가 개입하는 부분이 나타나 있다. 〔 ○, × 〕

04 천자는 유충렬을 보기 전까지는 적장 문걸의 목이 베어진 사실을 모르고 있었다. 〔 ○, × 〕

05 유충렬은 자신에게 주어진 운명을 따르는 것에 대해 내적 갈등을 겪었다. 〔 ○, × 〕

06 이산의 고통을 겪었던 백성들이 주인공의 활약으로 가족을 다시 만날 수 있게 되었다. 〔 ○, × 〕

[07~12] 다음 빈칸에 알맞은 말을 쓰시오.

07 주인공인 유충렬은 ㅈㅈ에서 탁월한 능력을 발휘하여 국가를 위기에서 구하고 있다.

08 충신 유충렬과 간신 정한담의 대립을 통해 ㅊ의 가치를 드러내고 있다.

09 시간적 순서에 따라 이야기가 전개되는 ㅅㅎㅈ 구성을 따르고 있다.

10 제시된 부분은 영웅 서사에서 주인공이 ㅇㅇㅈ인 활약을 펼치는 결말 부분이다.

11 인물의 발화를 통해 과거에 있었던 억울한 사건의 내막이 ㅊㅈ에게 전달되고 있다.

12 유충렬의 활약으로 유충렬 가문의 지위가 회복되는 내용에는 실세한 양반들의 ㄱㄹㅎㅂ에 대한 소망이 반영되어 있다.

유충렬전

- **갈래**: 영웅 소설, 군담 소설
- **시점**: 전지적 작가 시점
- **성격**: 영웅적, 낭만적, 전기적
- **배경**: 시간-명나라 시대
  공간-명나라 조정과 중국 대륙
- **주제**: 유충렬의 고난과 영웅적 활약상
- **특징**: ① 천상계와 지상계의 이원적 세계관이 반영됨.
  ② 영웅 소설의 전형적인 구성을 취하고 있음.
  ③ 실세한 양반들의 권력 회복의 소망을 담고 있음.
- **구조**

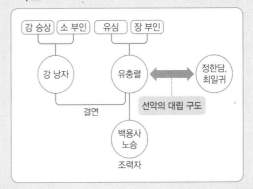

한 걸음 더

「유충렬전」의 특징
「유충렬전」은 조선 후기의 대표적인 군담 소설이다. 이 작품은 중국 명나라 시대를 배경으로 영웅 유충렬의 일생을 그린 것으로, 영웅 서사의 전형적 구조를 따르고 있다. 또한 천상계의 인물이 죄를 짓고 인간계로 귀양 온다는 설정을 통해 적강 소설의 면모도 보이고 있다. 주동 인물인 '유충렬'과 반동 인물인 '정한담'은 각기 충신과 간신의 전형을 보여 주는데, 이들의 대립을 통해 '충(忠)'의 가치를 드러내고 있다.

「유충렬전」에 반영된 조선의 현실
「유충렬전」은 중국의 명나라를 배경으로 이야기가 펼쳐지지만 충신과 간신의 대립을 통하여 당시 조선 권력층의 문제를 날카롭게 꼬집었다는 평가를 받고 있다. 왕권의 무능함과 역경에 처한 왕가의 비굴성이 적나라하게 나타나 있으며, 권좌에서 실세한 계층이 다시 권력을 잡고자 하는 꿈이 투영되어 있음도 알 수 있다. 또한, 이 작품에서 유충렬이 두 번에 걸쳐 호국을 정벌하고 호왕을 살육한다는 점에서, 병자호란 이후 호국 청나라를 향한 강한 민족적 적개심을 표현한 작품으로 평가되기도 한다.

01

기출 2015학년도 9월 고3 평가원 A, B형

윗글의 내용에 대한 이해로 적절하지 않은 것은?

① 천자가 장수에게 "그대는 뉘신데 죽을 사람을 살리는 가?"라고 말하는 것으로 보아, 천자는 장수의 능력에 놀라움을 표하고 있다.

② 유충렬이 천자 앞에서 유심이 죽었다며 원통해하는 것으로 보아, 유충렬은 부친이 죽은 것으로 잘못 알고 있다.

③ 군사들 중에 유충렬의 말을 듣고 '눈물을 흘리지 않는 이'가 없는 것으로 보아, 군사들은 유충렬의 심정에 공감하고 있다.

④ 유충렬이 천자를 도와 전쟁에 나가겠다고 약속하는 것으로 보아, 유충렬은 태자의 말과 기상에 감화되어 스스로를 반성하고 있다.

⑤ 천자가 유충렬에게 '과인은 보지 말고' 나라를 구하라고 권유하는 것으로 보아, 천자는 유심의 귀양에 대한 자신의 과오를 인정하지 않고 있다.

02

기출 2015학년도 9월 고3 평가원 A, B형

[A], [B]에 대한 분석으로 적절하지 않은 것은?

① [A]에서는 자신의 정체를 밝히면서 상대방에 대한 원망을 드러낸다.

② [A]에서는 비유적 표현을 통해 상대방에게 자신의 심경을 토로한다.

③ [B]에서는 역사적인 사실을 근거로 하여 상대방의 견해를 옹호한다.

④ [B]에서는 보답의 의지를 표명하여 상대방의 태도 변화를 촉구한다.

⑤ [B]에서는 상대방에게 자신의 역할과 본분에 충실할 것을 강조한다.

03

고난도 기출 2015학년도 9월 고3 평가원 A, B형

〈보기〉를 참고하여 윗글을 감상한 내용으로 적절하지 않은 것은?

┤ 보기 ├

「유충렬전」에서 유충렬은 가족의 위기로 인해 두 차례의 시련을 겪는다. 그런데 첫 번째 시련은 충신인 부친 유심과 간신의 정치적 갈등이, 두 번째 시련은 충신인 장인 강희주와 간신의 정치적 갈등이 계기가 된다는 점에서, 가족의 위기는 국가의 위기와 관련된다. 이로 인해 유충렬은 가족의 위기와 국가의 위기를 모두 해결해야 하는 과업을 부여받게 되는데, 이 두 과업이 함께 해결되는가 하면 우연한 계기로 연이어 해결되기도 한다. 이러한 과정을 거쳐 유충렬은 영웅으로 귀환한다.

① 유충렬이 일곱 살에 부모와 이별하여 고난을 겪은 것에서, 유충렬의 첫 번째 시련은 유심의 유배로 인한 가족의 이산에서 비롯된 것임을 알 수 있군.

② 천자가 역적의 말을 듣고 충신을 귀양 보낸 것에서, 유충렬의 두 번째 시련은 역적과의 정치적 갈등으로 인한 강희주의 유배에서 비롯된 것임을 알 수 있군.

③ 유충렬이 강희주를 구하고 더불어 남적을 물리친 것에서, 유충렬이 가족의 위기와 국가의 위기를 함께 해결하고 있음을 알 수 있군.

④ 유충렬이 남적을 소멸하고 오는 길에 모친을 만난 것에서, 우연한 계기에 가족 위기의 해소가 국가 위기의 해소로 이어지고 있음을 알 수 있군.

⑤ 남적을 소탕하고 금의환향하는 유충렬을 백성들이 환대하는 것에서, 유충렬이 영웅으로 귀환하고 있음을 알 수 있군.

04

윗글을 읽은 당시 독자층이 남긴 필사기로 보기에 적절하지 않은 것은?

① 충신이 억울한 누명을 벗고 마침내 명예를 회복하게 되었으니 참으로 다행한 일이로다.

② 천자의 신임을 두고 정한담과 유충렬이 벌이는 지략 대결이 치열하니 긴장감이 넘치도다.

③ 유충렬의 영웅적인 활약으로 천자가 여러 차례 위기를 모면하였으니 이 어찌 대견치 않으리!

④ 유충렬의 드높은 기개와 변치 않는 충성심을 세상에 널리 알려 만민이 깨달아 본받게 하리라.

⑤ 십 년 전에 헤어져 죽은 줄만 알았던 부인과 다시 만났으니 그 기쁨을 어찌 다 헤아릴 수 있을까?

05

ⓐ에 대한 설명으로 적절하지 않은 것은?

① 태자의 진심 어린 말을 듣고 나서 하게 된 말이다.

② 앞으로 천자에게 충성을 다하고자 하는 다짐을 표현하였다.

③ 천자의 마음에 큰 감명을 주어 그에 따른 천자의 행동을 유발하였다.

④ 천자에게 격하게 원망을 표출한 것을 죄스러워하는 마음이 담겨 있다.

⑤ 자신이 하고자 하는 일이 아버지의 원수를 갚는 일이기도 함을 분명히 밝혔다.

06

[C]에 대한 이해로 가장 적절한 것은?

① 인물 간의 대화를 통해 인물의 심리를 부각하였다.

② 행위의 세밀한 묘사를 통해 인물의 특성을 부각하였다.

③ 서술자의 서술을 통해 시대적 배경의 의미를 부각하였다.

④ 인물의 내적 독백을 통해 인물의 심리 변화를 부각하였다.

⑤ 특정 인물의 시각을 통해 사건에 대한 역사적 관점을 부각하였다.

07

윗글에 대한 설명으로 가장 적절한 것은?

① 속담과 옛글을 삽입하여 인물의 내적 갈등을 강조하고 있다.

② 주인공이 이동하는 공간의 변화에 따라 인물 간의 갈등이 심화되고 있다.

③ 서술자의 교체를 통해 동일한 사건에 대한 상반된 입장을 제시하고 있다.

④ 동시에 일어난 사건을 병렬적으로 구성하여 사건의 개연성을 높여 주고 있다.

⑤ 영웅으로 성장한 인물의 발화를 통해 과거 사건의 억울한 사연이 밝혀지고 있다.

08

다음은 ⓑ에 대한 설명이다. 다음을 읽고, 물음에 답하시오.

> ⓑ는 서술자가 이야기에 끼어들어 자기의 목소리를 내는 (　　㉮　　)을/를 통해 강 승상에 대한 태후의 ㉯복잡한 심리를 부각하고 있다.

(1) ㉮에 들어갈 적절한 말을 쓰시오.

———————————————

(2) 맥락을 고려하여 ㉯를 구체화하고 그 이유를 서술하시오.

———————————————

———————————————

09

윗글에서 주인공과 갈등 구도를 형성하는 반동적 인물로 간신의 전형을 보여 주는 두 사람을 찾아 쓰시오.

———————————————

전쟁소설

11강

최척전(崔陟傳) | 조위한

출제 포인트 › #전쟁 소설 #애정 소설 #인물들의 기이한 이별과 만남을 중심으로 구성 #전쟁으로 인한 가족의 이산과 재회

경자년(庚子年, 1600년) 늦봄, 최척(崔陟)은 주우(朱佑)°와 함께 배를 타고 이곳저곳을 돌아다니며 차[茶]를 팔다가 마침내 안남°에 이르게 되었다.❶ 이때 일본인 상선(商船) 10여 척도 강어귀에 정박하여 10여 일을 함께 머물게 되었다.

[A] 날짜는 어느덧 4월 보름이 되어 있었다.❷ 하늘에는 구름 한 점 없고 물은 비단결처럼 빛났으며, 바람이 불지 않아 물결 또한 잔잔하였다. 이날 **밤**이 장차 깊어 가면서 밝은 달이 강에 비치고 옅은 안개가 물 위에 어리었으며, 뱃사람들은 모두 깊은 잠에 빠지고 물새만이 간간이 울고 있었다.

이때 문득 일본인 배 안에서 염불하는 소리가 은은히 들려왔는데, 그 소리가 매우 구슬펐다. 최척은 홀로 선창에 기대어 있다가 이 소리를 듣고 자신의 신세가 처량하게 느껴졌다.❸ 그래서 즉시 행장에서 피리를 꺼내 몇 곡을 불어서 가슴속에 맺힌 회한을 풀었다. 때마침 바다와 하늘은 고요하고 구름과 안개가 걷히니, 애절한 가락과 그윽한 느낌이 피리 소리에 뒤섞이어 맑게 퍼져 나갔다. 이에 수많은 뱃사람들이 놀라 잠에서 깨어났으며, 그들은 처연하게 앉아 피리 소리에 조용히 귀를 기울였다. 격분해서 머리가 곤추선 사람도 피리 소리에 분을 가라앉힐 정도였다.

잠시 후에 일본인 배 안에서 **조선말**로 칠언 절구(七言絕句)를 읊었다.❹

王子吹簫月欲底　왕자진°의 피리 소리에 달마저 떨어지려 하는데,
왕자취소월욕저
碧天如海露凄凄　바다처럼 푸른 하늘엔 이슬만 서늘하구나.
벽천여해로처처

시를 읊는 소리는 처절하여 마치 원망하는 듯, 호소하는 듯하였다. 시를 다 읊더니, 그 사람은 길게 한숨을 내쉬었다. 최척은 그 시를 듣고 크게 놀라서 피리를 땅에 떨어뜨린 것도 깨닫지 못한 채, 마치 실성한 사람처럼 멍하니 서 있었다. 이를 보고 주우가 말했다.

"어디 안 좋은 곳이라도 있는가?"

최척은 대답을 하고 싶었으나 목이 메고 눈물이 떨어져 말을 할 수 없었다. 시간이 조금 흐른 뒤에 최척은 기운을 차려 말했다.

"조금 전에 저 배 안에서 들려왔던 시구는 바로 내 아내가 손수 지은 것이라네. 다른 사람은 평생 저 시를 들어도 절대 알아내지 못할 것일세. 게다가 시를 읊는 소리마저 내 아내의 목소리와 너무 비슷해 절로 마음이 슬퍼진 것이라네. 하지만 어떻게 내 아내가 여기까지 와서 저 배 안에 있을 수 있겠는가?"

이어서 온 가족이 왜군에게 포로로 잡혀간 일을 말하자,❺ 배 안에 있던 사람들 가운데 비탄에 젖지 않은 사람이 없었다. 그 가운데는 두홍(杜洪)°이라는 사람이 있었는데, 젊고 용맹한 장정이었다. 그는 최척의 말을 듣더니, 얼굴에 의기를 띠고 주먹으로 노를 치면서 분연히 일어나며 말했다.❻ / "내가 가서 알아보고 오겠소."

▶ 조위한, 「최척전」

제목의 의미
'최척'은 이 작품의 남자 주인공 이름으로, 전쟁으로 인해 만남과 헤어짐을 반복하는 최척의 일대기를 담은 소설임을 의미한다.

배경
❶ 경자년 늦봄,~이르게 되었다.
➡ 최척이 옥영과 헤어진 후에 안남(베트남)까지 이르게 되었음을 알 수 있음. 구체적인 시간을 제시하여 작품의 사실성을 높임.
❷ 날짜는 어느덧~되어 있었다.
➡ 최척과 옥영이 헤어진 뒤 많은 시간이 흘렀음을 알 수 있음.

인물
❸ 최척은 홀로~처량하게 느껴졌다.
➡ 최척은 가족과 헤어져 타지를 떠돌고 있는 자신의 신세를 처량하게 생각하고 있음.
❻ 그는 최척의~일어나며 말했다.
➡ 두홍은 성질이 매우 급하고 최척을 돕고 싶은 마음이 앞서는 인물임을 알 수 있음.

사건
❹ 잠시 후에~칠언 절구를 읊었다.
➡ 최척과 옥영이 해후하게 되는 계기: 일본인 배에서 들려온 시를 듣게 된 최척은 그것이 옥영이 읊은 것인지도 모른다는 생각을 하게 됨.

서술
❺ 이어서 온 가족이~일을 말하자,
➡ 사건의 요약적 제시: 인물의 대화를 통해 장면을 구체적으로 제시하는 중에 이와 같이 서술자가 사건을 요약하거나 압축하여 제시하기도 함.

• **주우, 두홍**: 최척과 함께 장사를 하는 중국인들.
• **안남**: 베트남.
• **왕자진**: 주나라 영왕의 태자로, 죄를 입어 서인이 되었음.
• **돈우**: 옥영을 데리고 장사를 하는 일본인.
• **사우**: 돈우가 옥영에게 붙여 준 이름.

주우가 저지하며 말했다. / "깊은 밤에 시끄럽게 굴면 많은 사람들이 동요할까 두렵네. 내일 아침에 조용히 물어보아도 늦지 않을 것일세."

주위 사람들이 모두 말했다. / "그럽시다."

최척은 앉은 채로 **아침**이 되기를 기다렸다. 동방이 밝아 오자, 즉시 강둑을 내려가 일본인 배에 이르러 조선말로 물었다.

"어젯밤에 시를 읊었던 사람은 조선 사람 아닙니까? 나도 조선 사람이기 때문에 한번 만나 보았으면 합니다. 멀리 다른 나라를 떠도는 사람이 비슷하게 생긴 고국 사람을 만나는 것이 어찌 그저 기쁘기만 한 일이겠습니까?"

옥영(玉英)도 어젯밤에 들려왔던 피리 소리가 **조선의 곡조**인 데다 평소에 익히 들었던 것과 너무나 흡사하여서 남편 생각에 감회가 일어 저절로 시를 읊게 되었던 것이다.❼ 옥영은 자기를 찾는 사람의 목소리를 듣고는 황망하게 뛰어나와 최척을 보았다. 두 사람은 서로 마주 바라보고는 놀라서 소리를 지르며 끌어안고 모래밭을 뒹굴었다. 목이 메고 기가 막혀 마음을 안정할 수가 없었으며, 말도 할 수 없었다. 눈에서는 눈물이 다하자 피가 흘러내려 서로를 볼 수도 없을 지경이었다.❽ 두 나라의 뱃사람들이 저잣거리처럼 모여들어 구경하였는데, 처음에는 단지 친척이나 잘 아는 친구인 줄로만 알았다. 뒤에 그들이 부부 사이라는 것을 알고 사람마다 서로 돌아보며 소리쳐 말했다.

"이상하고 기이한 일이로다! 이것은 하늘의 뜻이요, 사람이 이룰 수 있는 일이 아니로다. ㉠이런 일은 옛날에도 들어 보지 못하였다."

최척은 옥영에게 그간의 소식을 물으며 말했다.

"산속에서 붙들려 강가로 끌려갔다는데, 그때 아버님과 장모님은 어떻게 되었소?"

옥영이 말했다.

"날이 어두워진 뒤에 배에 오른 데다 정신이 없어 서로 잃어버리게 되었으니, 제가 두 분의 안위를 어찌 알 수 있었겠습니까?"

두 사람이 손을 붙들고 통곡하자, 옆에서 지켜보던 사람들도 슬퍼하며 눈물을 닦지 않는 이가 없었다.

주우는 돈우(頓于)*를 만나 백금 세 덩이를 주고 옥영을 사서 데려오려고 하였다. 그러자 돈우가 얼굴을 붉히며 말했다.

"내가 이 사람을 얻은 지 이제 **4년** 되었는데, 그의 단정하고 고운 마음씨를 사랑하여 친자식처럼 생각해 왔습니다. 그래서 침식을 함께하는 등 잠시도 떨어진 적이 없었으나, 지금까지 그가 아낙네인 것을 몰랐습니다. 오늘 이런 일을 직접 겪고 보니, 이는 천지신명도 오히려 감동할 일입니다. 내가 비록 어리석고 무디기는 하지만 진실로 목석은 아닙니다. 그런데 ㉡차마 어떻게 그를 팔아서 먹고살 수 있겠습니까?"❾

돈우는 즉시 주머니 속에서 은자(銀子) 10냥을 꺼내어 전별금(餞別金)으로 주면서 말했다.

"4년을 함께 살다가 하루아침에 이별하게 되니, 슬픈 마음에 가슴이 저리기만 하오. 온갖 고생 끝에 살아남아 다시 배우자를 만나게 된 것은 실로 기이한 일이며, 이 세상에는 없었던 일일 것이오. 내가 그대를 막는다면 하늘이 반드시 나를 미워할 것이오. 사우(沙于)*여! 사우여! 잘 가시게! 잘 가시게!"❿

인물

❾ "내가 이 사람을~먹고살 수 있겠습니까?"

→ 일본 상인인 돈우는 옥영을 마치 친자식처럼 생각해 왔음을 알 수 있음.

사건

❽ 두 사람은~없을 지경이었다.

→ 최척과 옥영의 극적 해후: 오랫동안 헤어져 있던 최척과 옥영이 타지에서 극적으로 해후하여 복받치는 감정을 표출하고 있음을 보여 줌.

❿ "4년을 함께~잘 가시게!"

→ 돈우와 헤어지게 된 옥영: 옥영이 남편인 최척을 만나게 되면서 옥영이 남장을 한 여자였음도 밝혀지게 되고, 4년 동안이나 옥영을 보살펴 주었던 돈우와도 헤어지게 됨.

서술

❼ 옥영도 어젯밤에~되었던 것이다.

→ 전지적 작가 시점: 서술자가 해설자의 입장이 되어 사건이 일어나게 된 사연을 친절하게 설명해 주고 있음.

[전체 줄거리] 남원에 사는 최척은 옥영과 약혼을 하지만 갑자기 징발되어 전쟁에 나가게 되자, 옥영의 부모는 이웃의 양생을 사위로 맞으려 한다. 이 사실을 안 최척은 진중에서 달려오고, 두 사람은 드디어 혼인한다. 그러나 정유재란으로 남원이 함락되자 옥영은 왜병의 포로가 되어 끌려가고, 최척은 명장 여유문을 따라 중국으로 건너간다. 몇 년 뒤 최척은 안남(베트남)에서 왜국의 상선을 따라 안남에 온 아내 옥영을 우연히 만나게 된다. 이들은 중국으로 돌아와 살며 아들 몽선을 낳는다. 몽선이 장성하여 임진왜란 때 조선에 출전한 진위경의 딸 홍도를 아내로 맞는다. 이듬해 최척은 명나라 병사로 출전하였다가 청군(淸軍)의 포로가 되어 포로수용소에서 맏아들 몽석을 극적으로 만나게 된다. 부자는 함께 수용소를 탈출하여 고향으로 향하던 중 몽선의 장인 진위경을 만난다. 옥영 역시 몽선·홍도와 더불어 천신만고 끝에 고국으로 돌아와 일가가 다시 만나게 된다.

Step 2 포인트 체크

[01~06] 윗글에 대하여 맞으면 ○, 틀리면 ×표를 하시오.

01 조선을 벗어난 광범위한 지역을 배경으로 삼고 있다. 〔○, ×〕

02 전지적인 서술자에 의해 사건이 전달되고 있다. 〔○, ×〕

03 전쟁으로 헤어지게 된 최척과 옥영은 서로의 행방을 모른 채 나라 밖을 떠돌아다녔다. 〔○, ×〕

04 깊은 밤에 최척이 분 피리 소리를 듣고 격분하는 사람들이 있었다. 〔○, ×〕

05 돈우는 옥영이 남편을 잃은 사연을 딱하게 여겨 그를 친자식처럼 돌보아 주었다. 〔○, ×〕

06 돈우는 최척이 옥영을 데려가는 대가로 주우에게 백금 세 덩어리를 요구하였다. 〔○, ×〕

[07~12] 다음 빈칸에 알맞은 말을 쓰시오.

07 이 작품은 역사 속에서 실제 일어난 전쟁을 배경으로 다룬 ㅈㅈ 소설이다.

08 전쟁으로 인한 ㅇㅂ과 ㅈㅎ가 반복되는 구성을 보인다.

09 제시된 부분은 서술과 인물 간의 ㄷㅎ를 통해 사건이 전개되고 있다.

10 최척이 부는 ㅍㄹ 소리는 두 인물의 재회가 이루어지는 계기를 마련한다.

11 제시된 장면을 통해 실제 전쟁으로 인해 민중들이 겪었던 ㅇㅅ의 아픔을 느낄 수 있다.

12 최척이 시를 읊은 이가 자신의 아내일지도 모른다고 생각하는 데에는 ㅈㅅㅁ로 된 칠언 절구가 중요한 역할을 하였다.

정답 | 01 ○ 02 ○ 03 ○ 04 × 05 × 06 × 07 전쟁 08 이별, 재회 09 대화 10 피리 11 이산
12 조선말

작품 정리

■ 최척전

- **갈래:** 전쟁 소설, 애정 소설
- **시점:** 전지적 작가 시점
- **성격:** 우연적, 사실적
- **배경:** 시간 – 조선 시대
  공간 – 조선의 남원, 일본, 중국, 안남(베트남)
- **주제:** 최척 일가의 이산과 재회
- **특징:** ① '이별 – 재회'를 반복해서 구성함.
  ② 시대적 상황과 전쟁으로 인한 당시 백성들의 고통을 사실적으로 표현함.
  ③ 실제로 있었던 전쟁을 시대적 배경으로 함.
- **구조**

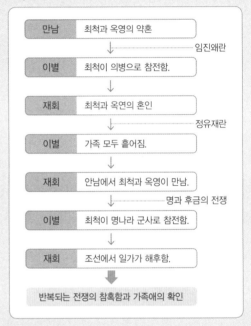

만남	최척과 옥영의 약혼
↓ ―― 임진왜란
| 이별 | 최척이 의병으로 참전함. |
↓
| 재회 | 최척과 옥연의 혼인 |
↓ ―― 정유재란
| 이별 | 가족 모두 흩어짐. |
↓
| 재회 | 안남에서 최척과 옥영이 만남. |
↓ ―― 명과 후금의 전쟁
| 이별 | 최척이 명나라 군사로 참전함. |
↓
| 재회 | 조선에서 일가가 해후함. |
↓
반복되는 전쟁의 참혹함과 가족애의 확인

한 걸음 더

「최척전」의 배경

이 작품은 실제 있었던 전쟁인 임진왜란과 정유재란을 시대적 배경으로 삼고 있어 작품에 사실성을 부여하는 장치가 되고 있다. 또한, 조선뿐만 아니라 중국, 일본, 안남 등으로 공간적 배경을 확장하여 작품의 장대한 규모를 형성하고 있다.

01

기출 2017학년도 6월 고3 평가원

'최척'과 '옥영'의 재회에 대한 이해로 가장 적절한 것은?

① 타국에서 만난 동포의 도움을 통해 우연히 이루어진다.
② 두 인물이 공유하고 있는 과거의 기억을 매개로 하여 이루어진다.
③ 두 인물이 평소에 주변 사람들에게 베푼 자비로 인해 이루어진다.
④ 주변 사람들의 오해로 인해 우여곡절을 겪다가 기적적으로 이루어진다.
⑤ 주변 인물들 중 대다수에게는 환영을 받지만 일부에게는 의구심을 유발한다.

02

윗글의 내용과 일치하지 <u>않는</u> 것은?

① 최척은 일본인 배에서 들리는 염불 소리에 처량한 생각이 들었다.
② 최척은 조선말로 된 시를 읊는 소리가 들리자 곧바로 옥영을 떠올렸다.
③ 최척은 자신의 가족이 왜군에게 잡혀간 일을 배 안의 사람들에게 말했다.
④ 최척은 두홍에게 밤에 시를 읊은 이가 누구인지 알아봐 달라고 간청하였다.
⑤ 최척은 헤어진 가족들의 소식을 옥영에게 물어보았으나 행방을 알 수 없었다.

03

[A]에 대한 설명으로 가장 적절한 것은?

① 적막하고 애상적인 분위기를 조성하여 주인공의 슬픈 심리를 부각하고 있다.
② 자연의 아름다운 모습을 통해 이와 대비되는 주인공의 초라한 모습을 부각하고 있다.
③ 조용한 자연의 모습을 제시하여 안정감을 되찾은 주인공의 평안한 마음을 부각하고 있다.
④ 속세를 벗어난 듯한 분위기를 통해 세속적인 삶에 대한 주인공의 회의감을 부각하고 있다.
⑤ 초월적인 존재를 환기하는 상황을 통해 종교적인 깨달음을 얻고자 하는 주인공의 의지를 부각하고 있다.

04

기출 2017학년도 6월 고3 평가원

윗글의 '밤'과 '아침'에 대한 설명으로 가장 적절한 것은?

① 밤은 주인공이 초월적 존재와 교감하고, 아침은 주인공이 현실적 문제와 대결하는 시간이다.
② 밤은 운명과의 대결을 통해 주인공이 위기에 처하고, 아침은 조력자의 등장으로 그 위기에서 벗어나는 시간이다.
③ 밤은 폐쇄적인 공간에서 새로운 계획이 구상되고, 아침은 개방적인 공간에서 그 계획을 실행할지 논의하는 시간이다.
④ 밤은 인물의 내면적 갈등이 점진적으로 심화되고, 아침은 그 내면적 갈등이 새로운 인물들 간의 갈등으로 비화되는 시간이다.
⑤ 밤은 주인공이 새로운 상황을 맞이하면서 서사적 긴장이 조성되고, 아침은 극적 장면이 펼쳐지면서 그 긴장이 해소되는 시간이다.

05

㉠과 가장 잘 어울리는 한자 성어는?

① 신출귀몰(神出鬼沒)
② 자업자득(自業自得)
③ 전대미문(前代未聞)
④ 천재일우(千載一遇)
⑤ 혈혈단신(孑孑單身)

06

문맥상 ㉡과 같이 말한 이유로 가장 적절한 것은?

① 옥영에게 갚아야 할 빚이 많았기 때문에
② 옥영을 그동안 특별히 생각해 왔기 때문에
③ 옥영에게 미안한 마음을 갖고 있었기 때문에
④ 옥영의 착한 성품에 깊은 감명을 받았기 때문에
⑤ 옥영으로 인해 자신이 바라던 바를 얻었기 때문에

07

고난도 기출 2017학년도 6월 고3 평가원

〈보기〉를 참고하여 윗글을 감상한 내용으로 적절하지 <u>않은</u> 것은?

┤ 보기 ├

임진왜란(1592~1598년) 등 16세기 말~17세기 초 동아시아에서 발생한 전쟁들은 각국 백성들의 삶에 심대한 수난을 초래했다. 이러한 역사를 반영한 대표적인 작품이 조위한의 「최척전」이다. 최척에게서 체험의 전말을 전해 듣고 이 작품을 썼다는 후기로 보면 이 작품이 실제 체험에 바탕을 둔 인물들의 이산(離散)과 귀향의 과정을 그린 유랑의 서사임을 알 수 있다. 특히 서사 공간이 조선을 포함하여 아시아 여러 국가에 걸쳐 있고 국가 간 갈등을 넘어선 개인 간의 인간적 배려 및 전쟁의 참상에 대해 각국 백성들이 보인 인류애적 연민의 모습도 형상화하고 있다는 점이 주목할 만하다.

① '경자년', '4년' 등은 최척과 옥영이 겪어야 했던 전란과 유랑 체험이 역사적 실제성을 지닌 것임을 알려 주는군.

② 처절하게 시를 읊고 한숨까지 내쉰 것은 시가 옥영 자신의 이산과 유랑 체험을 계기로 지어진 것임을 알려 주는군.

③ '조선말', '조선의 곡조' 등이 사건 전개에 중요한 역할을 하는 것은 최척 부부의 재회가 외국에서 이루어지고 있기 때문이겠군.

④ 최척 가족의 이산의 사연을 듣고 주변 사람들이 눈물 흘린 것은 전쟁의 참상에 대한 인류애적인 연민을 보여 준 사례이겠군.

⑤ 돈우가 백금을 받고 옥영을 파는 대신 오히려 옥영에게 전별금을 주며 안타까이 보낸 것은 국가 간 갈등을 넘어선 인간적 배려를 보여 주는 사례이겠군.

08

〈보기〉를 참고할 때, 학생의 말 중 ㉮~㉰에 들어갈 적절한 말을 쓰시오.

┤ 보기 ├

선생님: 서사 문학은 내용 요소인 이야기를 서술하는 형식을 통해 이루어집니다. 그런데 고전 소설은 이러한 서사 문학의 구조와 관련하여 몇 가지 특징을 갖습니다. 우선 이야기의 구성에 있어 개연성을 충분히 고려하지 못해 우연성이 많이 나타나며, 대부분 시간의 순서에 따라 사건이 순행적으로 배열됩니다. 대개 3인칭의 서술자에 의해 이야기가 전지적으로 서술되며, 서술자가 작품에 개입하여 자신의 의견을 밝히는 경우도 빈번하게 나타납니다. 또한, 작품의 배경으로 초현실계를 포함해 광범위한 공간이 설정되고, 초현실 세계의 인물 또는 전기적인 사건 요소가 서사 전개에 영향을 주기도 합니다. 「최척전」에도 이 중에서 몇 가지 특징이 나타나는데, 어떠한 특징이 나타나 있는지 발표해 보기 바랍니다.

• 학생 1: 헤어짐과 만남을 반복하는 이야기가 사건이 일어난 시간 순서에 따라 제시되므로 (㉮) 구성으로 볼 수 있습니다.

• 학생 2: 오랫동안 헤어져 있던 인물들의 우연한 만남이 반복된다는 점에서 (㉯)을/를 충분히 고려해 사건을 구성했다고 보기 어렵습니다.

• 학생 3: 여러 공간에 걸쳐 펼쳐지는 사건을 작품 외부에 있는 (㉰)인 서술자가 이야기를 서술하는 방식으로 독자에게 내용을 전달하고 있습니다.

㉮: _____, ㉯: _____, ㉰: _____

09

'최척'과 '옥영'의 재회 과정을 다음과 같이 정리할 때, ⓐ와 ⓑ에 들어갈 말을 서술하시오.

최척이 일본인 배에서 염불 소리를 들음.	⇨	최척이 피리를 붊.	⇨	옥영이 _____ ⓐ
⇨ 최척이 일본인 배에 아내가 있을 수 있다고 생각함.	⇨	최척이 _____ ⓑ	⇨	최척과 옥영이 재회함.

ⓐ: _____

ⓑ: _____

영웅군담소설

12강

임장군전(林將軍傳) | 작자 미상

출제 포인트 > #영웅 군담 소설 #역사 소설 #임경업 장군의 영웅담 #병자호란에 대한 정신적 승리

자점이 심복을 보내 거짓 조서를 전하고 옥에 가두니,❶ 경업이 옥에 갇혀 생각하되,

'세자와 대군이 어찌 내 일을 모르고 구치 아니시는고?'

하며 주야번민하여 목이 말라 물을 찾는데, ㉠옥졸이 자점의 부촉(咐囑)*을 들은 고로 물도 주지 아니하여 경업이 더욱 한하더니, 전옥(典獄) 관원은 강직한지라❷ 경업의 애매함을 불쌍히 여겨 경업더러 왈,

㉡"장군을 역적으로 잡음이 다 자점의 흉계니, 잘 주선하여 누명을 벗으라."❸

경업이 그제야 자점의 흉계로 알고 통분을 이기지 못하여 바로 몸을 날려 옥문(獄門)을 깨치고 궐내에 들어가 상을 뵙고 청죄*한데,❹ ㉢상이 경업을 보시고 반겨 가로되,

"경이 만리타국에 갔다가 이제 돌아오매 반가움이 끝이 없거늘 무삼 일로 청죄하느뇨?"

경업이 돈수*사죄 왈,

[A] "신이 무인년에 북경에 잡혀가다가 중간에 도망한 죄는 만사무석이오나, 대명(大明)과 함께 호왕을 베어 병자년 원수를 갚고 세자와 대군을 모셔 오고자 하였더니, 간인에게 속아 북경에 잡혀갔다가 천행으로 살아 돌아오더니, 의주(義州)에서 잡혀 아무 연고인 줄 알지 못하옵고 오늘을 당하와 천안(天顔)을 뵈오니 이제 죽어도 한이 없사옵니다."❺

상이 들으시고 대경하사 신하더러 왈,

"경업을 무슨 죄로 잡아온고?"

하시고 자점을 패초(牌招)*하사 실사를 물으시니, 자점이 속이지 못하여 주왈,

㉣"경업이 역적이옵기로 잡아 가두고 계달코자 하였나이다."

경업이 대로하여 고성대매 왈,

"이 몹쓸 역적아! 들으라. 벼슬이 높고 국록이 족하거늘 무엇이 부족하여 모반할 마음을 두어 나를 해코자 하느뇨?"❻

자점이 듣고 무언이거늘, 상이 노하여 왈,

"경업은 삼국의 유명한 장수요, 또한 만고충신이거늘 네 무슨 일로 죽이려 하느뇨?"

하시고,

"자점과 함께한 자를 금부에 가두고 경업은 물러가 쉬게 하라."

하시다.

[B] 경업이 사은하고 퇴궐할새, 자점은 궐문 밖에 나와 심복 수십 명을 매복하였다가, 경업이 나옴을 보고 불시에 달려들어 난타하니, 경업이 아무리 용맹한들 손에 촌철이 없는지라. 여러 번 맞아 중상하매 자점이 용사들을 분부하여 경업을 옥에 가두고 금부로 가니라.❼

Step 1 포인트 분석

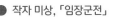

▶ 작자 미상, 「임장군전」

제목의 의미
'임장군전'은 임경업 장군을 주인공으로 삼아 그의 영웅적 활약상을 그린 소설이라는 의미를 담고 있다.

배경
❹경업이 그제야~상을 뵙고 청죄한데,
➡ 주인공 임경업이 자점의 흉계로 옥에 갇혀 있다가 억울한 마음에 몸을 날려 궐내로 들어감으로써 공간적 배경이 바뀌었음을 알 수 있음.

인물
❸"장군을 역적으로~누명을 벗으라."
➡ 자점이 주인공 경업에게 누명을 씌운 악인임을 알 수 있음.
❻"이 몹쓸 역적아!~해코자 하느뇨?"
➡ 경업이 자신을 모함하는 자점에게 몹시 화를 내며 분개하고 있음.

사건
❺"신이 무인년에~한이 없사옵니다."
➡ 경업이 옥에 갇히게 된 내력: 경업은 자신이 호왕을 베려다 북경에 잡혀가고, 의주에 와서 결국 옥에까지 갇히게 된 과정을 왕에게 고하고 있음.
❼경업이 사은하고~금부로 가니라.
➡ 자점의 일당에게 습격을 받은 경업: 경업은 자신의 누명을 벗고 풀려나게 되지만, 자점 일당에게 습격을 받고 다시 옥에 갇히게 됨.

갈등
❶자점이 심복을~옥에 가두니, ❼경업이 사은하고~금부로 가니라.
➡ 자점과 경업의 갈등: 자점은 왕의 신임을 받는 경업을 경계하여 그를 모함해 옥에 가두는가 하면, 심복을 매복시켰다가 그를 난타하여 다시 옥에 가두기도 함. 이로써 경업과 자점 사이에는 팽팽한 긴장 관계가 유지됨.

서술
❷전옥 관원은 강직한지라
➡ 편집자적 논평: 전옥 관원을 서술자가 직접 평가하고 있다는 점에서 서술자의 편집자적 논평이 드러난 부분임.

• **부촉**: 부탁하여 맡김.
• **청죄**: 저지른 죄에 대하여 벌을 줄 것을 청함.
• **돈수**: 머리가 땅에 닿도록 절함.
• **패초**: 임금이 승지를 시켜 신하를 부름.

이때 대군이 시자(侍者)더러 문왈,

"임 장군이 입성하였으나 지금 어디 있느뇨?"

시자가 대왈,

"소인 등은 모르나이다."

대군이 의심하여 바삐 입궐하여 경업의 거처를 묻되, 상이 수말을 이르시니 대군이 주왈,

"자점이 이런 만고충신을 해하려 하오니 이는 역적이라. 엄치하소서."

하고, ⓜ명일을 기다려 친히 경업을 가 보려 하시더라.

[C]
차시, 경업이 자점에게 매를 많이 받아 천명이 진하게 되매 분기대발하여 신음하다 죽으니, 시년 사십팔 세요, 기축(己丑) 9월 26일이라.❶

(중략)

자점이 반심을 품은 지 오래다가 절도(絕島)에 안치되매 더욱 앙앙(怏怏)하여* 불측지심이 나타나거늘, 우의정 이시백이 자점의 일을 아뢰니, 상이 놀라 금부도사를 보내 엄형 국문하신 후 옥에 가두었더니, 이날 밤 한 꿈을 얻으시니,❾ 경업이 나아와 주왈,

"흉적 자점이 소신을 죽이고 반심을 품어 거의 일이 되었사오니 바삐 국문하옵소서."

하고 울며 가거늘, 상이 놀라 깨달으시니 경업이 앞에 있는 듯한지라. 상이 슬픔을 이기지 못하시고 날이 밝으매 자점을 올려 국문하시니, 자점이 자복하여 역심을 품은 일과 경업을 모해한 일을 승복하거늘, 상이 노하여 자점의 삼족을 다 내어,

"저자 거리에서 죽이라."

하시고,

"그 동류를 다 문죄하라."

하시며, 경업의 자식들을 불러 하교 왈,

"너희 아비가 자결한 줄로 알았더니, 꿈에 와 '자점의 모해로 죽었다.' 하기로 내어 주나니 원수를 갚으라."❿

하시다.

사건

❶ 경업이 자점에게~9월 26일이라.
➔ 자점의 흉계로 목숨을 거두게 된 경업: 경업은 자점 일당에게 매를 많이 맞아 결국 죽음에 이르게 됨.

❿ "너희 아비가~원수를 갚으라."
➔ 경업의 원수를 갚아 주는 왕: 경업은 억울한 죽음을 맞게 되지만 죽어서도 한을 풀지 못하고 왕의 꿈에 나타나 자신의 억울함을 호소함. 이로써 왕이 사실을 깨닫고 경업의 원수를 갚아 주게 됨.

구성

❾ 이날 밤 한 꿈을 얻으시니.
➔ 갈등 해소의 계기: 경업이 억울한 죽음을 맞이하게 됨으로써 갈등은 절정에 치달음. 그러나 경업이 왕의 꿈에 나타나 자신의 억울함을 호소하게 되면서 모든 억울함이 일시에 풀리고 갈등이 해소되어 이야기는 결말에 이르게 됨.

[전체 줄거리] 임경업은 사신 이시백을 따라 중국에 들어갔다가 마침 가달의 침략을 받은 호국이 명나라에 구원을 청하자 명나라 원군으로 참전하여 호국을 도와 공을 세운 뒤 조선으로 돌아온다. 후에 강성해진 호국이 조선을 자주 침략하자 조정에서는 임경업을 의주부윤으로 삼아 방어하도록 한다. 호국은 의주를 피해서 도성을 공격하여 병자호란을 일으키고 조선 임금 인조의 항복을 받아 낸다. 이후 호왕은 명나라 공격을 위해 조선이 도와줄 것을 청하면서 임경업을 대장으로 할 것을 명한다. 그는 어쩔 수 없이 호왕을 도우면서도 명나라와 내통하며 뒤로는 명나라를 돕는다. 호왕이 이를 알게 되자 임경업은 명나라로 도망친다. 그러나 결국 호국의 포로가 되고 우여곡절 끝에 풀려나 조선으로 돌아온다. 그러나 그를 모함하는 김자점의 수하들에게 붙잡혀 매를 맞고 억울한 죽음을 맞는다. 꿈속에서 임경업의 억울한 죽음을 알게 된 왕은 김자점의 삼족을 멸한다.

* **앙앙하여**: 매우 마음에 차지 아니하거나 야속하여.

Step 2 포인트 체크

[01~06] 윗글에 대하여 맞으면 ○, 틀리면 ×표를 하시오.

01 이 작품은 천상계를 주된 공간적 배경으로 삼고 있다. 〔○. ×〕

02 여러 인물의 시선에서 사건을 다각적으로 전달하고 있다. 〔○. ×〕

03 초월적인 능력을 지닌 인물의 가공할 영웅성을 강조하고 있다. 〔○. ×〕

04 대립적인 인물들의 갈등이 사건의 흥미를 높이고 있다. 〔○. ×〕

05 주인공의 억울한 사연을 알고 불의한 세력을 응징하는 인물이 등장하고 있다. 〔○. ×〕

06 이 작품은 다른 영웅 소설과 달리 주인공이 적대자의 계략을 이겨 내지 못하고 비극적인 죽음을 맞는 것으로 그려진다. 〔○. ×〕

[07~12] 다음 빈칸에 알맞은 말을 쓰시오.

07 이 작품은 역사 속 실존 인물인 ⓘⓖⓔ 장군의 이야기를 다룬 소설이다.

08 주인공이 겪은 억울한 사연을 임금이 ⓚ을 통해 알게 되는 구성을 취한다.

09 제시된 부분에서는 인물의 ⓓⓗ와 ⓗⓓ을 중심으로 하는 간접 제시가 주로 나타난다.

10 주인공을 모함하여 위기에 빠뜨리는 반동적 인물은 ⓙⓙ이다.

11 임경업은 강직한 전옥 ⓖⓞ의 도움으로 자신이 옥에 갇히게 된 이유를 알게 된다.

12 불의한 인물이 결국 응징을 당하게 됨으로써 ⓖⓢⓙⓞ의 주제 의식이 드러난다.

정답 | 01 × 02 × 03 × 04 ○ 05 ○ 06 ○ 07 임경업 08 꿈 09 대화, 행동 10 김자점 11 개인 12 권선징악

작품 정리

● **임장군전**
- **갈래:** 영웅 소설, 군담 소설, 역사 소설
- **시점:** 전지적 작가 시점
- **성격:** 영웅적, 민족적, 비극적
- **배경:** 시간–조선 시대 / 공간–조선과 중국 대륙
- **주제:** 임경업 장군의 영웅적 생애
- **특징:** ① 실존 인물을 주인공으로 하여 창작됨.
  ② 주인공을 민족적 영웅으로 부각하여 민족의식을 고취함.
  ③ 주인공과 김자점의 대립을 통해 인물 간의 갈등을 잘 드러냄.
- **구조**

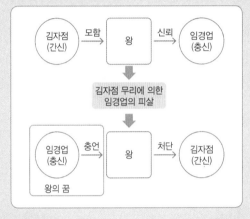

▶ **한 걸음 더**

「**임장군전**」에 그려진 영웅의 모습
다른 영웅 소설과 달리 「임장군전」에 그려진 주인공 임경업은 보잘것없는 가정에서 태어나 영웅으로 성장하지만 결국 적대자의 계략을 이겨 내지 못하고 비극적인 죽음을 맞는 인물로 그려진다. 다른 영웅 소설의 주인공들에 비해 압도적인 능력을 발휘하거나 초월적인 영웅성을 보여 주지 못한다는 점에서 인간적인 면모가 더 강한 영웅이라고 볼 수 있다. 그럼에도 장원 급제 후 선정을 베풀며 백성들과 동고동락하는 모습을 보여 줌으로써 민중들의 사랑을 많이 받아 온 영웅이었음을 보여 준다.

01

윗글에 대한 설명으로 가장 적절한 것은?

① 상징적 소재를 활용하여 주제 의식을 드러내고 있다.
② 인물 간의 갈등 구조를 중심으로 사건이 전개되고 있다.
③ 외양 묘사를 통해 인물이 지닌 양면성을 부각하고 있다.
④ 서술자의 개입을 활용하여 인물의 미래를 암시하고 있다.
⑤ 장면마다 서술자를 달리하여 다양한 관점을 보여 주고 있다.

02

기출 2019학년도 고3 수능

윗글에 대한 이해로 가장 적절한 것은?

① 경업은 옥에 갇히기 전부터 거짓 조서 때문에 자점의 흉계를 알고 있었다.
② 옥졸은 자점의 부탁을 받고 경업의 죄를 상에게 밀고 했다.
③ 대군은 자점을 의심하며 경업에게 옥에 갇힌 경위를 물었다.
④ 우의정 이시백은 경업이 옥에 갇힐 만한 정보를 상에게 제공했다.
⑤ 상은 꿈에 나타난 경업의 발언 이후 자점의 자복을 받아 내었다.

03

[A]에 사용된 말하기 방식으로 적절하지 <u>않은</u> 것은?

① 자신의 행적을 순서대로 언급하여 현재 상황에 이르게 된 과정을 밝히고 있다.
② 자신의 잘못을 인정하면서 말문을 열어 자신에 대한 비판에 미리 대처하고 있다.
③ 자신의 행위가 충성심에서 비롯된 것임을 밝혀 과거 행적에 정당성을 부여하고 있다.
④ 자신이 아무 이유도 모른 채 잡혀 오게 되었음을 언급하여 자신의 무고함을 제시하고 있다.
⑤ 임금을 본 것에 대한 만족감을 언급하여 자점으로 인해 처하게 된 현 상황에 대한 수용 의지를 드러내고 있다.

04

㉠~㉤에 대해 이해한 내용으로 석설하지 <u>않은</u> 것은?

① ㉠: 경업이 위태로운 상황에 처해 있음을 알 수 있다.
② ㉡: 경업이 자점의 흉계로 고난을 겪게 되었음이 밝혀지고 있다.
③ ㉢: 경업이 겪은 일을 상은 전혀 모르고 있었음을 알 수 있다.
④ ㉣: 경업에게 받게 될 문책이 두려워 솔직한 심정으로 고하고 있다.
⑤ ㉤: 경업의 행방에 대한 대군의 우려가 컸음을 알 수 있다.

05

윗글을 통해 알 수 있는 '경업'에 대한 설명으로 가장 적절한 것은?

① 적대자와의 대립 구도를 형성하여 긴장감을 고조한다.
② 적대자와의 지략 대결을 통해 초월적 능력을 발휘한다.
③ 적대자를 직접 응징하여 권선징악의 세계관을 드러낸다.
④ 신이한 성장 과정을 거치면서 영웅적인 면모가 완성된다.
⑤ 치열한 수련 과정을 통해 심신이 성장하는 모습을 보여 준다.

06

윗글의 결말에 대해 보인 독자의 반응으로 적절하지 <u>않은</u> 것은?

① 모든 일이 바로잡혔으니 사필귀정(事必歸正)이군.
② 상이 자점 일당에게 죄를 묻고 일벌백계(一罰百戒)하였군.
③ 자점 일당이 과거에 지은 죄의 값을 받았으니 인과응보(因果應報)로군.
④ 상은 앞으로 벌어질 일을 이미 알고 있었다는 점에서 선견지명(先見之明)이 있었군.
⑤ 죄를 지은 자들이 응징되는 결말을 통해 권선징악(勸善懲惡)의 주제 의식을 보여 주었군.

07

 서술형

윗글이 일반적인 영웅 군담 소설과 다른 점을 사건의 종결 양상과 주인공의 특성을 연결지어 서술하시오.

08

 고난도 기출 2019학년도 고3 수능

〈보기〉를 참고할 때, [B]와 [C]에 대한 이해로 적절하지 <u>않은</u> 것은?

⊣ 보기 ⊢

「임장군전」을 읽은 당시 독자층은 책의 여백과 말미에 특정 대목에 대한 자신의 생각을 적은 다양한 필사기를 남겼다. '식자층'은 "㉮대역 김자점의 소행이 혐오스러워 붓을 멈춘다."라는 시각을 나타내거나 "㉯잡혔으니 가히 아프고 괴로우며 애석하네."라며 경업에 대한 안타까움을 드러냈다. 한편 '평민층'은 "㉰슬프다, 임 장군이여. 남의 손에 죽으니 어찌 천운이 아니랴."라며 숙명론적인 반응을 보이거나, "㉱조회하고 나오는 것을 문외의 무사로 박살하니 그 아니 가엾지 아니리오."라는 안타까운 반응을 남기거나, "㉲사람마다 알게 하기는 동국충신의 말임에 혹 만민이라도 깨달아 본받게 함이라." 라는 필사기를 남겼다. ㉮, ㉰, ㉲는 경업이 죽는 대목에, ㉯와 ㉱는 경업이 자점에게 피습되는 대목에 남아 있는 필사기이다.

① [C]를 읽은 식자층은, ㉮를 통해 자점의 행위에 대해 부정적 평가를 내리고 있군.
② [B]를 읽은 식자층은, ㉯를 통해 경업의 시련에 대한 안타까움을 나타내고 있군.
③ [C]를 읽은 평민층은, ㉰를 통해 경업의 죽음이 자점 때문임을 알고 있으면서도 그의 죽음에 대해 운명론적인 태도를 보이고 있군.
④ [B]를 읽은 평민층은, ㉱를 통해 자점을 비판하면서도 그의 행위에 대한 연민을 드러내고 있군.
⑤ [C]를 읽은 평민층은, ㉲를 통해 충신의 이야기가 널리 알려지기를 바라고 있군.

09

 서술형

윗글에서 꿈의 서사적 기능을 〈조건〉에 따라 서술하시오.

⊣ 조건 ⊢

1. 기능과 효과를 함께 언급할 것.
2. 완결성을 갖춘 한 문장으로 서술할 것.

조웅전(趙雄傳) | 작자 미상

출제 포인트 › #영웅 소설 #군담 소설 #영웅의 고행담과 무용담

[앞부분의 줄거리] 조웅은 송나라 회복을 위해 태자를 구해 함께 위국으로 가던 중 서번국 병사가 매복한 함곡을 향한다.

이적에 원수가 여러 날 만에 연주에 도달하여 군마를 다 쉬게 하고 원수도 노곤하여 사관에서 쉬고 있었는데,❶

[A] ┌ 한 나비가 침상에 날아들거늘 원수도 자연스럽게 날개를 얻어 그 나비를 따라 공중
    │ 에 날아 한 곳에 이르니, 첩첩한 산중에 수목이 **빽빽**한 곳을 깊이 들어가니 그 가운
    │ 데 광활하여 완연한 별세계*라.❷ 또 한 곳을 들어가니 아름다운 궁궐이 하늘에 닿았
    └ 거늘, 나아가 보니 문에 현판을 붙였으되, '만고충렬문'이라 뚜렷이 쓰여 있었다.

궁궐 위를 바라보니 한 노인이 앉았으되 ⓞ얼굴은 관옥 같고 머리에 황금관을 쓰고 몸에 용포를 입고 윗자리에 높이 앉았는데, 무수한 사람들이 열좌하여 **큰 잔치**를 배설하고 술과 음식이 가득한 중에 절대 가인이 차례로 앉았으니, 그 아름다움이 측량없더라.❸ 좌석에 가득 앉은 사람들이 여러 왕의 흥망성쇠와 만고역대를 역력히 이르는지라. 맨 윗자리에 앉은 제왕은 어찌 된 줄을 모르매 분부 왈,

"그대 등은 각각 공을 밝히어 올리라."

하니 좌석에 가득 앉은 사람들이 각각 공을 밝히는 글을 올리니 그 공직에 왈,

"저는 본래 한나라 신하로 깊은 뜻이 많지 아니하리로다. 옛일을 살펴보니 복이 북두
   칠성과 일월에 찬란하리로다."

또 한 공적에 왈,

"칼을 잡아 흉적을 소멸하니 제후 될 만도다. 천하를 성처럼 막았으니 문호 세상에
   진동하는도다." / 하였더라.

ⓛ그 남은 공적은 어찌 다 기록하리오.❹ 좌중의 여러 사람들이 각각 소회를 다하고, 혹 노기 등천하며, 혹 칼을 빼들고 매우 성을 내고, 어떤 자는 땅에 섰고, 어떤 자는 깡충깡충 뛰며, 어떤 자는 노래하고, 어떤 자는 춤추기도 하는지라. 이러한 좋은 장면을 세밀히 구경할새, 한 사람이 좌중에 나와 앉으며 왈,

"우리 각각 소회는 옛일이라. 한하여도 미치지 못하려니와 알지 못하겠노라. 대송이
   역적에 망하니 인하여 멸송이 되오면 언제 회복되오리까?"

하니 한 사람이 / "송나라의 복은 아직 길고 멀었는지라. 어찌 회복이 없사오리까?"

한데, 또 한 사람이,

"그대 등은 알지 못하는도다. 하늘이 송나라 왕실을 회복하고자 조웅을 명하였더니,
   불쌍하도다 조웅이여! 일시가 극난하여 명일 미명에 서번 적의 간계에 걸려들어 죽을
   듯하니 불쌍하도다. 조웅의 일도 우리와 같을지라. 정해진 나이를 못 마치고 전쟁의
   패한 혼이 될 듯하니 불쌍코 가련하다."❺

Step 1 포인트 분석

▶ 작자 미상, 「조웅전」

제목의 의미
'조웅전'은 이 작품의 주인공이 '조웅'임을 밝혀 주면서 이 소설이 그의 영웅적인 일대기를 기록한 작품이라는 내용을 담고 있다.

배경
❶이적에 원수가~쉬고 있었는데.
➜ 원수가 병사를 이끌고 여러 날 만에 도달한 연주가 작품의 배경이 되고 있음을 알 수 있음. 군담 소설로서의 면모를 엿볼 수 있음.

인물
❸궁궐 위를~아름다움이 측량없더라.
➜ 한 노인은 원수가 꿈속에서 만난 인물로, 비범한 외양과 높이 앉은 자리를 통해 천상계를 관장하는 제왕임을 알 수 있음.

사건
❷한 나비가~완연한 별세계라.
➜ 꿈을 통해 별세계에 이르게 된 원수: 원수가 잠이 들어 꿈속 세계인 별세계에 들어가게 됨.
❺"그대 등은~불쌍코 가련하다."
➜ 꿈속 인물들의 대화: 꿈에 나타난 인물들의 대화를 통해 조웅이 위기에 처하게 될 것임을 알 수 있음.

서술
❸무수한 사람들이~아름다움이 측량없더라. ❹그 남은~다 기록하리오.
➜ 편집자적 논평: 서술자가 개입하여 인물과 상황에 대한 편집자적 논평을 드러내고 있음.

이러할 제 문 지키는 군사 급히 고하기를, / "송나라 문제 들어오시나이다."

하니, ⓒ여러 사람이 일시에 뜰로 내려와 영접하여 상좌한 후에 여러 사람이 아뢰기를,

"오늘날 만날 약속을 정하옵고 어찌 늦게 도착하시나이까?"

문제 왈, / ⓐ"송나라 왕실을 회복할 신하는 조웅이라. 오다가 한 곳을 보니 불측한 서번이 조웅을 잡으려고 이러저러하였거늘, 행여 그러할까 하여 시운일수*를 통치 못하여 죽을 듯함에, 도사를 찾아가 구하라 하고 부탁하고 오노라."❶

하시니, 좌중이 외쳐 왈, / "우리는 분명 조웅이 죽으리라 하고 불쌍한 공론을 하였더니, 대운이 막히지 아니하였사오니 천수를 어찌 하오리까?"

원수가 깨달으니 남가일몽이라.❼ (중략)

ⓓ원수 꿈속의 일을 생각하니 저절로 마음이 비창하여 슬픔을 머금고 종일 행군할 동안에 염려가 끊이지 않았다.❽

[B]
　이날 함곡에 도달하니 해는 서쪽 산 위로 떨어지고 달은 동쪽 고개 위로 떠올랐는데, 무심한 잔나비는 달빛 아래에서 슬피 울고, 그윽한 두견성은 불여귀를 일삼았다. 갈 길은 험악한데 동쪽은 험한 산이고 서쪽은 깊은 골짜기여서 층층이 험한 산봉우리는 가슴을 찌르는 듯하고 야광은 희미하기만 했다.

ⓜ선봉을 재촉하여 함곡으로 들어가는데 문득 바라보니 동편 작은 골짜기에 갈포로 만든 두건과 베옷을 입은 한 노옹이 있어 푸른 나귀를 재촉하며 백우선*으로 원수를 만류하거늘 원수가 그 노옹을 바라보니 정신이 황홀하였다. 원수가 말을 머물게 하고 잠깐 기다리니 그 노옹이 묻기를, / "연주로부터 오십니까?"

원수가 답 왈, / "그러하오이다."

노옹이 왈, / "위국으로 가는 조 원수를 혹 보셨습니까? 보시면 바삐 알려 주소서."

하였다. 원수는 마음속으로 의심하고 한편으로 이상하게 여겨 왈,

"내가 바로 조웅이거니와 무슨 일로 긴히 찾습니까?" / 하니, 노옹이 크게 기뻐하며 왈,

"나는 떠돌아다니는 나그네라. 성품이 남과 달라 빼어난 산천과 명승지지를 즐겨 구경하고 두루 다녔는데, 오로봉에 들어갔다가 천명 도사를 만나 수삼 일을 머물렀더니 출발할 때 한 서찰을 주며 왈, '그대에게 오늘 오시에 전하라'❾ 하여 나귀를 바삐 몰아 진시에 도착하려고 했으나 피곤한 나귀 탓으로 시간을 넘겨 버렸기에 행여 못 만날까 염려하였더니 이곳에서 만나니 어찌 즐겁지 아니하겠습니까?"

하며, 소매 속에서 한 통 편지를 내어 주고는 팔을 들어 하직하거늘 원수 다시 노옹을 바라보니 행색이 아득하였다.❿ 마음속으로 신기하게 여겨 그 편지를 급히 떼어 보니 다른 말은 없고 '함곡에 들어가지 말고 성중으로 먼저 들어가서 포를 한 번 쏘라'고만 쓰여 있었다. 원수가 편지를 다 보고는 대경실색하여 좌장군 위홍창을 불러 왈,

"장졸을 함곡에 들어가지 못하게 하라." / 하니, 홍창이 급히 아뢰길,

"선봉이 이미 함곡에 들어갔습니다." / 하거늘 원수가 크게 놀라며 왈,

"너는 급히 들어가 선봉을 데려오라. 데려올 때 조금도 어수선하게 하지 말고 그곳에 진을 치고 있는 것처럼 하면서 한둘씩 숨어 나오되 빨리 데리고 나오너라."

ⓑ홍창이 원수의 명을 듣고는 급히 함곡에 들어가서 전하니 선봉이 군사를 물려 돌아왔다. 원수가 편지를 얻어 기뻐하며 진을 쳤다.⓫

[전체 줄거리] 중국 송나라 문제 때 공신 조정인이 간신 이두병의 참소로 음독 자살을 하자 문제는 조정인의 아들 조웅을 애틋해한다. 이에 이두병은 조웅까지 죽이려 하지만 조웅 모친의 꿈으로 인해 조웅은 목숨을 구하게 되고 어머니와 피신한다. 이후 문제가 세상을 떠나자 이두병은 태자를 귀양 보내고 제위에 오른다. 조웅 모자는 월경 대사를 만나 산사로 들어가고 조웅은 15세에 출세를 결심하고 철관 도사를 만나 병법과 무술을 배운다. 조웅은 모친을 만나러 가는 중에 장 진사의 집에 머물다가 그의 딸 장 소저와 백년가약을 맺게 된다. 조웅은 송나라 회복을 위해 태자를 구해 함께 위국으로 가던 중 서번국 병사가 매복한 함곡을 향하다 위기에 처하지만 천명 도사의 도움으로 위기를 모면한다. 이후 조웅은 서번왕을 항복시키고 황성을 쳐서 이두병을 베고 태자를 등극시킨다.

Step 2 포인트 체크

[01~05] 윗글에 대하여 맞으면 ○, 틀리면 ×표를 하시오.

01 이 작품은 중국과 조선을 공간적 배경으로 삼고 있다. 〔○.×〕

02 서술자가 인물의 내면 심리를 직접적으로 제시하고 있다. 〔○.×〕

03 원수가 꿈속에서 본 노인은 황금관을 쓰고 용포를 입고 있었다. 〔○.×〕

04 꿈속의 인물들은 여러 왕의 흥망성쇠에 대해 상반된 주장을 펼치며 대립하였다. 〔○.×〕

05 주인공에게 닥칠 위험을 예고하고 그를 돕는 신이한 존재가 등장하고 있다. 〔○.×〕

[06~10] 다음 빈칸에 알맞은 말을 쓰시오.

06 이 작품은 영웅적인 인물의 성장과 활약상을 다룬 ⃞⃞ 소설이다.

07 꿈속 이야기와 꿈에서 깨어난 이후의 이야기가 이어지는 ⃞⃞⃞ 구성을 보이고 있다.

08 서술자가 ⃞⃞⃞인 시점에서 꿈속의 이야기를 전개하고 있다.

09 원수의 침상에 날아든 ⃞⃞는 원수를 꿈속 세계로 이끄는 역할을 한다.

10 함곡에서 위기에 처한 주인공은 ⃞⃞⃞의 도움으로 위기를 극복하게 된다.

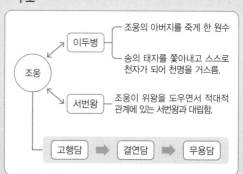

01

기출 2020학년도 6월 고3 평가원

[A]와 [B]에 대한 설명으로 가장 적절한 것은?

① [A]에서는 공간의 광활함을 통해 인물의 진취적인 기상이 드러나고 있다.
② [B]에서는 시간의 흐름을 통해 인물의 낙관적 태도가 드러나고 있다.
③ [A]에서는 낭만적인 사건에 의한 환상성이, [B]에서는 구체적인 시대적 상황에 의한 현실성이 부각되고 있다.
④ [A]에서는 공간적 변화에서 비롯되는 긴장감이, [B]에서는 계절적 상황에서 비롯되는 쓸쓸함이 강조되고 있다.
⑤ [A]에서는 비현실적 공간에서 느껴지는 신비로움이, [B]에서는 현실 공간에서 느껴지는 불길함이 드러나고 있다.

02

기출 2020학년도 6월 고3 평가원

큰 잔치 에 대한 설명으로 적절하지 않은 것은?

① 참석자들은 서로의 공적을 평가하며 소회를 드러내고 있다.
② 참석자들은 특정 인물에 대한 염려와 기대를 드러내고 있다.
③ 참석자들은 대화를 통해 국가의 흥망성쇠에 대한 관심을 드러내고 있다.
④ 참석자들은 소회를 다한 후 여러 행위를 통해 각자의 심정을 드러내고 있다.
⑤ 많은 참석자와 가득한 음식 차림을 통해 풍성한 잔치 분위기를 드러내고 있다.

03

고난도 기출 2020학년도 6월 고3 평가원

〈보기〉를 참고하여 윗글을 감상한 내용으로 적절하지 않은 것은?

┤보기├

「조웅전」에서 꿈은 초월적 세계의 뜻을 주인공에게 전달하는 기능을 한다. 꿈속 경험을 통해 주인공은 자신에게 부여된 천명과 현실 세계에서의 위기, 자신에 대한 초월적 세계의 비호 등을 알게 된다. 이러한 초월적 세계의 뜻에 대해 주인공은 확신하지 못하지만, 전달자와 구체적 증거물을 통해 초월적 세계의 뜻을 확인하게 된다. 주인공은 이와 같이 초월적 세계의 뜻을 확인하고 실천하여 영웅적 면모를 드러낸다.

① 꿈속에서 송 문제가 조웅을 구하려 하는 것은, 조웅에 대한 초월적 세계의 비호를 보여 주는 것이겠군.
② 조웅이 행군 중에 슬퍼하는 것은, 전쟁에 패한 혼이 될 것이라는 꿈속의 말에 대해 확신하지 못한 것이겠군.
③ 꿈속에서 송나라 왕실을 회복할 신하로 조웅이 거론되는 것은, 조웅에게 주어진 천명을 알게 하려는 것이겠군.
④ 조웅이 노옹을 통해 전달받은 편지의 지시에 따른 것은, 조웅이 꿈속 경험에서 알게 된 초월적 세계의 뜻을 신뢰한 것이겠군.
⑤ 노옹이 천명 도사의 부탁을 받아 편지를 전하고 떠나는 것은, 노옹이 초월적 세계의 뜻을 조웅에게 전달하는 사람임을 보여 주는 것이겠군.

04

ⓐ에 대해 이해한 내용으로 적절하지 않은 것은?

① 자신이 조웅을 돕기 위한 조치를 취하고 왔음을 제시하고 있군.
② 자신이 늦게 도착한 이유를 묻는 좌중의 질문에 대해 답하고 있군.
③ 송나라 왕실의 운명과 관련해 조웅에게 거는 기대감을 언급하고 있군.
④ 서번이 조웅을 공격하려 한다는 사실을 미리 알게 되었음을 밝히고 있군.
⑤ 타고난 시운으로 인해 조웅이 위기에서 쉽게 벗어날 것임을 예고하고 있군.

05

㉠~㉤에 대한 설명으로 적절하지 <u>않은</u> 것은?

① ㉠: 외양 묘사를 통해 인물의 지위를 드러내고 있다.

② ㉡: 서술자가 개입하여 생략된 대화가 더 있음을 제시하고 있다.

③ ㉢: 인물들의 행동 묘사를 통해 인물들 간의 관계를 나타내고 있다.

④ ㉣: 인물의 복잡한 내면 제시를 통해 인물의 내적 갈등을 드러내고 있다.

⑤ ㉤: 두 인물이 만나는 과정을 서술하여 환상적인 분위기를 자아내고 있다.

06

윗글에 대한 이해로 가장 적절한 것은?

① 위홍창은 서번 적의 간계에 빠져 선봉을 이끌고 함곡에 들어갔다.

② 원수는 지친 병사들을 위해 함곡에 들기 전에 군마를 쉬도록 명하였다.

③ 노옹은 조웅과의 만남이 계획된 시간보다 늦어지게 되어 마음을 졸였다.

④ 조웅은 노옹의 말을 쉽게 믿지 못하여 선봉으로 하여금 사실을 확인하도록 하였다.

⑤ 황금관을 쓴 노인은 모임에 참석한 이들이 조웅의 탁월한 업적을 기리도록 하였다.

07

〈보기〉는 ⓑ에 대한 독자의 반응이다. 빈칸에 들어갈 말로 가장 적절한 것은?

┤ 보기 ├

( )의 상황에서 간신히 벗어났군.

① 견강부회(牽強附會)

② 교각살우(矯角殺牛)

③ 자가당착(自家撞着)

④ 점입가경(漸入佳境)

⑤ 위기일발(危機一髮)

08

서술형

작품의 맥락을 고려할 때, 한 통 편지의 서사적 기능에 대해 서술하시오.

_____

_____

09

주인공의 '입몽'과 '각몽'에 해당하는 장면을 각각 찾아 쓰시오.

(1) 입몽: _____

_____

(2) 각몽: _____

소대성전(蘇大成傳) | 작자 미상

출제 포인트 〉 #영웅 소설 #군담 소설 #당대 인기작 #고난 극복담 #혼사 장애 극복담 #비범한 능력자

호왕이 또한 계책을 생각하고❶ 대장 겸한을 불러 말하기를,

"철기 일만을 거느리고 중국 도성에 들어가 성중을 엄살하면* 응당 구완병을 청할 것이니 대성을 치운 후에 명제를 사로잡아 대군을 합세하여 대성을 없애리라."

하니 겸한이 군을 거느려 장안으로 가니라.❷

이때 원수가 적진을 대하여 진욕을 무수히 하되 호왕이 끝내 나오지 아니하거늘 원수 천자께 아뢰되,

"호왕이 소장의 살아남을 꺼려 접전치 아니하니 대군을 합세하여 짓밟고자 하나이다."

상이 말하기를, / ㉠"호왕이 무슨 비계* 있는가 싶으니 잠깐 기다리라."

할 차에 ㉮원문 밖에서 기별이 왔으되 무수한 오랑캐 장안을 범하여 사직이 조모*에 있다 하거늘 상이 놀라 원수를 불러 말하기를,

"이놈이 여러 날 나지 아니하매 고이하게 여겼더니 장안을 범하였도다. 이제 호왕을 당적할 장수 없으니 이제 경이 가서 사직을 받들고 동군을 구완하여 잔명을 보존케 하라." / 하시니 원수 총망* 중에 하직하고 일진 명마를 거느려 장안을 향하니라.❸

이때에 호장 체탐이 호왕께 고하되, 대성이 장안에 갔다 하거늘 호왕이 크게 기뻐하여 철기 삼천을 거느려 그날 밤 삼경에 명진에 다다르니 일진이 고요하여 인마 다 잠을 들었는지라 고함하며 지쳐 엄살하니 명진이 불의에 난을 만나매 **제장 군졸의 머리 추풍낙엽일네라 뉘 능히 당하리요?**❹

이때 명진 천자가 중군에서 취침하여 계시다가 함성 소리 천지진동하거늘 놀라 장 밖에 나와 보니 화광이 충천한 가운데 일원 대장이 크게 외쳐 말하기를,

"명제 어디 있느냐?" / 하며 달려 들어오니 본즉 이는 곧 호왕이라.

상이 대경하여 제장을 부르니 제장 군졸이 다 흩어지고 없는지라 다만 삼장*을 겨우 찾아 일지병을 거느려 북문으로 달아나더니 날이 이미 밝으며 황강 강가에 다다르니 강촌 백성이 난을 피할 길이 없는지라.❺

상이 삼장을 돌아보아 가라사대,

"좌우에 태산 막혀 있고 앞에 황강이 있어 건널 길이 없고 호왕의 추병은 급하였으니 그 가운데 있어 어디로 가리요? 삼장은 힘을 다하여 뒤를 막으라."

하시니 삼장과 군사가 말 머리를 돌려 호적을 대하여 마음을 둘 곳이 없더니 호왕이 달려와 삼장과 군사를 다 죽이고 **명제는 함정에 든 범이라 어찌 망극지 아니하리요?**❻ 명제 하늘을 우러러 통곡하여 말하기를, / "죽기는 서럽지 아니하되 사직이 오늘날 내게와 망할 줄 알리요. 황천에 들어간들 태종 황제께 하면목으로 뵈오리요?"❼

하시고 슬피 울으실 새 호왕이 황제 탄 말을 찔러 거꾸러치니 상이 땅에 떨어지거늘 호왕이 창으로 상의 가슴을 겨누며 꾸짖어 말하기를,

---

Step1 포인트 분석

▶ 작자 미상, 「소대성전」

제목의 의미
'소대성전'은 '소대성'이라는 인물을 주인공으로 하고 있으며, 이 인물의 일대기를 다루고 있는 '전(傳)'임을 말해 주고 있다.

배경
❷ 장안, ❹ 명진, ❺ 황강
➡ 중국의 여러 공간적 배경이 등장함.

인물
❶ 호왕이 또한 계책을 생각하고
➡ 명나라에 침입한 호왕은 대성의 뛰어난 용맹을 알고 있으므로 직접 싸우는 것을 피할 계책을 세움.
❷ 겸한이 군을 거느려 장안으로 가니라.
➡ 겸한이 호왕의 명을 받아 수행함.
❸ 원수 총망~장안을 향하니라.
➡ 대성은 호왕이 장안을 침입했다는 소식을 듣고 명진을 떠나 군대를 이끌고 장안으로 감. 이는 호왕의 계책에 속은 것으로 이로 인해 천자가 위기에 빠지게 됨.
❼ 명제 하늘을~하면목으로 뵈오리요?"
➡ 천자는 호왕에게 나라를 빼앗기게 된 상황에 대해 한탄함.

사건
❶, ❷ 호왕이 또한~장안으로 가니라.
➡ 호왕의 계책: 호왕이 대성을 따돌리고 명제를 사로잡을 계책을 꾸밈.
❺ 상이 대경하여~피할 길이 없는지라.
➡ 호왕의 침입: 호왕의 공격으로 천자가 위기에 빠지고 난을 피할 수 없는 백성들이 어려운 상황에 처함.

갈등
❹ 철기 삼천을~능히 당하리요?
➡ 호왕과 명(천자)의 갈등: 호왕이 천자가 있는 명진을 공격함.

서술
❹ 명진이 불의에~능히 당하리요?, ❻ 명제는 함정에~망극지 아니하리요?
➡ 서술자의 개입: 인물들이 처한 상황에 대한 서술자의 감상이나 느낌, 판단, 논평을 드러냄.

• **엄살하면:** 별안간 습격하여 죽이면.
• **비계:** 남모르게 꾸며 낸 꾀.
• **조모:** 어떤 일이 곧 결판나거나 끝장날 상황.
• **총망:** 매우 급하고 바쁨.
• **삼장:** 세 명의 장수.

"죽기를 서러워하거든 항서를 써 올리라."❽

상이 총망 중에 대답하되, / "지필이 없으니 무엇으로 항서를 쓰리요?"

호왕이 크게 소리하여 말하기를, / "목숨을 아낄진대 용포를 떼고 손가락을 깨물라." 하니 / "차마 아파 못할네라."❾

소리 나는 줄 모르고 통곡하시니 **용의 울음소리가 구천에 사무치는지라 하늘이 어찌 무심하리요?**❿

이때 원수 장안으로 가 호왕을 찾으니 호왕은 없고 겸한이 삼군을 거느려 왔거늘 원수 분노하여 겸한을 한칼에 베고 제군에게 하령하기를,

"이제 호왕이 나를 치우고 우리 대군을 범하고자 함이니 나는 필마로 가서 대군을 급히 구완할 것이니 제군은 따라오라." / 하고 달려가니 빠르기 풍우 같은지라.⓫

대진을 향하여 오더니 홀연 공중에서 외쳐 말하기를,

"용부야, 대진으로 가지 말고 황강으로 가라. 지금 천자 강변에 꺼꾸러져 호왕의 창 끝에 명이 다하게 되었으니 급히 구완하라."⓬

하거늘 원수 황강으로 가며 분기충천*하여 말하기를,

"앞에 큰 강이 가렸으니 건넬 길이 없는지라."

때는 늦어 가고 분기는 울울하여 말더러 경계하여 말하기를,

"네 비록 짐승이나 사람의 급함을 알지라. 물을 건너라." / 하니 청총마 그 임자의 충성을 모르리요?⓭ 고개를 들고 청천을 우러러 한소리를 벽력같이 지르고 강을 건너뛰니 **이는 대성의 충심과 청총마 그 임자 아는 정을 하늘이 감동하사 건너게 함이라.**⓮

그제야 멀리 바라보니 상이 강변에 넘어졌는지라 원수가 우레 같은 소리를 벽력같이 지르며, / "호왕은 나의 임금을 해치 말라."

하는 소리 천지진동하니 호왕이 황겁하여 미처 회마치 못하여 청총마가 호왕의 탄 말을 물고 대성의 칠성검은 호왕의 머리를 베어 말 아래에 떨어지느니라. 원수가 호왕의 머리를 창끝에 꿰어 들고⓯ 말에서 내려 강변에 다다르니 천자 기절하여 누웠거늘 원수 엎드려 아뢰기를, / "대성이 호왕을 죽이고 왔나이다."⓰

상이 혼미 중에 대성의 말을 들으시고 용안을 잠깐 들어 보니 과연 대성이 호왕의 머리를 들고 엎드렸거늘 혼미 중에 일어나 **대성의 손을 잡고 꿈인가 생신가 분별치 못할네라.**

원수 여쭙기를, / "소신이 이제 반적 호왕을 죽였사오니 옥체를 진정하옵소서."

상이 정신을 차려 가라사대, / "어느 사이에 호왕을 죽이고 짐의 잔명을 보전케 하였느냐? 돌아가 천하를 반분하리라."⓱

원수 천자를 모시고 본진에 돌아오니 상이 앙천통곡하기를,

"나로 말미암아 아까운 장졸이 원혼이 되었으니 어찌 슬프지 아니하리요?"

행군하여 대연을 배설하사 장졸을 상사하시고 좌우더러 일러 말하기를,

"원수는 만고에 짝 없는 충신이라 일방 봉작*으로 그 공을 갚을 길이 없어 천하를 반분하고자 하나니 제신들은 어떠하뇨?"⓲

대성이 엎드려 아뢰기를,

ⓒ"천하를 평정함이 폐하의 넓으신 덕이요 신의 공이 아니오매 천하를 반분하오면 일천지하에 두 천자 없사오니 소신으로 하여금 후세에 역명을 면케 하옵소서."

사건

❽ "죽기를 서러워하거든~써 올리라."
→ 항복을 명하는 호왕: 호왕이 천자에게 굴욕적인 항복을 명함.

⓫ 원수 분노하여~풍우 같은지라.
→ 호왕의 계책을 깨달은 대성: 대성이 호왕의 속임수를 깨닫고 천자를 구하기 위해 급히 돌아가고자 함.

⓭, ⓮ "네 비록~건너게 함이라.
→ 하늘의 도움: 대성이 하늘의 도움을 받아 청총마로 장애물을 극복하고 황강으로 감.

⓯, ⓰ 호왕의 머리를~죽이고 왔나이다."
→ 호왕의 죽음과 천자의 구출: 대성이 호왕을 죽이고 천자를 구출함.

⓱ 돌아가 천하를 반분하리라.", ⓲ "원수는 만고에~제신들은 어떠하뇨?"
→ 천자의 치하: 천자가 대성에게 천자의 자리를 주고자 함.

갈등

❽, ❾ 호왕이 황제~아파 못할네라."
→ 호왕과 천자의 갈등: 호왕이 천자에게 항서 쓰기를 명하고 천자가 이러러러 핑계를 대며 항서를 쓸 수 없다고 말함.

⓫ 이때 원수~풍우 같은지라, ⓯ 원수가 우레 같은~꿰어 들고
→ 대성과 겸한, 호왕의 전투: 대성이 천자를 구출하고 나라를 위기에서 구함.

서술

❿ 용의 울음소리가~어찌 무심하리요?, ⓭ 청총마 그~충성을 모르리요?, ⓮ 이는 대성의~건너게 함이라.
→ 서술자의 개입: 서술자의 목소리를 통해 인물이 처한 상황에 대한 생각이나 판단 등을 제시함.

⓬ 홀연 공중에서~급히 구완하라." ⓮ 고개를 들고~건너게 함이라.
→ 전기적 요소의 활용: 대성이 하늘의 도움을 받아 천자가 있는 곳을 알게 되고, 청총마가 큰 강을 건너뛰는 비현실적 상황이 나타남.

• **분기충천**: 분한 마음이 하늘을 찌를 듯 격렬하게 북받쳐 오름.

• **봉작**: 제후로 봉하고 관작을 줌.

[전체 줄거리] 명나라 때 병부 상서를 지낸 소양은 청룡사 노승에게 시주하고 뒤늦게 대성을 얻는다. 하지만 부모가 병으로 일찍 죽고 대성은 집을 떠나 품팔이와 걸식으로 연명한다. 한편, 소양의 옛 친구였던 이 승상은 기이한 꿈을 꾼 뒤 우연히 대성을 만나게 되는데, 대성의 비범함을 알아보고 집으로 데려와 딸 채봉과 혼인시키려 한다. 하지만 승상의 부인과 세 아들은 신분이 미천한 대성을 못마땅하게 여긴다. 그러던 중 갑자기 승상이 세상을 떠나게 되자, 이들은 대성을 박해하고 자객을 보내 죽이려 한다. 자객의 침입을 도술로써 피하고 집을 떠나 방랑하던 대성은 청룡사 노승을 만나 병법과 무술을 익힌다. 대성은 보검, 갑주, 용마 등을 얻은 후 **전장에서 활약하며 천자를 구하고 큰 공을 세운다.** 왕이 된 대성은 채봉을 만나 인연을 맺고 선정을 베푼다.

Step 2 포인트 체크

[01~04] 윗글에 대하여 맞으면 ○, 틀리면 ×표를 하시오.

01 호왕은 소대성의 비범한 능력을 알아보고 소대성의 항복을 받아 그를 호나라의 장수로 영입하고자 하였다. 〔○. ×〕

02 소대성은 호왕의 계책을 알아차리고 호왕이 도착하기 전에 장안으로 향하였다. 〔○. ×〕

03 천자는 삼장을 거느리고 황강 강가에 다다랐으나 더 이상 도망갈 방법을 찾지 못하였다. 〔○. ×〕

04 천자는 소대성에게 충신이라고 하며 천자의 자리를 주고자 하였다. 〔○. ×〕

[05~09] 다음 빈칸에 알맞은 말을 쓰시오.

05 이 작품은 영웅의 ⊙⊙⊙ 구조를 따르고 있는 영웅 소설이다.

06 이 작품에는 서술자가 상황이나 인물의 심리 등을 직접적으로 제시하는 ⊙⊙⊙⊙⊙⊙이 많이 활용되어 있다.

07 호왕은 명제를 잡아 명제에게 ⊙⊙를 쓸 것을 명령하였다.

08 소대성의 말인 ⊙⊙⊙는 장안에서 황강 강가로 가는 길에 있는 큰 강을 건너뛰었다.

09 천자는 자신이 죽는 것을 슬퍼하기보다는 ⊙⊙을 이어 가지 못하는 것을 안타까워하고 있다.

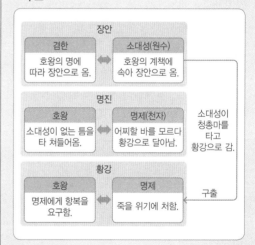

작품 정리

● 소대성전
• **갈래**: 영웅 소설, 군담 소설, 국문 소설, 혼사 장애 극복담
• **시점**: 전지적 작가 시점
• **성격**: 일대기적, 전기적
• **배경**: 시간 – 명나라 때 / 공간 – 중국 명나라
• **주제**: 고난을 극복하고 나라를 위기에서 구한 영웅의 일대기
• **특징**: ① 국문 소설로서, 필사본이 많고 당대의 대중적 인기작이었던 것으로 알려져 있음.
② 영웅의 일대기 구조를 따르고 있음.
③ 소대성이 비범성을 가지고 있는 인물이지만 영웅적 활약을 펼치기 전에는 게으르고 잠만 많이 자는 인물로 묘사됨.

• 구조

장안	
겸한	소대성(원수)
호왕의 명에 따라 장안으로 옴.	호왕의 계책에 속아 장안으로 옴.

명진	
호왕	명제(천자)
소대성이 없는 틈을 타 쳐들어옴.	어찌할 바를 모르다 황강으로 달아남.

황강	
호왕	명제
명제에게 항복을 요구함.	죽을 위기에 처함.

소대성이 청총마를 타고 황강으로 감.

구출

한 걸음 더

「소대성전」과 전기수
조선 후기에 소설 향유층이 대중으로 확대되면서 소설 낭독을 직업으로 하는 전기수가 등장하였다. 특히 대중적으로 인기가 많았던 「소대성전」은 전기수가 많이 낭독했던 작품이라는 기록이 남아 있다. 이 작품은 인물의 특징이 다양하고 사건 전개가 흥미진진하여 전기수가 낭독의 기술을 발휘하여 읽기에 적합하였다고 한다.

01

윗글에 대한 설명으로 가장 적절한 것은?

① 외양 묘사를 통해 인물의 독특한 성격을 부각하고 있다.
② 전기적 요소를 활용하여 비현실적 상황을 드러내고 있다.
③ 인물의 희화화를 통해 사건의 반전 효과를 나타내고 있다.
④ 장면마다 서술자를 달리 설정하여 사건의 전모를 밝히고 있다.
⑤ 꿈과 현실의 교차를 통해 앞으로 일어날 사건을 암시하고 있다.

02

윗글의 내용에 대한 이해로 적절하지 <u>않은</u> 것은?

① 겸한이 군을 거느리고 장안으로 간 것은, 호왕이 명제를 사로잡아 대성을 없애고자 마련한 계책의 일환이기 때문이로군.
② 호왕을 짓밟고자 한다는 대성에게 천자가 기다리라고 명한 것은, 대성만이 자신을 안전하게 지킬 수 있는 사람이라고 여겼기 때문이로군.
③ 대성이 장안으로 갔다는 체탐의 말을 듣고 호왕이 크게 기뻐한 것은, 대성을 피해야 명제를 쉽게 사로잡을 수 있다고 생각했기 때문이로군.
④ 항서를 쓰라는 호왕의 명령에 대해 천자가 지필이 없다고 한 것은, 호왕에게 순순히 항복을 하고 싶지 않았기 때문이로군.
⑤ 겸한이 삼군을 거느려 온 것을 보고 대성이 분노한 것은, 호왕이 꾀를 내어 자신을 속였음을 뒤늦게 알게 되었기 때문이로군.

03

윗글에 제시된 구절 중 '서술자의 개입'으로 볼 수 <u>없는</u> 것은?

① 제장 군졸의 머리 추풍낙엽일네라 뉘 능히 당하리요?
② 명제는 함정에 든 범이라 어찌 망극지 아니하리요?
③ 용의 울음소리가 구천에 사무치는지라 하늘이 어찌 무심하리요?
④ 이는 대성의 충심과 청총마 그 임자 아는 정을 하늘이 감동하사 건너게 함이라.
⑤ 대성의 손을 잡고 꿈인가 생신가 분별치 못할네라.

04

 2020학년도 3월 고2 교육청

〈보기〉를 바탕으로 윗글을 감상한 내용으로 적절하지 <u>않은</u> 것은?

┤ 보기 ├

　이 작품에서 소대성은 호국의 침략으로 위기에 처한 명나라를 지켜 내는 인물로 제시된다. 탁월한 무공을 바탕으로 천상계의 조력을 받아 위기를 해결하는 과정에서 드러나는 소대성의 영웅적 능력은 지배 계층의 무능과 대비를 이룬다.

① 호국의 침략으로 군사들이 희생되고 백성이 난을 겪는 상황에서 명나라가 위기에 처했음이 드러나고 있군.
② 호왕의 공격에 적절하게 대응하지 못하는 천자의 나약한 모습은 지배 계층의 무능함을 보여 주는 것이라 할 수 있군.
③ 공중에서 들리는 소리에 분기충천하는 소대성의 모습은 천상계의 질서를 극복하고자 하는 의지를 보여 주고 있군.
④ 항서를 요구받고 쓰러져 기절한 천자와 극적으로 천자를 구출하는 소대성이 대비되면서 소대성의 영웅적 면모가 부각되고 있군.
⑤ 명을 위협하는 오랑캐를 물리치고 호왕을 제압하는 모습에서 국가적 위기를 해결하는 소대성의 탁월한 능력이 나타나 있군.

05

기출 2020학년도 3월 고2 교육청

㉠과 ㉡을 비교하여 설명한 내용으로 가장 적절한 것은?

① ㉠은 실행으로 인한 결과를 우려하며, ㉡은 실행을 위한 방안을 요구하며 상대의 제안을 거부하고 있다.

② ㉠은 추측에 근거하여, ㉡은 군신 간의 도리를 내세워 상대의 제안을 수용하지 않고 있다.

③ ㉠은 자신의 공을 내세우며, ㉡은 상대에게 공을 돌리며 상대의 제안에 동의하고 있다.

④ ㉠은 단점을 중심으로, ㉡은 장점을 중심으로 상대의 제안을 구체화하고 있다.

⑤ ㉠은 유보적인 태도로, ㉡은 적극적인 태도로 상대의 제안을 수용하고 있다.

06

서술형

㉭를 통해 '호왕'이 의도한 바가 무엇인지 서술하고, 이로 인해 발생한 사건이 무엇인지 〈조건〉에 맞게 서술하시오.

조건

1. 호왕의 의도는 호왕의 계책과 관련하여 서술할 것.
2. 발생한 사건의 내용에는 공간적 배경에 대한 언급을 포함할 것.

(1) 호왕의 의도: _____

_____

(2) 발생한 사건: _____

_____

07

윗글을 바탕으로 〈보기〉의 ⓐ, ⓑ에 들어갈 적절한 말을 쓰시오.

보기

「소대성전」의 주인공 소대성은 용왕의 아들로서 천상계에서의 잘못으로 인해 인간 세상에 태어나게 된다. 이는 소대성이 태생적으로 비범한 능력을 갖추고 있었으며, 천상계와 관련된 인물임을 보여 주는 것으로, 작품의 곳곳에서 이를 확인할 수 있다. 예를 들어, 소대성이 장안에서 겸한을 죽이고 돌아갈 때 (ⓐ)을/를 알려 주는 장면, 소대성의 영웅적 활약에 기여하는 청총마가 (ⓑ) 장면에서 이를 확인할 수 있다.

ⓐ: _____

ⓑ: _____

08

〈보기 1〉을 읽고, 〈보기 2〉에 대해 답한 내용으로 가장 적절한 것은?

보기 1

전기수는 동대문 밖에 살고 있었다. 그는 언문 소설을 구송했는데, 「숙향전」, 「소대성전」, 「심청전」, 「설인귀전」 등이었다. 매달 초하룻날은 첫째 다리 밑에서, 초이튿날은 둘째 다리 밑에서, 초사흘은 이현에서, 초나흘은 교동 입구에서, 초닷새는 대사동 입구에서, 초엿새는 종루 앞에다 자리를 정하곤 했다. 이렇게 올라갔다가 초이레부터는 도로 내려온다. 이처럼 아래에서 위로, 위에서 다시 아래로 옮겨 한 달을 마친다. 다음 달에도 또 그렇게 했다. 소설을 읽는 솜씨가 훌륭했기 때문에 많은 사람들이 모여들곤 했다. 그는 대개 이야기가 한참 흥겨울 대목에 이르러서는 문득 멈추고 소리를 내지 않는다. 그러면 사람들은 다음 내용이 듣고 싶어서 서로들 다투어 돈을 던진다. 이것을 요전법이라 했다.

– 조수삼, 「추재기이」의 「전기수」 중에서

보기 2

윗글을 낭독하는 전기수가 요전법을 활용했다면, 가장 적절한 장면은 무엇일까요?

① 대성이 천자에게 호왕을 당할 장수가 자신밖에 없다고 말하는 부분입니다.

② 천자가 삼장에게 힘을 다하여 자신의 뒤를 막으라고 지시하는 부분입니다.

③ 호왕이 천자에게 용포를 떼고 손가락을 깨물라고 명령하는 부분입니다.

④ 대성이 강변에 넘어진 천자를 보고 큰 소리를 지르며 달려오는 부분입니다.

⑤ 천자가 자신의 잘못으로 수많은 장졸들이 죽었다며 죄책감을 느끼는 부분입니다.

전쟁소설

15강

김영철전(金英哲傳) | 홍세태

출제 포인트 › #조선 후기 #현실 비판적 #민중의 시각 #전란으로 인한 고통

Step 1 포인트 분석

[앞부분의 줄거리] 조선조 광해군 때, 청이 명을 공격하자 명은 조선에 군대를 청한다. 요동 출병으로 참전하게 된 영철은 청의 포로가 되어 죽을 위기에 처하나 청의 장수 아라나 덕에 살아남아, 건주(建州)에서 살게 된다. 그러나 부모님이 몹시 그리워 목숨을 걸고 탈출해 14년 만에 고향에 돌아온다.

신사년(辛巳年, 1641) 봄에 청나라가 금주(錦州)를 공격하면서 조선에 군대를 요청하였다.❶ 조선 군대가 금주에 이르니 청나라가 금주를 반드시 함락하고자 하여 청나라 황제가 친히 나서고, 여덟 명의 고산대장(高山大將) 또한 각기 군대를 이끌고 와서 금주성을 에워쌌다.❷ 고산대장이 매번 사자(使者)*를 조선군 진중(陣中)에 보내니 유림이 사자 대접하는 일을 **영철**에게 맡겼다. 한번은 청나라 장수가 조선군 진중에 와서 일을 논의하는데 영철이 청나라 말의 통역을 맡게 되었다.❸ 그때 그 청나라 장수가 영철을 한참 보더니

"내 너를 처음 보는 것 같지 않은데, 너는 나를 알아보겠느냐?"❹

"소신(小臣), 장군이 누구신지 잘 모르겠사옵니다."

하니 청나라 장수가 노하여 말하되,

"내 이제 너를 자세히 보니 누군지 알겠거늘 **네가 어찌 나를 모른다고 하느냐?**"

이에 영철이 청나라 장수를 자세히 보니 옛적 건주에 있을 때 자신이 모시고 있던 아라나(阿羅那) 장군이었다.

[A]
"이놈아 듣거라! 내가 네게 세 번의 큰 은혜를 베풀었노라. 네가 참수형을 받아야 할 처지였을 때 죽음을 모면하게 한 것이 그 하나요, 네가 두 번이나 도망가다 잡혔지만 죽이지 않고 풀어 준 것이 그 둘이며, **건주의 살림을 맡긴** 것이 그 셋이다. 하지만 너는 용서받기 어려운 죄를 진 것이 셋이니, 목숨을 살려 주고 거두어 기른 은혜를 생각지 않고 재차 도망간 것이 그 하나요, 너로 하여금 말을 먹이도록 할 때 진심으로 너에게 맡겼거늘 도리어 명나라 놈들과 짜고 나를 배신한 것이 그 둘이요, 도망가면서 내 천리마*를 훔친 것이 그 셋이다. 나는 네가 도망한 것이 한스러울 뿐 아니라 내 **천리마** 세 필을 잃은 것이 한스러워 지금도 원통하다. 내 이제 다행히 너를 만났으니 반드시 네 목을 베리라!"❺

그러고는 휘하 기병을 시켜 영철을 포박하게 했다. 사태가 급박하게 돌아가자 영철은 크게 소리치며 말하기를,

[B]
"주공(主公), 원통하옵니다. 말을 훔쳐 달아난 죄는 제게 있지 않사옵니다. 그건 한족(漢族) 놈들이 한 짓이옵니다. 제가 **그들의 계획을 따르지 않았다면** 그 한족 아홉이 저를 베는 건 손바닥을 뒤집기보다 쉬웠을 것입니다. 제가 건주의 살림을 버리고 도망한 것이 어찌 제 본심이었겠습니까? 몇 년 전 장군의 조카께서도 이러한 사정을 아시고 말을 받아 돌아가셨습니다. 바라옵건대 주공께서는 살펴 용서하여 주소서."❻

"그 일은 내 이미 알았거니와 네 죄를 생각하면 **어찌 말 한 마리로 용서할 수 있겠느냐?** 내 이제 너를 만났으니 진실로 용서치 못하리라."

홍세태, 「김영철전」

제목의 의미
'김영철전'은 '김영철'이라는 인물을 주인공으로 하고 있으며, 이 인물의 일대기를 다루고 있는 '전(傳)'임을 말해 주고 있다.

배경
❶ 신사년 봄에~군대를 요청하였다.
→ 신사년(1641)은 인조 19년으로, 조선 후기 왜란과 호란을 겪은 후 정치·경제적으로 어려움을 겪던 시기임. 이 시기에 명나라는 청나라의 침입을 막고자 조선에 군대를 요청함. 이때 김영철도 조선군으로 파병되어 명나라 금주에서 지냄.

인물
❸ 영철이 청나라 말의 통역을 맡게 되었다.
→ 영철은 건주에서 오래도록 지냈기 때문에 청나라 말을 할 수 있었음. 이 때문에 조선 군대에서 청나라 말을 통역하는 일을 함.
❺ "이 놈아 듣거라!~네 목을 베리라."
→ 청나라 장수 아라나가 과거 영철과의 사연을 말하고 영철을 꾸짖으면서 영철을 죽이고자 함. 아라나는 영철에게 적대감을 가지고 있음.

사건
❹ "내 너를~나를 알아보겠느냐?"
→ 김영철과 아라나의 재회: 아라나가 김영철을 알아봄.
❺ "이놈아 듣거라!~네 목을 베리라!"
→ 김영철을 죽이려 하는 아라나: 과거에 영철이 자신을 배신하였다고 여기고 이에 대해 응징하고자 함.

갈등
❺ "이놈아 듣거라!~네 목을 베리라", ❻ "주공. 원통하옵니다.~용서하여 주소서."
→ 아라나와 김영철의 갈등: 아라나는 영철이 자신을 배신했다고 여기고 영철을 죽이고자 함. 영철은 자신의 행동이 본심이 아니라고 하며 용서를 구함.

서술
❶, ❷ 신사년 봄에~금주성을 에워쌌다.
→ 시대적 배경에 대한 직접적 서술: 사건이 일어난 시대적 배경에 대한 정보를 직접적이고 구체적으로 제시함.
❺, ❻ "이놈아 듣거라!~용서하여 주소서."
→ 인물의 대화 중심 서술: 인물의 대화를 통해 갈등 상황이 드러나고, 특히 아라나의 말을 통해 과거의 사건이 드러남.

영철이 안타깝게 소리쳤으나 아라나는 들은 체도 하지 않았다. 이에 유림이 아라나를 달래며 말하기를,

㉠"장군, 이 자에게 죄가 있으나 이미 공이 살리셨는데 이제 죽이시면 덕스럽지 않사옵니다. 제가 이 자의 몸값을 후하게 치를 것이니 공께서 호생(好生)하는 덕을 보전하소서."❼

그러고는 세남초(細南草) 이백 근을 내어 아라나에게 주니 이때는 담배가 매우 귀한 물건이라 보통 비싼 것이 아니었다. 아라나가 처음에는 받지 아니하였으나 억지로 받는 듯이 하여 허락하였다. (중략)

몇 달 뒤 조선에서 교대할 군대가 오자 영철은 봉황성으로 돌아갔다.❽ 유림이 영철에게 말하되,

"네가 금주에서 아라나에게 잡혀갈 때 세남초 이백 근으로 네 몸값을 치러 너를 구하였는데, **그 물건이 나랏돈에서 나온 줄은 너도 알 것**이니라. ㉡이제 각 진영에서 쓰고 남은 것을 계산하여 호조(戶曹)에 바쳐야 하는데 **세남초값은 네가 갚도록 하거라.**"❾

영철이 깜짝 놀라 말하기를,

"장군, 제가 일찍이 나라의 부름을 받고 군문(軍門)에 출입하여 재산을 모은 것이 없는데 이렇게 큰돈을 어떻게 마련할 수 있겠습니까? 장군께서 헤아려 주시기를 간절히 청하옵니다."❿

"네 비록 감당하기 어려울지 모르겠지만, 그렇다고 하더라도 나라의 재산을 아니 갚지는 못할 것이니라."

"장군, 제가 세 번 전쟁에 나가 그동안 수고한 것과 세운 공이 적지 아니하니, 그것으로 이를 갚은 것으로 해 주시면 안 되겠사옵니까? 이는 장군에게 달렸으니 소신의 청을 헤아려 주소서."⓫

영철은 몇 번이고 유림에게 간청하였으나 유림은 끝내 영철의 청을 흘려듣고 들어주지 아니하였다. 유림이 이렇게 영철의 간청을 들어주지 않은 것은, 금주에 있을 때 영철이 청나라 황제에게 하사받은 청노새를 자신에게 팔지 않은 것에 앙심을 품은 까닭이었다.⓬

영철이 집으로 돌아온 지 얼마 되지도 않았을 때 호조에서 관리를 보내 영철에게 은 이백 냥 갚기를 재촉하였다. 호조에 돈 들이는 일이 늦어지자 영유 현령은 영철의 일가친척을 감옥에 가두고 기한을 정하여 바치도록 하였다. 감옥에 갇힌 일가친척의 원망은 하늘을 찌를 정도였다.⓭ 그중 한 명이 분개하여 말하되,

"영철이 임경업 장군과 유림 장군을 따라 바다로 육지로 종군(從軍)하면서 들인 노고(勞苦)와 세운 공(功)이 적지 아니한데, 어찌 조정에서는 조그마한 **보상**조차 주는 일은 없고 도리어 이렇게 살과 **뼈**를 깎는단 말이냐? 우리는 조선 백성도 아니더란 말이냐?"⓮

영철이 청노새를 팔고 집안의 **세간**을 다 파니 **호조**에 갚을 돈의 반 정도를 간신히 마련할 수 있었다. 하지만 그 나머지는 충당할 길이 없어, 결국 **친족**들의 도움을 받아 그 나머지를 갚을 수 있었다. 조정에서는 그 후로도 영철에게 상 주는 일이 없었으니 이 어찌 불쌍하다 하지 아니하리오.⓯

배경
❽ 몇 달 뒤~봉황성으로 돌아갔다.
→ 영철이 금주를 떠나 봉황성으로 가게 됨.

인물
❾ "네가 금주에서~갚도록 하거라.",
⓬ 금주에 있을~품은 까닭이었다.
→ 유림은 나랏돈으로 영철을 구해 준 것이었으며, 영철에게 앙심을 품게 되자 영철의 애원에도 빚을 갚으라고 말하는 매정한 인물임.
❿ "장군, 제가~간절히 청하옵니다."
→ 영철은 유림의 갑작스러운 요구에 당황하며 큰돈을 마련할 수 없는 처지임을 호소함.

사건
❼ "장군, 이 자에게~덕을 보전하소서."
→ 아라나를 설득하는 유림: 유림은 영철을 죽이려고 하는 아라나를 설득하며 자신이 영철의 몸값을 대신 치를 것을 약조함.
❾ 이제 각 진영에서~갚도록 하거라."
→ 김영철에게 몸값을 갚으라고 하는 유림: 유림이 자신의 본색을 드러내며 영철에게 큰돈을 갚으라고 요구함.
⓭ 호조에 돈 들이는~찌를 정도였다.
→ 빚으로 인해 고통받는 김영철: 영철이 돈을 제때 갚지 못하자 일가친척까지 고초를 겪게 됨. 군역의 가혹함과 사회의 부조리가 드러남.

갈등
⓫ "네 비록~헤아려 주소서."
→ 유림과 김영철의 갈등: 유림은 영철에게 큰돈을 갚으라고 요구하고, 영철은 자신의 공적을 헤아려 요구를 철회해 달라고 부탁함.
⓮ "영철이 임경업~아니더란 말이냐?"
→ 개인과 사회와의 갈등: 영철의 일가친척 중 한 명이 전공을 세운 백성들에게 어떠한 보상도 해 주지 않는 사회에 대한 분노를 표출함.

서술
⓮ "어찌 조정에서는~아니더란 말이냐?"
→ 인물의 말을 통한 사회 비판: 당대 사회에 대한 불만과 비판 의식을 인물의 말을 통해 드러냄.
⓯ 조정에서는 그 후로도~하지 아니하리오.
→ 서술자의 개입: 상황과 인물에 대한 서술자의 평가, 판단을 드러냄.

• **사자**: 사신. 명령이나 부탁을 받고 심부름 하는 사람.
• **천리마**: 하루에 천 리를 달릴 수 있을 정도로 좋은 말.

[전체 줄거리] 청나라의 공격에 명나라는 조선에 군대를 요청하는데, 김영철은 명나라와 청나라의 전쟁에 파병이 된다. 김영철은 전쟁에서 청나라의 포로가 되었다가 청나라의 장수 아라나 밑에서 일을 하게 된다. 김영철은 고향에 돌아가야 한다는 생각으로 세 번에 걸쳐 탈출을 시도하여 성공한다. 오랜 세월이 지나 김영철은 고향에 돌아오게 되지만 청나라와 명나라에 두고 온 부인과 자식을 그리워하며 지낸다. **김영철은 인조 때 조선의 군으로 다시 한번 파병되는데, 여기서 아라나와 다시 만나 죽을 위기에 처한다.** 이때 유림이라는 장수가 김영철에게 도움을 주지만 결국 유림도 김영철을 위기에 빠뜨린다. 김영철은 노령이 되어서도 산성을 지키는 임무를 맡게 되는데, 이 임무를 20년 이상 수행하다 84세에 생을 마감하게 된다.

Step 2 포인트 체크

[01~05] 윗글에 대하여 맞으면 ○, 틀리면 ×표를 하시오.

01 김영철은 전쟁에서 비범한 능력을 발휘하는 영웅적 인물이다. 〔○ . ×〕

02 아라나는 김영철이 은혜를 알지 못하고 자신을 죽이려 했다고 생각하였다.
〔○ . ×〕

03 청나라 말을 아는 김영철은 조선의 군에서 청나라 말을 통역하는 일을 맡았다. 〔○ . ×〕

04 유림은 금주에서의 사건 때문에 김영철에게 앙심을 품고 있었다. 〔○ . ×〕

05 김영철은 과거에 인연이 있었던 호조 관리의 도움으로 위기에서 벗어났다.
〔○ . ×〕

[06~10] 다음 빈칸에 알맞은 말을 쓰시오.

06 이 작품은 전쟁 소설로, 명나라와 ㅊㄴㄹ 의 전쟁 상황을 배경으로 하고 있다.

07 전란으로 인해 백성들이 겪는 고통을 ㅁㅈ 의 시각에서 보여 주고 있는 작품이다.

08 김영철이 세 번이나 도망간 것은 ㄱㅎ 에 돌아가기 위해서였다.

09 유림이 아라나에게 준 ㅅㄴㅊㅇㅂㄱ 은 김영철에게 고통을 주는 요인이 된다.

10 김영철은 전쟁에 참여하여 여러 ㄱㅈ 을 세우고도 제대로 된 보상이나 대우를 받지 못한 인물이다.

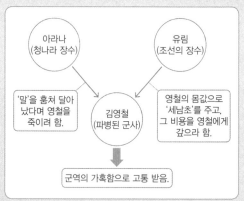

작품 정리

■ **김영철전**
- **갈래:** 전쟁 소설, 세태 풍자 소설
- **시점:** 전지적 작가 시점
- **성격:** 현실 비판적, 비극적
- **배경:** 시간 – 조선 후기 / 공간 – 중국 명나라, 조선
- **주제:** 전란으로 인해 겪는 백성들의 삶의 고통
- **특징:** ① 전쟁의 장면을 묘사하는 데 치중하지 않고 전쟁이 유발하는 문제점에 주목하고 있음.
  ② 조선 후기 명나라의 파병 요청이라는 실제 역사적 사건을 바탕으로 하고 있음.
  ③ 인물의 삶의 공간이 한정되지 않고 명, 청, 조선 등으로 다양하게 드러남.
- **구조**

아라나
(청나라 장수)

유림
(조선의 장수)

'말'을 훔쳐 달아났다며 영철을 죽이려 함.

영철의 몸값으로 '세남초'를 주고, 그 비용을 영철에게 갚으라 함.

김영철
(파병된 군사)

→ 군역의 가혹함으로 고통 받음.

한 걸음 더

「김영철전」에 드러난 사실적 성격
이 작품은 종래의 전쟁 소설이 영웅적 인물에 초점을 맞추어 비현실적이고 전기적인 장면을 통해 전쟁 장면을 묘사한 것과 달리, 평범한 인물들을 중심으로 조선 후기의 전쟁 상황과 전쟁으로 인한 백성들의 고통을 사실적으로 그려 내고 있다. 특히 이 작품은 명·청 교체기의 상황을 역사적 사실에 부합하게 서술하였고, 명과 청의 전란이 조선에게 상당한 고통이 되었음을 부각하고 있다. 또한 한 인물의 삶을 통해 잦은 징병으로 인한 고통과 가족 해체, 군역의 가혹함 등을 보여 주며, 조선 후기의 부조리한 사회상을 민중의 시각에서 담아내고 있다는 점에서 주목할 만하다.

01

윗글에 대한 설명으로 가장 적절한 것은?

① 대화를 통해 인물들 간의 갈등을 제시하고 있다.
② 사건 진행 과정에서 과거와 현재가 교차되고 있다.
③ 전기적 요소를 통해 갈등이 해소되는 과정을 제시하고 있다.
④ 상징적 소재를 통해 인물이 앞으로 겪을 사건을 예고하고 있다.
⑤ 인물의 모습에 대한 세밀한 묘사를 통해 그 인물이 처한 상황을 드러내고 있다.

02

고난도

윗글에 대한 이해로 적절하지 <u>않은</u> 것은?

① 아라나가 영철에게 '네가 어찌 나를 모른다고 하느냐?' 라며 화를 낸 것은, 영철이 일부러 자신을 모른 척한다고 여겼기 때문이라고 할 수 있겠군.
② 아라나가 영철에게 베푼 은혜에 대해 말하면서 '건주의 살림을 맡'겼다고 한 것은, 아라나가 과거에 영철을 신뢰했었음을 말해 주는 것이라고 할 수 있겠군.
③ 영철이 아라나에게 '그들의 계획을 따르지 않았다면' 자신이 죽었을 것이라고 한 것은, 영철이 자신의 행동이 어쩔 수 없는 것이었음을 항변한 것이라고 할 수 있겠군.
④ 아라나가 영철에게 '어찌 말 한 마리로 용서할 수 있겠느냐?'라고 한 것은, 훔쳐간 것을 지금 돌려주겠다고 하는 제안은 의미가 없다는 아라나의 단호한 마음을 보여 주는 것이라고 할 수 있겠군.
⑤ 유림이 영철에게 '그 물건이 나랏돈에서 나온 줄은 너도 알 것'이라고 한 것은, 영철에게 세남초값을 반드시 갚아야만 한다는 것을 강조하기 위해 한 말이라고 할 수 있겠군.

03

기출 2017학년도 7월 고3 교육청

[A]와 [B]에 나타난 말하기 방식으로 가장 적절한 것은?

① [A]는 과거의 사건을 나열하며 상대방에 대한 적대적 감정을 드러내고 있다.
② [B]는 과거의 잘못을 모두 자신의 탓으로 여기며 상대방에게 용서를 구하고 있다.
③ [B]는 상대방에게 이익이 되는 제안을 하며 상대의 마음을 변화시키려 하고 있다.
④ [A]와 [B] 모두, 구체적인 근거를 제시하며 상대방의 과거 행적을 평가하고 있다.
⑤ [A]와 [B] 모두, 자신이 상대에게 베푼 호의를 언급하며 자신의 뜻을 관철하려 하고 있다.

04

〈보기〉의 관점으로 윗글을 감상한 내용으로 가장 적절한 것은?

┤ 보기 ├

　문학 작품을 감상하는 방법 중, 내재적 관점은 작품 자체의 내적 질서에 주목한다. 작품을 통해서 파악할 수 있는 인물, 사건, 배경 등 작품 구성의 요소와 작품의 구조, 작품을 이루는 언어적 요소의 유기적 관계 등에 대한 분석에 주력한다.

① 신사년에 청나라가 조선에 군대를 요청하였다는 것은 실제 역사적 사실에 부합하는 내용이야.
② 나는 이 작품을 읽고 조선 후기 민중의 시각을 대변하고 있는 작품들을 더 찾아 읽어야겠다는 생각을 했어.
③ 작가는 종군하면서 고초를 겪은 백성들에게 제대로 된 대우를 해 주지 않는 현실에 대한 비판 의식을 표출하고 있어.
④ 영철에게 도움을 주는 인물처럼 보이는 아라나와 유림이 결국에는 영철에게 고통을 주는 인물이라는 점이 반전이었어.
⑤ 「유충렬전」과 「소대성전」은 영웅적 인물에 주목하고 있지만 이 작품은 평범하게 살아간 인물을 다루고 있다는 점이 새로웠어.

05

윗글의 사건을 시간 순서대로 나열할 때, 가장 뒤에 일어난 사건으로 적절한 것은?

① 영유 현령이 영철의 일가친척을 감옥에 가둠.
② 유림이 세남초 이백 근을 아라나에게 내어 줌.
③ 영철이 아라나의 집에서 천리마를 훔쳐 도망감.
④ 영철이 청나라 황제에게 하사받은 청노새를 팖.
⑤ 영철이 금주에 와서 청나라 말을 통역하는 일을 맡음.

06

고난도 기출 2017학년도 7월 고3 교육청

〈보기〉를 참고하여 윗글을 감상한 내용으로 적절하지 않은 것은?

─┤ 보기 ├─

1618년 명나라가 조선에 요동 출병을 요청했을 당시, 사대부들은 명에 대한 의리를 명분으로 출병을 주장했지만, 실제 참전한 백성들에게 전쟁이란 명분이 아닌 현실이었다. 작가는 「김영철전」을 통해 영웅의 활약상이 아닌, 고향을 떠나 참전했던 일반 백성들의 현실적 고통을 보여 주고 있다. 또한 그런 백성들의 노고를 외면했던 위정자들을 비판하고 있다.

① 영웅적 면모를 보이는 인물이 아니라 일반 백성인 '영철'을 주인공으로 설정했다는 점에서 작가가 영웅의 활약상이 아닌 일반 백성의 현실적 고통에 주목했음을 알 수 있군.
② 나라를 위해 종군하느라 모은 재산이 없는 영철에게 '세남초값'까지 갚으라고 요구하는 것에서 백성의 어려움을 외면하는 위정자의 모습을 엿볼 수 있군.
③ '천리마'를 잃은 것에 대한 원망으로 영철을 죽이려고 하는 아라나의 모습에서 실리보다 명분을 중시하는 사대부의 모습을 확인할 수 있군.
④ '세간'을 다 팔고 '친족'의 도움까지 받아 '호조'에 돈을 바쳐야 하는 영철의 모습에서 참전 후 고향으로 돌아와서도 전쟁과 관련한 백성의 고통이 이어졌음을 알 수 있군.
⑤ 종군하며 공을 세운 영철에게 조정에서 끝내 아무런 '보상'도 하지 않았다는 점에서 참전한 백성들의 노고에 대해 무책임한 위정자들의 태도를 확인할 수 있군.

07

서술형

윗글에서 '유림'의 말하기와 관련하여 ㉠에 드러난 말하기 전략과 ㉡에 담긴 '유림'의 본래 의도에 관해 서술하시오.

(1) ㉠에 드러난 말하기 전략: _____

_____

(2) ㉡에 담긴 유림의 본래 의도: _____

_____

08

서술형

윗글에 담긴 조선 후기의 사회상을 〈보기〉와 같이 정리할 때, ⓐ, ⓑ는 각각 윗글의 어떤 내용을 통해 알 수 있는지 서술하시오.

─┤ 보기 ├─

ⓐ 어떤 일에 대해 친인척까지 연대하여 책임을 지는 연좌제
ⓑ 군역을 다하고 공적을 세운 백성들에 대한 열악한 처우

ⓐ: _____

_____

ⓑ: _____

_____

홍계월전(洪桂月傳) | 작자 미상

출제 포인트 › #여성 영웅 소설 #군담 소설 #여성의 뛰어난 능력 #남성보다 우월한 여성

각설 대명(大明) 성화 년간에 형주(荊州) 구계촌(九溪村)에 한 사람이 있으되, 성은 홍(洪)이요 이름은 무라. 세대 명문거족(名門巨族)으로 소년 급제하여 벼슬이 이부시랑에 있어 충효 강직하니, 천자 사랑하사 국사를 의논하시니, 만조백관이 다 시기하여 모함하매,❶ 죄 없이 벼슬을 빼앗기고 고향에 돌아와 농업에 힘쓰니, 가세는 부유하나 슬하에 일점혈육이 없어 매일 슬퍼하더니,❷ 일일은 부인 양 씨(梁氏)와 더불어 탄식하며 말하기를,

"나이 사십에 아들이든 딸이든 자식이 없으니, 우리 죽은 후에 후사를 누구에게 전하며 지하에 돌아가 조상을 어찌 뵈오리오."

부인이 공손하게 말하기를,

"불효삼천(不孝三千)에 무후위대(無後爲大)라 하오니, 첩이 귀한 가문에 들어온 지 이십여 년이라. 한낱 자식이 없사오니, 어찌 상공을 뵈오리까. 원컨대 **상공은 다른 가문의 어진 숙녀를 취하여 후손을 보신다면**, 첩도 칠거지악을 면할까 하나이다."

시랑이 위로하여 말하기를,

"이는 다 내 팔자라. 어찌 부인의 죄라 하리오. 차후는 그런 말씀일랑 마시오."❸ 하더라.

이때는 추구월 보름이라. 부인이 시비(侍婢)를 데리고 망월루에 올라 월색을 구경하더니 홀연 몸이 곤하여 난간에 의지하매 비몽간(非夢間)에 선녀 내려와 부인께 재배하고 말하기를,

"소녀는 상제(上帝) 시녀옵더니, 상제께 득죄하고 인간에 내치시매 갈 바를 모르더니 세존(世尊)이 부인 댁으로 지시하옵기로 왔나이다."❹

하고 품에 들거늘 놀라 깨달으니 필시 태몽이라. 부인이 크게 기뻐하여 시랑을 청하여 몽사를 이야기하고 귀한 자식 보기를 바라더니, 과연 그달부터 태기 있어 열 달이 차매 일일은 집 안에 향취 진동하며 부인이 몸이 곤하여 침석에 누웠더니 아이를 탄생하매 여자라.❺ ⓐ선녀 하늘에서 내려와 옥병을 기울여 아기를 씻겨 누이고 말하기를,

"부인은 이 아기를 잘 길러 후복(厚福)을 받으소서."

하고 문을 열고 나가며 말하기를,

"오래지 아니하여서 뵈올 날이 있사오리다."

하고 문득 가옵거늘 부인이 시랑을 청하여 아이를 보인대 얼굴이 도화(桃花) 같고 향내 진동하니 진실로 월궁항아(月宮姮娥)더라. 기쁨이 측량 없으나 남자 아님을 한탄하더라.❻ 이름을 계월(桂月)이라 하고 장중보옥(掌中寶玉)같이 사랑하더라.

계월이 점점 자라나매 얼굴이 화려하고 또한 영민한지라.❼ **시랑이 계월이 행여 수명이 짧을까 하여** 강호 땅에 ⓑ곽 도사라 하는 사람을 청하여 계월의 상(相)을 보인대, 도사 지그시 보다가 말하기를,

Step 1 포인트 분석

작자 미상, 「홍계월전」

제목의 의미
'홍계월전'은 '홍계월'이라는 여성을 주인공으로 하고 있으며, 이 인물의 일대기를 다루고 있는 '전(傳)'임을 알려 주고 있다.

인물
❶세대 명문거족으로~모함하매,
➜ 홍계월의 가문에 대한 설명으로, 계월의 아버지인 홍무가 충직한 신하임을 밝힘.
❸"이는 다~말씀일랑 마시오."
➜ 자식을 낳지 못하는 문제를 여성의 잘못으로 여기는 당시의 사회·문화적 분위기와는 다른 홍무의 대응으로, 홍무의 진보적인 사고를 보여 줌.
❹"소녀는 상제~지시하옵기로 왔나이다."
➜ 계월이 본디 천상의 존재였으나 지상으로 내려왔음을 밝힘. 이와 같은 적강 화소는 고전 소설에서 주인공의 비범함을 드러내는 장치로 자주 쓰임.

사건
❷가세는 부유하나~매일 슬퍼하더니.
➜ 홍무 부부가 자식이 없어 슬퍼함: 자식의 문제로 이야기를 초점화함. 고전 소설에서 흔히 보이는 설정임.
❻기쁨이 측량~아님을 한탄하더라.
➜ 홍계월의 탄생: 자식을 얻기 바라는 간절한 기도가 이루어졌으나 아들이 아니기에 실망하는 감정이 엿보임. 남아를 선호하는 사회·문화적 가치를 반영하고 있음.

서술
❺부인이 크게~탄생하매 여자라, ❻기쁨이 측량~아님을 한탄하더라.
➜ 전지적 작가 시점: 인물의 심리를 서술자가 직접 제시함.
❼계월이 점점~또한 영민한지라.
➜ 재자가인형의 인물 제시: 고전 소설에서 흔히 보이는 주인공의 특징임.

• **명문거족**: 이름나고 크게 번창한 집안.
• **불효삼천에 무후위대**: 삼천 가지 불효 중 자식 없는 것이 가장 큰 불효임을 이르는 말.
• **월궁항아**: 전설 속에서 달에 산다는 선녀로, 아름다운 여인을 흔히 비유적으로 이르는 말.
• **장중보옥**: 귀하고 보배롭게 여기는 존재를 비유적으로 이르는 말.

"이 아이 상을 보니 다섯 살이 되는 해에 부모를 이별하고 십팔 세에 부모를 다시 만나 공후작록(公侯爵祿)*을 올릴 것이오, 명망이 천하에 가득할 것이니 가장 길하도다."

시랑이 그 말을 듣고 놀라 말하기를, / "명백히 가르치소서."

도사 말하기를,

"그 밖에는 아는 일이 없고 천기를 누설치 못하기로 대강 설화하나이다." ❾

하고 하직하고 가는지라. 시랑이 도사의 말을 듣고 도리어 듣지 않은 것만 못하다 여기고, 부인을 대하여 이 말을 이르고 염려 무궁하여 **계월을 남복(男服)으로 입혀 초당에 두고 글을 가르치니** 한 번 보면 다 기억하는지라.❿ 시랑이 안타까워 말하기를,

"네가 만일 남자 되었다면 우리 문호를 더욱 빛낼 것을 애닯도다." 하더라.⓫

[중략 부분의 줄거리] 장사랑의 난이 일어나 계월은 부모와 헤어졌지만, 여공의 구원으로 살아나고 그의 아들 보국과 함께 공부하여 과거에 급제한다. 이후 서달의 난을 진압하고 부모와 재회하게 된다. 그러던 중 계월이 여자임이 밝혀지면서 천자의 중매로 보국과 결혼을 한다. 이후 오왕과 초왕이 황성을 침입하자, 계월은 원수로 임명되고 보국과 함께 출전한다.

이튿날, 원수 중군장에게 분부하되,

"오늘은 중군장이 나가 싸워라." 하니,

[A]
　중군장이 명령을 듣고 말에 올라 삼척장검을 들고 적진을 향해 외치기를,

"나는 명나라 중군장 보국이라, 대원수의 명을 받아 너희 머리를 베라 하니 바삐 나와 내 칼을 받으라."

하니, 적장 운평이 이를 듣고 크게 화를 내며 말을 몰아 싸우더니 세 번도 채 겨루지 못하여 보국의 칼이 빛나며 운평 머리 말 아래 떨어지니 적장 운경이 운평 죽음을 보고 대분하여 말을 몰아 달려들거늘, 보국이 승기 등등하여 장검을 높이 들고 서로 싸우더니 수합이 못하여 보국이 칼을 날려 운경의 칼 든 팔을 치니 운경이 미처 손을 올리지 못하고 칼 든 채 말 아래에 내려지거늘,

　보국이 운경의 머리를 베어 들고 본진으로 돌아오던 중, 적장 구덕지 대노하여 장검을 높이 들고 말을 몰아 크게 고함하며 달려오고, 난데없는 적병이 또 사방으로 달려들거늘, 보국이 황겁하여 피하고자 하더니 한순간에 적병이 함성을 지르고 보국을 천여 겹 에워싸는지라 사세 위급하매 보국이 앙천탄식*하더니,

　이때 원수 장대에서 북을 치다가 보국의 위급함을 보고 급히 말을 몰아 장검을 높이 들고 좌충우돌하며 적진을 헤치고 구덕지 머리를 베어 들고 보국을 구하여 몸을 날려 적진을 충돌할새, 동에 가는 듯 서장을 베고 남으로 가는 듯 북장을 베고 좌충우돌하여 적장 오십여 명과 군사 천여 명을 한칼로 베고 본진으로 돌아올새,⓫ 보국이 원수 보기를 부끄러워하거늘, 원수 보국을 꾸짖어 말하기를,

"저러하고 평일에 남자라 칭하고 나를 업신여기더니, 언제도 그리할까."

하며 무수히 조롱하더라.⓬

[전체 줄거리] 오랫동안 자식이 없던 홍 시랑 부부는 기이한 태몽을 꾸고 계월을 얻는다. 홍 시랑은 어려서부터 영민했던 계월을 남복을 입혀 글을 가르친다. 그러던 중 전란이 일어나 계월은 부모와 헤어지게 된다. 강물에 떠내려가던 계월은 여공에게 구출돼 그의 아들 보국과 함께 길러진다. 평국으로 이름이 바뀐 계월은 병법을 익혀 관직에 나아가 공을 세우고 부모와 재회하지만 여자라는 사실이 밝혀지며 위기를 맞는다. 그러나 천자로부터 용서를 받고, 보국과 결혼을 하게 되며, **여성임을 당당히 밝히고 전장에 나가 승리를 거두어** 보국과 부귀영화를 누린다.

인물
❾초당에 두고~다 기억하는지라.
➔ 계월의 비범한 능력이 드러남.

사건
❽"이 아이~대강 설화하나이다."
➔ 홍계월의 앞날에 대한 암시: 곽 도사는 계월의 상을 보고 앞날을 예언하고 있으나, 천기를 누설하지 못한다고 하며 구체적인 내용을 밝히지 않음. 이는 구체적인 사건의 내용을 제시하지 않는 방식으로 독자의 흥미를 유도하는 장치임.
❿"네가 만일~애닯도다." 하더라.
➔ 홍계월이 여자임을 안타까워하는 시랑: 능력이 뛰어남에도 여자라는 이유로 사회적 활동에 제약이 있는 현실에 대해 안타까움을 드러냄. 부당한 현실에 대한 비판 의식이 간접적으로 드러남.

갈등
⓬보국이 원수~무수히 조롱하더라.
➔ 보국과 홍계월의 갈등: 평상시 보국은 여성인 계월이 자신보다 우월하다는 사실을 인정하지 않으려 하였음. 또 원수인 계월의 명령을 못마땅히 여기며 따르지 않으려 하였음. 따라서 계월이 보국보다 뛰어난 실력으로 보국을 위기에서 구한 것은, 남성보다 우월한 여성의 능력을 직접적으로 드러내 당시 여성 독자들이 통쾌함을 느꼈을 대목임.

서술
⓫중군장이 명령을~본진으로 돌아올새.
➔ 군담 소설의 성격이 드러난 부분: 전쟁이나 군담직 내용을 제시하여 독자들의 흥미를 유발함. 보국의 뛰어난 능력에 이어 보국을 구하는 계월의 모습을 제시하여 여성인 계월의 능력을 부각함. 다만 군담 소설의 성격을 보이고 있으나 전쟁이나 싸움의 장면은 간략히 제시함.

· **공후작록**: 높은 지위에 오른다는 말.
· **앙천탄식**: 하늘을 우러러보며 한탄하여 한숨을 쉼.

Step 2 포인트 체크

[01~06] 윗글에 대하여 맞으면 ○, 틀리면 ×표를 하시오.

01 홍 시랑의 충직함을 시기한 주변 신하들의 모함으로 홍 시랑은 벼슬을 빼앗기고 고향에 돌아왔다. 〔○. ×〕

02 자식이 없어 괴로워하던 양 씨는 망월루에서 태몽을 꾼 사실을 홍 시랑에게 고하였다. 〔○. ×〕

03 홍 시랑은 계월에 관한 도사의 말을 의심하여 부인에게는 도사의 말을 전하지 않았다. 〔○. ×〕

04 적장 운평은 보국이 여자라는 사실을 알아차리고 화를 내며 보국을 죽이고자 하였다. 〔○. ×〕

05 중군장 보국이 운평과 운경의 목을 차례로 베자 적장 구덕지는 크게 화가 났다. 〔○. ×〕

06 보국의 목숨을 구해 본진으로 돌아온 원수는 남자라고 우쭐댔던 보국의 과거를 언급하며 그를 조롱했다. 〔○. ×〕

[07~12] 다음 빈칸에 알맞은 말을 쓰시오.

07 이 작품은 여자 주인공의 활약상을 그리고 있는 ○ㅅ ○ㅇ 소설이다.

08 서술자가 등장인물의 심리와 사건의 전말을 밝히고 있는 ㅈㅈㅈ 작가 시점이다.

09 가부장제, 남존여비, 충군 사상 같은 ○ㄱㅈ 이념을 기본 바탕으로 한 당대의 보편적인 삶을 드러내고 있다.

10 양 씨가 비몽간에 ㅅㄴ와 이야기를 나눈 꿈은 계월을 가질 태몽이었다.

11 곽 도사의 말을 들은 홍 시랑은 계월에게 ㄴㅂ을 입히고 글을 가르쳤다.

12 적들과 맞서 싸우던 중군장이 위기에 처하자 ○ㅅ는 중군장을 구하기 위해 직접 말을 몰아 나갔다.

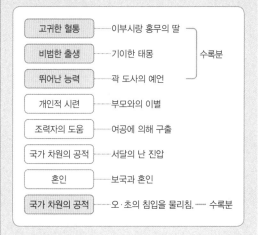

작품 정리

홍계월전
- **갈래**: 여성 영웅 소설, 군담 소설
- **시점**: 전지적 작가 시점
- **성격**: 전기적, 영웅적, 일대기적
- **배경**: 시간−명나라 때 / 공간−중국 형주, 황성, 벽파도 등
- **주제**: 뛰어난 능력을 지닌 여성 영웅 홍계월의 활약
- **특징**: ① 여성의 사회적 능력이나 역할을 인정하고 있음.
  ② 당시 여성의 사회적 제약을 뛰어넘으려는 소망을 반영하고 있음.
  ③ 남장한 여성이었음이 밝혀졌음에도 그 능력을 인정받아 국가적 차원의 공적을 세우는 여성 영웅이 형상화됨.
- **구조**

고귀한 혈통	이부시랑 홍무의 딸	수록분
비범한 출생	기이한 태몽	
뛰어난 능력	곽 도사의 예언	
개인적 시련	부모와의 이별	
조력자의 도움	여공에 의해 구출	
국가 차원의 공적	서달의 난 진압	
혼인	보국과 혼인	
국가 차원의 공적	오·초의 침입을 물리침. ― 수록분	

한 걸음 더

「홍계월전」과 다른 여성 영웅 소설과의 차이점

이 작품은 「박씨전」이나 「정수정전」과 같이 여성 주인공의 활약상을 그리고 있다. 그러나 「홍계월전」에서 홍계월은 자신이 여성임을 끝까지 감추고 영웅적 활약을 하거나, 국난을 모두 해결한 후 현모양처로 돌아가는 여성이 아니다. 또 홍계월은 군담을 통해 남성성이 매우 부각된다. 특히 남편 보국과 서열 문제를 두고 다투는 대목에서는 여성의 우월함과 남성의 열등함이 직접적으로 제시된다.

01

기출 2018학년도 6월 고1 교육청

윗글에 대한 설명으로 적절한 것은?

① 외양 묘사를 통해 인물을 희화화하고 있다.

② 요약적 서술을 통해 인물의 내력을 제시하고 있다.

③ 대립된 공간을 설정하여 인물 간의 갈등을 제시하고 있다.

④ 초월적 존재와의 대화를 통해 인물의 고뇌가 드러나고 있다.

⑤ 여러 개의 이야기를 나열하여 다양한 관점에서 사건을 재구성하고 있다.

02

윗글의 '홍무'와 '양 씨'에 대한 이해로 적절하지 않은 것은?

① 홍무는 임금의 총애를 받았기 때문에 주변의 신하들로부터 시기와 질투를 받았군.

② 홍무는 이부시랑의 벼슬을 빼앗기고 낙향했어도 가세는 부유하였군.

③ 홍무와 양 씨 모두 이십여 년 동안 아이가 생기지 않아 시름에 빠져 있었군.

④ 양 씨는 자식을 낳지 못했다는 죄책감에 홍무에게 첩을 들이라고 권하였군.

⑤ 양 씨는 선녀가 나타나기를 기다리기 위해 망월루에 올라 월색을 구경하였군.

03

ⓐ와 ⓑ에 대한 설명으로 가장 적절한 것은?

① ⓐ는 상대방의 불만을 유발하고 있다.

② ⓑ는 상대방의 궁금증을 완전히 해소시켜 주고 있다.

③ ⓐ는 ⓑ와 달리 인물의 내력을 소개하고 있다.

④ ⓑ는 ⓐ와 달리 행복한 결말을 암시하고 있다.

⑤ ⓐ와 ⓑ는 앞으로 벌어질 사건을 예견하고 있다.

04

고난도 기출 2018학년도 6월 고1 교육청

<보기>를 바탕으로 윗글을 감상한 내용으로 적절하지 않은 것은?

> ┤ 보기 ├
>
> 「홍계월전」은 남성보다 비범한 능력을 가진 여성 주인공이 위기를 극복하는 모습을 그린 작품으로, 영웅의 일대기 구조를 가지고 있다. 영웅의 일대기 구조에서 주인공은 고귀한 혈통을 지니고 태어나며 잉태나 출생의 과정이 일반인들과 다르다. 어려서부터 비범하나 일찍 부모와 이별하거나 죽을 고비와 같은 위기에 처하고, 양육자 혹은 조력자에 의해 위기에서 벗어난다. 자라서 다시 위기에 부딪치며, 이 위기를 극복하고 승리자가 된다.

① 이부시랑 홍무의 딸로 태어난 사실을 통해 계월이 고귀한 혈통을 지니고 있음을 알 수 있다.

② 선녀가 꿈에서 양 씨에게 말하는 내용을 통해 계월을 잉태하는 과정이 일반인들과 다름을 알 수 있다.

③ 계월이 태어났을 때 시랑이 안타까워하는 모습을 통해 어릴 때 위기에 처한 계월의 모습을 알 수 있다.

④ 여공이 계월을 구해 주는 내용을 통해 조력자에 의해 위기에서 벗어난다는 것을 알 수 있다.

⑤ 계월이 보국을 구해 주는 장면을 통해 여성 영웅의 비범한 능력을 알 수 있다.

05

[A]에 대한 설명으로 가장 적절한 것은?

① 군담적 요소를 활용하여 독자의 흥미를 유도한다.
② 역사적 사실을 바탕으로 인물의 행적을 서술한다.
③ 비유적 표현을 통해 인물 사이의 관계를 표시한다.
④ 문답의 방식을 통해 인물의 행동에 담긴 의도를 드러낸다.
⑤ 공간적 배경 묘사를 통해 상황의 변화 가능성을 암시한다.

06

〈보기〉를 바탕으로 윗글을 감상한 내용으로 적절하지 않은 것은?

┤보기├

「홍계월전」에서 여주인공은 남성 중심 사회에서 열등한 존재로 낙인찍힌 여성의 신분을 뛰어넘는다. 영웅이 된 여주인공은 남성과 대등하거나 우월한 위치에서 남성을 다스리게 된다. 이러한 설정은 당대 남성들에게 충격적이지만 여성들에게는 통쾌함을 주었을 것이다. 당시 여성들이 사회에 대한 불만을 직접 해소하는 것은 불가능한 일이었기 때문에 억압된 불만을 여성 영웅을 통해 대리 만족했을 것이다.

① 양 씨가 시랑에게 다른 가문의 숙녀를 취해 후손을 보라는 대목에서 남성과 여성을 대등한 존재로 생각하지 않는 태도를 엿볼 수 있어.
② 자식을 기다리던 시랑이 계월을 보고 남자가 아님을 한탄한 대목에서 남아를 선호하는 당시 사회의 단면을 엿볼 수 있어.
③ 시랑이 계월의 수명이 짧을까 염려하는 대목에서 당시 여성들이 직접 해소할 수 없었던 불만에 대한 사회적 시선을 알 수 있어.
④ 계월이 보국을 향해 오늘은 중군장이 나가 싸우라고 분부하는 대목에서 여주인공이 우월한 위치에서 남성을 다스림을 알 수 있어.
⑤ 계월이 보국을 향해 '평일에 남자라 칭하고 나를 업신여'겼다며 조롱하는 대목에서 당시 여성 독자들은 통쾌함을 느꼈을 수 있어.

07

〈보기〉를 통해 드러나는 사회·문화적 가치에 대해 서술하시오.

┤보기├

계월을 남복(男服)으로 입혀 초당에 두고 글을 가르치니 한 번 보면 다 기억하는지라. 시랑이 안타까워 말하기를,
"네가 만일 남자 되었다면 우리 문호를 더욱 빛낼 것을 애닯도다." 하더라.

08

윗글에서 '홍계월'의 영웅적 활약상이 드러나는 대목을 〈조건〉에 맞게 찾아 쓰시오.

┤조건├

1. 남성보다 우월한 여성의 능력이 드러날 것.
2. 본문의 내용을 그대로 옮길 것.

박씨전(朴氏傳) | 작자 미상

출제 포인트 › #여성 영웅 소설 #군담 소설 #여성의 뛰어난 능력 #변신 모티프 #역사적 배경 #병자호란

호왕이 크게 기뻐하여, 용골대와 율대 형제로 대장을 삼아 정병 30만을 주어 가로되,

"부디 의주로 가지 말고 동으로 돌아 들어가되, 의주길을 막아 소식을 통치 못하게 하라."❶

한다. 황후 또 양장을 불러 가로되,

"이번에는 동으로 들어가 장안을 바로 엄살*하면 임경업도 몰라 성공을 할 것이니, 부디 우의정 이시백의 집 후원은 범치 말라. 만일 범하다가는 성공은 새로에 목숨을 보전치 못할 것이니, 부디 명심 불망하라."

양장이 수명하고 군사를 거느려, 동으로 황해수를 건너 바로 장안을 향하였더라.

각설. 이때 박 씨 피화당에서 천기를 보고 승상을 청하여 가로되,

"북방 호적이 금방 들어오는가 싶으니, 급히 탑전*에 아뢰어 임경업을 내직으로 불러 군사를 조발하여 막으소서."

승상 가로되,

"북방 호적이 들어오면 북으로 올 것이니, 임경업은 북방을 지키는 의주 부윤이라. 어찌하여 오는 길을 버리고 내직으로 부르리까?"

부인 가로되,

"호적이 북방으로 오지 아니하고 동으로 황해수를 건너 들어올 것이니, 바삐 임경업을 패초*하옵소서."❷

승상이 크게 놀라 급히 들어가 부인의 말을 낱낱이 아뢴대, 상이 놀라사 만조백관이 다 경황하여 임경업을 패초하려 의논하더라.❸ 이때 좌의정 원두표(元斗杓) 아뢰어 가로되,

[A] "북방 오랑캐는 본디 간계 많사오니 분명 그러하올 듯하오니, 박 부인 말씀대로 하여 보사이다."

한대 김자점(金自點)이 발연 변색하고 아뢰어 가로되,

[B] "제신의 말이 그르도소이다. 북적이 여러 번 경업에게 패한 바 되었사오니 기병할 수 없사옵고, 설사 기병하여 온다 하여도 북으로밖에 없사오니, 만일 임경업을 패초하였다가 호적이 의주를 쳐 항성하면 그 세를 당치 못하며 국가 흥망이 경각에 있을지니, 어찌 요망한 계집의 말을 듣고 북방을 비우고 동을 막으리이까. 이는 다 나라를 망할 말이라. 어찌 지혜 있다 하오리까."❹

상이 가로되,

"박 부인은 신인이라 신명지감이 있어 여러 번 신기함이 있으니, 그 말대로 하고자 하노라."

자점이 또 아뢰되, / "시방 시화연풍 국태민안하오니, 이런 태평성대에 무슨 병란이 있으리. 박 씨는 요망한 계집이어늘, 전하 어찌 요망한 말을 침혹하시며, 국가 대사를 아이 희롱같이 하시나니이까."❺

▶ 작자 미상, 「박씨전」

제목의 의미
'박씨전'은 '박 씨'라는 여성을 주인공으로 하고 있으며, 이 인물의 일대기를 다루고 있는 '전(傳)'의 형식을 취하고 있음을 말해 주고 있다.

인물
❶호왕이 크게~못하게 하라."
➡ 호왕은 임경업 장군과의 전투에서 패배한 경험을 있어 새로운 계략을 제시함. 조선에 위협적인 인물임이 드러남.
❷"호적이 북방으로~임경업을 패초하옵소서."
➡ 호적이 침입할 경로를 미리 예상하여 방책을 제시함. 박 씨가 앞일을 예견하는 비범한 인물임이 드러남.
❺"시방 시화연풍~희롱같이 하시나니이까."
➡ 임금에 대한 예의에 벗어나는 언행으로, 김자점의 악인으로서의 면모가 부각됨.

사건
❶"부디 의주로~못하게 하라."
➡ 호나라의 조선 침공 계획: 호왕이 용골대와 율대를 앞세워 조선을 침공하려 함.

갈등
❹김자점이 발연~있다 하오리까.", ❺"시방 시화연풍~희롱같이 하시나니이까."
➡ 승상, 좌의정 원두표, 상과 김자점 사이의 갈등: 박 씨의 의견을 따라 임경업을 패초하자는 승상과 좌의정, 상의 견해에 반대하여 김자점은 임경업을 패초해서는 안 된다고 주장하며 갈등을 일으킴. 김자점은 박 씨의 의견은 '요망한 계집의 말'이므로 따를 수 없다고 주장함.

서술
❸승상이 크게~패초하려 의논하더라.
➡ 전지적 작가 시점: 서술자가 인물들의 내면 심리를 직접 제시하고 있으며, 사건의 전개를 요약적으로 제시함.

• **엄살**: 갑자기 습격하여 죽임.
• **탑전**: 임금의 자리 앞.
• **패초**: 조선 시대 때 승지를 시켜 왕명으로 신하를 부름.
• **무가내하**: 어찌할 수가 없음.

하니 만조백관이 김자점의 말이 그른 줄 알되, 아무 말도 못 하더라.❻ 상이 그 일로 유예 미결하시고 조회를 파하시는지라. 우상이 집에 돌아와 그 연고를 부인더러 말하니 부인이 아연 탄하여 가로되,

"슬프다, 호적이 미구에 도성을 범하려 하되, 간인이 나라의 총명을 가리워 사직을 위태케 하니 절통치 않으리요. 이제 급히 임경업을 불러 동편에 복병하였다가 냅다 치면 파하기는 어렵지 아니할지라. 이제는 속절없이 손을 매어 놓고 완연히 도적을 받으려 하니, 이제는 국운이 불행하니 무가내하°라. 대감이 이미 나라에 헌신하였사오니 불행한 일이 있을지라도 나라를 위하여 충성을 다하여 비록 전패지경(全敗之境)을 당하여 죽더라도 신자의 도리에 국가를 위하여 아름다운 이름을 후세 전하게 하옵소서. 만일 위급한 때를 당하여 김자점으로 병권을 맡길진대 망극한 일을 볼 것이니, 어진 사람을 가리어 맡기게 하옵소서."

우상이 이 말을 듣고 강개한 마음을 이기지 못하여 하늘을 우러러 탄식하며 수심으로 지내더니,

'죽기로써 다시 아뢰리라.' / 하고 궐내에 들어가니, ㉠이때는 병자년 동 10월이라.❼

우상이 미처 탑전에 미치지 못하여서 동대문 밖으로서 방포 일성에 금고 함성이 천지 진동하며 호병이 동문을 깨치며 장안을 엄살하니, 장안이 불의지변(不意之變)을 만나 모두 분주하는지라. 백성들이 도적의 창검에 죽는 자가 무수하여 주검이 태산 같더라. 장안 인민이 하늘을 우러러 땅을 두드려 살기를 바라는 소리 천 리 진동하는지라.❽ 상이 망극하여 어찌 할 줄 모르시고 우상더러 가로되,

"이제 장안이 벌써 함몰되고, 구화문에 도적이 들어오는지라. 내 장차 어찌하리요?"

우상 가로되, / "일이 급하였사오니 남한으로 행하사이다."

하고 옥교를 재촉하여 서문으로 나오니라. 또한 중로에서 호적의 복병을 만나 우상이 칼을 잡고 죽기로 싸워 복병하였던 장수를 베고, 겨우 길을 얻어 뫼시고 남한에 들어가니라.

각설. 이때 박 씨 일가친척을 다 모아 피화당에 피난하는지라. 호장 용골대가 제 아우 율대로 하여금,

"장안을 지키어 물색을 수습하라." / 하고 군사를 몰아 ㉡남한산성❼을 에워싸는지라.

용골대 장안에 웅거하여 물색을 추심하니 장안이 물끓 듯하며, 살기를 도망하여 죽는 사람이 무수한지라. ㉢피화당에서 피난한 사람들이 이 말을 듣고 도망코자 하거늘 박 씨 가로되,

"이제 장안 사면을 도적이 다 지키었고, 피난코자 한들 어디를 가리요. 이곳에 있으면 피할 도리 있으리니 염려 말라." / 하더라.

이때 율대 100여 기를 거느려 우상의 집을 범하여 인물을 수탐하더라. 내외 적적하여 빈집 같거늘, 차차 수탐하여 후원에 들어가 살펴보니, 온갖 기이한 수목이 좌우에 벌여 무성하였는지라.

율대 고이히 여겨 자세히 살펴보니 나무마다 용과 범이 수미를 응하며, 가지마다 뱀과 짐승이 되어 천지 풍운을 이루며, 살기 가득하여 은은한 고각 소리 들리는데 그 가운데 무수한 사람이 피난하였더라.

Step2 포인트 체크

[01~06] 윗글에 대하여 맞으면 ○, 틀리면 ×표를 하시오.

01 호왕은 용골대와 율대 형제에게 장안으로 공격해 들어갈 것을 명하였다.
〔○, ×〕

02 용골대와 율대는 장안에서 임경업 장군을 암살하기 위해 의주로 가는 길을 막으려 하였다.
〔○, ×〕

03 원두표와 김자점은 호적이 황해수를 건너 들어올 것이라는 승상의 예측이 틀릴 것이라고 주장하였다.
〔○, ×〕

04 박 씨는 국운이 불행하여 호적에게 전패하는 것은 어쩔 도리가 없다며 우상의 죽음을 예측하고 신하의 도리를 다하라고 당부한다.
〔○, ×〕

05 호나라가 침략하자 박 씨는 피화당에 머물면 안전할 것이라고 일가친척들을 안심시켰다.
〔○, ×〕

06 용골대와 율대는 이시백의 집 후원에서 범상치 않은 기운을 감지하였다.
〔○, ×〕

[07~12] 다음 빈칸에 알맞은 말을 쓰시오.

07 이 작품은 패전했던 ⃞ㅂ⃞ㅈ⃞ㅎ⃞ㄹ 을 있는 그대로 받아들이고 싶지 않았던 조선 사람들의 욕망에 따라 허구화가 이루어졌다.

08 이 작품은 박 씨의 신이한 능력을 다루는 ⃞ㅇ⃞ㅅ⃞ㅇ⃞ㅇ 소설이다.

09 이 작품에서는 상황이나 인물의 심리 등을 직접적으로 제시하는 ⃞ㅈ⃞ㅈ⃞ㅈ ⃞ㅈ⃞ㄱ 시점이 활용되어 있다.

10 호왕은 ⃞ㅇ⃞ㄱ⃞ㅇ 에게 패할 것을 염려하여 ⃞ㅎ⃞ㅎ⃞ㅅ 를 건널 것을 명령하였다.

11 임경업 장군은 북방에서 장안으로 가는 길목인 ⃞ㅇ⃞ㅈ 를 지키고 있었다.

12 호병들의 공격을 피하기 위해 박 씨와 일가친척들은 ⃞ㅍ⃞ㅎ⃞ㄷ 에 모여 있었다.

작품 정리

박씨전

- **갈래:** 여성 영웅 소설, 군담 소설, 역사 소설, 한글 소설
- **시점:** 전지적 작가 시점
- **성격:** 일대기적, 전기적
- **배경:** 시간–조선 시대 / 공간–조선, 청나라
- **주제:** 박씨 부인의 영웅적 면모
  병자호란에 대한 앙갚음을 통한 대리 만족
- **특징:** ① 영웅의 일대기 구조를 따르고 있음.
  ② 박씨 부인의 용모가 변하는 변신 화소가 드러남.
  ③ 역사적 배경을 바탕으로 실존 인물을 등장시킴.
  ④ 여성의 능력을 부각하여 남성 중심 사회를 비판함.
- **구조**

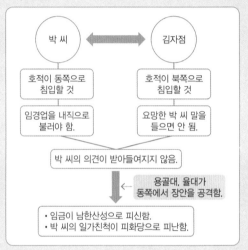

한 걸음 더

「박씨전」의 한계
박 씨의 영웅적 면모는 박 씨가 미인으로 탈피한 후 이루어진다. 이는 남성의 성적 기준을 전제로 여성의 신체적 조건을 중시한 결과이다. 그리고 박 씨의 활약은 '피화당'을 중심으로 이루어지고 있다. 이는 가정 내 공간을 끝내 벗어나지 못하는 것이다. 또 박 씨의 사회적, 정치적 참여는 주로 남편 이시백을 통해 간접적으로 구현되고 있다. 이는 「박씨전」이 지닌 여성 의식의 한계라고 할 수 있다.

「박씨전」의 형성과 독자층
이 작품은 병자호란의 상처가 반추될 수 있는 시기인 17세기 후반 이전에 형성된 작품으로 추정된다. 또 작품 전반부에 탈갑 변신하는 모티프는 설화의 소설화 단계를 밟는 한글 소설 형성 초기의 상황을 반영하고 있다. 70여 종의 이본으로 「춘향전」과 「구운몽」에 이어 가장 많은 이본을 가지고 있는 「박씨전」은 특이하게 한문 이본이 존재하지 않는다. 이는 사대부 가문의 여성 독자에게 주로 읽힌 것으로 파악되는 근거일 수 있다. 나아가서는 그 창작이 여성에 의해 이루어졌을 것으로 짐작되는 근거일 수 있다. 설사 남성에 의해 창작되었다 하더라도, 창작의 과정이나 향유의 과정에 있어서 여성의 의식에 매우 가까이 접근해 있었다고 볼 수 있다.

01

윗글에 대한 설명으로 가장 적절한 것은?

① 외양 묘사로 인물의 성격을 드러내고 있다.
② 비현실적 사건을 통해 주제 의식을 부각하고 있다.
③ 다양한 서술자의 시각으로 사건의 전모를 밝히고 있다.
④ 새로운 인물을 등장해 앞으로 일어날 사건을 예견하고 있다.
⑤ 전지적 서술자가 인물의 심리와 사건의 양상을 제시하고 있다.

02

윗글을 통해 확인할 수 있는 내용으로 적절한 것을 있는 대로 고른 것은?

> ㄱ. 여성 주인공의 영웅적 면모가 드러난다.
> ㄴ. 변신 화소를 통해 여성 주인공의 능력이 드러난다.
> ㄷ. 여성을 무시하는 남성 우월주의적 태도가 드러난다.
> ㄹ. 남성과의 대결을 통해 여성의 사회적 능력이 드러난다.

① ㄱ, ㄴ   ② ㄱ, ㄷ   ③ ㄴ, ㄷ
④ ㄴ, ㄹ   ⑤ ㄷ, ㄹ

03

윗글을 통해 알 수 있는 내용으로 적절하지 <u>않은</u> 것은?

① 율대는 호왕의 명을 따라 우상의 후원을 침범하였다.
② 우상은 위기에 처한 임금을 구하여 남한산성으로 향했다.
③ 승상은 박 씨의 예언을 임금과 조정 대신들에게 전하였다.
④ 임금은 김자점의 말에 어찌할지 결정을 내리지 못하다가 호적의 침입을 방비할 수 없었다.
⑤ 피화당에 피난한 일가친척들은 용골대에 대한 소식을 듣고 도망하고자 하는 생각을 잠시나마 하였다.

04

[A]와 [B]에 대한 설명으로 가장 적절한 것은?

① [A]는 상대방의 의견에 부정적인 견해를 나타내고 있다.
② [B]는 정보 출처에 대한 신뢰성을 문제 삼고 있다.
③ [A]와 달리 [B]는 상대방의 의견을 따를 때 발생할 문제점을 언급하고 있다.
④ [B]와 달리 [A]는 자신의 경험을 근거로 삼아 상대방의 의견을 반박하고 있다.
⑤ [A]와 [B] 모두 상대방의 주장에 반대하는 근거를 제시하고 있다.

05

㉠~㉢에 대한 설명으로 가장 적절한 것은?

① ㉠과 ㉡은 특정 역사적 사건을 떠올리게 한다.
② ㉠과 ㉢은 사건의 전기성과 우연성을 부각한다.
③ ㉡과 ㉢은 각각 천상계와 지상계를 대표한다.
④ ㉠, ㉡, ㉢ 모두 당대 민중의 소망을 반영한다.
⑤ ㉠, ㉡, ㉢ 모두 작품에 허구적 성격을 강화한다.

06

고난도 기출 2012학년도 3월 고1 교육청

〈보기〉를 바탕으로 윗글을 감상한 내용으로 적절하지 <u>않은</u> 것은?

┤ 보기 ├

갈등은 문학과 예술에서 중심이 되는 두 성격의 대립 현상을 말한다. 갈등은 그 성격에 따라 개인의 내면에서 일어나는 심리적 갈등인 '내적 갈등'과 개인과 개인, 개인과 사회, 개인과 자연, 사회와 사회, 개인과 운명 등의 갈등인 '외적 갈등'으로 나눌 수 있다.

서사 문학에서 갈등은 인물의 성격을 드러내고 세계관과 가치관의 대립 양상을 보여 주는 데 주요한 역할을 한다. 또한 개인과 개인의 대립, 자아와 세계의 대립, 인물 내면의 모순된 감정이나 가치관의 충돌을 통하여 구성상 긴장감을 유발하기도 한다.

① 율대가 박 씨의 피화당을 침입함으로써 구성상 긴장감이 유발되고 있다.

② 박 씨와 김자점의 갈등을 통해 여성에 대한 당대 남성의 부정적 인식을 엿볼 수 있다.

③ 호적이 침입하여 백성들이 피해를 입음으로써 사회와 사회의 갈등이 일어나고 있다.

④ 김자점과 원두표의 갈등은 박 씨의 말에 대한 두 사람의 의견 대립에서 비롯되고 있다.

⑤ 호적과의 전쟁에서 죽을 수도 있다는 두려움으로 고민하는 우상의 내적 갈등이 묘사되고 있다.

07

서술형

윗글에서 〈보기〉를 확인할 수 있는 '박 씨'의 행동 두 가지를 서술하시오.

┤ 보기 ├

「박씨전」의 주인공 박 씨는 나라의 위기를 극복하는 여성 영웅이다. 남성 우월적인 태도가 불러온 국가적 위기를 여성의 능력으로 모면함으로써 여성의 능력을 드러낸다고 할 수 있다.

08

기출 2012학년도 3월 고1 교육청

다음 지도에 나타난 ⓐ~ⓔ에 대한 설명으로 적절한 것은?

① ⓐ를 통해 호적이 침입하였다.

② ⓑ는 임경업이 수비하고 있었다.

③ ⓒ에서 전쟁의 참상이 드러나고 있다.

④ ⓓ에서 율대의 영웅성이 드러나고 있다.

⑤ ⓔ에서 우상의 충성심이 드러나고 있다.

영웅소설

18강

이대봉전(李大鳳傳) | 작자 미상

출제 포인트 › #군담 소설 #남녀 주인공 모두 활약 #영웅 일대기 #혼사를 이루는 과정 #권선징악

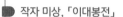

[앞부분의 줄거리] 중국 명나라 이익의 아들 대봉과 장 한림의 딸 애황은 장차 혼인을 약속한다.❶ 이후 대봉은 죽을 위기에서 살아나 도술을 익혀 북방 흉노의 대군을 격퇴하고, 애황은 부모를 잃고 남장을 하여 살아가다가 과거에 급제하여 남방 선우의 군대를 격퇴한다. 다시 만난 대봉과 애황은 결혼하고, 공을 인정받아 초왕과 충렬왕후가 되지만 흉노의 대군과 선우의 군대가 재침입을 하게 된다.

"이 일을 어찌 하리오? 남북의 적병이 다시 일어났도다.❷ ㉠전일에 애황이 있었지만 지금은 깊은 규중에 들어갔으니 한쪽에는 대봉을 보내면 되겠지만 또 한쪽에는 누구로 하여금 막게 하리오? 짐이 덕이 없어 도적이 자주 일어나니 초왕 대봉이 성공하고 돌아오면 이번에는 천자의 자리를 대봉에게 전하리라."❸

이렇게 말하며 눈물을 흘리니, 여러 신하들이 간언을 올려 말하였다.

"천자가 눈물을 흘려 땅을 적시면 3년 동안 심한 가뭄이 든다고 합니다. 하니 과도히 슬퍼하지 마십시오. 즉시 초왕만 패초하옵시면 왕후는 본래 충효를 겸비한 인재이니 가지 않으려 하지 않을 것입니다."

이에 황제가 즉시 패초하니 초왕이 **전교**를 보고 크게 놀랐으며 온 나라가 떠들썩하였다. 초왕이 즉시 태상왕에게 국사를 맡기고 용포를 벗고 월각 투구를 쓰고 용인갑을 입고 **청룡도**를 비스듬히 들고 오추마를 채찍질하여 그날 바로 황성에 도착하였다.❹ 초왕이 계단 아래에 나아가 땅에 엎드리니, 황제가 초왕의 손을 잡고 양쪽에 장수를 다 보낼 수 없는 국가의 위태로움을 이야기하였다. 이에 초왕이 이렇게 말하였다.

㉡"비록 남북의 강병이 억만이라 하더라도 폐하께서는 조금도 근심하지 마소서."❺

즉시 사자를 명하여 충렬왕후에게 사연을 전하였더니, 왕후가 사연을 보고 크게 놀라 화려한 옷을 벗고 갑주를 갖추어 입고 **천사검**을 들고 천리준총마를 타고 태상 태후 및 두 공주와 후궁에게 하직한 뒤, 천리마를 채찍질하여 황성으로 달려왔다.❻ 황성에 도착하니 황제와 초왕이 성 밖에까지 나와 맞이하거늘 왕후가 말에서 내려 땅에 엎드려 아뢰었다.❼

㉢"초왕 부부가 정성이 부족하여 외적이 자주 강성하는 게 아닌가 합니다."

황제가 그 충성스러움을 못내 칭찬하고 어떻게 적을 물리칠 것인지 방책을 물었더니 왕후가 아뢰었다.

[A] ┌ "폐하의 은덕이 오직 우리 초왕 부부에게 미쳤사온데, 불행하여 전장에서 죽은들 어
    └ 찌 마다하겠습니까? 엎드려 바라건대 폐하께서는 근심하지 마옵소서."

이에 군병을 조발*하여 왕후를 대원수 대사마 대장군 겸 병마도총독 상장군에 봉하고 **인끈**과 **절월**을 주며 군중에 만약 태만한 자가 있거든 즉시 참수하라 하였다. 또 초왕은 대원수 겸 상장군을 봉하였다.❽ 군사를 조발할 때 장 원수는 황성의 군대를 조발하고 이 원수는 초나라의 군대를 조발하여 각각 80만씩 거느리고 행군하여 대봉은 북방의 흉노를 치러 가고 애황은 남방의 선우를 치러 떠났다.

이때 애황은 잉태한 지 일곱 달이었다.❾ 각자 말을 타고 남북으로 떠나면서 대봉이

Step 1 포인트 분석

▶ 작자 미상, 「이대봉전」

제목의 의미
'이대봉전'은 '이대봉'이라는 인물의 삶을 다루고 있는 '전(傳)'임을 알 수 있다. 그런데 이 작품은 독특하게 이대봉의 삶과 영웅성보다 이대봉의 처인 장애황의 삶과 영웅성을 더욱 강조하고 있다.

배경
❶ 중국 명나라~혼인을 약속한다.
➡ 중국 명나라를 배경으로 하여 남녀 주인공의 이야기를 다루고 있음.

인물
❸ 짐이 덕이~대봉에게 전하리라."
➡ 천자는 적병이 일어나 이대봉을 부르게 된 상황에서 자신의 덕 없음을 자책하고 이대봉에게 천자의 자리까지 주고자 함.
❹ 초왕이 전교를~황성에 도착하였다.
❻ 왕후가 사연을~황성으로 달려왔다.
➡ 이대봉과 장애황은 천자의 부름을 받고 즉시 달려와 전장에 나아가고자 함. 천자와 나라에 충성하는 유교적 가치관을 보임.

사건
❷ "이 일을~다시 일어났도다.
➡ 적병의 침입: 남북에서 적병이 침입함.
❺ "비록 남북의~근심하지 마소서."
➡ 이대봉의 출정 의지: 남북에서 적병이 쳐들어온 상황에서 초왕이 출정하여 이기고자 함.
❽ 왕후를 대원수~상장군을 봉하였다.
➡ 천자의 임명: 천자가 이대봉(초왕)과 장애황(충렬왕후)을 대원수로 봉함.
❾ 이때 애황은 잉태한 지 일곱 달이었다.
➡ 장애황의 출정: 장애황은 임신 중에도 망설이지 않고 전장에 나아감.

갈등
❷ "이 일을~다시 일어났도다.
➡ 남북의 적병과 명나라의 싸움: 남북 적병의 침입으로 명나라가 양쪽 적병과 전투를 치러야 하는 상황임.

서술
❹ 월각 투구를~오추마를 채찍질하여.
❻ 갑주를 갖추어~천리준총마를 타고
➡ 인물의 외양 묘사: 인물이 전장에 나아가는 모습을 묘사함.
❼ 황제와 초왕이~엎드려 아뢰었다.
➡ 인물의 행동 묘사: 상대방에 대한 인물의 태도를 보여 줌. 장애황에 대한 황제와 초왕의 친애와 환영을 드러내고, 천자에 대한 장애황의 충성심을 드러냄.

애황의 손을 잡고 말하였다.

"원수가 잉태한 지 일곱 달이니, 복중에 품은 혈육 보전하기를 어찌 바랄 수 있으리오? ㉣부디 몸을 안보하소서. 무사히 돌아와 서로 다시 보기를 천만 바라노라."

이렇게 애틋한 정을 이기지 못하였는데, 애황이 다시 말하였다.

㉤"원수는 첩을 걱정하지 마시고 대군을 거느리고 가 한 번 북을 쳐 도적을 깨뜨리고 빨리 돌아와 황상의 근심을 덜고 태후의 근심을 덜게 하소서."

말 위에 서로 잡았던 손을 놓고 이별한 뒤, 대봉은 북으로 향하고 애황은 남으로 향하여 행군하였다. (중략)

원수가 백금 투구를 쓰고 흑운포를 입고 7척 천사검을 높이 들고 천리준총마를 타고 적진으로 달려들 때, 남주작과 북현무, 청룡과 백호군에게 호령하여 적진의 후군을 습격하여 무찌르게 하고 자신은 선봉장 골통을 맞아 싸웠다. 싸운 지 반 합이 채 못 되어 원수의 칼이 공중에서 번쩍 빛나더니 골통의 머리가 떨어졌다. 이어 좌충우돌하며 적진을 누비니, 오늘의 용맹이 전날의 용맹에 비해 배나 더하였다.⑩ 삼십여 합을 겨룬 끝에 무수히 많은 장수를 무찌르고 선우의 팔십만 대병을 몰아치니, 선우가 마침내 당해 내지 못할 줄 알고 군사를 거느리고 달아나려 하였다. 이를 보고 장 원수가 적군을 여린 풀 베 듯하니, 군사의 주검이 산처럼 쌓였고 피가 흘러 내가 되어 겁내지 않는 이가 없었다. 적진 장졸들이 원수의 용맹을 보고 물결이 갈라지듯⑪ 흩어지자, 선우가 이를 보고 죽기를 각오하고 달아났다. 그러나 장 원수가 지르는 한 마디 고성 속에 검광이 번쩍하더니 선우의 몸이 뒤집히면서 말 아래 떨어져 죽고 말았다.⑫

이에 장 원수가 선우의 목을 베어 함에 넣어 남만의 다섯 나라에 보내었다.⑬ 그리고는 여러 장수들에게 호령하여 남은 적진 장졸은 씨도 남기지 말고 다 죽이라 하고 백성을 진무*하였다.

이때 다섯 나라의 왕들이 선우의 목을 보고는 **황금과 비단, 채단**을 수레에 가득 싣고 항복의 문서를 올리며 죽여 달라고 사죄하였다. 장 원수가 다섯 나라의 왕을 잡아들여서는 그들의 죄를 낱낱이 밝힌 뒤 **항서**와 예단을 받았다. 이어 이렇게 말하였다.

[B]
"이 뒤로 만일 반역의 마음을 둔다면 너희 다섯 나라의 인종을 모두 없앨 것이니 명심하라. 또 물러나 동지(冬至)에 조공 보냄을 지체하지 말라."

이에 모두가 살려 주기를 애걸하며 선우를 탓하고 머리를 조아리며 사례하고 돌아갔다.⑭

드디어 장 원수가 군사를 수습하여 진문관에서 군사를 위로하며 쉬게 한 뒤, 예단을 싣고 차차 나아가 황성으로 올라왔다. 하양에 이르렀을 때 원수의 몸이 피곤하여 영채*(營寨)를 세우고 쉬었는데, 갑자기 복통이 심하더니 혼미한 가운데 아이를 낳으니 활달한 기남자였다.⑮ 3일 몸조리한 뒤 말을 타지 못하여 수레를 타고 행군하였다.

[전체 줄거리] 중국 명나라 이익은 신이한 태몽을 꾼 뒤 아들 대봉을 낳고 장 한림의 무남독녀 애황과 혼인을 약속한다. 이익은 간신 왕희에 대한 상소를 올렸다가 귀양을 가게 되고 왕희는 이익 부자를 죽이려고 한다. 이후 이대봉은 백운암의 도승에게서 도술을 익힌다. 장애황은 부모를 잃는데 왕희가 애황을 며느리로 맞이하려고 하자 도주하여 남장을 하고 무예를 공부하여 장원 급제한다. 대봉은 흉노를 격파하고, 애황은 선우와 싸워 승리한다. 애황은 천자에게 자신이 여자임을 알리고 왕희를 처단할 것을 요구하고 대봉 역시 왕희를 처단해 달라고 말한다. 대봉과 애황은 상봉하여 혼인한다. **다시 남북 양쪽으로 적군이 침입하자 이대봉과 장애황은 각각 대원수가 되어 출정하여 승리하고 돌아와** 부귀영화를 누린다.

배경
⑩ 원수가 백금~배나 더하였다.
➡ 장애황이 원수로서 적진에 이르러 활약하는 모습이 드러남. 적진을 배경으로 하는 전투 장면임을 알 수 있음.

인물
⑩~⑫ 싸운 지~죽고 말았다.
➡ 장애황의 뛰어난 능력과 활약을 통해 용맹함과 영웅적 모습을 드러냄.
⑬ 장 원수가~다섯 나라에 보내었다.
➡ 장애황의 호기롭고 강인한 모습과 결단력을 보여 줌.
⑮ 갑자기 복통이~활달한 기남자였다.
➡ 장애황은 장수로서의 본분을 다하고 여성으로서 출산까지 수행함.

사건
⑫ 장 원수가~죽고 말았다.
➡ 전쟁에서의 승리: 장애황은 적장의 목을 베고 전쟁에서 승리를 거둠.
⑭ 이에 모두가~사례하고 돌아갔다.
➡ 남만 다섯 나라의 항복: 장애황은 남만의 다섯 나라에게 항복을 받고 조공을 보내올 것까지 약속받음.
⑮ 갑자기 복통이~활달한 기남자였다.
➡ 장애황의 아들 출산: 장애황이 장수로서 전쟁에서 크게 승리하고 돌아오는 길에 아들을 출산함.

갈등
⑩~⑫ 원수가 백금~죽고 말았다.
➡ 적과의 전투: 장애황이 남쪽에서 쳐들어온 적군과 전투를 하여 적장의 목을 벰.

서술
⑩~⑫ 원수가 백금~죽고 말았다.
➡ 전투 장면의 세밀한 묘사: 전투 시 장애황의 외양, 전투에서 합을 겨루는 모습, 전투 후 적군의 모습 등을 세밀하게 묘사함.
⑩ 오늘의 용맹이~배나 더하였다.
➡ 서술자의 개입: 장애황의 용맹스러움에 대한 서술자의 평가를 제시함.
⑪ 여린 풀 베 듯하니, 산처럼 쌓였고 피가 흘러 내가 되어, 물결이 갈라지듯
➡ 비유적 표현: 장애황의 압도적인 전투력을 부각함.

• **조발**: 군사로 쓸 사람을 강제로 뽑아 모음.
• **진무**: 안정시키고 어루만져 달램.
• **영채**: 전중의 막사.

Step 2 포인트 체크

[01~06] 윗글에 대하여 맞으면 ○, 틀리면 ×표를 하시오.

01 명나라의 여러 신하들은 장애황이 여자의 몸으로 전장에 나가는 것을 반대하였다. [○, ×]

02 이대봉은 전쟁에서 승리를 거둔 뒤에 천자로부터 태상왕의 지위를 부여받았다. [○, ×]

03 장애황은 출산을 앞두고 있는 상황이었기 때문에 전장에 나가는 것을 꺼려하였다. [○, ×]

04 천자는 장애황에게 인끈과 절월을 주며 군중에 태만한 자는 참수해도 좋다고 하였다. [○, ×]

05 장애황은 선우를 죽이고 난 뒤에 남겨진 적진의 병사들도 모두 죽이라고 명령하였다. [○, ×]

06 장애황은 전투를 치르고 집으로 돌아와 치료를 받던 중에 남아를 출산하였다. [○, ×]

[07~12] 다음 빈칸에 알맞은 말을 쓰시오.

07 이 작품의 제목은 남자 주인공인 이대봉으로 되어 있으나, 작품 내에서는 여자 주인공인 ㅈ ㅇ ㅎ 의 활약이 더 크다.

08 이 작품은 개인적 시련을 극복하고 국가적 위기를 타개하는 ㅇ ㅇ 의 이야기를 다루고 있다.

09 이대봉은 전쟁에서의 공을 인정받아 ㅊ ㅇ 에, 장애황은 ㅊ ㄹ ㅇ ㅎ 에 봉해졌다.

10 장애황이 전장에서 쓰는 칼은 ㅊ ㅅ ㄱ 이다.

11 천자가 이대봉과 장애황 모두를 부른 것은 북에서는 ㅎ ㄴ 가, 남에서는 ㅅ ㅇ 가 쳐들어왔기 때문이다.

12 장애황이 선우의 목을 베어 ㄴ ㅁ 의 다섯 나라에 보낸 것은 ㅎ ㅂ 하라는 뜻을 전한 것이다.

작품 정리

◗ 이대봉전
- **갈래**: 영웅 소설, 군담 소설
- **시점**: 전지적 작가 시점
- **성격**: 전기적, 비현실적, 일대기적
- **배경**: 시간 – 명나라 때 / 공간 – 중국 명나라
- **주제**: 나라를 위기에서 구하는 남녀 두 영웅
- **특징**: ① 한 명의 남성 영웅을 다루는 것이 아닌, 남녀 한 명씩 두 영웅에 대해 다루고 있음.
  ② 여성 영웅의 모습이 두드러지는데, 정체가 여성임이 밝혀진 뒤에도 전장에서 활약함.
  ③ 남녀가 혼인을 이루는 과정이 전투와 연관되며, 혼인을 한 부부가 모두 원수로 참전하는 구성이 독특함.
- **구조**

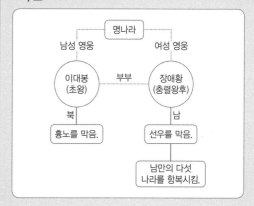

한 걸음 더

「이대봉전」에서 확인할 수 있는 여성의 모습
이 작품은 여타의 영웅 소설과 달리, 성별이 다른 두 영웅이 등장한다는 특징이 있다. 남성 중심의 서사가 아닌, 남성과 여성 모두의 서사인 것이다. 특히 이 작품의 주인공 여성은 국가의 위기를 해결하는 영웅으로 활약하고 개인적 시련의 원인이 되는 악인을 처단하는 등의 적극성과 진취성을 보이며, 남성 영웅에 뒤지지 않는 비범함과 탁월함을 보여 준다. 또한, 이 여성은 혼인을 하고 복중에 잉태를 한 상황에서도 대원수로 활약할 정도로 강인하고 마침내 전쟁에서 공적도 세우고 득남을 하는데, 이는 여성이 가정에서 요구되는 역할뿐 아니라 국가적이고 사회적인 임무도 수행할 수 있다는 점을 드러낸다. 이러한 점을 고려할 때, 이 작품은 조선 후기 여성의 지위 향상 욕구를 반영한 작품이라고 볼 수 있다.

01

윗글의 서술상 특징으로 가장 적절한 것은?

① 서술자의 개입을 통해 사건의 전모를 밝히고 있다.

② 가치관이 대립적인 인물 간의 갈등이 드러나고 있다.

③ 내적 독백을 활용하여 앞으로 일어날 사건을 예고하고 있다.

④ 극적인 장면 제시를 통해 갈등이 해결되는 과정을 보여 주고 있다.

⑤ 비극적 상황을 희극적으로 과장하여 해학적 요소를 가미하고 있다.

02

㉠~㉤에 대한 이해로 적절하지 <u>않은</u> 것은?

① ㉠: 혼인을 하여 규중에 들어간 여성이 적병의 침입을 막는 데 출정하기는 어렵다는 생각을 바탕으로 한 말이로군.

② ㉡: 적병이 아무리 강하더라도 반드시 무찌르고 오겠다는 의기를 드러내는 말이로군.

③ ㉢: 나라의 위기 상황에도 가정사를 돌보는 것에 치중한 것에 대한 자책감을 표현한 것이로군.

④ ㉣: 각기 다른 곳으로 출정하는 상황에서 상대방의 안위를 염려하여 무사하기를 바라는 마음을 표현한 것이로군.

⑤ ㉤: 개인의 안위를 지키는 것보다 국가적 위기를 극복하는 것이 더욱 중요하다는 인식을 바탕으로 한 말이로군.

03

 기출 2020학년도 6월 고2 교육청

[A]와 [B]를 이해한 내용으로 가장 적절한 것은?

① [A]에 드러난 인물의 결의가 실행되었음을 [B]에서 확인할 수 있다.

② [A]에 드러난 인물의 권위가 추락되었음을 [B]에서 확인할 수 있다.

③ [A]에서 인물이 예고한 사건이 일어나지 않았음을 [B]에서 확인할 수 있다.

④ [A]에서 시작된 인물의 내적 갈등이 해소되었음을 [B]에서 확인할 수 있다.

⑤ [A]에서 촉발된 인물들 간의 오해가 심화되고 있음을 [B]에서 확인할 수 있다.

04

고난도 기출 2020년도 6월 고2 교육청

〈보기〉를 참고하여 윗글을 감상한 내용으로 적절하지 <u>않은</u> 것은?

┤ 보기 ├

「이대봉전」은 개인적 가치보다 집단적 가치를 우선하며 군주에게 충성을 다하는 남녀 주인공을 통해 유교적 이념을 드러내고 있다. 남녀 주인공이 역할을 분담하여 협력하는 모습을 그린 점, 사회적 제약을 뛰어넘는 여성 영웅의 활약상을 부각한 점, 군주가 자신의 잘못을 인정하는 모습을 보인 점 등이 특징적이다.

① 이대봉이 황제의 부름에 지체 없이 응하는 모습을 통해 군주에게 충성하는 유교적 가치관을 확인할 수 있군.

② 황제가 여러 신하들의 간언에 따라 이대봉을 패초하는 모습을 통해 자신의 잘못을 인정하는 군주의 모습을 확인할 수 있군.

③ 장애황이 규중을 벗어나 전장에 대원수로 참여하여 활약하는 모습을 통해 사회적 제약을 뛰어넘는 여성 영웅의 면모를 확인할 수 있군.

④ 장애황이 잉태한 몸임에도 불구하고 전장에 선뜻 나서는 모습을 통해 개인적 가치보다 집단적 가치를 우선시하는 모습을 확인할 수 있군.

⑤ 장애황과 이대봉이 각각 남북의 적과 맞서 싸우러 떠나는 모습을 통해 남녀 주인공이 역할을 분담하여 협력하는 모습을 확인할 수 있군.

05

윗글의 소재와 관련한 설명으로 가장 적절한 것은?

① 황제가 보낸 '전교'는 장애황의 출정 여부와 관련하여 이대봉에게 내적 갈등을 일으키는 원인이 된다.

② 이대봉의 '청룡도'와 장애황의 '천사검'은 두 인물이 천상계의 조력을 받는 인물임을 드러낸다.

③ 황제가 장애황에게 준 '인끈'과 '절월'은 장애황이 절대적 권한을 부여받았음을 의미한다.

④ 다섯 나라 왕들이 보낸 '황금과 비단, 채단'은 장애황이 위기에 처하게 되는 이유가 된다.

⑤ 다섯 나라 왕의 죄를 낱낱이 밝힌 '항서'는 장애황이 다섯 나라가 짠 계략을 모두 알고 있었음을 나타낸다.

06

 서술형

윗글에서 〈보기〉의 ㉮를 파악할 수 있는 내용이 무엇인지 서술하시오.

┤ 보기 ├

「이대봉전」은 조선 후기에 유행하였던 작품으로 여성 독자들에게 인기가 많았다. 이 작품의 여성 주인공은 과거에 급제하여 벼슬을 하였고 대원수로 출정하여 공을 세우는데, 이를 통해 여성의 능력이 남성에 비해 뒤지지 않는다는 점이 부각된다. 특히 이 작품에는 ㉮여성의 공적 활동에 대한 당대 양반층의 긍정적 인식이 드러나 여성의 사회 활동을 부정했던 당대의 시각에 비해 상당히 진보적인 작가 의식이 드러난다.

07

 고난도

〈보기〉를 바탕으로 윗글을 감상한 내용으로 적절하지 <u>않은</u> 것은?

┤ 보기 ├

대다수의 영웅 소설은 비범한 능력을 지닌 남성 영웅이 개인적 시련에 봉착하여 조력자의 도움으로 이를 극복한 뒤 국가적 위기 극복의 과업을 달성하여 영웅으로서 추앙되는 도식성을 띠고 있다. 「이대봉전」은 영웅 소설의 도식성을 따르면서도 일반적 영웅 소설에서는 찾아볼 수 없는 서사적 모티프를 지니고 있다. 이대봉과 장애황이라는 두 인물이 등장하고 이들의 공적이 애정 문제의 해결로 이어진다는 점에서 독특하다. 또한 이들이 부부가 된 이후에 남녀 각각이 영웅성을 다시 한번 인정받는 사건 전개는 독자들에게 긴장감과 함께 흥미를 불러일으키는 요소가 된다.

① 대봉이 죽을 위기에서 벗어난 뒤 도술을 익혀 흉노를 격퇴하고 초왕이 된 것을 통해 대봉의 삶이 영웅의 일대기에 부합하는 것임을 확인할 수 있군.

② 이대봉과 장애황이 초왕과 충렬왕후가 된 이후에도 대원수로 전장에 나가는 것을 통해 남녀 주인공이 혼인 후에도 각각 영웅성을 인정받았음을 확인할 수 있군.

③ 북쪽을 대봉이 맡아 싸우고 남쪽을 애황이 맡아 싸운 것을 통해 이 작품이 남성 영웅과 여성 영웅을 모두 등장시킨 작품이라는 것을 확인할 수 있군.

④ 장애황이 혼인하여 잉태한 상황에서도 전장에 나가 공적을 세운 것을 통해 일반적 영웅 소설에 드러나지 않는 독특한 서사적 모티프를 확인할 수 있군.

⑤ 장애황이 골통과 선우의 목을 베는 장면을 직접적으로 다룬 것을 통해 이 작품이 영웅 소설의 도식성을 벗어나 전투 장면을 묘사하였음을 확인할 수 있군.

08

다음의 〈조건〉에 모두 부합하는 문장을 윗글에서 찾아 쓰시오.

┤ 조건 ├

1. 비유와 과장의 표현을 활용해 주인공의 행동을 묘사함.
2. 주인공의 활약상이 두드러지게 나타남.

사씨남정기(謝氏南征記) | 김만중

[앞부분의 줄거리] 중국 명나라 때, 한림학사를 제수받은 유연수는 덕성과 학식을 겸비한 사 씨를 정실로 맞이한다. 그러나 9년이 지나도록 후사가 없자 사 씨의 권유로 교 씨를 첩으로 받아들인다. 천성이 악한 교 씨는 자신이 정실이 되기 위해 사 씨를 참소하고, 교 씨의 모함에 넘어간 유 한림에 의해 정실 자리에서 쫓겨난 사 씨는 남쪽으로 향하는 도중에 자신의 신세를 한탄하며 물에 빠져 죽으려 하다 기절한다.❶

왕비가 웃으며 말했다.

"부인이 이곳에 오긴 오겠지만 아직 때가 멀었소. 남해 도인이 그대와 인연이 있으니 잠깐 의탁하게 될 것이오. 이 또한 하늘의 뜻이니라."❷

사 씨가 여쭈었다.

"㉠남해라면 바다 끝으로 알고 있사옵니다. 첩에게는 탈 것이 없고 돈도 없는데 어찌 갈 수 있겠나이까?"

왕비가 말했다. / "조만간 길을 인도하는 자가 있을 것이니 조금도 염려 마라."

이윽고 좌우에 앉아 있는 부인들을 하나하나 소개했다. 위국 부인 장강*, 한나라의 반첩여* 등이 있었다.❸ 사 씨가 다소곳이 일어나 머리를 조아리고 말했다.

"뜻밖에도 모든 부인님의 얼굴을 오늘 뵙게 되니 크나큰 영광입니다."

드디어 하직을 하고 여동의 인도를 받아 내려오는데, 걷었던 ㉮주렴을 내리는 소리가 요란하였다. 이 소리에 놀라 몸을 일으키니 유모와 시비가 부인이 깨신다 하고 부르거늘 사 씨가 일어나 앉으니 이미 날이 저물었다.❹ 멍한 정신이 한참 만에야 진정되었다. 입에서는 향기로운 냄새가 났고 왕비께서 하시던 말씀이 뚜렷했다.❺ 유모에게 물었다.

"내가 어디 갔다 왔느냐?"

유모와 시비가 대답했다.

"부인께서 기절하는 바람에 소인들이 간호하여 이제야 깨어나셨는데 어디를 가셨단 말입니까?"

사 씨가 조금 전에 있었던 일을 다 말하고 대나무 수풀을 가리키며 말했다.

"분명히 저 길로 갔다 왔으니 어찌 꿈이라 하리오. 믿지 못하겠다면 나를 따라오라."

그러고는 길을 찾아 ㉡대나무 수풀 뒤쪽으로 가니 사당이 하나 있었다. 현판이 걸려 있는데 ㉢황릉묘*라고 쓰여 있었다. 분명 아황과 여영, 두 왕비의 묘로 꿈에서 본 것과 같았다. 사당 안으로 들어가 살펴보니 두 왕비의 초상화가 걸려 있는데 꿈에서 본 것과 같았다.❻ 이에 사 씨가 향을 피우고 절하며 말했다.

"첩이 왕비의 가르치심을 입어 훗날 좋은 시절을 만나서 영화를 누리게 된다면 어찌 그 은혜를 잊으리까?"❼

분향을 마친 후 앉아서 신세를 생각하니 슬픔이 밀려왔다. 시비를 시켜 ㉣묘지기 집에 가서 밥을 구해 와서는 세 사람이 나누어 먹었다. 이윽고 사 씨가 말했다.

"의지할 곳이 없으니 신령이 나를 놀리시는구나."

Step 1 포인트 분석

▶ 김만중, 「사씨남정기」

제목의 의미

'사 씨가 남쪽으로 쫓겨났다'라는 의미로, 사 씨가 정실 자리에서 쫓겨난 사건을 강조한 것으로 볼 수 있다. 또한, 사 씨가 쫓겨난 남쪽은 중국의 장사(長蛇)라는 지역으로, 이곳은 충신열사들이 유배 간 곳이라는 점에서 당시 조선 사회의 모순과 실상을 비판하려는 의도가 담겨 있다.

배경

❻그러고는 길을~본 것과 같았다.

➡ 대나무 수풀은 꿈에서 왕비를 만나러 다녀온 길로 비현실적 공간이면서, 꿈에서 깬 후 유모, 시비와 함께 찾아간 현실적 공간에 해당함.

인물

❷왕비가 웃으며~하늘의 뜻이니라."

➡ 사 씨가 꿈속에서 대화를 나누는 상대는 황릉묘에 있는 왕비임. 꿈의 내용을 통해 사 씨의 미래의 일을 예견하는 비범한 능력이 있음을 보여 줌.

❼"첩이 왕비의~은혜를 잊으리까?"

➡ 초상화를 통해 꿈속에서 만난 왕비의 모습을 확인하면서 초월적 존재를 긍정하는 사 씨의 심리가 드러남.

사건

❷왕비가 웃으며~하늘의 뜻이니라."

➡ 사 씨의 미래를 예견하는 왕비: 과거의 역사적 인물인 왕비와의 대화가 나타남.

❸이윽고 좌우에~등이 있었다.

➡ 사 씨에게 부인들을 소개하는 왕비: 장강과 반첩여 등은 모두 절개와 덕을 갖춘 여인들에 해당함.

갈등

❶천성이 악한~죽으려 하다 기절한다.

➡ 처첩 간의 갈등: 주인공 사 씨가 간악한 교 씨에 의해 쫓겨남.

구성

❹드디어 하직을~날이 저물었다.

➡ '꿈'과 '현실'을 오가는 구조: 사 씨가 꿈(비현실의 세계)에서 깨어나 현실로 돌아옴. '걷었던 주렴을 내리는 소리'는 사 씨가 비현실계에서 현실계로 돌아오도록 하는 장치가 됨.

서술

❺입에서는 향기로운~말씀이 뚜렷했다.

➡ 인물의 상황을 감각적 이미지로 형상화: 사 씨가 꿈에서 겪은 일이 현실과 연결되어 있음을 보여 줌.

앞길이 막막하여 어쩔 줄 모르는 중 벌써 달이 밝았다. 세 사람이 방황하고 있는데 묘문으로 두 사람이 들어와 물었다.

"어려움을 만나 물에 빠지려 하시는 부인이 아니옵니까?"

사 씨가 눈을 들어 자세히 보니 한 명은 여승이고 다른 한 명은 여동이었다. 크게 놀라며 말했다.

"어찌 우리를 아는가?"

여승이 합장하고 말했다.

"우리는 ⓜ동정 군산에 사는 사람인데 조금 전 꿈결에 관음보살께서 어진 여자가 화를 만나 날이 저물어 갈 곳을 몰라 방황하니 급히 황릉묘로 가서 구하라고 하셨습니다. 이에 배를 저어 와서 부인을 만나게 되었습니다."➍

[중략 부분의 줄거리] 사 씨는 여승의 도움으로 남해에 있는 수월암에 당도해 생활한다. 사 씨를 몰아내고 정실 자리에 오른 교 씨는 더 큰 욕심을 부려 동청과 결탁하여 유 한림을 모함한다. 이 때문에 유 한림은 조정의 명에 따라 남쪽으로 유배를 가게 되는 처지에 놓인다.➒

한편 한림학사 유연수는 유배지에 도착하니 바람이 거세고 인심이 사나워 갖은 고초를 겪게 되었다. 외로운 가운데 이러한 고생을 하니 예전의 총명함이 점점 돌아와 뉘우치며 말했다.

"사 씨가 동청을 꺼렸는데 이제 와서 생각하니 그 말이 옳도다. 어진 아내를 의심했으니 무슨 면목으로 조상을 대하리오."➓

밤낮 이런 생각을 하면서 탄식하니 병에 걸리고 말았다. 이곳에는 마땅한 의약이 없었다. 병세는 날로 심해져 죽을 지경에 이르렀다.⓫ 하루는 흰 옷 입은 노파가 병(瓶)을 들고 와서 말했다.

"상공의 병이 위독하니 이 물을 먹으면 좋아지리라."⓬

한림이 물었다.

"그대는 누구인데 유배당한 사람의 병을 구하시오?"

노파가 말했다.

"나는 동정 군산에 사는 사람이로다."

그러고는 병을 ⓑ뜰 가운데 놓고 사라졌다.⓭ 한림이 놀라 일어나니 꿈이었다. 이상하게 생각했는데 다음 날 아침 하인이 뜰을 청소하다가 들어와 고했다.

"뜰에서 물이 솟아나옵니다."

한림이 이상하게 여겨 창을 열고 보니 꿈에 노파가 병을 놓았던 자리였다.⓮ 물을 한 그릇 떠 오라고 해서 마시니 맛이 달고 상쾌한 것이 마치 단 이슬을 먹은 것 같았다. 원래 ⓢ행주는 수질이 좋지 않은 곳이다. 한림의 병도 그렇게 좋지 않은 물 때문에 생긴 것이었다.⓯ 그런데 이 물을 먹은 즉시 병세가 사라지고 예전의 얼굴과 기력을 회복하였다.⓰ 그것을 본 사람들이 모두 신기하게 여겼다. 이후로도 그 샘은 마르지 않아 마을 사람들이 나누어 마셨다. 이로 인해 물로 인한 병이 없어지자 사람들이 그 샘을 학사정이라고 하였는데 지금까지 전해진다.⓱

배경

⓯물을 한 그릇~생긴 것이었다.
→ 유 한림이 마신 물이 신비로운 약임을 부각하기 위해 유 한림이 머물고 있는 행주의 지역적 특성을 제시함.

인물

➍"우리는 동정~만나게 되었습니다."
→ 여승이 사 씨에게 찾아온 이유를 밝힘.

➓외로운 가운데~조상을 대하리오."
→ 유 한림이 사 씨의 어진 덕성을 제대로 알아보지 못한 과거 자신의 처신에 대해 후회, 반성하는 태도를 보임.

⓫밤낮 이런~죽을 지경에 이르렀다.
→ 유 한림이 쫓겨난 처지에서 병을 얻는 등 고난이 심화됨.

⓬하루는 흰 옷~먹으면 좋아지리라."
→ 노파는 유 한림의 병을 고칠 수 있는 물을 가져다주는 비범한 조력자임.

사건

➍"우리는 동정~만나게 되었습니다."
→ 여승, 여동과 사 씨와의 만남: 초월적 존재(관음보살)의 명령을 여인에게 찾아온 근거로 삼고 있음. '배'는 여승이 사 씨를 만나게 해 주는 매개체가 됨.

⓭그러고는 병을~놓고 사라졌다.
→ 병을 놓고 사라진 노파: 홀연히 사라진 상황을 통해 인물의 신비로운 면모를 부각함.

⓮한림이 이상하게~놓았던 자리였다.
→ 기이한 사건: 유 한림이 꿈에서 겪은 일이 현실과 이어져 있음.

⓰이 물을 먹은~기력을 회복하였다.
→ 조력자의 도움: 꿈속 노파의 도움으로 유 한림이 자신에게 닥친 어려움을 해소함.

갈등

➒사 씨를 몰아내고~처지에 놓인다.
→ 유 한림과 교 씨 사이의 갈등: 교 씨가 동청과 결탁해 유 한림을 모함하여 유 한림이 유배를 가게 됨.

서술

➓외로운 가운데~조상을 대하리오."
→ 전지적 작가 시점: 유 한림의 외로운 심리를 서술자가 직접적으로 드러냄. 유 한림이 총명함을 지녔던 인물이라는 서술자의 논평이 제시됨.

⓯물을 한 그릇~생긴 것이었다.
→ 서술자의 직접 제시: 유 한림이 병이 난 상황에 대해 서술자가 그 원인을 직접 제시하여 독자의 이해를 돕고 있음.

⓱이후로도 그 샘은~전해진다.
→ 행주 지역의 샘을 '학사정'이라고 부르게 된 연유에 대한 서술: 전설에서 증거물을 제시하는 것과 유사한 서술 방식을 취하고 있음.

• **장강**: 춘추 전국 시대 위나라 장공의 아내.
• **반첩여**: 한나라 성제의 후궁.
• **황릉묘**: 순임금의 두 왕비인 아황과 여영을 추모하기 위해 세운 사당.

[전체 줄거리] 명나라의 재상 유희의 아들 유연수는 15세에 과거에 급제해 한림학사가 된 후 덕성과 재학(재주와 학식)을 겸비한 사 씨와 결혼한다. 9년이 지나도록 아이가 없자 사 씨의 권유로 유 한림은 교 씨를 첩으로 들인다. 천성이 간악한 교 씨는 아들을 낳자 자신이 정실이 되려고 사 씨를 참소하고 사 씨는 남쪽으로 쫓겨나는 신세에 놓인다. 정실이 된 교 씨는 더 큰 욕심으로 동청과 결탁해 유 한림까지 모함하여 유배를 가게 만든다. 이후 혐의가 풀려난 유 한림은 모든 불행의 원인이 교 씨에게 있었음을 알게 된 후 교 씨와 동청을 모두 처형하고 사 씨와 해후하여 영화를 누린다.

Step2 포인트 체크

[01~05] 윗글에 대하여 맞으면 ○, 틀리면 ×표를 하시오.

01 사 씨는 집안의 대를 잇기 위해 교 씨를 첩으로 들이자는 유 한림의 권유를 받아들인다 〔○.×〕

02 제시된 부분은 꿈과 현실 사이를 오가는 서사 구조가 나타난다. 〔○.×〕

03 '황릉묘'는 사 씨가 왕비를 실제로 만나 이야기를 나누는 기이한 체험을 하는 공간적 배경이다. 〔○.×〕

04 사 씨는 꿈에서 깬 후에도 꿈속에서의 일을 생생하다고 여기며 자신의 행적에 대해 알고자 한다. 〔○.×〕

05 유 한림은 어진 덕성을 지닌 사 씨를 믿지 못했던 자신의 과거를 후회하게 되었다. 〔○.×〕

[06~10] 다음 빈칸에 알맞은 말을 쓰시오.

06 인현 왕후 폐위에 대한 작가의 시각이 우회적으로 반영되어 있는 ㅍㄱ 소설이다.

07 꿈속에서 사 씨를 도우라는 ㄱㅇㅂㅅ의 명을 받든 여승은 사 씨를 찾아 결국 만나게 된다.

08 제시된 부분에서는 ㅎㅅㅈ이라는 샘의 명칭이 붙여진 연유를 서술자가 직접 설명하고 있다.

09 유 한림은 노파가 ㅁㅂ을 놓았던 자리에서 솟은 물을 먹고 병이 낫게 되었다.

10 교 씨의 ㅁㅎ으로 인한 사 씨의 고행담을 주제로 하고 있다.

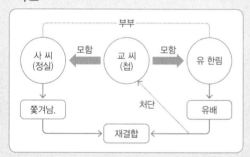

▶ **사씨남정기**
- **갈래**: 가정 소설, 풍간(諷諫) 소설, 목적 소설
- **시점**: 전지적 작가 시점
- **성격**: 가정적, 풍간적, 교훈적
- **배경**: 시간−중국 명나라 초기
  공간−중국 북경 금릉 순천부
- **주제**: 처첩 간의 갈등으로 인한 사 씨의 고행, 사 씨의 덕과 사필귀정
- **특징**: ① 일부다처제에 따른 처첩 간의 갈등 문제를 핵심으로 삼고 있음.
  ② 선인과 악인의 대립적 인물을 제시하여 주제 의식을 부각함.
  ③ 인현 왕후 폐위의 부당함을 풍간(완곡히 잘못을 고치도록 간함.)하고 숙종의 잘못을 깨우치기 위한 목적으로 창작되었음.
- **구조**

한 걸음 더

「사씨남정기」의 창작 의도
이 작품은 숙종이 인현 왕후를 폐위하고 장 희빈을 중전으로 삼은 일에 대한 비판적 의도를 문학적으로 형상화하고 있다. 따라서 이 작품에서 사 씨는 인현 왕후에, 유 한림은 숙종에, 교 씨는 장 희빈에 대응된다고 볼 수 있다. 장 희빈의 모함으로 폐위되었던 인현 왕후가 복위되었던 역사적 사건을 작품에서 교 씨의 모함에 의해 내쫓긴 사 씨가 결국 정실로 복귀되는 과정으로 형상화하고 있는 것이다. 또한 작품은 일부다처제와 축첩 제도 비판도 함께 담아내면서 당대의 사회적 배경을 심도 깊게 반영한 것으로 평가되고 있다.

01

기출 2018학년도 고3 수능

윗글의 내용에 대한 이해로 적절하지 <u>않은</u> 것은?

① 사 씨는 꿈에서 왕비로부터 남해 도인과 인연이 있어 바다 끝으로 향할 여정이 예비되어 있음을 들었다.
② 사 씨가 기절한 사이 유모는 황릉묘에 가서 사 씨를 깨울 방도를 찾아 왔다.
③ 사 씨는 묘에서 만난 여승의 말을 통해 여승 일행이 찾아온 연유를 알게 되었다.
④ 유 한림은 전에 동청을 꺼렸던 사 씨의 말을 받아들이지 않고 사 씨를 의심했었다.
⑤ 마을 사람들은 유 한림의 사례를 보고 수질 탓에 생긴 병을 없앨 방도를 찾을 수 있었다.

02

윗글에 대한 설명으로 적절하지 <u>않은</u> 것은?

① 비유적 표현을 활용하여 인물의 상태가 변화하게 된 과정을 그리고 있다.
② 이야기 외부에 있는 서술자가 인물이 지닌 심리를 직접적으로 제시하고 있다.
③ 비현실 세계와 현실 세계 사이의 순환 구조를 통한 사건의 전개가 나타나 있다.
④ 새로운 인물의 등장을 통해 인물이 처한 고난이 해소되는 과정을 보여 주고 있다.
⑤ 서로 다른 인물이 겪는 문제 상황이 유사한 방식으로 해결되는 과정이 나타나 있다.

03

윗글에 나타난 인물의 발화에 대한 설명으로 적절한 것을 〈보기〉에서 있는 대로 고른 것은?

┤ 보기 ├
ㄱ. 왕비는 자신의 경험을 근거로 들어 사 씨에게 앞으로 일어날 일에 대해 밝히고 있다.
ㄴ. 사 씨는 자신이 알고 있는 바를 바탕으로 현재 처지를 벗어날 방법의 실현 가능성을 우려하고 있다.
ㄷ. 여승은 자신이 사 씨를 찾아오게 된 계기에 대해 언급하면서 사 씨에게 온 방법도 함께 밝히고 있다.
ㄹ. 유 한림은 과거 자신의 행적에 대한 회상을 바탕으로 사 씨에 대해 풀리지 않는 의구심을 드러내고 있다.

① ㄱ, ㄴ　　　② ㄱ, ㄷ　　　③ ㄴ, ㄷ
④ ㄴ, ㄹ　　　⑤ ㄷ, ㄹ

04

㉠~㉼을 중심으로 윗글의 내용을 파악한 것으로 적절하지 <u>않은</u> 것은?

① ㉠은 사 씨가 잠깐 의탁하게 될 수월암이 포함된 공간이고, ㉣은 사 씨가 수월암으로 향하는 데에 도움을 준 인물이 꿈을 꾼 공간이다.
② ㉡은 사 씨가 자신이 겪은 일이 실제의 일임을 증명하고자 일행을 데리고 간 공간이고, ㉢은 일시적 고난 해소를 위해 일행 중 일부만 찾아간 공간이다.
③ ㉢은 사 씨가 꿈속 대화를 나눈 상대의 실체를 확인하게 되는 공간이고, ㉤은 유 한림과 꿈속 대화를 나눈 상대가 건넨 물건이 실제 발견된 공간이다.
④ ㉤은 ㉦으로 유배를 간 후에 병을 얻은 유 한림의 위독한 상태를 알아보는 인물이 원래 지내고 있던 공간이다.
⑤ ㉤은 유 한림이 만났던 인물의 신비로운 면모가 제시되는 공간인 동시에, ㉦이 지니고 있는 지역적 특성과 상반된 일화가 형성되는 계기가 된 공간이다.

05 고난도

윗글과 〈보기〉를 종합하여 내린 판단으로 적절하지 <u>않은</u> 것은?

│ 보기 │

이 작품의 작가 김만중은 임금인 숙종이 인현 왕후를 폐위시키고 장 희빈을 중전 자리에 앉힌 역사적 사건에 반대했던 인물이다. 그는 문학적 형상화를 통해 당대의 모순된 정치 현실을 우회적으로 드러내면서 당시 정치 세력과 임금의 잘못을 비판하고 일깨우고자 하였다. 이 작품은 이러한 작가의 인식과 태도가 반영된 작품으로, 교 씨 때문에 고초를 겪은 사 씨와 유 한림이 교 씨와 동청을 징벌하고 행복을 되찾는다는 서사 구조를 통해 처첩 제도로 인해 발생하게 되는 문제를 드러내면서 당대 현실을 비판하고 있다.

① 사 씨에 의해 유 한림의 첩이 되었던 교 씨가 오히려 사 씨를 몰아내는 서사 구조는 장 희빈에 대한 작가의 비판적 인식이 반영된 것이겠군.

② 교 씨의 모함에 넘어간 유 한림이 사 씨를 몰아내는 서사 구조는 인현 왕후 폐위에 대한 숙종의 잘못을 일깨우기 위한 의도가 반영된 것이겠군.

③ 사 씨와 유 한림이 남쪽에서 겪고 있는 고행의 원인이 교 씨에게 있다는 서사 구조는 처첩 제도로 인해 발생할 수 있는 문제 상황이 반영된 것이겠군.

④ 유 한림이 노파의 도움을 받아 고난의 상황에서 벗어나는 서사 구조는 인현 왕후의 폐위로 인해 숙종이 겪게 될 위기 상황에서 자신이 조력자로 나서겠다는 작가의 인식이 반영된 것이겠군.

⑤ 교 씨와 함께 유 한림을 모함한 동청은 장 희빈과 결탁했던 당대 정치가들을 가리키는 것으로, 이들이 처형당하는 서사 구조는 당시 정치 세력의 잘못을 비판하고자 했던 작가의 의도가 반영된 것이겠군.

06 서술형 기출 변형 2018년도 고3 수능

윗글의 사건 전개 과정을 고려하여, ㉮의 서사적 기능을 〈조건〉에 맞게 서술하시오.

│ 조건 │

'비현실 세계'와 '현실 세계'라는 표현을 포함하여 서술할 것.

07 고난도 기출 변형 2018학년도 고3 수능

〈보기〉를 참고하여 윗글을 감상한 내용으로 적절하지 <u>않은</u> 것은?

│ 보기 │

18세기의 선비인 이양오는 「사씨남정기」를 읽고 「사씨남정기 후서」를 썼다. 그는 이 소설이 착한 사람은 복을 받고 악한 사람은 벌을 받는다는 '복선화음'의 이치를 담고 있다고 평가한다. 다만 과오가 있는 사람이라도 잘못을 깨닫고 착한 데로 나아가는 과정에서 재앙이 상서로움으로 바뀌는 경우에도 주목한다. 한편 꿈속에서 벌어지는 일이나 기이한 만남이 나타나는 등 허구적인 이야기라도 사람의 일에 연관된다면 이를 두고 괴이하거나 맹랑한 것이라고 치부할 수만은 없다고 평한다. 그러면서 "말이 교화에 관련되면 괴이해도 해롭지 않고 일이 사람을 감동시키면 괴이하고 헛되어도 기뻐할 만하네."라는 김시습의 시 구절을 인용하였다.

① 여승 일행이 사 씨를 찾은 장면에서, 기이한 만남이 이루어지는 양상을 엿볼 수 있겠군.

② 유 한림이 유배지에서 얻은 질병이 치료된다는 설정에서, 유 한림의 재앙이 상서로움으로 전환되는 양상을 엿볼 수 있겠군.

③ 학사정이 지금까지 전해진다고 한 점에서, 허구적 이야기일지라도 사람의 일에 연관되므로 괴이한 것만으로는 볼 수 없겠군.

④ 유 한림이 유배지에서 총명함을 회복하는 장면에서, 과오가 있는 사람이라도 잘못을 깨닫고 착한 데로 나아가는 과정을 엿볼 수 있겠군.

⑤ 행주 사람들이 유 한림에게 샘에 얽힌 이야기를 듣고 복선화음의 이치를 깨달은 데서, 그 이야기를 맹랑한 것으로 치부해서는 곤란하다는 점을 알 수 있겠군.

가정소설
20강
창선감의록(彰善感義錄) | 조성기

출제 포인트 › #가정 소설 #도덕 소설 #권선징악과 충효 사상 #가문 내 인물 간의 갈등 구도

[앞부분의 줄거리] 화욱에게는 심 씨, 정 씨, 요 씨 세 부인이 있었다. 화욱은 심 씨에게서 장자 화춘을, 정 씨에게서 차자 화진을, 요 씨에게서 딸 화빙선을 얻는데, 요 씨가 일찍 죽게 되어 화빙선은 정 씨의 손에 자란다. 한편, 화욱의 누이인 성 부인은 남편인 성염과 사별한 뒤 화욱의 집으로 와 지내게 된다.

화욱은 정색하며 화춘을 꾸짖었다. / "우리 가문은 대대로 충효와 법도로 전수하여 심성을 한결같이 정도로써 닦고 지켜 왔느니라. 비록 술잔을 들고 즐겁게 노는 때라 하더라도 일찍이 음란하거나 예의에 어긋나는 말을 한 사람이 없었던 것이야. 그런데 지금 네가 부형 앞에서 시를 지으면서 그 광탕함이 이와 같으니 참으로 해괴한 일이로구나.❶ 차후로는 모름지기 마음을 고치고 행실을 닦아 동정* 일체를 반드시 네 동생에게 배우도록 하거라. 화씨 종사를 네 손으로 망하게 하는 말아야 할 것이니라."❷

㉠화춘은 부끄러워하고 두려워하며 물러갔다.❸

그날 밤 화춘이 심 씨에게 고했다.

[A] "소자가 모친의 사랑을 과도하게 받은 나머지 멋대로 놀며 학업을 폐했으니, 불초하다는 책망은 본디 달게 받아야 할 것입니다. 그렇지만 오늘 대인께서 지나치게 노여워하시면서 심지어는 '화씨 종사가 네 손에서 망하리라.'라는 말씀까지 하셨습니다. 자식 된 자로서 어찌 원통하게 생각하지 않을 수가 있겠습니까?❹ 또한 화진이 비록 타고난 재주가 특이하고 행동거지가 볼만하다고는 하나, 대인께서는 소자로 하여금 화진의 앞에 무릎을 꿇고 매사를 모두 배우게 하려고 하십니다. 하지만 천하에 어찌 형이 동생에게 배우는 도리가 있을 수 있겠습니까?"

심 씨는 그 말을 듣고 벌컥 화를 내며 낯빛이 변했다.❺ / "상공께서 정씨 가문의 요망한 계집과 간교한 아들 화진에게 빠져 기회를 얻지 못했던 것일 뿐이니라.❻ 지금 이미 무서리가 내렸으니 장차 **두꺼운 얼음이 얼고** 말 것이다. 하지만 내 차라리 죽을지언정 네가 힘없이 머리를 숙이는 꼴은 절대로 두고 보지 않을 것이니라."❼

그로부터 심 씨는 화춘과 함께 공연히 정 부인 모자를 원망하여 자나 깨나 이를 갈았다. 또한 화빙선이 **정 부인의 손에서 자**라났다 하여 소저도 또한 미워했다.❽ 성 부인은 그러한 사실을 알고 있었으므로 화진과 화빙선의 앞날을 깊이 염려했다.❾

그렇게 한두 해가 흘러갔다. / 임 소저는 ㉡화춘의 행동거지가 패악*하고 언어에 법도가 없음을 날마다 지켜보다가 마침내 개연히* 울면서 간했다.❿

"군자께서는 법도 있는 가문에서 생장했으니 마땅히 윤리를 아실 것입니다. 그런데 근래 말씀이 간혹 윤상(倫常)*에 어긋나고 마음 씀씀이가 아름답지 못하십니다. 첩은 비록 우매한 여자이지만 내심으로 한심하게 생각하고 있었습니다. 또한 사람은 어진 부형이 있음을 즐거워하는 법입니다. 지금 아버님의 높은 덕망과 바른 조행(操行), 그리고 삼촌 성 씨(成氏)의 지극한 효성과 공손한 행실을 군자께서는 눈으로 직접 보면서 가르침을 받으셨습니다. 옛사람이 이르기를 '삼밭 속의 쑥대는 그대로 두어도

Step1 포인트 분석

조성기, 「창선감의록」

제목의 의미
'창선'은 남의 착한 행실을 세상에 드러낸다는 의미이며 '감의'는 의로운 행동에 감동을 받는다는 의미이다. 이는 사람의 성품은 본래 선한 것이라는 작가의 관점을 반영한 것으로, 결말에서 악한 인물도 개과천선하게 되는 작품의 서사 구조와 관련되어 있다.

인물
❶ "우리 가문은~해괴한 일이로구나.
➜ 화욱이 맏아들 화춘을 꾸짖는 말로 가문의 전통을 내세우며 화춘의 행동이 이러한 전통에 어긋났음을 지적함.
❷ 차후로는 모름지기~할 것이니라."
➜ 화진과의 비교를 통해 화춘의 변화를 유도하고자 한 것임.
❹ 오늘 대인께서~수가 있겠습니까?
➜ 아버지의 꾸짖음에 대해 분하고 억울함을 느낀 화춘의 심리가 나타남.
❺ 심 씨는 그 말을~낯빛이 변했다.
➜ 자신이 낳은 자식만을 챙기는 인물의 면모가 드러남.
❾ 성 부인은~깊이 염려했다.
➜ 성 부인이 집안 분위기를 잘 파악하며, 화진과 화빙선을 아끼고 있음이 드러남.

사건
❼ 하지만 내 차라리~않을 것이니라."
➜ 심 씨의 다짐: 심 씨가 화빙선과 화진을 핍박하는 사건에 대한 암시로 볼 수 있음.

갈등
❶ "우리 가문은~해괴한 일이로구나.
❹ 오늘 대인께서~수가 있겠습니까?
➜ 화욱과 화춘의 갈등: 화욱은 화춘이 방탕한 모습을 보인 것에 대해 못마땅해함. 화춘은 자신을 향한 아버지의 비난이 지나쳤다고 생각함.
❻ "상공께서 정씨~것일 뿐이니라.❽ 심 씨는 화춘과~또한 미워했다.
➜ 심 씨·화춘과 정씨·화진·화빙선의 갈등: 심 씨와 화춘이 정 씨, 화진, 화빙선과 갈등 관계에 있음을 보여 줌.

서술
❸ 화춘은 부끄러워하고~물러갔다.
➜ 전지적 작가 시점: 화춘의 심리를 서술자가 직접 제시함.
❿ 화춘의 행동거지가~울면서 간했다.
➜ 화춘의 언행에 대한 평가: 임 소저의 시각에 기대어 화춘의 부정적 면모를 부각함.

곧게 자란다.' 했습니다. 첩은 군자의 어긋난 행실이 이 지경에까지 이르리라고는 실로 짐작하지 못하고 있었습니다. 또한 정 씨 어머님의 큰 덕망과 작은 서방님의 곧은 절행을 두고 군자께서는 의심할 수 없는 일로 **의심하고 있습니다**. 첩은 언뜻 그런 말씀을 들은 뒤로 귀를 씻어 낼 수 없음을 한탄하고 있습니다."⓫

그러나 화춘은 여전히 잘못을 반성하지 않았다.

그 뒤로 임 소저는 홀로 기박한 운명을 한탄하며 지아비의 어질지 못함을 슬퍼하다가 마침내 화춘을 가까이하지 않은 채 자신의 일신만을 깨끗하게 지켜 나갔다. 그 때문에 오랫동안 자식을 둘 수 없었으므로 화춘은 속에서 부아가 끓어올랐다.⓬ (중략)

㉮성 부인이 잠시 옛집으로 떠난 뒤 심 씨는 비로소 주먹을 휘두르고 아귀를 씰룩거리며 승냥이처럼 으르렁거렸다.⓭ 시녀 계향과 난향 등도 그 뜻을 받들어 분주하게 날뛰었다. / 어느 날 요 부인의 유모 취선이 소저를 보고 울면서 한탄했다.

"지극히 인자하시던 선노야와 선부인께서 소저와 공자를 생각하지 아니하고 돌아가셨습니다. ㉢그리하여 문득 두 외로운 골육에게 쓰라린 고통을 안긴 나머지, 주옥같은 목숨이 언제 끊어질지 모르는 처지로 떨어지고 말았습니다. 진실로 바라거니와 노신이 먼저 죽어 그 참혹한 광경을 보지 않으렵니다."

소저는 눈물만 삼킬 뿐 대꾸를 하지 않았다.⓮ 취선이 다시 울면서 말했다.

"성 부인께서 한번 부중*을 떠나신 뒤로 수선루 시녀들 중에는 혹독한 형벌을 받은 자가 무수히 많답니다. 그 밖의 사람들도 또한 숨을 죽인 채 오금을 펴지 못하니, 그 운명이 마치 그물에 걸린 토끼와 같습니다.⓯ 아아! 정 부인께서 언제 남에게 악한 일을 하신 적이 있었기에 지금 저희가 이러한 고통을 당하는 것입니까?"

그러나 소저는 이번에도 역시 아무 말도 하지 않았다.

㉣그때 마침 난향이 창밖에서 몰래 그 말을 엿듣고는 재빨리 뛰어가 심 씨에게 고했다.⓰

심 씨는 난향과 계향으로 하여금 소저를 끌어오게 한 뒤 발을 쾅쾅 구르며 꾸짖었다.

"천한 계집 빙선아! 흉악한 마음을 품고 천한 자식의 편에 서서 감히 적자(嫡子)의 지위를 **빼앗고자** 하여, 먼저 **적모(嫡母)부터 없애 버리려**고 천한 종년 취선이와 함께 은밀하게 일을 꾸미느냐?"⓱

소저는 기가 막혀 아무 말도 하지 못하고 구슬 같은 눈물만 줄줄 흘렸다.

㉤심 씨는 화진을 불러 마당에 무릎을 꿇게 했다. 그리고 쇠몽둥이로 난간을 쳐부수며 큰 소리로 죄를 꾸짖었다.⓲

"천한 자식 화진아! **성 부인의 세도를 믿고** 선군을 우롱해 적장자의 지위를 **빼앗으려** 했으나, 하늘이 악인을 도울 리 없어 대사가 실패로 돌아가자, 이제는 도리어 요망한 누이, 흉악한 종년과 함께 짜고 흉측한 짓을 저지르려 하느냐?"

화진은 통곡하면서 심 씨를 바라보고 대답했다.

"인생 천지에 오륜이 중하고 오륜 가운데서는 부자가 더욱 중합니다. 그런데 아버지와 어머니는 일체이십니다. 소자가 비록 무상하나 모친께서 어찌 차마 그런 말씀을 하실 수가 있습니까? 소자는 선군자의 혈속으로서 모부인 슬하에 있는 자입니다. 그런 말씀을 어떻게 소자에게 하실 수가 있다는 말입니까? 빙선이 비록 취선과 함께 수

인물
⓫ "군자께서는 법도~한탄하고 있습니다."
→ 화춘이 잘못을 반성하기를 바라는 임 소저의 심정이 담긴 말. 임 소저는 남편의 부족함을 직접 지적하기도 하고, 다른 사람과 비교하여 화춘의 변화를 유도하는 등 올바른 말을 할 줄 하는 품성을 지니고 있음.
⓭ 성 부인이~승냥이처럼 으르렁거렸다.
→ 가부장의 역할을 대신하던 성 부인의 부재를 틈타 권세를 부리는 심 씨의 포악한 면모가 나타남.
⓮ 소저는 눈물만~하지 않았다.
→ 속내를 밖으로 함부로 표출하지 않는 화빙선의 신중한 면모를 알 수 있음.

사건
⓯ "성 부인께서~토끼와 같습니다."
→ 심 씨의 횡포: 성 부인이 부재한 상황에서 심 씨에 의해 수많은 이들이 고난을 겪은 일이 있었음. 인물의 말을 통해 과거 사건을 압축적으로 제시함.
⓰ 그때 마침~심 씨에게 고했다.
→ 갈등 증폭의 계기: 난향의 고자질은 집안 내의 갈등을 증폭시키는 계기가 됨.

갈등
⓬ 그 뒤로~부아가 끓어올랐다.
→ 화춘과 임 소저의 갈등: 화춘의 변하지 않는 태도로 인해 화춘과 임 소저부부 사이가 멀어진 상황을 보여 줌.
⓱ "천한 계집~일을 꾸미느냐?"
→ 갈등의 고조: 화빙선에게 일부러 누명을 씌우려는 심 씨의 악행을 바탕으로 갈등이 고조된 상황을 보여 줌.

서술
⓭ 성 부인이~승냥이처럼 으르렁거렸다.
⓲ 심 씨는 화진을~죄를 꾸짖었다.
→ 인물의 간접적 제시: 비유적 표현과 행동 묘사를 통해 심 씨의 심리와 포악한 성격을 간접적으로 제시함.

• **동정**: 사람이 일상적으로 하는 일체의 행위.
• **패악**: 사람으로서 마땅히 하여야 할 도리에 어그러지고 흉악함.
• **개연히**: 억울하고 원통하여 몹시 분하게.
• **윤상**: 인륜의 떳떳하고 변하지 않는 도리.
• **부중**: 높은 벼슬아치의 집안.

작한 바는 있었으나, 사사로운 정으로 주고받은 말은 본래 큰 죄가 될 수 없습니다. 그리고 원망에 찬 말을 했다 하더라도 그 죄는 취선에게 있을 것입니다. 빙선이 언제 참견이나 한 적이 있었습니까? 오명을 덮어씌우는 말씀은 더욱 삼가야 할 것입니다. 천만 바라건대 조금 측은하게 여겨 주시기 바랍니다."

[전체 줄거리] 병부상서 화욱은 심 씨에게 장자 화춘, 정 씨에게 차자 화진, 요 씨에게 딸 화빙선을 얻는다. 요 씨는 딸을 낳고 죽고 정 씨는 화진이 장성하기 전에 죽는다. 화욱은 용렬한 성품을 지닌 화춘 대신 화진을 편애하고 이로 인해 심 씨와 화춘의 불만이 점점 심해진다. 벼슬에서 물러나 고향으로 돌아온 화욱이 죽은 후, 심 씨와 화춘은 온갖 방법으로 화진을 학대한다. 장원 급제한 화진은 화춘의 모함으로 귀양을 가지만 국가에 공을 세워 봉작의 벼슬에 오르고 화진을 시기하던 심 씨와 화춘도 개과천선한 후 가문은 평화와 화목을 되찾는다.

Step 2 포인트 체크

[01~05] 윗글에 대하여 맞으면 ○, 틀리면 ×표를 하시오.

01 화욱은 화춘을 꾸짖으면서도 화춘이 집안을 이끌 장자임을 강조한다.
〔○. ×〕

02 부부 사이인 화춘과 임 소저 간의 갈등이 나타난다. 〔○. ×〕

03 비유적 표현을 사용하여 심 씨의 악행을 부각하고 있다. 〔○. ×〕

04 심 씨는 화빙선 대신 화진에게 누명을 씌우고자 하였다. 〔○. ×〕

05 취선은 심 씨를 비난하는 말을 했다가 마당으로 끌려와 고초를 겪는다.
〔○. ×〕

[06~10] 다음 빈칸에 알맞은 말을 쓰시오.

06 이 작품은 한집안에서 벌어지는 갈등 상황을 다루고 있는 ㄱ ㅈ 소설이다.

07 화욱의 누이인 ㅅ ㅂ ㅇ은 집안의 분위기를 잘 알고 있다.

08 인물의 심리를 서술자가 직접 제시하는 ㅈ ㅈ ㅈ 시점으로 사건이 전개되고 있다.

09 화진은 심 씨에게 억울함을 호소하며 화빙선과 자신에 대해 ㅇ ㅁ의 마음을 베풀어 줄 것을 청한다.

10 효와 형제간 우애를 바탕으로 한 ㄱ ㅅ ㅈ ㅇ을 주제로 한다.

작품 정리

▶ 창선감의록

- **갈래:** 가정 소설, 도덕 소설, 규방 소설
- **시점:** 전지적 작가 시점
- **성격:** 교훈적, 유교적
- **배경:** 시간 – 중국 명나라 때 / 공간 – 화욱의 집 등
- **주제:** 권선징악과 충효 사상의 고취
- **특징:** ① 사대부 가문의 운명을 바탕으로 교훈적 주제 의식을 다루고 있음.
  ② 인물의 전형성과 함께 개성적인 면모도 부각하여 소설적 흥미를 높임.
  ③ 전통적 가치관을 바탕으로 가족 내 갈등이나 조정에서의 권력 투쟁을 사실적으로 서술함.

- **구조**

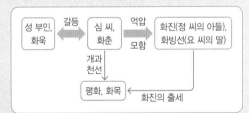

한 걸음 더

「창선감의록」의 갈등 양상과 특징
이 작품에서는 정실부인인 심 씨와 둘째 부인의 아들인 화진 간의 갈등, 이복형제 사이인 화춘과 화진 간의 갈등, 부부 사이인 화춘과 임 소저 간의 갈등, 시누이와 올케 사이인 성 부인과 심 씨 간의 갈등 등 집안 내의 다양한 갈등 관계를 다루고 있다. 특히 이러한 갈등 양상이 가부장의 부재 속에서 심화된다는 점에서 가정 문제를 다룬 일반적인 고전 소설과 차별되는 이 작품의 특징을 발견할 수 있다.

01

윗글을 통해 알 수 있는 내용으로 적절하지 <u>않은</u> 것은?

① 화욱은 화춘이 가문의 전통에 어긋난 행동을 한다고 판단하였다.

② 화진은 심 씨를 자신의 어머니로 여기며 지내 왔음을 심 씨에게 밝히었다.

③ 심 씨는 화욱이 화진의 술수에 넘어가 화진과 화춘에게 상반된 태도를 보인 것이라고 여겼다.

④ 임 소저는 화춘의 태도가 일상적으로 지켜야 하는 도덕에서 벗어난 것임을 직설적으로 지적하였다.

⑤ 성 부인은 심 씨가 화빙선을 못마땅하게 여기는 것을 알고 있었지만 가문의 안정을 위해 모른 체했다.

02

[A]에 대한 설명으로 가장 적절한 것은?

① 화춘은 화진의 일부 행위를 본받으라는 화욱의 명령에 굴욕감을 느낀다.

② 화춘은 화욱의 명령이 일상적인 도리로는 있을 수 없는 일이라고 생각한다.

③ 화춘은 뛰어난 재주가 타고난 화진에게 자신이 무릎을 꿇을 수밖에 없음을 인정한다.

④ 화춘이 모친으로부터 지나친 사랑을 받았다고 여기는 화욱의 생각이 오해임을 밝힌다.

⑤ 화춘은 자신이 화씨 가문의 번영에 도움이 되지 않는 존재라고 생각하며 원통해한다.

03

〈보기〉의 선생님의 요청에 대한 학생의 대답으로 적절하지 <u>않</u>은 것은?

> **보기**
>
> **선생님**: 「창선감의록」에서는 다양한 갈등 관계를 바탕으로 사건이 전개되고 있는데, 이를 제대로 파악하려면 심 씨 모자와 다른 인물들의 관계를 정확하게 이해해야 합니다. 자, 그럼 이 작품에 드러난 인물 관계를 어떻게 이해했는지 설명해 볼까요?

① 심 씨는 미래에 '두꺼운 얼음이 얼'게 되는 위기의 원인이 화진에게 있다고 보며 갈등 관계를 형성하고 있습니다.

② 심 씨는 '정 부인의 손에서 자'란 화빙선의 성장 과정을 빌미로 화빙선과 갈등 관계를 형성하고 있습니다.

③ 화춘은 정 씨 모자의 성품이나 행동을 '의심하고 있'는 모습을 보이며 갈등 관계를 형성하고 있습니다.

④ 화빙선은 '적모부터 없애 버리려' 한다는 심 씨의 말에 저항하지 않고 눈물만 흘리며 심 씨와의 갈등 관계에 대한 자괴감을 느끼고 있습니다.

⑤ 화진은 '성 부인의 세도를 믿고' 자신을 위협하고 있다고 말하는 심 씨에 대해 오류를 바탕으로 갈등 관계를 해소하기 위해 노력하고 있습니다.

04

㉠~㉤에 대한 설명으로 적절하지 <u>않은</u> 것은?

① ㉠: 서술자의 직접 제시를 통해 화욱의 엄중한 태도에 대한 화춘의 심리와 정서를 보여 주고 있다.

② ㉡: 서술자의 평가적 발언을 포함시켜 화춘이 지닌 부정적 면모에 대한 독자의 이해를 돕고 있다.

③ ㉢: 비유적 표현을 통해 인물들이 처한 상황을 언급하여 화진과 화빙선에 대한 애틋한 마음을 드러내고 있다.

④ ㉣: 시간적 배경의 비약을 통해 주변 인물의 행동을 요약함으로써 심 씨와 화진·화빙선 간의 갈등이 증폭되는 계기를 제시하고 있다.

⑤ ㉤: 인물의 행동에 대한 묘사를 통해 심 씨의 심리와 포악한 성격을 간접적으로 제시하고 있다.

05

고난도

〈보기〉를 바탕으로 윗글을 감상한 내용으로 적절하지 <u>않은</u> 것은?

┤ 보기 ├

　고전 소설 중 가정 내의 갈등을 다룬 가문 소설은 대체로 가부장제를 기반으로 한다. 그러나 모든 작품이 첫 번째 부인이나 장자(長子)만을 주인공으로 삼는 것은 아니며, 두 번째 부인이나 차자(次子)가 주인공이 되기도 한다. 또한, 집안의 가부장이 항상 존재하는 것이 아니며, 가부장이 죽거나 멀리 떠난 부재 상황이 나타나기도 하고 가부장을 대신하는 다른 존재가 등장하기도 한다. 이렇게 둘째 부인과 차자가 주인공이고 가부장이 부재한 작품은 가부장, 첫 번째 부인, 장자의 결함 혹은 부재가 갈등의 원인이 되며 사건 전개의 동력으로 작용한다.

① 화욱이 화춘을 질책한 이후 심 씨가 정 씨와 화진을 미워하는 것으로 보아, 심 씨는 정 씨 모자로 인해 장자인 화춘의 지위가 위협받고 있다고 생각했던 것이군.

② 성 부인의 부재가 심 씨가 득세하는 원인으로 작용한 것으로 보아, 화욱의 죽음 이후 성 부인이 가부장을 대신하며 가문의 질서를 지켰던 것이군.

③ 취선의 한탄에도 화빙선이 눈물만 흘리며 아무 말도 하지 않는 것으로 보아, 화빙선은 심 씨와의 갈등 상황에서 불만을 드러내지 않고 견뎌 내려고 했던 것이군.

④ 가문의 법도를 지키고 심성이 한결같은 화진과 달리 장자인 화춘은 그렇지 못한 것으로 보아, 장자의 결함이 화춘과 화진 간 갈등의 원인으로 작용했던 것이군.

⑤ 화진이 심 씨의 질책에 맞서며 자기 생각을 조목조목 밝히는 것으로 보아, 화진은 심 씨가 가부장을 대신하기에는 결함이 있다고 여겼던 것이군.

06

고난도

〈보기 1〉은 윗글 이후의 내용을 정리한 것이다. 윗글과 〈보기 1〉을 참고하여 이해한 내용으로 적절한 것을 〈보기 2〉에서 있는 대로 고른 것은?

┤ 보기 1 ├

　화진은 과거에 급제하여 벼슬길에 나서지만 화춘의 모함으로 귀양을 가게 되고, 화진의 아내들도 집에서 내쫓긴다. 이후 화진은 유배지에서 도사 곽공을 만나 도술과 병법을 배워 해적의 반란을 제압하고 조정에서는 그를 대원수에 봉한다. 이후 화진은 국가의 어지러움을 평정해 봉작의 벼슬에 오르고, 화진을 시기하던 심 씨와 화춘도 지난날의 잘못을 뉘우치고 흩어졌던 가족들도 돌아와 화목한 가정을 이루게 된다.

┤ 보기 2 ├

ㄱ. 윗글에서 반동 인물인 심 씨와 화춘은 이후의 내용을 고려할 때 평면적 인물로 볼 수 있겠군.

ㄴ. 윗글에서 심 씨에 의해 모함을 받는 화진의 고난은 이후에는 화춘의 고난으로 이어지게 되는군.

ㄷ. 윗글에서 화진이 고난을 스스로 극복해 나갔다면, 이후에는 고난의 상황에서 조력자의 도움을 받기도 하는군.

ㄹ. 윗글에서 화진은 집안의 구성원으로서의 면모가 강조되고 있고, 이후에는 국가적 차원의 인재로서의 면모가 부각된다고 볼 수 있겠군.

① ㄱ, ㄴ　　　② ㄱ, ㄷ　　　③ ㄴ, ㄷ
④ ㄴ, ㄹ　　　⑤ ㄷ, ㄹ

07

서술형

윗글의 흐름상, ㉮의 작중 상황이 지니는 의미를 〈조건〉에 맞게 서술하시오.

┤ 조건 ├

1. ㉮ 이전에 심 씨가 화진과 화빙선에 대해 지닌 심리를 간략하게 제시하여 답안 내용에 포함시킬 것.
2. ㉮ 이후에 일어난 사건의 내용을 요약적으로 제시하여 이를 ㉮의 의미와 연관지어 서술할 것.

정을선전(鄭乙善傳) | 작자 미상

출제 포인트 > #계모형, 쟁총형 가정 소설 #갈등의 양상과 해소 과정 #조력자의 역할 #가족 제도의 모순

차설(且說). 금섬이 제집에 돌아와 제 부모더러 부인의 하던 수말(首末)을 낱낱이 전하니, 제 부모가 참혹히 여겨 가로대,

"너는 아무쪼록 계교를 베풀어 부인을 살려 내라."

금섬 왈, / "유 부인이 명일에 형장 아래 곤욕을 당하시리니, 다만 구하여 낼 계교가 있사오되 행장(行裝)이 없으매 한이로소이다."❶

그 어미 이르되, / "행장이 있으면 네 무삼 수단으로 구하려 하는가?"

금섬이 대 왈,

"오라비 일일(一日)에 오백 리씩 다닌다 하오니, 행장이 있사오면 부인의 서간을 가지고 승상 노야(老爺)˚ 진중(陣中)에 가오면 능히 살릴 도리가 있나이다."❷

그 부모가 가로대, / "행장이 무엇이 어려우리오? 네 말대로 행장을 차려 줄 것이니 아무쪼록 충렬부인을 무사케 하라."❸

ⓐ금섬이 대희하여 즉시 옥중에 들어가 부인을 보고 제 부모와 문답하던 말을 고하고 서찰을 청한대,❹ 부인 왈,

"네 오라비 나를 살리고자 하니 이 은혜를 어찌 다 갚으리오?" / 언파(言罷)에 눈물을 흘리며 서간을 주거늘, 금섬이 받아 가지고 나와 제 오라비 호철을 불러 편지를 주며 왈,

"사세(事勢) 급박하니 너는 주야배도(晝夜倍道)˚하여 다녀오라. 황성에서 서평관이 삼천여 리니 조심하여 다녀오라."

하고, 옥중에 들어가 호철 보낸 사연을 고하고, 왕비 침전(寢殿)에 근시(近侍)˚하는 시비 월매를 불러 왈,

"충렬부인의 참혹한 일을 너도 알려니와 우리 등이 아무쪼록 살려 냄이 어떠하뇨?"

월매 왈, / "어찌하면 살려 내리오?" / 금섬이 대 왈,

ⓑ"명일 아침이 되면 왕비 상소(上疏)하여 죽일 것이니 우리 관계치 아니하나, 충렬부인이 무죄히 죽으리니 불쌍하시고 또한 복중(腹中)의 승상의 혈육이 아깝도다."

인하여 충렬부인의 전어(傳語)를 설파(說破)하고 왈,

"이제 옥문 열쇠가 왕비 계신 침전에 있다 하니 들어가 도적하여 줌을 바라노라."

월매 응낙하고 가더니 이윽고 열쇠를 가져왔거늘,❺ 금섬 왈,

"나는 여차여차할 것이니, 너는 여차여차하라."❻ / 월매 눈물을 흘려 왈,

"나는 너 가르친 대로 하려니와 네 부모를 어찌하고 몸을 버리려 하는가?"❼

금섬이 탄 왈,

ⓒ"우리 부모는 나의 동생이 여럿이니 설마 부모의 경상(景狀)이 편치 못하리오? [A] 사람이 세상에 나매 장부는 입신양명(立身揚名)하여 나라를 섬기다가 난세를 당하면 충성을 다하여 죽기를 무릅써 임금을 도움이 직분이요, 노주간(奴主間)은 상전

Step 1 포인트 분석

▶ 작자 미상, 「정을선전」

제목의 의미
주인공 '정을선'의 이름을 나타낸 것으로, 주인공과 인연을 맺게 되는 추연, 조왕의 딸 조 씨 및 이들과 관계된 주변 인물들 사이의 갈등과 해소 과정을 핵심적인 서사 구조로 삼고 있다.

배경
❹옥중에 들어가~서찰을 청한대.
➡ 옥중은 충렬부인이 머물고 있는 곳이자 충렬부인의 위기가 고조되는 공간임.

인물
❶금섬이 제집에~없으매 한이로소이다."
➡ 시비인 금섬이 위기에 처한 충렬부인을 돕고자 하는 모습으로 주인을 위한 충심을 지닌 인물로서의 면모가 나타남.
❷"오라비 일일에~도리가 있나이다.".
❸"행장이 무엇이~무사케 하라."
➡ 금섬과 그 부모가 충렬부인의 조력자 역할을 하고 있음을 보여 줌.

사건
❺"이제 옥문~열쇠를 가져왔거늘,
➡ 금섬의 부탁으로 위험을 무릅쓰고 옥문 열쇠를 가져온 월매: 충렬부인의 위기가 해소될 가능성이 높아지고 있음.
❼"나는 너~버리려 하는가?"
➡ 충렬부인을 대신해서 죽으려는 금섬: 월매의 말을 통해 금섬이 말한 '나는 여차여차할 것'이라는 내용에 포함되는 계획을 드러냄.

구성
❷"오라비 일일에~도리가 있나이다."
➡ 전기적 특성: 비현실적 능력(하루에 오백 리를 감)을 지닌 인물 설정을 바탕으로 하고 있음.

서술
❶금섬이 제집에~없으매 한이로소이다."
➡ 전지적 작가 시점: 충렬부인이 처한 상황을 들은 금섬 부모의 심리적 반응을 '참혹히 여겨'라며 서술자가 직접 제시함.
❸"행장이 무엇이~무사케 하라."
➡ 인물의 간접적 제시: 충렬부인을 돕고자 하는 금섬 부모의 적극적이고 의리 있는 성격을 간접적으로 제시함.
❻"나는 여차여차할~여차여차하라."
➡ 대화 내용의 압축적 제시: 이후의 일어날 일에 대한 독자들의 기대를 높일 수 있고, 사건의 진행 속도를 빠르게 할 수 있음.

이 급한 일이 있으면 몸이 마치도록 섬기다가 죽는 것이 당연하니, 내 이리하는 것은 나의 직분을 다함이니, 너는 말리지 말라.❶ 부디 내 말대로 시행하여 부인을 잘 보호하라."

[중략 부분의 줄거리] 금섬은 월매가 왕비의 침전에 훔쳐 온 옥문 열쇠로 유 부인(충렬부인)을 옥에서 구하고, 자신이 유 부인의 옷을 입고 유 부인인 것처럼 꾸며 죽는다. 한편 유 부인은 월매의 도움을 받아 지함 속에 숨어서 목숨을 부지한다.

ⓡ 이적에 월매 유 부인을 지함* 속에 넣고 밥을 수건에 싸다가 겨우 연명하더니, 하루는 기운이 시진(澌盡)하여 죽기에 임하였더니 문득 해복(解腹)*하니, 여러 날에 굶은 산모가 어찌 살기를 바라리오.❾ 정신을 수습하여 생아를 보니 남자이거늘 일희일비(一喜一悲)하여 차탄(嗟歎) 왈, / "박명한 죄로 금섬이 죽고 월매 또한 죽기에 이르렀으니, 어찌 참혹하지 않으리오?"❿ / 하여 아이를 안고 이르되,

"네가 살면 내 원수를 갚으려니와 이 지함 속에 들었으니 뉘라서 살리리오?"⓫

하며 목이 메어 탄식하니, 그 부모의 참혹함과 슬픔을 이루 측량치 못할러라.⓬

ⓜ 차시 월매가 독한 형벌을 당하고 옥중에 갇히었으나 저의 괴로움은 생각하지 아니하고 도리어 부인의 주림을 자닝하여* 탄식해 마지아니하더라.

차시 금섬의 오라비 유 부인의 글월을 가지고 주야배도하여 서평관에 다다라 진(陣) 밖에 엎드려 대원수 노야 본택(本宅)에서 서찰을 가지고 왔음을 고하니, 차시 원수가 한 번 북 쳐 서융을 항복받고 백성을 진무하며 대연(大宴)*을 배설(排設)하여 삼군으로 즐길새, 장졸이 희열하여 승전고를 울리며 즐기더라.⓭

일일(一日)은 원수가 일몽(一夢)을 얻으니 충렬부인이 큰 칼을 쓰고 장하(帳下)에 들어와 이르되, / "나는 팔자가 기박하여 정렬부인의 음해(陰害)를 입어 죽기에 임하였으되, 승상은 타연(妥然)히* 여기시니 인정(人情) 아니로소이다."

하거늘,⓮ 원수가 다시 묻고자 하더니, 문득 진중에 북소리 자주 동(動)하매 놀라 깨니 남가일몽(南柯一夢)이라. 놀라고 몸이 떨리어 일어나니 군사가 편지를 드리거늘 개탁(開坼)하여 보니 유 부인 서간이라. / 그 글에 하였으되,

[B] 박명한 죄첩(罪妾)은 두 번 절하고 상공 휘하(麾下)에 올리나이다. 첩의 죄 심중하여 세상을 버린 지 삼 년 만에 장군의 은덕을 입사와 살아났사오니, 환생지덕(還生之德)을 만분지일이나 갚을까 바라더니, 여액(餘厄)*이 미진하와 지금 궁옥(窮獄)에 들어와 명재조석(命在朝夕)이오니, 박명지인이 죽기는 섧지 아니하되 복중에 끼친 바 혈육이 첩의 죄로 세상에 나지 못하고 한가지로 죽사오니, 지하에 돌아가니 조상을 뵈올 낯이 없삽고, 또 장군을 만 리 전장에 보내고 성공하여 쉬이 돌아옴을 기다리옵더니, 장군을 다시 뵈옵지 못하고 죽사오니 눈을 감지 못할지라. 복원(伏願) 상공은 만수무강하시다가 지하로 오시면 뵈올까 하나이다.

하였더라. 원수가 보기를 다 못하여 대경하여 급히 호철을 불러 물으니, 호철의 대답이 분명치 못하나 대강 알지라. 급히 중군(中軍)에 전령하되, '본부(本府)에 급한 일이 있어 시각이 바쁘니 중군 대소사를 그대에게 맡기나니, 나의 영(令)을 어기지 말고 행군하여 뒤를 쫓으라.' 부원수가 청령(聽令)하거늘*, 원수가 이에 청총마(靑驄馬)를 채쳐 필마단기(匹馬單騎)로 삼 일 만에 황성에 득달하니라.

배경
⓭ 금섬의 오라비~울리며 즐기더라.
→ '서평관'은 을선의 영웅적 활약상을 축하하는 자리인 동시에 충렬부인에 대한 비보를 듣는 대비적 상황이 벌어지는 공간적 배경에 해당함.

인물
❶ 노주간은 상전이~말리지 말라.
→ 주인에게 충성하는 것을 당연한 도리로 여기는 유교적 가치관을 짐작할 수 있음. 또한 주인을 위한 금섬의 결심이 흔들리지 않고 확고한 상태임을 알 수 있음.
❿ "박명한 죄로~참혹하지 않으리오?"
→ 자신을 위해 죽은 금섬과 고생하는 월매에게 안타까움을 느끼고 있음.

사건
❾ 이적에 월매~살기를 바라리오.
→ 충렬부인의 고난: 옥중에 갇혀 있던 위기에서는 벗어났지만 또 다른 위기에 처해 죽을 고비를 맞음.

갈등
⓫ "네가 살면~뉘라서 살리리오?"
→ 충렬부인과 정렬부인의 갈등: 자신과 시비들을 고난에 빠트린 인물(정렬부인)에게 복수심을 품고 있음.
⓮ 일일은 원수가~아니로소이다." / 하거늘,
→ 을선의 꿈속 충렬부인의 말을 통해 정렬부인과의 갈등(처첩 간의 갈등)을 확인할 수 있음.

서술
❾ 이적에 월매~살기를 바라리오. ⓬ 그 부모의~측량치 못할러라.
→ 편집자적 논평: 충렬부인이 처한 상황을 서술자가 개입하여 논평함.

* **노야**: 나이 많은 남자를 높여 이르는 말.
* **주야배도**: 밤낮을 가리지 않고 보통 사람의 갑절의 길을 걸음.
* **근시**: 웃어른을 가까이에서 모심.
* **지함**: 두꺼운 종이로 만든 상자.
* **해복**: 아이를 낳음.
* **자닝하여**: 애처롭고 불쌍하여 차마 보기 어려워.
* **대연**: 큰 규모로 벌인 잔치.
* **타연히**: 편안히.
* **여액**: 이미 당한 재앙 외에 아직 남아 있는 재앙이나 액운.
* **청령하거늘**: 명령을 주의 깊게 듣거늘.

[뒷부분의 줄거리] 을선은 정실부인인 충렬부인을 구하고 첩인 정렬부인을 징벌한다. 그리고 을선과 충렬부인은 영화를 누리다 같은 날 같은 때에 죽는다.

[전체 줄거리] 정 승상은 느지막이 아들 을선을, 정 승상의 친구 유 승상은 딸 추연을 얻고 을선과 추연은 혼례를 올린다. 혼례 첫날 밤에 유 승상의 후처인 노 씨는 추연을 시기하여 사촌 노태를 동원해 추연에게 다른 남자가 있는 것처럼 꾸민다. 추연을 의심한 을선은 자기 집으로 돌아가 버리고 추연은 혈서로 억울함을 남긴 채 자결한다. 이후 원혼이 된 추연의 울음소리를 들은 사람들은 죽게 된다. 한편 조왕의 딸과 결혼해 승상이 된 을선은 추연의 유모로부터 추연의 죽음에 얽힌 내막을 알게 되고 선인에게 구한 약으로 추연을 살린다. 이후 추연은 을선과 혼인해 충렬부인에 봉해지면서 조왕의 딸인 정렬부인과 갈등한다. 서융의 반란으로 을선이 자리를 비운 사이 충렬부인은 정렬부인의 모해로 옥에 갇히는 신세가 되지만 시비 금섬의 도움으로 탈출하고, 금섬은 충렬부인의 옷을 입고 대신 죽는다. 금섬의 오라비는 을선에게 충렬부인의 편지를 전하고 충렬부인은 지함에서 아이를 낳은 후 죽을 위기에 처한다. 서간을 보고 황급히 집으로 돌아온 을선은 충렬부인을 구하고 정렬부인을 징벌한다. 그리고 을선과 충렬부인은 영화를 누리다 같은 날 같은 때에 죽는다.

Step2 포인트 체크

[01~05] 윗글에 대하여 맞으면 ○, 틀리면 ×표를 하시오.

01 금섬은 자신의 안위를 걱정하는 가족 때문에 충렬부인을 돕는 일이 난관에 부딪혔다. 　　　　　　〔○. ×〕

02 을선의 부인들 간 갈등이 사건 전개의 바탕이 되고 있다. 　　〔○. ×〕

03 '왕비 계신 침전'은 충렬부인이 처한 위기를 벗어날 수 있게 해 주는 물건이 있는 공간이다. 　　　　〔○. ×〕

04 직접 제시와 간접 제시의 방법을 모두 사용하여 금섬 부모의 인물됨을 드러내고 있다. 　　　　　〔○. ×〕

05 호철은 원수에게 충렬부인에 대한 정보를 상세하게 전달해 주는 조력자이다. 　　　　　　　〔○. ×〕

[06~10] 다음 빈칸에 알맞은 말을 쓰시오.

06 계모형 가정 소설과 ㅈㅊㅎ 가정 소설의 특징을 모두 지닌다.

07 충렬부인은 옥에서 나왔지만 ㅈㅎ에서의 고난이 계속된다.

08 ㅎㅈ은 호철을 통해 을선에게 유 부인의 편지를 보내기 위해 필요한 소재이다.

09 을선과 충렬부인이 영화를 누리다 함께 죽는다는 점에서 ㅎㅂㅎ 결말이라는 고전 소설의 전형성이 나타난다.

10 ㅂㄱ 가족 제도의 모순으로 인한 갈등과 해결 과정을 주제로 삼고 있다.

작품 정리

■ 정을선전
- **갈래**: 가정 소설(계모형·쟁총형 가정 소설), 한글 소설
- **시점**: 전지적 작가 시점
- **성격**: 전기적, 우연적
- **배경**: 시간─중국 명나라 때
　　　　공간─경상좌도 계림부, 익주, 서평관 등
- **주제**: 봉건 가족 제도의 구조적 모순으로 인한 가족 간의 갈등과 해결 과정
- **특징**: ① 공간적 배경은 우리나라이나 중국의 관직명, 지명 등이 혼재됨.
　　　　② 죽은 사람이 환생하는 등 전기적 요소가 나타남.
　　　　③ 계모와 전처 자식 간의 갈등과 처첩 간의 갈등을 모두 다룸.
- **구조**

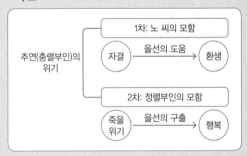

한 걸음 더

「정을선전」의 서사 흐름에 따른 갈등 양상
이 작품은 전반부는 계모인 노 씨와 전처소생인 추연 사이의 갈등을 주축으로 하는 계모형 가정 소설이고, 후반부는 을선을 둘러싼 추연(충렬부인)과 조 씨(정렬부인), 즉 처첩 간의 갈등을 주축으로 하는 쟁총(총애를 쟁취함)형 가정 소설의 특징을 보인다. 또한, 을선을 중심으로 갈등이 해소되는 과정에서 현실적 요소뿐만 아니라 비현실적 요소도 가미되고 있어 소설적 흥미를 높여 주고 있다.

01

윗글에 대한 설명으로 가장 적절한 것은?

① 상징적 소재를 통해 인물이 맞이하게 될 비극적 죽음을 암시하고 있다.

② 시간의 역전적 구성을 통해 현재의 작중 상황에 대한 독자의 이해를 돕고 있다.

③ 특정 인물의 시각에서 사건을 서술하여 작중 인물의 내적 심리 양상을 부각하고 있다.

④ 인물의 처지와 유사한 중국 고사를 활용하여 인물의 처지와 심경을 간접적으로 드러내고 있다.

⑤ 특정 인물이 주변 인물들과의 대화를 통해 중심인물이 처한 문제 상황을 해결할 방안을 제시하고 있다.

02

윗글을 읽은 후의 반응으로 가장 적절한 것은?

① 금섬의 부모는 금섬에게 충렬부인의 소식을 듣고 충렬부인이 사건의 내막을 잘못 알고 있음을 알게 되었군.

② 충렬부인은 자신을 위해 먼 길을 떠나는 금섬의 오라비에게 편지를 맡기며 고마움을 나타내었군.

③ 월매는 금섬이 자신을 찾아오기 전 금섬의 방문 목적을 예상하고 이에 따른 준비를 미리 하고 있었군.

④ 금섬은 월매의 눈물에 자신의 마음속 두려움을 밝히면서도 죽음에 대한 의지는 굽히지 않으려 하였군.

⑤ 원수는 충렬부인의 문제 해결을 위해 자신이 맡고 있는 중군에서의 임무를 부원수에게 맡기고 홀로 황성을 향해 떠났군.

03

[A]와 [B]에 대한 이해로 가장 적절한 것은?

① [A]는 [B]와 달리, 미래 상황에 대한 가정을 바탕으로 현실의 어려움을 타개하려는 의지를 담고 있다.

② [B]는 [A]와 달리, 비현실적 사건의 반복을 기대하며 이승 너머 세계에서의 재회를 소망하고 있다.

③ [A]는 명령의 표현을 통해 청자에게 위협을, [B]는 겸손한 표현을 통해 독자에게 존경심을 드러내고 있다.

④ [A]에는 자신의 삶에 대한 체념적 수용의 태도가, [B]에는 타인의 안위를 기원하는 태도가 제시되어 있다.

⑤ [A]는 현재 상황과 부합하는 유교적 가치를, [B]는 과거 상황에서 비롯된 소망을 실현하기 어렵게 된 현재의 처지를 밝히고 있다.

04

〈보기〉를 바탕으로 윗글을 감상한 내용으로 적절하지 <u>않은</u> 것은?

┤ 보기 ├

일반적으로 군담 소설에서는 전쟁 장면이 구체적이고 장황하게 제시되는데, 이와 달리 이 작품에서 전쟁 장면은 간략하게 제시되어 있다. 이는 이 작품에서 전쟁이 인물들 간의 갈등을 고조시키는 역할을 하는 것과 관련되는데, 전쟁으로 인한 남편의 부재로 처첩 간의 갈등이 심화되고 있다. 또한 주인공은 전쟁을 승리로 이끌지만, 그보다 충렬부인을 구해 내는 해결사로서의 모습이 부각된다. 이처럼 이 작품은 주인공의 삶에 대한 사회적 차원의 가치보다는 개인적 차원의 가치에 더 큰 비중을 둔다는 점에서 일반적인 군담 소설과 차별된다.

① 전쟁 장면은 원수가 잔치를 열어 삼군과 즐기는 모습으로 간략하게 제시하고 있군.

② 원수가 참전한 사이 충렬부인이 위기에 처한 것에서 전쟁이 처첩 간의 갈등을 심화시키는 역할을 함을 알 수 있군.

③ 충렬부인이 편지를 통해 원수에게 감사를 표하는 부분에서 전쟁을 승리로 이끈 원수의 영웅성이 부각되는군.

④ 원수가 중군 대소사가 아닌 가정의 문제 해결에 직접 나서는 모습에서 사회적 차원의 가치보다 개인적 차원의 가치에 더 비중을 두는 모습을 볼 수 있군.

⑤ 원수가 충렬부인의 편지를 받고 황성에 이르는 장면에서 충렬부인을 구해 내는 해결사로서의 모습이 부각되는군.

05

〈보기〉를 참고하여 ㉠~㉤을 이해한 내용으로 적절하지 <u>않은</u> 것은?

┤보기├

이 작품은 총애를 쟁취하려는 인물 간의 암투와 갈등 관계를 바탕으로 모함에 빠진 인물이 위기를 극복하는 과정을 주요한 내용으로 삼는다. 따라서 충렬부인 구출 계획의 진행 과정은 서사 진행에 있어 긴장이나 이완의 요소를 담고 있다.

① ㉠: 충렬부인을 위한 금섬의 생각이 계획대로 진행된다는 점에서 일시적으로 긴장감이 이완되고 있다.

② ㉡: 문제를 해결해야 하는 기한이 정해져 있다는 점은 긴장감을 고조시키는 요소로 작용하고 있다.

③ ㉢: 위기 극복을 위한 금섬의 선택이 미칠 긍정적 영향을 제시하고 있다는 점에서 긴장감이 이완되고 있다.

④ ㉣: 충렬부인이 새로운 위기에 봉착하고 있다는 점에서 긴장감이 지속되는 상황을 보여 주고 있다.

⑤ ㉤: 충렬부인뿐만 아니라 월매의 고난도 더해진다는 점에서 위기 상황에서의 긴장감이 고조되고 있다.

06

윗글의 작중 상황을 이해한 내용으로 가장 적절한 것은?

① 금섬은 충렬부인의 편지를 호철에게 전하며 현재의 상황이 '풍전등화(風前燈火)'와도 같다고 말하고 있군.

② 금섬은 월매에게 도움을 청하는 과정에서 충렬부인에게 일어난 일이 '흥진비래(興盡悲來)'에 따른 것이라 말하고 있군.

③ 충렬부인은 자신을 위해 죽은 금섬과 고생하는 월매에 대해 '계란유골(鷄卵有骨)'의 처지라고 여기고 있군.

④ 충렬부인은 자신의 아이가 아들이므로 '전화위복(轉禍爲福)'의 상황으로 복수할 수 있을 것이라 보고 있군.

⑤ 충렬부인의 서간을 보던 원수가 호철에게 의문을 제기하자 호철은 '묵묵부답(黙黙不答)'의 자세로 일관하고 있군.

07

〈보기〉의 꿈과 윗글의 일몽의 서사적 기능상 차이점을 '성진'과 '원수'의 입장에서 서술하시오.

┤보기├

성진이 생각하기를,

'처음에 스승에게 책망을 듣고 풍도옥으로 가서 인간 세상에 환도하여 양가의 아들이 되었다가, 장원급제를 하여 한림학사를 한 후 출장입상, 공명신퇴하여 두 공주와 여섯 낭자로 더불어 즐기던 것이 다 하룻밤의 꿈이로다. 이는 필연 사부가 나의 생각이 그릇됨을 알고 나로 하여금 그런 꿈을 꾸게 하시어 인간 부귀와 남녀 정욕이 다 허무한 일임을 알게 한 것이로다.'

– 김만중, 「구운몽」 중에서

08

윗글을 바탕으로 〈보기〉에 들어갈 적절한 내용을 〈조건〉에 맞게 서술하시오.

┤보기├

선생님: '서평관'은 전쟁에서의 원수의 활약을 알 수 있는 동시에 슬픈 소식을 접하는 공간적 배경입니다. 그럼 내용 전개상 서평관을 배경으로 어떻게 '원수의 활약'이 강조되고 있는지와 슬픈 소식에 대한 '원수의 반응'이 어떠한지를 말해 볼까요?

학생: 네, ＿＿＿＿＿＿＿＿＿＿＿

┤조건├

1. '원수의 활약'이 강조된 구체적인 구절을 인용하고 여기에 사용된 표현상 특징을 서술할 것.

2. '원수의 반응'은 슬픈 소식의 핵심 내용과 이를 접하며 원수가 보인 행동 및 심리가 드러난 부분을 참고하여 서술할 것.

황월선전(黃月仙傳) | 작자 미상

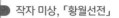

출제 포인트 › #계모형 가정 소설 #가족 간 갈등과 해소 과정 #선인과 악인의 특징 #봉건적 가족 제도의 모순

월성이 망극하여 월선의 등에 엎드러져 울며 말하였다.

"아버님은 잠깐 화를 참으시고 소자의 말을 잠깐 들어 보옵소서. 누이가 어려서부터 문밖에 출입이 없었고 노복들도 날마다 보지 못하였으니 외인의 출입이 없사오니 깊이 생각하옵소서. 일의 전후 사정(前後事情)을 차차 보옵소서."❶

월성이 **빌기를 마지아니하**였으나, 승상이 깨닫지 못하고 멍하니 서 있었다.

이때에 월성이 하는 행동을 보고 박 씨가 시비(侍婢) 운행을 불러 말하였다.

㉠"너 남복(男服)을 입고 월선의 방에 있다가 우리가 문밖에 가거든 문을 열치고 달아나라."

운행이 남자의 옷을 입고 월선의 방에 있다가 박 씨가 나오는 것을 보고 거짓 놀라는 체하고 도망하니, 승상이 그놈을 보고 뒤를 쫓아갔으나 부질없었다.❷

이때 박 씨가 거짓 놀라는 체하고 엎드러졌다가 말하였다.❸

"이런 **흉악한 일**이 어디 있으리오? 저러하고 무슨 말을 하리오?"

이어 월선을 꾸짖어 말하였다. / "무슨 낯으로 타인을 위하는고?"

또 승상에게 말하였다.

ⓐ"친정에 있을 때도 이런 일을 보지 못하였으니 처분대로 하소서."

이어 박 씨가 집 안으로 들어가니 승상이 한 말도 못 했다.

월성이 변명(辨明)하니 승상이 **더욱 분하여 말하**였다. / "이제 속절없다."

이어 승상이 칼을 들고 월선을 치려 하니, 월선이 정신이 아득하여 땅에 엎드러져 기절하였다.❹ 월성이 실색(失色)하여 울며 달려들어 월선을 덮어 안고 한 손으로 칼을 붙들고 애걸(哀乞)하며 말하였다.

[A]
"아버님은 잠깐 분노를 참으소서. 저를 보아서라도 누이를 살려 주옵소서. 어찌 자식의 몸에 칼을 대어 유혈(流血)을 내리오? 누이가 죽으면 동생인들 어찌 참혹한 것을 보리오?❺ 아버님은 나를 생각하여 죽이지 마시고 오늘 밤에 소식 없이 죽이거나 살리거나 하되 남이 모르게 하옵소서. 또 남이 묻거든 간밤에 죽었다 하고 선산(先山)에 허장(虛葬)*하오면 무사하리다. 소자에게 맡기시면 멀리 보내리라."

이렇게 말하며 월선을 안으니 오누이의 화목한 거동을 차마 보지 못할 정도로 아름다웠다.❻ / 승상이 월선을 차마 못 치고 칼을 던지고 슬퍼하며 말하였다.

㉡"월성아, 물에 넣고 오너라. 만일 살려 두면 너를 죽이리라."

월성이 승상에게 말하였다. / "어찌 살아날 수 있겠습니까?"

이어 월선을 안고 울며 말하였다.

"누이야, 어찌하리오? 아버님 명으로 물에 넣고 오라 하시니 나를 따라가서 살자."

다시 월선을 데리고 나와, / ㉢"누이는 너무 슬퍼 마옵소서. 인명이 재천인데 설마 죽겠습니까?" / 하고는 행장을 수습하였다.

Step 1 포인트 분석

▶ 작자 미상, 「황월선전」

제목의 의미
계모에게 고난을 겪는 주인공 '황월선'에 대한 이야기라는 의미이다. 황월선이, 모함을 받아 죽을 위기에 처하지만, 이복동생 월성의 도움과 자신의 의지 및 노력으로 이를 극복해 행복한 삶에 이르게 되는 과정이 나타나고 있다.

인물
❶"아버님은 잠깐~차차 보옵소서."
→ 월성은 누이인 월선이 외부 사람을 만난 적이 없음을 근거로 월선의 억울함을 호소함. 월성과 월선은 이복남매로, 후처 자식과 전처 자식이 갈등 관계가 아니라 협력 관계에 있음을 알 수 있음.

❷"너 남복을~쫓아갔으나 부질없었다.
→ 월선에 대한 모함을 승상이 믿게 하려고 계모 박 씨가 시비 운행을 시켜 계략을 세우는 모습으로 계모 박 씨의 악인으로서의 면모가 드러남.

❹이어 승상이~엎드러져 기절하였다.
→ 음모의 진실을 알지 못하고 월선을 궁지로 몰아넣는 가부장의 무능력한 모습이 나타남.

사건
❷"너 남복을~쫓아갔으나 부질없었다.
→ 계모 박 씨의 모함과 계략: 승상에게 월선이 외간 남자와 정을 통했다고 믿게 하려 음모를 꾸밈.

❺어찌 자식의~참혹한 것을 보리오?
→ 월성의 만류: 월선을 죽이려는 아버지를 가족 간의 인륜을 근거로 만류함.

갈등
❶"아버님은 잠깐~차차 보옵소서."
→ 월선과 아버지 황 승상의 갈등: 승상이 월선의 행실을 문제 삼고 있음을 알 수 있음.

❹이어 승상이~엎드러져 기절하였다.
→ 갈등의 절정: 월선에 대한 승상의 분노가 극에 달해 딸을 죽이려 함.

서술
❸이때 박 씨가~엎드러졌다가 말하였다.
→ 전지적 작가 시점: 인물의 심리를 서술자가 직접 제시하고 있음.

❻이렇게 말하며~정도로 아름다웠다.
→ 편집자적 논평: 월선을 보호하는 월성의 모습을 긍정적으로 평가함.

• 허장: 거짓으로 장사를 지냄.

I. 소설 **115**

[중략 부분의 줄거리] 집에서 쫓겨난 월선은 장 진사를 만나 그의 아들 장위와 혼인한다. 한편 황 승상은 시비 운행의 자백을 통해 박 씨의 소행을 알게 된 후 월선을 찾기 위해 자신과 박 씨 사이의 아들인 월성을 보낸다. 그러나 월성은 병이 들어 주점에 머물게 되고, 때마침 과거에 급제하여 주점을 지나던 장위가 월성의 목숨을 구해 준다. 그리고 자기 아내와 함께 월성의 집을 찾아가겠다고 약속한다.

이때 장위가 부인을 데리고 개성으로 가는 길에, 예주 문촌 황 승상 댁에 자리를 마련하라 하시니, 승상 부자가 그것을 듣고 반겨 초당(草堂)을 직접 지어 만들고 기다리렷다. ❼

이때 유수(留守)의 행차가 달려오니, 월성이 문밖에 나와 맞아 당상(堂上)에 앉히고 예를 표한 후에 못내 반겼다.

ⓔ이때 내행* 사처를 내당(內堂)으로 정하였거늘 월선이 교자(轎子)*에서 내려와 방에 들어가니, 전의 제 자던 방이었다. ❽ 비단 틀을 보고 만지며 슬퍼하더니, 이날 밤에 등촉을 밝히고 물어 말하였다. ❾

"부인 댁의 비단 틀을 보니 분명 소저가 있는가 싶으니 한번 구경하사이다."

박 씨가 답하여 말하였다. / "나는 여식이 없고 다만 전실(前室)의 여식 하나가 있었는데 거년 거월(去年去月)에 죽어서 지금까지 눈물로 세월을 보내고 있습니다." ❿

월선이 그 말을 들으니 가슴이 서늘하고 분기탱천(憤氣撐天)하되, 또 물어 말하였다. ⓫

"그 소저 나이가 몇이나 되었나이까?"

박 씨가 답하여 말하였다. / "이십 세로소이다."

월선이 말하였다.

"그러하면 나와 동갑이라 더욱 반갑고 슬프도다. 그 소저의 이름은 무엇인가?"

박 씨가 말하였다. / "이름은 월선이로소이다."

월선이 그 말을 하자 하니, **심장이 흘러내리고 눈물이 절로 솟아 화험*을 적셨다.** ⓬ 그러나 내색하지 않고 말하기를,

"이름을 들으니 귀에 익숙하도다." / 하고, 또 물어 말하였다.

"이곳은 어디인가?" / "예주 문촌이로소이다."

"그러면 황 승상 댁이신가?" / "그러하오이다. 어찌 못삽나이까?"

월선이 말하였다.

[B] "홍주 땅에 빌어먹는 아이가 있는데 성은 황이요, 이름은 월선이라 하고 예주 문촌 황 승상의 자녀라 하면서 빌어먹으니, 여러 사람이 다 말하기를, '그런 사대부 집 여자로서 어찌 저 모양이 되었는고? 세상사도 모를 것이로다.' 하였다. 그때에 장 진사라 하는 사람이 그 여자를 데려다가 길러 내어, 자부(子婦) 되었더니 이번 과거에 급제하여 외방(外方)의 유수 되었으니 같이 내려왔다 하였다. 이 댁이 황 승상 댁이라 하였는가?" ⓭

박 씨가 이 말을 듣고 가슴이 서늘하여 어쩔 줄 몰랐다. ⓮

월선이 끝내 진실을 밝히지 않고 떠나니, ⓜ박 씨가 생각하되, '정녕 그리하면 후환이 있을 것이다.' 하고 염려가 무궁(無窮)하였다.

월선이 박 씨를 내어 보내고 옛일을 생각하니 꿈같은지라, 심화(心火)를 안정하지 못하고 붓과 먹을 내어 부친과 동생을 생각하며 글을 써 벽에 붙이고, 이날 떠났다. ⓯

이때 승상이 **유수 부인이 떠남**을 보고 슬퍼하며 말하였다.

"어떤 사람의 따님이 저러한고?"

이어 통곡하니, 월성도 통곡하고 비복(婢僕)들도 슬피 울었다. ⓰

배경
❽이때 내행~자던 방이었다.
➜ '방'은 과거 월선의 방으로, 월선이 과거의 일로 인한 슬픔과 억울한 모함에 대한 분노를 느끼는 공간임.

인물
❽이때 내행~자던 방이었다.
➜ '교자'를 통해 월선이 신분 상승을 이루었음과 전처 자식이 시련을 극복하고 자신이 살던 방으로 돌아온 모습으로 이해할 수 있음.
❿"나는 여식이~보내고 있습니다."
➜ 월선이 죽은 줄로 알고 있는 박 씨가 거짓말을 하는 것으로, 악인의 면모가 드러남.

사건
❼이때 장위가~만들고 기다리렷다.
➜ 자신의 집을 방문한 월선: 황 승상은 장위의 부인이 자신의 딸인 줄 모르고 있음.
⓭"홍주 땅에~댁이라 하였는가?"
➜ 박 씨에게 자신의 존재를 드러내는 월선: 다른 사람의 이야기를 전하는 방식으로 자신이 집을 나간 후 겪었던 일들을 박 씨에게 전함. 이는 박 씨에게 경각심을 주고자 하는 의도가 있음.
⓮박 씨가~어쩔 줄 몰랐다.
➜ 월선의 존재를 알아챈 박 씨: 죽은 줄로 알고 있던 월선이 살아 있다는 것 때문에 두려움이 생김.
⓯붓과 먹을~이날 떠났다.
➜ 글을 남긴 채 집을 떠나는 월선: 유수 행차의 내행이 월선이며, 자신이 살아서 집에 왔다는 사실을 승상과 월성에게 알리기 위해 글을 남김.
⓰"어떤 사람의~슬피 울었다."
➜ 월선의 정체를 모른 채 슬퍼하는 승상: 유수 부인이 자신의 딸임을 알아채지 못한 채 그녀가 떠나는 것을 슬퍼함.

갈등
⓫월선이 그 말을~물어 말하였다.
➜ 월선과 박 씨의 갈등: 월선이 박 씨가 하는 거짓말에 분노를 느끼고 있음.

서술
❾비단 틀을~물어 말하였다. ⓫월선이 그 말을~물어 말하였다.
➜ 전지적 작가 시점: 인물의 심리를 서술자가 직접 제시하고 있음.
⓬월선이 그 말을 하자~화험을 적셨다.
➜ 과장된 표현과 외양 묘사: 월선이 느끼는 깊은 슬픔을 형상화하고 있음.

• **내행**: 여행길에 오른 부녀자.
• **교자**: 종일품 이상 당상관이 타던 가마.
• **화험**: 꽃같이 아름답고 고운 얼굴.

[전체 줄거리] 조선 예주 땅의 황 승상과 부인 김 씨는 늦도록 자식이 없음에 슬퍼하다가 복원사에 시주를 하고 딸 월선을 낳지만 부인 김 씨는 곧 병을 얻어 죽는다. 황 공은 박 씨를 후처로 들여 아들 월성을 얻고 박 씨는 월선을 모함하여 집에서 쫓아낸다. 집에서 쫓겨난 월선은 장 진사를 만나 그의 아들 장위와 혼인하고 황 공은 박 씨의 소행으로 월선이 누명을 쓴 것을 알게 되어 월선을 찾기 위해 월성을 보낸다. 월선은 자신의 정체를 숨기고 자신의 집을 방문하고 돌아간 후 그간의 사정을 담은 편지를 아버지에게 보낸다. 월선은 장위와 다시 집을 방문해 부친을 만나 박 씨를 용서하고, 장위와 월선의 아들들은 모두 과거에 급제하여 명망이 널리 알려지게 된다. 월선은 부귀영화를 누리다 하늘로 올라간다.

Step 2 포인트 체크

[01~05] 윗글에 대하여 맞으면 ○, 틀리면 ×표를 하시오.

01 제시된 부분에서 전기적(傳奇性) 사건 전개의 특징이 두드러진다. 〔○. ×〕

02 월성은 월선을 살리고자 문제의 해결책을 제시하는 선인형 인물이다. 〔○. ×〕

03 월선을 둘러싸고 승상과 박 씨 사이의 갈등이 나타나 있다. 〔○. ×〕

04 '제 자던 방'은 월선이 자신의 과거 사건과 관련된 이야기를 박 씨에게 넌지시 말하는 공간적 배경이다. 〔○. ×〕

05 작품 밖의 서술자가 과장된 표현과 외양 묘사를 통해 인물의 심리를 제시하고 있다. 〔○. ×〕

[06~10] 다음 빈칸에 알맞은 말을 쓰시오.

06 이 작품은 후처에 의해 전처소생이 고난을 겪는 ㄱㅁㅎ 가정 소설이다.

07 시비 운행은 박 씨의 명에 따라 ㄴㅂ을 입고 거짓 행세를 한다.

08 월성은 죽을 위기에 처한 월선을 구하고 행장을 수습하며 ㅇㄹ하였다.

09 박 씨는 전처소생을 잃고 ㄴㅁ로 세월을 보내고 있다며 거짓말을 하는 악인이다.

10 집에서 쫓겨난 월선이 장위와 혼인하게 되는 것은 애정 소설에서의 ㄱㅇㄷ이 가정 소설에 수용된 양상을 보여 준다.

작품 정리

▶ **황월선전**
- **갈래**: 가정 소설, 한글 소설
- **시점**: 전지적 작가 시점
- **성격**: 사실적, 계몽적
- **배경**: 시간－조선 시대
    공간－경기도 여주 문촌 등 조선 일대
- **주제**: 봉건 가족 제도 속에서의 구성원 간 갈등과 화해
- **특징**: ① 전처소생과 계모 간의 갈등을 중심으로 전개됨.
    ② 계모 소생의 선함 등 계모형 가정 소설의 전형성에서 벗어남.
    ③ 전기성(傳奇性), 우연성이 거의 드러나지 않고 사실적 사건 전개를 따름.
- **구조**

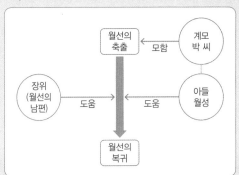

한 걸음 더

「황월선전」에 나타난 계모형 가정 소설의 변모 양상
이 작품은 계모의 음해를 받은 전처의 소생이 고난을 겪는 전형적 특징을 띠고 있으면서도 현실적인 사건 전개를 바탕으로 갈등 해결이 모색되고 있다는 점이나, 계모의 자식인 월성이 이복 누이인 월선을 보호하는 선인의 면모를 지니고 있다는 점에서 이전의 계모형 가정 소설에서 변모된 양상이 발견된다. 또한, 가정 내의 문제 상황에서 가부장이 무능력한 판단을 보이고 있다는 점도 이 작품의 변별적 특징이라 할 수 있다.

01

윗글의 서술상 특징으로 가장 적절한 것은?

① 전기적 사건을 통해 인물이 처한 고난이 새로운 국면으로 전환되고 있다.
② 서술자의 요약적 제시를 중심으로 사건 전개 속도가 점차 빨라지고 있다.
③ 서술자가 사건에 개입하여 일부 인물의 관계에 대한 긍정적 평가를 내리고 있다.
④ 장면에 따라 서술자를 달리하여 인물이 처한 상황을 입체적으로 드러내고 있다.
⑤ 공간의 변화에 따라 초점 화자를 달리하여 공간의 성격과 인물의 특징 사이의 관련성을 부각하고 있다.

02

윗글을 읽은 후의 반응으로 가장 적절한 것은?

① 월성이 월선에 대해 승상에게 '빌기를 마지아니하'는 모습을 보인 것은, 승상의 오해가 자신으로부터 비롯되었다는 점을 인정하고 있기 때문이겠군.
② 박 씨가 '흉악한 일'을 언급한 것은, 운행이 벌일 일을 미처 예상하지 못했으면서도 알고 있다는 듯한 인상을 주기 위함이었겠군.
③ 승상이 '월성이 변명'하자 '더욱 분하여 말하'는 모습에는, 월선에 대한 자신의 잘못된 생각을 바꿔야겠다는 의지가 깔려 있었겠군.
④ 월선이 박 씨의 말을 듣고 '심장이 흘러내리고 눈물이 절로 솟아 화험을 적'시게 된 것은, 자신에 대한 새로운 모함을 알고 분노했기 때문이겠군.
⑤ '유수 부인이 떠남'을 보고 승상이 '어떤 사람의 따님'이라고 언급한 것은, 유수 부인이 자신의 딸이라는 사실을 알아채지 못했기 때문이겠군.

03

윗글에 대한 이해로 가장 적절한 것은?

① 월선이 집에서 쫓겨난 후 장위와 결혼한 일은 박 씨에 대한 월선의 분노를 가중시키고 있군.
② 장위와 월선, 장위와 월성 사이의 일로 볼 때, 장위는 월선의 결백이 밝혀지는 과정에서 조력자의 역할을 하고 있군.
③ 월성이 병들어 주점에 머문 일은 월선의 문제를 해결하는 과정에서 긴장감이 완화되는 계기가 되고 있군.
④ 자신의 방에서 비단 틀이 그대로 있음을 확인한 일은 월선에게 잊고 있던 슬픈 과거를 떠올리게 하고 있군.
⑤ 홍주 땅에서 빌어먹던 아이를 본 주변 사람들의 반응을 통해 월선의 고난이 우연히 발생하게 되었음을 암시적으로 드러내고 있군.

04

윗글과 〈보기〉를 종합하여 내린 판단으로 적절하지 <u>않은</u> 것은?

┤ 보기 ├

가부장은 가족을 잘 통솔할 때 그 권위가 인정된다. 그런데 평온했던 가문은 황 승상의 재산 분배로 분열이 일어난다. 재산 분배에서 우위를 점하려고 박 씨가 월선을 모함하기 때문이다. 후에 모함의 주동자인 박 씨가 쫓겨날 처지에 놓이지만, 황 승상은 박 씨가 가족의 일원임을 들어 쫓아내지 않고, 월선 역시 박 씨를 용서한다. 「황월선전」은 이러한 서사 구조를 통해 주제 의식을 강화하고 있다.

① 박 씨가 운행을 이용해 월선을 모함한 것은 재산 분배에서 우위를 확고히 하려는 데에 목적이 있다.
② 월선의 처벌에 대한 박 씨의 말에 승상이 한 말도 못 하는 모습은 가부장의 권위가 제대로 서지 못한 상태를 드러낸다.
③ 월선에게 칼을 들고 분노하는 황 승상의 모습은 평온했던 가문에 분열이 심화되고 있음을 보여 준다.
④ 월선이 과거 박 씨의 모함에 대해 분기탱천하면서도 박 씨를 용서하는 서사 구조는 평온한 가정의 회복이라는 주제 의식을 강화한다.
⑤ 가문의 분열을 조장한 박 씨가 가족의 일원으로 남게 된 데에는 모함의 피해자보다 가부장의 결정이 더 큰 영향을 미쳤음을 보여 준다.

05

〈보기〉를 참고하여 ㉠~㉤을 감상한 내용으로 적절하지 <u>않은</u> 것은?

┤ 보기 ├

　계모형 가정 소설은 '주인공 탄생과 친모의 죽음', '계모의 영입 및 전처소생에 대한 계모와 그 자식들의 학대', '이로 인한 주인공의 시련 및 가정에서의 추방', '시련 극복 후 전처소생인 주인공의 가정 복귀'라는 전형성이 있다. 이때 주인공의 아버지는 갈등 상황에서 계모와 그 자식들의 편에 섬으로써 주인공이 겪는 시련을 심화시키기도 한다. 「황월선전」은 이러한 계모형 가정 소설의 전형적 특징이 나타나면서도 기존과는 다른 요소를 통해 갈등 양상을 다양한 방식으로 전개하고 있다.

① ㉠: 승상을 속이고 월선을 모함하기 위한 것으로, 전처소생에 대한 계모의 학대라는 일반적인 계모형 가정 소설의 전형성이 나타난다.

② ㉡: 월선을 살리려는 월성과 달리 월선을 용서하지 않으려는 친부의 모습으로, 주인공의 아버지가 전처소생과 계모의 갈등 상황에서 계모의 편에 서는 일반적인 계모형 가정 소설의 전형성이 나타난다.

③ ㉢: 계모의 모함으로 시련을 겪는 월선에 대한 월성의 위로로, 계모의 자식들이 전처소생을 학대하는 일반적인 계모형 가정 소설의 전형성에서 벗어난다.

④ ㉣: 집에서 쫓겨났던 월선이 장위와 혼인한 후 자신의 방으로 돌아온 상황으로, 계모의 학대로 가정에서 추방된 주인공이 시련 극복 후 가정으로 복귀하는 일반적인 계모형 가정 소설의 전형성이 나타난다.

⑤ ㉤: 박 씨가 월선의 정체를 알아차리고 새로운 계책을 도모하는 것으로, 전처소생에 대한 계모의 학대가 계속되면서 주인공이 겪는 시련이 심화되는 일반적인 계모형 가정 소설의 전형성이 나타난다.

06

ⓐ에 담긴 '박 씨'의 의도를 발화 내용에 근거하여 서술하시오.

07

[A]와 [B]에 대한 이해로 적절하지 <u>않은</u> 것은?

① [A]는 [B]와 달리, 정중한 부탁의 말로 발화를 시작하고 있다.

② [A]는 [B]와 달리, 특정한 상황에 대해 대처 방법을 제시하며 상대방을 설득하고 있다.

③ [B]는 [A]와 달리, 자신의 일을 다른 사람의 행적인 것처럼 바꿔 요약적으로 제시하고 있다.

④ [A]와 [B]는 모두 자신이 문제를 해결하겠다는 의지를 보이며 상황을 해결하고자 한다.

⑤ [A]와 [B]는 모두 물음의 방식을 통해 자신이 의도한 바를 상대방에게 우회적으로 전달하고 있다.

08

〈보기〉는 '월선'이 남긴 글의 내용이다. 〈보기〉를 통해 '월선'이 글을 남긴 의도를 〈조건〉에 맞게 서술하시오.

┤ 보기 ├

　광대한 천지간에 하나의 몸이 둘로 떨어져 있도다. 혁혁한 이내 몸이 고생과 어려움을 참고 견디는 동안 첩첩한 이내 눈물 강물이 되었도다. 공산 야월은 적막한데 두견이 슬피 울며, 심산 심곡 깊은 곳에 목숨 도모하기 어렵도다.

　이 방은 몇 해나 되었던고? 너도 나와 이별하고 나도 너와 이별하고, 눈물로 세월을 보냈도다. 나의 한 몸이 다시 올 줄 누가 알았으리? 가련한 월선이 그냥 지나가기 어렵도다.

┤ 조건 ├

1. 〈보기〉의 첫 번째 문단에서 하나의 구절을 인용하며 월선의 심정을 요약하여 답안 내용에 포함시킬 것.

2. 〈보기〉의 두 번째 문단 내용을 바탕으로 월선이 글을 남긴 의도를 답안 내용에 포함시킬 것.

허생전(許生傳) | 박지원

출제 포인트 › #풍자 소설 #한문 소설 #조선 사회에 대한 비판 #풍자와 해학적 표현

[앞부분의 줄거리] 한양 묵적골에 살던 허생은 가난하게 살면서도 글 읽기만 좋아하여 아내가 바느질품을 팔아 생계를 유지한다. 어느 날, 아내가 돈도 벌지 못하는 글 읽기만 하냐고 질책하자, 허생은 10년을 기약했던 글 읽기를 7년밖에 못한 것을 한탄하며 집을 나간다.

허생은 거리에 서로 알 만한 사람이 없었다. 바로 운종가(雲從街)로 나가서 시중의 사람을 붙들고 물었다.❶ / "누가 서울 성중에서 제일 부자요?"

변 씨(卞氏)를 말해 주는 이가 있어서, 허생이 곧 변 씨의 집을 찾아갔다. 허생은 변 씨를 대하여 길게 읍(揖)*하고 말했다.

"내가 집이 가난해서 무얼 좀 해 보려고 하니, 만 냥(兩)을 꾸어 주시기 바랍니다."

변 씨는 / ⓐ"그러시오." / 하고 당장 만 냥을 내주었다. 허생은 감사하다는 인사도 없이 가 버렸다.❷ 변 씨 집의 자제와 손들이 허생을 보니 거지였다. 실띠의 술이 빠져 너덜너덜하고, 갓신의 뒷굽이 자빠졌으며, 쭈그러진 갓에 허름한 도포를 걸치고, 코에서 맑은 콧물이 흘렀다.❸ 허생이 나가자, 모두들 어리둥절해서 물었다.

"저이를 아시나요?" / "모르지."

"아니, 이제 하루아침에, 평생 누군지도 알지 못하는 사람에게 만 냥을 그냥 내던져 버리고 성명도 묻지 않으시다니, 대체 무슨 영문인가요?"

변 씨가 말하는 것이었다.

"이건 너희들이 알 바 아니다. 대체로 남에게 무엇을 빌리러 오는 사람은 으레 ㉠자기 뜻을 대단히 선전하고, 신용을 자랑하면서도 ㉡비굴한 빛이 얼굴에 나타나고, 말을 중언부언* 하게 마련이다. 그런데 저 객은 형색은 허술하지만, 말이 간단하고, 눈을 오만하게 뜨며, 얼굴에 부끄러운 기색이 없는 것으로 보아, 재물이 없어도 스스로 만족할 수 있는 사람이다. 그 사람이 해 보겠다는 일이 작은 일이 아닐 것이매, 나 또한 그를 시험해 보려는 것이다. 안 주면 모르되, 이왕 만 냥을 주는 바에 성명은 물어 무엇을 하겠느냐?"❹

허생은 만 냥을 입수하자, 다시 자기 집에 들르지도 않고 바로 안성(安城)으로 내려갔다. 안성은 경기도, 충청도 사람들이 마주치는 곳이요, 삼남(三南)의 길목이기 때문이다.❺ 거기서 대추, 밤, 감, 배며 석류, 귤, 유자 등속의 과일을 모조리 두 배의 값으로 사들였다. 허생이 과일을 몽땅 쓸었기 때문에 온 나라가 잔치나 제사를 못 지낼 형편에 이르렀다. 얼마 안 가서, 허생에게 두 배의 값으로 과일을 팔았던 상인들이 도리어 열 배의 값을 주고 사 가게 되었다.❻ ⓑ허생은 길게 한숨을 내쉬었다.

"만 냥으로 온갖 과일의 값을 좌우했으니, 우리나라의 형편을 알 만하구나."

그는 다시 칼, 호미, 포목 따위를 가지고 제주도(濟州島)에 건너가서 말총*을 죄다 사들이면서 말했다. / "몇 해 지나면 나라 안의 사람들이 머리를 싸매지 못할 것이다."

허생이 이렇게 말하고 얼마 안 가서 과연 망건값이 열 배로 뛰어올랐다.❼ (중략)

Step 1 포인트 분석

▶ 박지원, 「허생전」

제목의 의미
이 작품은 주인공 '허생'이라는 행적을 통해 모순된 사회 현실을 비판하고, 지배층의 각성을 촉구하고 있다.

배경
❶바로 운종가로~붙들고 물었다.
  ➡ '운종가'뿐 아니라 '묵적골' 등 당시 한양의 실제 지명을 직접 제시하여 이야기에 현실성을 부여함.
❺안성은 경기도,~길목이기 때문이다.
  ➡ 안성이 상품의 집산지라는 지리적 특성을 제시하여, 허생이 안성에 장사를 하러 왔음을 밝힘.

인물
❷허생은 감사하다는~가 버렸다.
  ➡ 만 냥을 빌렸음에도 감사 인사도 하지 않고 나가는 당당한 태도를 통해 허생의 이인(異人)다운 풍모를 드러냄.
❹"이건 너희들이~무엇을 하겠느냐?"
  ➡ 변 씨가 아무 조건 없이 허생의 말과 행동만 보고 돈을 빌려준 이유를 밝힌 말로, 변 씨가 인물의 비범한 능력을 파악할 줄 아는 인물임을 드러냄.

사건
❷허생은 감사하다는~가 버렸다.
  ➡ 변 씨에게 돈을 빌리는 허생: 이후 벌어지는 사건을 고려할 때 허생이 빌린 만 냥은 조선의 경제적 형편을 파악하는 데 사용됨.
❻허생이 과일을~가게 되었다.
  ➡ 과일의 매점매석으로 재산을 축적한 허생: 허생이 조선의 유통 구조가 취약한 점을 이용하여 돈을 번 것으로, 이는 작가가 조선 경제 구조를 비판하기 위한 설정으로 볼 수 있음.
❼그는 다시~열 배로 뛰어올랐다.
  ➡ 과일과 마찬가지로 말총을 매점매석하여 돈을 버는 허생: '말총'은 양반이 머리에 쓰는 망건의 재료로 과일과 함께 양반의 허례허식을 상징함.

서술
❸실띠의 술이~콧물이 흘렀다.
  ➡ 구체적인 외양 묘사: 허생이 몰락한 가난한 양반임을 드러냄.

이 대장이 방에 들어와도 허생은 자리에서 일어서지도 않았다. 이 대장은 몸 둘 곳을 몰라하며 나라에서 어진 인재를 구하는 뜻을 설명하자, 허생은 손을 저으며 막았다.❽

"밤은 짧은데 말이 길어서 듣기에 지루하다. 너는 지금 무슨 벼슬에 있느냐?"

"대장이오."

"ⓒ그렇다면 너는 나라의 신임받는 신하로군. 내가 와룡 선생(臥龍先生) 같은 이를 천거하겠으니, 네가 임금께 아뢰어서 삼고초려(三顧草廬)˚를 하게 할 수 있겠느냐?"❾

이 대장은 고개를 숙이고 한참 생각하더니,

"어렵습니다. 제이(第二)의 계책을 듣고자 하옵니다." / 했다.

"나는 원래 '제이'라는 것은 모른다."

하고 허생은 외면하다가, 이 대장의 간청을 못 이겨 말을 이었다.

"명(明)나라 장졸들이 조선은 옛 은혜가 있다고 하여, 그 자손들이 많이 우리나라로 망명해 와서 정처 없이 떠돌고 있으니, 너는 조정에 청하여 종실(宗室)의 딸들을 내어 모두 그들에게 시집보내고, 훈척(勳戚)˚ 권귀(權貴)의 집을 빼앗아서 그들에게 나누어 주게 할 수 있겠느냐?"❿

이 대장은 또 머리를 숙이고 한참을 생각하더니, / ⓓ"어렵습니다." / 했다.

"이것도 어렵다, 저것도 어렵다 하면 도대체 무슨 일을 하겠느냐? 가장 쉬운 일이 있는데, 네가 능히 할 수 있겠느냐?"

"말씀을 듣고자 하옵니다."

"무릇, 천하에 대의(大義)를 외치려면 먼저 천하의 호걸들과 접촉하여 결탁하지 않고는 안 되고, 남의 나라를 치려면 먼저 첩자를 보내지 않고는 성공할 수 없는 법이다. 지금 만주 정부가 갑자기 천하의 주인이 되어서 중국 민족과는 친근해지지 못하는 판에, 조선이 다른 나라보다 먼저 섬기게 되어 저들이 우리를 가장 믿는 터이다. 진실로 당(唐)나라, 원(元)나라 때처럼 우리 자제들이 유학 가서 벼슬까지 하도록 허용해 줄 것과, 상인의 출입을 금하지 말도록 할 것을 간청하면, 저들도 반드시 자기네에게 친근해지려 함을 보고 기뻐 승낙할 것이다. 국중의 자제들을 가려 뽑아 머리를 깎고 되놈의 옷을 입혀서, 그중 선비는 가서 빈공과(賓貢科)˚에 응시하고 …(중략)… 그리고 만약 명나라 황족에서 구해도 사람을 얻지 못할 경우, 천하의 제후(諸侯)를 거느리고 적당한 사람을 하늘에 천거한다면, 잘 되면 대국(大國)의 스승이 될 것이고, 못 되어도 백구지국(伯舅之國)˚의 지위를 잃지 않을 것이다."⓫

이 대장은 힘없이 말했다. / "사대부들이 모두 조심스럽게 예법(禮法)을 지키는데, 누가 변발(辮髮)˚을 하고 호복(胡服)˚을 입으려 하겠습니까?"

허생은 크게 꾸짖어 말했다.

"ⓔ소위 사대부란 것들이 무엇이란 말이냐? …(중략)… 내가 세 가지를 들어 말하였는데, 너는 한 가지도 행하지 못한다면서 그래도 신임받는 신하라 하겠는가? 신임받는 신하라는 게 참으로 이렇단 말이냐? 너 같은 자는 칼로 목을 잘라야 할 것이다."

하고 좌우를 돌아보며 칼을 찾아서 찌르려 했다. 이 대장은 놀라서 일어나 급히 뒷문으로 뛰쳐나가 도망쳐서 돌아갔다.⓬

이튿날, 다시 찾아가 보았더니, 집이 텅 비어 있고, 허생은 간 곳이 없었다.⓭

인물

❽ 이 대장이 방에~저으며 막았다.
→ 이 대장은 실존 인물인 이완으로, 이 대장이 서생인 허생에게 비굴하게 구는 모습을 통해, 이 대장이 추구하는 북벌론의 허구성을 간접적으로 비판함.

사건

❾ "그렇다면 너는~할 수 있겠느냐?"
→ 허생이 제시한 첫 번째 현실 대응책: 인재를 얻으려면 삼고초려의 노력이 필요함을 역설함.

❿ "명나라 장졸들이~할 수 있겠느냐?"
→ 허생이 제시한 두 번째 현실 대응책: 훈척과 권귀가 자신들의 기득권을 포기하도록 하여 명나라 유족을 도울 수 있는지 물음. 이는 수용 불가능한 제안으로, 청나라에게 원수를 갚고자 북벌을 주장하면서 정작 명나라 유족을 위해 자신의 기득권을 버리지 못하는 집권층을 비판함.

⓫ "무릇, 천하에~잃지 않을 것이다."
→ 허생이 제시한 세 번째 현실 대응책: 정말 북벌을 하고자 한다면 허례허식을 버리고 일단 청나라에 복종하며 때를 기다릴 각오가 되어야 함을 제시함.

갈등

⓬ 하고 좌우를~도망쳐서 돌아갔다.
→ 허생이 현실 대응책을 제시했음에도 아무것도 수용하지 못하겠다고 한 이 대장의 무능함에 화를 냄.

서술

⓭ 이튿날, 다시~간 곳이 없었다.
→ 미완의 결말 구조: 허생의 이인적인 면모를 부각하는 한편, 허생이 제시한 현실 대응책이 실현될 수 없음을 간접적으로 드러냄.

• **읍:** 공손하게 인사하는 예의 하나.
• **중언부언:** 이미 한 말을 자꾸 되풀이함. 또는 그런 말.
• **말총:** 말의 갈기나 꼬리의 털로, 망건의 재료임.
• **삼고초려:** 인재를 맞아들이기 위하여 참을성 있게 노력함.
• **훈척:** 나라를 위하여 드러나게 세운 공로가 있는 임금의 친척.
• **빈공과:** 중국 당나라 때에, 외국인에게 보게 하던 과거.
• **백구지국:** 봉건 시대 제후국 중 가장 큰 나라.
• **변발:** 몽골인이나 만주인의 풍습으로, 남자의 머리를 뒷부분만 남기고 나머지 부분을 깎아 뒤로 길게 땋아 늘임. 또는 그런 머리.
• **호복:** 만주인의 옷. 오랑캐의 옷차림.

Step2 포인트 체크

[01~05] 윗글에 대하여 맞으면 ○, 틀리면 ×표를 하시오.

01 변 씨는 허생에게 만 냥을 조건 없이 빌려주었다. 〔○, ×〕

02 허생은 과일과 말총을 매점매석하여 부를 축적했다. 〔○, ×〕

03 허생은 이 대장에게 공손한 태도로 현실 대응책을 제시했다. 〔○, ×〕

04 허생이 제시한 현실 대응책들에 대해 이 대장은 모두 수용이 불가하다고 대답했다. 〔○, ×〕

05 허생은 이 대장의 무능함을 꾸짖어 내쫓은 이후 자취를 감추어 버렸다. 〔○, ×〕

[06~10] 다음 빈칸에 알맞은 말을 쓰시오.

06 이 작품은 허생의 뛰어난 능력을 드러내는 □ㅎ 를 중심으로 사건이 전개되고 있다.

07 허생은 장사를 통해 조선 ㄱㅈ 구조의 취약성을 확인하고 있다.

08 이 작품은 조선 사회의 지배층에 해당하는 양반 ㅅㄷㅂ 를 비판하고 있다.

09 국가적 차원의 문제로 주인공 허생과 직접적인 갈등을 겪는 인물은 □□ 이다.

10 이 작품은 이용후생, 인재 등용 등 작가인 박지원의 ㅅㅎ 사상과 작가 의식이 반영되어 있다.

작품 정리

● **허생전**
- **갈래**: 풍자 소설, 한문 소설
- **시점**: 전지적 작가 시점
- **성격**: 현실 비판적, 풍자적
- **배경**: 시간 – 조선 효종 때
  공간 – 서울, 안성, 변산 등을 비롯한 국내외
- **주제**: 양반 사대부들의 무능함과 허위의식 비판 및 각성 촉구
- **특징**: ① 실학사상을 바탕으로 하여 당대의 사회 모순을 비판함.
  ② 실존 인물을 등장시켜 사건에 사실성과 현실감을 부여함.
  ③ 미완의 결말 구조 방식을 통해 독자에게 여운을 줌.
- **구조**

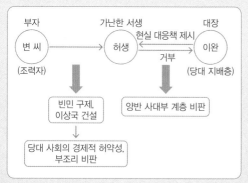

● **한 걸음 더**

「허생전」에 반영된 당대의 사회상
「허생전」의 배경이 되는 시기는 병자호란이 끝난 뒤인 효종 때로, 조정에서는 북벌론을 주장하는 세력이 득세하던 시기였다. 또 상업을 기반으로 한 신흥 부자가 출현하고 있었고, 평민들은 생계 유지가 어려워 도적으로 내몰리던 시대였다. 그리고 실사구시와 이용후생을 통해 백성을 구제하려던 실학사상이 학문의 한 축으로 자리 잡았던 시대였다.

01

윗글에 대한 설명으로 적절하지 <u>않은</u> 것은?

① 우연한 사건을 통해 인물 간의 갈등이 해소되고 있다.
② 실존 인물을 등장시켜 이야기에 현실감을 부여하고 있다.
③ 인물의 말과 행동을 통해 인물의 가치관을 드러내고 있다.
④ 인물에 대한 일화를 소개하여 인물의 비범함을 제시하고 있다.
⑤ 인물의 외양을 구체적으로 묘사하여 인물의 처지를 나타내고 있다.

02

윗글의 내용에 대한 이해로 적절하지 <u>않은</u> 것은?

① 허생은 여러 차례에 걸친 이 대장의 요청에 대해 모두 답해 주었다.
② 이 대장은 허생이 자신을 무시하는 태도를 보이자 크게 화를 내었다.
③ 변 씨는 당당하게 돈을 빌려 달라는 허생의 요청에 조건 없이 돈을 빌려주었다.
④ 허생이 장사할 곳으로 안성을 선택한 것은 그곳이 상품들이 모이는 곳이기 때문이다.
⑤ 허생은 오랫동안 글 읽기만 하며 지냈기 때문에 누가 성중에 제일 부자인지 모르고 있었다.

03

㉠과 ㉡에 어울리는 한자 성어로 적절한 것은?

	㉠	㉡
①	교언영색(巧言令色)	호언장담(豪言壯談)
②	호언장담(豪言壯談)	임기응변(臨機應變)
③	허장성세(虛張聲勢)	교언영색(巧言令色)
④	임기응변(臨機應變)	교언영색(巧言令色)
⑤	허장성세(虛張聲勢)	적반하장(賊反荷杖)

04

고난도

〈보기〉는 윗글의 배경이 되는 시대의 사회·문화적 상황이다. 이와 관련하여 윗글을 감상한 내용으로 적절하지 <u>않은</u> 것은?

┤ 보기 ├

임진왜란과 병자호란을 겪으면서 조선의 사회 질서는 크게 변하였다. 상품 화폐 경제가 발달하면서 상업으로 부를 축적하는 상인 계급이 등장했고, 평민 의식의 성장으로 지배층에 대한 비판의 목소리가 높아졌다. 하지만 사대부들은 여전히 성리학을 통치 이념으로 삼아 예의와 법도를 중시하였다. 조정에서 북벌론을 강하게 주장한 것도 명나라와의 의리를 지키자는 생각 때문이었다. 그런데 조선의 지배 이념인 성리학은 법도와 명분만을 지나치게 강조하여 취약한 경제 질서나 백성들의 궁핍 등 현실의 문제를 해결할 수 있는 방안을 제시하지 못하였다.

① 허생이 매점매석을 통해 손쉽게 부를 축적하는 설정을 통해, 당대의 경제 질서가 매우 취약함을 나타내고 있군.
② 허생이 과일과 말총을 장사 품목으로 선택하는 설정을 통해, 상품 화폐 경제의 발달로 상인 계급이 성장했음을 보여 주고 있군.
③ 허생이 제시한 모든 현실 대응책에 대해 조정을 대표하는 이 대장이 수용할 수 없다고 말하는 설정을 통해, 당대 조정의 대세였던 북벌론의 허구성을 비판하고 있군.
④ 허생이 이 대장에게 명나라 유족을 위해 지배층의 기득권을 폐지하라고 제안하는 설정을 통해, 명나라와의 의리를 지키기 위해 북벌론을 주장했던 당대 조정의 분위기를 반영하고 있군.
⑤ 허생의 말에 대해 이 대장이 사대부들은 북벌을 위해 변발을 하거나 호복을 입으려 하지 않을 것이라고 답하는 설정을 통해, 법도와 명분에만 집착하는 사대부들에 대한 비판 의식을 드러내고 있군.

05

ⓐ~ⓔ에 대한 이해로 적절하지 <u>않은</u> 것은?

① ⓐ: 변 씨가 대범한 성격의 소유자임을 드러내고 있다.

② ⓑ: 더 많은 수익을 내지 못한 것에 대한 답답함을 표출하고 있다.

③ ⓒ: 상대가 자신의 제안을 실현시킬 수 있는 위치에 있다는 생각이 담겨 있다.

④ ⓓ: 훈척이나 권귀가 자신의 기득권을 포기하지 않을 것이라는 인식이 반영되어 있다.

⑤ ⓔ: 허례허식에 얽매여 무능한 사대부들에 대한 강한 불만을 드러내고 있다.

06

윗글에서 '허생'이 제시한 현실 대응책을 〈보기〉와 같이 나타낼 때, 이에 대한 이해로 적절하지 <u>않은</u> 것은?

┤ 보기 ├

㉮ 첫 번째 현실 대응책 → ㉯ 두 번째 현실 대응책 → ㉰ 세 번째 현실 대응책

① ㉮는 임금이 수행해야 하는 일을 제시하고 있다.

② ㉯에는 명나라와 관련하여 수행할 대책이 제시되어 있다.

③ ㉯와 ㉰는 사대부들이 자신들의 주장을 실현하기 위해 할 수 있는 일들을 밝히고 있다.

④ ㉰는 ㉮, ㉯보다 상대적으로 쉽게 할 수 있는 일이라며 제시한 계책이다.

⑤ ㉮, ㉯, ㉰는 사대부들이 순차적으로 수행해야 최선의 결과를 얻을 수 있다.

07

〈보기〉는 윗글의 앞부분에 제시된 내용이다. 이와 관련하여 '허생'이 '당대의 계급 질서'에 대해 지니고 있는 이중적 태도를 비판하시오.

┤ 보기 ├

하루는 그 처가 몹시 배가 고파서 울음 섞인 소리로 말했다.

"당신은 평생 과거(科擧)를 보지 않으니, 글을 읽어 무엇합니까?"

허생은 웃으며 대답했다.

"나는 아직 독서를 익숙히 하지 못하였소."

"그럼 장인바치 일이라도 못 하시나요?"

"장인바치 일은 본래 배우지 않은 걸 어떻게 하겠소?"

"그럼 장사는 못 하시나요?"

"장사는 밑천이 없는 걸 어떻게 하겠소?"

처는 왈칵 성을 내며 소리쳤다.

"밤낮으로 글을 읽더니 기껏 '어떻게 하겠소?' 소리만 배웠단 말씀이오? 장인바치 일도 못 한다. 장사도 못 한다면, 도둑질이라도 못 하시나요?"

08

'허생'이 사라지는 결말 방식을 취하여 얻을 수 있는 효과 두 가지를 〈조건〉에 맞게 서술하시오.

┤ 조건 ├

1. 허생의 어떤 면모가 부각되는지 밝힐 것.
2. 허생이 제시한 현실 대응책의 실현 여부와 관련 지을 것.

민옹전(閔翁傳) | 박지원

출제 포인트 › #풍자 소설 #한문 소설 #실존 인물 #시정 세태에 대한 풍자와 비판 #해학적 표현

㉮ 지난 계유년, 갑술년에 내 나이는 열일곱, 열여덟이었다.❶ 병으로 오랫동안 시달리면서 노래, 글씨, 그림, 옛 칼, 거문고, 골동품 등의 여러 잡물들을 제법 좋아하였다. 게다가 지나는 손님들을 모아 놓고 익살스럽거나 우스운 옛날이야기를 들으며 마음을 달래었지만, 깊숙이 스며든 우울증을 어쩔 수가 없었다.❷ 그러자 어떤 사람이 이렇게 말하였다.

"민 영감은 기이한 사람이지요. 노래도 잘 부르지만, 말도 잘한답니다. 그의 이야기는 신나고도 괴이하고, 능청스럽고도 걸쭉하지요. 그의 이야기를 듣는 사람 치고 마음이 상쾌하게 열리지 않는 이가 없답니다."❸

나는 그 말을 듣고 몹시 기뻐서 그에게 함께 놀러 오라고 부탁했다.❹ (중략)

"좋소. 그러면 불사약은 영감님도 결코 못 보았겠죠?"❺ / 옹이 웃으면서 말하였다.

"ⓐ이거야말로 내가 아침저녁으로 늘 먹는 것인데, 어찌 모르겠소? 큰 골짜기 굽은 소나무에 달콤한 이슬이 떨어져 땅속으로 스며든 지 천 년 만에 복령(茯苓)이 되지. 인삼 가운데는 신라의 토산품이 으뜸인데, ⓑ단정한 모양 붉은빛에 사지가 갖추어진데다, 쌍갈래로 땋은 머리는 아이처럼 생겼지. 구기자가 천 년 되면 사람을 보고 짖는다우. 내가 일찍이 이 세 가지 약을 먹고는 백 일이나 음식을 먹지 못하다가, 숨결이 가빠져서 죽을 지경에 이르렀소. **이웃집 할미**가 와서 보고는 이렇게 탄식합니다. '자네 병은 굶주렸기 때문에 생겼지. 옛날에 신농씨(神農氏)°가 온갖 풀을 다 맛보고 오곡(五穀)°을 뿌렸으니, 병을 다스리려면 약을 쓰고 굶주림을 고치려면 밥을 먹어야 한다네. 이 병은 오곡이 아니면 고치기 어렵겠네.'❻ 나는 그제야 쌀로 밥을 지어 먹고는 죽기를 면했다우. 불사약 치고 밥보다 나은 게 없는 셈이지. 그래서 나는 아침에 한 그릇, 저녁에 또 한 그릇 먹고, 이제 벌써 일흔이 넘었다우."❼

옹은 말을 할 때면 장황하게 하면서, 이리저리 둘러대었다. 하지만 어느 것 하나 꼭 들어맞지 않는 것이 없었고 그 속에 풍자를 담고 있었으니, 달변가라 하겠다.❽ 손님이 물을 말이 다하여 더 이상 따질 수 없게 되자 마침내 분이 올라,

㉠ "옹께서도 두려운 것을 보셨겠지요?"

하니, 옹이 말없이 한참 있다가 버럭 소리를 질렀다.

"두려워할 것은 나 자신만 한 것이 없다네. 내 오른쪽 눈은 용이 되고 왼쪽 눈은 범이 되며, 혀 밑에는 도끼를 감추고 있고 팔을 구부리면 당겨진 활과 같아지지. 차분히 잘 생각하면 갓난아이처럼 순수한 마음을 잃지 않으나, 생각이 조금만 어긋나도 짐승 같은 야만인이 되고 만다네. 스스로 경계하지 않으면, 장차 제 자신을 잡아먹거나 물어뜯고 쳐 죽이거나 베어 버릴 것이야. ⓒ이런 까닭에 성인께서도 이기심을 누르고 예의를 따르며, 사악함을 막고 진실된 마음을 보존하면서 스스로 두려워하지 않으신 적이 없었다네."

Step 1 포인트 분석

■ 박지원, 「민옹전」

제목의 의미
실존 인물인 '민옹'을 주인공으로 설정한 작품으로, '나'가 보고 들은 민옹의 행적을 중심으로 사건이 전개되고 있다.

배경
❶ 지난 계유년~열일곱, 열여덟이었다.
➡ 구체적인 시간적 배경을 제시하여 이야기의 사실감을 높이고 있음.

인물
❷ 병으로 오랫동안~어쩔 수가 없었다.
➡ '나'는 병약한 체질의 양반 자제로, 무위도식하며 하루하루를 보내고 있음.
❸ "민 영감은~이가 없답니다."
➡ 민옹에 대한 세간 사람들의 직접적인 평가가 제시되어 있음.
❻ '자네 병은~고치기 어렵겠네.'
➡ 이웃집 할미는 민옹에게 진정한 불사약이 무엇인지를 깨닫게 해 준 조력자임.
❾ 차분히 잘~베어 버릴 것이야.
➡ 민옹은 자신의 몸가짐을 바르게 하는 것이 가장 중요하다고 역설함.

사건
❹ 나는 그 말을~오라고 부탁했다.
➡ '나'와 민옹과의 만남: 우울한 처지에 놓였던 '나'가 이를 달래기 위해 재미있게 말을 하는 민옹을 만나려 함.
❺ "좋소. 그러면~못 보았겠죠?"
➡ 재담의 시작: 특별한 갈등 없이 손님들이 던진 곤란한 질문에 민옹이 답하는 방식으로 재담이 나열되고 있음.
❼ 나는 그제야~일흔이 넘었다우."
➡ 민옹의 답변: 밥이 곧 불사약이라는 평범한 진리를 재치 있게 설명함.

서술
❶ 지난 계유년~열일곱, 열여덟이었다.
➡ 1인칭 관찰자 시점: 작품 속에 등장하는 서술자 '나'가 주인공 민옹에 대해 보고 들은 내용을 전달함.
❽ 옹은 말을~달변가라 하겠다.
➡ 서술자의 평가: 서술자인 '나'가 인물에 대해 직접적으로 평가함.

• **신농씨:** 중국 고대 전설상의 제왕. 삼황의 한 사람으로, 농업·의료·약사의 신, 주조와 양조의 신이며, 또 역(易)의 신, 상업의 신이라고도 함.
• **오곡:** 다섯 가지 중요한 곡식. 쌀, 보리, 콩, 조, 기장을 이름.

ⓐ이처럼 수십 가지 어려운 문제를 물어보아도 모두 메아리처럼 재빨리 대답해 내니, 끝내 아무도 그를 궁지에 몰 수 없었다. 옹은 자신에 대해서는 추어올리고 칭찬하는 반면, 곁에 있는 사람에 대해서는 조롱하고 업신여기곤 하였다.⓿ 사람들이 옹의 말을 듣고 배꼽을 잡고 웃어도, 옹은 안색 하나 변하지 않았다.

누군가가 말하기를,

"황해도는 **황충***이 들끓어 관에서 백성을 독려하여 잡느라 야단들입니다."

하니, 옹이 묻기를, / "황충은 뭐 하려고 잡느냐?"

고 하였다. 그러자 **그 사람**이 답하기를,

[A]
"이 벌레는 크기가 첫잠 잔 누에보다도 작고, 색깔은 알록달록하고 털이 나 있지요. ⓓ날아다니는 놈을 '명'이라 하고 볏줄기에 기어오른 놈을 '모'라 하는데, 우리의 벼농사에 피해를 주므로 '멸곡'이라고도 부릅니다. 그래서 잡아다가 땅에 파묻을 작정이랍니다."⓫

하니, 옹은 이렇게 말했다.

[B]
"이런 작은 벌레들은 근심거리도 못 되네. 내가 보기에 종루* 앞길을 가득 메우고 있는 것들이 있는데, 이것들이 모두 **황충**이라오. 길이는 모두 일곱 자가 넘고, 대가리는 새까맣고 눈알은 반짝거리며 아가리는 커서 주먹이 들락날락할 정도인데, 옹얼옹얼 소리를 내고 꾸부정한 모습으로 줄줄이 몰려다니지. 곡식이란 곡식은 죄다 해치우는 것이 이것들만 한 것이 없더군. 그래서 내가 잡으려고 했지만, 그렇게 큰 바가지가 없어 아쉽게도 잡지를 못했다네."⓬

그랬더니 ⓔ주위 사람들은 정말로 그런 벌레가 있기나 한 듯이 모두 크게 무서워하였다.

어느 날 옹이 오기에 나는 멀리서 바라보면서 은어로,

ⓛ"춘첩자(春帖子)에 방제(尨啼)로다."⓭

라고 하였다. 그러자 옹이 웃으면서 말했다.

"춘첩자란 입춘날 문(門)에 붙이는 글씨[文]니, 바로 내 성 민(閔)을 가리키는 것이렷다. 그리고 방(尨)은 늙은 개를 지칭하니, 바로 나를 욕하는 것이구면. 그 개가 울부짖으면[啼] 듣기가 싫은 법인데, 이는 내 이가 다 빠져 발음이 분명치 않은 것을 비꼰 게로군. 아무리 그렇다 해도 그대가 만약 늙은 개를 무서워한다면, 개를 내쫓는 것이 가장 낫네. 또 울부짖는 소리가 듣기 싫다면, 그 입을 막아 버리거나. 무릇 제(帝)란 조화를 부리는 존재요, 방(尨)은 거대한 물체를 가리키지. 그리고 제(帝)와 방(尨) 자를 한데 붙이면 조화를 부려 위대한 존재가 되나니, 그게 바로 용(龐)*이라네. 그렇다면 그대는 나에게 모욕을 가하지 못하고, 도리어 나를 칭송한 셈이 되고 말았구면."⓮

[전체 줄거리] 남양에 사는 민유신은 이인좌의 난에 종군한 공으로 첨사의 벼슬을 제수받았으나, 이를 거절하고 집에서 은거하며 살았다. '나'는 18세에 병으로 인해 집에서 우울하게 있었는데, 그 즈음에 민옹을 소개받았다. '나'는 민옹을 초대하였고, 민옹은 기발한 방법으로 환자의 입맛을 돋우어 주고 잠을 잘 수 있게 하였다. 그후로도 민옹은 언제 어디서나 막힘없는 말재주로 사람들에게 웃음을 주었고, 더불어 세상사에 대한 비판도 드러내었다. 그러나 민옹은 '나'와 만난 다음 해에 죽고 만다.

• **황충**: 메뚜깃과의 곤충. 잡초를 먹고 살며, 때로는 농작물에 큰 해를 끼침.
• **종루**: 서울 종로의 종각.
• **용(龐)**: 용을 뜻하는 '龍' 자를 대신해 쓰는 한자.

[01~06] 윗글에 대하여 맞으면 ○, 틀리면 ×표를 하시오.

01 이 작품은 배경이 되는 시기를 정확히 파악할 수 있는 시간 표현이 나타나 있다. 〔○.×〕

02 이야기 속에 나오는 '나'가 자신의 체험을 중심으로 서술하고 있으므로, 1인 칭 주인공 시점에 해당한다. 〔○.×〕

03 특별한 갈등 없이 민옹과 관련한 예화들이 나열되는 방식으로 구성되어 있 다. 〔○.×〕

04 당대 현실에 대한 서술자의 비판적인 입장을 직접적으로 드러내어 주제를 제시하고 있다. 〔○.×〕

05 '나'가 민옹을 만나려 한 까닭은 그에게서 세상을 바로 잡을 수 있는 비책을 듣기 위해서이다. 〔○.×〕

06 민옹은 우의의 방식으로 당대 사회의 문제점을 지적하고 있다. 〔○.×〕

[07~12] 다음 빈칸에 알맞은 말을 쓰시오.

07 이 작품은 당대 사회의 문제점을 비판하는 ㅍㅈ 소설이다.

08 ㅅㄴ은 작가의 의도대로 주인공의 재치 있는 답변을 이끌어 내기 위해 설정된 보조적 인물이다.

09 민옹이 알고 있다는 '불사약'은 바로 매일 먹는 ㅂ 이다.

10 작품의 배경이 되는 시기에는 ㅎㅊ으로 인해 농민들이 큰 피해를 입고 있었다.

11 '나'는 울부짖는 늙은 개라는 의미를 지닌 한자어 ㅂㅈ를 이용해 민옹을 표현할 정도로, 그를 친근하게 여겼다.

12 민옹은 '나'가 제시한 파자 놀이의 문제를 재치 있게 해설할 뿐 아니라, 자 신에게 유리하게 재해석하는 매우 ㅈㅎ로운 인물이다.

■ **민옹전**

- **갈래**: 풍자 소설, 한문 소설
- **시점**: 1인칭 관찰자 시점
- **성격**: 비판적, 풍자적, 해학적
- **배경**: 시간 – 조선 영조 때(1757년 즈음)
  공간 – 서울 종로 부근 '나'의 집
- **주제**: 시정 세태에 대한 비판과 풍자
- **특징**: ① 질문과 답변의 방식으로 이야기가 전개됨.
  ② 인물의 특성을 드러내는 예화들이 나열됨.
  ③ 창작의 동기가 구체적으로 제시됨.
- **구조**

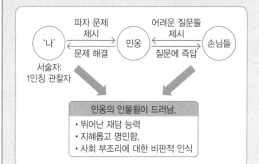

『한 걸음 더』

「민옹전」의 창작 목적
이 작품의 마지막에는 "나는 그와 더불어 나누었던 은어, 해학, 풍자 등을 모아서 이 전을 지었다. 때는 정축년(1757년) 가을이다."라고 밝히고 있다. 이처럼 이 작품은 작가의 체험을 바탕으로 창작된 것으로, 작가가 '전(傳)'의 대상으로 민옹을 삼은 것은 그가 곧 작가 의식을 대변하고 있기 때문이라 할 수 있다. 즉 민옹이 시정 세태를 보는 비판적인 시각이 곧 작가가 세상에 대해 하고 싶은 말인 것이다.

Step 3 실전 문제

01

기출 변형 2019학년도 3월 고2 교육청

윗글에 대한 설명으로 가장 적절한 것은?

① 일화의 나열을 통해 인물의 특성을 제시하고 있다.
② 선악의 대립 구조를 통해 주제 의식을 강조하고 있다.
③ 요약적 제시를 통해 인물의 성격 변화를 서술하고 있다.
④ 전기적 요소를 활용하여 공간의 비현실성을 부각하고 있다.
⑤ 장면이 전환되면서 외적 갈등이 내적 갈등으로 전이되고 있다.

02

윗글의 내용에 대한 설명으로 적절하지 <u>않은</u> 것은?

① '나'는 민옹을 만날 즈음에 병으로 인해 우울증에 걸린 상태였다.
② '나'가 민옹을 만나려고 한 것은 그의 재담이 갖는 효용에 대해 들었기 때문이다.
③ 민옹은 '나'가 자신을 놀리려 하였음에도 화를 내지는 않았다.
④ 민옹은 세상에서 가장 두려운 것이 자신에 대한 사람들의 평가라고 여겼다.
⑤ 민옹은 손님의 질문에 따라 웃기도 하고 화를 내기도 하면서 막힘없이 답변을 하였다.

03

'이웃집 할미'에 대한 설명으로 가장 적절한 것은?

① 민옹이 손님의 어리석음을 비판할 수 있도록 도움을 준다.
② 민옹이 어려움을 극복하고 깨달음을 얻는 계기를 마련해 준다.
③ 민옹이 재담꾼으로 거듭날 수 있게 만드는 조력자의 역할을 한다.
④ 민옹이 세상과 단절하며 살겠다는 의지를 갖게 된 까닭을 제시해 준다.
⑤ 민옹이 세 가지 불사약에 대한 궁금증을 해결할 수 있도록 실마리를 제공해 준다.

04

고난도 기출 2019학년도 3월 고2 교육청

<보기>를 읽고 [A]와 [B]를 감상한 내용으로 적절하지 <u>않은</u> 것은?

┤ 보기 ├

「민옹전」을 비롯한 박지원 소설의 중요한 특징 중 하나로 우의(寓意)의 사용을 들 수 있다. 우의는 작가의 생각을 구체적 대상에 빗대어 간접적으로 제시하는 표현 방식으로, 그의 소설에서 사회 문제에 대한 비판 의식을 보여 주는 데 효과적으로 사용된다.

① [A]의 '황충'은 작가의 생각을 빗대어 드러내기 위해 제시된 구체적 대상으로 볼 수 있어.
② [A]의 '황충'과 [B]의 '황충'은 모두 인간에게 피해를 주는 존재로 표현되고 있어.
③ [B]에서 설명된 '황충'의 특징은 [A]의 '그 사람'이 '황충'에 대해 보여 주는 태도를 비판하는 근거가 되고 있어.
④ [A]와 [B]에 나타난 '황충'의 특징으로 보아 [B]의 '황충'은 백성을 수탈하는 존재를 빗댄 것으로 이해할 수 있어.
⑤ [B]의 '황충'을 잡으려고 했다는 민옹의 말에서 당대의 사회 문제에 대한 비판 의식을 엿볼 수 있어.

05

기출 2019학년도 3월 고2 교육청

㉠, ㉡에 대한 이해로 적절하지 <u>않은</u> 것은?

① ㉠은 손님이 감정이 고조된 상태에서 민옹에게 한 질문이다.
② 민옹은 ㉠에 답하기 위해 비유를 활용하고 있다.
③ ㉡은 민옹이 자신의 능력을 자각하는 계기가 된다.
④ 민옹은 한자에 대한 지식을 바탕으로 ㉡에 대해 답변한다.
⑤ 민옹은 ㉡을 결국 자신에 대한 칭찬으로 풀어내고 있다.

06

ⓐ~ⓔ에 대한 이해로 적절하지 <u>않은</u> 것은?

① ⓐ: 의문문의 방식으로 말하고자 하는 바를 강조하고 있다.
② ⓑ: 묘사의 방식으로 설명 대상에 대한 지식을 드러내고 있다.
③ ⓒ: 성인의 경우를 예로 들어 자기 주장의 타당성을 뒷받침하고 있다.
④ ⓓ: 나열의 방식으로 백성을 괴롭히는 다양한 곤충들을 소개하고 있다.
⑤ ⓔ: 주변 사람들의 반응을 드러내어, 그들이 민옹의 의도를 파악하지 못했음을 나타내고 있다.

07

 서술형

㉮를 통해 확인할 수 있는 서술상의 특징을 두 가지 서술하시오.

┤ 조건 ├
1. '배경'과 '시점'과 관련하여 각각의 특징을 서술할 것.
2. 창작 의도와 관련하여 특징의 의의를 제시할 것.

08

㉯와 관련 있는 한자 성어로 가장 적절한 것은?

① 극기복례(克己復禮)
② 무불통달(無不通達)
③ 아전인수(我田引水)
④ 임기응변(臨機應變)
⑤ 후안무치(厚顔無恥)

09

 서술형

〈보기〉는 윗글의 또 다른 장면이다. 〈보기〉에 나타난 '민옹'의 웃음 유발 방식을 윗글에 설명된 '민옹'의 말하기 방식과 연결지어 서술하시오.

┤ 보기 ├
한 사람이 민옹을 궁색하게 만들려 말을 붙였다.
"영감님, 귀신을 본 적이 있는지요?"
"보았지."
"귀신이 어디 있습니까?"
민옹은 눈을 부릅뜨고 사람들을 똑바로 바라보았다. 이때 한 손님이 등불 뒤에 앉아 있었는데, 민옹은 그를 가리키며 큰 소리로 외쳤다.
"귀신이 저기 있다."
그 손님이 화가 나서 따지자 민옹이 말하기를,
"무릇 밝은 곳에 있는 것이 사람이고 어두운 곳에 있는 것이 귀신일세. 지금 자네는 어두운 곳에서 밝은 곳을 바라보고 있네. 형체를 숨긴 채 사람을 엿보니, 어찌 귀신이라 아니할 수 있으리?"
자리에 앉은 모든 사람이 웃었다.

이춘풍전(李春風傳) | 작자 미상

출제 포인트 › #풍자 소설 #판소리계 소설 #남성 중심의 사회 비판 #진취적 여성상

춘풍의 처 하는 말이,

"부모 조업 누만금(累萬金)을 주색(酒色)으로 다 없애고 이 지경이 되었으니,❶ ㉠이후에 혹시 침재, 길쌈, 방직하여 돈푼을 모을지라도 그 무엇을 아낄손가?"

춘풍이 대답하되,

"자네 말이 내 행세를 믿지 못하니, 이후 주색잡기 않기로 수기(手記)를 써 줌세."❷

[A]
　지필을 내어 **수기**를 쓰는구나.

　'모년 모월 모일 수기를 기록하여 전하노라. 이춘풍은 조상에게 물려받은 누만금을 주색잡기로 다 써 버리고, 돌이켜 뉘우치니 후회막급이라. 차일 후로 가중지사(家中之事)를 모두 김 씨에게 맡기므로, 김 씨 치산(治産) 이후로는 누만금의 재산이라도 진실로 김 씨의 재산이요, 가부(家夫) 이춘풍은 한 푼 돈 한 말 곡식도 제 것이라 주장하지 않으리라.❸ 이후에 또 다시 주색을 밝힌다면 이 수기를 들고 관아에서 판결을 받을 것이라. 증인에 가부 이춘풍이라.'

　책명하여 주니, 춘풍 아내의 거동 보소.

　"수기를 들고 관아의 판결을 받겠다 하였으나, 내 어찌 가장(家長)을 걸어 송사(訟事)를 할손가."❹

　춘풍이 이 말 듣고 수기를 고쳐,

　'이것은 김 씨에게 올리는 수기라. 일후 만약 또 다시 잡기에 빠진다면 진실로 비부지자*라, 수기를 들고 일을 살피리라.'

하여 주니, 김 씨 받아 함롱에 넣고 이 날부터 치가(治家)를 한다.

[가]
　침재 길쌈 능란하다. 오 푼 받고 새버선 짓기, 서 푼 받고 새김볼 박기, 두 푼 받고 한삼 짓기, 서 푼 받고 헌옷 깁기, 네 돈 받고 장옷 짓기, 닷 돈 받고 도포하기, 엿 돈 받고 천악* 짓기, 일곱 돈 받고 금침하기, 한 냥 받고 돌찌누비, 두 냥 받고 바지누비, 세 냥 받고 긴옷 누비, 넉 냥 받고 관복 지며, 겨울이면 무명나이, 여름이면 삼베길쌈, 가을이면 염색하기,❺

이렇게 사시장철 주야로 쉴 새 없이 사오 년을 모은 돈을 장변이며 월수 놓아 수천 금을 모았고나. 의식이 넉넉하고 가세가 풍족하여 그릴 것이 바이없다.

[B]
　이때에 춘풍이 아내 덕에 의복관망 꾸미고 고량진미 함포고복(含哺鼓腹)하여 술로 매일 장취하는구나. 마음이 교만하여 이전 행실 절로 난다.❻

떵떵거리고 내달아서 호조(戶曹) 돈 2천 냥을 대돈변*으로 얻어내어 박물군자인 체하고 평양으로 장사 가려 하니,❼ 춘풍 아내 거동 보소. 이 말 듣고 크게 놀라 춘풍더러 하는 말이,

"여보시오 서방님, 내 말 잠깐 들어 보소. 이십 전에 부모 조업 탕진하고 그 사이 오

Step 1 포인트 분석

작자 미상, 「이춘풍전」

제목의 의미
작품에서 사건을 해결하는 인물은 '춘풍의 아내'이지만 제목은 '이춘풍'으로 설정한 것은 그의 허위의식을 강조함으로써 남성 중심 사회에 대한 비판이라는 주제 의식을 강조하려는 의도가 반영되어 있다.

배경
❼호조 돈 2천 냥을~장사 가려 하니,
➜ 호조에 가서 돈을 빌려 장사를 하는 상황으로 미루어 볼 때, 시대적 배경이 조선 후기임을 짐작할 수 있음.

인물
❶"부모 조업~이 지경이 되었으니,
➜ 춘풍 처의 말을 통해 춘풍이 많은 재산을 물려받았으나, 술과 여색을 탐하느라 재산을 탕진했음을 알 수 있음.
❹"수기를 들고~송사를 할손가."
➜ 춘풍의 아내는 남편을 책망하면서도, 위신을 세워 주려는 모습도 보임.

사건
❷"자네 말이~써 줌세."
➜ 춘풍의 맹세: 가산을 모두 탕진하고 수기를 써서 다시 주색잡기를 하지 않겠다고 맹세하고 있음.
❸차일 후로~주장하지 않으리라.
➜ 춘풍이 가장의 역할을 아내에게 넘김: 가장으로서의 역할을 처에게 넘겨주겠다고 각서를 씀. 가장의 역할을 제대로 하지 못하는 이춘풍의 면모를 통해 그가 풍자의 대상임을 드러내고 있음.

갈등
❻마음이 교만하여 이전 행실 절로 난다.
➜ 춘풍과 춘풍 처의 갈등 예고: 춘풍이 수기로 맹세해 부부 사이에 갈등이 해소된 듯 보였으나, 다시 춘풍이 주색에 빠지는 것으로 볼 때 둘 사이에 다시 갈등이 발생할 것임을 짐작할 수 있음.
❼"여보시오 서방님,~장사 가지 마오.
➜ 춘풍과 춘풍 처의 갈등: 수기를 쓴 지 오 년이 지나자 다시 장사를 하려는 춘풍과 이를 만류하는 아내 사이에서 갈등이 발생하고 있음.

서술
❺침재 길쌈~가을이면 염색하기.
➜ 판소리 사설 문체: 흔히 판소리에서 많이 쓰는 열거의 방식을 활용하였고, 유사한 통사 구조의 규칙적 음보를 통해 운율감을 드러내며 장면을 극대화함.

년을 결단하고 앉았다가 물정 어두운데 평양 장사 가지 마오.❽ 평양 물정 내 들었소.

번화 사치하고 분벽사창 청루미색* 단순호치(丹脣皓齒)* 반개(半開)하고 고운 노래로

교태하여 돈 많고 허랑한 자는 제 세워 두고 벗긴다는데, 평양 물정 이렇다니 부디

장사 가지 마오."

지성으로 만류하니 춘풍이 하는 말이,

"ⓒ나도 또한 사람이지, 이십 년 전에 패가(敗家)하여 원통하기 골수에 박혔으니 천

금진산환부래(千金盡散還復來)*라 하였으니 낸들 항상 패가할까 속속이 다녀옴세."❾

춘풍 아내 이른 말이,

"ⓒ연전에 한 푼 돈도 한 말 곡식도 참견 아니 할 뜻으로 수기 써서 내 함롱에 넣었거

든 그 사이 잊었는가. 의식을 내게 믿고, 편안히 앉아 먹고 부디부디 가지 마소."❿

[중략 부분의 줄거리] 평양에 간 춘풍은 기생 추월에게 빠져 호조 돈을 모두 잃고 추월의 집 종으로 일한다. 이 소
식을 들은 춘풍의 아내는 남장(男裝)을 하고 비장(裨將)*이 되어 춘풍을 찾아간다.

"막중 호조(戶曹) 돈 수천 냥을 가지고 사오 년이 되도록 일푼 상납 아니하니, 호조

관자(關子)* 내어 너를 잡아 죽이라 하였으니, 너는 그 돈을 다 어찌하였는가. 매우

치라."

분부하니, ②사령 놈이 매를 들고 십여 대를 중타하니 춘풍의 다리에 유혈이 낭자하

거늘 비장이 보고 차마 더 치진 못하고,⓫

"춘풍아, 네 그 돈을 어디다 없앴느냐? 바로 아뢰라."

춘풍이 대답하되,

"호조 돈을 가지고 평양 와서 일 년을 추월과 놀고 나니 일푼도 남지 않고, 달리 한

푼 쓴 일 없삽나이다."⓬

비장이 이 말 듣고 이를 갈고 사령에게 분부하여 추월을 바삐 잡아들여 형틀에 올려

매고 별태장(別笞杖) 골라잡고,

"조금도 사정없이 매우 치라."

호령하여 십여 장을 중치하고,

"이년 바삐 다짐하라. 네 죄를 모르느냐?"

추월이 정신이 아득하여 겨우 여쭈오되,

"춘풍의 돈은 소녀에게 부당하여이다."⓭

비장이 대노하여 분부하되,

[C] "네 어찌 모르리요. 막중 호조 돈을 영문에서 물어 주랴, 본부에서 물어 주랴? 네

먹었는데 무슨 잔말 아뢰느냐? 너를 쳐서 죽이리라."⓮

주장대로 지르면서,

ⓜ"바삐 다짐하라."

오십 대를 중히 치며 서리같이 호령하니, 추월이 기가 막혀 질겁하여 죽기를 면하려

고 아뢰되,

"국전(國錢)이 지중하고 관령(官令)이 지엄하니, 영문 분부대로 춘풍의 돈을 다 물어

바치리이다."⓯

인물

❾ "나도 또한~속속이 다녀옴세."
➡ 말의 내용과 반대되는 행동을 하려는
춘풍을 통해 그에 대한 풍자 효과를 강화
하고 있음.

⓫ 사령 놈이~더 치진 못하고,
➡ 춘풍의 아내는 한편으로는 남편에게 화
가 나지만, 한편으로는 남편을 불쌍히 여
기는 마음도 지니고 있음.

⓭ "춘풍의 돈은 소녀에게 부당하여이다."
➡ 추월은 춘풍이 쓴 돈이 자신과 관계 없
다고 주장하고 있음.

사건

❿ "연전에 한 푼~가지 마소."
➡ 장사를 하려는 춘풍을 말리는 아내:
이전에 쓴 수기를 언급하며 춘풍의 행위
를 말리려 하지만, 춘풍은 아내의 말을 들
으려 하지 않음.

⓬ "호조 돈을~쓴 일 없삽나이다."
➡ 호조 돈을 탕진한 춘풍: 춘풍이 방탕하
게 생활하느라 호조에서 빌린 돈을 모두
탕진하게 되었음을 밝히고 있음. 춘풍의
방탕함과 어리석음이 나타남.

⓯ "국전이 지중하고~물어 바치리이다."
➡ 돈을 돌려주겠다고 하는 추월: 매를 더
맞으면 목숨을 부지하기가 어려울 것이라
여겨 돈을 돌려주겠다고 함.

갈등

⓮ "네 어찌~쳐서 죽이리라"
➡ 춘풍의 아내와 추월의 갈등: 춘풍이 추
월에게 빠져 호조 돈을 탕진하고 종노릇
을 하고 있던 상황에 분노한 춘풍의 아내
가 추월을 질책하며 추월과 갈등함.

- 비부지자: 천한 자. '비부'는 마음씨가 더럽
고 못된 남자.
- 천익: 무관의 공복. 철릭.
- 대돈변: 돈 한 냥에 대해 한 달에 한 돈씩
계산하는 이자.
- 분벽사창 청루미색: 아름다운 여자가 거처
하는 곳. 기생집.
- 단순호치: 아름다운 여자.
- 천금진산환부래: 많은 돈을 쓰면 다시 돌아옴.
- 비장: 감사. 또는 사신의 일을 돕던 무관.
- 관자: 관청에서 발급하는 허가서.

[전체 줄거리] 서울 다락골에 살던 이춘풍은 주색에 빠져 가산을 탕진하였으나, 아내가 열심히 품팔이를 하여 살림이 넉넉해진다. 그러자 춘풍은 호조 돈 이천 냥을 빚내어 평양으로 장사를 가는데, 그곳에서 기생 추월에게 빠져 모든 돈을 빼앗긴다. 이 소식을 들은 춘풍의 아내는 남장을 하고 회계 비장이 되어 추월을 징벌한 후, 춘풍에게 빼앗은 돈을 받아 춘풍에게 돌려준다. 서울로 돌아온 춘풍은 아내에게 돈을 벌었다고 허세를 부리고, 춘풍의 아내는 다시 비장의 옷을 입고 등장해 춘풍을 혼낸다. 벌벌 떨고 있는 춘풍에게 춘풍의 아내가 자신의 본 모습을 보이자, 춘풍은 그제야 모든 사정을 알게 된다. 이후 춘풍은 개과천선을 한다.

Step 2 포인트 체크

[01~05] 윗글에 대하여 맞으면 ○, 틀리면 ×표를 하시오.

01 춘풍은 공부만 하느라고 집안을 돌보지 않았다. 〔○.×〕

02 춘풍이 쓴 수기에는 가장의 권한을 아내에게 맡기겠다는 내용이 들어 있다. 〔○.×〕

03 춘풍의 아내는 남편이 평양에 장사하러 가면 곤경에 처하리라 확신했다. 〔○.×〕

04 춘풍은 남장을 하고 비장이 되어 나타난 아내의 정체를 알지 못했다. 〔○.×〕

05 추월은 춘풍을 속여 그의 돈을 빼앗고 종으로 부린 것에 대해 깊이 반성하였다. 〔○.×〕

[06~10] 다음 빈칸에 알맞은 말을 쓰시오.

06 남성 중심 사회에 대한 비판 의식을 지니고 있는 ⊡ ⊡ 소설이다.

07 서울에서 ⊡ ⊡ 으로, 평양에서 다시 서울로 공간의 이동에 따른 사건 전개가 나타나고 있다.

08 ⊡ ⊡ 는 가부장으로서의 역할을 하지 못하는 춘풍의 모습을 드러내는 기능을 한다.

09 평양으로 장사를 가겠다는 춘풍과 이를 말리는 아내 사이의 ⊡ ⊡ 갈등이 나타나 있다.

10 춘풍의 아내는 실질적인 가장의 역할을 하고, 남편이 위기에 빠졌을 때 구해 주는 ⊡ ⊡ ⊡ 인 여성상을 구현하고 있다.

정답 | 01 × 02 ○ 03 × 04 ○ 05 × 06 풍자 07 평양 08 수기 09 외적 10 진취적

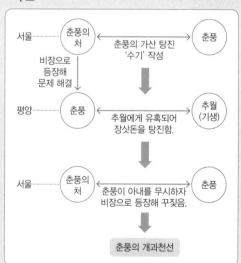

작품 정리

▶ 이춘풍전
- **갈래**: 풍자 소설, 판소리계 소설
- **시점**: 전지적 작가 시점
- **성격**: 해학적, 교훈적, 풍자적
- **배경**: 시간─조선 후기 / 공간─서울, 평양
- **주제**: 허위적인 남성 중심 사회에 대한 비판과 진취적 여성상 제시
- **특징**: ① 아내와 남편의 전통적 역할을 전도시켜 가부장적 사회 질서를 비판함.
  ② 판소리적 어투를 지닌 서술자가 인물의 성격이나 행동을 제시함.
  ③ 물질적 가치를 중시하는 당대 사회상을 반영하고 있음.
- **구조**

한 걸음 더

'남장 여인'에 담긴 작가의 창작 의도
이 작품은 무능하고 방탕한 남편에 의해 몰락한 가정을 현명하고 진취적인 아내가 재건하는 구조로 이루어져 있다. 아내는 남장을 하여 문제를 해결하는데, 이는 여성의 사회 활동에 제약이 있는 사회상을 보여 줌으로써 남성 중심의 가부장적 사회 질서가 얼마나 허구적인 것인지를 드러내는 한편, 여성의 능력이 남성의 능력에 비해 뒤지지 않는다는 점을 은연중에 강조하려는 작가의 의도가 반영되어 있다.

01

윗글에 대한 설명으로 가장 적절한 것은?

① 인물들의 외적 갈등을 중심으로 사건을 전개하고 있다.
② 인물을 희화화하여 사건의 반전 효과를 나타내고 있다.
③ 배경의 변화에 따른 인물의 성격 변화를 드러내고 있다.
④ 세밀한 외양 묘사를 통해 인물의 특성을 드러내고 있다.
⑤ 꿈과 현실을 교차하여 앞으로 일어날 사건을 암시하고 있다.

02

기출 2013학년도 3월 고3 교육청 B형

〈보기〉를 참고하여 윗글을 이해한 내용으로 적절하지 않은 것은?

① ⓐ와 ⓓ는 모두 춘풍의 삶의 방식 때문에 발생하고 있다.
② 춘풍의 아내는 ⓑ의 과정에서 뛰어난 경제적 수완을 발휘하고 있다.
③ 춘풍이 ⓒ의 과정에서 호조 돈을 빌린 것은 ⓐ로 인해 가세가 기울어 장사 밑천이 없었기 때문이다.
④ 춘풍의 아내가 평양 물정을 들어 ⓒ를 만류한 것은 ⓓ를 염려했기 때문이다.
⑤ 춘풍의 아내는 ⓑ의 과정에서는 개인적인 능력으로, ⓔ의 과정에서는 공적인 지위를 이용해 문제를 해결하고 있다.

03

윗글의 인물에 대한 이해로 적절한 것은?

① 춘풍은 비장에게 반드시 호조의 돈을 갚겠다고 맹세했다.
② 춘풍은 수기를 쓴 이후에도 자신의 아내를 함부로 대했다.
③ 춘풍의 아내는 춘풍이 수기를 지키지 않을 것이라 예상했다.
④ 추월은 자신의 죄를 묻는 비장이 춘풍의 아내라는 사실을 짐작했다.
⑤ 춘풍의 아내는 춘풍과 추월의 일을 일부러 모른 척하며 춘풍에게 돈을 잃은 이유를 물었다.

04

고난도 기출 2013학년도 3월 고3 교육청 B형

〈보기〉를 참고할 때, [A]의 '수기'에 대한 반응으로 가장 적절한 것은?

┤ 보기 ├

　조선은 남성 가장이 집안의 경제권을 갖는 가부장제 사회였다. 그런데 「이춘풍전」이 배경으로 하고 있는 조선 후기에 이르러, 경제 체제가 변모하면서 이에 적절한 대응을 하는 데 실패해 경제적 능력을 상실한 가장이 속출하게 되었다. 이에 따라 많은 여성들이 집안의 경제권을 갖는 실질적인 가장이 되었다.

① 춘풍이 '수기'에서 아내의 치산을 인정하는 것은 이후 집안의 경제권이 아내에게 넘어갔음을 뜻하는 것이겠군.
② 집안을 일으키고자 했던 춘풍의 노력이 실패로 돌아가자 아내에게 '수기'를 써 주게 된 것이로군.
③ '수기'와 관련해 아내가 춘풍과의 송사를 꺼린 것은 집안의 생계를 책임지고 싶지 않았기 때문이겠군.
④ 춘풍이 아내의 말을 듣고 '수기'를 고치는 모습은 가부장으로서의 권위를 회복할 가능성을 보여 주는군.
⑤ 춘풍이 조상에게 누만금을 물려받았다는 '수기'의 내용에서 경제 체제의 변화를 확인할 수 있군.

🔎정답 042쪽

05

⊙~⑩에 대한 설명으로 적절하지 <u>않은</u> 것은?

① ⊙: 자신이 열심히 돈을 벌어도 남편이 그 돈을 또 탕진하게 될까 봐 걱정하는 마음이 드러나 있다.

② ⓛ: 과거에 자신이 한 행동을 당당하게 여기는 태도가 나타나 있다.

③ ⓒ: 남편에게 수기의 내용을 상기시켜 남편의 행동을 만류하려는 뜻을 밝히고 있다.

④ ②: 남편을 호되게 취급하지만 한편으로는 남편을 걱정하는 마음이 나타나 있다.

⑤ ⑩: 추월에게 빨리 죄를 인정하라고 재촉하는 뜻을 분명히 밝히고 있다.

06

〈보기〉에서 [B]에 대한 설명으로 적절한 것을 있는 대로 고른 것은?

┤ 보기 ├

ㄱ. 앞으로 인물 간의 갈등이 발생할 것을 암시하고 있다.

ㄴ. 서술자가 직접 개입하여 당대 사회상을 제시하고 있다.

ㄷ. 판소리 사설의 어투로 인물의 행동과 심리를 나타내고 있다.

ㄹ. 과장된 상황을 통해 악인으로서의 전형적인 면모를 부각하고 있다.

① ㄱ, ㄴ

② ㄱ, ㄷ

③ ㄴ, ㄷ

④ ㄴ, ㄹ

⑤ ㄷ, ㄹ

07

[C]에 대한 설명으로 적절한 것은?

① 의문문의 형식으로 자신의 잘못을 상대방에게 전가하고 있다.

② 명령형 어조를 활용하여 자신의 단호한 의지를 드러내고 있다.

③ 유사한 형식의 문장을 반복하여 상대방의 책임을 강조하고 있다.

④ 대조되는 상황을 제시하여 상대방이 진실을 말하도록 유도하고 있다.

⑤ 설의법을 활용하여 상대방의 제안에 대한 거절의 뜻을 분명히 밝히고 있다.

08

 서술형

[가]에 사용된 표현 방식의 특징을 〈조건〉에 맞게 서술하시오.

┤ 조건 ├

1. 주된 형식적 특징 두 가지와 그 효과를 함께 제시할 것.

2. 1의 '효과'는 표현 방식을 통해 나타내려는 인물의 특성을 중심으로 제시할 것.

09

 서술형

윗글에서 '춘풍의 아내'가 남장을 하여 문제를 해결하는 사건을 통해 알 수 있는 당대의 사회상을 서술하시오.

26강

배비장전(裵裨將傳) | 작자 미상

출제 포인트 › #풍자 소설 #판소리계 소설 #풍자와 해학 #지배 계층의 위선적 행위에 대한 비판

Step 1 포인트 분석

[앞부분의 줄거리] 제주도에 간 배 비장은 애랑의 유혹에 넘어가, 사람들에게 조롱을 받는다. 창피를 당한 배 비장은 서울로 돌아가려고 한다.❶

이때 배 비장은 떠나는 배가 어디 있나 물어보려고 무서움을 억지로 참고,❷

"ⓐ여보게, 이 사람. 말씀 물어보세."

그 계집이 한참 물끄러미 보다가 대답도 아니 하고 고개를 돌리니, 배 비장 그중에도 분해서 목소리를 돋우어 다시 책망 겸 묻것다.❸

"ⓑ이 사람, **양반이** 물으면 **어찌하여 대답이 없노?**"❹

"무슨 말이람나? 양반, 양반, 무슨 양반이야. 품행이 좋아야 양반이지. 양반이면 남녀유별 예의염치도 모르고 남의 여인네 발가벗고 일하는 데 와서 말이 무슨 말이며, 싸라기밥 먹고 병풍 뒤에서 낮잠 자다 왔습나? 초면에 반말이 무슨 반말이여? 참 듣기 싫군.❺ 어서 가소. 오래지 아니하여 우리 집 남정네가 물속에서 전복 따 가지고 나오게 되면 큰 탈이 날 것이니, 어서 바삐 가시라구! ㉠요사이 세력이 빨랫줄 같은 배 비장도 궤 속 귀신이 될 뻔한 일 못 들었습나?"❻

배 비장이 구식적 습관으로 **지방이라고 한 손 놓고 하대를** 하다가 그 말을 들어 보니, 부끄럽고 분한 마음이 앞서져서 혼잣말로 자탄을 하것다.

"허허 내가 금년 신수 불길하다! 우리 부모 만류할 제 오지나 말았더면 좋을 것을, 고집을 세우고 예 왔다가 경향*에 유명한 웃음거리가 되고, 또 ㉡도처마다 망신을 당하니 섬이라는 데 참 사람 못 살 곳이로구!"❼

하며, 분한 마음에 그 계집과 다시 말싸움을 하고 싶지 않건마는, 해는 점점 서산에 걸치고 앞길은 **물을 사람이 없어** 함경도 문자로 '붙은 데 붙으라' 하는 말과 같이 '**사과나 하고 다시 물을 수밖에 없다.**' 하여, 말공대*를 얼마쯤 올려 다시 수작을 하것다.

"ⓒ여보시오, 내가 참 실수를 대단히 하였소. 이곳 풍속을 모르고."

"실수라 할 것이 왜 있사오리까? 그렇다 하는 말씀이지요. 그런데 당신은 어디로 가시는 양반이십니까?"❽

"네, 나는 지금 급한 일이 있어 서울을 갈 터인데, 어느 배가 서울로 가는지 그것을 좀 묻고자 그리하오."

㉢"서울 양반이시면 무슨 일로 여기를 오셨으며, 또 성함은 뉘시오니까?"

"성명은 차차 아시지오마는, 내가 이곳에 볼일이 있어서 왔다가, 부모 병환 기별을 듣고 급히 가는 길인데, 가는 배가 없어 이처럼 애절이오."❾

"그러하면 가이없습니다. 서울로 가는 배는 어제저녁에 다 떠나고, 인제는 다시 사오 일을 기다려야 있겠습니다."

"그러하면 **이 노릇을 어찌하여야 좋소?**"

작자 미상, 「배비장전」

제목의 의미

주인공 '배비장'은 도덕적 인물인 척 행동하지만, 기생의 유혹에 빠져 망신을 당하는 인물로, 풍자의 대상이 되는 부도덕한 양반을 대표하는 인물이다.

배경

❷이때 배 비장은~억지로 참고,
→ '비장'은 조선 시대 무관 벼슬이므로, 시대적 배경이 조선 시대임을 알 수 있음. 그리고 배 비장은 배를 알아보고 있으므로 공간적 배경이 포구임을 알 수 있음.

인물

❹"이 사람, 양반이~대답이 없노?"
→ 배 비장은 자신이 양반임을 내세워 처음 보는 사람에게 함부로 말하고 있음.

❼"허허 내가~못 살 곳이로구!"
→ 자신이 잘못해서 망신을 당했음에도 제주도 사람들 때문에 곤란을 겪게 되었다며 탓하고 있음.

❽"실수라 할~가시는 양반이십니까?"
→ 배 비장이 공손하게 말하자 곧바로 '양반'으로서 인정하며 응대함. 자기 행동에 대한 판단 기준이 명확한 여인임.

사건

❶제주도에 간~돌아가려고 한다.
→ 창피를 당하고 서울로 돌아가려는 배 비장: 작품의 중심 사건은 제주도에서 배 비장이 공개적으로 창피를 당한 일로, 제시된 부분은 그 뒤에 배 비장이 서울로 돌아가는 길에 발생한 사건을 다루고 있음.

❻요사이 세력이~못 들었습나?
→ 배 비장의 소문이 퍼짐: 배 비장이 애랑의 유혹에 빠져 궤 속에 갇히는 망신을 당했다는 소식이 제주도 백성들 사이에 널리 퍼져 있음을 알 수 있음.

❾"성명은 차차~이처럼 애절이오."
→ 자신의 정체를 숨기는 배 비장: 자신이 망신을 당한 배 비장임을 밝히지 않으려 함.

갈등

❺양반, 양반~참 듣기 싫군.
→ 배 비장에게 불만을 표출하는 여인: 여인은 예의를 차리지 않는 배 비장에게 직접적으로 불만을 표출하고 있음.

서술

❸그 계집이~책망 겸 묻것다.
→ 판소리계 소설: '-것다'는 판소리의 창자가 말할 때 즐겨 쓰는 표현 방식으로, 이 작품이 판소리 사설의 어투로 내용이 전달됨을 알 수 있음.

"참 딱한 일이올시다." / 하더니,

"옳지! 가는 배 하나 있습니다. 그러나 그 배에서 행인을 잘 태우는지 모르겠소. 저기 저편 언덕 밑에 포장 치고 조그마한 돛대 세운 배에 가서 물어보시오. 그 배가 제주 성내에 사는 부인 한 분이 친정이 해남인데 급한 일이 있어 비싼 값을 주고 혼자 빌려 저녁 물에 떠난다더니, 참 떠나는지 알 수 없습니다."⑩

배 비장이 그 말 듣고 좋아라고 허겁지겁 그 배로 뛰어가서 사공을 찾는다.

"ⓓ어이, 뱃사공이 누구여?"⑪

사공이 반말에 비위가 틀려,

"어! 사공은 왜 찾어?"

"말 좀 물어보면……."

"무슨 말?"

"그 배가 어디로 가는 배여?"

ⓒ"물로 가는 배여."⑫

원래 ㉮ 배 비장이 사공을 공손하게 대하기는 초라하고 '해라' 하자니 제 모양 보고 받을는지 몰라, **어정쩡하게** 말을 내놓다가⑬ 사공의 대답이 한층 더 올라가는 것을 보고, 한숨을 휘이 쉬며,

"허! 내가 그저 **춘몽을 못 깨고 또 실수**를 하였구나!"

어법을 고쳐 입맛이 썩 들어붙게,

"여보시오, ⓔ노형이 이 배 임자시오?"

사공은 목낭청*의 혼이 씌었던지 그대로 좇아가며,

㉱"그렇습니다. 내가 이 배 임자올시다."

"들으니까 노형 배가 오늘 떠나 해남으로 간다지요?"

"예, 오늘 저녁 물에 떠납니다."

"그러면 내가 서울 사는데 지금 가는 길이니 좀 타고 가옵시다."

"좋은 말씀이올시다마는 이 배가 행객 싣는 배가 아니옵고, 해남으로 가시는 부인 한 분이 혼자 빌려 가시는 터인즉, 사공의 임의로 다른 행객을 태울 수가 없습니다."

[A] "그는 그러하겠소마는, 내가 부모 병환 급보를 듣고 급히 가는 길인데, 달리 가는 배는 없고 이 배가 간다 하니, 아무리 부인이 타신 터이라도 이러한 정세를 말씀하시고, 한편 이물 구석에 종용히 끼어 가게 하여 주시면 그 아니 적선이오?"⑭

"당신 정경이 불쌍하오. 그러면 해 진 후에 다시 오시면, 부인 모르시게라도 슬며시 타고 가시게 하오리다."

[전체 줄거리] 배 선달은 아내에게 술과 여자에 빠지지 않겠다고 맹세하고 제주 목사의 비장이 되어 제주도로 떠난다. 구관 사또의 정 비장이 기생 애랑과 헤어지는 모습을 보며 배 비장은 정 비장과 달리 도덕적인 사람이라며 큰소리를 친다. 그러나 사또의 사주를 받은 기생 애랑의 유혹에 넘어가 상사병에 걸린 배 비장은 방자의 주선으로 몰래 애랑의 집을 찾아간다. 방자와 애랑의 계략으로 배 비장은 알몸으로 나무 궤짝에 갇혀 수난을 당한다. 그러다 자신이 들어 있는 궤짝이 바다에 버려진 줄 알고 배 비장은 궤짝에서 나와 헤엄을 치는데, 사실 그곳은 바다가 아닌 동헌 마당이었다. 이곳에 있던 사람들이 허우적거리는 배 비장을 보고 크게 웃는다. 망신을 당한 **이후 배 비장은 제주도를 떠나려 했으나** 결국 제주도에 머물다 현감이 된다.

인물

⑪ "어이, 뱃사공이 누구여?"
→ 앞서 여인에게 하대를 하다 곤경을 당한 적이 있음에도 불구하고 다시 뱃사공에게도 하대를 하고 있음. 배 비장이 상대를 무시하는 습성을 고치지 못하였음을 알 수 있음.

⑭ "그는 그러하겠소마는,∼아니 적선이오?"
→ 상대의 처지를 인정하면서도 자신의 불쌍한 상황을 언급하여 상대에게 연민을 불러일으키게 하고 있음.

사건

⑩ "옳지! 가는∼알 수 없습니다."
→ 제주도를 떠날 수 있는 방법을 알려 주는 사공: 어떻게 해서든 제주도를 떠나고 싶어 하는 배 비장에게 제주도를 떠날 수 있는 방법을 알려 주고 있음.

갈등

⑫ "물로 가는 배여."
→ 배 비장에게 불만을 드러내는 사공: 행선지가 어딘지 묻는 말에 엉뚱한 말로 답함으로써, 사공이 배 비장에게 불만을 드러냄.

⑬ 원래 배 비장이∼말을 내놓다가
→ 배 비장의 내적 갈등: 공대하자니 양반으로서 자존심이 상하고, 하대하자니 상대가 자신의 청을 들어주지 않을 것 같아 이러지도 저러지도 못하고 내적으로 갈등함.

• **경향**: 서울과 시골을 아울러 이르는 말.
• **말공대**: 말로써 상대편을 잘 대접함.
• **목낭청**: 자기 주관 없이 응대하는 사람을 이르는 말.

[01~04] 윗글에 대하여 맞으면 ○, 틀리면 ×표를 하시오.

01 배 비장은 계집이 자신의 말을 무시하자 곧바로 자신의 실수를 알아차렸다.
[○ . ×]

02 계집은 배 비장이 양반으로서의 염치를 모른다고 생각했다. [○ . ×]

03 배 비장은 계집에게 자신의 정체를 솔직히 밝히려 하지 않았다. [○ . ×]

04 배 비장은 사공에게 처음부터 공대를 하며 부탁했다. [○ . ×]

[05~08] 다음 빈칸에 알맞은 말을 쓰시오.

05 이 작품은 ㅇㅂ 계층의 위선적 태도를 비판하고 있는 풍자 소설이다.

06 대개 인물들 간의 ㄷㅎ를 통해 사건이 전개되고 있다.

07 배 비장이 다른 사람과 갈등하는 원인은 상대를 ㅎㄷ하는 말투 때문이다.

08 인물의 행위를 제시할 때 '–것다'라는 표현을 사용하는데, 이는 이 작품이
ㅍㅅㄹ계 소설임을 드러낸다.

정답 | 01 × 02 ○ 03 ○ 04 × 05 양반 06 대화 07 하대 08 판소리

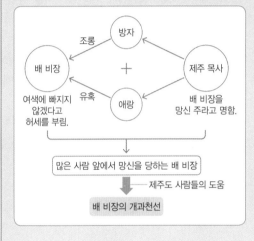

▶ **배비장전**
• **갈래**: 풍자 소설, 판소리계 소설
• **시점**: 전지적 작가 시점
• **성격**: 풍자적, 해학적, 현실 비판적
• **배경**: 시간–조선 시대 / 공간–서울, 제주도
• **주제**: 지배 계층의 위선적 행위에 대한 폭로와 풍자
• **특징**: ① 판소리 사설의 어투와, 서술자의 개입 등이 나타남.
② 과장된 상황 설정과 인물의 희화화를 통해 풍자의 효과를 극대화함.
③ 기생이나 하인과 같은 하층 계급의 인물이 양반보다 더 영리하게 그려짐.
• **구조**

Step **3** 실전 문제

정답 044쪽

01
윗글에 대한 설명으로 가장 적절한 것은?

① 상징적 소재를 통해 인물의 불행한 미래를 암시하고 있다.
② 작품 외부의 서술자가 인물의 행위와 심리를 제시하고 있다.
③ 율문투의 서술 방식을 통해 비극적 분위기를 고조하고 있다.
④ 선한 인물과 악한 인물의 대립을 통해 주제를 나타내고 있다.
⑤ 작품 내부의 서술자가 자신의 체험 내용을 객관적으로 전달하고 있다.

02 [기출 변형] 2022학년도 9월 고3 평가원
윗글의 내용에 대한 이해로 적절하지 않은 것은?

① 계집은 배 비장의 양반답지 못한 태도에 대해 비판적 인식을 표출하고 있다.
② 배 비장은 계집에게 자신이 애랑에게 조롱당한 양반이었다는 사실을 숨기려 하고 있다.
③ 계집은 배 비장에게 배편이 있을 수도 있다는 정보를 제공하고 있다.
④ 사공은 자신이 임의대로 다른 행객을 태울 수 없음을 밝힘으로써 배 비장에 대한 경계심을 드러내고 있다.
⑤ 사공은 배 비장의 다급한 상황에 불쌍함을 느껴 해결책을 알려 주고 있다.

03

고난도 기출 2022학년도 9월 고3 평가원

〈보기〉를 참고하여 윗글을 감상한 내용으로 적절하지 <u>않은</u> 것은?

┤ 보기 ├

「배비장전」에서 창피를 당해 제주도를 떠나려 했던 배 비장은 제주도에 남게 되고, 결말에 가서는 현감에 올라 사람들의 칭송을 받게 된다. 이와 같은 변화가 어떻게 가능했을까? 배 비장이 제주도를 떠나고자 할 때, 제주도 사람들의 도움을 받기 위해 자신이 서울 양반이라는 우월감을 버리고 그들을 존중하는 경험을 했기 때문이다. 이는 비록 불가피한 선택이었지만, 이 과정에서 그는 자신의 태도를 돌아보게 된다. 서울 양반의 경직된 관념에 변화가 일기 시작한 것이다.

① '양반이' 묻는데 '어찌하여 대답이' 없냐고 계집을 책망한 배 비장의 행위에서, 그가 자신의 신분에 대해 우월감을 갖고 있음을 알 수 있군.

② '지방이라고 한 손 놓고 하대를' 한 배 비장의 태도에서, 그가 서울에서 온 양반이라는 이유로 제주도 사람을 얕보고 있음을 알 수 있군.

③ '물을 사람이 없어' 계집에게 '사과나 하고 다시 물을 수밖에 없다'고 하는 배 비장의 생각에서, 그가 계집의 도움을 받기 위해 불가피한 선택을 했음을 알 수 있군.

④ '이 노릇을 어찌하여야' 좋겠냐고 묻는 배 비장의 모습에서, 그가 경직된 관념을 버리고 제주도 사람을 존중하는 방법을 고민하고 있음을 알 수 있군.

⑤ '어정쩡하게' 말하려다 '춘몽을 못 깨고 또 실수'했다고 한 배 비장의 발언에서, 그가 우월감을 가지고 있던 자신의 태도를 돌아보고 있음을 알 수 있군.

04

기출 2022학년도 9월 고3 평가원

ⓐ~ⓔ 중 '배 비장'이 상대의 기분을 풀어 주기 위해 사용한 표현으로만 짝지어진 것은?

① ⓐ, ⓑ　　② ⓐ, ⓓ　　③ ⓑ, ⓒ

④ ⓒ, ⓔ　　⑤ ⓓ, ⓔ

05

기출 2022학년도 9월 고3 평가원

조그마한 돛대 세운 배 에 대한 이해로 가장 적절한 것은?

① 주인공이 부모의 병환 소식을 듣게 되는 공간이다.

② 주인공을 태우고 서울로 가기 위해 급히 준비되었다.

③ 주인공이 당일에 제주도를 떠나기 위해 타려는 대상이다.

④ 주인공이 경제적 보상까지 내세우며 타고자 하는 것이다.

⑤ 주인공이 행객들을 데리고 제주도를 떠나기 위해 타려한다.

06

㉠~㉤에 대한 설명으로 적절하지 <u>않은</u> 것은?

① ㉠: 상대가 양반일지라도 품행이 좋지 않으므로, 자기 남편에게 혼나게 될 것이라는 경고의 의미가 담겨 있다.

② ㉡: 자신이 망신당한 일을 제주도 사람들 탓으로 돌리고 있다.

③ ㉢: 서울 양반이라는 말에 갑자기 위축된 태도를 보이고 있다.

④ ㉣: 상대의 질문 의도에 맞지 않는 대답을 하여 상대에 대한 불만을 우회적으로 드러내고 있다.

⑤ ㉤: 상대의 태도 변화에 맞추어 공손하게 태도가 바뀌고 있다.

07

서술형

㉮에 나타난 '배 비장'의 내적 갈등이 무엇인지 구체적으로 서술하시오.

08

서술형

[A]를 통해 '배 비장'이 '사공'을 설득하기 위해 활용한 말하기 방식을 두 가지만 서술하시오.

● 조선 후기

옹고집전(壅固執傳) | 작자 미상

출제 포인트 › #풍자 소설 # 판소리계 소설 #진가 확인형 소설 #불교의 인과응보 사상과 유교의 효 사상

[앞부분의 줄거리] 옹고집은 성격이 고약한 부자이다. 어느 날 옹고집 앞에 가짜 옹고집이 나타나, 서로가 자신이 진짜라고 주장한다.

[A]

두 옹고집이 송사 가는 제,❶ 읍내를 들어가니 짚옹고집 거동 보소.❷ 주저 없이 제가 앞에 가며 읍의 촌가인 하나와 만나 보면 깜짝 반겨 두 손을 잡고, "나는 가변을 송사하러 가는지라. 자네와 나와 아무 연분에 서로 알아 죽마고우로 지냈으니 나를 몰라볼쏘냐."

또 하나를 보면, "자네 내게서 아무 연분에 돈 오십 냥을 취하여 갔으니 이참에 못 주겠느냐. 노잣돈 보태 쓰게 하라."

또 하나 보면, "자네 쥐골평 논 두 섬지기 이때까지 소작할 제, 거년 선자(先資)* 스물닷 말을 어찌 아니 보내는가."❸

이처럼 하니 참옹고집이 짚옹고집을 본즉 낱낱이 내 소견대로 내가 할 말을 제가 먼저 하니 기가 질려 뒤에 오며, 실성한 사람같이, 아는 사람도 오히려 짚옹고집같이도 모르는지라.❹

짚옹고집이 노변에서 지나가는 사람 데리고 하는 말이,

"가운이 불길하여 어떠한 놈이 왔으되 용모 나와 비슷해 제가 내라 하고 자칭 옹고집이라 하기로, 억울한 분을 견디지 못하여 일체 구별로 송사하러 가는지라.❺ 뒤에 오는 사람이 기네. 자네들도 대소간 눈이 있거든 혹 흑백을 가릴쏘냐."

㉠참옹고집이 뒤에 오면서 기가 막히고 얼척도 없어 말도 못하고 울음 울 제,❻ 행인들이 이어 보고 하는 말이, "누가 알아보리오. 뉘 아들인지 알 수가 없다. ㉡아마도 상동이란 말밖에 또 하리오." (중략)

짚옹고집 반만 웃고 집으로 돌아와서 바로 내정으로 들어가니 처자 권속이 내달아 잡고 들어가니, "하늘도 무심치 아니하기로 **내 좋은 형세와 처자를 빼앗기지 아니하였다.**"❼

송사를 이긴 내력을 말하니 처자 권속이며 상하 노복 등이 참옹고집으로 알고, 마누라는, "우리 서방님이 그런 고생이 또 있을까."

뭇 아들 나서며, "그런 자식에게 아버지가 큰 봉재를 보았다."

노복 종이며 마을 사람들이 다 칭찬하거늘, 짚옹고집이,

"내가 혈혈단신*으로 자수성가하였기로 전곡을 과연 아낄 줄만 알았더니 내빈 왕객 접대 상과 **만가 동냥 거지들을 독하게 박대**하였더니 인심부득 절로 되어 이런 재변이 난 듯싶으니, 사람 되고 개과천선 못할쏘냐. 오늘부터 재물과 곡식을 흩어 활인구제(活人救濟)*하리라."❽

전곡을 흩어 사방에 구차한 사람을 구제한단 말이 낭자하니 팔도 거지들과 각 절 유걸승들이 구름 모이듯 모여드니 **백 냥 돈 천 냥 돈을 흩어** 주니 옹고집은 인심 좋단 말이 낭자하더라.

Step 1 포인트 분석

작자 미상, 「옹고집전」

제목의 의미

주인공 '옹고집'의 이름에서 가져온 것으로, 가짜 옹고집의 등장으로 집에서 쫓겨난 진짜 옹고집이 개과천선하는 내용을 다루고 있다.

인물

❽ "내가 혈혈단신으로~활인구제하리라."
→ 앞부분의 줄거리에서 제시된 참옹고집의 성격과는 달리 짚옹고집은 선한 일을 하는 인물임이 드러남.

사건

❸ 읍의 촌가인~아니 보내는가."
→ 짚옹고집이 송사를 하러 가는 길에 자신이 진짜임을 증명하려는 행위를 반복적으로 하고 있음.

❼ 짚옹고집 반만~빼앗기지 아니하였다."
→ 송사에서 이긴 짚옹고집이 집으로 들어오는 모습을 통해 참옹고집이 쫓겨날 것임을 짐작할 수 있음.

갈등

❹ 이처럼 하니~짚옹고집같이도 모르는지라.
→ 참옹고집과 짚옹고집 사이의 갈등: 읍의 촌가인과 만날 때마다 아는 체를 하는 짚옹고집 때문에 참옹고집이 기가 질려하는 모습이 드러남.

❺ "가운이 불길하여~송사하러 가는지라.
→ 갈등의 원인: 용모가 비슷한 짚옹고집의 등장으로 참옹고집과 짚옹고집이 송사를 벌이게 됨.

구성

❶ 두 옹고집이 송사 가는 제,
→ 두 옹고집이 진짜와 가짜를 가리는 진가 확인형 소설로, 송사 결과를 바탕으로 사건 방향이 전개되는 구성임이 드러남.

서술

❷ 짚옹고집 거동 보소.
→ 판소리 사설 어투: 판소리 창자가 공연할 때 청중들에게 하는 상투적인 말투로, 이 작품이 판소리계 소설임이 드러남.

❻ 참옹고집이 뒤에~울음 울 제,
→ 전지적 작가 시점: 참옹고집의 심리 상태를 상세하게 서술하고 있음.

• **선자**: 일을 시작하기에 앞서 드는 돈.
• **혈혈단신**: 의지할 곳 없이 외로운 홀몸.
• **활인구제**: 어려운 처지에 있는 사람을 도와줌.

하루는 주효를 낭자케 장만하고 원근에 모모한 친구며 사방 사람을 청좌하여 대연을 배설할 제, 이때의 참옹고집 **전전걸식**하다가 맹랑촌 옹고집 활인구제한단 말 듣고 분심으로 하는 말이,

"ⓒ남의 재물 갖고 제 마음대로 쓰는 놈은 어떤 놈의 팔자인고. 찾아가서 내 집 망종 보고 죽자."❾

하고 죽장망혜*로 찾아갈 제, 짚옹고집 도술 보고 근처에 참옹고집 온 줄 알고❿ 사환을 분부하되,

"오늘 큰 잔치에 음식도 낭자하고 걸인도 많을 제, 타일 천하게 다투던 거짓 옹가 놈이 배도 고프고 기한(飢寒)을 견디지 못하여 전전걸식 다닐 제, 잔치 소문을 듣고 마을 근처에 왔으나 차마 못 들어오는가 싶으니 너희 등은 가서 데려오라. 일변 생각하면 되도 못할 일 하다가 중장(重杖)만 맞았으니 불쌍하다."

사환 등이 영을 듣고 사방으로 나가 보니 ⓔ과연 마을 뒷산에 앉아 잔치하는 데를 보고 눈물을 흘리고 앉았거늘 사환들이 바로 가서 엉겁결에 배례하고 문안하니, 슬프다.⓫ 참옹고집이 대성통곡 절로 난다.

사환들이 가자 하니, "갈 마음 전혀 없다."

[B]
여러 놈이 부축하여 들어가서 좌상에 앉으니 짚옹고집 일어서며 인사 후에,
"네 들어라. ⓜ형세 있어 좋다 하는 것이 활인구제하여 만인적선이 으뜸이거늘 천여 석 거부로서 첫째로는 부모 박대하니 세상에 용납지 못할 놈이요, 둘째는 유걸 산승 욕보이니 불도가 어찌 허사리오. 우리 절 도승이 나를 보내어 묘하신 불법으로 가르쳐서 너의 죄목을 잡아 아주 죽여 세상에 영영 자취 없게 하여 세상 사람에게 모범이 되게 하라 하시거늘 너를 다시 세상에 내어 보내기는 나의 어진 용심으로 살린 것이니, 이만해도 후생에게 너 같은 행실을 징계한 사례가 될 듯싶으니 이후는 아무쪼록 개과하라."⓬

하고, 좌상에 나앉으며 문득 자빠지니 ⓐ허수아비 찰벼 짚 묶음이라.⓭

이로 좌상이 다 놀라 공고를 하고 옹고집이 이날부터 개과천선하여 세상에 전하여 일가친척이며 원근친고 사람에게 인심을 주장하니 옹고집의 인심을 만만세에 전하더라.⓮

배경
❾이때의 참옹고집~보고 죽자."
→ 공간적 배경은 맹랑촌으로 「옹고집전」의 이본에서는 옹진군 옹진촌이라고 되어 있음.

인물
⓬"네 들어라.~아무쪼록 개과하라."
→ 도승은 짚옹고집을 만들어 참옹고집을 고난에 처하게 한 뒤 개과천선하게 만드는 인물임. 참옹고집은 조선 후기에 등장하는 새로운 인물형인 향촌 사회의 부유층으로, 부유하게 살면서도 빈민을 구제하는 사회적 책무를 다하지 않아서 공동체로부터 소외되는 양상을 보여 주고 있음.
⓮옹고집이 이날부터~만만세에 전하더라
→ 참옹고집은 부모에게 불효하고 인색했던 자신의 잘못을 깨닫고 개과천선하며 변화하는 모습을 보이는 인물임.

사건
❾이때의 참옹고집~보고 죽자."
→ 짚옹고집을 못마땅하게 여기는 참옹고집: 자신도 집에서 쫓겨나 구걸하는 처지이면서, 자기 재산으로 어려운 사람들을 돕는 짚옹고집을 못마땅하게 여기며 비난하고 있음.
❿짚옹고집 도술~온 줄 알고
→ 도술로 참옹고집이 근처에 온 줄 안 짚옹고집: '도술'이라는 전기적 요소가 드러남.
⓬"네 들어라.~아무쪼록 개과하라."
→ 참옹고집의 잘못을 언급하는 짚옹고집: 참옹고집이 부모를 박대하고 승려를 욕보이는 잘못을 저질렀기 때문에 도승이 짚옹고집을 보내어 참옹고집을 징벌하고자 한 것임. 작품의 주제 의식이 드러남.
⓭문득 자빠지니~짚 묶음이라.
→ 짚옹고집이 허수아비로 변하는 모습: 도술과 같은 신이한 사건이 벌어지고 있으므로 작품의 전기성이 드러남.
⓮옹고집이 이날부터~만만세에 전하더라.
→ 참옹고집의 개과천선: 작품이 마무리되면서 개과천선, 권선징악이라는 주제 의식이 드러남.

서술
⓫슬프다
→ 전지적 작가 시점: 서술자가 개입하여 참옹고집의 심리를 서술하고 있음.

[전체 줄거리] 맹랑촌에 옹고집이라는 부자가 살고 있었는데 성품이 몹시 고약하였다. 팔십이 넘는 어머니가 병들자 오래 살아 쓸데없다고 말하는 불효를 저지르고 거지나 승려가 오면 때려서 내쫓았다. 어떤 도승이 승려를 보내어 옹고집을 혼내려고 했지만, 오히려 승려가 매를 맞고 돌아온다. 이에 도승은 허수아비에 부적을 붙여 가짜 옹고집을 만들어 진짜 옹고집의 집에 보낸다. 두 옹고집은 관가에서 진짜와 가짜를 가리게 되고 집안 내력을 훤히 알고 있는 가짜 옹고집이 송사에서 이긴다. 이후 집에서 쫓겨나 떠돌아다니며 빌어먹던 진짜 옹고집은 가짜 옹고집이 활인구제한다는 말을 듣고 분심을 품는다. 가짜 옹고집은 사환에게 진짜 옹고집을 데리고 오라 명하고, 집으로 돌아온 진짜 옹고집에게 잘못을 하나하나 일러 준 뒤 허수아비로 변한다. 자신의 잘못을 깨달은 진짜 옹고집은 개과천선하여 선한 일을 하며 산다.

• **죽장망혜**: 대지팡이와 짚신이란 뜻으로, 먼 길을 떠날 때의 아주 간편한 차림새를 이르는 말.

Step2 포인트 체크

[01~06] 윗글에 대하여 맞으면 ○, 틀리면 ×표를 하시오.

01 이 작품은 천상계를 주된 배경으로 삼고 있다. [○ . ×]

02 새로운 사건을 도입하면서 서술자를 교체하고 있다. [○ . ×]

03 '거동 보소'라는 표현에서 이 작품이 판소리계 소설임을 알 수 있다. [○ . ×]

04 참옹고집의 처자 권속은 짚옹고집이 진짜 옹고집이라고 믿고 있다. [○ . ×]

05 짚옹고집에게 분심을 품은 참옹고집의 모습에서 두 사람의 갈등 양상이 제시되고 있다. [○ . ×]

06 잘못을 저지른 참옹고집이 전전걸식하는 것을 통해 인과응보와 권선징악이라는 주제 의식을 드러내고 있다. [○ . ×]

[07~12] 다음 빈칸에 알맞은 말을 쓰시오.

07 ㅊㅇㄱㅈ 은 평소에 성격이 고약하고 불효하며 불도를 업신여겼다.

08 송사를 바탕으로 진짜 옹고집과 가짜 옹고집이 진위를 가리고 있으므로 이 작품은 ㅈㄱ 확인형 소설이라고 볼 수 있다.

09 짚옹고집을 등장시켜 참옹고집을 벌주는 역할을 하는 인물은 ㄷㅅ 이다.

10 서술자가 등장인물인 참옹고집의 심리를 직접적으로 제시하고 있으므로 ㅈㅈㅈㅈㄱ 시점이다.

11 짚옹고집이 허수아비로 변하는 사건을 통해 작품의 ㅈㄱㅅ 이 드러나고 있다.

12 자신의 잘못을 반성하고 ㄱㄱㅊㅅ 하는 참옹고집을 통해 인간의 참된 도리를 강조하고 있다.

작품 정리

옹고집전

- **갈래:** 풍자 소설, 판소리계 소설, 진가 확인형 소설, 송사 소설
- **시점:** 전지적 작가 시점
- **성격:** 풍자적, 유교적, 전기적, 해학적
- **배경:** 시간-옛날 / 공간-맹랑촌
- **주제:** 옹고집의 인과응보와 개과천선, 인간의 참된 도리
- **특징:** ① 참옹고집과 짚옹고집의 갈등 구조를 통해 개과천선 과정을 그림.
  ② 금전적 이해를 중시하는 새로운 인물형 창조
  ③ 도술을 통해 사건이 전개되는 전기성이 드러남.
  ④ 진짜와 가짜가 송사를 벌여 서로 경쟁하는 상황을 모티프로 삼음.
- **구조**

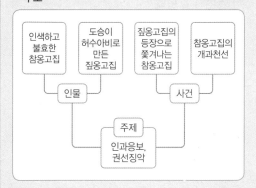

한 걸음 더

「옹고집전」과 관련된 설화

- **쥐를 기른 이야기:** 집에서 기른 쥐가 주인의 손톱과 발톱을 먹고 주인과 같은 모습으로 변한 이야기로, 허수아비가 참옹고집과 같은 모습을 지닌 짚옹고집이 되는 것과 관련이 있다.
- **장자못 설화:** 인색한 부자가 시주를 받으러 온 승려의 바랑에 쇠똥을 넣자 승려가 도술을 부려 부자의 집을 연못으로 만들어 부자를 징벌한다는 설화로, 옹고집이 승려를 박대하였다가 집에서 쫓겨나는 징벌을 겪는 것과 관련이 있다.

01

윗글의 서술상의 특징으로 가장 적절한 것은?

① 각 사건마다 서술자를 달리하여 사건 전개의 사실성을 높이고 있다.

② 작품의 시간적 배경이 변화하면서 사건 전개 방향이 암시되고 있다.

③ 등장인물의 외양을 세밀하게 묘사하며 인물의 성격을 암시하고 있다.

④ 작중 인물의 대립 구도를 통해 작품의 서사적 흥미를 고조하고 있다.

⑤ 사건을 역순행적으로 제시하며 사건 전개의 긴박함을 강조하고 있다.

02

㉠~㉤에 대한 이해로 적절하지 않은 것은?

① ㉠: 참옹고집이 '기가 막히고' '말도 못하고 울음' 우는 것으로 보아 짚옹고집의 행동에 당황했음을 알 수 있군.

② ㉡: 행인들이 짚옹고집과 참옹고집을 '상동'이라고 하는 것으로 보아 두 사람을 구별하는 것이 쉽지 않군.

③ ㉢: 참옹고집이 '남의 재물'이라고 하는 것으로 보아 참옹고집은 자신의 잘못을 반성하지 못하고 있군.

④ ㉣: 참옹고집이 '눈물을 흘리고' 앉아 있는 모습에서 자신을 몰아낸 짚옹고집을 두려워함을 알 수 있군.

⑤ ㉤: 짚옹고집이 '만인적선'이 '으뜸'이라고 하는 것으로 보아 짚옹고집은 빈민 구제를 중요하게 여기고 있군.

03

기출 2019학년도 6월 고3 평가원

[A]에 대한 설명으로 가장 적절한 것은?

① 송사 원인이 금전적 이해관계에 있음이 밝혀진다.

② 송사 결과에 대한 행인들의 상반된 예측이 제시된다.

③ 송사 가는 이의 답답한 심정이 서술자에 의해 드러난다.

④ 송사 가는 이들 간에 서로를 비방하는 대화가 이어진다.

⑤ 송사 가는 길에 새롭게 등장한 인물의 외양이 묘사된다.

04

고난도 기출 2019학년도 6월 고3 평가원

<보기>를 참고하여 윗글을 감상한 내용으로 적절하지 않은 것은?

┤ 보기 ├

「옹고집전」은 주인공 '참옹고집'이 소외를 경험하도록 그와 똑같이 생긴 '짚옹고집'을 등장시켜 그를 대신하게 하는 독특한 인물 관계를 설정하였다. 이는 참옹고집으로 형상화된 조선 후기 향촌 사회의 부유층에게 요구되는 사회적 책무와도 연결된다. 부유하게 살면서도 가난한 이들을 구제하지 않고 외면하면 공동체로부터 소외될 수 있음을 보여 주고 있기 때문이다.

① '내 좋은 형세와 처자를 빼앗기지 아니하였다'고 말한 데에서, 참옹고집이 송사 이전부터 가족에게 소외되어 온 정황이 짚옹고집을 통해 드러남을 알 수 있군.

② '만가 동냥 거지들을 독하게 박대'하였다고 말한 데에서, 가난한 이들을 외면했던 참옹고집의 행적이 짚옹고집을 통해 언급됨을 알 수 있군.

③ '전곡을 흩어 사방에 구차한 사람을 구제'한다는 데에서 가난한 이들을 구제해야 하는 참옹고집의 책무가 짚옹고집을 통해 이행됨을 알 수 있군.

④ 짚옹고집이 '백 냥 돈 천 냥 돈을 흩어' 줄 수 있을 만큼 참옹고집의 재물이 많았다는 데에서, 조선 후기 향촌 사회의 부유층을 연상시키는 참옹고집의 모습이 확인되는군.

⑤ 참옹고집이 짚옹고집에게 자리를 빼앗기고 '전전걸식'하며 살아가는 데에서, 공동체로부터 소외되어 고통을 겪는 참옹고집의 처지가 확인되는군.

05

고난도 기출 2019학년도 6월 고3 평가원

〈보기〉는 「옹고집전」 이본의 일부이다. [B]와 〈보기〉를 비교하여 이해한 내용으로 적절하지 <u>않은</u> 것은?

┤ 보기 ├

참옹고집 듣기를 다하여 천방지방 도사 앞에 급히 나아가 합장배례하며 공손히 하는 말이, "이놈의 죄를 생각하면 천사(千死)라도 무석(無惜)이요 만사라도 무석이나 명명하신 도덕하에 제발 덕분 살려 주오. 당상의 늙은 모친 규중의 어린 처자 다시 보게 하옵소서. 원견지하온 후 지하에 돌아가도 여한이 없을까 하나이다. 제발 덕분 살려 주옵소서."

만단으로 애걸하니 도사 하는 말이, "천지간에 몹쓸 놈아. 인제도 팔십 당년 늙은 모친 냉돌방에 구박할까, 불도를 능멸할까. 너 같은 몹쓸 놈은 응당 죽일 것이로되 정상(情狀)이 불쌍하고 너의 처자 가여운 고로 놓아 주니 돌아가 개과천선하라."

부적을 써 주며 왈, "이 부적을 몸에 붙이고 네 집에 돌아가면 괴이한 일 있으리라."

하고 홀연 간데없거늘 참옹고집 즐겨 돌아와서 제집 문전 다다르니 고루거각 높은 집에 청풍명월 맑은 경은 옛 놀던 풍경이라.

① 참옹고집을 살려 두는 이유로 [B]는 '나의 어진 용심'을, 〈보기〉는 '정상이 불쌍'함을 제시하는 것으로 보아, [B]에서는 용서하는 이의 마음을 고려했고, 〈보기〉에서는 용서받는 이의 처지까지도 고려하였군.

② 참옹고집을 살려 두는 이유로 [B]는 '이만해도 후생에게' '징계한 사례'가 됨을, 〈보기〉는 '너의 처자 가여'움을 제시하는 것으로 보아, [B]에서는 징계의 사회적 효용이, 〈보기〉에서는 징계로 인한 가족의 피해가 고려되었군.

③ 참옹고집의 악행으로 [B]는 '부모 박대'를, 〈보기〉는 '모친 구박'을 거론하는 것으로 보아, [B]와 〈보기〉에서 모두 참옹고집의 비인륜적 행위가 징계의 사유에 포함되었군.

④ 참옹고집에게 개과천선하라는 요청이 [B]와 〈보기〉 모두 인물의 발화에 나타나는 것으로 보아, [B]와 〈보기〉에서 모두 인물의 발화는 '참옹고집'이 용서를 구하기 시작하는 계기에 해당하는군.

⑤ 참옹고집을 훈계하던 존재가 [B]에서는 '허수아비'로 변하고, 〈보기〉에서는 '홀연' 사라지는 것으로 보아, [B]와 〈보기〉에서 모두 신이한 사건이 벌어지는군.

06

〈보기〉가 윗글과 관련이 있는 설화라고 할 때, 윗글과 〈보기〉에 대한 이해로 가장 적절한 것은?

┤ 보기 ├

인색한 부자가 시주를 하러 온 승려의 바랑에 쇠똥을 넣어 주자 이를 몰래 보고 있던 부자의 며느리가 부자 몰래 쌀을 시주한다. 승려는 며느리에게 살려면 자신을 따라오되 뒤를 돌아보지 말라고 한다. 집을 떠나 산으로 오르던 며느리는 이상한 소리에 뒤를 돌아보다가 자신의 집이 연못으로 변하는 것을 보고 놀라서 돌이 되었다.

– 작자 미상, 「장자못 설화」

① 참옹고집과 〈보기〉의 부자가 받는 징벌의 결과는 동일하다.

② 참옹고집과 〈보기〉의 부자가 징벌을 받게 된 원인은 동일하다.

③ 참옹고집과 〈보기〉의 부자가 징벌을 극복하는 계기는 동일하다.

④ 참옹고집과 〈보기〉의 부자가 징벌 과정에서 겪는 일은 동일하다.

⑤ 참옹고집과 〈보기〉의 부자에게 징벌을 내리는 주체의 신분은 차이가 있다.

07

서술형

윗글의 흐름을 바탕으로 ⓐ의 역할을 〈조건〉에 맞게 서술하시오.

┤ 조건 ├

1. ⓐ가 참옹고집에게 미친 영향을 구체적으로 서술할 것.
2. 작품의 주제를 반드시 포함하여 서술할 것.

장끼전 | 작자 미상

출제 포인트 › #풍자 소설 #판소리계 소설 #우화 소설 #조선 후기 몰락한 양반과 신흥 부호의 갈등

'콩알 하나 없으니 **주린 처자**를 어이할꼬? 어떻든 협사촌의 서대주가 도적들과 아래

위 낭청을 다니며 함께 도적하여 부유하다 하니 찾아가 얻어 보리라.'❶

하고 협사촌을 찾아간다. 허위허위 이 산 저 산 어정어정 걸어가며 생각하되,

ㄱ'이놈이 본디 큰 쥐로 도적질하는 놈이니 무엇이라 부를꼬? 쥐라 해도 좋지 않고,

서대주라 해도 좋지 않으니, 이놈 부르기 어렵구나. 어떻든 대접함이 으뜸이라.'❷

길을 재촉해 협사촌을 찾아 서대주 집 문 앞에서 **장끼** 큰기침 두 번 하고,

"서동지* 계시오?"

하며 찾으니, 이윽고 **시비 쥐** 나오거늘 장끼 문왈,

"이 댁이 아래위 낭청*으로 다니며 관리하시는 서동지 댁이오?"❸

물으니 시비 답왈,

"어찌 찾으시오?"

장끼 가로되,

"잠깐 뵈오리다."

이때 서대주 자녀의 재미 보며 아내와 함께 있더니, 시비 와서 왈,

"문전에 어떤 객이 왔으되 위풍이 헌앙(軒昂)*하고 빛갓 쓰고 **옥관자 붙이고** 여차여

차 동지 님을 뵈러 왔다 하나이다."

서대주 동지란 말을 듣더니 대희하여 **외헌**으로 청하고, 정주(頂珠) 탕건 모자 쓰고

평복으로 나아가 장끼를 맞아 예하고 자리를 정하니, 장끼 하는 말이,

"댁이 서동지라 하시오? 나는 양지촌 사는 화충이라고도 하고, 세상에서 부르기를 장

끼라고도 혹 꿩이라고도 하는데, 귀댁을 찾아 금일 만나니 구면처럼 반갑소.❹ 한

번도 뵌 적 없으나 평안하시었소?"

서대주 맹랑하다.❺ 탕건을 어루만지며 답왈,

"존객의 이름은 높이 들었더니 나를 먼저 찾아 누지에 와 주시니 황공 감사하오이다."

장끼 답왈,

"서로 찾기에 선후가 있는 것 아니니 아무커나 반갑다 못하여 진저리 나노라."

하거늘 서대주 웃으며 온갖 음식으로 대접하고 고금사를 문답하며 장끼를 조롱하며 벗

하더니, 장끼 콧소리를 내며 말하기를,

"서동지께 청할 말이 있노라. 내 본시 넉넉지 못해 오늘까지 먹지 못하다가 처음 청

하온데 양미 이천 석만 빌려주시면 내년 가을에 갚으리니 동지 님 생각에 어떠시오?"❻

서대주 웃으며 하는 말이,

"속담에 '우마(牛馬)도 초분식(草分食)하고, 산저(山猪)도 갈분식(葛分食)이라*.' 하였

거든 우리 사이에 무엇이 어려우리오?"❼ (중략)

Step1 포인트 분석

작자 미상, 「장끼전」

제목의 의미
남편 꿩인 '장끼'를 주인공으로 하는 작품
으로, 의인화된 동물을 통해 몰락한 양반
의 삶과 조선 후기 향촌 사회의 변화 양
상을 다룬 풍자 소설이다.

배경
❶'콩알 하나~얻어 보리라.' ❹나는 양지
촌~구면처럼 반갑소이다.
➔ 공간적 배경은 서대주의 집이 있는 협
사촌과 장끼가 사는 곳인 양지촌임.

인물
❶'콩알 하나~얻어 보리라.'
➔ 가족의 생계 문제를 걱정하며 가장으로
서의 책무를 다하려는 장끼를 통해 조선
후기 몰락 양반의 면모가 드러남.
❷'이놈이 본디~대접함이 으뜸이라.'
→ 장끼는 서대주가 도적질을 하여 부유
해졌다고 생각하지만, 양식을 얻기 위해
그를 대접하기로 하는데, 이는 명분보다
실리를 추구하는 모습을 보여 주는 것임.

사건
❸"이 댁이~서동지 댁이오?"
➔ 서대주를 존대하는 장끼: 도적질하여
부유해진 서대주를 무엇이라고 불러야 할
지 고민하던 장끼는 양식을 얻기 위해 그
를 서동지라고 공손하게 대접하여 부름.
❻장끼 콧소리를~생각에 어떠시오?"
➔ 장끼가 서대주를 방문한 목적: 양식을
빌리고자 함.
❼서대주 웃으며~무엇이 어려우리오?"
➔ 서대주의 수락: 양식을 빌려 달라는 장
끼의 청을 흔쾌히 수락함.

서술
❷허위허위 이 산~대접함이 으뜸이라.'
➔ 음성 상징어의 사용: '허위허위', '어
정어정' 등 음성 상징어를 통해 인물의 행
동을 생동감 있게 제시함.
❺서대주 맹랑하다.
➔ 서술자의 개입: 서대주에 대한 평가를
하고 있음.
❼서대주 웃으며~무엇이 어려우리오?"
➔ 속담 인용의 의도: 양식을 빌려주겠다
는 뜻을 전달함.

장끼 감사함을 칭사하고 양지촌으로 돌아가니라. 이때 서대주 노비 쥐를 명하여 창고를 열고 이천 석 콩을 배로 옮겨 양지촌으로 보내니라.❽

각설.❾ 이때 동지촌에 **딱부리**란 새가 있으되 주먹볏에 흑공단 두루마기, 홍공단 끝동이며, 주둥이는 두 자나 하고 **위풍이 헌양한** 짐승이라.❿ 양지촌 장끼를 찾아가 오래 못 본 인사 하고 하는 말이,

"자네는 어찌하여 양식이 저리 풍족하여 쌓아 두었는가?"

장끼가 협사촌 서대주를 찾아가 양식 빌린 사연을 자세히 말하니, 딱부리 놈이 고개를 끄덕이며,

"자네 마음이 녹녹지 아니하거늘 미천한 도적놈을 무엇이라 찾았는가?"

장끼 답왈,

"나도 생각이 있으나 옛글에 '교만한 자는 집이 망한다.' 했고, '남을 대접하면 내가 대접을 받는다.' 했고, 내 가난하여 빌리러 갔기로 저를 대접하여 서동지라 존칭하였더니 대희하여 후대하고 종일 문답하며 여차여차하였노라."⓫

하거늘 딱부리 하는 말이,

"자네 일정 **간사하도다.** 만일 입신양명하면 충신을 험담하여 귀양 보내고 ⓒ조정을 농권하며 임금을 어둡게 하리로다. 나는 그놈을 찾아가서 서대주라 하고 도적질한 말을 하면 그놈이 겁내어 만석이라도 추심(推尋)*하리라."⓬

장끼 답왈,

"자네 재주를 몰랐더니 오늘에야 알리로다."

딱부리 웃으며 나와 협사촌을 찾아가, 구멍 앞에 나가서 생각은 많으나 이를 갈고 "서대주, 서대주." 찾으니 이윽하여 시비 쥐 나오며 하는 말이,

"뉘 집을 찾아오시니까?"

딱부리 하는 말이,

"네 명색이 무엇이냐? 이 집이 아래위 낭청으로 다니며 도적질하는 서대주 집이냐? 나는 **동지촌 사는 딱장군**이니 와 계시다 일러라."

하거늘 쥐란 놈이 골을 내어 대답하고 들어가 고하니,⓭ 서대주 크게 성내고 분부하는 말이,

"어떤 놈이든지 잡아들이라."

하니 **수십 명 범 같은 쥐들**이 명을 듣고 딱부리를 에워싸고 결박하고 이 **뺨** 치고 저 **뺨** 치며 몰아가니⓮ 딱부리 애걸하며 비는 말이,

"내 무슨 잘못이 있다 이리하시오? 내 손주 노릇할 터이니 놓아주고 달아났다 하시오."

한데 듣지 않고 잡아들여 서대주 앞에다 꿇리니 서대주 호령하되,

"이놈! 너는 어인 놈이기에 주인 찾을 때 근본을 해하여 찾으니 그중에 너 같은 놈은 만단을 내리라."

하며 매우 치라 하니 딱부리 머리를 조아리고 애걸하며 빌더라.⓯

인물
⓮ 서대주 크게~뺨 치며 몰아가니
→ 부유한 서대주가 양반인 딱부리를 결박하는 것에서 서대주가 힘을 지닌 신흥 부호임이 드러남.

사건
❽ 장끼 감사함을~양지촌으로 보내니라.
→ 서대주에게 곡식을 빌린 장끼: 서대주를 찾아간 목적을 달성한 장끼가 양지촌으로 돌아오고 서대주는 양식을 보내 줌.
❾ 각설, ❿ 이때~헌양한 짐승이라.
→ 딱부리의 등장: 화제가 다른 쪽으로 전환되어 딱부리가 등장함.
⓬ 딱부리 하는~만석이라도 추심하리라."
→ 딱부리가 서대주를 방문하는 목적: 서대주가 도적질한 것을 들어 협박함으로써 쌀을 받아 내려고 함.
⓯ 딱부리 애걸하며~애걸하며 빌더라.
→ 딱부리의 태도 변화: 서대주를 위협하러 갔던 딱부리가 형세가 불리해지자 태도를 바꾸고 있음.

갈등
⓫, ⓬ 장끼 답왈,~만석이라도 추심하리라."
→ 장끼와 딱부리 사이의 갈등: 서대주에 대한 호칭 문제로 몰락 양반 간의 불화가 일어남.
⓭ 딱부리 웃으며~들어가 고하니,
→ 딱부리에게 골을 내는 시비 쥐: 딱부리가 자신을 딱장군이라 칭하고 서대주의 도적질을 언급하며 무례한 태도를 보였기 때문임.
⓮ 서대주 크게~뺨 치며 몰아가니
→ 서대주와 딱부리 사이의 갈등: 딱부리의 태도에 화가 난 서대주가 많은 쥐들을 동원하여 딱부리를 결박하는 것에서 신흥 부호의 위세가 드러남.

서술
❾ 각설.
→ 화제의 전환: 화제를 딱부리가 등장하는 내용으로 전환함.
❿ 이때 동지촌에~헌양한 짐승이라.
→ 세밀한 외양 묘사: 딱부리를 소개하는 대목에서 딱부리의 외양을 상세하게 묘사함.
⓫ 장끼 답왈,~여차여차하였노라."
→ 옛글의 인용: 행위에 정당성을 부여하는 말하기 방식이 드러남.

• **동지**: 조선 시대에, 중추부에 속한 종이품 벼슬.
• **낭청**: 조선 후기에, 실록청·도감 등의 임시 기구에서 실무를 맡아보던 당하관 벼슬. 또는 그런 벼슬이 근무하던 관아.
• **헌양**: 풍채가 좋고 의기가 당당함.
• **우마도 초분식하고, 산저도 갈분식이라**: 소와 말도 풀을 나눠 먹고, 산돼지도 칡을 나눠 먹는다.
• **추심**: 찾아내어 가지거나 받아 냄.

[전체 줄거리] 아홉 아들 열두 딸이 있는 장끼는 양식이 떨어지자 도적놈인 서대주를 찾아가 극진히 존대하고 양식을 빌려 온다. 딱부리는 도적놈인 서대주에게 양식을 빌려 온 장끼를 비난하고 자신은 서대주를 겁박하여 쌀을 추심해 오겠다고 큰소리 치지만 쌀을 받아 오지도 못하고 오히려 서대주에게 해를 입게 된다. 장끼는 서대주에게 빌려 왔던 양식이 다 떨어지자 아내 까투리와 자식들을 데리고 먹을 것을 찾아 산기슭을 헤매다 콩 한 알을 발견하고 기뻐한다. 굶주린 장끼가 콩을 먹으려 하자 까투리는 주변에 사람의 흔적이 있고, 지난밤 꿈이 불길하다며 먹지 말라고 만류한다. 장끼는 여자의 말이라고 무시하며 고집을 부리다가 덫에 걸린다. 장끼는 죽어 가면서도 까투리에게 수절하여 정렬부인이 되라고 유언을 한다.

Step 2 포인트 체크

[01~05] 윗글에 대하여 맞으면 ○, 틀리면 ×표를 하시오.

01 이 작품의 사회적 배경은 콩알 하나 먹을 것이 남아 있지 않아 힘겨운 삶의 환경이다. ［○.×］

02 장끼가 서대주에게 양식을 얻어 온 후 딱부리가 서대주를 다시 찾아가는 내용이 시간 순서대로 서술되고 있다. ［○.×］

03 장끼는 서대주에게 양식을 얻기 위해 자신을 굽히는 인물이다. ［○.×］

04 장끼와 딱부리는 서대주를 대하는 태도 때문에 갈등한다. ［○.×］

05 서대주를 통해 조선 후기의 경제적으로 몰락하는 양반의 삶이 드러나 있다. ［○.×］

[06~10] 다음 빈칸에 알맞은 말을 쓰시오.

06 이 작품은 동물을 의인화하여 제시한 ⓞⓗ 소설이다.

07 이 작품은 조선 후기의 변화된 사회상과 인간 세태를 ⓟⓩ하고 있다.

08 서술자는 서대주를 찾아가서 뭐라고 불러야 할지 고민하는 장끼의 심정을 ⓩⓩ 제시하고 있다.

09 장끼와 딱부리가 도적질한 서대주를 찾아갈 수밖에 없는 까닭은 ⓞⓢ 때문이다.

10 조선 후기 몰락 ⓞⓑ과 신흥 ⓑⓗ의 갈등이 드러난다.

■ 장끼전
• **갈래:** 판소리계 소설, 풍자 소설, 우화 소설
• **시점:** 전지적 작가 시점
• **성격:** 풍자적, 우의적, 해학적, 현실 비판적
• **배경:** 시간-옛날 / 공간-양지촌, 협사촌, 동지촌
• **주제:** 조선 후기의 변화된 사회상과 인간 세태 풍자, 조선 후기 몰락 양반과 신흥 부호의 갈등
• **특징:** ① 동물을 의인화하여 당대 사회를 우의적으로 표현함.
　　② 중국 고사를 많이 인용함.
　　③ 음성 상징어로 인물의 행동을 생동감 있게 제시함.
• **구조**

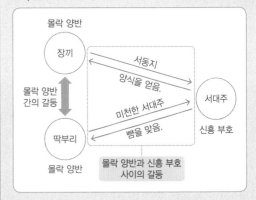

『장끼전』의 전승 과정
판소리계 소설인 『장끼전』은 『장끼타령』이라는 판소리로 불리다가 판소리 대본인 『장끼가』, 그리고 판소리계 소설인 『장끼전』으로 전승되었다.

『장끼전』 뒷부분에 드러나는 풍자 의식
『장끼전』의 뒷부분에서 장끼는 아내인 까투리의 말을 무시하다가 덫에 걸린다. 죽음에 이른 장끼는 까투리에게 개가를 하지 말라고 하는데, 이 부분에서 남존여비와 여성의 개가 금지라는 가부장적 유교 문화를 풍자하고 있다.

01

기출 2020학년도 9월 고3 평가원

윗글에 대한 설명으로 가장 적절한 것은?

① 세밀한 외양 묘사를 통해 인물의 속성을 드러내고 있다.

② 서술자가 개입하여 인물의 행동에 대해 호감을 보이고 있다.

③ 속담과 옛글을 삽입하여 인물의 내적 갈등을 강조하고 있다.

④ 과거와 현재를 대비하여 인물의 초월적 능력을 부각하고 있다.

⑤ 공간적 배경을 자세히 묘사하여 인물의 심리 변화를 암시하고 있다.

02

윗글을 영화화할 때 들어갈 장면으로 적절하지 <u>않은</u> 것은?

① 장끼가 주린 처자를 먹여 살릴 방법을 고민하는 장면

② 장끼가 서대주의 집으로 느릿느릿 걸어가며 생각하는 장면

③ 장끼가 서대주를 서동지라고 칭하자 서대주가 크게 기뻐하는 장면

④ 장끼가 고금사를 논하며 조롱하는 서대주가 못마땅해 콧방귀를 뀌는 장면

⑤ 서대주가 장끼에게 속담을 근거로 삼아 곡식을 내주겠다고 말하면서 웃는 장면

03

기출 2020학년도 9월 고3 평가원

'장끼'와 '딱부리'가 '서대주'를 각각 방문하는 상황에 대한 이해로 적절하지 <u>않은</u> 것은?

① 서대주를 방문하기 전에, 장끼와 딱부리는 서대주의 정체에 대해 알고 있었다.

② 서대주를 방문하기 전에, 장끼와 딱부리는 각자의 생각에 따라 서대주를 대할 방식을 계획했다.

③ 서대주를 방문하여, 장끼는 시종 일관된 태도를 보였고 딱부리는 상황의 변화에 따라 자신의 태도를 바꾸었다.

④ 서대주의 거처를 확인하면서, 장끼는 서대주의 환심을 살 만하게, 딱부리는 서대주의 반감을 살 만하게 표현했다.

⑤ 서대주를 방문하는 목적을, 장끼는 경제적인 이익을 취하는 데에 두었고 딱부리는 도적질을 벌로 다스리고 교화하는 데 두었다.

04

㉠의 상황을 〈보기〉와 같이 정리할 때, 빈칸에 들어갈 내용으로 가장 적절한 것은?

┤ 보기 ├

　서대주를 찾아간 목적을 이루기 위해 수단과 방법을 가리지 않는 장끼는 '(　　　　　　　　　)'(이)라고 생각하는 인물이라 볼 수 있군.

① 티끌 모아 태산

② 백지장도 맞들면 낫다

③ 뛰는 놈 위에 나는 놈 있다

④ 모로 가도 서울만 가면 된다

⑤ 낮말은 새가 듣고 밤말은 쥐가 듣는다

05

ⓛ의 상황과 가장 관련이 깊은 한자 성어는?

① 각주구검(刻舟求劍)
② 양두구육(羊頭狗肉)
③ 지록위마(指鹿爲馬)
④ 절차탁마(切磋琢磨)
⑤ 호가호위(狐假虎威)

06

고난도 기출 2020학년도 9월 고3 평가원

〈보기〉를 참고하여 윗글을 감상한 내용으로 적절하지 않은 것은?

┤보기├

「장끼전」은 '까투리'를 중심으로 남존여비와 여성의 개가 금지 같은 가부장제 사회의 문제를, '장끼'를 중심으로는 몰락 양반의 삶과 조선 후기 향촌 사회의 다양한 변화상을 형상화했다. 이 대목은 가족의 생계 문제를 걱정하는 몰락 양반의 출현과 향촌 사회에 새롭게 등장한 신흥 부호의 생활상을 보여 주고 있다. 또한 신흥 부호의 위세로 인해 빚어지는 신흥 부호와 몰락 양반의 갈등, 그리고 신흥 부호를 둘러싼 몰락 양반 간의 불화를 그려 내고 있다.

① 장끼가 양식이 떨어져 굶주리는 처자식을 위해 부유한 서대주를 찾아가 양식을 빌리는 장면에서, 가장으로서의 책무를 다하려는 몰락 양반의 면모를 알 수 있군.
② 서대주가 '시비 쥐'를 부리고 복색을 갖추어 손님을 '외헌'에서 맞이하는 장면에서, 신흥 부호의 생활상을 알 수 있군.
③ 서대주를 대접하여 양식을 빌린 장끼에게 딱부리가 '간사하도다'라고 언급하는 장면에서, 신흥 부호에 대한 처신을 놓고 몰락 양반 간에 의견 차이가 있었음을 알 수 있군.
④ 서대주의 '시비 쥐'가 딱부리에게 골을 내는 장면에서, 몰락 양반의 경제적 곤궁함을 업신여기는 신흥 부호의 모습을 알 수 있군.
⑤ 서대주가 '수십 명 범 같은 쥐들'에게 명령하여 딱부리를 결박하는 장면에서, 향촌 사회에서의 신흥 부호의 위세를 알 수 있군.

07

〈보기〉를 바탕으로 윗글을 이해할 때, 적절하지 않은 것은?

┤보기├

우화 소설은 동식물을 의인화하여 주인공으로 설정함으로써 당대 인간 사회의 다양한 문제들을 우회적으로 비판하거나 풍자하고, 교훈을 주기도 한다. 또한 당대 사람들의 고통스러운 삶의 현실에 대해 문제를 제기하거나 신분제 사회의 변화, 윤리 의식의 문제 등의 변화하는 사회상을 담아내기도 한다.

① '주린 처자'에서 당대 사람들의 고통스러운 삶의 현실에 대해 문제를 제기하고 있다.
② '옥관자 붙이고'에서 양반 신분인 장끼가 양식을 빌리러 다니는 사회상의 변화가 드러난다.
③ '위풍이 헌앙'한 짐승인 딱부리가 서대주에게 애걸하는 모습에서 신분제 사회가 변화하고 있음이 드러난다.
④ '동지촌 사는 딱장군'에서 변화하는 사회 속에서 자부심을 지키고자 하는 곧은 선비 정신이 드러난다.
⑤ '장끼'와 '딱부리' 같은 의인화된 동물을 주인공으로 설정하여 조선 후기의 삶과 사회의 변화를 드러내고 있다.

08

서술형

윗글의 흐름을 참고할 때, 각설 의 기능을 〈조건〉에 맞게 서술하시오.

┤조건├

1. 작품 흐름을 바탕으로 '각설'의 서술상 기능을 서술할 것.
2. '각설' 앞부분과 뒷부분의 내용을 포함하여 서술할 것.

황새결송 | 작자 미상

[앞부분의 줄거리] 어느 시골에 한 부자가 있었는데, 그의 친척 중 한 명이 수시로 횡포를 부리더니, 어느 날은 재산의 절반을 달라고 위협한다. 그러자 부자는 서울 형조에 송사를 제기하지만 ⊙친척이 미리 관원들에게 뇌물을 준다. 부자는 결국 재판에 지게 되어 재산을 빼앗기게 된다.❶

ⓛ 부자 생각하되,

'내 관전에서 크게 소리를 하여 전후사를 아뢰려 하면 반드시 관전(官前) 발악(發惡)이라 하여 뒤얽어 잡고 법대로 할 양이면 청 듣고 송사도 지게 만드는데, 무슨 일을 할 것이며 무지한 사령 놈들이 만일 함부로 두드리면 고향에 돌아가지도 못하고 죽을 때까지 어혈(瘀血)*만 될 것이니 어찌할꼬.'

이리 생각 저리 생각 아무리 생각하여도 그저 송사를 지고 가기는 차마 분하고 애달픔이 가슴에 가득하여❷ 재판관을 뚫어지게 치밀어 보다가 문득 생각하되,

'내 송사는 지고 가거니와 이야기 한 마디를 꾸며 내어 조용히 할 것이니, 만일 저놈들이 듣기만 하면 무안이나 뵈리라.'❸

하고, 다시 일어서 계단 아래에 가까이 앉으며 하는 말이,

"소인이 천 리에 올라와 송사는 지고 가옵거니와 들음직한 이야기 한 마디 있사오니 들으심을 원하나이다."

관원이 이 말을 듣고 가장 우습게 여기나 평소에 이야기 듣기를 좋아하는 고로 시골 이야기는 재미있는가 하여 듣고자 하나 다른 송사도 결단치 아니하고 저놈의 말을 들으면 남들이 보는 눈이 걱정되는지라. 거짓 꾸짖는 분부로 일러 하는 말이,

"네 본디 시골에 있어 일이 돌아가는 상황을 잘 모르고 관전에서 이야기한단 말이 되지 못한 말이로되, 네 원이나 풀어 줄 것이니 무슨 말인고 아뢰어라.❹

[중간 부분의 줄거리] 이렇게 시작된 부자의 이야기는 다음과 같다. 꾀꼬리, 뻐꾹새, 따오기가 서로 자기의 우는 소리가 최고의 소리라고 다투다가 황새를 찾아가 송사를 제기한다. 그런데 소리에 자신이 없었던 따오기는 송사에서 이기기 위해 황새에게 미리 청탁을 한다.❺ 날이 밝아 세 짐승이 황새 앞에서 소리를 시작한다.

꾀꼬리 먼저 날아들어 소리를 한번 곱게 하고 아뢰되,

"소인은 바야흐로 봄이 한창 화창한 좋은 시절에 이화도화(梨花桃花) 만발하고, 앞내의 버들빛은 초록장 드리운 듯, 뒷내의 버들빛은 유록장 드리운 듯, 금빛 같은 이내 몸이 날아들고 떠들면서 흥에 겨워 청아(淸雅)*하고 옥을 깨뜨릴 만한 아름다운 목소리를 춘풍결에 흩날리며 봄의 석 달 동안 보낼 적에 뉘 아니 아름답게 여기리이까."❻

황새 한 번 들으매 과연 제 말과 같이 심히 아름다운지라. 그러나 이제 제 소리를 좋다 하면 따오기에게 청 받은 뇌물을 도로 줄 것이요. 좋지 못하다 한즉 내 공정치 못한 판결로 정체가 손상할지라.❼ 반나절이나 깊이 생각한 끝에 판결하여 이르되,

"네 들어라. 당시(唐詩)에 타기황앵아(打起黃鶯兒) 막교지상제(莫敎枝上啼)*라 하였으니, 네 소리 비록 아름다우나 애잔하여 쓸데없도다."❽

■ 작자 미상, 「황새결송」

제목의 의미
'황새결송'은 황새에게 소송을 제기해 판결을 받는다는 의미로, 부당한 판결을 내린 황새를 통해 인간 세상을 풍자하고 있다.

인물
❶ 그의 친척~빼앗기게 된다.
➡ 뇌물로 관리를 매수하는 친척은 약삭빠르고 간교한 인물임.
❷ 이리 생각~가슴에 가득하여
➡ 뇌물 때문에 재산 다툼의 송사에 진 부자는 부당한 소송의 억울한 피해자임.
❻ "소인은~아름답게 여기리이까."
➡ 공손한 자세로 자신의 소리를 아뢰는 꾀꼬리는 부당한 송사의 피해자임.
❼ 황새 한 번~정체가 손상할지라.
➡ 황새는 따오기에게 뇌물을 받고 판결 결과를 바꾸려는 정의롭지 못한 인물임.

사건
❶ 그의 친척~빼앗기게 된다.
➡ 송사의 원인과 결과: 친척의 위협 때문에 송사가 벌어지지만, 부자가 송사에서 져서 재산을 빼앗기게 됨.
❸ '내 송사는~무안이나 뵈리라.'
➡ 부자가 관원들에게 새들의 이야기를 하는 의도: 송사와 관련된 형조 관원들의 부패상을 우회적으로 비판하기 위한 것임.
❽ "네 들어라.~애잔하여 쓸데없도다."
➡ 꾀꼬리 소리에 대한 황새의 판결: 중국 옛 시를 인용하여 꾀꼬리의 소리가 애잔하여 쓸데없다는 판결을 내림.

갈등
❶ 그의 친척~빼앗기게 된다.
➡ 부자와 친척 사이의 갈등: 재산 때문에 갈등을 겪게 됨.
❸ '내 송사는~무안이나 뵈리라.'
➡ 부자와 관원들 사이의 갈등: 뇌물로 송사에 진 부자와 부정한 관원들 사이의 갈등
❼ 황새 한 번~정체가 손상할지라.
➡ 황새의 내적 갈등: 따오기의 뇌물을 받은 황새가 꾀꼬리의 소리에 대한 판결을 고민하는 내적 갈등이 드러남.

구성
❹ "네 본디~말인고 아뢰어라"
➡ 액자식 구성: 관원이 부자에게 이야기를 아뢰라고 함으로써 이야기 속에 이야기 하나가 더 들어가는 구성으로 전개됨.
❺ 꾀꼬리, 뻐꾹새,~청탁을 한다.
➡ 액자식 구성의 내화: 동물을 의인화한 우화 소설임이 드러남.

꾀꼬리 점즉히 물러 나올 새, 또 뻐꾹새 들어와 목청을 가다듬고 소리를 묘하게 하여 아뢰되,

"소인은 녹수청산(綠水靑山) 깊은 곳에 만학천봉(萬壑千峯) 기이하고 안개 피어 구름 되며, 구름이 걷히고 많은 신기한 봉우리로 별세계가 펼쳐졌는데 만장폭포 흘러내려 수정렴을 드리운 듯 송풍(松風)은 소슬하고 오동추야 밝은 달에 이내 소리 만첩청산의 아름다운 새 소리가 되오리니 뉘 아니 반겨하리이까."❾

황새 듣고 여러모로 생각해 본 후 판결하되,

"월락자규제(月落子規啼) 초국천일애(楚國千日愛)*라 하였으니, 네 소리 비록 깨끗하나 아주 어려웠던 옛날의 일을 떠오르게 하니, 가히 불쌍하도다."❿

하니, 뻐꾹새 또한 부끄러워하며 물러나거늘, 그제야 따오기가 날아들어 소리를 하고자 하되, 저보다 나은 소리도 벌써 지고 물러나거늘 어찌할꼬 하며 차마 남부끄러워 입을 열지 못하나, 그 황새에게 약 먹임을 믿고 고개를 나직이 하여 한 번 소리를 주하며 아뢰되,⓫

"소인의 소리는 다만 따옥성이옵고 달리 풀쳐 고할 일 없사오니 사또 처분만 바라고 있나이다."

하되, 황새놈이 그 소리를 듣고 두 무릎을 탕탕 치며 좋아하며 이른 말이,

"쾌재(快哉)며 장자(長者)로다. 화난 감정이 일시에 터져 나와서 큰 소리로 꾸짖음은 옛날 황장군(黃將軍)의 위풍이요, 장판교(長坂橋) 다리 위에 백만 군병 물리치던 장익덕의 호통이로소이다. 네 소리 가장 웅장하니 짐짓 대장부의 기상이로다."⓬

하고,

[A] ┌ "이렇듯이 처결하여 따옥성을 상성(上聲)으로 처결하여 주오니, 그런 짐승이라도 뇌물을 먹은즉 잘못 판결하여 그 꾀꼬리와 뻐꾹새에게 못할 노릇 하였으니 어찌 화가 자손에게 미치지 아니 하오리이까. 이러하온 짐승들도 물욕에 잠겨 틀린 노릇을 잘하기로 그놈을 개아들 개자식이라 하였으니, 이제 서울 법관도 여차하오니, 소인의 └ 일은 벌써 판이 났으매 부질없는 말하여 쓸데없으니 이제 물러가나이다."⓭

하니, 형조 관원들이 대답할 말이 없어 가장 부끄러워하더라.⓮

인물

❾ "소인은 녹수청산~반겨하리이까."
→ 공손한 자세로 자신의 소리를 아뢰는 뻐꾹새는 부당한 송사의 피해자임.

⓫ 그제야 따오기가~주하며 아뢰되,
→ 따오기는 뇌물로 황새를 매수한 약삭빠르고 간교한 인물임.

⓮ 형조 관원들이~가장 부끄러워하더라.
→ 형조 관원들은 뇌물을 받고 부당한 판결을 내렸던 속물적 인물이지만 부자의 이야기를 듣고 부끄러움을 느낌.

사건

❿ "월락자규제~가히 불쌍하도다."
→ 뻐꾹새 소리에 대한 황새의 판결: 뻐꾹새의 소리가 나라가 망할 것을 암시해 불쌍하다는 판결을 내림.

⓬ "쾌재며 장자로다.~대장부의 기상이로다"
→ 따오기 소리에 대한 황새의 판결: 따오기에게 뇌물을 받은 황새가 따오기의 소리에 대해 극찬하는 판결을 내림.

⓭ "이렇듯이 처결하여~이제 물러가나이다."
→ 부자가 이야기를 한 이유: 뇌물에 따라 판결이 달라지는 부당한 현실을 비판하고 있음. 작품의 우의성과 풍자성이 드러남.

갈등

❻~⓬ "소인은 바야흐로~대장부의 기상이로다."
→ 꾀꼬리, 뻐꾹새, 따오기 사이의 갈등: 소리의 우열을 가리기 위해 꾀꼬리, 뻐꾹기, 따오기가 갈등 상황에 놓여 송사를 벌임.

⓭ "이렇듯이 처결하여~이제 물러가나이다."
→ 관원들과 부자 사이의 갈등: 부당한 판결을 내린 관원들과 부당한 판결의 피해자인 부자 사이의 갈등이 드러남.

• 어혈: 타박상으로 살 속에 피가 맺힘.
• 청아: 속된 티가 없고 맑고 아름다움.
• 타기황앵아 막교지상제: '꾀꼬리를 날려 보내어 가지 위에서 울게 하지 마라.'라는 뜻으로, 전쟁으로 헤어진 임을 그리워하는 여인의 애절한 심정을 담고 있음.
• 월락자규제 초국천일애: '달이 지고 두견이 우니 초나라 천일의 사랑이라.'라는 뜻으로, 나라가 망할 것을 암시함.

[전체 줄거리] 옛날 경상도 땅에 큰 부자가 살았는데 먼 일가친척 중 악한 한 사람이 재산의 반을 달라고 하며 행패를 부리자 형조에 가서 소송을 제기한다. 그러나 악한 친척이 형조 관원들에게 뇌물을 써서 재판에 지게 되자 분함을 이기지 못한 부자는 관원들에게 이야기를 하나 들려준다. 서로 자기 소리가 최고라고 다투던 꾀꼬리, 뻐꾸기, 따오기가 소리의 우열을 가리기 위해 황새에게 소송을 제기하지만, 따오기에게 뇌물을 받은 황새가 가장 소리가 나쁜 따오기의 소리가 제일 낫다고 판정했다는 내용이다. 부자에게 이 이야기를 들은 형조 관원들은 자신의 행동을 부끄러워하며 아무 말도 하지 못한다.

Step 2 포인트 체크

[01~06] 윗글에 대하여 맞으면 ○, 틀리면 ×표를 하시오.

01 액자 안에 등장하는 따오기는 액자 밖의 친척에 대응된다. 〔○·×〕

02 부자는 황새가 그릇된 판결을 한 이유를 직접 언급하고 있다. 〔○·×〕

03 꾀꼬리는 황새에게 뇌물을 바치지 않은 것을 후회하고 있다. 〔○·×〕

04 부자와 친척은 재산 때문에 갈등을 겪고 있다. 〔○·×〕

05 부자가 관원에게 들려준 이야기를 통해 인이나 효와 같은 인간의 도리를 다하지 못하는 세태를 비판하고 있다. 〔○·×〕

06 당시 조선 사회 송사의 부패한 양상과 조선 후기 사회의 병폐를 파헤친 풍자 문학이다. 〔○·×〕

[07~12] 다음 빈칸에 알맞은 말을 쓰시오.

07 부자가 의인화된 동물들의 이야기를 해 주는 것으로 보아 이 작품은 [ㅇ][ㅎ] 소설이다.

08 억울한 일을 관청에 호소하여 해결하는 것을 주요 내용으로 하는 [ㅅ][ㅅ] 소설이다.

09 외화 안에 내화가 존재하는 [ㅇ][ㅈ][ㅅ] 구성으로 되어 있다.

10 등장인물인 부자의 심리 상태를 [ㅈ][ㅈ] 제시하는 전지적 작가 시점의 작품이다.

11 꾀꼬리, 뻐꾹새는 부당한 판결의 피해자라는 측면에서 [ㅂ][ㅈ]와 동일한 상황에 처해 있다.

12 동물들의 이야기를 통해 전하고자 하는 주제는 뇌물을 받고 부당하게 판결하는 부패한 [ㅈ][ㅂ][ㅊ]에 대한 비판이다.

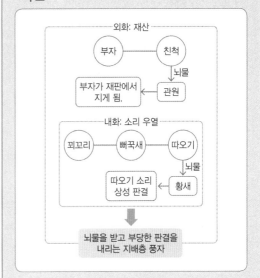

작품 정리

황새결송

• **갈래:** 풍자 소설, 송사 소설, 우화 소설
• **시점:** 전지적 작가 시점
• **성격:** 풍자적, 우의적, 비판적
• **배경:** 시간―옛날 / 공간―어느 시골, 서울 형조
• **주제:** 뇌물에 의해 송사가 좌우되는 현실과 부패한 지배층에 대한 풍자와 비판
• **특징:** ① 조선 후기의 부패상을 사실적으로 그려 냄.
　　　　② 내화인 우화를 통해 풍자성을 강화함.
• **구조**

외화: 재산

부자 ─ 친척
　　　　│뇌물
부자가 재판에서 ← 관원
지게 됨.

내화: 소리 우열

꾀꼬리 ─ 뻐꾹새 ─ 따오기
　　　　　　　　│뇌물
따오기 소리 ← 황새
상성 판결

↓

뇌물을 받고 부당한 판결을
내리는 지배층 풍자

한 걸음 더

송사 소설의 유형
송사 소설은 억울한 일을 관청에 호소하여 해결하는 것을 주요 내용으로 하는 고전 소설이다. 송사 소설의 유형에는 억울하게 핍박받는 자의 한 맺힌 모습을 통해 사회의 부패와 타락상을 비판하는 원억형과 한 맺힘과 풀림의 과정을 통해 등장인물과 독자가 기쁨을 느끼는 신원형, 잘못을 반성하게 하여 교화시키는 화해형의 세 종류가 있다. 「황새결송」은 억울한 상황에 처한 부자가 소송을 제기하나 부패한 관원들 때문에 송사에 졌으므로 원억형에 해당한다.

01

윗글의 서술상의 특징으로 가장 적절한 것은?

① 등장인물의 다양한 체험을 삽입하여 교훈을 전달하고 있다.
② 전기적 요소를 개입하여 사건의 비현실성을 드러내고 있다.
③ 치밀한 배경 묘사를 통해 등장인물의 심리를 암시하고 있다.
④ 작품 속 인물의 입장에서 사건을 객관적으로 전달하고 있다.
⑤ 이야기 안에 들어간 또 다른 이야기로 주제를 강조하고 있다.

02

기출 2016학년도 9월 고2 교육청

윗글에 대한 이해로 적절하지 않은 것은?

① 부자는 송사 결과에 대한 자신의 생각을 제대로 말하지 못해 분해하였군.
② 관원은 부자의 이야기를 듣고 싶어 하나, 남들의 시선을 의식하고 있군.
③ 황새는 따오기에게 받은 뇌물 때문에 송사에서 공정한 판결을 내리지 못하는군.
④ 따오기는 자기 소리를 자랑하기보다는 황새의 처분만 기다리는 것으로 보아 겸손한 자세를 지니고 있군.
⑤ 꾀꼬리는 자신의 소리를 누구든 아름답게 여긴다고 말하는 것으로 보아 자신의 소리에 자부심을 가지고 있군.

03

〈보기〉는 윗글의 앞부분이다. ㉠을 참고할 때, 빈칸에 들어갈 말로 가장 적절한 것은?

┤ 보기 ├

여러 날이 되도록 좌기*되기만 기다리매 그사이 서리나 찾아보고 낌이나 얻을 일이로되, 제 이왕 그르지 아니하게 한 일을 전혀 믿고 아무 사람도 찾아보지 아니하고 그 절통한 심사를 견디지 못하여 그놈 속히 죽기만 기다리고 있는지라. 그놈이 비록 놀기를 즐겨 허랑무도하여 천하를 돌아다니매 보고 들은 것이 너르고 겸하여 ( )을/를 아는지라.

이때 송사에 올라와 일변 친구도 찾으며 형조에 길을 뚫어 당상이며 낭청이며 서리 사령까지 꼈으니, 자고로 송사는 눈치 있게 잘 돌면 이기지 못할 송사도 아무 탈 없이 이기노니, 이는 이른바 녹피에 갈왈자*를 씀이라.

• 좌기: 관아의 으뜸 벼슬에 있는 이가 출근하여 일을 시작함.
• 녹피에 갈왈자: 사슴 가죽에 쓴 '가로 왈(曰)' 자는 가죽을 잡아당기는 대로 일(日) 자도 되고 왈(曰) 자도 된다는 뜻으로, 사람이 일정한 주견이 없이 남의 말을 쫓아 이랬다저랬다 함을 비유적으로 이르는 말.

① 과거 판례
② 시속 물정
③ 인간 도리
④ 유교적 관념
⑤ 하늘의 이치

04

기출 2016학년도 9월 고2 교육청

'부자'가 이야기를 한 의도로 가장 적절한 것은?

① 관원들에게 다른 송사를 청탁하기 위해서
② 무식한 관원에게 자신의 지혜를 뽐내기 위해서
③ 비리와 관련된 관원들을 우회적으로 비판하기 위해서
④ 예상과 다른 판결에 대해 관원들과 논쟁을 벌이기 위해서
⑤ 자신의 패배로 끝난 송사로 인해 잃게 된 재산을 되찾기 위해서

05

[A]의 말하기 방식으로 가장 적절한 것은?

① 감정에 호소하며 상대를 설득하고 있다.
② 문제의 원인을 찾아 해결 방법을 제시하고 있다.
③ 상황을 가정하며 자신의 요구 사항을 드러내고 있다.
④ 고서의 구절을 인용하여 상대방의 행동을 문제 삼고 있다.
⑤ 설의적 물음을 구사하여 자신의 의도를 상대방에게 드러내고 있다.

06

`고난도`

〈보기〉를 바탕으로 윗글을 이해할 때 적절하지 않은 것은?

┤ 보기 ├
　　억울한 일을 관청에 호소하여 해결하는 것을 주요 내용으로 하는 것을 '송사 소설'이라고 한다. 송사 소설은 일반적으로 다음과 같은 단계로 이루어진다.

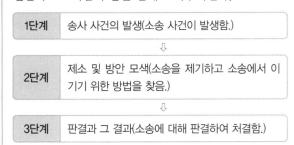

1단계	송사 사건의 발생(소송 사건이 발생함.)
2단계	제소 및 방안 모색(소송을 제기하고 소송에서 이기기 위한 방법을 찾음.)
3단계	판결과 그 결과(소송에 대해 판결하여 처결함.)

① 친척이 등장한 것은 소송 사건이 발생하는 것과 관련이 있군.
② 친척, 꾀꼬리, 뻐꾹새, 따오기가 소송 제기의 주체라 할 수 있군.
③ 뻐꾹새는 황새가 내린 판결에 부끄러움을 느끼며 물러나고 있군.
④ 따오기는 소송에서 이기기 위한 방법으로 뇌물을 제공하고 있군.
⑤ 서울 법관과 황새는 소송에서 판결하여 처결하는 역할을 하고 있군.

07

윗글에 나타난 송사의 내용을 〈보기〉와 같이 정리해 보았다. (가), (나)에 대한 이해로 적절하지 않은 것은?

┤ 보기 ├

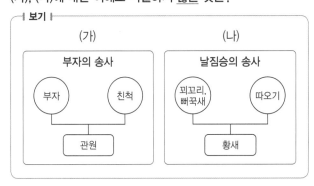

(가) 부자의 송사 — 부자, 친척 → 관원
(나) 날짐승의 송사 — 꾀꼬리, 뻐꾹새, 따오기 → 황새

① (가)는 친척의 부당한 요구에서 비롯된다.
② (가)를 통해 (나)의 판결 이유가 밝혀지게 된다.
③ (가)의 결과는 부자가 (나)의 이야기를 시작하는 계기가 된다.
④ (가)에서 송사의 원인은 '재산'이고 (나)에서는 '최고의 소리'이다.
⑤ (가)와 (나) 모두 청탁이 판결에 중요한 영향을 미친다.

08

`서술형`

〈보기〉를 고려하여 '따오기'의 성격에 대해 서술하시오.

┤ 보기 ├
• 따오기가 황새에게 '약 먹임'을 하였다.
• 따오기는 황새가 자신의 소리에 대한 판정을 하기 전에 자신이 했던 일에 대한 믿음이 있었다.

09

`서술형`

윗글에서 이야기 의 등장인물을 동물로 설정한 이유를 〈조건〉에 맞게 서술하시오.

┤ 조건 ├
1. ⓒ을 참고하여 서술할 것.
2. 주제를 반드시 포함하여 서술할 것.

구운몽(九雲夢) | 김만중

출제 포인트 › #환몽 구조 #염정 소설 #불교의 공(公) 사상 #인생무상, 일장춘몽

성진이 **여덟 선녀**를 본 후에 정신이 자못 황홀하여 마음에 생각하되,

'남아가 세상에 나 어려서 공맹의 글을 읽고, 자라 요순 같은 임금을 만나, 나면 장수 되고 들면 정승이 되어 비단 옷을 입고 옥대를 띠고 옥궐에 조회하고, 눈에 고운 빛을 보고 귀에 좋은 소리를 듣고 은택(恩澤)*이 백성에게 미치고 공명이 후세에 드리움이 또한 대장부의 일이라. 우리 **부처의 법문**은 **한 바리 밥과 한 병 물과 두어 권 경문과 일백 여덟 낱 염주뿐**이라. 도덕이 비록 높고 아름다우나 적막하기 심하도다.'❶

생각을 이리하고 저리하여 밤이 이미 깊었더니 문득 눈앞에 팔선녀가 섰거늘 놀라 고쳐 보니 이미 간 곳이 없더라. 성진이 마음에 뉘우쳐 생각하되,

'부처 공부에서 특히 뜻을 바르게 함이 으뜸 행실이라. 내 출가한 지 십 년에 일찍 반 점 어기고 구차한 마음을 먹지 않았더니, 이제 이렇듯이 염려를 그릇하면 어찌 나의 전정(前程)에 해롭지 아니하리오?'

향로에 불을 다시 피우고 의연히 포단에 앉아 정신을 가다듬어 ㉠염주를 고르며 일천 부처를 염하더니, 홀연 창밖에 동자가 부르되,

"사형은 잠들었느냐? 사부가 부르시나이다."

성진이 놀라 생각하되, / '깊은 밤에 나를 부르니 반드시 연고가 있도다.'❷

동자와 한가지로 방장에 나아가니 대사가 모든 제자를 모으고 ㉡등촉을 낮같이 켜고 소리하여 꾸짖되, / "성진아, 네 죄를 아느냐?"❸

성진이 ㉢섬돌에 내려 꿇어 가로되, / "소자가 사부를 섬긴 지 십 년에 일찍 한 말도 불순히 한 적이 없으니 진실로 어리석고 아득하여 지은 죄를 아지 못하나이다."❹

대사가 이르되, / "중의 공부가 세 가지 행실이 있으니 몸과 말씀과 뜻이라. 네 용궁에 가 술을 취하고, 석교에서 여자를 만나 언어를 수작하고 꽃을 던져 희롱한 후에 돌아와, 오히려 미색을 권련하여 세상 부귀를 흠모하고 불가의 적막함을 싫이 여기니, 이는 세 가지 행실을 일시에 무너뜨림이라."❺

성진이 고두(叩頭)하고 울며 가로되, / "스승님아, 성진이 진실로 죄 있거니와 주계를 파하기는 주인이 괴로이 권하기에 마지못함이요, 선녀로 더불어 언어를 수작하기는 길을 빎을 말미암음이니 각별 부정한 말을 한 바가 없고, 선방에 돌아온 후에 일시에 마음을 잡지 못하나 마침내 스스로 뉘우쳐 뜻을 바르게 하였으니, 제자가 죄 있거든 사부가 달초(撻楚)하실 뿐이지 어이 차마 내치려 하시나이까? 사부 우러러 뵙기를 부모같이 하니 성진이 십이 세에 부모를 버리고 스승님을 좇아 머리를 깎으니 연화도량이 곧 성진의 집이니 나를 어디로 가라 하시나니이까?"❻

대사가 이르되, / "네 스스로 가고자 하기에 가라 함이니 네 만일 있고자 하면 뉘 능히 가라 하리오? 네 또 이르되 어디로 가리요 하니 너의 가고자 하는 곳이 너의 갈 곳이라."

Step 1 포인트 분석

▶ 김만중, 「구운몽」

제목의 의미

'구운몽'에서 '구(九)'는 성진과 팔선녀 즉, 아홉 명의 등장인물을 뜻하고, '운(雲)'은 '인생무상'이라는 주제 의식을, '몽(夢)'은 작품의 구성 방식인 '현실−꿈−현실'의 환몽 구조를 의미한다.

인물

❶성진이 여덟~적막하기 심하도다.'
➔ 성진은 세속의 부귀영화를 원하며 내적 갈등을 겪고 있는 인물임.

❸동자와 한가지로~네 죄를 아느냐?"
➔ 대사는 성진이 세속적 부귀영화를 원하는 것을 알고 있으며 이것이 덧없음을 깨우쳐 주려고 성진의 죄를 묻는 인물임.

사건

❷향로에 불을~연고가 있도다.'
➔ 육관대사의 호출(입몽): 성진이 사부에게 불려가면서 사건 전개에 변화가 일어날 것을 암시함.

❺대사가 이르되,~일시에 무너뜨림이라."
➔ 육관대사의 질책: 성진이 인간 세계로 추방되는 이유가 드러남. 성진이 세속적 욕망으로 내적 갈등을 하기 전의 사건들이 요약적으로 제시됨.

❻성진이 고두하고~가라 하시나니이까?"
➔ 성진의 변명: 성진이 자신의 죄를 부인하면서 연화도량에 와서 불도에 정진해 온 과거를 요약적으로 제시함.

갈등

❶'남아가 세상에~적막하기 심하도다.'
➔ 성진의 내적 갈등: 관직에 나아가 이름을 떨치는 것이 대장부의 일인데 승려로서 아름다우나 적막한 현실에 처한 성진의 내적 갈등이 드러남.

❷~❻향로에 불을~가라 하시나니이까?"
➔ 성진과 대사 사이의 갈등: 육관대사가 성진의 죄를 물어 질책함.

구성

❷향로에 불을~연고가 있도다.'
➔ 환몽 구조: 향로에 불을 피우면서 성진이 꿈을 꾸게 되는 입몽 과정이 제시되어 있으므로 '현실−꿈−현실'로 이어지는 환몽 구조임을 알 수 있음. (⑩−각몽)

서술

❶'남아가 세상에~적막하기 심하도다.'
➔ 내적 독백의 형식: 성진의 내면 심리를 내적 독백의 형식으로 드러내고 있음.

대사가 소리 질러 가로되, / "황건역사가 어디 있느뇨?"

홀연 공중으로부터 신장(神將)이 내려와 청령하거늘 대사가 분부하되,

"네 죄인을 영거(領去)하여 풍도˚에 가 교부(交付)하고 오라."❼

[중략 부분의 줄거리] 풍도로 끌려간 성진은 양 처사의 아들 양소유로 환생하고, 함께 환생한 팔선녀와 차례로 인연을 맺게 되고 높은 벼슬에까지 오른다. 벼슬에서 물러나 여생을 즐기던 양소유는 두 부인과 여섯 낭자를 거느리고 뒷동산에 올라갔다가 문득 인생의 허무함을 느끼게 된다.

잔을 씻어 다시 부으려 하더니, ㉣홀연 석경에 막대 던지는 소리 나거늘 괴이히 여겨 생각하되 '어떤 사람이 올라오는고?' 하더니, 한 호승이 눈썹이 길고 눈이 맑고 얼굴이 괴이하더라. 엄연히 좌상에 이르러 승상을 보고 예하여 왈,

"산야 사람이 대승상께 뵈나이다."❽

승상이 이인(異人)인 줄 알고 황망히 답례 왈, / "사부는 어디로부터 오신고?"

호승이 웃어 왈, / "평생 고인을 몰라보시니 귀인이 잊음 헐타는 말이 옳도소이다."❾

승상이 자세히 보니 과연 낯이 익은 듯하거늘 홀연 깨쳐 능파 낭자를 돌아보며 왈,

"소유가 전일 토번을 정벌할 제 꿈에 동정 용궁에 가 잔치하고 돌아오는 길에 남악에 가 놀았는데, 한 화상이 법좌에 앉아서 경을 강론하더니 노부가 그 화상이냐?"❿

호승이 박장대소하고 가로되, / "옳다. 옳다. 비록 옳으나 몽중에 잠깐 만나 본 일은 생각하고 십 년을 동처하던 일을 알지 못하니 뉘 양 장원을 총명타 하더뇨?"

승상이 망연하여 가로되,

"소유가 십오륙 세 전은 부모 좌하를 떠나지 않았고 **십육 세에 급제하여 연하여 직명(職名)**이 있었으니, 동으로 연국에 봉사하고 서로 토번을 정벌한 밖은 일찍 경사를 떠나지 않았으니 언제 사부로 더불어 십 년을 상종(相從)하였으리오?"⓫

호승이 웃어 왈, / "상공이 오히려 춘몽(春夢)을 깨지 못하였도소이다."

승상 왈, / "사부가 어찌하면 소유로 하여금 춘몽을 깨게 하리오?"

호승 왈, / "이는 어렵지 아니하니이다."

하고, 손 가운데 석장을 들어 석난간을 두어 번 두드리니 홀연 네 녘 산골로부터 구름이 일어나 대 위에 끼이어 지척을 분변치 못하니, 승상이 정신이 아득하여 마치 취몽 중에 있는 듯하더니 오래되어서야 소리 질러 가로되,

"사부가 어이 정도로 소유를 인도치 아니하고 환술로 서로 희롱하느뇨?"⓬

말을 떨구지 못하여서 구름이 걷히니 호승이 간 곳이 없고 좌우를 돌아보니 여덟 낭자가 또한 간 곳이 없는지라. 정히 경황하여 하더니, 그런 높은 대와 많은 집이 일시에 없어지고 제 몸이 한 작은 암자 중의 한 포단 위에 앉았으되 ㉤향로에 불이 이미 사라지고 지는 달이 창에 이미 비치었더라.

스스로 제 몸을 보니 일백 여덟 날 염주가 손목에 걸렸고 머리를 만지니 갓 깎은 머리털이 가칠가칠하였으니, 완연히 소화상의 몸이요 다시 대승상의 위의(威儀) 아니니, 정신이 황홀하여 오랜 후에 비로소 제 몸이 연화도량 성진 행자인 줄 알고 생각하니, 처음에 스승에게 수책˚하여 풍도로 가고 인세에 환도하여 양가의 아들 되어 장원급제 한림학사하고 출장입상하여 공명신퇴하고 **두 공주와 여섯 낭자로 더불어 즐기던 것**이 다 하룻밤 꿈이라.⓭

인물
❼ 대사가 소리~교부하고 오라."
→ 육관 대사(호승)는 세속적 부귀영화를 원하는 성진이 깨달음에 이르게 하는 인물이며 초월적·전기적 능력을 지니고 있음.
⓭ 말을 떨구지~다 하룻밤 꿈이라.
→ 성진은 세속적 부귀영화를 누리던 양소유로서의 삶이 꿈임을 깨닫고 현실의 승려 성진으로 돌아와 세속적 욕망이 덧없음을 깨닫는 인물임.

사건
❼ 대사가 소리~교부하고 오라."
→ 풍도로 내려가게 되는 성진: 대사가 성진을 깨닫게 하기 위해 황건역사에게 명해 성진을 풍도(속세)로 보냄.
❽ 잔을 씻어~대승상께 뵈나이다."
→ 호승의 등장: 소유(성진)를 꿈에서 깨게 하려고 호승이 등장함.
❾~⓫ 승상이 이인인~십 년을 상종하였으리오?
→ 호승과 성진의 대화: 양소유의 삶이 꿈임을 깨닫게 해 주려는 호승과 호승이 누구인지 깨닫지 못하는 성진의 대화가 제시됨.
⓬ 호승이 웃어~서로 희롱하느뇨?"
→ 소유를 꿈에서 깨어나게 하는 호승: 성진이 꿈에서 깨도록 호승이 신이한 힘을 발휘함.
⓭ 말을 떨구지~다 하룻밤 꿈이라.
→ 꿈에서 현실로 돌아옴(각몽): 소유가 자신이 승려 성진이며, 세속적 부귀영화가 일장춘몽임을 깨달음.

서술
❽~⓬ "산야 사람이~서로 희롱하느뇨?"
→ 대화 중심의 사건 전개: 성진과 육관대사의 대화를 중심으로 사건이 전개되면서 성진이 꿈에서 깨어나 깨달음에 이르게 함.
⓭ 말을 떨구지~다 하룻밤 꿈이라.
→ 요약적 제시: 성진이 꿈속에서 겪었던 일을 요약적으로 제시하면서 '세속적 욕망의 덧없음'이라는 주제 의식을 드러냄.

• 은택: 은혜와 덕택을 아울러 이르는 말.
• 풍도: 도가에서 '지옥'을 이르는 말.
• 수책: 꾸지람을 들음.

[전체 줄거리] 육관대사의 제자인 성진은 대사의 심부름으로 용궁에 가게 되었는데, 용왕의 융숭한 대접에 술을 몇 잔 마시고, 돌아오는 길에 팔선녀를 만나 희롱한다. 절에 돌아온 성진은 불문의 적막함과 속세의 부귀영화 사이에서 번민하다가 육관대사에 의해 팔선녀와 함께 인간 세상으로 추방되고 양소유로 태어나서 자란다. 양소유는 여덟 명의 부인들과 인연을 맺고 부귀공명을 누리며 산다. 벼슬에서 물러나 한가히 지내던 양소유는 문득 인생의 부귀영화가 덧없음을 깨닫게 된다. 그때 호승이 찾아와 문답하는 가운데 꿈에서 깨어나고 성진은 자신이 육관대사의 앞에 있음을 알게 된다. 본래의 모습으로 돌아온 성진은 죄를 뉘우치고 육관대사의 가르침을 받는다. 팔선녀도 대사를 찾아와 가르침을 구한다. 이에 대사가 설법을 베푸니, 성진과 팔선녀는 본성을 깨우치고 극락세계로 간다.

Step 2 포인트 체크

[01~05] 윗글에 대하여 맞으면 ○, 틀리면 ×표를 하시오.

01 양소유로서의 삶은 향로에 불이 사라지고 달이 창에 비치는 시간 동안 일어난 일이다. 〔○. ×〕

02 제시된 부분에서는 주로 성진과 사부의 대화를 통해 사건이 전개되고 있다. 〔○. ×〕

03 성진은 세속적 욕망과 거리가 먼 곳에서 생활하는 인물이다. 〔○. ×〕

04 성진은 팔선녀를 만난 후 내적 갈등을 겪는다. 〔○. ×〕

05 양소유의 삶을 통해 부귀영화와 입신양명을 누리는 것이 진정한 대장부의 삶임을 강조하고 있다. 〔○. ×〕

[06~10] 다음 빈칸에 알맞은 말을 쓰시오.

06 이 작품은 '꿈'이 등장하는 ☐ㅁ☐ㅈ☐ㄹ☐ 소설이다.

07 '현실 – 꿈 – 현실'로 이어지는 ☐ㅎ☐ㅁ☐ 구조로 사건이 전개되고 있다.

08 제시된 부분은 작품 밖의 서술자가 인물의 심리를 서술하는 ☐ㅈ☐ㅈ☐ㅈ☐ ☐ㅈ☐ㄱ☐ 시점이다.

09 이 작품 속의 ☐ㅇ☐ㅅ☐ㅇ☐ 는 성진이 팔선녀를 만난 후 꿈꾸던 삶을 실행하는 인물이다.

10 성진이 양소유의 삶을 경험한 뒤 깨달은 바는 ☐ㅇ☐ㅈ☐ㅊ☐ㅁ☐ 에 함축되어 있다.

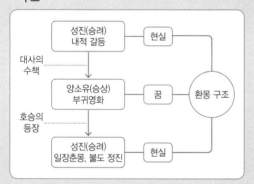
10 일장춘몽
정답 | 01 ○ 02 ○ 03 ○ 04 ○ 05 × 06 몽자류 07 환몽 08 전지적 작가 09 양소유

01

기출 2016학년도 4월 고3 교육청

윗글에 대한 설명으로 적절하지 <u>않은</u> 것은?

① 배경이 되는 시대 상황을 구체적으로 서술하고 있다.
② 대화를 통해 인물이 처한 상황의 원인을 드러내고 있다.
③ 전기적(傳奇的) 요소를 활용하여 서사를 진행하고 있다.
④ 인물의 말을 통해 과거의 행적이 요약적으로 제시되어 있다.
⑤ 등장인물의 내면 심리를 내적 독백의 형식으로 나타내고 있다.

02

윗글의 특징으로 적절한 것을 〈보기〉에서 있는 대로 고른 것은?

┤ 보기 ├

ㄱ. 선악 대결 구도로 주제를 명확하게 전달하고 있다.
ㄴ. 인물의 초월적 힘을 통해 주제를 이끌어 내고 있다.
ㄷ. 공간적 배경의 특성을 활용하여 주제를 암시하고 있다.
ㄹ. 이야기 바깥의 서술자가 인물과 사건을 제시하고 있다.

① ㄱ
② ㄱ, ㄴ
③ ㄴ, ㄷ
④ ㄱ, ㄴ, ㄷ
⑤ ㄴ, ㄷ, ㄹ

03

윗글의 인물에 대한 설명으로 적절하지 <u>않은</u> 것은?

① 팔선녀는 성진에게 입신양명의 길에 오를 것을 권하였다.
② 성진은 십이 세에 연화도량으로 들어와 불법에 정진하였다.
③ 사부는 성진이 내적 갈등을 겪고 있다는 것을 짐작하고 있다.
④ 신장은 대사의 명으로 성진을 풍도로 인도하는 일을 하게 된다.
⑤ 소유는 자신이 꿈에서 남악 형산 불경 강론에 갔다고 생각한다.

04

고난도 기출 2016학년도 4월 고3 교육청

〈보기〉를 참고하여 ㉠~㉤에 대해 이해한 것으로 가장 적절한 것은?

┤ 보기 ├

「구운몽」은 꿈에서 깨어난 주인공이 꿈속의 경험을 통해 꿈꾸기 이전보다 더욱 정진하여 득도에 이르게 된다는 내용이 주제의 한 축을 형성하고 있다. 이는 '현실－꿈－현실'의 환몽 구조를 통해 잘 드러나는데, 특히 꿈속 경험이 단 하룻밤의 '꿈'임을 강조하기 위해 입몽에서 각몽에 이르기까지의 시간 경과 및 그것이 이루어지고 있는 공간을 효과적으로 나타내고 있다.

① ㉠의 '염주'는 주인공이 겪게 되는 꿈속의 경험을 부각하는 소재이다.
② ㉡의 '등촉'은 주인공이 꿈에서 깨어난 후 득도할 것임을 암시하는 소재이다.
③ ㉢의 '섬돌'은 주인공의 입몽과 각몽이 이루어지는 공간을 나타내는 소재이다.
④ ㉣의 '막대'는 주인공이 꿈꾸기 이전보다 더욱 정진할 수 있도록 자극하는 소재이다.
⑤ ㉤의 향로의 '불'은 주인공의 입몽에서 각몽에 이르기까지의 시간 경과를 드러내는 소재이다.

05

〈보기〉를 바탕으로 윗글을 이해한 내용으로 적절하지 <u>않은</u> 것은?

┤ 보기 ├

'현실-꿈-현실'이라는 환몽 구조로 이루어진 「구운몽」과 유사한 것으로 설화 「조신의 꿈」이 있다. 이 설화에서 승려인 조신은 장원을 맡아 관리하다가 태수 김흔의 딸에게 반해 여러 번 낙산사 관음보살 앞에서 남몰래 그 여인과 살게 해 달라고 빌지만, 몇 년 뒤 그 여인에게 혼처가 정해진다. 조신은 불당 앞에 나아가 관음보살이 자신의 소원을 들어주지 않는다고 원망하며 슬피 울다 지쳐 잠이 드는데 꿈속에서 여인이 조신을 찾아와 두 사람은 함께 고향으로 떠나게 된다.

사십여 년을 함께 살던 두 사람은 자녀 다섯을 두지만, 가난으로 인해 고통스러운 삶을 살다가 큰아이는 굶어 죽게 되고, 남은 여섯 식구가 우곡현에 이르러 길가에 조그마한 집을 짓고 산다. 늙고 병든 내외는 인생이 덧없다는 이야기를 나눈 후 아이를 둘씩 나누어 데리고 각자 길을 떠나려 하다가 조신은 꿈에서 깨어난다. 그 후 조신은 세속적 욕망의 덧없음을 깨닫고 사재를 내어 정토사를 세우고 불도에 정진한다.

① 조신과 성진은 현실에서 승려의 신분이라는 공통점이 있다.
② 조신과 성진은 여인으로 인한 세속적 욕망 때문에 절을 떠난다는 공통점이 있다.
③ 조신과 성진은 '현실-꿈-현실'을 경험한다는 공통점이 있다.
④ 조신과 성진은 꿈속에서 세속적 부귀영화를 누린다는 공통점이 있다.
⑤ 조신과 성진이 꿈을 통해 깨달은 바가 인생무상이라는 공통점이 있다.

06

 고난도 기출 2016학년도 4월 고3 교육청

윗글을 바탕으로 ⓐ~ⓔ를 이해한 내용으로 적절하지 <u>않은</u> 것은?

┤ 보기 ├

아래의 도식은 「구운몽」의 공간적 배경과 인물을 대응하여 나타낸 것이다. 천상적 가치에 대해 '성진(+)'은 지향을, '성진(-)'은 회의를 의미하고, 세속적 가치에 대해 '소유(+)'는 추구를, '소유(-)'는 회의를 의미한다.

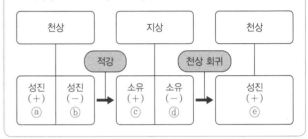

① 여덟 선녀를 만난 것을 계기로 성진의 상태는 ⓐ에서 ⓑ로 변했다고 볼 수 있겠군.
② 성진이 '부처의 법문'을 '한 바리 밥과 한 병 물과 두어 권 경문과 일백 여덟 낱 염주뿐'으로 생각한 것에서 ⓑ를 확인할 수 있겠군.
③ 승상이 '십육 세에 급제하여 연하여 직명이 있었'다는 것은 ⓒ의 결과로 볼 수 있겠군.
④ ⓓ의 소유는 호승과의 만남을 계기로 천상으로 회귀하게 되었겠군.
⑤ 성진이 '두 공주와 여섯 낭자로 더불어 즐기던 것'을 떠올리는 것에서 ⓔ의 성진이 ⓒ에서 벗어나지 못하고 있음을 알 수 있겠군.

07

윗글이 〈보기〉와 같은 구조로 전개된다고 할 때, '입몽'과 '각몽'에 해당하는 구절의 첫 2어절을 각각 찾아 쓰시오.

┤ 보기 ├

「구운몽」은 주인공이 '현실-꿈-현실'을 경험하면서 주제를 전달하는 몽자류 소설인데 현실에서 꿈으로 들어가는 것을 '입몽'이라고 하고 꿈에서 현실로 돌아오는 것을 '각몽'이라고 한다.

(1) 입몽: _____

(2) 각몽: _____

옥루몽(玉樓夢) | 남영로

출제 포인트 > #군담 소설 #환몽 구조 #중심인물 간의 재회 과정 #편집자적 논평

이때 강남홍은 사부의 명으로 만왕을 구하러 오기는 했지만 **부모의 나라를 저버릴 수**가 없어서 조용히 옥적으로 장자방이 통소를 불어서 항우의 병사들인 강동(江東) 지역 자제들을 흩어 버린 일을 본받아 전투를 끝내려 했다.❶ 그런데 뜻밖에 명나라 진영에서도 옥적으로 화답하는 것이었다.❷ 곡조는 다르지만 음률은 차이가 나지 않고 기상은 다르지만 뜻은 다름이 없어, 마치 아침 햇살에 아름다운 봉황이 날아오르며 수컷이 노래를 부르자 암컷이 화답하는 듯하였다.❸ 강남홍은 잠시 옥적을 멈추고 망연자실하여 고개를 숙이고 한동안 생각하였다. / '이 옥적은 본래 한 쌍이다. 하나는 문창성에게 있는데, 내가 귀국할 수 있는 기회가 여기에 있다고 들었다. 이제 대명국의 원수가 문창성의 정기가 아니라는 것을 어찌 알겠는가. 그러나 하늘이 옥적을 낳았으되 어찌 한 쌍만을 낳았을 것이며, 이제 한 쌍이 있는 것이라면 어찌 남과 북에서 그 짝을 잃어버리게 하였다가 서로 만나 합치게 되는 것이 이토록 늦었을까?'

이어서 이렇게 생각하였다. / '이 옥적이 이미 짝이 있는 것이라면, 그것을 부는 사람은 반드시 짝일 것이다. 하늘이 굽어살피시고 명월이 밝게 비추어 주시니, 강남홍의 **짝은 양 공자 한 분뿐이라**, 혹시 조물주가 도우시고 보살께서 자비를 베푸셔서 우리 공자님께서 지금 명나라 진중에 원수로 와 계신 것일까?❹ 어제 진영 앞에서 이미 병법을 보고 오늘 밤 달빛 아래 다시 피리 소리를 들어 보니, 이 시대에 짝을 찾을 수 없는 뛰어난 인재다. 내 마땅히 내일 싸움을 걸어서 원수의 모습을 봐야겠구나.'❺

그녀는 즉시 객실로 돌아갔다. 아침이 되자 만왕을 만나 말했다.

"오늘 마땅히 도전하여 자웅을 결정하려 합니다. 대왕은 먼저 병사들을 거느리고 골짜기 앞에 진을 치십시오." / 나탁이 응낙하고 군사를 이끌고 나갔다. 강남홍은 수레에서 내려 말을 타고 손삼랑과 진 앞으로 갔다. 양창곡 역시 진세를 이루어 포진하였다.❻ 강남홍은 권모설화마(捲毛雪花馬) 위에서 부용검을 차고 활과 화살을 허리에 두른 뒤, 진영의 문 앞에서 손삼랑에게 소리치게 하였다.

"어제의 싸움은 먼저 무예를 시험했던 까닭에 좀 봐주었지만, 오늘은 나를 당할 자 있다면 즉시 나오라. 만약 당할 수 없다면 괜히 출정하여 전쟁터 위에 백골을 더하지 말도록 하라." / 좌익 장군 동초가 크게 노하여 창을 뽑아 들고 나왔다. 홍랑이 말고삐를 어루만지며 조금도 흔들림 없이 말했다.

"너는 돌격장이니 내 적수가 아니다. 빨리 다른 장수를 보내라."

동초가 크게 화를 내며 창을 휘둘러 맞붙으려 하는데, 강남홍이 ㉠웃으며 꾸짖는다.

"네가 물러나지 않는다면 나는 네 창끝에 달린 상모(象毛)를 쏘아 떨어뜨리겠다. 네가 피할 수 있겠느냐?"❼ / 말이 끝나기도 전에 동초의 창끝에서 쩽그랑 옥 같은 소리가 나더니 상모가 말 앞에 떨어지는 것이었다. 강남홍이 다시 소리를 질렀다.

Step 1 포인트 분석

남영로, 「옥루몽」

제목의 의미
'옥루몽'은 옥황상제의 누각에서 꾸는 꿈이라는 뜻이다. 이는 천상계의 신선이었던 문창성이 지상계를 그리워하는 시를 읊으며 잠이 드는 장소를 나타내는 동시에, 지상계의 양창곡으로 사는 삶이 꿈속에서 겪는 일임을 나타내고 있다.

배경
❻ 강남홍은 수레에서~포진하였다.
➡ 강남홍이 '진 앞'에 나서서 양창곡의 진영과 마주함. '진 앞'은 전투를 통한 군담 서사가 진행되는 배경이 되는 곳임.

인물
❹ '이 옥적이~계신 것일까?
➡ 강남홍은 명나라의 원수가 부는 옥적 소리를 듣고 자신의 옥적과 한 쌍임을 깨달음. 이후 옥적이 짝이 있듯이 그것을 부는 사람이 자신의 짝일 것이므로 명나라 원수가 자신의 짝인 양창곡일지도 모른다고 추리하게 됨.

사건
❷ 그런데 뜻밖에~화답하는 것이었다.
➡ 양창곡의 피리 소리가 들려옴: '옥적'은 강남홍과 양창곡이 서로 만날 수 있도록 매개하는 기능을 함.
❺ 내 마땅히~모습을 봐야겠구나.'
➡ 양창곡을 확인하려는 강남홍: 원수를 만나기 위해 싸움을 걸게 됨.
❼ 동초가 크게~피할 수 있겠느냐?"
➡ 강남홍과 동초 간의 대결: 강남홍은 자극을 받아 돌진하는 동초와 달리 여유로운 태도를 보이며 자신이 할 행동을 예고하고 있음. 자신의 승리를 확신하는 태도가 나타남.

갈등
❶ 이때 강남홍은~끝내려 했다.
➡ 강남홍의 내적 갈등: 자신이 속한 나라(남만)와 부모의 나라(명) 사이에서 고민하는 상황으로, 물리적 피해 없이 최대한 원만하게 문제를 해결하고자 함.

서술
❶ 이때 강남홍은~끝내려 했다.
➡ 고사의 활용: 고사를 활용해 강남홍이 옥적을 부는 의도를 설명함.
❸ 곡조는 다르지만~화답하는 듯하였다.
➡ 비유적 표현의 사용: 옥적 연주를 주고받는 상황을 봉황의 노래에 빗대어 묘사함.

"내가 다시 네 왼쪽 눈을 맞히겠다. 피할 수 있겠느냐?" / 말이 끝나기도 전에 활시위 소리가 났다. 동초는 말 위에 납작 엎드려 황망히 본진으로 돌아왔다. ❽

뇌천풍이 바라보고 있다가 분노를 이기지 못하고 도끼를 휘두르며 나갔다. 강남홍이 웃으며 말했다. / "노장(老將)은 노쇠한 정력을 함부로 낭비하지 마시오. 내가 마땅히 당신의 목숨을 빌려줄 테니 노장은 갑옷 위의 칼자국을 살펴보시고 내 솜씨를 보시구려."❾

말을 마치기도 전에 부용검을 휘두르며 몇 합 맞붙어 싸웠다. 뇌천풍이 자신의 갑옷을 내려다보니 칼자국이 낭자했다. 그는 싸울 생각이 없어지면서 말을 돌려 돌아갔다.❿

명나라 진영의 여러 장수들이 서로 돌아보며 출전하려는 사람이 없었다. 양창곡이 크게 노하여 분연히 일어났다. 청총사자마(靑鴻獅子馬)°에 걸터앉아 장팔탱천이화창(丈八梢天梨花槍)°을 들고 붉은 도포에 금빛 갑옷을 입었다. 허리에는 활과 화살을 두르고 진영 앞에 나와 섰다. 소유경이 간하여 말했다.

[A] "원수께서 **황제의 명을 받들어** 삼군을 지휘하시니, 국가의 안위(安危)가 원수 한 몸에 달려 있으며 **종묘사직의 중대함**이 진퇴에 달려 있습니다. 이제 **필마단기(匹馬 單騎) 혼자 몸으로** 친히 화살과 돌을 무릅쓰고 **한때의 분노로 승부**를 내려 하시니, 이 어찌 **몸을 보전하고 나라를 위하는 뜻**이라 하겠습니까?"⓫

[B] 이때 양창곡은 소년의 날카로운 기상으로, 강남홍의 무예가 절륜한° 것을 알고 한 번 대항해 보고 싶어서 소유경의 간언을 듣지 않고 말을 달려 출전했다. 강남홍은 원 수가 나오는 것을 보고 말을 돌려 칼을 휘두르며 그를 맞아 싸웠다. 그러나 일 합을 맞붙기 전에 강남홍의 총명으로 어찌 양창곡의 모습을 몰라보겠는가.⓬

너무 기뻐 **눈물이 먼저 흐르며 정신이 황홀**하여 어찌할 바를 몰랐다. 그러나 지기지 심(知己知心)을 가진 양창곡이라도 한밤중 황천으로 영원히 떠난 강남홍이 지금 만리 절역(萬里絶域)에서 자기와 싸우는 오랑캐 장수가 되었으리라고 어찌 생각이나 했겠는 가.⓭ 양창곡이 창을 들어 강남홍을 찌르니, 그녀는 머리를 숙여 피하면서 쌍검을 던지 고 땅에 떨어지며 낭랑하게 외쳤다.

"소장이 실수로 칼을 놓쳤습니다. 원수는 잠시 창을 멈추고 칼을 줍도록 해 주시오."
양창곡은 그 목소리가 귀에 익어서 창을 거두고 그 모습을 살폈다.

강남홍은 칼을 거두어 말에 오르더니 양창곡을 돌아보며 말했다. / "천첩 강남홍을 어찌 잊으실 수 있습니까? 첩은 당연히 상공을 따라야 하나, 제 수하의 노졸이 오랑 캐의 진영에 있사오니, 오늘 밤 삼경에 군중에서 만나 뵙기를 기약하겠습니다."⓮

말을 마치고 채찍질을 하여 오랑캐의 본진을 향하여 훌쩍 돌아갔다. 양창곡이 창을 짚고 조각상처럼 서서 오래도록 그쪽을 바라보다가 본진으로 돌아왔다. 소유경이 물었다.

"오늘 오랑캐 장수가 그 재주를 다하지 않은 것은 무엇 때문일까요?"
양창곡이 ○웃기만 하고 대답을 하지 않았다.⓯ 그는 진영을 화과동으로 옮겼다. 한편, 강남홍은 만왕을 보고는 말했다.

"오늘 명나라 원수를 거의 사로잡을 뻔했는데, 몸이 불편하여 진을 퇴각시켰습니다. **내일 다시 싸워야겠**습니다." / 나탁이 깜짝 놀라며 말했다.

"장군께서 불편하시다면 과인이 **마땅히 옆에서 시중을 들면서 직접 간병**을 하겠습니다."

인물

❽ 말이 끝나기도~본진으로 돌아왔다.
➜ 동초는 강남홍의 뛰어난 활 솜씨에 놀라 싸울 의지를 잃고 도망침.

❿ 말을 마치기도~말을 돌려 돌아갔다.
➜ 뇌천풍은 강남홍의 칼 솜씨를 보고 사기가 꺾여 돌아감.

⓭ 지기지심을 가진~생각이나 했겠는가.
➜ 양창곡은 강남홍이 죽은 줄로만 알고 지상계에서 그녀와 인연이 끝났다고 생각했음.

⓯ 양창곡이 웃기만~하지 않았다.
➜ 연유를 모르는 소유경과 달리, 양창곡 은 강남홍을 만나게 된 것에 기쁨을 느끼면서도 일부러 말하지 않음.

사건

❾ 강남홍이 웃으며~솜씨를 보시구려."
➜ 강남홍과 뇌천풍의 대결: 강남홍은 나이가 든 뇌천풍이 자신과 대적하는 것은 힘을 낭비하는 것이라며 여유로운 모습을 보임으로써 심리적 우위를 점하고 있음.

⓫ "원수께서 황제의~뜻이라 하겠습니까?"
➜ 출전을 만류하는 소유경: 양창곡이 섣불리 강남홍과 대적하기 위해 출전하는 것을 만류함.

⓬ 이때 양창곡은~모습을 몰라보겠는가.
➜ 양창곡을 알아본 강남홍: 소유경의 만류를 거절한 양창곡은 자신의 뜻대로 대결에 나서고, 강남홍은 양창곡의 모습을 알아봄.

⓮ "천첩 강남홍을~기약하겠습니다."
➜ 자신의 정체를 밝히는 강남홍: 대결 과정에서 정체를 밝히며 양상곡에게 돌아갈 계획이 있음을 강남홍이 직접 밝힘.

갈등

❿ 말을 마치기도~말을 돌려 돌아갔다.
➜ 장수 간의 대결: 강남홍의 압도적인 무술 실력을 통해 명나라 장수들과의 대결이 마무리됨.

서술

⓬ 일 합을~모습을 몰라보겠는가.
➜ 편집자적 논평: 강남홍이 양창곡을 쉽게 알아볼 것이라는 서술자의 주관적 논평이 드러남.

⓭ 지기지심을 가진~생각이나 했겠는가.
➜ 편집자적 논평: 강남홍과 달리 양창곡은 강남홍을 처음부터 쉽게 알아보지 못했을 것이라는 서술자의 주관적 논평이 드러남.

• 만왕: 중국 남쪽의 오랑캐인 남만의 왕.
• 권모설화마: 곱슬거리고 뭉쳐진 털을 날리고 눈송이처럼 하얀 말.
• 청총사자마: 갈기와 꼬리가 파르스름하고 사자와 같이 기세등등한 말.
• 장팔탱천이화창: 하늘을 찌를 듯 배꽃같이 날이 희고 날카로운 창.
• 절륜한: 아주 두드러지게 뛰어난.

[전체 줄거리] 천상계 신선인 문창성은 지상계를 그리워하는 시를 읊으며 다섯 선녀를 희롱하고 이로 인해 문창성은 양창곡, 제방옥녀는 윤 소저, 천요성은 황 소저, 홍란성은 강남홍, 제천 선녀는 벽성선, 도화성은 일지련이 되어 인간 세계로 내려가게 된다. 양창곡은 과거를 보러 가던 중에 강남홍, 윤 소저와 인연을 맺게 된다. 이후 양창곡이 전쟁터에 나간 사이 소주 자사 황공이 강남홍을 탐하자 이를 피하기 위해 강물에 투신했던 강남홍은 윤 소저에 의해 구출된다. 이후 남만에서 도술을 익힌 강남홍은 남만국의 지휘관이 된다. 한편 양창곡은 과거에 장원 급제하여 대원수가 되고, 남만의 침공에 맞서 참전 중에 강남홍과 재회한다. 강남홍은 양창곡에게 도망쳐 와 명나라의 부원수가 되고 남만은 항복한다. 이후 연왕이 된 양창곡은 두 부인, 세 첩과 부귀영화를 누리다 천상계로 돌아간다.

Step 2 포인트 체크

[01~05] 윗글에 대하여 맞으면 ○, 틀리면 ×표를 하시오.

01 강남홍의 '옥적'은 심리적인 자극을 주어 상대의 사기를 꺾기 위해 동원된 소재이다. 〔○, ×〕

02 강남홍은 양창곡이 자신의 유일한 인연이라고 여기고 있다. 〔○, ×〕

03 강남홍은 양창곡을 만난 이후 '사부의 명'과 '명나라로의 복귀' 사이에서 내적 갈등을 겪고 있다. 〔○, ×〕

04 양창곡은 강남홍과 대결하여, 장수들의 연이은 패배로 기울어진 상황을 뒤집으려는 의지를 보이고 있다. 〔○, ×〕

05 나탁은 자신의 진영으로 돌아온 강남홍이 가지고 있는 계획을 일부러 모른 척하며 의심하고 있다. 〔○, ×〕

[06~10] 다음 빈칸에 알맞은 말을 쓰시오.

06 이 작품은 명나라와 남만의 전쟁 과정을 다루고 있는 ㄱㄷ 소설이다.

07 이 작품은 천상계의 문창성이 지상계의 양창곡으로서의 삶을 살아가는 ㅇㅇㅈ 구조를 바탕으로 하고 있다.

08 강남홍은 ㅂㅂ과 ㅍㄹㅅㄹ를 근거로 명나라 진영의 원수가 뛰어난 인재라고 여기고 있다.

09 강남홍은 ㅎ로 동초를, ㅂㅇㄱ으로 뇌천풍을 쉽게 물리친다.

10 ㅍㅈㅈㅈㄴㅍ을 통해 인물의 뛰어난 자질과 작중 상황에 대한 서술자의 생각을 드러내고 있다.

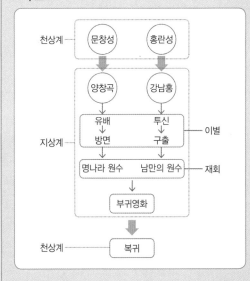

정답 | 01 ○ 02 ○ 03 × 04 ○ 05 × 06 군담 07 이원적 08 병법, 피리 소리 09 활, 벽유검 10 편집자적 논평

10 편집자적 논평

01

윗글에 대한 설명으로 가장 적절한 것은?

① 공간의 이동에 따라 인물 간의 갈등이 심화되고 있다.
② 비유적 표현을 사용하여 인물 간의 대립적 관계를 부각하고 있다.
③ 역사적 사건을 활용하여 인물이 행하고자 하는 바를 드러내고 있다.
④ 삽화식 구성을 바탕으로 중심 사건이 지니는 의미를 암시하고 있다.
⑤ 잦은 장면 전환을 통해 이질적인 사건 간의 관계를 나타내고 있다.

02

윗글의 흐름을 〈보기〉와 같이 도식화했을 때, ㉮~㉰에 대한 설명으로 적절하지 <u>않은</u> 것은?

① ㉮에서는 강남홍이 장수로서 동초가 맡은 역할을 근거로 들어 그와 싸울 뜻이 없음을 드러내는 모습이 나타나 있군.
② ㉮에서는 강남홍이 연속적으로 자신이 예고한 바를 성공함으로써 동초로 하여금 전의를 상실케 하고 있군.
③ ㉯에서는 자기 진영의 장수가 패배하자 대결에 나선 뇌천풍이 강남홍과 몇 합 싸운 후 더 이상의 싸움을 포기하고 있군.
④ ㉰에서는 양창곡이 자신을 알아볼 수 있도록 일부러 실수를 한 강남홍이 앞으로의 일을 예고하는 모습이 나타나 있군.
⑤ ㉰에서는 조각상처럼 서서 오래도록 강남홍이 간 쪽을 바라보는 양창곡의 모습을 통해 죽은 줄로만 알았던 강남홍을 만난 양창곡의 심리를 드러내고 있군.

03

윗글의 내용에 대한 이해로 가장 적절한 것은?

① 양창곡은 강남홍과 대적하겠다는 여러 장수들을 무시한 채 자신이 먼저 대결에 나선 것이군.
② 강남홍은 자신의 연주에 답하는 명나라 진영의 옥적 소리를 듣고 전쟁에서 승리하려는 의지를 높이게 되었군.
③ 강남홍은 자신보다 앞서 손삼랑을 명나라 장수들과 대결시키기 위해 그로 하여금 명나라 진영을 자극하는 말을 하게 했군.
④ 강남홍은 겉으로는 명나라와의 전쟁에서 승리하려는 모습을 보이면서도 그 이면에는 다른 계획을 품고 있군.
⑤ 양창곡은 강남홍이 땅에 떨어지며 외치는 목소리를 듣고 나서야 자신의 상대가 죽은 강남홍의 환생이었다고 여기고 있군.

04 〔고난도〕

〈보기〉를 바탕으로 윗글을 이해한 것으로 적절하지 <u>않은</u> 것은?

┤ 보기 ├

「옥루몽」의 사건들은 여러 등장인물의 만남과 이별을 중심으로 전개된다. 이들의 만남과 이별은 천상계와 지상계, 그리고 아국과 적국을 넘나들며 반복되는데, 이 과정에서 인물들은 달라진 상황이나 처지, 변장이나 변복 등으로 인해 서로를 알아보지 못하기도 한다. 한편 양창곡과 강남홍은 지상계의 인물이지만 천상계에서 문창성과 홍란성으로 맺은 인연을 바탕으로 지상계에서 만남과 이별을 반복하고 있다.

① 양창곡은 오랑캐 장수의 복장을 한 강남홍을 처음에는 알아보지 못하였다.
② 양창곡은 강남홍이 죽어 지상계에서 그녀와의 인연이 끝났다고 생각하였다.
③ 양창곡과 강남홍의 만남은 지상계에서 대립적 위치를 바탕으로 구현되고 있다.
④ 강남홍은 전투에서 양창곡과 다시 만나기까지 오랜 시간을 이별해 있던 상황이었다.
⑤ 강남홍은 만왕을 구하라는 사부의 명을 수락하여 양창곡과의 만남을 도모하고자 했다.

05

〈보기〉를 참고하여 윗글을 감상한 내용으로 적절하지 <u>않은</u> 것은?

┤ 보기 ├

　「옥루몽」은 당대 사회에서 큰 인기를 얻었던 작품 중 하나였는데, 이는 군담, 즉 전쟁 이야기에 내재한 다양한 흥미 요소 때문이다. 일반적인 군담은 남성을 중심으로 적장끼리의 치열한 갈등 관계를 바탕으로 전개되지만, 이 작품에서는 적장 및 적장끼리의 관계상 특이성과 그에 따른 '기대-확인' 과정에서의 서사적 구조, 전세가 기울어지는 급격한 형국의 전개 등을 통해 전형적 군담과 변별되는 양상을 보여 준다. 특히 이러한 요소들은 이별했던 주인공이 재회해 함께하기를 기대하는 독자들의 예상과 욕구를 충족시켜 주었다고 볼 수 있다.

① '부모의 나라를 저버릴 수' 없는 강남홍을 남만의 장수로 설정한 것은 강남홍과 양창곡의 전투가 치열하게 일어나기 어려운 개연성을 제공하는군.

② '짝은 양 공자 한 분뿐이라'고 여기며 확인하려는 강남홍의 모습에서 남성 중심의 군담과 구별되는 특이성을 확인할 수 있겠군.

③ '눈물이 먼저 흐르며 정신이 황홀'하다고 느끼는 강남홍의 모습은 적장끼리의 대결이 기대를 확신으로 만드는 서사적 구조로서의 의미를 띠는 것이겠군.

④ '내일 다시 싸워야겠'다고 나탁에게 말하는 강남홍의 모습은 전세가 기울어지는 급격한 형국을 정확히 진단함으로써 독자들의 욕구를 충족시켜 주었던 것이겠군.

⑤ '마땅히 옆에서 시중을 들면서 직접 간병'하겠다고 말하는 나탁의 모습은 독자들이 기대하는 바가 이루어지는 과정에 긴장감을 부여할 수 있겠군.

06

〈서술형〉

윗글의 옥적 이 지니는 서사적 기능을 〈조건〉에 맞게 서술하시오.

┤ 조건 ├

1. 인물 간의 관계에 대한 서사적 기능의 내용을 반드시 포함할 것.
2. 화답 연주를 들은 후의 상대 인물에 대한 심리를 답안 내용에 포함할 것.

07

〈고난도〉

[A]와 [B]에 대한 이해로 가장 적절한 것은?

① [A]에서 '황제의 명을 받들'고 있다는 점을 언급하는 주변 인물의 발언에도 불구하고 [B]에서 중심인물은 다른 중심인물이 자신이 예상한 인물인지를 확인하고자 한다.

② [A]에서 '종묘사직의 중대함'을 책임지고 있는 중심인물에 의해 [B]에서 주변 인물은 다른 중심인물과 대신 맞서야 하는 상황을 수용하기로 결심한다.

③ [A]에서 '필마단기 혼자 몸'의 상황을 몸소 자처하는 중심인물을 주변 인물이 만류하고 있으나 [B]에서 중심인물은 이를 거절하고 다른 중심인물의 실력을 확인하고자 나서게 된다.

④ [A]에서 '한때의 분노로 승부'를 내려 했던 점에 대해 중심인물을 비난하는 주변 인물은 [B]에서 다른 중심인물의 정체를 중심인물 간 본격적인 대결이 일어나기 직전에 알아차린다.

⑤ [A]에서 '몸을 보전하고 나라를 위하는 뜻'을 몸소 실행하고자 하는 의사를 내비친 중심인물이 [B]에서 보이는 활약을 확인하고 난 후에야 주변 인물은 그 뜻을 이해하는 모습을 보이게 된다.

08

〈서술형〉

㉠과 ㉡에 담긴 인물의 심리를 〈조건〉에 맞게 서술하시오.

┤ 조건 ├

1. ㉠의 '웃음'에서 상대 인물에게 보이는 태도와 이를 통해 나타나는 인물의 특성을 포함하여 서술할 것.
2. ㉡의 '웃음'은 인물이 전투를 통해 새롭게 알게 된 사실을 포함하여 서술할 것.

가전체는

사물을 의인화하여
그 일생을 **전(傳)의 형식**으로 서술한 글입니다.
인물의 가계와 성품, 생애, 공과(功過) 등을
'가계-행적-논평'이라는 틀 속에 담아내었습니다.
내용상으로는 인간 세태를 풍자하고
세상을 경계하려는 성격이 강해
교훈성을 지닙니다.

판소리 사설은

구전되던 **판소리**의 **가사**를
글로 엮은 것을 말합니다.
창자의 입에서 입으로 전해져 공연되던
판소리의 영향으로 **구어적** 성격이 강하고,
풍부한 표현 방식을 통해 **웃음**을 자아냅니다.

가전체 · 판소리 사설

공방전(孔方傳) | 임춘

출제 포인트 > #가전체 #사물의 의인화 #계세징인 #돈의 폐해에 대한 경계와 비판

공방(孔方)의 자(字)는 관지(貫之)이다. 공방이란 구멍이 모가 나게 뚫린 돈, 관지는 돈의 꿰미를 뜻한다.❶ 그 조상은 일찍이 수양산(首陽山)에 숨어 살아서 세상에 쓰인 적이 없었다. 그는 처음 황제 시절에 조금 쓰였으나, 성질이 굳세어 세상일에 그리 세련되지 못하였다. 어느 날 황제가 관상가를 불렀다. 그가 한참 동안 관상을 보고 말했다.

"산야(山野)의 성질이라 쓸 만하지 못하오나, 만일 폐하가 만물을 조화하는 풀무와 망치로 때를 긁고 빛을 갈면 그 자질이 마땅히 점점 드러날 것입니다. 본래 왕이란 존재는 그것이 무엇이든 쓸모가 있게 하는 분이오니, 원컨대 폐하는 저 단단한 구리와 함께 내버리지 마옵소서."

이로 말미암아 세상에 그의 이름이 나타났다. 그 뒤에 난리를 피하여 강가의 숯 굽는 거리로 이사하여 거기서 눌러살게 되었다.❷

그의 아버지 천(泉)은 주(周)나라의 재상으로 나라의 세금 매기는 일을 맡았다.❸

㉠공방은 밖은 둥글고 안은 모나며, 때에 따라 그에 맞게 잘 변하더니 한(漢)나라에 벼슬하여 홍려경(鴻臚卿)이 되었다. 그때에 오(吳)나라 왕 비(濞)가 교만하고 참람하여* 권세를 도맡아 부렸는데, 공방이 그에게 붙어 많은 이득을 보았다.❹

[A] 무제(武帝) 때에 천하의 경제가 궁핍하여 나라의 창고가 텅 비었으므로, 위에서 격정하여 공방에게 부민후(富民侯)라는 벼슬을 주어 그의 무리 염철승(鹽鐵丞) 근(僅)과 함께 조정에 있었는데, 근이 매양 형님이라 하고 이름을 부르지 않았다.❺

공방의 성질이 욕심 많고 더러워 염치가 없었는데, 이제 재물과 씀씀이를 도맡게 되니 본전과 이자의 경중을 저울질하기 좋아하였다. 나라를 편하게 하는 것은 반드시 질그릇, 쇠그릇을 만드는 기술에만 있는 것이 아니라 하여, 백성과 더불어 작은 이익이라도 다투었다. 물건값을 낮추어 곡식을 천하게 하고, 재화를 중하게 하여 백성으로 하여금 근본인 농업을 버리고 끝인 상(商)을 좇게 하여 농사에 방해를 끼치므로 관리들이 많이 상소하여 논했으나 위에서 듣지 않았다.❻

공방은 또 재치 있게 권세가들을 잘 섬겨 그 문에 드나들며 권세를 부리고, 벼슬을 팔아 올리고 내침이 그 손바닥에 있으므로 벼슬아치들이 절개를 굽혀 그를 섬겼다. 이에 곡식을 쌓고 뇌물을 거둔 문서와 증서가 산 같아 이루 셀 수 없었다.❼

[B] 그는 사람을 접하고 인물을 대함에도 어질고 어리석음을 묻지 않고, 비록 저잣거리 사람이라도 재물만 많이 가진 자면 다 함께 사귀고 통하였다. 때로는 혹 거리의 못된 젊은이들과 어울려 바둑 두기와 투전하기를 일삼고 뒤섞이기 좋아하므로 사람들이 말하였다.

㉡"공방의 말 한마디는 그 무게가 황금 백 근만 하다."❽

원제(元帝)가 자리에 오르자 공우(貢禹)가 글을 올려 아뢰었다.

Step 1 포인트 분석

▶ 임춘, 「공방전」

제목의 의미
'공방'의 '공(孔)'은 '구멍'을, '방(方)'은 '모가 난 것'을 의미하므로 밖은 둥글고 속은 구멍 뚫린 모양이 모난 돈의 외양을 이른다. 돈을 공방이라고 명명하며 의인화하여 돈의 내력과 흥망성쇠를 다룬다.

배경
❷~❻그 조상은~듣지 않았다.
→ 중국의 수양산에 공방의 조상이 숨어 살았던 황제 시절부터 공방이 죽은 후 그의 후손들이 살았던 시간과 장소를 배경으로 함.

인물
❶공방의 자는~꿰미를 뜻한다.
→ 글의 중심 제재인 돈을 의인화하여 제시함. 공방은 그 생김이 밖은 둥글고 안은 모난 모양임을 알 수 있음.
❷그 조상은~눌러살게 되었다.
→ 공방의 조상은 수양산에 은거하다가 황제 때 처음 등용되었음이 드러남.
❸그의 아버지~일을 맡았다.
→ 공방의 아버지인 천은 주나라 재상으로 세금을 담당한 인물임.

사건
❹, ❺공방은 밖은~부르지 않았다.
→ 공방의 외양과 정계 등용: 이중성을 지닌 공방이 오나라 왕 비의 권세에 붙어 많은 이득을 보았음. 공방이 백성을 풍요롭게 하는 데 사용되었으며 소금, 철과 함께 유통되었음.
❻공방의 성질이~듣지 않았다.
→ 공방의 성품과 폐해: 공방의 성질이 탐욕스럽고 더러워, 돈을 중하게 여기고 곡식을 천하게 여기므로 백성들로 하여금 농업을 버리고 상업을 따르게 하여 농사에 방해를 끼침.
❼, ❽공방은 또~백 근만 하다."
→ 공방의 탐욕과 권세: 공방이 권세를 섬기며 매관매직을 하고, 재물을 많이 가진 사람이면 무조건 가까이 사귀어 권세가 대단하였음.

갈등
❻물건값을 낮추어~듣지 않았다.
→ 공방과 관리들의 갈등: 탐욕적인 공방과 공방이 농사에 방해를 끼친다고 상소한 관리들 사이의 갈등이 형성됨.

"공방이 오랫동안 어려운 직책을 맡아보면서, 농사의 근본을 알지 못하고 한갓 장사치의 이익만을 일으켜 나라를 좀먹고 백성을 해하여 공사가 다 곤궁하며, 더구나 뇌물이 낭자하고 청탁을 버젓이 행하오니, 대저 '짐을 지고 또 타게 되면 도둑이 이르게 된다.' 한 것은 옛날의 분명한 경계이니 청컨대 그를 면직시켜 욕심 많고 더러운 자를 징계하옵소서."

이때에 정사를 맡은 자 중에 곡량(穀梁)의 학문으로 벼슬에 나아간 이가 있었는데, 군자(軍資)를 맡아 장차 변방을 막는 방책을 세우려 하니, 공방이 하는 일을 미워하였다. 그자가 공우의 말을 도우니, 임금이 그 아룀을 받아들여 공방은 마침내 쫓겨나게 되었다.❾ (중략)

진(晉)나라에 화교(和嶠)라는 자가 있었다. 그는 공방에 대한 얘기를 듣고 기뻐하며 사귀어 큰 재산을 모았다. 화교가 공방을 사랑하는 것이 큰 버릇이 되니, 노포(魯褒)가 논(論)을 지어 화교를 비난하고 그릇된 풍속을 바로잡았다. 화교의 무리 중에서 오직 완적(阮籍)만은 성품이 활달해서 속물(俗物)을 즐기지 않았는데도 공방의 무리와 어울려 술집에 이르러 때로는 취하도록 마셨다. 왕이보(王夷甫)는 입에 일찍이 공방의 이름을 담지 않고 다만 '그것'이라 일컬었으니, 공방이 깨끗한 자에게 비천하게 여겨짐이 이와 같았다.❿

[C]
당(唐)나라가 일어났다. 유안(劉晏)이 나라의 재산을 관리하는 탁지판관(度支判官)이 되었는데, 당시 국가의 재산이 넉넉하지 못했으므로, 임금께 청하여 다시 공방의 방법을 써서 나라의 씀씀이를 편하게 하자 하였으니, 그의 말이 식화지(食貨志)*에 있다. 그러나 그때 공방은 죽은 지가 이미 오래였고, 그 제자로서 사방에 흩어져 있는 자들이 다시 쓰이게 되었다. 그 방법이 개원(開元)·천보(天寶)*의 즈음에 크게 행하여 위에서 조서(詔書)를 내려 공방에게 조의대부소부승(朝議大夫少府丞)의 벼슬을 추증*하기까지 하였다.⓫

남송(南宋) 신종조(神宗朝) 때에 왕안석(王安石)이 나라 일을 맡아보면서 여혜경(呂惠卿)을 끌어 함께 정사를 도왔는데, 청묘법(靑苗法)*을 세우니 천하가 떠들썩하여 아주 못살게 되었다. 소식(蘇軾)이 그 폐단을 극론하여 그들을 모조리 배척하려다가 도리어 모함에 빠져 귀양 가게 되매, 그로부터 조정의 인사들이 감히 말하지 못하였다. 사마광(司馬光)이 정승으로 들어가 그 법을 폐하기를 아뢰고 소식을 천거하여 쓰니, 공방의 무리가 조금 세력이 감쇠되어 다시 성하지 못하였다.⓬ 공방의 아들 윤(輪)은 경박하여 세상의 욕을 먹었고, 뒤에 수형령(水衡令)이 되었으나 장물죄(臟物罪)가 드러나 사형되었다고 한다.⓭

[전체 줄거리] 공방의 조상은 수양산에 숨어 살았기 때문에 세상에서 쓰인 적이 없었다. 황제 때 공방이 채용되어 세상에 그의 이름이 나타났고, 공방의 아버지 천은 주나라에서 재상을 지내며 세무를 담당하였다. 공방은 임기응변을 잘하여 한나라에서 홍로경이 되고, 무제 때는 부민후를 지낸다. 공방은 밖은 둥글고 안은 모난 외양을 지녔는데, 그 모양과 같이 이중적인 면모를 지니고 있으며, 욕심이 많아 온갖 악행을 저지르다가 탄핵되어 추출된다. 당나라 때 공방은 이미 죽은 뒤였지만, 나라의 경제를 위해 방의 술법이 다시 쓰였고, 남송 때는 공방의 무리가 세력을 잃고 그의 아들은 뇌물죄로 처벌된다. 사신은 공방의 행적을 비판하며, 공방과 그의 무리를 다 없애지 못해 후세에 폐단을 남기게 되었다고 평가한다.

인물

❾~⓬ 원제가 자리에~성하지 못하였다.
➔ 공방을 긍정적으로 보는 이들과 부정적으로 보는 이들 사이에 갈등이 형성됨.
• 공방을 긍정적으로 보는 인물: 화교, 완적, 유안, 왕안석
• 공방을 부정적으로 보는 인물: 공우, 곡량의 학문으로 벼슬에 나아간 이, 노포, 왕이보, 소식, 사마광

⓭ 공방의 아들~사형되었다고 한다.
➔ 공방의 아들 윤은 경박하며 비난을 받았으며 장물죄를 지어 사형당함.

사건

❾ 원제가 자리에~쫓겨나게 되었다.
➔ 탄핵을 받게 된 공방: 원제 때 공우의 상소로 조정에서 쫓겨남.

❿ 진나라에 화교라는~이와 같았다.
➔ 공방을 대하는 사람들의 태도: 공방이 깨끗한 자에게 비천하게 여겨짐.

⓫ 당나라가 일어났다.~추증하기까지 하였다.
➔ 다시 쓰이게 된 공방의 방법: 당나라가 일어나자 나라의 씀씀이를 편하게 하려고 그의 제자들을 등용하고, 공방에게 벼슬을 추증함.

⓬ 남송 신종조~성하지 못하였다.
➔ 세력이 감쇠된 공방의 무리: 남송 때에는 공방의 제자들이 천하를 교란하여 축출되었고 다시 번성하지 못하였음.

⓭ 공방의 아들~사형되었다고 한다.
➔ 사형당한 공방의 아들: 공방의 아들은 장물죄를 짓고 사형당했음.

갈등

❾ 원제가 자리에~쫓겨나게 되었다.
➔ 공방과 공우, 곡량의 학문으로 벼슬에 나아간 이 사이의 갈등: 공우가 욕심 많고 더러운 자라 하며 공방의 징계를 주장하자, 곡량의 학문으로 벼슬에 나아간 이가 공우의 말을 도와 공방이 쫓겨나게 됨.

❿ 진나라에 화교라는~이와 같았다.
➔ 공방, 화교, 완적과 노포, 왕이보 사이의 갈등: 공방을 사랑한 화교를 노포가 비난하며 그릇된 풍속을 바로잡았고, 왕이보는 공방의 이름을 입에 담지 않았음.

⓬ 남송 신종조~성하지 못하였다.
➔ 공방, 왕안석과 소식, 사마광 사이의 갈등: 왕안석의 청묘법으로 돈이 유통되었으나 사마광에 의해 청묘법이 폐지되자 공방 무리가 쇠함.

• 참람하여: 분수에 넘쳐 지나쳐.
• 식화지: 중국 역대 정사 속에 들어 있는 재정 관계 기록편의 이름.
• 개원·천보: 당나라 현종 때의 연호.
• 추증: 나라에 공로가 있는 벼슬아치가 죽은 뒤에 품계를 높여 주던 일.
• 청묘법: 싹이 파랄 때 관에서 돈 백 문을 대여하고 추수한 뒤에 이자 이십 문을 붙여 상환하게 하던 법.

Step 2 포인트 체크

[01~06] 윗글에 대하여 맞으면 ○, 틀리면 ×표를 하시오.

01 이 작품은 실존했던 역사적 인물의 일생을 다루고 있다. 〔 ○. × 〕

02 공방의 조상은 세련된 외양으로 속인의 사랑을 받았다. 〔 ○. × 〕

03 공방의 아버지와 아들을 등장시켜 가계를 형상화하고 돈의 내력을 서술하고 있다. 〔 ○. × 〕

04 공방의 아버지 천이 세금 일을 맡았던 시기는 주나라 때이다. 〔 ○. × 〕

05 공방이 저잣거리 사람들을 멀리하여 갈등이 있었다. 〔 ○. × 〕

06 작가는 공방의 긍정적인 측면을 옹호하여 공방의 쓰임새를 지지하는 사람들만 열거하고 있다. 〔 ○. × 〕

[07~12] 다음 빈칸에 알맞은 말을 쓰시오.

07 사물을 의인화하여 교훈을 제시하는 ⬚ⓖ⬚ⓙ⬚ⓒ 소설이다.

08 주인공 공방의 가계와 일생을 서술한 ⬚ⓞ⬚ⓓ⬚ⓖ 구성으로 되어 있다.

09 공방의 조상 시기부터 공방이 죽은 후까지 ⬚ⓢ⬚ⓖ의 흐름에 따라 사건을 서술하고 있다.

10 공방은 그 생김이 밖은 둥글고 안은 모난 모양으로 ⬚ⓞ⬚ⓙ⬚ⓢ을 지니고 있다.

11 이 작품의 주제는 재물을 탐하는 것과 돈의 폐해에 대한 경계와 ⬚ⓑ⬚ⓟ이다.

12 공방은 비록 저잣거리 사람이라도 재물만 많으면 사귀었다고 말하고 있는데, 이는 공방의 ⬚ⓜ⬚ⓙ⬚ⓙ⬚ⓢ적 사고를 보여 준다.

▶ **공방전**

- **갈래:** 가전체
- **시점:** 전지적 작가 시점
- **성격:** 풍자적, 우의적, 교훈적
- **배경:** 시간—중국 황제 시절~남송 때
  공간—중국 여러 곳
- **주제:** 재물을 탐하는 것 경계, 돈의 폐해에 대한 경계와 비판
- **특징:** ① 사물을 의인화하여 교훈을 전달함.
  ② '도입–전개–비평'의 3단 구성을 취함.
  ③ 일대기 형식의 전기적 구성으로 내용을 전개함.
  ④ 「국순전」과 더불어 문헌상으로 우리나라 최초의 가전체 작품임.
- **구조**

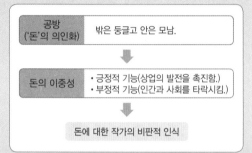

한 걸음 더

'공방'의 이중성과 그 의미
돈을 의인화한 공방의 밖은 둥글어서 원만해 보이지만 속은 모나게 뚫려 있으므로 모가 나고 악하다는 이중성을 내포하고 있다. 이는 돈의 이중적 속성을 보여 주는데, 돈은 물건의 교환이 이루어지게 하여 상업을 발전하게 하는 긍정적인 기능도 있지만, 인간과 사회를 탐욕적으로 타락시킬 수 있다는 부정적 기능을 지닌다는 점을 암시하고 있다.

01

윗글의 내용과 일치하지 <u>않는</u> 것은?

① 공방은 때에 맞게 잘 변하는 처세술이 있었다.
② 공방은 권세가를 섬기는 재치를 지니고 있었다.
③ 공방의 조상은 황제 때 세상에 자질이 드러났다.
④ 공방은 곡식값을 높여 농사를 귀하게 여기게 했다.
⑤ 공방은 오나라 왕 비에게 붙어 많은 이익을 취하였다.

02

윗글을 쓰기 위해 세운 계획으로 적절한 것을 〈보기〉에서 있는 대로 고른 것은?

┤ 보기 ├
ㄱ. 인물의 성격을 직접 서술하자.
ㄴ. 시간의 흐름에 따라 사건을 서술하자.
ㄷ. 대상의 장점과 단점을 모두 제시하자.
ㄹ. 사물을 의인화하여 주제를 명확하게 제시하자.

① ㄱ   ② ㄱ, ㄴ   ③ ㄱ, ㄷ
④ ㄱ, ㄴ, ㄷ   ⑤ ㄱ, ㄴ, ㄷ, ㄹ

03

[A]와 [C]에 대한 설명으로 가장 적절한 것은?

① [A]와 [C]는 모두 현재형 서술로 현장감을 강조하고 있다.
② [A]와 [C]는 모두 대상에 대한 부정적 관점이 드러나고 있다.
③ [A]와 달리 [C]는 대상의 사후 후일담을 서술하고 있다.
④ [A]와 달리 [C]는 대상이 시장에서 중시되는 상황을 서술하고 있다.
⑤ [A]와 달리 [C]는 역사적 사실을 바탕으로 대상의 상황을 제시하고 있다.

04

㉠의 상황을 다음과 같이 서술할 때, 빈칸에 들어갈 한자 성어로 가장 적절한 것은?

> 공방의 (   )한 외양은 공방이 지닌 이중적인 성향을 암시하고 있군.

① 견물생심(見物生心)
② 일취월장(日就月將)
③ 사면초가(四面楚歌)
④ 자가당착(自家撞着)
⑤ 표리부동(表裏不同)

05

㉡의 의미로 가장 적절한 것은?

① 공방의 권세가 대단하였다.
② 황금의 대체재로 공방이 유통되었다.
③ 황금의 출현으로 공방의 위세가 꺾였다.
④ 공방이 황금보다 더 큰 위엄을 갖추었다.
⑤ 공방과 황금이 공존하는 시대가 시작되었다.

06

'공방'에 대한 인물들의 반응으로 적절하지 <u>않은</u> 것은?

① 완적은 공방의 무리와 어울리는 것을 즐겼다.
② 왕이보는 공방의 이름을 언급하는 것을 꺼렸다.
③ 공우는 공방이 공사를 곤궁하게 만든다고 생각했다.
④ 화교는 군사 자금을 맡는 일에 공방이 적임자라 생각했다.
⑤ 유안은 공방의 방법이 나라 씀씀이를 편하게 한다 생각했다.

07

〈보기〉는 윗글의 뒷부분이다. 빈칸에 들어갈 내용으로 적절하지 <u>않은</u> 것은?

┤ 보기 ├

사신(史臣)은 말한다.

"남의 신하가 된 몸으로서 두 마음을 품고 큰 이익만을 좇는 자를 어찌 충성된 사람이라고 하랴. 방이 올바른 법과 좋은 주인을 만나서, 정신을 집중시켜 자기를 알아주어서 나라의 은혜를 적지 않게 입었었다. 그러면 의당 국가를 위하여 이익을 일으켜 주고, 해를 덜어 주어서 임금의 은혜로운 대우에 보답했어야 했다. 그런데도 도리어 (   ) 이것은 충신이 경계 밖의 사귐이 없어야 한다는 말에 어긋나는 것이다."

① 백성이 상을 좇게 하였다.
② 벼슬을 팔아 올리고 내쳤다.
③ 바둑 두기와 투전하기를 일삼았다.
④ 본전과 이자의 경중을 저울질했다.
⑤ 부민후가 되어 나라의 창고를 채웠다.

08

〈보기〉에서 돈에 대한 '흥보'의 관점과 [B]에서 서술된 돈에 대한 관점에 모두 부합하는 말로 가장 적절한 것은?

┤ 보기 ├

[중중모리]

흥보 마누라 나온다. 흥보 마누라 나온다.

"아이고 여보 영감. 영감 오신 줄 내 몰랐소. 어디 돈, 어디 돈허고 돈 봅시다, 돈 봐."

"놓아두어라 이 사람아. 이 돈 근본(根本)을 자네 아나. 못난 사람도 잘난 돈, 잘난 사람은 더 잘난 돈, 맹상군(孟嘗君)의 수레바퀴처럼 둥글둥글이 생긴 돈, 생살지권(生殺之權)을 가진 돈, 부귀공명 붙은 돈. 이놈의 돈아, 아나 돈아, 어디 갔다가 이제 오느냐. 얼씨구나 돈 봐. 어 어 어 얼씨구 얼씨구 돈 봐."

– 작자 미상, 「흥보가」 중에서

① 돈이 돈을 번다.
② 사람 나고 돈 났다.
③ 돈은 일만 악의 뿌리이다.
④ 돈 없는 놈이 큰 떡 먼저 든다.
⑤ 돈만 있으면 귀신도 부릴 수 있다.

09

윗글의 형식상의 특징을 〈조건〉에 맞게 서술하시오.

┤ 조건 ├

1. 공방이 가리키는 것과 그 표현 방식을 포함하여 서술할 것.
2. 공방의 조상, 아버지 및 아들에 대해 언급한 점을 바탕으로 특징을 서술할 것.

가전체

33강

국순전(麴醇傳) | 임춘

출제 포인트 › #가전체 #사물의 의인화 #계세징인 및 교훈 제시 #간사한 벼슬아치 풍자

[A] 국순(麴醇)의 자(字)는 자후(子厚)이다.❶ 그 조상은 농서(隴西) 출신이다. 90대(代) 선조였던 모(牟)가 후직(后稷)을 도와 백성들을 먹여 공이 있었다. 『시경』에 '내게 밀과 보리를 주다'라고 한 것이 그것이다. 모(牟)가 처음에는 숨어 벼슬하지 않고 말하기를, "나는 반드시 밭을 갈아 먹으리라." 하며 밭이랑에서 살았다. 임금이 그의 자손이 있다는 말을 듣고 수레를 보내 부르며 각 고을에 명하여 후한 예물을 보내라 하고, 신하를 시켜 친히 그 집에 찾아가도록 해 결국 절구와 절굿공이 사이에서 귀천 없는 교분을 맺고, 자신을 덮어 감추고 세상과 더불어 화합하게 되었다.❷ (중략)

[B] 순은 그릇과 도량이 크고 깊었다. ⊙출렁대고 넘실거림이 만경창파(萬頃蒼波) 같으며, 맑게 하려 해도 더는 맑아질 수 없고 뒤흔든대도 흐려지지 않았다. 그런 풍류 취향이 한 시대를 풍미하여 자못 사람의 기운을 일으켜 주었다.❸

일찍이 섭법사(葉法師)*에게 나아가 온종일 담론하였는데, 자리에 있던 모든 이들이 탄복하여 쓰러지자, 드디어 이름이 알려지게 되었다. 호를 '국(麴) 처사'라 하매 공경대부로부터 머슴에 이르기까지 그 향기로운 이름을 접하는 이마다 모두 그를 흠모하였으며, 성대한 모임이 있을 때마다 순이 오지 아니하면 모두 슬퍼하여 말하기를,

"국 처사가 없으면 즐겁지 않다."❹

했다. 그가 당시 세상에서 사랑받음이 이와 같았다.

산도(山濤)*라는 이는 감식안이 있었는데, 일찍이 순을 보고는 감탄하여 말했다.

⊙"어떤 늙은 할미가 이토록 잘난 기린아*를 낳았을꼬? 하지만 천하의 백성들을 그르치는 자도 필경 이 아이일 것이다."❺

[C] 관부(官府)에서 순을 불러 청주종사(靑州從事)*를 삼았으나, 마땅한 벼슬자리가 아니라 하여 다시 평원독우(平原督郵)*를 시켰다. 얼마 후 탄식하기를,

©'내가 이 얼마 되지 않는 녹봉을 받고, 이 따위 시골 아이들에게 허리를 굽힐 수 없다. 내 마땅히 술잔과 술상 사이에 곧추 서서 담론하리라.'❻

그 무렵 관상을 잘 보는 이가 있어 말했다.

"그대의 얼굴엔 불그레한 기운이 감돌고 있소. 뒤에 반드시 귀하게 되어 높은 벼슬을 얻게 될 것이니, 마땅히 좋은 자리를 기다렸다가 벼슬에 나아가시오."❼

진 후주(陳後主) 때에 임금이 그의 그릇을 남다르게 여겨 장차 크게 쓸 뜻이 있다 하여 광록대부 예빈경의 자리로 옮겨 주었고, 공(公)의 작위에 오르게 하였다. 그리고 무릇 군신의 회의에는 임금이 꼭 순으로 참여케 하니, 그 나아가고 물러남과 그 수작이 거슬림이 없이 뜻에 들어맞았다.

@순이 권세를 얻게 되자, 어진 이와 사귀고 손님을 대접하며, 종묘에 제사를 받드는 등의 일을 앞장서서 맡아 주관하였다. 임금이 밤에 잔치를 열 때도 오직 그와 궁

Step 1 포인트 분석

임춘, 「국순전」

제목의 의미

'국순'은 술의 재료인 누룩을 뜻한다. 술을 '국순'으로 의인화하여 가계와 생애, 성품 및 폐해를 다루고 있다.

인물

❷그 조상은~화합하게 되었다.
➡ 국순의 90대 선조였던 모(보리의 의인화)는 백성을 먹인 공이 있는 인물임.

❸순은 그릇과~일으켜 주었다.
➡ 국순은 그릇과 도량이 큰 인물로 사람의 기운을 일으켜 줌.

❺산도라는 이는~아이일 것이다."
➡ 국순이 천하의 백성을 그르치는 인물, 즉 부정적인 면을 지닌 인물임을 서술함.

사건

❷그 조상은~화합하게 되었다.
➡ 국순의 가문 내력 소개: 국순의 조상 모가 공이 있음에도 벼슬을 마다한 일, 임금이 그 후손을 후대하고 교분을 맺은 일 등을 소개함.

❸, ❹순은 그릇과~즐겁지 않다."
➡ 국순이 세상에 알려진 계기: 국순은 도량이 크고 깊어 사람들의 사랑을 받게 됨.

❺산도라는 이는~아이일 것이다."
➡ 국순에 대한 산도의 평가: 순이 천하의 백성을 그르칠 것이라고 감식함.

❻관부에서 순을~서서 담론하리라.'
➡ 국순의 관직 입문: 청주종사(높은 벼슬)에서 평원독우(낮은 벼슬)로 강등되었을 때의 국순의 반응이 드러남.

구성

❶국순의 자는 자후이다.
➡ 사물을 의인화한 가전 형식: 주인공인 술을 의인화하고 있음.

❶~❸국순의 자는~일으켜 주었다.
➡ 전(傳) 양식: 주인공을 소개한 뒤, 주인공의 가계, 성품 순으로 내용이 전개됨.

서술

❹~❼일찍이 섭법사에게~벼슬에 나아가시오."
➡ 예화의 열거: 섭법사, 산도, 관상가와의 예화 등을 열거하며 국순의 성격을 드러냄.

❺산도라는 이는~아이일 것이다.", ❼그 무렵~벼슬에 나아가시오."
➡ 국순에 대한 산도와 관상가의 예언: 인물의 앞날을 예고하여 독자가 앞으로 일어날 일을 예상하도록 함.

인만이 곁에서 모실 수 있었을 뿐, 아무리 임금과 가까운 신하여도 참여할 수 없었다.

이후로 임금은 곤드레만드레 취하여 정사를 폐하게 되었다. 그러나 순은 입을 굳게 다문 채 그 앞에서 간언할 줄 몰랐다. 그리하여 예법을 지키는 선비들은 그를 마치 원수처럼 미워하게 되었다. 그러나 임금은 매양 그를 감싸고돌았다.❸

순은 또 돈을 거둬들여 재산 모으기를 좋아하므로,❾ 사람들이 그를 천하게 여겼다. 임금이 묻기를,

"경은 무슨 버릇이 있소?"

하니, 순이 대답하기를,

"신(臣)은 돈을 좋아하는 습성이 있나이다."

했다. 임금이 크게 웃고 그에게 더 많은 관심을 기울이게 되었다.❿

한번은 조정에 들어가 임금 앞에 마주 대하고 아뢰었는데, 순이 본디 입에서 나는 냄새가 있었고, 이에 임금이 싫어하며 말했다.

"경이 나이 들고 기운도 없어 나의 부림을 못 견디는구료!"

그러자 순은 마침내 관을 벗고 물러나면서 아뢰었다.

ⓒ"신(臣)이 높은 벼슬을 받고 남에게 물려주지 아니하면 망신이 될까 두렵습니다. 부디 집으로 돌아갈 수 있도록 해 주신다면 그것으로 만족하겠습니다."

왕의 명으로 좌우의 부축을 받아 집에 돌아온 순은 갑자기 병이 나 하룻밤 사이에 죽고 말았다.⓫

[D] 자식은 없고 먼 친척 가운데 아우뻘 되는 청(淸)이, 훗날 당나라에 출사(出仕)하여 벼슬이 내공봉에 이르렀으며, 그 자손이 다시 중국에서 번성하였다.⓬

[E] 사신(史臣)은 이렇게 말했다.

"국 씨의 조상이 백성에게 공로가 있고, 청백한 기상을 자손에게 물려주었다. 울창주(鬱▣酒)는 주나라에서 칭송이 하늘에 닿을 듯했으니, 가히 그 조상의 기풍이 있다 하겠다. 순이 가난한 집안에서 자라나 높은 벼슬에 오르는 영광을 얻게 되어 술 단지와 술상 사이에 서서 담론하게 되었다. 그러나 옳고 그름을 변론하지 못하고, 왕실이 어지러워져도 붙들지 못하여 마침내 천하의 웃음거리가 되었으니, 산도(山濤)의 말을 족히 믿을 만하다."⓭

[전체 줄거리] 국순의 90대 할아버지 모가 후직을 도와 공로가 많고 청렴하므로 중산후에 봉해졌고, 국씨 성까지 받았다. 그의 5세손은 강왕 때 박대를 받아 금고되었고, 위나라 때 순의 아버지 주가 출세하였다가 진이 일어나 세상이 어지러워지자 벼슬을 버리고 죽림에서 놀았다. 국순은 본래 도량이 크고 깊으며 남의 기운을 북돋아 주고 풍류가 있어 모든 사람들이 "국 처사가 없으면 즐겁지 않다."라며 흠모하였다. 국순은 곧 국가의 중대사에 필수적인 존재가 된다. 그러나 벼슬을 하자 국순은 왕의 마음을 혼미하게 하고, 아첨만 일삼고 간언하지 않으며 돈을 거두어들여 재산을 모으는 등의 악행을 하여 모두에게 미움과 비난을 받게 된다. 그리고 마침내 벼슬에서 물러나 하룻밤 사이에 죽게 된다. 사신은 국순이 조정에 서서 담론하면서도 옳고 그름을 아뢰지 않고, 왕실이 어지러워져도 붙들지 못하여 천하의 웃음거리가 되었다고 평가한다.

인물

⓭"사신은 이렇게~믿을 만하다."
➔ 국순의 조상이 백성에게 공로가 있었으나 순은 왕실을 제대로 보필하지 못한 간사한 벼슬아치였음.

사건

❸이후로 임금은~그를 감싸고돌았다.
➔ 국순에 대한 임금의 총애: 임금이 술을 가까이하여 나라를 제대로 돌보지 않음(술=간신배).

⓫한번은 조정에~죽고 말았다.
➔ 벼슬에서 물러난 국순의 죽음: 국순에게서 입 냄새가 난다는 이유로 임금이 싫어했기 때문에 국순이 관직에서 물러났다가 그 다음 날 죽음.

⓬자식은 없고~중국에서 번성하였다.
➔ 후대 가문 내력: 국순이 죽은 후 그 자손이 중국에서 번성함.

⓭사신은 이렇게~믿을 만하다."
➔ 국순의 생애에 대한 사신의 평가: 국순은 높은 벼슬에 오르는 영광을 누렸으나 옳고 그름을 변론하지 못하고 왕실의 어지러움을 붙들지 못해 웃음거리가 되었음. 이는 '간사한 벼슬아치 풍자'라는 주제 의식을 함축함.

갈등

❽이후로 임금은~그를 감싸고돌았다.
➔ 국순과 예법을 지키는 선비들의 갈등: 임금이 술에 빠져 정사를 폐하자 예법을 지키는 선비들이 국순을 미워하면서 갈등이 조성됨.

구성

⓭사신은 이렇게~믿을 만하다."
➔ '도입-전개-비평'의 3단 구성: 사신의 평가를 요약적으로 제시하여 '도입-전개-비평'의 3단 구성임이 드러남.

서술

❾, ❿순은 또~기울이게 되었다.
➔ 직접 제시, 일화 제시: 돈을 좋아하는 국순의 성격을 서술자 설명과 일화로 제시함.

• **섭법사**: 중국 당나라 때의 도사. 도술로 술 독을 사람으로 변하게 한 뒤 같이 술을 마셨다고 함.
• **산도**: 중국 진나라 때의 학자·정치가. 죽림 칠현 중 한 사람.
• **기린아**: 재주가 뛰어나 장래가 촉망되는 젊은이.
• **청주종사**: 배꼽 밑까지 시원하게 넘어가는 좋은 술. '높은 벼슬'을 뜻함.
• **평원독우**: 명치 위에 머물러 숨이 막히는 좋지 않은 술. '낮은 벼슬'을 뜻함.
• **출사**: 벼슬에 나아감.

Step 2 포인트 체크

[01~06] 윗글에 대하여 맞으면 ○, 틀리면 ×표를 하시오.

01 중국의 역사적 사실을 국순의 생애와 관련지어 전개하고 있다. 〔○, ×〕

02 산도와 관상가는 국순에 대한 상반된 평가로 갈등을 일으킨다. 〔○, ×〕

03 국순은 임금에게 간언하여 충신들을 귀양 보냈다. 〔○, ×〕

04 국순의 먼 친척 가운데 아우뻘인 청이 출사한 시기는 당나라 때이다. 〔○, ×〕

05 사관은 국순이 옳고 그름을 변론하지 못한 것을 비판하고 있다. 〔○, ×〕

06 이 작품은 술의 양면성, 바람직한 신하의 도리와 올바른 인재 등용 방식의 필요성을 말하고 있다. 〔○, ×〕

[07~12] 다음 빈칸에 알맞은 말을 쓰시오.

07 술과 같은 ㅅㅁ 을 의인화하여 전기 형식으로 서술하는 것을 가전체라고 한다.

08 '국순의 가계－행적－ ㅂㅍ '의 3단으로 진행되는 구성이다.

09 술의 ㄴㄹ 과 부패하고 타락한 신하의 모습을 보여 주고 있다.

10 인물의 행적을 요약해 제시하며 비평을 하면서 이야기를 마무리하는 것은 ㅅㄱ 이다.

11 이 작품 속의 ㅊㅈㅈㅅ 는 질이 좋은 술을 뜻하고, ㅍㅇㄷㅇ 는 질이 좋지 않은 술을 뜻한다.

12 이 작품의 주제는 간사한 ㅂㅅㅇㅊ 풍자이다.

작품 정리

▶ **국순전**
- **갈래:** 가전체
- **시점:** 전지적 작가 시점
- **성격:** 풍자적, 우의적, 교훈적
- **배경:** 시간－주나라～당나라 때
  공간－중국 농서 지역 및 중국 여러 곳
- **주제:** 간사한 벼슬아치 풍자
- **특징:** ① 사물을 의인화하여 교훈을 전달함.
  ② '도입－전개－비평'의 3단 구성을 취함.
  ③ 일대기 형식의 전기적 구성으로 내용을 전개함.
  ④ 현재 전해지는 우리나라 최초의 가전체 작품임.
  ⑤ 이규보의 「국선생전」에 영향을 줌.
- **구조**

- 술이 주는 즐거움에 빠져 절제하지 못하고 타락하면 인간을 망치게 됨을 경계함.
- 옳고 그름을 분별하지 못하는 신하가 임금을 망쳐 국정이 문란해지는 것을 경계함.

한 걸음 더

가전체의 형식과 특징
가전체는 사물을 역사적 인물처럼 의인화하여 그 가계와 성품 및 생애, 공과를 기록한 전기(傳記) 형식의 글이다. 사물을 의인화하여 다양한 인간사의 문제들을 간접적, 우회적으로 비평함으로써 강한 풍자성을 띤다. 또, 설화와 소설을 이어 주는 교량 역할을 하였다는 문학사적 의의가 있다.

01

기출 2014학년도 9월 고3 평가원 B형

윗글에 대한 설명으로 가장 적절한 것은?

① 서술자가 자신의 체험을 직접 서술하고 있다.
② 인물 간의 대화를 통해 시·공간적 배경이 드러나고 있다.
③ 예화를 열거하는 방식으로 인물의 성격을 나타내고 있다.
④ 과거와 현재를 교차시켜 사건을 유기적으로 구성하고 있다.
⑤ 권위 있는 인물의 중재를 통해 인물 간의 갈등이 해소되고 있다.

02

기출 2014학년도 9월 고3 평가원 B형

㉠~㉤에 대한 이해로 적절하지 않은 것은?

① ㉠은 국순의 성품을 바다에 비유한 것으로, 넓고 깊은 국순의 마음을 의미한다.
② ㉡은 국순의 장래를 예언한 것으로, 국순이 세상에 부정적 영향을 끼칠 것임을 경고한다.
③ ㉢은 불만족스러운 처지와 이를 넘어서려는 심경을 표현한 것으로, 국순의 자존심을 나타낸다.
④ ㉣은 국순이 높은 자리에 있으면서 맡았던 소임을 기술한 것으로, 친교 모임이나 공식적 행사에서 능력을 인정받은 국순의 면모를 부각한다.
⑤ ㉤은 퇴임하면서 국순이 한 말로, 선조의 뜻을 받들어 자신의 순수했던 성품을 되찾고자 스스로 물러난 국순의 의지를 드러낸다.

03

윗글에서 '국순'에 대한 이해로 가장 적절한 것은?

① 국순은 청주종사의 관직을 싫어했다.
② 국순은 임금에게 바른말을 하는 신하였다.
③ 국순은 돈을 멀리하는 맑은 성품을 지녔다.
④ 국순은 엄숙한 조정의 회의에서 배제되었다.
⑤ 국순이 공의 작위에 오른 것은 진 후주 때이다.

04

고난도 기출 2014학년도 9월 고3 평가원 B형

〈보기〉를 참고하여 [A]~[E]를 감상한 내용으로 적절하지 않은 것은?

┤ 보기 ├

가전(假傳)은 사물을 의인화하여 그 일생을 전(傳)의 형식으로 서술한 글로서 인물의 가계와 성품, 생애, 공과(功過) 등을 '가계-행적-논평'이라는 틀 속에 담아내었다. 내용상으로는 인간 세태를 풍자하고 세상을 경계(警戒)하려는 성격이 강해 교훈성을 지닌다.

① [A]는 가문 내력을 소개하는 가계에 해당하는 부분으로서 주인공이 유서 깊은 가문 출신임을 알려 주고 있군.
② [B]와 [C]는 주인공의 행적을 구분하여 [B]에서는 주로 주인공의 과오를, [C]에서는 주로 훌륭한 업적을 기술하고 있군.
③ [C]에서 형상화된 주인공의 행적으로부터 작가가 전하고자 하는 교훈을 [E]에서 요약적으로 제시하고 있군.
④ [D]는 후대의 가문 내력을 기술하여 국순 가문이 세상에 널리 퍼져 나갔음을 보여 주고 있군.
⑤ [E]는 사신(史臣)이 논평하는 객관적 형식을 활용하여 인간 세태에 대한 작가 자신의 견해를 나타내고 있군.

05

〈보기〉를 바탕으로 윗글을 감상한 내용으로 적절하지 <u>않은</u> 것은?

┤ 보기 ├

「국순전」에는 문장력을 갖춘 인재였지만 연이어 과거에 실패한 후, 숨어 지내며 술로 자신의 불우한 삶을 달랬던 작가 임춘의 처지와 그가 세상에 대해 가졌던 불만이 드러나 있다. 이 과정에서 그는 즐겨 마시는 술을 의인화하여 그 생애를 서술하면서 술이 인간에게 미치는 영향에 대한 자신의 생각과, 숨어 지내며 존경받는 것이 벼슬을 하다가 망하는 것보다 낫다는 자신의 처지에 대한 합리화, 당시의 부패한 정치 현실에 대한 비판 의식이 담겨 있다.

① 국순이 관직에 오른 것은 작가인 임춘과 다른 삶의 모습이라 할 수 있군.

② 사람들이 술을 즐기는 내용은 숨어 지내며 술을 마셨던 임춘의 삶이 반영되었다고 볼 수 있군.

③ 임금이 술을 가까이한 뒤 정사를 돌보지 않은 것은 술이 인간에게 미치는 영향 중 부정적인 것이겠군.

④ 임금에게 간언을 하지 않은 국순의 모습은 부패한 정치 현실을 비판하려는 의도가 담겨 있겠군.

⑤ 국순이 스스로 관직에서 물러난 것은 부패한 과거 제도를 거부하려 했던 임춘의 삶을 반영했겠군.

06

〔서술형〕

'산도'의 말이 윗글의 독자에게 미치는 영향을 〈조건〉에 맞게 서술하시오.

┤ 조건 ├

1. 산도의 말이 하는 역할을 근거로 삼아 서술할 것.

2. '~하여(근거) ~한다(영향).'의 형식으로 서술할 것.

07

윗글의 '국순'과 〈보기〉의 '국 씨'가 동일한 대상이라고 할 때, 적절하지 <u>않은</u> 것은?

┤ 보기 ├

사신은 이렇게 말한다.

"국 씨는 대대로 농가 태생이다. 성이 유독 넉넉한 덕과 맑은 재주가 있어서 임금의 심복이 되어 국정을 돕고 임금의 마음을 흐뭇하게 하여 거의 태평을 이루었으니, 그 공이 성대하도다. 그러나 임금의 총애가 극도에 달하자 나라의 기강을 어지럽혔으니, 그 화가 비록 자손들에게 미쳤더라도 유감될 것이 없다 하겠다. 그러나 만년에 분수에 족함을 알고 스스로 물러가 능히 천명으로 세상을 마쳤다. 『주역』에 이르기를 '기미를 보아서 일을 해 나간다.'라고 한 말이 있는데 성이야말로 거의 여기에 가깝다 하겠다."

– 이규보, 「국선생전」 중에서

① 국순과 국 씨는 모두 가계가 농업과 밀접한 관련이 있다.

② 국순의 조상과 국 씨는 백성이나 나라에 공을 세우기도 하였다.

③ 국순과 국 씨는 모두 임금에게 총애를 지나치게 받기도 하였다.

④ 국순과 달리 국 씨는 잘못 때문에 후손에게 화를 끼쳤을 것이다.

⑤ 국순과 달리 국 씨는 벼슬에서 물러난 후 갑자기 세상을 마쳤다.

08

〔서술형〕

'사신'의 평가 중 천하의 웃음거리 가 된 이유를 〈조건〉에 맞게 서술하시오.

┤ 조건 ├

1. 국순이 '천하의 웃음거리'가 된 이유를 서술할 것.

2. 국순의 행동을 설명할 때 한자 성어를 사용하여 서술할 것.

판소리사설

심청가(沈淸歌) | 작자 미상

출제 포인트 › #판소리 사설의 연행 #지극한 효심 #부녀 간의 해후와 심 봉사의 개안(開眼)

[아니리]

하로난 관가에서 부름이 있어 들어가니 황성(皇城)서 맹인 잔치를 배설(排設)허였는디❶ ㉮만일 잔치 불참허면 이 골 수령이 봉고파직(封庫罷職)˚을 당할 것이니 어서 급히 올라가라 노비(路費)까지 내어주것다.❷ 그 노비 받어가지고 돌아와,

"여보 뺑덕이네 황성서 맹인 잔치를 배설하였는디 잔치에 불참허면 이 골 수령이 봉고파직을 당한대여. 그러니 어서 급히 올라가세."

"아이고 여필종부(女必從夫)라고 영감 따러가지 누구 따러갈 사람 있오."❸

ⓐ"아닌 게 아니라 우리 뺑파가 열녀도 더 되고 백녀다 백녀.❹ 자 그럼 어서 올라가세. 의복 챙겨 있는 것 자네는 맡어서 이고 가고 나는 괴나리 봇빵해서 짊어지고 가세."

막상 떠날라고 허니 도화동이 섭섭하든가 보드라.❺

[중략 부분의 줄거리] 심 봉사에게 시집온 후 가산을 탕진하던 뺑덕이네는 **심 봉사의 곁을 떠날 기회**를 엿보고자 맹인 잔치에 참석하려는 심 봉사를 따라나서고, 길을 가던 도중 뺑덕이네는 황 봉사와 눈이 맞아 야반도주한다. 이를 안 심 봉사는 뺑덕이네를 원망하면서 계속 황성으로의 길을 떠난다.

[아니리]

이때 심 황후께서는 아무리 기다려도 부친이 오시지 않으니 슬피 탄식 우는 말이,

[㉠]

"이 잔치를 배설키는 불상허신 우리 부친 상봉헐가 바랬드니 어찌 이리 못 오신고 당년 칠십 노환으로 병이 들어서 못 오신가. 부처님으 영검˚으로 완연히 눈을 뜨셔 맹인 중으 빠지셨나 내가 영영 죽은 줄 아르시고 애통허시다 이 세상을 떠나셨나. 오시다 무슨 변을 당하셨는가❻ 오날 잔치 망종(亡終)˚인디 어이 이리 못 오신고."

[아니리]

이렇듯 탄식허다 예부 상서를 또다시 부르시더니,

"네 여봐라. 오늘도 거주성명을 명백히 기록하야 차차 호송허되, 만일 도화동 심 맹인 계시거든 별궁으로 모셔 들여라."

봉사를 차례로 점고˚해 내려올 적에, 제일 말석에 앉은 봉사한테 당도허며,

"여보시오. 당신 성명이 무엇이오?" / "예, 내 성명은 심학규요." / "심 맹인 계신다!"❼

허더니만은, / "어서 별궁으로 들어갑시다." / "아니, 어쩔라고 이러시오?"

"우에서 상을 내리실지 벌을 내리실 줄은 모르나, 심 맹인을 모셔 오라 허셨으니 어서 별궁으로 들어갑시다."

"내가 공연한 잔치에 왔제. 내가 딸 팔아먹은 죄가 있는디, 이 잔치를 배설키는 나를 잡을 양으로 배설을 헌 것이로구나. 아, 내가 살어서 무엇하리. 내 지팽이나 좀 잡으시오."❽

Step1 포인트 분석

▶ 작자 미상, 「심청가」

제목의 의미

'심청'은 작품의 중심인물이자 주인공의 이름을 나타내고 '-가(歌)'는 작품이 판소리 사설임을 의미한다. 아버지를 위해 자신을 희생한 심청이 아버지와 해후하는 과정이 서사 전개의 핵심이다.

인물

❶하로난 관가에서~잔치를 배설허였는디
→ 아버지에 대한 심청의 극진한 효심을 엿볼 수 있음.

❸"아이고 여필종부라고~사람 있오."
→ 뺑덕이네는 당대의 유교적 가치를 명분으로 내세우지만 이후의 흐름으로 볼 때, 속으로는 재산이 없는 심 봉사 곁을 떠날 기회를 노리는 표리부동한 인물임.

❹"아닌 게~백녀다 백녀."
→ 심 봉사는 뺑덕이네의 속내는 모른 채 뺑덕이네를 자신을 따르는 훌륭한 아녀자로 여기는 어리숙한 반응을 보임.

❻당년 칠십~변을 당하셨는가
→ 심청이 아버지를 만나지 못해 애타는 심정을 여러 가지 상상으로 드러냄.

❽"내가 공연한~좀 잡으시오."
→ 자신 때문에 심청이 죽었다는 죄책감과 자신에게 벌을 주려고 잔치가 열렸다고 오해하는 심 봉사의 모습이 드러남. 이후 심청과의 만남을 더욱 극적인 장면으로 만드는 데 기여함.

사건

❶하로난 관가에서~잔치를 배설허였는디
→ 맹인 잔치를 여는 심청: 황후가 된 심청이 자신의 아버지를 찾기 위해 잔치를 엶. 심청과 심 봉사 간 만남의 개연성을 제공함.

❼"여보시오. 당신~맹인 계신다!"
→ 맹인 잔치에 참석한 심 봉사: 심청과 심 봉사가 만나게 되는 계기가 마련됨.

서술

❷만일 잔치~노비까지 내어주것다.
→ 사건의 필연성: 맹인 잔치에 심 봉사가 참여할 수밖에 없게 되는 필연성을 서술자가 설명함.

❹"아닌 게~백녀다 백녀."
→ 언어유희: '열녀(烈女)'의 '열'을 '십(十)'으로 보고 동음이의어를 해학적으로 사용하여 열녀보다 더한 '백녀'라고 함.

❺막상 떠날라고~섭섭하든가 보드라.
→ 서술자의 개입: 작중 상황에 개입하여 도화동을 떠나고자 하는 심 봉사의 심경을 짐작하며 논평함.

별궁에 들어가더니, / "심 맹인 대령하였소!"

심 황후 부친을 살펴보니 백수풍신* 늙은 형용 슬픈 근심 가득한 게 부친 얼굴이 은은하나, 심 봉사가 딸을 보내 놓고 삼 년 동안 어찌 울었던지 눈갓이 희어지고, 또한 피골이 상접이라.➒ 산호 주렴이 가리어 자세히 보이지 아니허니, 심 황후 또다시 분부허시되, "네 여봐라. 그 봉사 거주를 묻고, 처자가 있나 물어보아라."

심 봉사 처자 말을 듣더니마는, 먼눈에서 **눈물이 뚝뚝뚝뚝** 떨어지더니마는,

[중모리]

"예, 소맹이 아뢰리다. 예, 소맹이 아뢰리라. 소맹이 사옵기는 황주 도화동이 고토(故土)이옵고, 성명은 심학규요, 을축년 삼월 달에 산후 탈로 상처(喪妻)허고, 어미 잃은 딸자식을 강보에다 싸서 안고, 이 집 저 집을 다니면서 **동냥젖을 얻어먹여** 겨우겨우 길러 낼 제, 효성이 출천하야 애비 눈을 띄운다고 십오 세 때 남경 장사 선인들께 삼백 석에 몸이 팔려, **인당수 제수로 죽**은 지가 삼 년이오. 눈도 뜨지를 못하고 자식만 팔아먹었으니,➓ 자식 팔아먹은 놈을 살려 주어 쓸데 있소? 당장에 목숨을 끊어 주오."

[아니리]

이때에 심 황후가 이 말을 다 듣고 있을 이치가 있으리오마는, **소리를 허니 일이 늦게 되었것다.**⓫

[ⓛ]

심 황후 기가 막혀 산호 주렴을 걷어 버리고 **버선발로 우루루루루루루루루루.** 부친의 목을 안고,⓬

"아이고, 아부지!" / 심 봉사 깜짝 놀라,

"아니, 누가 날다려 아버지여? 에이? 나보고 아버지라니? 이 말이 웬 말이여! 무남독녀 외딸 하나 물에 빠져 죽은 지가 우금 삼 년이 되얐는디, 누가 날다려 아버지여?"

"아이고, 아버지! 여태 눈을 못 뜨셨소? 불효 여식 심청이가 살아서 여기 왔소. 아버지, 눈을 떠서 저를 급히 보옵소서. 아이고, 아버지."⓭

[A] 심 봉사가 이 말을 듣더니 어쩔 줄을 모르는구나.

"에? 아니, 심청이라니, 청이라니? 이게 웬 말이여? 에이? 이게 웬 말이여? 내가 지금 죽어 수궁을 들어왔느냐? 내가 지금 꿈을 꾸느냐? 죽고 없는 내 딸 청이, 이곳이 어디라고 살아오다니 웬 말이냐? 내 딸이면 어디 보자. 어디, 내 딸 좀 보자! 아이고, 내가 눈이 있어야 내 딸을 보지. 아이고, 답답허여라! 어디, 내 딸 좀 보자!"

심 봉사가 두 눈을 끔쩍끔쩍허더니마는, 부처님의 도술로 눈을 번쩍 떴구나.⓮

[아니리]

심 봉사 눈 뜬 훈짐*에 모도 따라서 눈을 뜨는디,

[자진모리]

[B] 만좌(滿座) 맹인이 눈을 뜬다. 전라도 순창 담양 새갈모 떼는 소리라. 짝 짝 짝 허드니 모도 눈을 떠 버리는구나. 석 달 동안 큰 잔치으 먼저 와서 참예허고 나려간 맹인들도 저희 집에서 눈을 뜨고 미처 당도 못헌 맹인 중로에서 눈을 뜨고 가다 뜨고 오

인물

➒ 슬픈 근심~피골이 상접이라.
→ 심 봉사는 딸의 죽음에 죄책감을 지니고 살아옴.

⓭ "아이고, 아부지!"~아이고, 아버지."
→ 심청은 아버지를 만나 기쁘면서도 아직까지 눈을 뜨지 못한 것을 안타까워함. 또한 스스로를 '불효 여식'이라고 칭하는 효심이 나타남.

사건

⓬ 심 황후 기가 막혀~목을 안고.
→ 심 봉사와 심청의 극적 상봉: 심청이 맹인 잔치를 연 목적이 달성되었다는 의미를 지님.

⓮ 심 봉사가 두 눈을~번쩍 떴구나.
→ 심 봉사의 개안: 심청의 효성으로 심 봉사가 눈을 뜨게 되는 극적·비현실적 사건임.

구성

⓫ 이때에 심 황후가~늦게 되었것다.
→ 판소리 연행 과정의 특징: 심 봉사의 이야기를 끝까지 듣지 않고도 심청이 심 봉사임을 알아보는 것이 당연하지만, 창을 하다 보니 늦어졌다는 창자의 말이 드러남.

서술

➒ 슬픈 근심~피골이 상접이라.
→ 외양 묘사: 심 봉사가 심청을 보낸 후 고달프게 살아왔음을 드러냄.

➓ "예, 소맹이~자식만 팔아먹었으니.
→ 사건의 요약적 제시: 심 봉사의 지난 삶을 인물의 말을 통해 압축적으로 제시하고, 심청이 아버지임을 확인하는 계기가 됨.

⓬ 심 황후 기가 막혀~목을 안고.
→ 행동 묘사: 황후로서의 예절에서 벗어난 모습을 보일 정도로 아버지와 만나게 된 기쁨과 반가움을 간접적으로 드러냄.

⓯ 석 달 동안~광명 천지가 되었구나.
→ 열거와 과장: 눈을 뜨게 되는 다양한 상황을 열거하고 과장되게 제시해 해학성을 높임.

• **봉고파직:** 어사나 감사가 못된 짓을 많이 한 고을의 수령을 파면하고 관가의 창고를 봉하여 잠금. 또는 그런 일.
• **영검:** 사람의 기원대로 되는 신기한 경험.
• **망종:** 일의 마지막.
• **점고:** 명부에 일일이 점을 찍어 가며 사람의 수를 조사함.
• **백수풍신:** 머리가 센 늙은이의 점잖고 위엄 있는 풍채.
• **훈짐:** 어떤 일의 여파나 영향.

다 뜨고 서서 뜨고 앉어 뜨고 실없이 뜨고 어이없이 뜨고 화내다 뜨고 울다 뜨고 웃다 뜨고 떠 보느라고 뜨고 시원이 뜨고 일허다 뜨고 눈을 비벼 보다 뜨고 지어비금주수 (至於飛禽走獸)*라도 눈먼 짐생까지도 모도 다 눈을 떠서 광명 천지가 되었구나.⑮

• 지어비금주수: 날짐승과 길짐승.

[전체 줄거리] 맹인 아버지를 둔 심청은 아버지의 눈을 뜨게 하기 위한 공양미 삼백 석을 마련하기 위해 남경 상인들에게 자신의 몸을 팔아 인당수의 제물이 된다. 이후 심 봉사는 고약한 행실을 지닌 뺑덕이네를 만나 가산을 탕진한다. 한편 인당수에 빠진 심청은 환생하여 천자와 결혼해 황후가 된다. 심청은 아버지를 찾기 위해 천자에게 맹인 잔치를 열어 달라고 청하고, 맹인 잔치에서 딸을 만난 심 봉사는 반가움에 눈을 뜨게 된다.

Step2 포인트 체크

[01~04] 윗글에 대하여 맞으면 ○, 틀리면 ×표를 하시오.

01 창자가 장단의 속도를 조절해 가는 판소리 연행의 특징이 드러나 있다.
〔○, ×〕

02 심 봉사는 황성에서 열리는 맹인 잔치에 참석하려고 노비를 스스로 마련했다.
〔○, ×〕

03 심청은 아버지를 만나면서도 자신을 '불효 여식'으로 칭하며 지극한 효심을 드러내고 있다.
〔○, ×〕

04 '별궁'은 이별했던 중심인물 간의 극적인 만남과 이별이 이루어지는 장소이다.
〔○, ×〕

[05~08] 다음 빈칸에 알맞은 말을 쓰시오.

05 이 작품은 「효녀 지은 설화」, 「관음사 연기 설화」 등 다양한 ㄱ ㅇ ㅅ ㅎ 가 구전되어 오다가 정착된 판소리 사설이다.

06 심 봉사는 심청의 죽음에 심한 ㅈ ㅊ ㄱ 을 느끼면서 잔치가 열린 이유를 오해했었다.

07 심 봉사의 과거 삶이 심 봉사의 말을 통해 ㅇ ㅇ ㅈ 으로 제시되고 있다.

08 고난과 비극의 삶을 살았던 심 봉사와 심청이 원하는 바를 이룬다는 ㅎ ㅂ ㅎ 결말의 구조를 띠고 있다.

작품 정리

▶ **심청가**

• **갈래:** 판소리 사설
• **시점:** 전지적 작가 시점
• **성격:** 교훈적, 비현실적, 우연적
• **배경:** 시간-송나라 말기
　　　　공간-황주 도화동, 용궁, 황성
• **주제:** 심청의 지극한 효심
• **특징:** ① 다양한 근원 설화를 바탕으로 한 사건 전개가 이루어지고 있음.
　　　② 창자의 작중 개입, 연행 과정의 특징 등 판소리 사설의 요소들이 나타남.
　　　③ 비현실적 사건의 발생을 통해 극적 효과를 높이며 주제를 부각함.
　　　④ 유교, 불교, 도교, 민간 신앙 등 다양한 배경 사상을 바탕으로 함.
• **구조**

심 봉사와 심청의 이별 → 심청의 환생, 천자와 혼인 → 심 봉사와 심청의 재회, 심 봉사의 개안

다양한 배경 사상, 권선징악, 인과응보

한 걸음 더

「심청가」의 근원 설화들
「심청가」는 다양한 설화들이 구전되어 오다가 판소리 사설로 정착된 작품이다. 이 작품에는 효녀 지은이 홀로 어머니를 지극히 봉양한다는 「효녀 지은 설화」, 눈먼 아버지를 위해 딸이 신의 제물이 되었다가 황후가 되고 아버지도 눈을 뜬다는 「관음사 연기 설화」, 궁사 거타지가 요괴로부터 서해 신의 딸을 구하고 결혼해 행복하게 산다는 「거타지 설화」 등을 바탕으로 한다. 이들은 해학성을 추구하는 판소리 특유의 성격과 더불어 작품의 핵심적 장면들의 바탕이 되고 있다.

01

윗글에 대한 설명으로 가장 적절한 것은?

① 복선이 되는 소재를 통해 사건의 방향을 암시하고 있다.
② 권위 있는 인물의 중재를 통해 인물 간 갈등이 해소되고 있다.
③ 인물의 말과 행동을 바탕으로 희극적인 분위기를 연출하고 있다.
④ 과거와 현재의 교차를 통해 감춰진 사건의 전모가 밝혀지고 있다.
⑤ 상황에 대한 판단을 바탕으로 인물의 심리에 대한 창자의 생각을 드러내고 있다.

02

윗글의 인물들에 대한 이해로 가장 적절한 것은?

① 뺑덕이네는 겉으로는 심 봉사를 따르는 척하지만 속은 그와 반대되는 심산이었군.
② 심청은 아버지를 기다려도 쉽사리 만날 수 없자 맹인 잔치를 연 것을 후회하는군.
③ 심청은 거주성명 기록을 통해 아버지를 더 쉽게 찾을 수 있을 것이라는 예부 상서의 생각에 동의하는군.
④ 심 봉사는 황후가 자신의 딸일지 모른다는 짐작을 하고 있으면서도 일부러 이를 감추는 모습을 보이는군.
⑤ 심 봉사는 심청을 낳고 죽게 된 부인을 떠올리며 오랫동안 함께하지 못한 것에 미안한 마음을 내비치는군.

03

서술형

사건의 흐름을 고려할 때, ㉮가 지니는 서사적 기능을 밝히시오.

04

도화동, 이 잔치, 별궁 을 중심으로 윗글을 이해한 것으로 적절하지 않은 것은?

① '도화동'은 관가에 다녀온 심 봉사가 뺑덕이네에게 새로운 소식을 전하는 공간이다.
② '도화동'으로부터 '이 잔치'로 향하는 과정에서 심 봉사는 예상치 못하게 혼자가 된다.
③ '이 잔치'는 아버지와의 상봉을 기다리는 심청의 믿음이 흔들리는 공간이다.
④ '별궁'에서 심청은 피골이 상접한 아버지의 모습을 보면서도 상대가 아버지라는 사실에 확신을 갖지 못했다.
⑤ '별궁'은 '이 잔치'에서 심 봉사가 다른 맹인들과 분리되어 심청과 대화를 나누는 공간이다.

05

〈보기〉를 바탕으로 윗글을 감상한 내용으로 적절하지 않은 것은?

┤ 보기 ├

 이 작품은 심청의 지극한 효심이라는 유교적 효 사상을 바탕으로 서사가 진행되면서도, 판소리 다섯 마당의 하나로 실제적 연행의 흔적들을 발견할 수 있다. 이는 작중 상황의 전개 속도나 상황을 강조하는 표현이 판소리 창자의 자유로움에 기반을 두어 진행됨을 의미한다. 또한, 이 작품은 효 사상뿐만 아니라 윤리 부재의 상황에 대한 비판적 인식과 공동체적 삶을 위한 상생의 가치를 구체적 장면으로 구현하는 특징을 띠고 있다.

① '심 봉사의 곁을 떠날 기회'를 엿보는 뺑덕이네의 모습에서 부부간 윤리가 부재한 상황을 발견할 수 있군.
② '눈물이 뚝뚝뚝뚝'이나 '버선발로 우루루루루루루루루'는 상황을 강조하는 데에 있어서 판소리 창자의 자유로운 표현이 가능함을 짐작할 수 있군.
③ '예, 소맹이 아뢰리다'라고 말하며 심청을 '동냥젖을 얻어먹여' 키웠다는 심 봉사의 말에서 상생에 기반을 둔 삶의 단면을 발견할 수 있군.
④ '인당수 제수로 죽'었던 심청이 황후가 되었다는 데에서 효 사상을 추구하는 과정이 자기희생을 필요로 하는 것에 대한 비판적 인식을 엿볼 수 있군.
⑤ '소리를 허니 일이 늦게 되었다'고 밝히는 것에서 판소리가 실제 연행되는 상황을 바탕으로 서사가 진행됨을 알 수 있군.

06

〈보기〉는 윗글의 바탕이 된 설화의 내용이다. 윗글과 〈보기〉를 비교한 내용으로 적절하지 <u>않은</u> 것은?

┤ 보기 ├

　신라 때 연권의 딸 효녀 지은은 어려서 아버지를 여의고 홀어머니를 모시기 위해 나이가 늦도록 출가를 하지 않았다. 그러다 결국 집안 사정이 어려워져 쌀 여남은 섬에 스스로를 종으로 판다. 이 사실을 안 어머니는 한스러워하며 통곡을 하는데, 마침 이를 발견한 화랑 효종랑은 지은의 효성에 감탄하여 곡식과 옷을 보내 주고, 지은을 좋은 사람에게 시집가게 하였다. 임금도 이를 전해 들어 곡식과 집을 하사하여 잘살게 해 주었다.

① 지은이 봉양을 하는 대상은 윗글에서 그 대상이 바뀌어 반영되어 있군.
② 〈보기〉와 윗글은 모두 효심의 결과가 비현실적 사건과 연관된다는 점에서 공통적이군.
③ 지은이 집안 사정을 위해 스스로를 종으로 판 것은 윗글에서 그 목적이 바뀌어 반영되어 있군.
④ 〈보기〉와 윗글은 모두 부모 중의 한 인물이 자식의 사연을 한스러워한다는 점에서 공통적이군.
⑤ 〈보기〉에서는 효심에 대한 보상이 주로 물질적인 데 국한되지만, 윗글에서는 신분 상승으로도 나타나는군.

07

[A]와 [B]에 대한 이해로 가장 적절한 것은?

① [A]에서는 초월적 존재의 문제 해결이, [B]에서는 인물 간의 반목과 갈등 심화가 나타나 있군.
② [A]에서는 현재 상황에 대한 중심인물의 부정적 태도가, [B]에서는 미래 상황에 대한 주변 인물의 긍정적 태도가 나타나 있군.
③ [A]에서는 자신의 상황이 바뀌기를 원하는 인물의 바람이 실현되는 모습이, [B]에서는 그와 유사한 상황이 다양하게 변용되어 나타나 있군.
④ [A]에서는 예상치 못한 상황에 처한 인물과 인물 사이의 이질적 심리가, [B]에서는 예상치 못한 상황에 처한 인물과 자연 간의 동질적 면모가 나타나 있군.
⑤ [A]에서는 반복적 물음을 제시하여 인물이 다른 인물에게 가지는 의구심을, [B]에서는 반복적 상황을 제시하여 인물들 사이에 형성되는 유대감을 강조하고 있군.

08

ⓐ에 대한 설명으로 적절한 것만을 〈보기〉에서 있는 대로 고른 것은?

┤ 보기 ├

ㄱ. 소리는 같으나 뜻이 다른 단어를 활용한 언어유희를 사용하고 있다.
ㄴ. 발화 대상과 동행하게 되는 것에 대한 발화자의 기대와 우려가 드러나고 있다.
ㄷ. 청유형의 표현을 사용하여 길을 나서는 것에 대한 재촉과 이를 위해 할 일을 제시하고 있다.
ㄹ. 수의 크기를 활용하여 발화 대상이 지녔다고 여기는 뛰어난 면모를 다른 인물과 비교하고 있다.

① ㄱ, ㄴ　　　　② ㄱ, ㄷ　　　　③ ㄴ, ㄷ
④ ㄴ, ㄹ　　　　⑤ ㄷ, ㄹ

09

서술형

〈보기〉를 바탕으로 ㉠과 ㉡에 들어갈 판소리 장단과 그 이유를 아래 〈조건〉에 맞게 서술하시오.

┤ 보기 ├

판소리 장단	특징
진양조	가장 느린 장단으로, 극적 전개가 느슨하거나 구슬픈 대목에서 주로 쓰임.
중모리	조금 느린 장단으로, 사연을 담담히 제시하거나 서정적인 대목에서 주로 쓰임.
중중모리	중모리보다 빠른 장단으로, 춤추거나 활보하는 대목에서 주로 쓰임.
자진모리	명랑한 느낌의 장단으로, 사건을 늘어놓거나 격동하는 대목에서 주로 쓰임.
휘모리	가장 빠른 장단으로, 흥분과 긴박감을 주는 대목에서 주로 쓰임.

┤ 조건 ├

　㉠과 ㉡의 장면의 내용을 〈보기〉의 특징과 연관지어 어울리는 장단과 그 이유를 서술할 것.

㉠: _____

_____

㉡: _____

_____

흥보가(興甫歌) | 작자 미상

출제 포인트 › #판소리 사설 #풍자적 #해학적 #권선징악, 인과응보, 빈부 간의 갈등

[자진모리]

[A] **흥보가 들어간다. 흥보 치레 볼작시면**, 편자 떨어진 헌 망건(網巾) 밥풀 관자(貫子) 노당줄 뒤로 잔뜩 졸라매고, 철대 부러진 헌 파립(破笠) 벌이줄* 총총 매어 조사갓끈 달아 쓰고, 떨어진 헌 베 도포 열두 도막 이은 실띠 고픈 배 눌러 띠고, 한 손에다가 떨어진 부채 들고, 또 한 손에다 곱돌조대를 들고, 그래도 양반이라고 여덟팔자걸음 으로 **비스듬하게 들어간다.❶**

[아니리]

흥보가 들어가며 별안간 걱정이 생겼지.❷ '내가 아무리 궁핍을 걱정하는 남자가 되었 을망정 반남(潘南) 박(朴)가 양반인데 호방을 보고 하대를 하나 존대를 하나? 아서라, 말은 허되 끝은 짓지 말고 웃음으로 얼버무릴 수밖에 없다.'❸ 질청*을 들어가니, 호방 이 문을 열고 나오다, "박 생원 어찌 오셨소?" "참 양도가 절량(絕糧)되어서 환자 한 섬 만 주시면 가을에 착실히 갚을 테니 호방 생각이 어떨는지. 하하하." 호장(戶長)이 하는 말이, "박 생원 들어오신 김에 품 하나 팔아 보오. 우리 골 좌수가 병영 영문에 잡혔는 데 좌수 대신 가서 곤장 열 대만 맞으면 한 대 석 냥씩 서른 냥은 꼽아 놓은 돈이요, 마 삯까지 닷 냥 지정해 두었으니 그 품 하나 팔아 보오." "돈 생길 품이니 팔고말고. 매 맞 으러 가는 놈이 말 타고 갈 것 없고 정강이 말로 다녀올 테니 그 돈 닷 냥을 날 내어 주 지. 하하하."❹

[중모리]

저 아전 거동을 보아라.❺ 궤(櫃) 문을 절컥 열고 돈 닷 냥을 내어 주니 흥보가 받아들 고, "다녀오리다." "평안히 다녀오오." 박흥보가 좋아라고 질청문 밖에 썩 나서서, "돈 봐라 돈. 돈 봐라 돈 봐. 얼씨구나 돈 돈. 돈 봐라 돈. 이 돈을 눈에 옳게 보면 삼강오륜 이 다 보이고, 만일 돈을 못 보면 삼강오륜이 끊어지니 보이는 게 돈밖에 또 있느냐." 떡국집으로 들어가서 떡국 반 돈어치를 사서 먹고 막걸릿집으로 들어를 가서 막걸리 서푼어치를 사서 마시고 어깨를 느리우고 입을 빼고, "대장부 한걸음에 엽전 서른닷 냥이 들어간다. 우리 집을 어서 가자." 제집으로 들어가며, "여보게 마누라 집안 어른이 어디 갔다가 집으로 돌아오면 우루루루루루 쫓아 나와 영접허는 게 도리가 옳지. 계집이. 이 사람아 당돌히 앉아 있으면서 일어나지 않는 것은 웬일인가. 에라 이 사람 요망하다."❻

[중중모리]

흥보 마누라 나온다. 흥보 마누라 나온다. "아이고 여보 영감. 영감 오신 줄 내 몰랐 소. 어디 돈, 어디 돈허고 돈 봅시다, 돈 봐." "놓아두어라 이 사람아. 이 돈 근본(根本) 을 자네 아나. 못난 사람도 잘난 돈, 잘난 사람은 더 잘난 돈, 맹상군(孟嘗君)*의 수레바

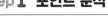

작자 미상, 「흥보가」

제목의 의미
'흥보가'는 몰락한 양반인 '흥보'가 주인 공인 판소리 사설로 몰락한 양반인 흥보 와 그 가족의 가난한 삶을 해학적으로 다 루고 있다.

배경
❹ 질청을 들어가니.~주지. 하하하."
➡ 양식을 걱정하는 몰락한 양반인 흥보와 매품팔이의 성행을 통해 조선 후기가 시 간적 배경임을 알 수 있음.

인물
❶ 흥보가 들어간다.~들어간다.
➡ 흥보의 초라한 차림새를 통해 몰락한 양반이라는 신분과 '여덟팔자걸음'에서 양반의 권위 의식을 지닌 인물임이 드러남.
❻ "여보게 마누라~사람 요망하다."
➡ 자신을 맞이하지 않는 아내를 질책하는 흥보의 모습. 가부장적이고 권위적인 모 습을 해학적으로 표현함. (풍자)

사건
❶ 흥보가 들어간다.~들어간다.
➡ 환자를 빌리러 가는 흥보: 흥보가 질청 에 들어감.
❹ 질청을 들어가니.~내어 주지. 하하하."
➡ 매품팔이를 하게 된 흥보: 양식이 없어 질청에 환자를 얻으러 간 흥보에게 호장 이 매품팔이를 권함. (당대의 사회상 비판)
❻ 궤 문을~이 사람 요망하다."
➡ 마삯을 받고 귀가하는 흥보: 돈을 받은 흥보가 기세가 등등하여 집으로 돌아옴. 삼강오륜보다 돈이 더 중요하다는 흥보의 말을 통해 당대 현실을 풍자함.

갈등
❸ '내가 아무리~수밖에 없다.'
➡ 흥보의 내적 갈등: 양식을 빌리러 가면 서 양반 체면을 걱정함.

서술
❷ 흥보가 들어가며~걱정이 생겼지.
➡ 직접 제시: 흥보의 심리를 창자가 직접 제시함.
❺ 저 아전 거동을 보아라.
➡ 판소리 사설의 언어적 특징: 인물의 행 동을 청중에게 떠올리게 함.

• **벌이줄:** 물건이 버틸 수 있도록 이리저리 얽어매는 줄.

• **질청:** 아전들이 일을 맡아보던 청사.

• **맹상군:** 중국 전국 시대 제나라의 공족.

퀴처럼 둥글둥글이 생긴 돈, 생살지권(生殺之權)을 가진 돈, 부귀공명 붙은 돈. 이놈의 돈아, 아나 돈아, 어디 갔다가 이제 오느냐. 얼씨구나 돈 봐. 어 어 어 얼씨구 얼씨구 돈 봐."❼

[아니리]

이 돈을 가지고 쌀 팔고 고기 사고 고기 죽을 누그름하게 열한 통이 되게 쑤어 가지고 각기 한 통씩 먹어 놓으니, 모두 식곤증이 나서 앉은 자리에서 고자빠기잠을 자는데, 죽 국물이 코끝에서 쇠죽 후주국 내리듯 댕강댕강 떨어지것다. 홍보 마누라가 하는 말이, "여보 영감 그런디 이 돈이 무슨 돈이오? 어떻게 해서 생겨난 돈인지 좀 압시다." "이 돈이 다른 돈이 아닐세. 우리 고을 좌수가 병영 영문에 잡혔는데 대신 가서 곤장 열 대만 맞으면 한 대에 석 냥씩 서른 냥을 준다기에 대신 가기로 하고 삯으로 받아 온 돈이제."❽ 홍보 마누라 깜짝 놀라며, "소중한 가장 매품 팔아 먹고산단 말은 고금천지에 어디서 보았소."

[진양]

┌ "가지 마오 가지 마오, 불쌍한 영감, 가지를 마오. **천불생 무록지인**이요 지부장 무
│ 명지초라. 하늘이 무너져도 솟아날 구멍이 있는 법이니, 설마한들 죽사리까. 병영
[B] │ 영문 곤장 한 대를 맞고 보면 죽도록 골병 된답디다. 여보 영감 불쌍한 우리 영감,
└ 가지를 마오."❾

[아니리]

홍보 아들놈들이 저의 어머니 울음소리를 듣고 물소리 들은 거위 모양으로 고개를 들고, "아버지 병영 가시오?" "오냐 병영 간다." "갔다 올 제 떡 한 보따리 사 가지고 오시오."❿

[중모리]

아침밥을 끓여 먹고 병영 길을 나려간다. 허유허유 나려를 가며 신세자탄(身世自嘆) 울음을 운다. "어떤 사람 팔자 좋아 화려한 집 짓고 잘사는데 내 팔자는 왜 그런고." 병영골을 당도하여 치어다보니 대장기요, 나려 굽어보니 숙정패로구나. 깊은 산속에 있는 사나운 범의 용맹 같은 용(勇) 자 붙인 군로사령들이 이리 가고 저리 간다.⓫ 그때 박홍보는 숫한 사람이라 벌벌 떨며 들어간다.⓬

[아니리]

┌ 방울이 떨렁, 사령 "예이." **야단났지**. 홍보가 삼문 간에 들어서 가만히 굽어보니 죄
│ 인이 볼기를 맞거늘, 홍보 마음에는 그 사람들도 돈 벌러 온 줄 알고, '저 사람들은 먼
│ 저 와서 돈 수백 냥 번다. 나도 볼기 좀 까고 업저 볼까.' 볼기를 까고 삼문 간에 가
│ 엎드렸을 제⓭ 사령 한 쌍이 나오더니, "병영 생긴 후 볼기전 보는 놈이 생겼구나." 사
[C] │ 령 중에 뜻밖에 홍보 씨 아는 사령 있던가, "아니 박 생원 아니시오." "알아 맞혔구
│ 만그려." "당신 곯았소." "곯다니 계란이 곯지, 사람이 곯나.⓮ 그게 어떤 말인가?"
│ "박 생원 대신이라 하고 어떤 사람이 와서 곤장 열 대 맞고 돈 서른 냥 받아 가지고
│ 벌써 떠나갔소." 홍보가 기가 막혀, "그놈이 어떻게 생겼던가?" "키가 구 척이요 방울
│ 눈에 기운 좋습디다." 홍보가 말을 듣더니, "허허 그전 밤에 우리 마누라가 밤새도록
└ 울더니마는 옆집 꾀수 애비란 놈이 알고 발등걸이*를 허였구나."⓯

인물
❾홍보 마누라 깜짝~가지를 마오."
→ 홍보 마누라는 매품팔이를 하려는 남편을 걱정하며 만류하는 착한 성품을 지닌 인물임이 드러남.
⓬, ⓭그때 박홍보는~엎드렸을 제
→ 홍보가 떨면서 병영에 들어가는 모습과 매품팔이를 하지 못할까 급한 마음에 얼른 볼기를 내놓고 눕는 모습을 통해 순박하고 어리숙한 인물임이 드러남.

사건
❼홍보 마누라~얼씨구 돈 봐."
→ 돈을 받고 좋아하는 홍보와 홍보 마누라: 홍보 마누라의 말을 통해 돈을 중시하는 현실을 풍자함. 돈에 냉소적, 비판적이면서도 돈을 반기는 홍보의 이중적 태도가 드러남.
❽홍보 마누라가~온 돈이제."
→ 돈의 출처를 밝히는 홍보: 배를 채운 뒤 돈의 출처를 궁금해하는 홍보 마누라에게 홍보가 매품팔이를 하기로 했다고 말함.
❾홍보 마누라 깜짝~가지를 마오."
→ 홍보를 만류하는 홍보 마누라: 매품팔이에 나선 홍보를 만류하며 슬퍼함.
⓮, ⓯사령 한 쌍이~발등걸이를 허였구나."
→ 꾀수 애비에게 매품팔이를 빼앗긴 홍보: 꾀수 애비의 발등걸이로 홍보가 매품팔이를 하지 못하게 됨.

갈등
⓯사령 한 쌍이~발등걸이를 허였구나."
→ 꾀수 애비와 홍보의 갈등: 매품팔이를 가로채야 할 정도로 서민들의 상황이 절박함을 보여 줌.

서술
⓫, ⓬아침밥을 끓여~떨며 들어간다.
→ 음성 상징어, 대구법의 사용: 매품팔이를 하러 병영으로 가는 홍보의 모습을 '허유허유', '벌벌' 등의 음성 상징어를 사용하여 생동감 있게 서술하고 병영의 위엄 있는 모습을 대구법으로 표현함.
❿홍보 아들놈들이~가지고 오시오."
→ 비극적 상황의 해학적 제시: 홍보 아들들이 매품을 말리는 어머니의 울음소리를 듣고 고개를 드는 모양을 '물소리 들은 거위'라고 한 것과 매품 팔러 가는 홍보에게 떡을 사 오라고 한 것은 비극적 상황의 해학적 제시에 해당함.
⓬그때 박홍보는~떨며 들어간다.
→ 직접 제시, 간접 제시: 홍보의 성격을 직접 제시('숫한 사람')와 간접 제시('벌벌 떨며 들어간다.')의 방법으로 서술함.
⓮"당신 곯았소."~사람이 곯나.
→ 언어유희: 홍보의 상황이 곯았다고 설명하는 사령의 말에 홍보가 언어유희를 사용하여 해학적으로 대답함.

[중모리]

"번수*네들 그러한가. 나는 가네. 지키기나 잘들 하소. 매품 팔러 왔는데도 손재(損財)*가 붙어 이 지경이 웬일이냐. 우리 집을 돌아가면 밥 달라고 우는 자식은 떡 사 주마고 달래고, 떡 사 달라 우는 자식 엿 사 주마고 달랬는데, 돈이 있어야 말을 허지." 그렁저렁 울며불며 돌아온다.⑩

[전체 줄거리] 욕심이 많고 심성이 고약한 형 놀보는 부모님이 돌아가신 후 유산을 독차지하고 심성이 착한 동생 흥보를 내쫓는다. 흥보는 가족들의 생계를 위해 매품팔이에 나서는 등 여러 노력을 기울이지만 가난에서 벗어나지 못한다. 어느 날 흥보는 다리가 부러진 제비를 도와주게 되고, 그 제비가 물어다 준 박씨를 심는다. 흥보는 박씨가 자라 열린 박 속에서 나온 재화와 보물로 부자가 되는데, 놀보는 이 소식을 듣고 일부러 제비 다리를 부러뜨리고 고쳐 준다. 놀부가 고쳐 준 제비 역시 놀부에게 박씨를 물어다 주는데, 그 박씨에서 열린 박에서는 노승과 상여꾼, 초라니 패 등이 나온다. 이로 인해 패가망신한 놀보는 자신의 잘못을 깨닫고 형제는 화목하게 살게 된다.

사건

⑩ "번수네들 그러한가.~울며불며 돌아온다.
→ 매품팔이를 하지 못하고 귀가하는 흥보: 실의에 빠진 흥보가 암담한 심정으로 번수에게 인사를 한 뒤 집으로 돌아옴.

• **발등걸이**: 남이 하려던 일을 먼저 앞질러서 함.
• **번수**: 돌아가며 보초를 서는 사람.
• **손재**: 재물을 잃는 운수.

Step 2 포인트 체크

[01~04] 윗글에 대하여 맞으면 ○, 틀리면 ×표를 하시오.

01 몰락한 양반 가족이 굶주리는 상황을 배경으로 한다. 〔○ . ×〕

02 죄를 지은 사람들이 직접 흥보에게 매품팔이를 권하고 있다. 〔○ . ×〕

03 매품팔이를 하지 못하게 된 흥보가 번수를 원망하면서 갈등이 드러난다. 〔○ . ×〕

04 서술자가 개입하여 인물이나 상황에 대해 평가를 하는 내용이 있다. 〔○ . ×〕

[05~08] 다음 빈칸에 알맞은 말을 쓰시오.

05 이 작품은 내용에 따라 진양, 중중모리와 같은 창과 ○ㄴㄹ로 구성되어 있다.

06 가장이 매품을 팔러 가는 비극적인 상황도 흥보 아들들에 의해 ㅎㅎㅈ으로 제시되고 있다.

07 작가는 몰락한 양반이 ㅁㅍㅍㅇ를 하게 만드는 부패한 사회상을 비판하고 있다.

08 몰락한 양반인 흥보가 매품팔이까지 해야 하는 현실을 통해 ㅂㅂ 갈등이라는 주제를 강조하고 있다.

작품 정리

흥보가

• **갈래**: 판소리 사설
• **시점**: 전지적 작가 시점
• **성격**: 풍자적, 해학적, 교훈적, 서민적
• **배경**: 시간 – 조선 후기
  공간 – 전라도 운봉과 경상도 함양 부근
• **주제**: 형제간의 우애와 인과응보에 따른 권선징악, 빈부 간의 갈등
• **특징**: ① 현재형 시제로 상황을 사실적으로 제시함.
  ② 양반의 언어와 평민의 언어가 함께 사용됨.
  ③ 비극적 상황을 해학적으로 제시함.
• **구조**

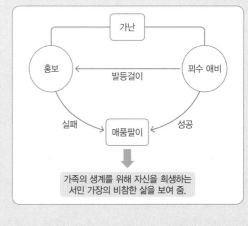

가족의 생계를 위해 자신을 희생하는 서민 가장의 비참한 삶을 보여 줌.

01

윗글의 서술상 특징에 대한 설명으로 적절하지 <u>않은</u> 것은?

① 인물 간의 대화를 통해 새로운 정보를 제공하고 있다.
② 인물이 처한 비극적 상황을 해학적으로 제시하고 있다.
③ 인물의 외양 묘사를 통해 인물의 처지를 드러내고 있다.
④ 초월적 존재의 개입으로 사건의 해결책을 모색하고 있다.
⑤ 음성 상징어를 활용하여 장면을 생동감 있게 제시하고 있다.

02

윗글의 흐름을 〈보기〉와 같이 정리할 때, ⓐ~ⓔ에 대한 이해로 적절하지 <u>않은</u> 것은?

보기
ⓐ 질청으로 가는 흥보
⇩
ⓑ 호방과 대화를 나누는 흥보
⇩
ⓒ 집으로 돌아오는 흥보
⇩
ⓓ 병영으로 가는 흥보
⇩
ⓔ 집으로 돌아오는 흥보

① ⓐ는 흥보 가족의 궁핍 때문에 일어났다.
② ⓑ의 호방은 흥보가 요청한 것을 수락한다.
③ ⓒ의 흥보는 자신을 도와준 세상에 고마움을 느낀다.
④ ⓓ에서 흥보는 자신의 가난이 팔자 때문이라고 생각한다.
⑤ ⓔ에서 흥보는 원하는 바를 이루지 못해 막막함을 느낀다.

03

 고난도

윗글의 질청과 병영에 대해 이해한 내용으로 가장 적절한 것은?

① 질청은 인물이 공포심을 느끼는 공간이고, 병영은 인물이 만족감을 느끼는 공간이다.
② 질청은 인물들이 대등한 관계를 맺는 공간이고, 병영은 인물 간의 위계가 형성되는 공간이다.
③ 질청은 당대 사회의 문제가 부각되는 공간이고, 병영은 당대 사회의 문제를 해결하는 공간이다.
④ 질청은 문제 상황에 대한 해결책을 제공하는 공간이고, 병영은 문제 상황에 직면하는 공간이다.
⑤ 질청은 인물의 고통을 드러내는 비극적 공간이고, 병영은 인물의 고통이 해결되는 희극적 공간이다.

04

윗글의 인물에 대한 설명으로 적절하지 <u>않은</u> 것은?

① 마삯을 돈으로 달라고 하는 흥보의 모습에서 가난한 삶이 드러난다.
② 돈을 가지고 집으로 온 흥보는 당당한 모습으로 가장의 권위를 내세운다.
③ 흥보 마누라는 매품팔이로 돈을 벌 수 있다는 것에 매우 기뻐한다.
④ 흥보의 자식들은 흥보가 병영에 간다는 말에 떡을 사 오라며 철없는 모습을 보인다.
⑤ 병영골에 도착하여 무시무시한 병영의 모습을 본 흥보는 두려움을 느낀다.

05

 서술형

[A]에서 풍자하려는 것을 〈조건〉에 맞게 서술하시오.

조건
1. 등장인물의 겉모습과 행동을 분석적으로 제시할 것.
2. 작품에서 풍자하고자 하는 사회 현실을 포함하여 서술할 것.

06

〈보기〉의 빈칸에 들어갈 내용으로 적절하지 <u>않은</u> 것은?

┤보기├

선생님: 판소리는 창자와 고수에 의한 공연을 전제로 하는 갈래인데, 「흥보가」에 나타난 판소리 사설의 특징을 다음과 같이 분석할 수 있어요. 예를 들어, 판소리 사설은 (   )

① 3(4)·4조의 운문체와 산문체가 혼합되어 나타나는 특징이 있는데, '흥보가 들어간다. 흥보 치레 볼작시면'에서 3(4)·4조의 음악성을 지닌 문장이 길게 이어지는 걸 알 수 있어요.

② 현재형 시제를 사용하여 현장감을 부여하는 것이 특징인데, 흥보가 질청에 가는 장면에서 '비스듬하게 들어간다'고 현재형으로 서술하면서 생생하게 전달하고 있어요.

③ 양반의 언어와 평민의 언어가 함께 나타나는 특징이 있는데, '천불생 무록지인'이 양반의 언어라면 '볼기전 보는 놈'은 평민의 언어라 할 수 있어요.

④ 서술자가 개입하여 인물이나 상황에 대해 평가를 하는 것이 특징인데, '야단났지' 같은 대목에서 상황에 대한 평가가 드러나 있어요.

⑤ 내용에 따라 창과 아니리를 교차하는 것이 특징인데, 인물의 정서는 주로 아니리로 표현하고, 사건의 요약적 전개는 빠르기에 따른 창의 장단을 이용하는 걸 확인할 수 있어요.

07

[B]에 나타난 말하기 방식으로 가장 적절한 것은?

① 상대방의 자존심을 자극하여 감정에 호소하고 있다.

② 특정 인물에 주목하여 자신의 입장을 표명하고 있다.

③ 권위 있는 사람의 말을 인용하여 논지를 뒷받침하고 있다.

④ 고사와 관습적인 표현을 사용하여 상대방을 설득하고 있다.

⑤ 구체적인 사례, 일화를 소개하여 인물의 성격을 부각하고 있다.

08

〈보기〉를 바탕으로 윗글을 감상한 내용으로 적절하지 <u>않은</u> 것은?

┤보기├

상업이 활성화되는 조선 후기에는 화폐의 유통으로 부를 축적하는 신흥 계층이 생겨난다. 이런 사회적 변화로 기존의 봉건적 신분 질서의 해체가 가속화되고 화폐가 사회 전반에서 큰 위력을 행사하면서 화폐로 인한 사회의 부조리가 심해진다. 화폐를 가지지 못한 서민은 가난에 허덕이며 생계조차 걱정해야 하는 힘든 삶을 살게 된다. 「흥보가」는 이런 사회 분위기 속에서 향유되던 작품이다.

① 죗값을 돈으로 대신하는 것은 화폐로 인한 사회 부조리라고 할 수 있겠군.

② 꾀수 애비가 발등걸이를 한 것은 생계조차 걱정해야 하는 힘든 삶 때문이라고 할 수 있겠군.

③ 흥보가 질청에 가면서 하대와 존대를 고민하는 것은 봉건적 신분 질서의 해체와 관련이 있겠군.

④ 돈이 생살지권을 가지고 있다는 것은 사회 전반에서 큰 위력을 행사하는 화폐의 힘을 의미하겠군.

⑤ 매품팔이를 강압적으로 권하는 호방은 화폐를 유통시켜 부를 축적하려는 신흥 계층에 해당하는군.

09

[C]에서 '흥보'가 처한 상황과 가장 관련이 깊은 것은?

① 까마귀 날자 배 떨어진다.

② 믿는 도끼에 발등 찍힌다.

③ 닭 쫓던 개 지붕 쳐다본다.

④ 가는 말이 고와야 오는 말이 곱다.

⑤ 똥 묻은 개가 겨 묻은 개 나무란다.

설화는

우리 민족 안에서 **구전**되는 이야기를 말합니다.

초역사적이고 신성성을 가진 **신화**,

역사를 배경으로 증거를 통해 실제성이 강조되는 **전설**,

흥미 위주의 허구적 성격인 **민담**이 있습니다.

수필은

글쓴이의 **경험**이 담긴 글입니다.

글쓴이의 성찰을 보여 준다는 점에서 **반성적**이고,

깨달음을 전한다는 점에서 **교훈적**이며,

삶과 사회에 관한 인식·판단을

드러낸다는 점에서 **비판적**입니다.

민속극은

해학성과 **풍자성**을 지녔습니다.

작품에 나타나는 익살스러운 표현을 통해

사람들에게 **웃음**을 주는 한편,

당시의 사회상을 **비판**함으로써

서민들의 **한**을 풀어 주었습니다.

설화
수필
민속극

주몽 신화(朱蒙神話) | 작자 미상

출제 포인트 › #건국 신화 #영웅의 일대기 #고구려 건국 과정 #주몽의 일생

시조˚ 동명 성왕(東明聖王)은 성이 고씨(高氏)이고 이름은 주몽(朱蒙)이다.❶ 이에 앞서 부여(扶餘)왕 해부루(解夫婁)가 늙도록 아들이 없자 산천에 제사를 지내어 대를 이을 자식을 구하였다. 그가 탄 말이 곤연(鯤淵)에 이르러 큰 돌을 보더니 마주 대하며 눈물을 흘렸다. 왕이 이를 괴상히 여겨 사람을 시켜 그 돌을 옮기니 어린아이가 있었는데 ⓐ금색의 개구리 모양이었다. 왕이 기뻐하며 말하기를, "이는 바로 하늘이 나에게 후사를 내려 주신 것이다."라고 하며 거두어 기르고, 이름을 금와(金蛙)라 하였다. 그가 장성하자 태자로 삼았다.❷

후에 그 재상 아란불(阿蘭弗)이 다음과 같이 말하였다. "일전에 하늘[天]이 저에게 내려와 말하기를, '장차 내 자손에게 이곳에 나라를 세우게 할 것이다. 너희는 그곳을 피하라. 동해 물가에 땅이 있으니 이름을 가섭원(迦葉原)이라 하는데, 토양이 기름지고 오곡(五穀)이 자라기 알맞으니 도읍할 만하다.'라고 하였습니다." 아란불이 마침내 왕에게 권하여 그곳으로 도읍을 옮기고 나라 이름을 동부여(東扶餘)라 하였다.❸

ⓑ옛 도읍에는 어떤 사람이 있었으니, 어디서 왔는지 알 수 없으나 스스로 천제(天帝)의 아들 해모수(解慕漱)라 칭하며 와서 도읍하였다.

해부루가 죽자 금와가 왕위를 이었다. 이때 태백산(太白山) 남쪽 우발수(優渤水)에서 여자를 만났다. 여자에게 물으니 말하기를, "저는 하백(河伯)의 딸이고 이름은 유화(柳花)입니다. 여러 동생들과 함께 나가서 놀고 있었는데, 그때 한 남자가 있어 스스로 말하기를 천제의 아들 해모수라 하고 저를 웅심산(熊心山) 아래 압록강 인근의 방 안으로 꾀어 사통˚하고 곧바로 가서는 돌아오지 않았습니다.❹ ㉠부모는 제가 중매도 없이 다른 사람을 따라갔다고 꾸짖어 마침내 우발수에서 귀양살이하게 되었습니다."라고 하였다.

금와가 이를 이상하게 여겨서 방 안에 가두었는데, 해가 비추어 유화가 몸을 끌어당겨 피하였으나 햇빛이 또 따라와 비쳤다. 그로 인하여 임신하여 알 하나를 낳았는데, 크기가 다섯 되 정도 되었다.❺ 왕이 알을 버려 개와 돼지에게 주었으나 모두 먹지 않았다. 다시 길 가운데에 버렸으나 소나 말이 피하였다. 나중에는 들판에 버렸더니 ⓒ새가 날개로 덮어 주었다.❻ 왕이 알을 쪼개려고 하였으나 깨뜨릴 수가 없어 마침내 그 어미에게 돌려주었다. 그 어미가 물건으로 알을 싸서 따뜻한 곳에 두었더니, 한 남자아이가 껍질을 부수고 나왔는데 골격과 의표(儀表)˚가 영특하고 호걸다웠다. 나이가 겨우 7살이었음에도 영리함이 범상치 않아 스스로 활과 화살을 만들어 쏘았는데 백발백중이었다.❼ ㉡부여의 속어에 활을 잘 쏘는 것을 '주몽(朱蒙)'이라 하는 까닭에 그것으로 이름을 지었다.

금와에게는 일곱 아들이 있어 늘 주몽과 함께 놀았으나 그 재주와 능력이 모두 주몽에 미치지 못하였다. 그 맏아들 대소(帶素)가 왕에게 말하기를, "주몽은 사람이 낳은 자

Step 1 포인트 분석

▶ 작자 미상, 「주몽 신화」

제목의 의미
고구려의 시조인 '주몽'의 영웅적 일대기를 통해 고구려 건국 과정을 신화 형식으로 표현하고 있음을 드러낸다.

배경
❸ "일전에 하늘이~동부여라 하였다.
→ 시대적 배경이 부여가 가섭원으로 천도하여 동부여가 되었을 때이고, 공간적 배경이 가섭원임을 제시함.

인물
❷ 그가 탄 말이~태자로 삼았다.
→ 주몽을 거둔 금와왕의 기이한 탄생 과정을 밝혀, 주몽과 연관된 인물의 비범함도 드러냄.
❹ "저는 하백의~돌아오지 않았습니다.
→ 주몽의 아버지가 천제의 아들이고, 주몽의 어머니가 강의 신의 딸임을 밝혀 둘 사이에 태어난 주몽이 천신과 수신의 고귀한 혈통을 이어받았음을 드러냄.
❼ 골격과 의표가~쏘았는데 백발백중이었다.
→ 주몽이 태어나 자라면서부터 영웅으로서의 비범한 능력을 보였음을 외양 묘사와 사례를 통해 제시함.

사건
❺ 해가 비추어~정도 되었다.
→ 주몽의 출생(난생 설화): 인간이 낳은 알에서 태어났다는 기이한 설정을 통해 주몽의 출생이 보통 인간과 다름을 제시함.

갈등
❽ 그 맏아들~제거하시옵소서."라고 하였다.
→ 주몽과 금와의 아들들 간 갈등: 주몽의 능력을 시기한 금와의 자식들이 주몽과 갈등을 일으키게 될 것을 드러냄.

서술
❶ 시조 동명 성왕은~이름은 주몽이다.
→ 신화임을 나타내는 서술: 글을 시작하며 고구려를 건국한 시조가 주몽임을 밝혀, 이 글이 그의 일생을 다룬 신화임을 나타냄.

구성
❻ 왕이 알을~날개로 덮어 주었다.
→ 기아(棄兒) 모티프: 버림받은 신세가 되었지만 온갖 짐승이 주몽의 탄생을 돕는 설정을 통해 주몽의 신성성을 부각함.

가 아니며, 그 사람됨이 용감합니다. 만약 일찍 도모하지 않으면 ⓓ후환이 있을까 두려우니, 청컨대 그를 제거하시옵소서."라고 하였다. ❽

왕이 듣지 않고 ㉮그에게 말을 기르도록 하였다. 주몽이 날랜 말을 알아보고 먹이를 줄여 야위게 하고, 둔한 말은 잘 먹여 살찌게 하였다. ❾ 왕은 살찐 말을 자신이 타고, 마른 말을 주몽에게 주었다. 후에 들판에서 사냥하였는데, 주몽이 활을 잘 쏘기 때문에 화살을 적게 주었으나, 주몽이 잡은 짐승이 매우 많았다. 왕자와 여러 신하들이 또 그를 죽이려고 모의하였다. ❿ 주몽의 어머니가 은밀히 이를 알아차리고 주몽에게 알려 주며 말하기를, "나라 사람들이 장차 너를 해치려 한다. 너의 재주와 지략으로 어디를 간들 안되겠느냐? 지체하여 머물다가 욕을 당하는 것보다 멀리 가서 뜻을 이루는 것이 낫겠다."라고 하였다.

주몽이 이에 오이(烏伊)·마리(摩離)·협보(陝父) 등 세 명과 친구가 되어 가다가 엄사수(淹㴲水)에 이르러 건너려고 하였으나 다리가 없었다. 추격해 오는 병사들이 닥칠까 두려워 물에게 고하여 말하기를, "나는 천제의 아들이요, 하백의 외손이다. 오늘 도망하여 달아나는데 추격자들이 다가오니 어찌하면 좋은가?"라고 하였다. 이에 물고기와 자라가 떠올라 다리를 만들었으므로 주몽이 건널 수 있었다. ⓔ물고기와 자라가 곧 흩어지니 추격해 오던 기병들은 건널 수 없었다. ⓫

주몽이 가다가 모둔곡(毛屯谷)에 이르러 세 명을 만났다. 그 가운데 한 명은 삼베옷[麻衣]을 입었고, 한 명은 기운 옷[衲衣]을 입었으며, 한 명은 수초로 엮은 옷[水藻衣]을 입고 있었다. (중략) 무리에게 일러 말하기를, "내가 바야흐로 하늘의 크나큰 명령을 받아 나라의 기틀을 열려고 하는데 마침 이 세 명의 현명한 사람을 만났으니, 어찌 하늘께서 주신 것이 아니겠는가!"라고 하였다. 마침내 그 능력을 살펴 각기 일을 맡기고 그들과 함께 졸본천(卒本川)에 이르렀다.

주몽은 그 토양이 기름지고 아름다우며, 자연 지세가 험하고 단단한 것을 보고 드디어 도읍하려고 하였으나, 궁실을 지을 겨를이 없었기에 단지 비류수(沸流水) 가에 초막을 짓고 살았다. 나라 이름을 고구려(高句麗)라 하였는데 이로 인하여 고(高)를 성씨로 삼았다. ⓬ ㉯이때 주몽의 나이가 22세로, 한(漢) 효원제 건소(建昭) 2년, 신라 시조 혁거세 21년 갑신년이었다. ⓭ 사방에서 듣고 와서 따르는 자가 많았다. 그 땅이 말갈 부락에 잇닿아 있기에 침입과 도적질의 피해를 입을까 두려워하여 마침내 그들을 물리치니, 말갈이 두려워 굴복하고 감히 침범하지 못하였다.

왕이 비류수 가운데로 채소 잎이 떠내려오는 것을 보고 상류에 사람이 있는 것을 알았기에, 사냥을 하며 찾아서 비류국(沸流國)에 도착하였다. 그 나라의 왕 송양(松讓)이 나와서 보고 말하기를, "과인*이 바다 깊숙한 곳에 치우쳐 있어서 일찍이 군자를 보지 못하였는데, 오늘 서로 만나니 또한 다행이 아닌가? 그러나 나는 그대가 어디서 왔는지 알지 못하겠다."라고 하였다. 왕이 답하여 말하기를, "나는 천제의 아들로서 모처에 와서 도읍하였다."라고 하였다. 송양이 말하기를, "우리는 여러 대에 걸쳐 왕 노릇을 하였다. 땅이 작아 두 주인을 받아들이기에는 부족하다. 그대는 도읍을 세운 지 얼마 되지 않았으니, 나에게 빌붙는 것이 어떠한가?"라고 하였다. 왕이 그 말을 분하게 여겨 그와 더불어 말다툼을 하고, 또 서로 활을 쏘아 기예를 겨루었는데, 송양이 당해 낼 수 없었다. ⓮

배경
⓭이때 주몽의~21년 갑신년이었다.
➡ 주변 국가의 상황을 제시하여 고구려가 세워진 시기를 구체적으로 밝힘.

인물
❾주몽이 날랜~살찌게 하였다.
➡ 좋은 말을 얻으려는 주몽의 계략으로, 미래를 내다볼 줄 아는 명민함과 지혜를 지녔음을 드러냄.

사건
❿왕자와 여러~죽이려고 모의하였다.
➡ 주몽과 왕자들 사이의 갈등 고조: 뛰어난 능력으로 주몽이 위기에 처하게 되는 상황임.
⓫물고기와 자라가~건널 수 없었다.
➡ 물고기와 자라의 도움: 물고기와 자라는 주몽을 구해 주는 역할을 한 조력자로, 결국 강의 신 하백의 도움으로 위기에서 벗어나는 설정을 통해 주몽의 신성성을 부각함.
⓬나라 이름을~성씨로 삼았다.
➡ 주몽의 고구려 건국: 새롭게 세운 나라의 이름과 성씨를 정한 배경을 제시하여, 주몽이 건국의 영웅임을 분명히 드러냄.
⓮왕이 그 말을~당해 낼 수 없었다.
➡ 영토를 확장하는 고구려: 영토 확장 역시 주몽의 뛰어난 능력으로 실현하고 있음을 드러냄.

• **시조**: 한 나라의 맨 처음이 되는 조상.
• **사통**: 부부가 아닌 남녀가 몰래 정을 통함.
• **의표**: 몸을 가지는 태도. 또는 차린 모습.
• **과인**: 덕이 적은 사람이라는 뜻으로, 임금이 자기를 낮추어 일컫던 말.

[전체 줄거리] 천제의 아들인 해모수와 강의 신인 하백의 딸 유화 사이에서 주몽이 태어났다. 알에서 태어난 주몽은 뛰어난 활 솜씨를 지니고 있었지만, 이로 인해 금와의 아들들로부터 위협을 당하고, 결국 이들을 피해 도망간다. 도망가던 중 강가에서 위기에 처하기도 하지만 물고기와 자라의 도움으로 위기에서 벗어나고 결국 졸본천에 고구려를 건국한다. 고구려를 건국한 주몽은 본격적으로 영토를 확장하기 시작한다.

🏆 **한 걸음 더**

'난생 설화'에 담긴 의미
신화에는 한 나라의 시조가 알에서 태어났다는 설정이 자주 나타난다. '알'은 그 자체로 하나의 생명체인 동시에 새로운 존재로 거듭나는 특성이 있다. 바로 이런 점 때문에 알을 깨고 나온다는 것은 새로운 국가를 건설한다는 상징성을 지니고 있다. 또한 평범한 인물과 다른 탄생 과정을 통해 시조의 비범함을 부각하는 기능도 한다.

Step 2 포인트 체크

[01~04] 윗글에 대하여 맞으면 ○, 틀리면 ×표를 하시오.

01 주몽은 천신과 수신의 혈통을 모두 지니고 태어났다. 〔○. ×〕

02 주몽이라는 이름은 그의 탄생 과정과 관련이 있다. 〔○. ×〕

03 대소에게 쫓기던 주몽은 물고기와 자라의 도움으로 위기에서 벗어났다.
〔○. ×〕

04 비류국의 송양은 고구려가 작은 나라라며 고구려의 왕인 주몽을 무시했다.
〔○. ×〕

[05~08] 다음 빈칸에 알맞은 말을 쓰시오.

05 이 글은 ㄱㄱㄹ를 건국한 주몽의 일생을 다룬 건국 신화이다.

06 이 글은 비범한 능력을 지닌 인물이 고난을 겪다 성공을 하게 되는 과정을 그린 ㅇㅇ 서사 구조를 지니고 있다.

07 이 글은 주인공이 알에서 태어나는 ㄴㅅ 설화로, 주인공의 비범함을 드러낸다.

08 주몽은 그의 능력을 시기한 ㄱㅇ왕의 아들들과 갈등을 겪는다.

정답 | 01 ○ 02 × 03 ○ 04 × 05 고구려 06 영웅 07 난생 08 금와

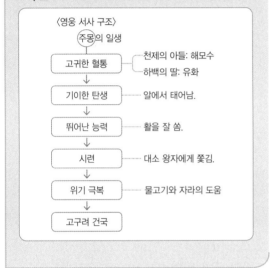

주몽 신화
- **갈래**: 건국 신화, 난생 설화
- **성격**: 신화적, 서사적, 영웅적
- **배경**: 시간−부여 금와왕 시절
  　　　　공간−가섭원과 졸본천
- **주제**: 주몽의 일생과 고구려의 건국
- **특징**: ① 건국 시조의 영웅적 활약을 통해 고구려의 자부심을 고취하고자 함.
  　　　② 영웅의 일대기 구조를 띠고 있음.
  　　　③ 난생 화소, 천손 하강행 화소, 기아 화소 등을 통해 인물의 비범함을 드러냄.
- **구조**

⟨영웅 서사 구조⟩
주몽의 일생

고귀한 혈통	── 천제의 아들: 해모수
↓	하백의 딸: 유화
기이한 탄생	── 알에서 태어남.
↓	
뛰어난 능력	── 활을 잘 쏨.
↓	
시련	── 대소 왕자에게 쫓김.
↓	
위기 극복	── 물고기와 자라의 도움
↓	
고구려 건국	

Step 3 실전 문제

01

윗글에 대한 설명으로 적절하지 <u>않은</u> 것은?

① 인물의 발화를 직접 제시하여 사건의 현장감을 높이고 있다.
② 적강 화소를 활용하여 주인공의 초월적 능력을 부각하고 있다.
③ 서술자가 발생한 사건들을 압축적으로 요약하여 전달하고 있다.
④ 구체적인 지명과 인명을 제시하여 이야기의 진실성을 확보하고 있다.
⑤ 전기적(傳奇的)이고 우연적 사건을 통해 주인공이 위기 상황을 극복하고 있다.

02

윗글의 인물에 대한 이해로 적절하지 <u>않은</u> 것은?

① 주몽은 모둔곡에서 만난 세 사람을 신하로 등용하였다.
② 유화는 자신이 알을 낳았다는 사실에 대해 부끄러워했다.
③ 송양은 주몽을 처음 보았을 때 그를 긍정적으로 평가했다.
④ 아란불은 꿈에서 하늘이 자신에게 한 말을 진실이라고 여겼다.
⑤ 금와는 주몽을 경계해야 한다는 대소 왕자의 경고를 무시했다.

03

㉮에 대한 이해로 가장 적절한 것은?

① 주몽에게 뛰어난 지혜가 있음을 드러내는 계기가 된다.
② 주몽이 대소와 갈등하게 되는 결정적 이유에 해당한다.
③ 주몽이 자신이 불행을 겪을 것이라 예상하는 근거가 된다.
④ 주몽이 어머니에게 도움을 청하는 사건을 유발하게 된다.
⑤ 주몽이 새로운 나라를 세우겠다는 뜻을 세우는 원인을 제공한다.

04

〈보기〉를 참고하여 윗글을 감상한 내용으로 적절하지 <u>않은</u> 것은?

> ┤보기├
>
> 　신화에 나오는 영웅은 대개 고귀한 혈통을 지닌 존재로, 탄생의 과정부터 신이한 면모를 보인다. 그런데 이런 주인공도 어릴 때 버려지거나 주변 사람과의 갈등으로 위기에 처하게 되지만 조력자의 도움으로 위기에서 벗어난다. 그 과정에서 비범한 능력을 지닌 주인공은 온갖 시련을 극복하고 위업을 이루게 된다. 「주몽 신화」는 이와 같은 영웅 서사 구조를 지닌 작품으로, 이후 영웅 소설의 창작에 많은 영향을 미쳤다고 평가된다.

① 주몽이 알에서 태어났다는 것에서, 그가 탄생 과정부터 신이한 면모를 보였음을 알 수 있군.
② 주몽이 천제의 아들과 하백의 딸 사이에서 태어났다는 것에서, 그가 고귀한 혈통을 지녔음을 알 수 있군.
③ 주몽이 어렸을 적부터 활을 쏘면 백발백중이라 한 것에서, 그가 영웅으로서 비범한 능력을 지녔음을 알 수 있군.
④ 주몽이 대소 일행에 의해 죽을 위기에 처하게 된 것에서, 그가 영웅으로 거듭나기 위해 시련을 겪었음을 알 수 있군.
⑤ 주몽이 송양과의 경쟁에서 승리할 수 있었다는 것에서, 그가 조력자의 도움으로 영웅이 되었음을 알 수 있군.

05

㉯의 서사적 기능으로 가장 적절한 것은?

① 주변 국가의 상황과 비교하여 주몽의 영웅성을 부각하고 있다.
② 주몽의 나이를 밝혀 그가 세운 나라의 신성성을 강조하고 있다.
③ 구체적인 시간을 제시하여 주몽 이야기의 신빙성을 높이고 있다.
④ 고구려의 지리적 위치를 드러내어 고구려 영토 확장의 당위성을 밝히고 있다.
⑤ 주변 국가의 제도를 밝혀 고구려의 제도가 완성되지 않았음을 드러내고 있다.

06

ⓐ~ⓔ에 대한 이해로 적절하지 <u>않은</u> 것은?

① ⓐ: 어린아이를 '금와'라고 부른 이유가 된다.
② ⓑ: 예전에 부여가 도읍으로 정했던 곳이다.
③ ⓒ: 주몽의 신성성을 드러내는 자연물이다.
④ ⓓ: 주몽이 고구려의 왕이 되리라는 예상이다.
⑤ ⓔ: 주몽을 위기에서 구해 주는 존재들이다.

07

서술형

㉠과 ㉡을 통해 알 수 있는 당대 사회상을 서술하시오.

_____

_____

37강

조신(調信)의 꿈 | 작자 미상

출제 포인트 › #전설 #사찰 연기 설화 #환몽 구조 #인생무상 #불도에의 정진

옛날 **신라 시대** 때, 세달사(世達寺) ― 지금의 흥교사(興敎寺)다. ― 의 장원°이 명주 (溟洲)° 날리군(捺李郡)에 있었다.❶ ―『지리지』를 살펴보면, 명주에 날리군은 없고 다만 날성군(捺城郡)이 있는데, 본래 날생군(捺生郡)으로 지금의 영월(寧越)이다. 또 우수주(牛首州) 영현(領縣)에 날령군(捺靈郡)이 있는데, 본래는 날이군(捺已郡)으로 지금의 강주(剛州)다. 우수주는 지금의 춘주(春州)다. 그러므로 여기서 말한 날리군이 어느 것인지 알 수 없다. ― 본사(本寺)에서는 승려 **조신(調信)**을 보내 장원을 맡아 관리하게 했다.❷

조신은 장원에 이르러 태수 **김흔(金昕)**의 딸을 깊이 연모하게 되었다.❸ 여러 번 낙산사의 관음보살 앞에 나아가 남몰래 인연을 맺게 해 달라고 빌었으나 몇 년 뒤 그 여자에게 배필이 생겼다. 조신은 다시 관음 앞에 나아가 관음보살이 자기의 뜻을 이루어 주지 않았다고 원망하며 날이 저물도록 슬피 울었다.❹ 그렇게 그리워하다 지쳐 얼마 뒤 선잠이 들었다.❺ 꿈에 갑자기 김 씨의 딸이 기쁜 모습으로 문으로 들어오더니, 활짝 웃으면서 말했다.

"저는 일찍이 스님의 얼굴을 본 뒤로 사모하게 되어 한순간도 잊은 적이 없었습니다. 부모의 명을 어기지 못해 억지로 다른 사람의 아내가 되었지만, 이제 같은 무덤에 묻힐 벗이 되고 싶어서 왔습니다."❻

조신은 기뻐서 어쩔 줄을 모르며 함께 고향으로 돌아가 사십여 년을 살면서 자식 다섯을 두었다. 그러나 집이라곤 네 벽뿐이요, 콩잎이나 명아줏국 같은 변변한 끼니도 댈수 없어 마침내 실의에 찬 나머지 가족들을 이끌고 사방으로 다니면서 입에 풀칠을 하게 되었다. 이렇게 십 년 동안 초야를 떠돌아다니다 보니 옷은 메추라기가 매달린 것처럼 너덜너덜해지고 백 번이나 기워 입어 몸도 가리지 못할 정도였다.❼ 강릉 **해현령(蟹 縣嶺)**을 지날 때 열다섯 살 된 큰아들이 굶주려 그만 죽고 말았다. 조신은 통곡하며 길가에다 묻고, 남은 네 자식을 데리고 우곡현(羽曲縣) ― 지금의 우현(羽縣) ― 에 도착하여 길가에 띠풀로 엮은 집을 짓고 살았다. 부부가 늙고 병들고 굶주려 일어날 수 없게 되자, 열 살 난 딸아이가 돌아다니며 구걸을 했다. 그러다가 마을의 개에 물려 부모 앞에서 아프다고 울며 드러눕자 부모는 탄식하며 하염없이 눈물을 흘렸다. 부인은 눈물을 씻더니 갑자기 말했다.❽

"내가 처음 당신을 만났을 때는 얼굴도 아름답고 꽃다운 나이에 옷차림도 깨끗했습니다. 한 가지 맛있는 음식이라도 당신과 나누어 먹었고, 몇 자 되는 따뜻한 옷감이 있으면 당신과 함께 해 입었습니다. 집을 나와 함께 산 오십 년 동안 정분은 가까워졌고 은혜와 사랑은 깊었으니 두터운 인연이라고 할 수 있습니다. 그러나 몇 년 이래로 쇠약해져 병이 날로 더욱 심해지고 굶주림과 추위도 날로 더해 오는데, 곁방살이°에

Step 1 포인트 분석

▶ 작자 미상, 「조신의 꿈」

제목의 의미
주인공이 '조신'이라는 점. 그리고 환몽 구조의 설화임을 드러낸다.

배경
❶ 옛날 신라~날리군에 있었다.
→ 구체적인 시간과 공간적 배경을 제시하여 이야기의 사실성을 드러냄. 전설의 특징이 나타남.

인물
❷ 본사에서는 승려~관리하게 했다.
→ 주인공 조신은 불도를 닦는 승려로서, 장원을 관리하는 일을 했음. 이 일로 김흔의 딸과 만나게 됨.
❻ "저는 일찍이~싶어서 왔습니다."
→ 김흔의 딸이 한 말로써 자신도 조신을 연모하였기에 부부가 되겠다는 소망을 밝힘.

사건
❸ 조신은 장원에~연모하게 되었다.
→ 조신의 세속적 욕망: 이 욕망 때문에 조신이 파계하는 일이 발생함.
❼ 그러나 집이라곤~못할 정도였다.
→ 세속적 삶의 고통: 세속적 소망을 성취했으나, 그 기쁨도 잠시이고 조신 가족은 극도의 가난으로 고통받으며 살게 되었음.
❽ 부부가 늙고~갑자기 말했다.
→ 세속적 삶의 불행: 노화, 병, 가난 등 부부의 불행뿐만 아니라 자식까지 죽고 다치는 사건이 일어남. 부부가 헤어지게 되는 결정적 원인에 해당함.

갈등
❹ 여러 번 낙산사의~슬피 울었다.
→ 조신의 내적 갈등: 조신이 세속적 욕망으로 내적 갈등을 하게 되었고, 여인에게 배필이 생겼다는 소식에 갈등이 더 고조되었음.

구성
❺ 그렇게 그리워하다~선잠이 들었다.
→ 액자식 구성: 환몽 구조에서 '입몽'에 해당하는 부분으로, 액자 소설의 구성상 외화에서 내화로 전환되는 부분임.

하찮은 음식조차 빌어먹지 못하여 이 집 저 집에서 구걸하며 다니는 부끄러움은 산과 같이 무겁습니다. 아이들이 추위에 떨고 굶주려도 돌봐 줄 수가 없는데, 어느 겨를에 사랑의 싹을 틔워 부부의 정을 즐기겠습니까? 젊은 날의 고왔던 얼굴과 아름다운 웃음도 풀잎 위의 이슬이 되었고 지초˚와 난초 같은 약속도 회오리바람에 날리는 버들솜이 되었습니다.❾ 당신은 내가 있어서 근심만 쌓이고, 나는 당신 때문에 근심거리만 많아지니, 곰곰이 생각해 보면 옛날의 기쁨이 바로 근심의 시작이었던 것입니다. 당신이나 나나 어째서 이 지경이 되었는지요. 여러 마리의 새가 함께 굶주리는 것보다는 짝 잃은 난새˚가 거울을 보면서 짝을 그리워하는 것이 낫지 않겠습니까?❿ 힘들면 버리고 편안하면 친해지는 것은 인정상 차마 할 수 없는 일입니다만 가고 멈추는 것 역시 사람의 마음대로 되는 것이 아니고, 헤어지고 만나는 데도 운명이 있는 것입니다. 이 말에 따라 이만 헤어지기로 합시다."

조신이 이 말을 듣고 기뻐하여 각기 아이를 둘씩 나누어 데리고 떠나려 하는데 아내가 말했다.

"저는 고향으로 향할 것이니 당신은 남쪽으로 가십시오."

그리하여 조신은 이별을 하고 길을 가다가 꿈에서 깨어났는데 희미한 등불이 어른거리고 밤이 깊어만 가고 있었다.⓫

아침이 되자 수염과 머리카락이 모두 하얗게 세어 있었다. 조신은 망연자실하여 세상일에 전혀 뜻이 없어졌다.⓬ 고달프게 사는 것도 이미 싫어졌고 마치 백 년 동안의 괴로움을 맛본 것 같아 세속을 탐하는 마음도 얼음 녹듯 사라졌다. 그는 부끄러운 마음으로 부처님의 얼굴을 바라보며 깊이 참회하는 마음이 끝이 없었다. 돌아오는 길에 해현으로 가서 아이를 묻었던 곳을 파 보았더니 ⓐ돌미륵이 나왔다. 물로 깨끗이 씻어서 가까운 절에 모시고 서울로 돌아와 장원을 관리하는 직책을 사임하고 개인 재산을 털어 **정토사(淨土寺)**를 짓고서 수행했다.⓭ ⓑ그 후에 아무도 조신의 종적을 알지 못했다.

- **장원**: 궁정·귀족·관료나 사찰이 소유하고 있는 대규모의 토지.
- **명주**: 지금의 강릉 지방.
- **곁방살이**: 남의 집 곁방을 빌려서 생활함. 또는 그런 일.
- **지초**: 지치. 예전부터 민간요법에서 약재로 많이 사용한 풀로, 여기에서는 향기로운 풀을 의미함.
- **난새**: 중국 전설에 나오는 상상의 새로, 깃은 붉은빛에 다섯 가지 색채가 섞여 있으며, 소리는 오음(五音)과 같다고 함.

배경
⓭물로 깨끗이~짓고서 수행했다.
→ 꿈에서 깬 조신의 행적에 관한 구체적 공간적 배경을 제시하여 사실성을 높임. '정토사'는 이 글이 사찰 연기 설화임을 알려 주는 소재임.

사건
❿여러 마리의 새가~낫지 않겠습니까?
→ 이별을 제안하는 아내: '여러 마리의 새'는 조신의 가족을 의미하고, '난새가 짝을 잃는다는 것'은 부부가 헤어지는 것을 의미함. 따라서 이 표현은 남편에게 헤어지자는 제안을 하는 것임.

갈등
⓬아침이 되자~뜻이 없어졌다.
→ 조신의 내적 갈등 해소: 조신은 꿈에서 세속적 삶이 고통뿐이라는 점을 알고 난 후 세속에 대한 미련을 버렸음.

구성
⓫그리하여 조신은~가고 있었다.
→ 액자식 구성: 환몽 구조의 '각몽' 부분으로 내화에서 외화로 전환되는 부분임. 고통 속에서 살았던 긴 세월이 하룻밤의 꿈이었음을 나타내어 '인생무상'이라는 주제를 형상화함.

서술
❾젊은 날의~버들솜이 되었습니다.
→ 비유적 표현: '고왔던 얼굴과 아름다운 웃음'은 세속적 아름다움과 기쁨을 의미하고, '지초와 난초'는 남녀 간의 아름다운 약속을 의미함. 그것이 쉽게 사라지는 '이슬'과 가벼운 '버들솜'이 되었다는 것은 세속적인 것의 가변성, 유한성을 표현한 것이라 할 수 있음.

🐾 **한 걸음 더**

「조신의 꿈」에 나타난 '꿈'의 역할
이 글에서 주인공 조신은 김흔의 딸과 인연을 맺고 싶다는 세속적 욕망을 소망하다 꿈을 꾸게 되고, 꿈속에서 그 소망을 이루게 된다. 그러나 꿈속의 삶은 고난의 연속으로, 조신은 꿈을 깬 후 인생의 무상감을 깨닫는다. 이처럼 조신의 '꿈'은 조신의 욕망을 반영한 세계로, 세속적 욕망의 덧없음을 일깨우기 위해 작가가 설정한 장치라 할 수 있다.

[전체 줄거리] 장원을 관리하던 조신은 태수 김흔의 딸에게 첫눈에 반하고, 그녀와 인연을 맺게 해 달라고 소원한다. 그런데 그녀에게 배필이 생겼다는 말을 듣고 슬퍼하다 잠이 든다. 조신은 꿈속에서 연모하던 그녀를 만나 부부로 오십여 년의 세월을 보내지만, 가난으로 고통스러운 삶을 살게 된다. 그녀와 헤어지기로 약속한 후 길을 가다가 꿈에서 깨어난 조신은 세속적 욕망의 덧없음을 깨닫고, 정토사를 세워 불도에 정진한다.

Step 2 포인트 체크

[01~04] 윗글에 대하여 맞으면 ○, 틀리면 ×표를 하시오.

01 조신은 신분 차이 때문에 태수의 딸과 인연을 맺을 수 없다고 생각했다.

〔○. ×〕

02 꿈에서 조신은 현실의 욕망을 이루게 된다. 〔○. ×〕

03 조신은 아내와 헤어지게 되자 크게 괴로워했다. 〔○. ×〕

04 이 글은 정토사라는 절이 세워진 배경을 다루고 있다. 〔○. ×〕

[05~08] 다음 빈칸에 알맞은 말을 쓰시오.

05 이 글은 배경이 구체적이고 증거물이 있다는 점에서 설화 중 ㅈ ㅅ 에 해당한다.

06 이 글은 현실에서 꿈으로, 꿈에서 현실로 이어지는 ㅎ ㅁ 구조를 취하고 있다.

07 꿈이 내화가 되고 현실이 외화가 되는 ㅇ ㅈ ㅅ 구성을 띠고 있다.

08 조신은 꿈속 경험을 통해 ㅇ ㅅ ㅁ ㅅ 이라는 깨달음을 얻게 되었다.

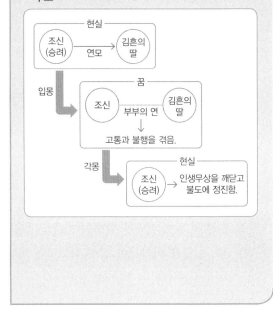

▼
작품 정리

▶ **조신의 꿈**
- **갈래**: 설화, 전설, 사찰 연기 설화
- **성격**: 불교적, 교훈적, 환몽적
- **배경**: 시간 – 신라 시대 / 공간 – 강원도 일대
- **주제**: 인생무상에 대한 깨달음과 불도에의 정진
- **특징**: ① '현실 – 꿈 – 현실'이라는 환몽 구조로 구성됨.
  ② 구체적 지역과 증거물 등 전설의 특징이 나타남.
  ③ 사찰이 건립된 배경을 소개하는 사찰 연기 설화에 해당함.
- **구조**

정답 | 01 × 02 ○ 03 ○ 04 × 05 전설 06 환몽 07 액자식 08 인생무상

Step 3 실전 문제

01

윗글에 대한 설명으로 적절한 것은?

① 선악의 갈등이 해소되는 과정을 통해 권선징악의 주제를 형상화하고 있다.
② 장면에 따라 서술자를 달리하여 사건을 바라보는 다양한 관점을 제시하고 있다.
③ 동시에 일어나는 두 사건을 병치하여 사건의 진실을 입체적으로 드러내고 있다.
④ 천상계와 지상계를 자유롭게 넘나드는 인물을 통해 영웅의 면모를 나타내고 있다.
⑤ 외부 이야기 속에 내부 이야기를 담아 전달하는 입체적 구성 방식을 취하고 있다.

02

윗글의 내용과 일치하지 <u>않는</u> 것은?

① 조신은 관음보살에게 여인과 인연을 맺게 해 달라고 빌었다.
② 여인은 꿈속에서 먼저 조신을 찾아와 부부의 연을 맺자고 말했다.
③ 조신은 여인과 부부의 연을 맺었지만 가난으로 불행한 삶을 살았다.
④ 꿈에서 깬 조신은 더 이상 세상일에 관심을 두지 않게 되었다.
⑤ 여인은 조신이 정토사를 세워 불도에 정진하는 데 도움을 주었다.

03

윗글을 〈보기〉와 같이 도식화할 때, 이에 대한 이해로 적절하지 <u>않은</u> 것은?

┤ 보기 ├

| ㉮ 현실 | → | ㉯ 꿈 | → | ㉰ 현실 |

① 조신은 ㉮에서 이루지 못한 소원을 ㉯에서 이루게 된다.

② ㉮의 마지막 장면과 ㉰의 첫 장면은 동일한 공간에 해당한다.

③ ㉮나 ㉰와는 달리 조신은 ㉯에서 승려가 아닌 삶을 살게 된다.

④ 조신이 ㉯를 겪는 동안 ㉮의 시간도 ㉯와 같은 속도로 흐르고 있다.

⑤ ㉯를 체험함으로써 ㉰의 조신은 ㉮와는 다른 가치관을 갖게 된다.

04

과난도

〈보기〉를 참고하여 윗글을 감상한 내용으로 적절하지 <u>않은</u> 것은?

┤ 보기 ├

　전설(傳說)은 신화와 달리 신성한 인물이 아닌 비범하거나 평범한 인물을 주인공으로 설정한다. 또한 전설은 민담과 달리 허구적 이야기이지만 구체적인 시간과 공간적 배경, 지명과 인명, 증거물을 제시하여 독자에게 실제 일어난 일이라 믿게 한다. 이런 점에서 「조신의 꿈」은 전설에 해당하며, 특히 사찰 건립과 관련한 사찰 연기 설화에 해당한다고 할 수 있다.

① 사건이 '신라 시대'에 일어났으며 장원 태수 이름을 '김흔'이라 구체적으로 밝힌 것은, 실제로 일어난 일이라는 믿음을 주기 위한 설정에 해당하겠군.

② 이야기의 공간적 배경과 관련 있는 '세달사'가 '지금의 흥교사'와 같다는 내용을 제시한 것은, 독자에게 이야기의 신빙성을 주기 위한 장치에 해당하는군.

③ '조신'이 절의 장원을 관리하는 승려라는 점에서, 평범한 인물을 주인공으로 설정한 전설에 해당하는군.

④ 조신이 죽은 자식을 '해현령'에 묻었다는 것은, 허구적인 이야기이지만 실제 일어난 일처럼 독자를 믿게 만드는 증거물에 해당하는군.

⑤ 조신이 '정토사'라는 절을 세웠다는 내용으로 볼 때, 이 이야기는 사찰 연기 설화에 해당하는군.

05

윗글의 '꿈'에 대한 설명으로 적절한 것만을 〈보기〉에서 있는 대로 고른 것은?

┤ 보기 ├

ㄱ. 인물이 현실의 모든 고통을 초월하는 공간이다.

ㄴ. 인물에게 인생무상이라는 깨달음을 이끌어 낸다.

ㄷ. 인물이 인생을 압축적으로 체험할 수 있는 공간이다.

ㄹ. 인물이 추구하던 욕망이 성취되는 통로에 해당한다.

① ㄱ, ㄴ　　② ㄱ, ㄷ　　③ ㄷ, ㄹ

④ ㄱ, ㄴ, ㄷ　　⑤ ㄴ, ㄷ, ㄹ

06

ⓐ에 대한 설명으로 가장 적절한 것은?

① 인물의 가치관이 변화했음을 상징하는 소재이다.

② 인물의 소망이 실현되었음을 보여 주는 소재이다.

③ 사람과 사람의 인연이 소중함을 일깨우는 소재이다.

④ 꿈의 내용이 현실과 관련 있음을 드러내는 소재이다.

⑤ 운명은 개척할 수 있다는 의미를 전달하는 소재이다.

07

〈보기〉는 윗글 뒤에 일연이 덧붙인 시이다. ㉠, ㉡에 해당하는 내용을 윗글을 참고하여 쓰시오.

┤ 보기 ├

㉠즐거운 시간은 잠시뿐 마음은 어느새 시들어
남모르는 근심 속에 젊던 얼굴 늙었네
다시는 좁쌀밥 익기를 기다리지 말지니
바야흐로 힘든 삶 한순간의 꿈인 걸 깨달았네
몸을 닦을지 말지는 먼저 뜻을 성실하게 해야 하거늘
홀아비는 미인을 꿈꾸고 도적은 장물을 꿈꾸네
어찌 가을날 맑은 밤의 꿈으로
때때로 눈을 감는 ㉡청량(淸凉)의 세계에 이르는가

㉠: _____

㉡: _____

08

서술형

ⓑ와 같은 결말 방식이 주는 효과를 서술하시오.

_____

지하국 대적 퇴치 설화(地下國大賊退治說話) | 작자 미상 / 손진태 채록

출제 포인트 › #설화 #민담 #영웅 이야기 #권선징악 #행복한 결말

옛날, 지하국에는 마귀가 살고 있어서 가끔 이 세상에 나타나 어지럽히거나 예쁜 여자를 납치하는 것을 일삼았다.❶ 어느 때는 마귀가 나타나 왕의 세 공주를 한 번에 납치해 간 사건이 있었다.❷ 그래서 왕은 모든 신하에게 명해 마귀를 잡아 오도록 묘책*을 강구하게 하였다. 그러나 아무도 대책을 말하는 사람은 없었다. 얼마간 지나서 한 무사가 "임금님, 저의 집안은 대대로 나라의 녹봉*을 받고 있습니다. 이번에 제가 몸을 바쳐 나라의 은혜에 조금이라도 보답을 하려고 합니다. 그러므로 저에게 마귀 퇴치를 위한 중임을 맡겨 주십시오. 반드시 공주님을 구해 오겠습니다."❸라고 말하므로 왕은 기뻐서 이를 허락했다. 그리고 왕은 "누구든지 공주를 구해 오는 자에게는 내가 지극히 귀여워하는 딸을 줄 것이다."❹라고 말했다.

무사는 몇 명의 부하를 데리고 당장 마귀의 소굴을 찾아 나섰다. 그는 수년간 천하의 구석구석을 찾아 헤매었으나 마귀의 소굴이 어디에 있는지 찾을 수 없었다. 어느 날 그는 피곤하여 산기슭에 누워 바위를 베개 삼아 잠시 꿈을 꾸게 되었다. 꿈에서 한 ㉠백발노인이 나타나 "나는 산신령이다. 네가 찾고 있는 마귀의 소굴은 이 산 저쪽 너머 산속에 있다. 그곳에서 너는 이상한 커다란 바위를 발견할 것이다. 그것을 치우면 바위 밑에 겨우 한 사람이 드나들 수 있는 구멍이 있다. 그 구멍을 통해서 내려가면 점점 넓어져 드디어 별세상*이 나올 것이다. 그 세상이 말하자면 마귀의 세계인 것이다."라는 말을 남기고 사라졌다.❺ 그는 가르침대로 산을 넘어 마귀가 있는 산까지 왔다. 무사는 부하들에게 명해서 튼튼한 밧줄을 만들게 하고 바구니를 짜도록 했다. 그리고 부하들에게 "누가 이 바구니에 타서 놈의 사정을 살피고 오겠는가."라고 말했지만 한 사람도 응하지 않았다. 그는 부하 중 한 사람에게 "네가 내려가라."라고 말했다. 그리고 "도중에 위험하면 줄을 흔들어라. 그리하면 즉시 올려 주겠다."라고 말했다. 그자는 지상에서 조금 내려가자 줄을 흔들었다. 무서웠기 때문이다. 그다음으로 시도한 부하는 거의 밑바닥까지 갔지만 제대로 살피지 못하고 줄을 흔들었다. 무사는 할 수 없이 자기가 내려가기로 했다. 그가 밑에 가서 보니 그곳에는 신비한 세계가 펼쳐져 있었다. 그중에 제일 큰 집이 마귀의 집이었다.❻ 그는 바로 들어가지 않고 마귀의 집 우물곁에 있는 큰 나무에 올라가 동정을 살피기로 했다.

잠시 후에 한 아름다운 여인이 머리에 물 항아리를 이고 우물에 물을 길으러 오는 것이었다. 자세히 보니 그것은 틀림없이 공주 중의 한 사람이었다. 공주가 항아리에 물을 길어 들어 올리려고 하는 순간에 무사는 나뭇잎을 한 주먹 따서 훌훌 떨어뜨렸다.❼ ⓐ공주가 "얄궂은 바람." 하면서 다시 새 물을 채워 이고 가려고 하자 무사는 또 나뭇잎을 떨어뜨렸다. 공주가 "이상한 일이다. 오늘은 바람도 없는데." 하면서 위를 바라보았는데, 그곳에 한 사람이 있어 깜짝 놀라며 "당신은 이 세상 사람입니까? 어떻게 이런 마

Step1 포인트 분석

▶ 작자 미상, 「지하국 대적 퇴치 설화」

제목의 의미

작품의 핵심 내용을 압축적으로 전달하는 제목으로, 지하국을 배경으로 영웅이 대적을 퇴치하는 이야기임을 드러낸다.

배경

❶ 옛날, 지하국에는~것을 일삼았다.
→ 시간적 배경이 '옛날'로 막연하다는 점에서 민담의 특징을 보여 줌. 지하국과 지상국이 대립되는 공간을 배경으로 설정하여 선악의 갈등 상황을 드러냄.

인물

❸ "임금님, 저의~구해 오겠습니다."
→ 무사는 왕에게 공주를 구해 오겠다고 청하고 있는데, 그 이유가 나라의 은혜를 갚기 위해서라고 하고 있음. 충을 중시하는 인물로, 선을 대표한다고 할 수 있음.

❺ 꿈에서 한~남기고 사라졌다.
→ 백발노인은 갑자기 등장하여 무사에게 지하국으로 가는 방법을 알려 주는 존재로, 신이한 능력을 지닌 무사의 조력자임.

사건

❷ 어느 때는~사건이 있었다.
→ 마귀가 왕의 세 공주를 납치해 감: 이야기의 발단이 되는 사건으로, 무사와 마귀가 대립하는 계기가 됨.

❹ "누구든지 공주를~딸을 줄 것이다."
→ 공주들을 구할 계책을 찾는 왕: 왕은 공주를 구하는 일에 대한 보상을 제시하고, 이는 신분 상승의 기회가 될 수 있음을 밝힘.

❻ 무사는 할 수 없이~마귀의 집이었다.
→ 지하국에 내려간 무사: 무사가 백발노인의 도움으로 지하국에 들어가게 됨.

❼ 공주가 항아리에~훌훌 떨어뜨렸다.
→ 공주에게 자신의 존재를 알리는 무사: 무사가 나뭇잎을 항아리에 떨어뜨린 것은 공주를 놀라게 하지 않으면서도 자신의 존재를 알리기 위해서임. 무사의 지혜로움을 엿볼 수 있음.

• **묘책**: 매우 교묘한 꾀.
• **녹봉**: 벼슬아치에게 일 년 또는 계절 단위로 나누어 주던 금품을 통틀어 이르는 말.
• **별세상**: 우리가 살고 있는 이 세상 밖의 다른 세상.

귀의 세상에 들어오게 된 것입니까." 하고 물었다. 무사는 나무에서 내려와 지금까지의 사정을 말했다. 그러자 공주는 "마귀의 집에는 사나운 문지기가 많이 있습니다. 어떻게 마귀의 집으로 들어갈 수 있을까요." 하고 슬퍼했다.

무사는 대답하기를 "제가 젊을 때 어느 무사로부터 약간의 술법을 배운 적이 있습니다. 그럼 제가 지금 수박으로 변할 테니 재주껏 하십시오."라고 말하고 열 발자국 정도 물러서 공중으로 날아 세 번 공중제비를 하니 수박이 되었다.❽ 공주는 그것을 치마에 싸서 거침없이 집 안에까지 들어가 그것을 찬장에 얹어 놓았다.❾ 문지기는 공주의 치마를 조사했지만 수박이었기에 의심 없이 통과시켰던 것이다. 그런데 빈틈없는 마귀는 ⓑ"어쩐지 사람 냄새가 난다. 어찌 된 것이냐." 하고 말하며 코를 실죽실죽 하더니 드디어 크게 노하며 공주들을 불러 세우더니 꾸짖었다.❿ 그렇지만 공주들은 태연한 얼굴로 "그럴 리 없습니다. 병중이라 그러신 게죠."라고 시치미를 뗐다. 마귀는 그때 마침 몸이 좋지 않았다.⓫ ㉮공주들은 독한 술을 몇 병이고 빚어 놓고 마귀의 병이 낫기를 일각이 여삼추처럼 생각하며 기다리고 있었다.

며칠 후 공주들은 독한 술과 세 마리 돼지를 가지고 연회를 베풀어 마귀를 초대하여 "주인님의 병이 나았으므로 우리가 축복하기 위해 연회를 베풀었습니다. 오늘은 우리와 함께 즐깁시다."라고 하면서 전에 없이 애교를 부렸으므로 마귀는 그들 손에 놀아나며 즐겁게 술을 마셨다. 마귀가 세 병의 독한 술을 남김없이 마신 다음에는, 공주들이 마귀를 자기들의 무릎에 눕게까지 하여 머리의 이까지 잡아 주었기 때문에 마귀는 '이제는 나의 말을 고분고분 들어주는구나.'라고 생각하며 아주 기뻐했다. 그리고 "오늘은 너희가 나를 위해 잔치를 베풀어 주었으니 그 대신 나는 그대들에게 소원을 들어주지." 하고 말했다.

[A]
공주들은 이때 반가워하며 "우리에게는 별다른 소원이 없습니다만 다만 하나 알고 싶은 게 있습니다. 주인님은 이 세상에서 제일 강한 분이시니 죽는 일은 없겠지요?"라고 물었다.⓬ 그러자 마귀는 기분이 좋은 나머지 입을 열어 "나라고 죽지 않겠냐. 나의 겨드랑이 밑에 두 장씩 비늘이 있다. 그것을 떼 버리면 나의 목숨은 없다. 그러나 이것을 떼는 놈은 이 세상에는 없다. 하하하." 하고는 크게 코를 골며 깊은 잠에 빠졌다. 공주들은 좋은 기회를 놓칠세라 평소 지니고 있던 장도칼을 뽑았다. 그런데 ⓒ순간 칼이 '징징' 하고 울리기 시작했다. 공주들은 외발로 칼을 밟으면서 꾸짖었다. 그러자 장도칼이 울리는 것이 멈췄다. 공주들은 마귀의 좌우 겨드랑이에서 넉장의 비늘을 베어 냈다.⓭ 그러자 ⓓ마귀의 목이 즉시 몸에서 떨어져 천장에 붙었는가 하면 다시 몸에 붙으려고 했다. 이때 한 공주가 준비해 둔 재를 재빨리 벤 자리에 뿌렸더니 머리가 끝내 몸에 붙을 수가 없게 되어 몸과 머리가 서로 떨어져 나동그라졌다. 그러자 마귀는 죽었다.

공주들은 무사와 함께 구멍 밑으로 며칠에 걸쳐 왔다. 바구니는 약속한 대로 그곳에 내려져 있었는데 '먼저 공주들을 구출하지 않으면 안 된다.'라고 생각해서 무사는 공주들을 한 사람 한 사람씩 그 바구니에 태우고 줄을 흔들었다. 위에서 기다리던 부하들은 기뻐서 줄을 끌어올렸다. 그런데 세 공주를 모두 태워 올라간 바구니는 내려오지 않았다. 그뿐 아니라 ⓔ부하들은 줄 대신에 큰 바위를 굴러 떨어뜨렸다.⓮

인물

❾ 공주는 그것을~얹어 놓았다.
→ 수박으로 변한 무사를 임기응변을 발휘하여 찬장에 얹어 놓은 점, 그리고 그러한 행위를 거침없이 했다는 점으로 보아 공주가 지혜롭고 대담한 성격을 지니고 있음을 알 수 있음.

❿ 그런데 빈틈없는~세우더니 꾸짖었다.
→ 마귀가 무사의 만만치 않은 상대임을 드러냄. 긴장감을 고조하는 역할을 함.

사건

❽ 무사는 대답하기를~수박이 되었다.
→ 수박으로 변한 무사: 무사가 문지기를 피해 마귀의 집에 들어가기 위해 사용한 술법으로, 무사의 영웅적 면모가 드러남.

⓬ 공주들은 이때~없겠지요?"라고 물었다.
→ 마귀의 약점을 알아내려는 공주들: 마귀를 죽일 수 있는 방법을 알기 위해 일부러 마귀가 강한 존재라고 칭찬함.

⓭ 공주들은 좋은~베어 냈다.
→ 마귀를 죽이는 공주들: 마귀가 말한 대로 마귀의 약점을 공격하여 죽이려 함. 직접 마귀를 죽이는 능동적 모습을 보임.

⓮ 그런데 세 공주를~굴러 떨어뜨렸다.
→ 무사의 부하들이 무사를 배신함: 부하들이 무사의 공을 가로채려고 무사를 배신함. 지하국뿐 아니라 지상국에도 악이 존재함을 드러냄.

서술

⓫ 마귀는 그때~좋지 않았다.
→ 사건의 우연성: 필연성보다 우연성이 강조되는 민담의 특징을 드러냄.

[전체 줄거리] 지하국의 마귀가 세 공주를 납치해 가자, 한 무사가 나타나 왕에게 공주들을 구해 오겠다고 제안한다. 무사는 수년간 세상 여기저기를 찾아다녔지만 마귀의 소굴을 찾지 못한다. 어느 날 꿈에 백발노인이 알려 준 대로 지하국의 통로에 이른 무사는 부하를 두고 홀로 밧줄을 타고 아래로 내려간다. 무사는 물을 길러 나온 공주를 만나 그녀의 도움으로 마귀의 집으로 들어가고 공주들은 마귀를 죽이는 데 성공한다. 지하국을 나가는 통로에서 무사는 공주들을 먼저 지상으로 올려 보내는데, 무사의 부하들은 무사를 배신하고 남겨 둔 채 공주들과 떠나 버린다. 무사는 다시 백발노인의 도움으로 지상으로 올라와 부하들을 벌하고 공주와 혼인한다.

Step 2 포인트 체크

[01~05] 윗글에 대하여 맞으면 ○, 틀리면 ×표를 하시오.

01 지하국의 마귀가 공주들을 납치한 것은 왕에 대한 원한 때문이다. [○. ×]

02 나라에 은혜를 갚기 위해서 무사는 공주들을 구하겠다고 나섰다. [○. ×]

03 무사에게는 다른 존재로 변신하는 능력이 있었다. [○. ×]

04 마귀를 직접 처단한 사람은 무사와 그의 부하들이다. [○. ×]

05 부하들은 무사를 배신하고 공을 가로채려 하였다. [○. ×]

[06~09] 다음 빈칸에 알맞은 말을 쓰시오.

06 이 글은 흥미 위주의 이야기로, 설화 중 ㅁㄷ에 해당한다.

07 이 글에서 악을 상징하는 공간은 ㅈㅎㄱ이다.

08 주인공이 전기적이고 ㅇㅇㅈ인 사건을 통해 위기를 극복한다.

09 이 글에서 위기에 빠진 주인공을 도와주는 조력자는 ㅂㅂㄴㅇ이다.

정답 | 01 × 02 ○ 03 ○ 04 × 05 ○ 06 민담 07 지하국 08 우연적 09 배신하다

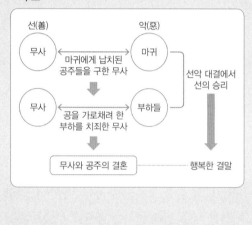

작품 정리

▶ **지하국 대적 퇴치 설화**
- **갈래:** 설화, 민담
- **성격:** 전기적(傳奇的), 교훈적
- **배경:** 시간-옛날 / 공간-지상국과 지하국
- **주제:** 선과 악의 대결에서 선이 이루는 승리
- **특징:** ① 시간과 공간적 배경이 구체적이지 않은 민담의 특성을 드러냄.
  ② 뛰어난 능력을 지닌 주인공이 위기를 극복하고 과업을 성취하는 과정을 순차적으로 그림.
  ③ 지상국과 지하국이라는 대립적 성격의 공간을 바탕으로 권선징악의 주제를 구현함.
- **구조**

Step 3 실전 문제

01

윗글에 대한 설명으로 가장 적절한 것은?

① 비현실적인 사건을 통해 사건이 새로운 국면으로 전환된다.

② 구체적인 시간적 배경을 설정하여 이야기의 진실성을 높인다.

③ 액자식 구성 방식을 통해 발생한 사건의 진정한 의미를 드러내고 있다.

④ 두 공간에서 동시에 일어나는 사건을 병치하여 이야기를 입체적으로 구성한다.

⑤ 고귀한 혈통의 주인공이 신비한 능력을 발휘해 영웅이 되는 과정을 그리고 있다.

02

윗글의 내용에 대한 이해로 적절하지 <u>않은</u> 것은?

① 무사가 지하국으로 들어가는 통로를 발견하는 데에는 많은 시간과 노력이 필요했다.

② 무사의 부하들은 자신이 공을 세우기 위해 지하국으로 먼저 내려가겠다고 다투었다.

③ 무사는 수박으로 변신하는 능력은 있었지만, 변신 후 사람의 냄새를 완벽하게 지우는 능력은 없었다.

④ 공주들은 마귀를 죽일 기회를 얻기 위해 의도적으로 연회를 베풀어 마귀에게 독한 술을 먹였다.

⑤ 마귀는 공주들이 자신에게 고분고분하게 대하자 자신의 목숨과 관련한 비밀을 공주들에게 알려 주었다.

03

㉠에 대한 설명으로 가장 적절한 것은?

① 시범을 보이며 주인공에게 문제 해결 방법을 알려 준다.
② 주인공이 문제를 해결할 능력을 지니도록 교육을 한다.
③ 주인공에게 앞으로 발생할 위기 상황을 경고해 대처하게 한다.
④ 주인공이 문제 상황에 빠진 이유를 스스로 성찰하도록 유도한다.
⑤ 문제 상황에 처한 주인공에게 문제를 해결할 수 있는 정보를 제공한다.

04

고난도

〈보기〉를 바탕으로 윗글을 감상한 내용으로 적절하지 않은 것은?

┤보기├

「지하국 대적 퇴치 설화」는 대립적 성격을 지닌 지상국과 지하국 인물들의 대결을 통해 주제를 드러내고 있다. 악으로 상징되는 지하국의 마귀가 지상국을 어지럽히자, 이를 해결하기 위해 선을 상징하는 지상국의 무사가 나서는데, 그는 이 과정에서 여러 문제에 봉착하지만 뛰어난 능력과 지혜를 발휘해 위기를 극복하여 결국 과업을 성취한다. 이처럼 이 글은 선이 악을 물리치는 과정을 통해 주제를 드러내는데, 특히 마귀를 강한 존재로 그려 그 과정이 쉽지 않음을 나타내고 있다. 또한 글의 마지막 부분에는 지상국에도 악이 존재할 수 있음을 경고하고 있다.

① 지하국의 마귀가 지상국의 여자들을 함부로 납치해 가는 설정은, 지상국과 지하국이 대립적 성격을 지녔음을 나타낸 것이로군.
② 공주와의 혼인을 약속한 왕의 말을 믿고 무사가 공주를 구하러 간 설정에서, 신의로 대표되는 선의 가치를 나타낸 것이로군.
③ 무사가 술법을 써서 수박으로 변신하여 마귀의 집에 들어가는 설정은, 무사가 과업을 수행할 능력이 있음을 나타낸 것이로군.
④ 마귀에게 뛰어난 후각이 있고, 쉽게 죽지 않는다는 설정은, 무사가 악을 물리치고 선을 쟁취하기가 쉽지 않음을 나타낸 것이로군.
⑤ 세 공주가 모두 탈출한 후 부하들이 무사를 지하국에서 나오지 못하게 했다는 설정은, 지상국에도 악이 존재할 수 있음을 나타낸 것이로군.

05

ⓐ~ⓔ 중, 〈보기〉의 밑줄 친 부분에 해당하지 않는 것은?

┤보기├

독자에게 재미를 주는 것이 주된 창작 목적인 민담에서는 독자의 흥미를 유발하기 위해 극적 분위기의 긴장과 이완을 반복한다. 인물이 위기에 처하는 상황을 통해 독자를 긴장시키고, 인물을 위기에서 벗어나도록 하여 독자의 감정을 이완시켜 쾌감을 느끼게 하는 것이다.

① ⓐ   ② ⓑ   ③ ⓒ
④ ⓓ   ⑤ ⓔ

06

㉮의 상황과 관련 있는 한자 성어로 가장 적절한 것은?

① 고진감래(苦盡甘來)   ② 다사다난(多事多難)
③ 임전무퇴(臨戰無退)   ④ 전화위복(轉禍爲福)
⑤ 학수고대(鶴首苦待)

07

서술형

〈보기〉는 윗글의 이본 중 일부이다. 윗글의 [A]와 〈보기〉를 비교하여 인물의 역할을 중심으로 그 차이점을 서술하시오.

┤보기├

도적은 취한 상태에서 공주들의 칭찬을 듣자 의심하지 않고 대답해 주었다.
"내 양 옆구리에 비늘이 두 개씩 있는데, 그것을 떼어 버리면 죽지. 그러나 그것을 뗄 놈이 세상에는 없지. 하하하……."
도적은 껄껄 웃으며 쓰러져 코를 골면서 잠이 들었다.
수박에서 다시 사람으로 변신한 무사는 도적의 옆구리에 있는 비늘을 칼로 베어 냈다. 그러자 도적의 머리는 떨어져 천장으로 올라가다가 다시 목에 붙으려고 하였다. 공주들이 재빨리 매운 재를 목에 뿌리자, 다시 붙지 못하였다.

산성일기(山城日記) | 작자 미상

출제 포인트 › #국문 수필 #일기체 수필 #궁정 수필 #병자호란 당시의 치욕과 항전 #역사 자료적 가치

1636년 12월

ⓐ24일에 큰비가 내리니 성첩을 지키던 군사가 모두 옷을 적시어 얼어 죽은 사람이 많았다. 그러자 임금께서 세자와 함께 뜰 가운데 서서 이렇게 하늘에 비셨다.

"오늘날 이에 이르기는 우리 부자(父子)가 죄를 지음이요, 성안의 군사와 백성에게 무슨 죄가 있겠습니까? 하늘이 우리 부자에게 죄를 내리시고 원컨대 만민을 살리소서."❶

여러 신하들이 들어가시기를 청했으나 허락하지 않으셨다.❷ 얼마 후에 비가 그치고 기후가 차지 않으니 성안의 사람들 중 ㉠감읍(感泣)하지 않은 사람이 없었다.❸

25일에 날씨가 매우 추웠다.❹ ⓑ조정에서 적진에 사신 보내기를 청하니 임금이 말씀하셨다. / "우리나라가 늘 화친으로 저들에게 속았으니 이제 또 사신을 보내면 욕될 줄 안다. 그렇지만 모두 의논이 이러하니, 지금이 세시이므로 술과 고기를 보내고, 은합에 과일을 담아서 두터운 정을 보인 후에, 만나서 이야기하여 기색을 살피리라."

[A]
26일에 이경직과 김신국이 술과 고기를 은합에 넣어 적진에 갔다. 그러자 적장이 말하였다.

"우리 군영은 날마다 소를 잡고 보물이 산같이 쌓였는데 이것을 무엇에 쓰리오? 너희 나라 군신이 돌구멍에서 굶은 지가 오래니 가히 스스로 쓰는 것이 옳으리라."

그러고는 결국 받지 않고 도로 보냈다.❺

27일에 날마다 성안에서 구원하러 오는 군사를 바랐으나 한 사람도 오는 이가 없었다.❻ ⓒ강원 감사 조정호가 본 도의 군사가 다 모이지 못했으므로 양근에 퇴진하여 뒤에 오는 군사를 기다리고, 먼저 영장(營將) 권정길에게 군사를 거느리게 하여 검단 산성(黔丹山城)에 이르러 봉화를 들어 서로 응하였다.

28일에 체찰사* 김류가 친히 장사를 거느리고 북성에 가서 싸움을 재촉하였다.❼ 이때에 도적이 포 쏘는 소리를 듣고는 거짓으로 물러나며 군사와 말과 소만을 놓고 가니, 이는 우리 군사를 유인하는 꾀였다. 김류가 그것을 헤아리지 못하고 군사를 독촉하여 내려가서 치라고 했다. 그러나 산 위에 있는 군사들은 그 꾀를 알고 내려가지 않았다. 이에 김류가 병방 비장 유호에게 환도*를 주어 내려가지 않는 이를 어지럽게 마구 찌르도록 하였다. 그러자 ㉡군사들은 내려가도 죽고 내려가지 않아도 죽겠으므로 내려가 적진에 있는 말과 소들을 잡았다. 적들은 이 모습을 본 체도 않으며 군사들이 모두 내려오기를 기다렸다. 그러더니 한순간 복병이 사방에서 내닫고, 물러갔던 적병이 몰려나와서 잠깐 사이 우리 군사를 다 죽였다. 당시 접전할 때, 김류가 화약을 아끼며 한꺼번에 많이 주지 않았으며 겨우 달라기를 기다려서 주었었다. 그런데 일이 이렇게 급해지자 군사들은 화약을 미처 청하지도 못한 채, 조총으로 서로 치다가 결국 당하지를 못하였다. ⓓ패한 군사들은 산길로 오르기 시작했다. 그러나 산길이 급하여 오르기가 어

Step 1 포인트 분석

▶ 작자 미상, 「산성일기」

제목의 의미

'산성일기'는 병자호란 때 남한산성에서 청에 맞서 싸우다 결국 화친을 거쳐 항복에 이르렀던 과정을 일기 형식으로 쓴 글이라는 의미로 당대 우리 역사의 이면을 기록하고 있다.

배경

❻27일에 날마다~오는 이가 없었다.
➡ 조선 중기 병자호란이 일어나 남한산성에 피난을 갔던 시대적 배경이 나타남.

사건

❶~❸24일에 큰비가~사람이 없었다.
➡ 임금과 세자가 하늘에 기원함: 큰비로 얼어 죽은 군사와 백성이 많아 임금과 세자가 하늘에 비니 비가 그치고 기후가 온화해짐. 남한산성의 처참하고 열악한 상황이 드러남.

❺26일에 이경직과~도로 보냈다.
➡ 화친의 뜻을 거절한 청: 적진에 술과 고기를 보냈으나 적장은 이를 받지 않고 돌려보냄으로써 큰 굴욕을 당함.

구성

❶1636년 12월 / 24일에~, ❹25일에~, ❺26일에~, ❻27일에~, ❼28일에~, ❿1637년 1월 / 18일에~
➡ 추보식 구성: 남한산성에서 청나라에 맞서 항전하다가 화친을 맺게 되는 과정을 시간의 흐름에 따라 날짜별로 기록함.

서술

❶24일에 큰비가 내리니, ❹25일에 날씨가 매우 추웠다.
➡ 일기 형식: 날짜와 날씨가 함께 기록되어 있음.

❶"오늘날 이에~만민을 살리소서", ❿이때 국서의 내용은 이와 같았다.
➡ 인물의 말이나 편지 내용 인용: 임금이 하늘에 기원하는 말을 그대로 인용하여 현장감을 생생하게 살림. 인물들의 말이나 편지 내용 등을 그대로 인용하여 역사적 가치를 드높임.

❷여러 신하들이~허락하지 않으셨다.
➡ 실제 사건의 구체적·사실적 서술: 작가는 당시 현장에서 사건을 직접 보고 들은 내용을 기록하고 있는데, 대체로 실제 일어났던 사건을 간략하지만 구체적·사실적으로 서술하는 데 치중함.

려웠으므로 모두 죽기에 이르렀다.

김류가 전군이 패하는 모양을 보고 비로소 초관에게 명하여 기를 휘둘러 군사를 퇴각시켰다. ⓔ그러나 군사가 금방 죽을 때를 당하여 기를 어찌 보며, 기를 본들 어찌 달아날 수 있겠는가. 그럼에도 불구하고 김류가 초관을 베어 죽이니 사람마다 원통하다고 하였다. / 김류가 스스로 싸워 패하고 탓할 곳이 없으니 핑계를 댔다.

㉮"북진 대장 원두표가 서로 구원하지 않은 탓이다."❶

그러고는 장차 큰 죄를 주려고 하니 좌상 홍서봉이 말하였다.

"으뜸 장수가 패하고 버금* 장수에게 죄를 전가함이 마땅치 않다."

김류는 마지못하여 대궐에 가서 대죄하고, 원두표의 중군에게는 곤장 여든을 쳤다.

건장한 군사와 날래고 용맹스러운 무사가 모두 체부(體府)*에 모였었다. 그런데 이 싸움에서 3백여 명이 죽은 것이다. 김류는 실상을 고하기를 꺼려 사십여 명이 죽었다고 하였다. 그러자 인심이 이를 더욱 납득하지 못하고, 여러 군사들이 싸울 뜻을 잃었다. 결국 조정에서는 화친하기로 결단하였다.❾ (중략)

1637년 1월

18일에 홍서봉, 최명길, 윤휘에게 국서를 주어 적진에 보내니 용골대가 "마부대가 다른 데에 나갔으니 받지 못하노라." 하고 또 이르기를, "내일이나 모레 두 날 중에 싸우리라." 했다. 이때 국서의 내용은 이와 같았다.❿

> **조선 국왕 모(某)**는 대청국 관온 인성 황제께 글을 올립니다. 엎드려 명지(明旨)를 받으니 간절히 책망하신 것은 지극하게 가르쳐 주신 것으로서 추상(秋霜)같은 엄한 말 가운데 따뜻한 봄기운의 뜻을 담으셨으니 엎드려 읽음에 황송하고 감사하여 몸 둘 곳이 없습니다.
>
> **대국의 위엄과 덕이 멀리까지 더하고 모든 제후의 나라가 사례해야 마땅하고** 천명과 인심이 돌아갔으니 크나큰 명(命)을 새롭게 가다듬을 때입니다. 소방*이 10년 형제로서 도리어 죄한 것이 많으니 미치지 못할 뉘우침이 있습니다. 이제 원하는 것은 다만 마음을 고치고 생각을 바꾸어 옛 버릇을 한결같이 씻어 버리고 온 나라가 명을 받들어 여러 제후국과 대등하게 되는 것뿐입니다. 진실로 위태로운 심정을 굽어 살피시어 극진히 구완하시고 스스로 새롭게 되기를 허락해 주신다면 문서(文書)와 예절(禮節)은 당연히 행해야 할 의식(儀式)이 있으니, 강구하고 정해서 시행하는 것이 오늘에 있다고 하겠습니다.
>
> 성에서 나오라고 하는 명은 진실로 어진 뜻이지만 포위된 것이 풀리지 않았고 황제의 노여움이 크니 이곳에 있어도 죽고 성에서 나와도 또한 죽을 것입니다. 이러므로 **용기(龍旗)**를 우러러보며 죽음의 갈림길에서 **결단하**자니 그 심정이 또한 서럽습니다.
>
> 소방이 진정으로 바라는 바가 이러하니 이것이 경계함이요, 명(命)에 따르는 것입니다. 황제께서 바야흐로 만물을 살리는 천지의 마음을 갖고 계신다면 소방이 어찌 **온전히 살려 주고 관대하게 길러 주는 대상에 포함**되지 못할 수가 있겠습니까?
>
> **황제의 덕**이 천지 같으니 감히 실정을 드러내 말하고 **공손히 은혜를 기다**립니다.

이는 이조 판서 최명길이 지은 것이다. / 예조 판서 김청음(김상헌)이 비국(비변사)에 들어가 이 편지를 보고 손으로 찢고 실성통곡하니 곡성이 대궐 안에 사무쳤다.⓫

인물

❶ 김류가 스스로~않은 탓이다."
→ 김류는 당시 체찰사로서 군사를 움직이는 막중한 책무를 맡고 있었는데 청나라 군사들이 유인하는 술책에 속아 우리의 많은 군사들이 죽임을 당함. 김류는 자신의 잘못을 초관이나 원두표에게 전가하는 야비한 면모를 보임.

⓫ 예조 판서~안에 사무쳤다.
→ 화친을 청하는 국서의 내용을 본 김상헌이 국서를 손으로 찢는데, 이는 화친을 강하게 거부하고 명나라에 대한 의리를 지킬 것을 강하게 주장했던 인물의 태도를 나타냄.

사건

❼~❾ 28일에 체찰사~화친하기로 결단하였다.
→ 적군의 함정에 빠져 패한 조정이 화친을 결단함: 성을 구원하러 오는 군사가 없는 가운데 김류가 아군에게 싸움을 재촉하였으나 적군의 함정에 빠져 크게 패하고 이로 인해 조정은 화친을 결단함.

⓿ 18일에 홍서봉,~이와 같았다.
→ 화친을 원하는 국서를 보냄: 남한산성의 우리 군사들은 결사 항전으로 청나라 군사에 맞서나 유인책에 속아 큰 피해를 입는 등 더 이상 항전하기가 어려워짐에 따라 임금의 명령으로 화친을 청하는 국서를 작성함.

갈등

⓫ 예조 판서~안에 사무쳤다.
→ 주화파와 주전파의 갈등: 병자호란 당시 대표적 주전파인 김상헌은 주화파인 최명길이 지은 국서를 보고 찢어 버림. 청나라와의 화친을 둘러싸고 각각 명분과 실리에 입각한 신하들의 갈등이 있었음을 보여 줌.

• **체찰사**: 조선 시대, 외적이 침입하거나 내란이 일어나는 등의 비상시에 임명되어 군대를 거느려 지휘하던 벼슬.
• **환도**: 예전에, 군복을 입고서 차던 칼.
• **버금**: 등급이나 수준, 차례 따위에서 으뜸의 바로 다음.
• **체부**: 체찰사가 지방에 나가 일을 보던 관아.
• **소방**: 소국(小國).
• **용기**: 황제를 상징하는 깃발. 또는 황제의 사신이 들고 있는 깃발.

[전체 줄거리]
도입: 청 태조 누르하치가 명으로부터 용호 장군의 관직을 얻고, 인조가 남한산성으로 피란 가는 과정을 설명함.
중심부: 병자년(1636년) 12월 14일 전쟁의 시작부터 정축년(1637년) 임금이 세자와 함께 삼전도에서 청에게 치욕적인 항복을 하기까지의 일을 기록함.
마무리: 전쟁 종결 후 3년간의 일을 짧게 요약함.

Step **2** 포인트 체크

[01~05] 윗글에 대하여 맞으면 ○, 틀리면 ×표를 하시오.

01 제시된 부분의 배경은 산성이라는 현실적인 공간이다.　　　　[○. ×]

02 객관적인 서술을 통해 역사 사료로서 가치를 지니고 있다.　　　　[○. ×]

03 임금은 적들과 맞서서 끝까지 항전하기로 마음 먹고 군사를 독려했다.
　　　　　　　　　　　　　　　　　　　　　　　　　　　　[○. ×]

04 화친을 두고 신하 간의 갈등이 드러난다.　　　　[○. ×]

05 글쓴이는 병자호란 때의 치욕스러운 사건과 항전의 내용을 전달하고 있다.
　　　　　　　　　　　　　　　　　　　　　　　　　　　　[○. ×]

[06~10] 다음 빈칸에 알맞은 말을 쓰시오.

06 이 작품은 글쓴이가 겪었던 사건을 사실적으로 기록한 ⓢⓟ이다.

07 이 작품은 하루하루 있었던 사건을 기록하는 ⓞⓖⓒ 구성으로 되어 있다.

08 제시된 부분은 청군과 맞서 싸우다가 큰 피해를 입고 ⓗⓒ을 청하는 과정을 보여 주고 있다.

09 이 작품 속의 ⓖⓢ는 화친을 청하기 위해 임금이 청나라의 진영에 보낸 글이다.

10 이 작품의 주제는 병자호란 당시의 남한산성에서 당한 ⓒⓞ과 적들에 대한 항전이다.

▶ 작품 정리

● **산성일기**
• **갈래:** 국문 수필, 일기체 수필
• **성격:** 사실적, 객관적
• **배경:** 시간 – 조선 인조 이후 / 공간 – 남한산성
• **주제:** 병자호란의 치욕과 남한산성에서의 항전
• **특징:** ① 병자호란 당시의 사건을 생생하게 기록함.
　　　　② 객관적인 서술을 통해 역사 사료로서 가치를 지님.
　　　　③ 「계축일기」와 더불어 일기체 수필을 대표함.
• **구조**

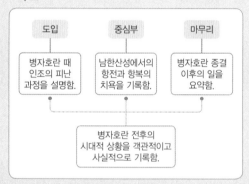

● **한 걸음 더**

「산성일기」의 사료적 가치
「산성일기」는 병자호란 당시의 역사적 사실을 기록한 수필이다. 날짜별로 남한산성에서 있었던 사건을 사실적으로 기록하고 있다는 점에서 사료로서 가치가 크다고 평가받고 있다. 특히 일기 형식이지만 개인의 사적 기록보다는 청나라 침입, 남한산성에서의 항전, 화친의 과정 등 당대의 역사적 사건을 객관적이고 구체적으로 기록하고 있다는 점에서 사료적 가치가 크다.

01

윗글에 대한 설명으로 가장 적절한 것은?

① 시간의 흐름에 따라 사건이 기록되어 있다.
② 비현실적 공간을 배경으로 사건이 진행되고 있다.
③ 인물의 내면적인 고백을 중심으로 서술하고 있다.
④ 허구적 인물을 등장시켜 주제 의식을 강화하고 있다.
⑤ 당시의 세태에 대한 풍자 의식이 강하게 나타나 있다.

02

㉠의 이유로 가장 적절한 것은?

① 임금의 기원이 필요할 때 임금이 직접 나섰기 때문에
② 임금이 적들을 제압할 능력이 없다고 판단했기 때문에
③ 임금을 만류하는 신하들의 모습이 감동적이었기 때문에
④ 임금의 간절한 기원에 하늘이 응했다고 생각했기 때문에
⑤ 임금 곁에 임금을 도와줄 신하들이 없다고 판단했기 때문에

03

㉡을 나타내는 속담으로 가장 적절한 것은?

① 가랑비에 옷 젖는 줄 모른다.
② 남의 잔치에 감 놓아라 배 놓아라 한다.
③ 콩 심은 데 콩 나고 팥 심은 데 팥 난다.
④ 가자니 태산이요, 돌아서자니 숭산이라.
⑤ 호랑이에게 물려 가도 정신만 차리면 산다.

04

윗글과 일치하는 내용으로 적절하지 않은 것은?

① 12월 27일에 성안에서는 구원하러 오는 군사를 기다렸으나 군사들은 결국 오지 않았다.
② 12월 28일에 김류는 우리 군사를 유인하는 도적에게 속아 군사들에게 성 밖으로 내려가기를 재촉했다.
③ 12월 28일에 김류는 사십여 명의 군사가 죽은 일을 3백여 명이 죽었다고 고하여 군사들의 사기를 꺾었다.
④ 1월 18일에 홍서봉 등을 통해 적진에 보낸 국서는 용골대가 받지 않겠다고 거절했다.
⑤ 국서는 임금을 대신해서 최명길이 썼으나 김상헌이 국서의 내용을 보고 찢어 버렸다.

05

[A]와 〈보기〉를 비교한 내용으로 적절하지 않은 것은?

┤ 보기 ├

　비국 낭청 위산보(魏山寶)를 파견하여 소고기와 술을 가지고 오랑캐 진영에 가서 새해 인사를 하면서 오랑캐의 형세를 엿보게 하였는데, 청나라 장수가 황제가 이미 왔으므로 감히 마음대로 받지 못한다고 하며 공갈하는 말을 많이 하였으므로 산보가 소고기와 술을 가지고 되돌아왔다.

– 『인조실록』 (1637년 1월 1일)

① [A]와 〈보기〉는 음식을 가지고 간 목적이 유사하다.
② [A]와 〈보기〉는 음식을 가지고 가는 명분이 유사하다.
③ [A]와 〈보기〉는 청나라에서 음식을 받지 않은 이유가 다르게 나타난다.
④ [A]와 〈보기〉는 청나라에서 조선을 비하하는 내용의 기록이 모두 제시되어 있다.
⑤ [A]와 〈보기〉는 청나라에 보내는 음식을 가져가는 사람이 다르다고 할 수 있다.

06

ⓐ~ⓔ 중, 글쓴이의 생각이나 판단으로 적절한 것은?

① ⓐ 　　② ⓑ 　　③ ⓒ

④ ⓓ 　　⑤ ⓔ

07

〈보기〉를 참고하여 국서 를 이해한 내용으로 적절하지 <u>않은</u>
것은?

 보기

　국서는 국가 원수가 국가의 이름으로 보내는 외교 문
서를 말한다. 국서는 단순 교린을 위한 목적으로 주고받
기도 하지만 특별한 외교 관계 수립을 목적으로 할 때도
전해진다. 또한 국서를 보내는 나라가 대등한 관계인가
위계가 있는 관계인가에 따라 인사말, 작성 서식은 물론
상대를 나타내는 태도가 달랐고, 자신이나 상대의 호칭,
상대의 업적 거론, 공손함의 정도 등이 크게 달랐다.

① 자신을 '조선 국왕 모'라 하고 상대를 '대청국 관온 인
　성 황제'라고 호칭하여 국가 간 위계를 드러내고 있군.
② '대국의 위엄과 덕이 멀리까지 더하고 모든 제후의 나
　라가 사례해야 마땅'하다는 데에서 상대의 업적을 치
　켜세우는 태도를 엿볼 수 있군.
③ '용기를 우러러보며 죽음의 갈림길에서 결단'하는 일을
　생각한다는 데에서 상대에 대한 작성 서식을 엄격히
　하려는 태도를 드러내고 있군.
④ 소방을 '온전히 살려 주고 관대하게 길러 주는 대상에
　포함'시켜 달라는 데에서 화친을 위한 국서임을 알 수
　있군.
⑤ '황제의 덕'을 언급하며 '공손히 은혜를 기다'린다는 데
　에서 국서를 보낸 목적을 이루고자 지극히 공손한 태
　도를 드러내고 있군.

08

㉮를 통해 알 수 있는 '김류'의 인물됨을 서술하시오.

09 서술형

윗글이 역사 기록으로서의 가치를 인정받는 이유를 〈조건〉에
맞게 서술하시오.

조건
1. 작품의 소재를 밝혀서 서술할 것.
2. 글쓴이의 서술 태도를 밝혀서 서술할 것.

수오재기(守吾齋記) | 정약용

출제 포인트 › #한문 수필 #기(記) #기승전결 구조 #본질적인 '나'를 지키는 일 #교훈과 깨달음

수오재(守吾齋)*라는 이름은 **큰형님이 자신의 집에다** 붙인 이름이다. 나는 처음에 이 이름을 듣고 이상하게 생각하였다. '나와 굳게 맺어져 있어 서로 떨어질 수 없는 가운데 나보다 더 절실한 것은 없다. 그러니 **굳이 지키지 않더라도 어디로 가겠는가?** 이상한 이름이다.'❶

내가 장기(長鬐)로 귀양 온 뒤에 혼자 지내면서 ⓐ생각해 보다가, 하루는 갑자기 이 의문점에 대해 해답을 얻게 되었다.❷ 나는 벌떡 일어나 이렇게 스스로 말하였다.

"천하 만물 가운데 지킬 것은 하나도 없지만, **오직 나만은 지켜야 한다.**❸ 내 밭을 지고 달아날 자가 있는가. 밭은 지킬 필요가 없다. 내 집을 지고 달아날 자가 있는가. 집도 지킬 필요가 없다. 내 정원의 여러 가지 꽃나무와 과일나무 들을 뽑아 갈 자가 있는가. 그 뿌리는 땅속 깊이 박혔다. 내 책을 훔쳐 없앨 자가 있는가. 성현의 경전이 세상에 퍼져 물이나 불처럼 흔한데, 누가 능히 없앨 수 있겠는가. 나의 의복과 식량을 도둑질해 가 나를 군색하게 할 수 있겠는가? 지금 천하의 많은 실이 모두 나의 옷감이며, 천하의 곡식이 전부 나의 식량인데, 도둑이 비록 훔쳐 간다 하더라도 그 한둘에 불과할 것이니 천하의 모든 옷감과 곡식을 모두 바닥낼 수 있겠는가? 그러니 천하 만물은 모두 지킬 필요가 없다. 그런데 ㉠오직 나라는 것만은 잘 달아나서, 드나드는 데 일정한 법칙이 없다.❹ 아주 친밀하게 붙어 있어서 서로 배반하지 못할 것 같다가도, 잠시 살피지 않으면 어디든지 못 가는 곳이 없다. 이익으로 꾀면 떠나가고, 위험과 재앙이 겁을 주어도 떠나간다. 마음을 울리는 아름다운 음악 소리만 들어도 떠나가고, 눈썹이 새까맣고 이가 하얀 미인의 요염한 모습만 보아도 떠나간다. 한번 가면 돌아올 줄을 몰라서, 붙잡아 만류할 수가 없다. 그러니 천하에 나보다 더 잃어버리기 쉬운 것은 없다. ㉡어찌 실과 끈으로 매고 빗장과 자물쇠로 잠가서 나를 굳게 지켜야 하지 않으리오."

나는 나를 잘못 간직했다가 잃어버렸던 자다.❺ 어렸을 때에 과거(科擧)가 좋게 보여서, 십 년 동안이나 과거 공부에 빠져들었다. 그러다가 결국 처지가 바뀌어 조정에 나아가 검은 사모관대에 비단 도포를 입고, 십이 년 동안이나 미친 듯이 대낮에 커다란 길을 뛰어다녔다. 그러다가 또 처지가 바뀌어 한강을 건너고 새재를 넘게 되었다. 친척과 선영*을 버리고 곧바로 아득한 바닷가의 대나무 숲에 달려와서야 멈추게 되었다. 이 때에는 나도 땀이 흐르고 두려워서 숨도 쉬지 못하면서, 나의 발뒤꿈치를 따라 이곳까지 함께 오게 되었다.

내가 나에게 물었다. / "너는 무엇 때문에 여기까지 왔는가? 여우나 도깨비에게 홀려서 끌려왔느냐? 아니면 바다귀신이 불러서 왔느냐, 네 가정과 고향이 모두 초천에 있는데, 왜 그 본바닥으로 돌아가지 않느냐?"❻

Step 1 포인트 분석

제목의 의미
'수오재'는 '나를 지키는 집'이라는 뜻으로, 세속적 가치나 욕망으로 '나'를 잃어버리지 않고 자신의 본질을 지켜 내는 일의 중요성을 제시하고 있다.

배경
❷내가 장기로~얻게 되었다.
　글쓴이가 장기로 귀양을 온 것을 계기로, 큰형님이 집에 붙인 '수오재'라는 이름을 성찰하면서 내용이 전개됨.

사건
❶수오재라는 이름은~이상한 이름이다.'
　➔ '수오재'라는 집 이름에 대한 의문: 큰형님이 자신의 집에다 붙인 '수오재'라는 이름에 의문을 품게 됨.
❸"천하 만물~지켜야 한다.
　➔ 성찰을 통해 얻은 깨달음: 천하 만물은 지킬 필요가 없지만 '나'는 잃어버리기 쉬우므로 굳게 지켜야 한다는 생각에 이르게 됨.
❺나는 나를~잃어버렸던 자다.
　➔ 내면적 자각: '나'를 지키는 일의 의미를 사색한 결과 조정에 나아가 벼슬에 집착했던 일이 '나'를 잃은 일이라는 성찰을 하게 됨.

구성
❷내가 장기로~얻게 되었다.
　➔ '의문-해답' 과정: 글쓴이는 큰형님이 집에 '수오재'라고 이름을 붙인 것에 의문을 품었다가 스스로 사색 과정을 통해 그 해답을 제시함.

서술
❹'밭', '집', '정원의 꽃나무와 과일나무', '책', '의복과 식량'
　➔ 구체적 사례 제시: 천하 만물은 지킬 것이 없고 '나'를 지켜야 한다는 글쓴이의 생각을 뒷받침함.
❹내 밭을~모두 지킬 필요가 없다.
　➔ 자문자답의 열거를 통한 구체화: 천하 만물은 지킬 필요가 없는 이유를 제시함.
❻내가 나에게 물었다.
　➔ 자문자답의 형식: 글쓴이는 스스로에게 묻는 형식을 취하고 있는데, 이를 통해 자신을 지키는 일이 중요하다는 삶의 깨달음을 전달함.

・수오재: 나를 지키는 집.
・선영: 조상의 무덤. 또는 그 근처의 땅.

III. 설화·수필·민속극 **205**

그러나 나는 끝내 멍하니 움직이지 않으며 돌아갈 줄을 몰랐다. 그 얼굴빛을 보니 마치 얽매인 곳에 있어서 돌아가고 싶어도 돌아가지 못하는 것 같았다. 그래서 결국 붙잡아서 함께 이곳에 머물렀다. 이때 둘째 형님 좌랑공도 나를 잃고 나를 쫓아 남해 지방으로 왔는데, 역시 나를 붙잡아서 그곳에 함께 머물렀다.❼

오직 나의 큰형님만이 나를 잃지 않고 편안히 단정하게 수오재(守吾齋)에 앉아 계시니, 본디부터 지키는 것이 있어서 나를 잃지 않았기 때문이 아니겠는가.❽ 이것이 바로 큰형님이 그 거실에 '수오재'라고 이름 붙인 까닭일 것이다.

큰형님은 언제나 말하기를, / "아버지께서 나에게 태현이라고 자를 지어 주셔서, 나는 오로지 나의 태현을 지키려고 했다네. 그래서 내 집에다가 그렇게 이름을 붙인 거지." 라고 하지만, 이는 핑계 대는 말씀이다.

ⓑ 맹자가, "무엇을 지키는 것이 큰가? 몸을 지키는 것이 크다."라고 하였으니, 그 말씀이 진실하다.❾

내가 스스로 말한 내용을 써서 큰형님께 보이고, **수오재의 기(記)로 삼는다.**❿

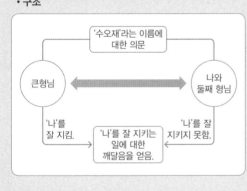

인물
❼ 이때 둘째 형님~함께 머물렀다.
➡ 글쓴이의 둘째 형님도 '나'를 잃고 남해 지방으로 와서야 '나'를 다시 붙잡았음.
❽ 오직 나의~때문이 아니겠는가.
➡ 글쓴이의 큰형님은 처음부터 '나'를 잃지 않고 수오재에서 끝까지 '나'를 지키며 살고 있음.

사건
❿ 내가 스스로~기로 삼는다.
➡ 「수오재기」를 쓰게 된 내력: '나'를 지킨다는 것의 진정한 의미를 깨닫고 '수오'를 잘 할 것을 다짐함.

서술
❾ 맹자가, "무엇을~말씀이 진실하다.
➡ 성현의 말 인용: 맹자의 말을 인용하면서 '나'를 지키는 것이 중요하다는 자신의 생각을 뒷받침함.

Step 2 포인트 체크

[01~04] 윗글에 대하여 맞으면 ○, 틀리면 ×표를 하시오.

01 장기에서 유배를 끝낼 때를 배경으로 하고 있다. 〔○, ×〕

02 자신과의 대화를 통해 주제 의식을 드러내고 있다. 〔○, ×〕

03 글쓴이는 스스로에게 묻는 형식을 취하고 있다. 〔○, ×〕

04 글쓴이가 벼슬살이를 하던 시기는 '나'를 잃었던 시기였다. 〔○, ×〕

[05~08] 다음 빈칸에 알맞은 말을 쓰시오.

05 이 작품은 글쓴이의 ㄱㅎ 을 바탕으로 사색을 펼친 수필이다.

06 이 작품은 ㅇㅁ 에서 출발하여 깨달음을 얻어 가는 과정을 나타내고 있다.

07 글쓴이는 큰형님이 집에 붙인 ㅅㅇㅈ 라는 이름의 참뜻을 내면적 사색을 통해 깨닫고 있다.

08 이 작품의 주제는 본질적인 ㅈㅅ 을 지키는 일의 중요성이다.

작품 정리

▶ **수오재기**
• 갈래: 한문 수필, 기(記)
• 성격: 사색적, 교훈적
• 배경: 시간 – 조선 후기 / 공간 – 장기
• 주제: 본질적인 자신을 지키는 일의 중요성
• 특징: ① 문답식 구성을 취함.
② 의문에서 출발하여 사색을 통해 깨달음을 얻는 과정을 보여 줌.
③ 성현의 말을 인용하여 자신의 생각을 뒷받침함.
• 구조

```
          '수오재'라는 이름에
             대한 의문
    ┌──────────────────────┐
  큰형님  ◄──────────►  나와
                        둘째 형님
  '나'를              '나'를 잘
  잘 지킴.   '나'를 잘 지키는   지키지 못함.
            일에 대한
            깨달음을 얻음.
```

01

윗글에 대한 설명으로 가장 적절한 것은?

① 상연을 목적으로 인물 간의 대화를 구성하고 있다.
② 체험과 사색을 통해 교훈적인 내용을 전달하고 있다.
③ 압축과 생략의 방법을 통해 운율감을 강조하고 있다.
④ 인물과 사건을 창조해 허구적 사건을 구성하고 있다.
⑤ 인물 간의 갈등을 바탕으로 주제 의식을 나타내고 있다.

02

윗글을 〈보기〉와 같이 정리할 때, ㉮와 ㉯에 대한 설명으로 적절하지 않은 것은?

┤ 보기 ├

㉮	→	㉯
'수오재'라는 이름		'나'를 지켜야 하는 이유

① ㉮를 제시해 독자의 관심을 유도하는 효과를 얻고 있군.
② ㉮에 대한 생각을 통해 ㉯에서 주제 의식을 드러내고 있군.
③ ㉮를 붙인 이유에 대한 자신의 생각이 ㉯에 제시되어 있군.
④ ㉯에서는 ㉮에서 제시한 화제를 바탕으로 새로운 의문을 제기하고 있군.
⑤ ㉯에서는 지킬 필요가 없는 것과 비교해 자신의 생각을 뒷받침하고 있군.

03

윗글을 통해 알 수 있는 내용이 아닌 것은?

① 글쓴이는 성현의 경전이 세상에 흔해서 어느 누가 없애기는 어렵다고 생각했다.
② 글쓴이는 과거가 좋게 보여서 조정에 나아가 유배를 당할 때까지 벼슬길에 골몰하는 생활을 했다.
③ 글쓴이는 얽매인 곳에 있어서 가정과 고향으로 돌아가지 못하는 것이라고 깨달았다.
④ 둘째 형님은 남해 지방으로 와서야 잃어버린 '나'를 붙잡을 수 있었다.
⑤ 큰형님은 거실을 아버지로부터 물려받았다는 점을 기리기 위해 '수오재'라고 이름을 붙이게 되었다고 하였다.

04

윗글의 관점에서 〈보기〉의 밑줄 친 태도에 대한 충고로 가장 적절한 것은?

┤ 보기 ├

사람이 가지고 있는 것이 어느 것이나 빌리지 아니한 것이 없다. 임금은 백성으로부터 힘을 빌려서 높고 부귀한 자리를 가졌고, 신하는 임금으로부터 권세를 빌려 은총과 귀함을 누리며, 아들은 아비로부터, 지어미는 지아비로부터, 비복(婢僕)은 상전으로부터 힘과 권세를 빌려서 가지고 있다. 그 빌린 바가 또한 깊고 많아서 <u>대개는 자기 소유로 하고 끝내 반성할 줄 모르고 있으니, 어찌 미혹(迷惑)한 일이 아니겠는가?</u>

– 이곡, 「차마설」 중에서

① 높고 부귀한 자리를 얻기 위한 열망 자체가 의미가 있다는 생각으로 끊임없는 노력을 해야 합니다.
② 신분이 엄격히 제약되어 있는 현실적 상황을 벗어나기 위해 불굴의 의지를 발휘하지 않으면 안 됩니다.
③ 임금으로부터 받은 한없는 은총과 귀함에 보답하지 않으려 하면 신의가 없다는 비판을 받기가 쉽습니다.
④ 힘과 권세를 마치 자기 것처럼 여기기 시작하면 진짜 '나'를 잃어버리기 쉽다는 것을 알아야 합니다.
⑤ 임금, 신하, 백성은 물론 지어미, 지아비 등 모든 인간관계가 '나'를 중심으로 형성되어야 한다는 관점이 필요합니다.

정답 063쪽

05

〈보기〉를 바탕으로 윗글을 이해한 내용으로 적절하지 않은 것은?

| 보기 |

　한문 수필 중에서 '기(記)'는 일상에서 떠오른 의문점을 해결해 나가면서 어떤 사건이나 경험을 하게 된 과정을 기록하고, 깨달음을 전달하는 양식이다. 글쓴이는 주변 인물이나 사건과 관련지어 의문을 갖고 사색하는 과정에서 자신의 삶을 성찰하고 앞으로 지녀야 할 삶의 자세를 서술하고 있다.

① '큰형님이 자신의 집에다' 수오재라고 이름 붙인 것을 듣고 이상하게 생각한 것은 주변 인물의 행동에 의문을 가진 것이군.
② '굳이 지키지 않더라도 어디로 가겠는가?'라는 생각은, 수오재라는 이름을 붙인 데 대해 글쓴이가 의문을 품게 된 이유를 제시한 것이군.
③ 천하 만물 가운데 '오직 나만은 지켜야 한다.'라고 말한 것은 글쓴이의 깨달음을 제시한 것이군.
④ '미인의 요염한 모습만 보아도 떠나간다.'라고 말한 것은 글쓴이가 자신의 삶을 성찰하게 되는 단초가 되는군.
⑤ 스스로 말한 내용을 '수오재의 기(記)로 삼는다.'라고 한 것은 앞으로 자신의 삶의 자세에 대한 다짐을 나타낸 것이군.

06

㉠과 ㉡에 대한 이해로 가장 적절한 것은?

① ㉠과 같은 이유로 ㉡에 힘써야 한다.
② ㉠과 ㉡은 거의 동시에 추진해야 한다.
③ ㉠을 이루기 위해서는 ㉡이 선행되어야 한다.
④ ㉠으로 인해 ㉡에 이르지 않도록 힘써야 한다.
⑤ ㉠과 ㉡은 양립할 수 없기에 하나를 택해야 한다.

07

ⓐ를 나타내는 말로 가장 적절한 것은?

① 선견지명(先見之明)
② 이심전심(以心傳心)
③ 전전긍긍(戰戰兢兢)
④ 심사숙고(深思熟考)
⑤ 허심탄회(虛心坦懷)

08

글쓴이가 ⓑ에서 '맹자'의 말을 인용한 이유를 서술하시오.

09

윗글을 참고하여 '나'를 지키는 방법에 대해 〈조건〉에 맞게 서술하시오.

| 조건 |
1. 작품 속 어휘를 활용하여 쓸 것.
2. '~를 ~보다는 ~야 한다.'의 문장 형태로 쓸 것.

포화옥기(匏花屋記) | 이학규

출제 포인트 › #한문 수필 #기(記) #교훈적 #현실의 고통을 견디는 방법

낙하생(洛下生)*이❶ 사는 집은 높이가 한 길이 못 되고, 너비는 아홉 자가 못 된다. 인사를 하려고 하면 ⓐ갓이 천장에 닿고, 잠을 자려고 하면 무릎을 구부려야 한다.❷ 한여름에 햇빛이 내리쬐면 **창문이 뜨겁게 달아오**른다. 그래서 둘러친 ㉠담장 밑에 박을 10여 개 심었더니, 넝쿨이 자라 집을 가려 주었다. 그러자 우거진 그늘 때문에 모기와 파리 떼들이 어두운 곳에서 서식하고, 뱀들이 서늘한 곳에 웅크리고 있었다.❸ 어두운 밤에 자주 일어나 ⓑ등촉을 들고 마당을 살펴보았다. 가만히 있으면 가려움 때문에 긁느라 지치고, 이리저리 움직이면 쏘아 대는 것이 두렵다. 이를 걱정하고 신경 쓰느라 병이 생겼으니, 소갈증*이 심해지고 가슴도 막힌 듯 답답했다. **찾아오는 손님**에게 이러한 **사정**을 **자세히 말**하곤 했다.❹

서울에서 온 어떤 나그네가 내 말을 듣고 ㉡위로를 하였다. 그리고 자신이 예전에 몸소 겪었던 일을 말해 주었다.❺

[A] 저는 어려서 집이 가난하여 ⓒ장사를 했습지요. 영남 땅의 나루터, 정자, 역정(驛亭)*, 여관 그리고 궁벽한 고을의 작은 주막들에 이르기까지 제 발길이 닿지 않는 곳이 없었답니다. 무더운 여름철에 여행객과 나그네들이 한곳에 모이게 된답니다. 수령과 보좌 관원이 먼저 내실을 차지한 채 서늘하게 지내고, 바람 부는 곁채와 시원한 평상은 아전과 역졸(役卒)들이 차지하지요. 오직 **뜨거운 구들과 뜨뜻한 침상**에는 벽을 뚫고 관솔불이 비쳐 들고 대자리를 깔아 빈대를 쫓아내는 곳만이 남게 되지요. 그곳만은 어느 누구도 다투지 않으며, 우리네 같은 사람들이 이틀 밤을 묵고 지내는 곳이랍니다.

밤이 깊어 사람들 열기로 후끈 달아오르면 마치 가마솥에서 밥이 뜸들 듯 한답니다. 게다가 고약한 액취가 나는 사람, 방귀 뀌는 사람, 드르렁드르렁 코를 고는 사람, 이를 빡빡 가는 사람, 옴이 나서 벽을 긁어 대는 사람, 잠꼬대를 하며 욕하는 사람 등등 갖가지 모습을 연출하니 이루 다 열거할 수 없을 정도랍니다. 이리저리 뒤척거리다가 도저히 견디지 못한 사람은 옷가지를 집어 들고 돗자리를 끼고서 부엌 바닥이나 방앗간, 외양간이나 마구간 등을 찾아다니면서 잠자리를 너댓 번씩 옮깁니다.

그런데 **여관집의 노비**를 보면 이와 다르지요. 때가 잔뜩 낀 지저분한 얼굴을 하고 부지런히 ⓓ소나 말처럼 분주히 오가며 일을 하지요. 지나다니는 사람들에게 빌붙어 아침저녁을 해결하니, 버려진 음식도 달게 먹는답니다. 그 사람은 취하여 배부르면 눕자마자 잠이 들지요. 우리네들이 예전에 견디지 못하는 것을 그 사람은 편안하게 여기니, 마치 쌀쌀한 날씨 속에 선선한 방에서 잠자듯 한답니다. 그의 모습을 살펴보면 옷은 다 해지고 여기저기 꿰매었지만 살결은 튼실하고, 특별한 재앙을 겪지 않고 천수를 누리고 있지요.

이것은 다른 이유 때문이 아니랍니다. 그 사람은 자기가 사는 곳을 ㉢여관으로 생각하며, 지금의 삶을 본래 정해진 운명이라고 여깁니다.❻ 온갖 걱정과 근심으로 자기 마

Step 1 포인트 분석

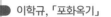

▶ 이학규, 「포화옥기」

제목의 의미
'포화옥'은 '박꽃이 피는 집'이라는 뜻으로, 열악하고 고통스러운 처지에서 여관집 노비의 삶의 태도를 듣고 깨달은 내용을 쓴 수필이다.

배경
❶ 낙하생이
　➔ 조선 후기, 글쓴이가 유배를 와 있는 상황을 배경으로 함.

사건
❷ 인사를 하려고~구부려야 한다.
　➔ 유배지의 열악한 환경: 좁은 집에서 고통스럽게 살아가고 있음을 나타냄.
❺ 서울에서 온~말해 주었다.
　➔ 나그네의 위로: 열악하고 괴로운 처지에서 살아가는 '나'가 답답함을 호소하자 어떤 나그네가 자신이 겪었던 일을 바탕으로 위로와 충고의 말을 전하려 함.
❻ 그 사람은~운명이라고 여깁니다.
　➔ 주제 의식의 자각: 나그네는 '나'에게 노비의 삶의 태도, 즉 현재의 삶에 순응하며 만족하는 태도에 대해 말하며 깨달음을 전달함.

구성
❹, ❺ 찾아오는 손님에게~말해 주었다.
　➔ '나'와 나그네의 대화로 구성: '나'는 유배지의 열악함을 느끼고 그 답답함을 찾아오는 손님에게 호소함. 그러자 어떤 나그네가 자신이 겪은 일을 바탕으로 위로와 충고를 함.

서술
❸ '모기', '파리 떼', '뱀'
　➔ 구체적 사례 제시: 햇빛을 가리려고 담장 밑에 박을 심은 뒤 우거진 넝쿨로 인해 서식하게 된 동물들로, '나'에게 고통과 괴로움을 안겨 주는 소재들을 제시함.

・ **낙하생**: 글쓴이의 호.
・ **소갈증**: 갈증으로 물을 많이 마시고 음식을 많이 먹으나, 몸은 여위고 오줌의 양이 많아지는 병증.
・ **역정**: 예전에, 역참에 마련되어 있는 정자를 이르던 말.
・ **기탁**: 어떤 일을 부탁하여 맡겨 둠.

음을 상하게 하는 일도 없고, 끙끙거리며 탄식하느라 기운을 허하게 하는 일도 없지요.^❼ 그래서 재앙을 특별히 겪지 않고 천수를 누릴 사람이랍니다.

또 이런 말도 있습지요. 지금 이 세상은 살아 있는 사람을 봉양하고 죽은 사람을 장사 지내는 여관 같은 곳입니다. 그리고 이 여관은 하룻밤이나 이틀을 묵고 가는 곳입니다.^❽ 지금 그대는 이러한 여관에 몸을 기탁*해 사는 데다가, 다시 또 멀리 떠나와 궁벽한 골짜기에 몸을 숨기고 있습니다. 이것은 여관 중의 여관에 머물고 있는 셈이지요.

저 여관집의 노비는 일자무식한 사람입니다. 다만 그는 여관을 여관으로 여기면서, 음식도 잘 먹고 하루하루를 지내니, ⓔ <u>추위와 더위도 그를 해치지 못하고 질병도 해를 입히지 못한답니다.^❾</u> 그런데 그대는 도를 지키고 운명에 순종하며, 소박하고 솔직한 태도로 행하는 분입니다. 그런데 여관 중의 여관에서 지내면서도 여관을 여관으로 생각하지 않으십니다. 자기 스스로 화를 돋우고 들볶아 원기를 손상시키니, 병이 생겨 거의 죽을 지경에 이르렀습니다.^❿ 그대가 배우기를 바라는 것은 **옛날 성현의 말씀**인데도, ⓕ <u>오히려 여관집의 노비가 하는 것처럼도 하지 못하는구려.</u>

이에 그 말을 서술하여 벽에 적고 「**포화옥기**」라 하였다.

인물

^❾그는 여관을~입히지 못한답니다.
→ 노비는 이 세상을 여관으로 여김으로써 어떤 고통과 시련에서도 만족하며 마음을 상하게 하는 일이 없는 인물임을 나타냄.

^❿자기 스스로~지경에 이르렀습니다.
→ 나그네는 열악한 처지를 받아들이지 않음으로써 스스로 마음을 망치고 병을 얻게 한다며 '나'의 삶의 자세를 비판함.

사건

^❼온갖 걱정과~일도 없지요.
→ 노비의 삶의 태도 예찬: 나그네는 여관집의 노비가 지금의 삶을 운명으로 받아들임으로써 자기 마음을 상하게 하거나 기운을 허하게 하는 일도 없다며 노비의 삶의 자세와 태도를 본받기를 충고함.

^❽지금 이 세상은~묵고 가는 곳입니다.
→ '여관'을 비유적 의미로 활용해 주제 의식 구체화: 이 세상을 잠시 머물다 가는 곳이라는 생각을 갖고 현실에 만족하며 살아야 한다는 주제 의식을 나타냄.

Step 2 포인트 체크

[01~04] 윗글에 대하여 맞으면 ○, 틀리면 ×표를 하시오.

01 제시된 부분의 배경은 글쓴이가 유배를 당한 곳이다. 〔○ . ×〕

02 인물들의 태도를 대비하여 내용을 서술하고 있다. 〔○ . ×〕

03 '나'는 넝쿨이 자라 가린 집에서 그럭저럭 잘 견디며 살고 있다. 〔○ . ×〕

04 '나'는 서울에서 온 어떤 나그네와 가치관의 차이로 갈등을 벌이고 있다.

〔○ . ×〕

[05~08] 다음 빈칸에 알맞은 말을 쓰시오.

05 이 작품은 글쓴이의 체험과 [ㄲ][ㄷ][ㅇ]의 과정으로 구성되어 있다.

06 어떤 나그네는 여관집의 [ㄴ][ㅂ]를 보고 삶의 교훈을 얻었다.

07 나그네의 이야기를 듣고 '[ㅍ][ㅎ][ㅇ]'이라 이름 붙인 내력을 기록하고 있다.

08 이 작품의 주제는 '주어진 삶을 [ㅇ][ㅁ]으로 여기는 태도'이다.

작품 정리

포화옥기

• **갈래**: 한문 수필, 기(記)
• **성격**: 성찰적, 교훈적
• **배경**: 시간-조선 순조 때 / 공간-경상도 김해
• **주제**: 주어진 삶에 만족하며 살아가는 일의 중요성
• **특징**: ① '체험'과 '깨달음'의 구조로 이루어짐
② 대화를 통해 삶의 자세에 대한 깨달음을 제시함.
③ 대비되는 인물의 삶의 태도를 제시해 교훈을 전달함.

• **구조**

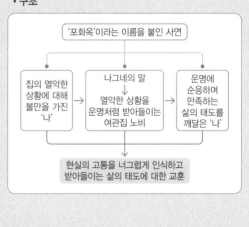

'포화옥'이라는 이름을 붙인 사연

| 집의 열악한 상황에 대해 불만을 가진 '나' | 나그네의 말 ↓ 열악한 상황을 운명처럼 받아들이는 여관집 노비 | 운명에 순응하며 만족하는 삶의 태도를 깨닫는 '나' |

↓

현실의 고통을 너그럽게 인식하고 받아들이는 삶의 태도에 대한 교훈

정답 | 01 ○ 02 ○ 03 × 04 × 05 깨달음 06 노비 07 포화옥 08 운명

01

윗글에 대한 설명으로 가장 적절한 것은?

① 대비되는 인물의 삶의 태도를 통해 교훈을 전달한다.
② 당대의 시대적 현실에 대한 비판적 태도를 나타낸다.
③ 사물을 의인화하여 글쓴이의 개성적 관점을 드러낸다.
④ 시간의 흐름을 역전시켜 사건을 입체적으로 제시한다.
⑤ 대상의 외양을 사실대로 묘사하여 내면 심리를 서술한다.

02

㉠을 나타내는 한자 성어로 가장 적절한 것은?

① 교각살우(矯角殺牛)
② 구우일모(九牛一毛)
③ 다다익선(多多益善)
④ 등하불명(燈下不明)
⑤ 일장일단(一長一短)

03

[A]와 관련하여 ㉡을 파악할 때, 가장 적절한 것은?

① 고통과 시련을 협력해서 이겨 나가자고 말함.
② 자신도 '나'처럼 열악한 처지를 경험했음을 말함.
③ 고통과 괴로움을 단호하게 배격해야 함을 알려 줌.
④ 자신보다 '나'는 우월한 신분에서 생활함을 알려 줌.
⑤ '나'가 억울한 이유로 현재에 이르고 있음을 환기해 줌.

04

㉢의 구체적 의미로 가장 적절한 것은?

① 세상에 나아갈 자세와 태도를 다듬는 곳
② 경험 많은 사람들이 삶의 교훈을 나누는 곳
③ 잠시 머물다가 오래지 않아 떠나게 되는 곳
④ 많은 사람들이 즐거움과 괴로움을 나누는 곳
⑤ 많은 사람들이 우연히 만났다가 헤어지는 곳

05

윗글의 '노비'와 〈보기〉 화자의 공통적인 삶의 태도로 가장 적절한 것은?

┤ 보기 ├

가난은 내 직업이지만
비쳐 오는 이 햇빛에 떳떳할 수가 있는 것은
이 햇빛에서도 예금통장은 없을 테니까……

나의 과거와 미래
사랑하는 내 아들딸들아,
내 무덤가 무성한 풀섶으로 때론 와서
괴로웠음 그런대로 산 인생 여기 잠들다. 라고,
씽씽 바람 불어라……

– 천상병, 「나의 가난은」 중에서

① 고통과 시련을 외면하지 말고 당당히 맞서 싸워야 한다.
② 고통과 시련을 그대로 받아들이며 순응하는 태도가 필요하다.
③ 고통과 시련의 원인이 무엇인지 면밀히 살펴 고쳐 나가야 한다.
④ 고통과 시련의 상황을 맞이하지 않도록 미리 예방하는 태도가 필요하다.
⑤ 고통과 시련이 누구에게나 올 수 있으므로 서로 도와 이겨 나가야 한다.

06

ⓐ~ⓔ에 대한 설명으로 적절하지 <u>않은</u> 것은?

① ⓐ: 열악한 처지이지만 글쓴이가 사대부임을 나타낸다.

② ⓑ: 예상하지 못한 상황에 대비하기 위한 소재에 해당한다.

③ ⓒ: 세상을 두루 다녀 나그네가 삶의 지혜가 뛰어나게 된 이유에 해당한다.

④ ⓓ: 노비가 자신이 해야 할 일을 묵묵히 하고 있는 모습을 나타낸다.

⑤ ⓔ: 노비가 생활하는 데 고통과 시련을 줄 수 있는 상황에 해당한다.

07

〈보기〉의 ㉮~㉰를 바탕으로 윗글을 이해할 때, 적절하지 <u>않</u>은 것은?

| 보기 |

| ㉮ | 유배지의 열악한 처지에 대해 불만을 말함. |

⇩

| ㉯ | 서울에서 온 어떤 나그네를 만나 이야기를 들음. |

⇩

| ㉰ | 자신의 집에 '박꽃이 피는 집'이라는 뜻의 '포화옥'이라는 이름을 붙이고 이에 대한 기(記)를 씀. |

① ㉮: '창문이 뜨겁게 달아오'르는 문제를 해결하기 위해 박을 심은 일은 '포화옥'이라는 집 이름과 관련이 있군.

② ㉮: '찾아오는 손님'에게 '자세히 말하곤 했'던 '사정'에는 좁고 불편한 집에 사는 글쓴이의 불평과 불만이 담겨 있군.

③ ㉯: '뜨거운 구들과 뜨뜻한 침상'에서 자지 못하고 잠자리를 옮겨 다니는 사람들은 글쓴이와 유사한 처지의 인물들이군.

④ ㉯: 나그네가 말한 '여관집의 노비'는 '옛날 성현의 말씀'에 담긴 진리를 배우고 실천하는 인물로 그려져 있군.

⑤ ㉰: 자신의 집을 '포화옥'으로 명명한 것은 집이 잠시 머무는 여관에 불과하다는 점을 깨달은 일과 관련 있겠군.

08

서술형

ⓕ의 구체적인 내용에 대해 서술하시오.

_____

_____

09

서술형

윗글에서 '나그네'의 말을 [그런데]를 기점으로 〈보기〉와 같이 구분할 때, A와 B에서 '나'에 대한 나그네의 태도가 어떻게 변하는지 서술하시오.

| 보기 |

A		B
잠자리의 열악함을 말함.	→ [그런데] →	여관집의 노비에 대해 말함.

_____

_____

일야구도하기(一夜九渡河記) | 박지원

출제 포인트 > #한문 수필 #기행 수필 #구체적 경험 #현상에 현혹되지 않는 자세

강물은 두 산 사이에서 쏟아져 나와, 바윗돌과 부딪치며 거세게 다툰다.❶ 그 화들
짝 놀란 듯한 파도, 분노를 일으킨 듯한 물결, 슬피 원망하는 듯한 여울물은 내달아
부딪치고 휘말려 곤두박질치며 울부짖고 고함치는 듯하여, 항상 만리장성을 쳐부술
듯한 기세를 지니고 있다. 전거(戰車)* 만 채, 전기(戰騎)* 만 대(隊), 전포(戰砲) 만
[A] 문, 전고(戰鼓)* 만 개로도, 무너져 내려앉고 터져 나오며 짓누르는 저 강물의 소리를
비유하기에 부족하다.

백사장에는 거대한 바윗돌이 우뚝하게 늘어서 있고, 강둑에는 버드나무들이 어두
컴컴하여 형체를 분간하기 힘들다. 흡사 물귀신들이 다투어 나와 잘난 체 뽐내는 듯
하고, 좌우에서 이무기들이 사람을 낚아채려고 애쓰는 듯하다.❷

어떤 이가 "이곳은 옛 전쟁터이기 때문에 강물 소리가 그런 것이다."라고 한다. 하지
만 그 때문에 그런 건 아니라고 생각한다. ㉠강물 소리란 어떻게 듣느냐에 달려 있을
뿐이다.

나는 산중에 살고 있는데, 대문 앞에 큰 계곡이 있다. 해마다 여름철이 되어 소나기
가 한차례 지나갔다 하면 계곡물이 갑자기 불어나, 노상 전거와 전기와 전포와 전고
소리를 듣게 되니, 마침내 귓병이 날 지경이 되었다.❸

나는 예전에 방문을 닫고 누워서 그 소리를 다른 비슷한 소리들에 견주어 보며 들
은 적이 있었다. 솔숲에 바람이 불 때 나는 듯한 소리, 이는 계곡물 소리를 청아하게
들은 경우다. 산이 갈라지고 언덕이 무너지는 듯한 소리, 이는 흥분해서 들은 경우
다. 개구리 떼가 다투어 우는 듯한 소리, 이는 우쭐해서 들은 경우다. 만 개의 축(筑)*
[B] 이 연거푸 울리는 듯한 소리, 이는 분노하면서 들은 경우다.

순식간에 천둥 번개가 치는 듯한 소리, 이는 깜짝 놀라서 들은 경우다. 찻물이 때론
약하게 때론 세게 끓는 듯한 소리, 이는 운치 있게 들은 경우다. 거문고의 낮고 높은
가락이 잘 어우러져 나는 듯한 소리, 이는 슬퍼하면서 들은 경우다. 한지를 바른 창
문이 바람에 우는 듯한 소리, 이는 혹시 누가 왔나 하면서 들은 경우다. 그런데 이는
모두 소리를 올바로 들은 것이 아니요, 다만 **마음속으로 가상(假想)한 바**에 따라 귀
가 소리를 지어낸 것일 뿐이다.

지금 나는 밤중에 한 줄기의 강을 아홉 번이나 건넜다.❹ 이 강은 북쪽 국경 너머에서
흘러나와 만리장성을 돌파하고는, 유하(榆河)와 조하(潮河), 황화진천(黃花鎭川) 등 여
러 강들과 합류하여, 밀운성(密雲城) 아래를 지나면 백하(白河)가 된다. 나는 어제 배로
백하를 건넜는데, 백하가 바로 이 강의 하류였다.❺

내가 처음 요동(遼東)에 들어섰을 때 바야흐로 한여름이라 뙤약볕 속을 가는데,❻ 갑
자기 큰 강이 앞을 가로막으면서 시뻘건 물결이 산더미같이 일어나 끝이 보이지 않았

Step1 포인트 분석

■ 박지원, 「일야구도하기」

제목의 의미
'일야구도하기'는 '하룻밤에 강을 아홉 번
건넌 이야기'라는 뜻으로, 외적 현상에 현
혹되면 겁을 먹게 되고, 외적 현상에 현
혹되지 않고 평정심을 유지하면 두려움
에서 벗어날 수 있다는 깨달음을 전달하
고 있다.

배경
❺나는 어제~강의 하류였다. ❿요하가
소리를~적이 없건만.
➜ 조선 후기 청나라 열하 지방을 거쳐 백
하, 요하에 이르는 여정이 제시되고 있다
는 점에서 글쓴이가 청나라를 기행하는
여정이 배경이 되고 있음.

사건
❶강물은 두 산~거세게 다툰다.
➜ 중국의 강을 본 경험: 글쓴이가 요하에
이르러 사납고 거센 강물의 흐름을 만난
일을 가리킴.
❸해마다 여름철이~지경이 되었다.
➜ 조선에서 물소리를 들은 경험: 글쓴이
가 산중의 집에 있을 때 계곡물이 불어나
사나운 소리로 흘러가는 상황을 경험함.
요하를 건널 때 맞이한 크고 사나운 물소
리를 대하는 태도를 상기하게 되는 사건
임.
❹지금 나는~아홉 번이나 건넜다.
➜ 중국에서 강을 건넌 경험: 글쓴이는 지
난날의 경험을 통해 외물에 현혹되지 않
고 마음을 평정하게 가지면 어떤 위태로
움도 느끼지 않고 익숙하게 되어 편안히
강을 건널 수 있었다는 점을 나타냄.

서술
❷흡사 물귀신들이~애쓰는 듯하다.
➜ 비유적 표현: 거친 강의 형세를 물귀신
이나 이무기 들이 움직이는 모습으로 비
유하여 서술의 효과를 높임.
❻내가 처음~뙤약볕 속을 가는데,
➜ 기행의 여정이 드러나는 서술: 강을 건
넌 경험과 이를 통해 얻은 깨달음이 여정
의 과정에서 이루어진 것임을 나타냄.

• **전거**: 전쟁할 때에 쓰는 수레.
• **전기**: 전쟁에 참가하는 기병.
• **전고**: 전투할 때에 치던 북.
• **축**: 거문고와 비슷한 대나무로 만든 악기.

다. 이는 아마 천 리 너머 먼 지역에 폭우가 내린 때문일 터이다.

강물을 건널 적에 사람들이 모두 고개를 쳐들고 하늘을 보길래,❼ 나는 그 사람들이 고개를 쳐들고 하늘을 향해 속으로 기도를 드리나 보다 하였다. 그런데 한참 있다가 안 사실이지만, 강을 건너는 사람이 물을 살펴보면 물이 소용돌이치고 용솟음치니, 몸은 물살을 거슬러 올라가는 듯하고 눈길은 물살을 따라 흘러가는 듯하여, 곧 어지럼증이 나서 물에 빠지게 된다. 그러니 저 사람들이 고개를 쳐든 것은 하늘에 기도를 드리는 것이 아니요, **물을 외면하고 보지 않으려는 짓**일 뿐이었다.❽ 또한 잠깐 새에 목숨이 왔다 갔다 하는 판인데 어느 겨를에 속으로 목숨을 빌었겠는가.❾

이와 같이 위태로운데도, 강물 소리를 듣지 못하였다. "요동 벌판이 평평하고 드넓기 때문에 강물이 거세게 소리를 내지 않는 것이다."라고 모두들 말하였다. 그러나 이는 강에 대해 잘 모르고 한 말이다. 요하(遼河)*가 소리를 내지 않은 적이 없건만,❿ 단지 밤중에 건너지 않아서 그랬을 뿐이다. 낮에는 물을 살펴볼 수 있는 까닭에 눈이 오로지 위태로운 데로 쏠리어, 한창 벌벌 떨면서 두 눈이 있음을 도리어 우환으로 여기는 터에, 또 어디서 소리가 들렸겠는가? 그런데 지금 나는 밤중에 강을 건너기에 눈으로 위태로움을 살펴보지 못하니, 위태로움이 오로지 듣는 데로 쏠리어 귀로 인해 한창 벌벌 떨면서 걱정을 금할 수 없었다.⓫

나는 마침내 이제 도(道)를 깨달았도다! **마음을 차분히 다스린 사람**에게는 귀와 눈이 누를 끼치지 못하지만, **제 귀와 눈만 믿는 사람**에게는 보고 듣는 것이 자세하면 할수록 병폐가 되는 법이다.

방금 내 마부가 말에게 발을 밟혔으므로, 뒤따라오는 수레에 그를 태웠다.⓬ 그러고 나서 말의 굴레를 풀어 주고 말을 강물에 둥둥 뜨게 한 채로, 두 무릎을 바짝 오그리고 발은 모두어 말안장 위에 앉았다. 한번 추락했다 하면 바로 강이다. 나는 강을 대지처럼 여기고, 강을 내 옷처럼 여기고, 강을 내 몸처럼 여기고, 강을 내 성정(性情)*처럼 여기었다. 그리하여 **마음속으로 한번 추락할 것을 각오**하자, 나의 귓속에서 마침내 강물 소리가 없어지고 말았다. 그리고 무려 아홉 번이나 강을 건너는 데도 아무런 걱정이 없어, 마침 안석 위에 앉거나 누워서 지내는 듯하였다.

옛적에 우(禹)임금이 강을 건너는데, 황룡이 배를 등에 업는 바람에 몹시 위험하였다. 그러나 죽고 사는 문제에 대한 판단이 먼저 마음속에 분명해지자, 용이든 도마뱀붙이든 그의 앞에서는 대소(大小)를 논할 것이 못 되었다.⓭

소리와 빛깔은 나의 외부에 있는 사물이다. 이러한 외부의 사물이 항상 귀와 눈에 누를 끼쳐서, 사람이 올바르게 보고 듣는 것을 이와 같이 그르치게 하는 것이다. ⓛ그런데 하물며 사람이 이 세상을 살아간다는 것은 강을 건너는 것보다 훨씬 더 위험할 뿐 아니라, 보고 듣는 것이 수시로 병폐가 됨에랴!⓮ ⓐ나는 장차 나의 산중으로 돌아가 대문 앞 계곡의 물소리를 다시 들으며 이와 같은 깨달음을 검증하고, 아울러 처신에 능란하여 제 귀와 눈의 총명함만 믿는 사람들에게도 경고하련다.

인물
❼강물을 건널~하늘을 보길래, ❽물을 외면하고~짓일 뿐이었다.
➔ 글쓴이는 강물을 건너는 사람들이 하늘을 보는 이유를 세밀한 관찰을 통해 알아냄. 즉, 물을 외면하고 보지 않으려고 하늘을 본다는 것인데, 이를 통해 외적 현상에 현혹되지 않는 일의 중요성을 깨닫는 과정을 잘 보여 줌. 즉, 사물의 현상과 사람의 행태를 정확하고 치밀하게 관찰하는 글쓴이의 특성이 드러남.
⓭옛적에 우임금이~못 되었다.
➔ 우임금이 위험한 강을 건너는데 마음을 분명히 정함으로써 모든 위험을 이겨 낼 수 있었다는 것으로 글쓴이의 깨달음을 뒷받침할 수 있는 인물로 제시됨.

사건
⓫낮에는 물을~금할 수 없었다.
➔ 강을 건널 때 위태로움을 느끼는 이유: 낮에는 물을 볼 수 있기에 눈이 오로지 위태로운 데에 쏠리고, 밤에는 위태로움이 귀로 쏠리어 위태로움을 느끼게 됨.
⓬방금 내 마부가~그를 태웠다.
➔ 마부의 도움을 받지 못하는 상황: 말을 잡아 줄 마부가 발을 밟혀 도움을 받지 못하는 상황에서 '나'는 말의 굴레를 풀고 말 안장 위에 앉아 강물의 흐름에 그대로 몸을 맡긴 채로 강을 건너는 상황을 나타냄. 강을 건너는 일이 위태로워도 마음가짐을 가다듬고 차분히 가지는 일이 중요함을 나타내는 사건임.

구성
❻강물은 두 산~거세게 다툰다, ⓮그런데 하물며~병폐가 됨에랴!
➔ '체험'과 '깨달음'의 구성: 요란한 소리를 내며 흐르는 강물을 건넌 글쓴이의 경험을 바탕으로 이 세상을 살아가는 일에 대한 경계를 전달함.

서술
❾또한 잠깐~목숨을 빌었겠는가.
➔ 설의적 표현: 사람들이 강을 건널 때 하늘을 보는 것이 목숨이 위태로운 상황임을 감안할 때 하늘에 목숨을 빌기 위해서가 아님을 강조함.

• 요하: 중국 동북부 요령성에 있는 강으로 총 길이는 1,345km임.
• 성정: 사람의 성질과 마음씨.

[01~05] 윗글에 대하여 맞으면 ○, 틀리면 ×표를 하시오.

01 제시된 부분의 배경은 글쓴이가 간 청나라 요하이다. 〔○. ×〕

02 글쓴이는 자신의 경험을 바탕으로 교훈을 이끌어 내고 있다. 〔○. ×〕

03 글쓴이는 강을 건널 때 하늘을 쳐다보는 사람들을 경멸했다. 〔○. ×〕

04 설의적 표현으로 강과 관련된 자신의 생각을 강조하고 있다. 〔○. ×〕

05 글쓴이는 물소리와 관련된 자신의 경험을 시간의 흐름에 따라 차례대로 언급하였다. 〔○. ×〕

[06~10] 다음 빈칸에 알맞은 말을 쓰시오.

06 ㅂㅇㅈ 표현을 통해 대상으로부터 느낀 상념을 표현하고 있다.

07 글쓴이는 강을 건너는 사람들을 예리한 ㄱㅊ로 살펴본 경험을 내용으로 구성하고 있다.

08 글쓴이는 밤중에 강을 건넌 경험을 활용해 외적 현상에 ㅈㅊ해서는 안 된다는 교훈을 전달하고 있다.

09 이 작품은 밤중에 강을 ㅇㅎ 번 건넌 경험을 바탕으로 쓴 수필이다.

10 이 작품의 주제는 외물에 현혹되지 않고 ㅁㅇ을 다스려야 한다는 것이다.

정답 | 01 ○ 02 ○ 03 × 04 ○ 05 × 06 비유적 07 관찰력 08 집착 09 아홉 10 마음

일야구도하기

• **갈래:** 한문 수필, 기행 수필
• **성격:** 체험적, 사색적, 교훈적
• **배경:** 시간-조선 영조 때 / 공간-청나라 요하
• **주제:** 외물(外物)에 현혹되지 않고 마음을 다스리는 일의 중요성
• **특징:** ① 글쓴이의 체험을 바탕으로 주제를 제시함.
② 예리한 관찰로 현상을 판단해 내용을 전달함.
③ 객관적이고 과학적인 실사구시의 태도를 견지함.
• **구조**

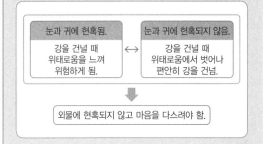

눈과 귀에 현혹됨.	↔	눈과 귀에 현혹되지 않음.
강을 건널 때 위태로움을 느껴 위험하게 됨.		강을 건널 때 위태로움에서 벗어나 편안히 강을 건넘.

↓

외물에 현혹되지 않고 마음을 다스려야 함.

한 걸음 더

「일야구도하기」에 나타난 실사구시의 정신
이 작품에서 글쓴이는 강물의 거대한 흐름과 소리를 과학적이고 논리적으로 탐구하는 모습을 보여 준다. 즉, 자신이 산중에서 겪은 경험을 통해 거대하고 사나운 물소리도 마음가짐에 따라 달리 들을 수 있음을 알게 되고, 또 강을 건너는 사람들이 물을 피하여 보지 않으려 함을 예리한 관찰력으로 알게 된다. 즉, 글쓴이는 세계나 사물에 대한 판단을 자신의 경험이나 예리한 관찰력을 통해 정확하고 객관적으로 파악하고, 이를 다른 상황에 적용하여 경계로 삼으려는 실사구시의 탐구 정신을 보여 주고 있다고 할 수 있다.

Step **3** 실전 문제

정답 066쪽

01

윗글에 대한 설명으로 가장 적절한 것은?

① 인물의 일대기를 중심으로 대상의 업적을 서술한다.
② 당대의 시대적 상황에 대한 세밀한 묘사가 전개된다.
③ 공간의 이동에 따른 인물들의 심리 변화를 서술한다.
④ 동일한 현상에 대한 인물의 예찬적인 태도를 서술한다.
⑤ 글쓴이의 여정에서 겪은 체험을 바탕으로 내용을 전개한다.

02

[A]에 대한 설명으로 적절하지 **않은** 것은?

① 소재를 의인화하여 대상을 묘사하고 있다.
② 대화체를 활용하여 부정적 상황을 강조하고 있다.
③ 시각적, 청각적 심상을 활용하여 대상을 제시하고 있다.
④ 직유와 과장을 활용하여 대상의 역동성을 나타내고 있다.
⑤ 상상 속의 동물을 동원하여 대상의 모습을 나타내고 있다.

03

[B]를 고려하여 ㉠을 이해한 내용으로 가장 적절한 것은?

① 듣는 사람의 마음가짐에 따라 물소리가 다르게 들림.
② 물소리가 시시각각으로 달라져 절묘한 느낌을 자아냄.
③ 물과 거리가 가까울수록 듣는 사람에게 더욱 잘 들림.
④ 물소리를 듣고 물을 대하면 사람에게 새로운 느낌을 줌.
⑤ 물소리를 어떻게 듣느냐에 따라 듣는 사람에게 영향을 줌.

04

〈보기〉를 바탕으로 윗글을 감상한 내용으로, 적절하지 않은 것은?

┤ 보기 ├

　인간이 지닌 편견이나 편벽은 사물을 객관적으로 판단하거나 어떤 지식을 얻는 일을 방해하게 된다. 즉, 편견이나 편벽에 사로잡히지 않게 노력하지 않는 한 진리의 획득은 기대할 수 없기 때문에 모든 방법을 동원하여 이를 없애려는 노력을 다해야 한다. 이는 자신의 감정에 사로잡히거나 감각에만 의존하여 현상을 판단해 지식이나 진리를 얻는 일을 하지 말아야 한다는 것이다. 서양의 철학자 존 로크가 주장했던 것처럼 '타불라 라사', 즉 '깨끗한 석판'이라는 뜻과 같이 편견과 그릇된 관념을 배제하겠다고 결단하여 사물을 있는 그대로 관찰하는 것이 중요한 것이다.

① '마음속으로 가상한 바'는 이미 편견이나 편벽에 사로잡힌 경우이군.
② '물을 외면하고 보지 않으려는 짓'은 사물을 객관적으로 판단하는 일을 포기하는 것이군.
③ '마음을 차분히 다스린 사람'은 사물을 있는 그대로 관찰하는 것이 가능해진 사람이군.
④ '제 귀와 눈만 믿는 사람'은 감각에 의존해서 현상을 판단하여 지식을 얻는 사람이군.
⑤ '마음속으로 한번 추락할 것을 각오'한 것은 편견과 그릇된 관념을 배제하겠다는 결단을 내린 것이군.

05

㉡에 대한 이해로 가장 적절한 것은?

① 개인적 경험에서 얻은 깨달음을 인생을 살아가는 태도로 확대시켰군.
② 미래에 벌어질 일을 예상하여 과거에 벌였던 행동에 대해 반성하고 있군.
③ 개인이 겪은 일을 바탕으로 공동체가 해결해야 할 과제를 제시하고 있군.
④ 권위자의 견해를 인용하여 고통과 시련을 극복하는 방법에 대해 제시하고 있군.
⑤ 일상적 사례를 통해 인간이 마땅히 지켜야 할 도리나 규범에 대해 제시하고 있군.

06

[고난도]

윗글의 내용을 〈보기〉와 같이 정리할 때, ㉮~㉰에 대한 설명으로 적절하지 않은 것은?

┤ 보기 ├

① ㉮: 글쓴이는 강물의 형세와 주변의 경관을 제시하며 자신이 바라보는 풍경의 위엄을 전달하고 있다.
② ㉯: 글쓴이는 자신의 집 앞을 흐르는 물소리가 상황에 따라 다르게 들렸던 경험을 언급하며 그 원인을 밝히고 있다.
③ ㉰: 글쓴이는 강을 건널 때 사람들이 갖는 두려움의 원인이 제 귀와 눈만 믿은 까닭이라고 밝히고 있다.
④ ㉱: ㉮~㉰에서 시간적 흐름에 따라 제시한 물소리와 관련된 경험이 자신의 깨달음에 미친 영향을 제시하고 있다.
⑤ ㉱: 조선의 산중으로 돌아간 후 자신이 취할 행동을 언급하며 이 글을 쓴 목적을 밝히고 있다.

07

[서술형]

ⓐ를 통해 알 수 있는 글쓴이의 학문적 태도에 대해 서술하시오.

꼭두각시놀음 | 작자 미상 / 김재철 채록

출제 포인트 › #민속극 #인형극 #풍자극 #처첩 간의 갈등 #일부다처제와 가부장제 비판

[제1마당] 박 첨지 마당

[제5막] 표 생원 거리

[A]
표 생원: 마누라 음성과 말을 들으니 마누라는 분명한데, 그간 어디를 갔다 언제 왔나.❶

꼭두각시: 영감을 찾으려고 강원도 금강산, 충청도 계룡산, 전라도 지리산, 경상도 태백산, 함경도 백두산, 황해도 구월산, 평양 연광정, 어리빗 사이, 참빗 사이 틈틈이 찾아다니고 이제 해남 관머리로 갈 차로 왔다가 영감을 만났소.❷

표 생원: 허허 도리어 부끄러우며 할 말 없네. 그러나 자네 얼굴에 우툴두툴한 게 뭔가.

꼭두각시: 내 얼굴 말이오?

표 생원: 그래서.

꼭두각시: 내 얼굴은 뉘 탓이오? 강원도 가서 영감 찾느라고 깊은 산중에 도토리묵을 먹어서 그렇게 되었소.

표 생원: 뭐 어쩌고 어째여? 산골에서 묵을 먹고 얼굴이 저 조격*이 되었으면 나는 함경도 백두산에 다녀서 삼수갑산(三水甲山)으로 나올 제 강냉이와 상수리를 통째로 삶아 먹었는데 ㉠우툴두툴커녕 내 얼굴엔 네가 나막신을 신고 다녀 봐라. 해고망측스런 년 요사스런 계집도 많다. (간(間)) 그러나 생각하니 개천에 나도 용은 용이요, ㉡짚으로 만들어도 신주(神主)*는 신주라니 돌모리집한테 훈계하여 큰마누라에게 상우례*나 시켜 보자. 여보게 돌모리집네. (돌모리집을 불러 앞에 세우고 꼭두각시에 대하여) 여보 부인, 그러나저러나 객담(客談)은 그만두고 살아갈 이야기나 합시다. 부인이 어느덧 환갑이 넘고, 내가 연만(年滿) 팔십에 연로다빈(年老多貧)*하고, 따라서 일점혈육(一點血肉)이 슬하에 없으니 이런 낭패가 어디 있나? 그러므로 부인도 근심이 되지요?

꼭두각시: 여러 해포 만에 만나긴 만났으나 그도 또한 나 역시 근심이오.

표 생원: 부인의 말이 그러하니 말이오. 내가 그전에 작은집을 하나 얻었소.

꼭두각시: 아이고 듣던 중 상쾌한 말이오. 이 형편에 큰 집 작은 집을 어찌 가리겠소. 집을 얻었으나 재목(材木)이나 성하며 양지바르고 또 장인들 담가 놨겠소.

표 생원: 어으? 아 이게 무슨 소리여. 장은 무슨 장이며, 재목은 무슨 재목? ㉢떡 줄 놈은 생각도 안 하는데 김칫국 먼저 마시네. 소실(小室)을 얻었단 말이여.

꼭두각시: 아이고 영감, 이게 무슨 소리요. 이날껏 찾아다니면서 나중에 이런 험한 꼴을 보자고 영감을 찾았구려.❸

표 생원: 잔말 말고 주는 거나 먹고 지내지.

꼭두각시: 그러나저러나 적어도 큰마누라요, 커도 작은마누라니 인사나 시키오.❹

표 생원: ㉣여보게, 돌모리집네. 법은 법대로 하세.

돌모리집: 무얼 말이오?

Step 1 포인트 분석

▶ 작자 미상, 「꼭두각시놀음」

제목의 의미
'꼭두각시놀음'은 인형극에 등장하는 여러 인물 중 하나인 '꼭두각시'에 유랑 연예 집단에 의해 연희된 인형극 놀이라는 뜻의 '놀음'이 합쳐진 말이다. '박첨지놀음', '홍도지놀음' 등으로 불리기도 했다.

인물
❶마누라 음성과~언제 왔나.
➡ 표 생원은 꼭두각시의 남편으로 오랫동안 꼭두각시와 헤어져 있었음.

❷영감을 찾으려고~영감을 만났소.
➡ 꼭두각시는 표 생원의 본부인으로 집을 나간 표 생원을 전국 방방곡곡으로 찾아다녔음.

사건
❶마누라 음성과~언제 왔나.
➡ 꼭두각시와 표 생원의 재회: 오랫동안 헤어져 있던 꼭두각시와 표 생원은 꼭두각시가 전국을 다니며 표 생원을 애타게 찾은 끝에 결국 길에서 우연히 만나게 됨.

❸아이고 영감,~영감을 찾았구려.
➡ 표 생원을 원망하는 꼭두각시: 꼭두각시는 애타게 찾던 남편을 어렵게 만났으나 표 생원이 소실을 얻었다는 소식을 듣고 크게 실망하며 표 생원을 원망하게 됨.

구성
❹그러나저러나 적어도~인사나 시키오.
➡ 갈등의 고조: 꼭두각시가 돌모리집의 존재를 알게 되면서 돌모리집의 인사를 받고자 함. 이로써 두 인물 간에 팽팽한 긴장이 생기며 갈등이 고조됨.

• 조격: 모양새.
• 신주: 죽은 사람의 영을 모신 위패.
• 상우례: 신랑이 처가의 친척과, 또는 신부가 시가의 친척과 처음 만나는 예식.
• 연로다빈: 늙고 가난함.

표 생원: 큰부인한테 인사나 하게.

돌모리집: 머지않은 좌석(座席)에서 들어도 알겠소. 내가 적어도 용산삼(龍山三)게 돌모리집이라면 장안이 다 아는 터인데, 유명한 표 생원이기로 가문을 보고 살기어든 날더러 작은집이라 업신여겨 큰부인에게 인사를 하여라, 절을 하여라 하니 잣골 내시댁 문 앞인가 절은 웬 절이여? 인사도 싫고 나는 갈 터이니 큰마누라하고 잘 사소.❺ (돌아선다.)

표 생원: 돌모리집네 여태 살던 정리(情理)로 그럴 수가 있나. 오뉴월 불도 쐬다 물러나면 서운하다네. 마음을 돌려 인사하게.

돌모리집: 그러면 인사해 볼까요? (아무 말 없이 화가 나서 꼭두각시한테 머리를 딱 들이받으며) 인사 받으우.❻

꼭두각시: (놀래며) 이게 웬일이요? 여보 영감, 이게 웬일이요. 시속 인사(時俗人事)˚는 이러하오? 인사 두 번만 받으면 내 머리는 간다 봐라 하겠구나. 인사도 싫으니 세간을 나눠 주오.❼

표 생원: 괘씸스런 계집들은 불같은 욕심은 있구나. 나의 집은 해남 관머리요, 몸 지체는 한양 성중인데 무슨 세간 무슨 재물을 나눠 주니? ㉢짚은 몽둥이로 한번 치면 다 죽으리라. (표 생원이 화를 내고 있는데 박 첨지가 나온다.)

박 첨지: 실례 말씀이오마는 잠시 지내다 보니 남의 가관사(家關事)˚나 내 몸은 일개 구장(一個區長)으로 모른 체할 수 없어 물어보니 허물치 마오.❽

표 생원: 네, 구장이십니까. 판결 좀 하여 주시오. 제가 해남 사는 표 생원으로 부부 이별하고 그간 소실을 얻어 이곳에 왔다가 저기 선 저 화상(꼭두각시를 가리키며)은 나의 큰마누라인데 작은집으로 감정을 내어 세간을 나눠 달라 하오니 백계무책(百計無策)˚이오. 어찌할는지요.

박 첨지: 그러면 세 분이 다 객지(客地)요?

표 생원: 여기는 객지나 다름없습니다.

박 첨지: 재산이 있으면 나눠 줄 마음이오?

표 생원: 다시 이를 말씀이오. (박 첨지가 한참 생각한다.)

박 첨지: 내가 일동 구장(一洞區長)으로 잘 처리하겠으니 염려 마오. 〈창〉 돌모리집은 왕십리에 구실 은(銀) 두 되 하는 논 네 마지기를 주고, 꼭두각시는 남산 봉우제 재실 재답 구실 닷 마지기 고초밭 하루갈이 주고, 용산삼게 들어오는 뗏목은 모두 다 묶어다가 돌모리집 가져가고, 꼭두각시 널랑은 명년(明年) 장마에 떠밀리는 나무뿌리는 너 다 갖고 은장 봉장 자개 함농 반닫이는, 글랑 모두 돌모리집 주고 뒤꼍에 돌아가 개똥밭 하루갈이와 매운 잿독 깨진 걸랑 꼭두각시 너 다 가져라.

꼭두각시: 〈창〉 ⓐ허허 나는 가네. 나 돌아가네. 덜덜거리고 그 돌아가네. (춤추며 나간다.)❾

• 시속 인사: 요사이의 인사 예절.
• 가관사: 집안 문제.
• 백계무책: 백 가지 방법이 전혀 소용이 없음.

인물
❺ 머지않은 좌석에서~잘 사소.
➜ 돌모리집은 표 생원의 첩으로 꼭두각시와 심리적으로 대립하고 있음.
❽ 실례 말씀이오마는~허물치 마오.
➜ 박 첨지는 길 가던 구장으로 표 생원과 꼭두각시의 다툼을 중재하려 함.

갈등
❻ 그러면 인사해~인사 받으우.
➜ 꼭두각시와 돌모리집의 갈등: 큰부인에게 인사하라는 표 생원의 청에 돌모리집이 꼭두각시에 불손한 태도를 보이면서 두 인물 간에 팽팽한 긴장감이 유발됨.
❼ 이게 웬일이요?~세간을 나눠 주오.
➜ 꼭두각시와 표 생원의 갈등: 돌모리집이 불손한 태도를 보이자 꼭두각시는 표 생원에게 화를 내며 재산을 나누어 달라고 함. 꼭두각시와 돌모리집의 갈등이 꼭두각시와 표 생원의 갈등으로 전환됨.

구성
❾ 허허 나는~나간다.)
➜ 갈등의 해소: 박 첨지의 중재로 자신에게 불리하게 재산이 분배되지만, 꼭두각시는 오히려 춤을 추며 퇴장함. 처첩제하에서 억압된 여성의 한을 웃음과 춤으로 승화시키는 역설의 미학을 엿볼 수 있음.

[전체 줄거리]
• 제1마당: 박 첨지 마당
– 제1막: 박 첨지가, 팔도강산을 유람하다가 남사당패 놀이판에 끼어든 이야기를 산받이와 나눈다.
– 제2막: 뒷절의 상좌들이 박 첨지의 질녀와 놀아나는 것을 보고 박 첨지가 노해서 조카 홍동지를 불러 중을 쫓는다.
– 제3막: 사돈 최영로의 집에 사는 박 첨지가 오조 밭에 새를 쫓으러 가는데, 사람이 나오는 족족 잡아먹는 용강 이심이에게 막 잡아먹힐 뻔했을 때 홍동지가 구해 준다.
– 제4막: 동방 노인이 눈을 감고 등장하여 자신이 눈을 감고 등장한 이유가 세상이 부정하기 때문이라고 한다.
– 제5막: 해남 양반 표 생원이 처와 첩 사이에서 낭패에 처하자 박 첨지가 표 생원을 돕는다며 꼭두각시에게 불리하게 표 생원의 재산을 분배한다.
• 제2마당: 평안 감사 마당
– 제6막: 평안 감사가 새로 부임해 와서는 매사냥을 하겠다며 포수와 사냥매를 대령하도록 한다.
– 제7막: 평안 감사가 모친상을 당해 상여가 나가는데 상제는 오히려 좋아하며, 향도꾼으로 벌거벗은 홍동지가 불려 와 상여를 멘다.
– 제8막: 박 첨지가 나와 장례 후 명당에 절을 짓겠다고 알리면, 중 두 명이 나와 조립식 법당을 짓고는 다시 헌다.

Step 2 포인트 체크

[01~04] 윗글에 대하여 맞으면 ○, 틀리면 ×표를 하시오.

01 일부 대사는 창(唱)으로 전달되어 음악적인 효과를 준다. 〔○. ×〕

02 꼭두각시는 일부러 '작은집'을 표 생원의 의도와 다르게 해석하여 받아들였다. 〔○. ×〕

03 표 생원은 돌모리집에게 큰부인인 꼭두각시에 대한 예를 갖출 것을 요구하였다. 〔○. ×〕

04 박 첨지는 큰부인의 위상에 걸맞도록 꼭두각시에게 더 많은 재산을 분배했다. 〔○. ×〕

[05~08] 다음 빈칸에 알맞은 말을 쓰시오.

05 이 작품은 남사당패에 의해 연희된 ⓘⓗⓖ 대본이다.

06 이 작품은 풍자적인 언어, 욕설, 야유, 직설적 표현 등을 통해 뛰어난 ⓗⓗⓢ을 보여 준다.

07 이 작품은 조선 시대 ⓒⓒ 간의 갈등을 통해 당시 사회를 풍자하고 있다.

08 꼭두각시는 억울한 상황에서도 ⓒ을 추며 퇴장하는 모습을 통해 한을 신명으로 풀어내는 역설적인 모습을 보여 준다.

정답 | 01 ○ 02 × 03 ○ 04 × 05 인형극 06 해학성 07 처첩 08 춤

작품 정리

■ 꼭두각시놀음
• **갈래:** 인형극 대본
• **성격:** 희극적, 풍자적
• **배경:** 시간−조선 후기 / 공간−경기, 충청, 전라 지역
• **주제:** 가부장제의 모순에 대한 비판과 풍자
• **특징:** ① 전체 2마당 8막으로, 막과 막 사이에 줄거리의 연관성이 없음.
　　　　② 사투리, 비속어, 언어유희 등을 활용한 해학적 표현이 자주 나타남.
• **구조**

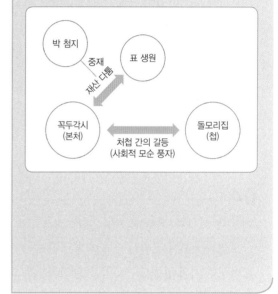

Step 3 실전 문제

정답 067쪽

01

윗글에 대한 설명으로 적절한 것을 〈보기〉에서 있는 대로 고른 것은?

┤ 보기 ├
ㄱ. 인형을 활용하여 인물의 대사와 행동을 표현한다.
ㄴ. 인물이 등장하고 퇴장할 때마다 음악이 연주된다.
ㄷ. 객석과 분리되어 있는 무대에서 이야기가 펼쳐진다.
ㄹ. 여러 막으로 구성된 이야기가 서로 유기적으로 연결된다.

① ㄱ
② ㄱ, ㄷ
③ ㄱ, ㄴ, ㄷ
④ ㄴ, ㄷ
⑤ ㄴ, ㄷ, ㄹ

02

윗글의 표현상 특징으로 적절하지 않은 것은?

① 언어유희를 통해 골계미를 드러내고 있다.
② 동음이의어를 사용하여 해학성을 높이고 있다.
③ 공간적 배경을 바꾸어 인물의 심리 변화를 드러내고 있다.
④ 대화 도중 창으로 내용을 전달해 음악적 효과를 주고 있다.
⑤ 비속한 표현을 사용하여 인물의 심리를 가감 없이 표현하고 있다.

03

윗글의 인물에 대한 이해로 적절하지 <u>않은</u> 것은?

① 표 생원은 자신의 처지를 핑계로 축첩을 합리화하고자 한다.
② 돌모리집은 자신을 아랫사람으로 대우하는 것을 불쾌하게 생각한다.
③ 꼭두각시는 상하 질서를 강조하여 자신의 권위와 체통을 지키고자 한다.
④ 꼭두각시는 가정 파탄에 대한 보상으로 남편에게 경제적인 혜택을 요구한다.
⑤ 돌모리집은 자신에게 주어진 운명을 떠올리며 표 생원과의 인연을 소중하게 여긴다.

04

윗글에서 풍자의 대상으로 가장 적절한 것은?

① 수직적 질서 체계에서 발생한 적서 차별의 문제
② 여성의 지위 상승을 가로막아 온 과거 제도의 문제
③ 일부다처제의 문제를 야기한 남아 선호 사상의 폐해
④ 처첩 간의 갈등을 중심으로 한 가부장제 사회의 모순
⑤ 재산 분할의 문제를 노출시킨 양반 중심 사회의 문제

05

㉠~㉤에 담긴 발화 의도로 적절하지 <u>않은</u> 것은?

① ㉠: 상대방이 주장하는 내용이 전혀 터무니없는 말임을 부각하고자 한다.
② ㉡: 상대방이 아무리 못났어도 본부인으로서의 위신을 세워 주고자 한다.
③ ㉢: 자신의 말을 곡해하여 혼자 좋아하고 있는 상대방에게 핀잔을 주고자 한다.
④ ㉣: 자신의 권위를 이용하여 예상되는 상대방의 반론을 미리 차단하고자 한다.
⑤ ㉤: 자신의 재산을 탐하는 상대방에 대해 분개하는 마음을 드러내고자 한다.

06

 고난도

〈보기〉는 윗글의 이본 중 하나이다. [A]와 〈보기〉를 비교하여 감상한 내용으로 적절하지 <u>않은</u> 것은?

┤ 보기 ├

꼭두각시: 〈창〉 영감을 찾으려고 일원산(一元山) 가 하루 찾고, 이강(二江) 이틀 찾고, 삼주(三州)에 가 사흘 찾고, 사법성(四法聖) 가 나흘 찾고, 오강(五江)에 닷새를 찾아도 영감 소식을 몰랐는데, 어디서 영감 소리가 나는 듯 나는 듯 하구려. 여보 영감 영감.
표 생원: 〈창〉 저리 저리 절시구 지화자 절시구. 거기 누가 날 찾나. 거기 누가 날 찾나. 날 찾을 이 없건마는 거기 누가 날 찾나, 지경성지 이태백이 술을 먹자고 날 찾나, 거기 누가 날 찾나, 거기 누가 날 찾나, 상상봉 네 노인이 바둑을 두자고 날 찾나, 날 찾을 리 없건만은 거기 누가 날 찾나, 여보게 할멈 할멈.

- 작자 미상 / 심우성 채록, 「꼭두각시」 중에서

① [A]와 달리 〈보기〉는 노래의 형식으로 대사를 전달하고 있군.
② [A]와 달리 〈보기〉는 발음의 유사성을 활용한 대사를 만들어 사용하고 있군.
③ [A]와 달리 〈보기〉는 꼭두각시의 대사와 표 생원의 대사가 조응하도록 내용을 구성하고 있군.
④ [A]와 〈보기〉 모두 동일한 구절을 반복하여 리듬감을 강화하고 있다.
⑤ [A]와 〈보기〉 모두 구체적인 지명을 나열하여 꼭두각시의 행적을 보여 주고 있군.

07

윗글의 특징을 「봉산 탈춤」과 비교하여 다음과 같이 정리할 때, ㉮와 ㉯에 들어갈 적절한 말을 쓰시오.

	봉산 탈춤	꼭두각시놀음
도구	탈	㉮
성격	해학적, 풍자적	해학적, 풍자적
단위	과장	㉯

08

 서술형

상황 맥락을 고려할 때, '꼭두각시'가 ⓐ와 같이 한 이유를 추리하여 서술하시오.

민속극

하회 별신굿 탈놀이 | 작자 미상 / 류한상 채록

출제 포인트 〉 #민속극 #가면극(탈춤) #해학적 #서민적 #양반과 선비의 위선적 모습 풍자

[제5과장] 양반·선비 마당

양반: 아이쿠, 깜짝이야. 귀청 떨어질라. 오냐, 부네라!

　(다시 초랭이는 관중과 함께 부산을 떨고 선비는 연신 못마땅한 표정을 짓는다. 부네는 양반의 어깨를 주무르다 말고 양반의 머리에서 이를 잡는 시늉을 한다. 초랭이가 이를 보고)

초랭이: 헤헤, 양반도 이가 다 있니껴?

　(양반과 선비가 모두 일어난다. 선비는 일어나면서 "예끼 고얀지고."라며 심경을 토로한다.)

양반: 예 부네야, 그래 우리 춤이나 한번 추고 놀아 보자.

[굿거리]

　(상쇠의 가락에 맞춰 양반, 선비, 부네, 초랭이가 어울려 '노는 춤'을 추며 마당은 곧 흥에 넘친다. 그러나 양반과 선비는 부네를 사이에 두고 서로 차지하려고 하여, 춤은 두 사람이 부네와 같이 춤추는 내용으로 이어진다. ㉠부네는 요염한 춤을 추며 양반과 선비 사이를 왔다 갔다 하며 두 사람의 심경을 고조시킨다.❶ 이것을 간파한 초랭이는 양반과 선비를 싸움 붙이려는 계략을 꾸민다.❷ ㉡우선 양반에게로 가 무언가 얘기를 한다. 이에 양반은 초랭이가 시키는 대로 선비에게 가 얘기를 하고 ㉢선비는 관중석에서 누군가를 찾기 시작한다.❸ 이를 기회로 양반은 부네와 춤을 계속 추게 된다. 관중 속에서 열심히 무언가를 찾던 선비는 부네와 어울려 춤추는 양반을 보고는 '속았다'는 생각에 노발대발하여 양반을 부른다.)❹

선비: 여보게 양반.

　(이를 신호로 상쇠는 가락을 멈춘다.)

선비: 여보게 양반, 자네가 감히 내 앞에서 이럴 수가 있는가?
양반: 허허, 무엇이 어째? 그대는 내한테 이럴 수가 있단 말인가?
선비: 아니, 그라만 그대는 진정 내한테 그럴 수가 있는가?
양반: 허허, 뭣이 어째? 그러면 자네 지체가 나만 하단 말인가?❺
선비: 아니 그래, 그대 지체가 내보다 낫단 말인가?
양반: 암, 낫고말고.

Step 1 포인트 분석

작자 미상, 「하회 별신굿 탈놀이」

제목의 의미

'하회 별신굿 탈놀이'라는 제목에서 '하회'는 이 작품이 연행된 지역을, '별신굿'은 이 작품이 지닌 제의적 성격을 드러낸다. 또한 '탈놀이'는 이 작품이 가면극임을 보여 준다.

인물

❶ 부네는 요염한~심경을 고조시킨다.

　➡ 부네는 양반과 선비 사이를 오가며 요염한 춤을 춤으로써 양반과 선비를 모두 유혹하여 두 사람 사이의 갈등을 유발하는 인물임을 알 수 있음.

❷ 이것을 간파한~계략을 꾸민다.

　➡ 초랭이는 양반과 선비가 부네를 사이에 두고 경쟁하고 있음을 간파하여 이들의 싸움을 붙일 계략을 꾸미고 있음. 이러한 점에서, 초랭이는 양반들의 갈등을 유도하는 인물임을 알 수 있음.

사건

❸ 이에 양반은~찾기 시작한다.

　➡ 선비를 따돌리는 양반: 양반은 초랭이가 꾸민 계략에 따라 선비를 속여 따돌림으로써 부네를 독차지하게 됨.

❹ 관중 속에서~양반을 부른다.)

　➡ 양반에게 화를 내는 선비: 선비는 양반과 춤을 추는 부네의 모습을 보고 자신이 양반에게 속았음을 이내 깨닫게 됨. 이로써 선비는 양반에게 화를 내게 되고 두 사람 사이의 갈등이 표면에 드러나게 됨.

구성

❺ 허허, 뭣이~나만 하단 말인가?

　➡ 새로운 갈등의 시작: 부네를 사이에 두고 다투었던 양반과 선비가 자신들의 지체를 두고 다시 싸움을 이어 감. 제5과장에서는 양반과 선비 사이에 크게 네 번의 다툼(부네 차지, 지체 우열, 학식 우열, 우량 차지)이 나타나는데, 첫 번째 다툼에서 두 번째 다툼으로 이어지는 장면임.

선비: 그래, 낫긴 뭐가 나아.

양반: 나는 사대부의 자손일세.

선비: 아니 뭐라꼬, 사대부? 나는 팔대부의 자손일세.**❻**

양반: 아니, 팔대부? 그래, 팔대부는 뭐로?*

선비: 팔대부는 사대부의 갑절이지.

양반: 뭐가 어째, 어흠, 우리 할뱀*은 문하시중을 지내셨거든.

[A] 선비: 아, 문하시중. 그까지 꺼……. 우리 할뱀은 바로 문상시대인걸.

양반: 아니 뭐, 문상시대? 그건 또 뭐로?

선비: 에헴, 문하보다는 문상이 높고 시중보다는 시대가 더 크다 이 말일세.

양반: 허허, 그것참 빌꼬라지 다 보겠네. 그래, 지체만 높으면 제일인가?

선비: 에헴, 그라만 또 머가 있단 말인가?

양반: 학식이 있어야지, 학식이. 나는 사서삼경을 다 읽었다네.

선비: 뭐 그까지 사서삼경 가지고. 어흠, 나는 팔서육경을 다 읽었네.

양반: 아니, 뭐? 팔서육경? 도대체 팔서는 어디에 있으며 그래 대관절 육경은 또 뭔가?

ㄹ (초랭이는 여태까지 두 사람의 얘기를 귀담아듣다가 잽싸게 끼어든다.)

초랭이: 헤헤헤, 난도* 아는 육경 그것도 모르니껴.**❼** 팔만대장경, 중의 바라경, 봉사의 앤경, 약국의 길경*, 처녀의 월경, 머슴의 새경* 말이시더.

(고수는 육경을 한 소절마다 장단을 쳐 준다. 초랭이는 '머슴의 새경'을 더욱 강조하여 자신의 새경에 못마땅함을 보인다.)

선비: 그래, 이것도 아는 육경을 양반이라카는 자네가 모른단 말인가?**❽**

양반: 여보게 선비, 우리 싸워 봤자 피장파장이께네 저짜 있는 부네나 불러 춤이나 추고 노시더.**❾**

선비: (잠시 생각하다가) 암, 좋지 좋아.

(이어 양반과 선비가 동시에 '예, 부네냐—' 하고 부네를 부르면 상쇠는 자진모리 가락으로 마당을 이끈다. 이젠 양반, 선비가 부네를 두고 다툼하는 춤이 아니라 ㅁ 서로 어울리는 화합의 '노는 춤'을 춘다.)

[전체 줄거리]
• 무동 마당: 각시탈을 쓴 광대가 무동을 타고 팽과리를 들고 구경꾼 앞을 돎.
• 주지 마당: 꿩 털이 꽂힌 주지탈(사자탈)을 쓴 한 쌍이 나와 춤을 춤.
• 백정 마당: 백정이 소를 잡아 구경꾼들에게 사라고 함.
• 할미 마당: 할미광대가 신세타령을 하다가 춤을 춤.
• 파계승 마당: 중이 부네를 보고 욕정을 느끼고 부네와 어울려 춤을 춤.
• **양반·선비 마당**: 양반과 선비가 다투다가 서로 화해하고 부네와 초랭이까지 한데 어울려 춤을 춤.
• 혼례·신방 마당: 날이 어두워진 마을 입구 밭에 자리와 멍석을 깔고 혼례를 올린 후 신방을 차림. 끝난 후에는 헛천거리굿을 하고 모든 공연이 마무리됨.

인물
❼ 헤헤헤, 난도~그것도 모르니껴.
→ 양반과 선비는 학식의 우열을 따지며 자신의 학식을 자랑하는데, 이때 초랭이가 끼어들어 이같이 말함으로써 양반들의 학식이 별 볼 일 없는 것임을 드러냄. 이를 통해 양반을 조롱하여 지배 계급의 허위의식을 풍자함.

❽ 그래, 이것도~모른단 말인가?
→ 사서삼경의 유교 경전을 공부해야 하는 유학자인 선비가, 초랭이가 엉터리로 지어낸 육경을 그대로 믿고 있음. 이를 통해 선비의 허위의식과 무식함을 풍자하고, 지배층의 모순을 보여 줌.

사건
❻ 아니 뭐라꼬,~팔대부의 자손일세.
→ 선비의 언어유희: 자신이 '사대부'의 자손임을 자랑하는 양반의 말을 받아 선비는 자신이 '팔대부'의 자손이라고 말함으로써 자신의 우위를 주장함. 이것은 언어유희의 일종으로 이러한 말장난이 계속 이어져 해학성을 높임.

구성
❾ 여보게 선비,~춤이나 추고 노시더.
→ 갈등의 일시적 해소: 앞에서 계속된 다툼으로 양반과 선비는 갈등 관계에 놓여 있음. 그러나 양반이 화해를 제안함으로써 두 사람은 금세 화해를 하고 갈등은 일시적으로 해소됨. 그렇지만 이 장면 뒤에 우량을 차지하려는 다툼이 이어지면서 두 사람 사이의 갈등은 다시 심화됨. 이는 양반들의 허구성과 이중성을 더욱 부각하는 장치라고 할 수 있음.

• 있니껴?: 있습니까?
• 뭐로?: 뭐야?
• 할뱀: 할아버지.
• 난도: 나도.
• 길경: 도라지.
• 새경: 머슴에게 주는 임금.

Step2 포인트 체크

[01~06] 윗글에 대하여 맞으면 ○, 틀리면 ×표를 하시오.

01 이 작품은 무대와 관중석의 구분 없이 공연자가 관중석을 넘나들게 하여 무대를 확장하고 있다. [○ . ×]

02 이 작품은 다양한 무대 장치와 소품을 활용하여 관중이 극 중 현실에 몰입하게 하고 있다. [○ . ×]

03 양반들은 품위 있는 대사와 절제된 행동을 보여 주고 있다. [○ . ×]

04 초랭이는 양반에게 억압받는 서민의 모습을 보여 주는 인물이다. [○ . ×]

05 양반과 선비가 부네를 두고 다투는 것은 춤을 통해 상징적으로 묘사된다. [○ . ×]

06 배우들은 자신이 맡은 배역과는 상관없이 일정한 형태의 가면을 쓰고 연기한다. [○ . ×]

[07~12] 다음 빈칸에 알맞은 말을 쓰시오.

07 이 작품은 안동 하회 지방에서 연행된 ㄱㅁㄱ이다.

08 별신굿은 마을의 안녕과 풍농을 기원하던 마을굿으로 ㅈㅇㅈ 성격을 드러낸다.

09 양반과 선비가 나누는 대화는 ㅇㅇㅇㅎ를 통해 작품의 해학적인 성격을 부각한다.

10 ㅅㅅ는 인물들이 춤을 출 때 악기를 연주하여 작품의 흥을 돋우는 역할을 한다.

11 초랭이는 준언어적 표현으로 자신의 ㅅㄱ에 불만을 표출한다.

12 양반과 선비가 어울려 노는 ㅊ은 다툼에서 화합으로 극의 분위기가 전환되었음을 보여 주는 역할을 한다.

하회 별신굿 탈놀이

- **갈래**: 가면극(탈춤) 대본
- **성격**: 해학적, 풍자적, 서민적
- **배경**: 시간–조선 후기 / 공간–경상북도 안동 하회 마을
- **주제**: 양반의 무지와 허위의식 풍자
- **특징**: ① 직설적이고 원초적인 언어의 사용으로 해학성이 뛰어남.
  ② 춤과 악공의 연주가 함께 어우러져 극이 진행됨.
  ③ 초랭이 등과 같은 민중적 인물을 등장시켜 양반을 비판하고 조롱하는 역할을 하도록 함.
- **구조**

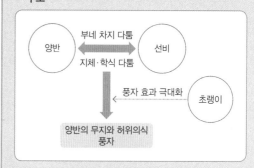

한 걸음 더

「하회 별신굿 탈놀이」의 양반 풍자 방식

- **가면에 의한 풍자**: 주로 양반의 가면(탈)은 기형적이고 이지러진 모습으로 나타난다. 이를 통해 양반의 위선적이고 이지러진 내면을 풍자하는 효과를 준다.
- **언행에 의한 풍자**: 겉으로는 체면을 중시하고 학식을 뽐내고자 하면서도 실제 언행에서는 무지를 드러냄으로써 양반의 허위의식이 드러나며 스스로 풍자의 대상이 된다.
- **다른 인물에 의한 풍자**: 초랭이, 할미, 백정, 말뚝이 등이 양반 스스로 자신의 위선과 어리석음을 드러내도록 유도함으로써 양반이 풍자의 대상이 되도록 한다.

01

윗글을 읽고 다음과 같이 광고 문구를 만들려고 할 때, ⓐ에 들어갈 말로 적절하지 <u>않은</u> 것은?

하회 별신굿 탈놀이의 세계로 여러분을 초대합니다.

ⓐ

마음껏 즐겨 보세요.
– 하회 별신굿 탈놀이 보존회 –

① 춤과 노래가 어울려 펼쳐지는 흥겨운 가면극
② 양반들의 허위에 대한 신랄하고 유쾌한 풍자
③ 다채로운 인물들이 펼쳐 보이는 구수한 입담
④ 구수한 경상도 사투리가 빚어내는 해학의 향연
⑤ 권위적인 시대에 대한 진지한 성찰과 대안의 모색

02

윗글의 인물에 대한 설명으로 적절하지 <u>않은</u> 것은?

① **초랭이**: 양반의 하인으로 익살스러운 행동을 통해 해학적인 분위기를 연출한다.
② **부네**: 양반과 선비 사이를 오가면서 두 사람 사이의 갈등을 유발한다.
③ **상쇠**: 악기의 연주를 통해 인물의 행동이 시작하고 멈추어야 하는 시점을 알려 준다.
④ **양반**: 초랭이가 시키는 대로 선비를 속여 부네를 한동안 독차지한다.
⑤ **선비**: 지체와 학식에 있어 양반보다 자신이 우위에 있음을 뽐내고 싶어 한다.

03

[A]에 나타난 '선비'의 말하기 발상과 가장 유사한 것은?

① 대학에 단번에 합격하는 꿈은 재수(再修) 없는 꿈이다.
② 신 것을 그렇게 먹고 애를 낳으면 애가 시큰둥하여 쓰겠니?
③ 우리 집에 무슨 장이 없다니 시방 여기 보이는 닭장은 장 아닌가?
④ 요즘 같은 세상에 남자 친구가 돌아오기를 기다리다니 넌 열녀(烈女)보다 더한 백녀(百女)다.
⑤ 사시절 소식이 단절하고, 도련님은 박절히 가시니 속절없는 이 내 정절 수절할 때 어느 때나 파절할꼬.

04

윗글을 이용하여 공연을 하려고 할 때, ㉠~㉤에 대한 연출가의 지시 사항으로 적절하지 <u>않은</u> 것은?

① ㉠에서 부네는 아름다운 자태를 뽐내듯이 춤을 추어 양반과 선비를 유혹하고 있음이 드러나도록 하세요.
② ㉡에서 양반은 초랭이의 말을 귀담아듣는 모습을 연기하여 초랭이의 의도를 알아차리지 못하고 있음이 나타나도록 하세요.
③ ㉢에서 선비는 무대와 객석을 오가며 무대와 객석의 경계가 불분명한 가면극의 특성을 잘 활용하세요.
④ ㉣에서 초랭이는 선비의 편을 들어서 양반을 곤경에 빠뜨리고자 하는 의도가 드러나도록 하세요.
⑤ ㉤에서 악공은 명랑하고 경쾌한 분위기의 가락을 연주하여 음악이 극의 분위기와 잘 어울리도록 하세요.

05

〈보기〉를 참고하여 윗글을 이해한 내용으로 적절하지 <u>않은</u> 것은?

┤보기├

　'하회 별신굿 탈놀이'라는 명칭에는 지역성과 제의성, 민중성이 드러나 있다. 지역성은 작품이 연행되는 공간에 대해 말해 주는 것이며, 제의성은 신에게 제사를 지내는 의식의 성격을 보여 주는 것이다. 민중성은 작품이 담고 있는 지배 계층에 대한 풍자적 내용과 연결된다. 「하회 별신굿 탈놀이」는 이 세 가지 특성이 융합되어 민중 모두가 참여하는 대동적 축제로서 의미와 가치를 지닌다.

① '하회'라는 특정 지역을 명시한 것은 작품의 연행 공간을 나타낸 것이라고 할 수 있겠군.
② 탈을 쓰고 연행하는 것은 탈을 통해 민중의 풍자적 목소리를 자유롭게 드러내고자 한 것이겠군.
③ 극 중 인물들이 갈등을 멈추고 다 같이 춤을 추는 것은 대동적 축제로서 의미를 부각하기 위한 것이겠군.
④ 극이 진행되는 과정에서 상쇠를 등장시킨 것은 마을 사람들이 주도하는 굿의 의식을 보여 주기 위한 것이겠군.
⑤ 장단을 통해 음악적 효과를 배가하고 인물의 행동을 희화화하는 것은 축제로서의 요소를 강화하는 것이라고 할 수 있겠군.

06

윗글에서 핵심적인 풍자의 대상이 무엇인지 쓰시오.

_____

_____

07

윗글에 나타난 갈등의 양상을 〈보기〉와 같이 정리할 때, ㉮~㉰에 대한 설명으로 적절하지 <u>않은</u> 것은?

┤보기├

양반과 선비의 갈등		
㉮	㉯	㉰
부네를 서로 차지하기 위한 갈등	지체의 우열을 따지는 갈등	학식의 우열을 다투는 갈등

① 초랭이의 계략에 의해 ㉮가 심화되었다고 볼 수 있겠군.
② 양반과 선비 사이를 오가는 부네의 행동은 ㉮의 긴장감을 고조하겠군.
③ ㉮로 인한 두 사람 사이의 대립이 ㉯와 ㉰로 계속 이어졌다고 볼 수 있겠군.
④ ㉯와 ㉰에서 양반과 선비의 대화 내용은 자신들 스스로를 풍자의 대상이 되도록 만들고 있군.
⑤ 고조된 분위기가 초랭이의 중재로 ㉰에서 급속히 전환되면서 두 인물 사이의 갈등이 해소될 수 있었군.

08

윗글에 나타난 '초랭이'의 행동에 주목하여 '초랭이'의 극 중 역할에 대해 서술하시오.

_____

_____

복합은

다른 작품과 묶여서

출제되는 **문학 복합**과,

작품과 관련된 **문학 이론**이 함께 제시되는

비문학 복합으로 나뉩니다.

고전 산문 복합 지문은

각각의 작품들을 모두 아우르는

주제 의식이나 **발상**의 공통점이 있고,

이론에서 설명하는 부분이

고전 산문 작품에 **실제**로 드러납니다.

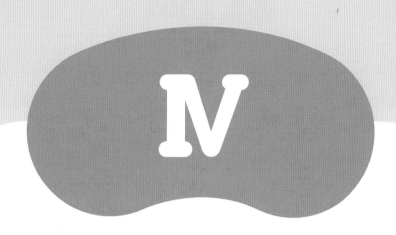

복합

금령전(金鈴傳) | 심청전(沈淸傳)

출제 포인트 › #기이성(奇異性)의 양상 #위기 극복 과정 #설화 모티프 #여성 인물의 행적상 특징

㉮ **[앞부분의 줄거리]** 장원의 아들 해룡은 피난길에 부모와 헤어지고 도적인 장삼이 해룡을 업고 자신의 집으로 데려가 키운다. 해룡은 장삼의 아내 변 씨에게 학대를 당한다.**①** 변 씨는 해룡을 없앨 계략으로 구호동에 있는 밭을 일구어 기울어진 가산을 일으키고 해룡의 결혼도 준비하자고 부탁한다.**②**

해룡이 흔연히 허락하고 이에 장기를 거두어 가지고 가려 하거늘, 변 씨가 짐짓 말리는 체하니 생이 웃고 말하기를,

"인명(人命)은 재천(在天)이니, 어찌 짐승에게 해를 보리오."

하고 표연히 떠나가니 변 씨가 밖에 나와 말하기를,

"속히 잘 다녀오라."

하고 당부하더라.**③** 해룡이 대답하고 구호동에 들어가니, ㉠사면이 절벽이요, 그 사이에 작은 길이 있는데 초목이 가장 무성하였으매, 등라를 붙들고 들어가니 다만 호표(虎豹) 시랑(豺狼)의 자취뿐이요 인적은 아주 없었으니,**④** 해룡이 조금도 두려워하지 아니하고 옷을 벗고 잠깐 쉬려니 날이 서산에 저물고자 하거늘 밭을 두어 이랑 갈 때 홀연히 바람이 일고 모래가 날리며 ㉡문득 산상으로부터 갈범이 주홍과 같은 입을 벌리고 달려들매, 해룡이 정신을 진정하여 대항코자 할 때, 서편에서 또다시 큰 호랑이가 벽력같은 소리를 지르면서 달려드는 것이니, 해룡이 정히 위태하더라.**⑤**

이때 홀연히 등 뒤로부터 금방울이 내달아 한 번씩 받아 버리니 그 범이 소리를 지르고 달아나거늘 방울이 나는 듯이 연하여 받으니, 두 범이 모두 거꾸러지는 것이었으니, 해룡이 달려들어 두 범을 죽이고 본즉 방울이 번개같이 굴러다니며 한 시각이 되지 못하여 그 넓은 밭을 다 갈더라.**⑥**

[중략 부분의 줄거리] 금선 공주가 요괴에게 납치되자 황제는 공주를 구한 자에게 천하의 반을 주겠다고 한다. 집을 떠났던 해룡은 공주를 구하러 가던 중 '금선수부'에서 갑작스러운 짐승의 공격을 받게 되는데, 이를 막던 금방울이 짐승에게 먹힌다. 이후 해룡은 짐승의 포로로 잡혀 있는 여인들을 만나게 된다.

"그대들은 놀라지 말라. 내 여기 들어옴이 다른 일이 아니라 악귀를 없애고자 들어왔으니 아무 의심을 두지 말고 그 악귀 있는 곳을 자세히 가리키라."

하니 그 계집들이 이 말을 듣고 공주 낭랑의 몽사(夢事)를 생각하매, 신기하기 그지없는지라.**⑦** 여러 계집들이 나아가 울며 말하기를,

"그대 덕분에 우리들을 살려 내어 공주 낭랑과 모두 살아서 각각 고향으로 돌아가게 되면 어찌 이런 덕택이 있겠습니까?"

하고 해룡을 인도하여 들어가니, 중문은 첩첩하고 전각은 의의하여 반공에 솟았는데, 몸을 숨기어 가만히 들어가니 한 곳에 흉악하게 신음하고 앓는 소리에 전각이 움직일 듯하니라. 해룡이 뛰어 올라가 보니, 그 짐승이 전각에 누워 앓다가 문득 사람을 보고 일어나려 하다가 도로 자빠지며 배를 움직이고 온몸을 뒤틀어 움직이지 못하고 입으로 피를 무수히 토하고 거꾸러지더라.**⑧**

Step 1 포인트 분석

㉮ **작자 미상, 「금령전」**

제목의 의미
'금령'은 '금방울'이다. 주인공 금방울의 이름을 제목으로 삼고 있는 작품으로, 금방울의 적극적이고 영웅적인 활약을 바탕으로 한 서사 전개가 핵심을 이룬다.

배경
④사면이 절벽이요,~아주 없었으니, **⑤**날이 서산에~정히 위태하더라.
➡ 구호동의 어둡고 음산한 분위기를 배경으로 제시하여 해룡이 처한 위기를 나타냄.

인물
①장원의 아들~학대를 당한다.
➡ 남자 주인공 해룡이 부모와의 이별, 주변 인물에 의한 학대라는 고난을 겪음.
②변 씨는 해룡을~준비하자고 부탁한다.
➡ 변 씨는 겉으로는 해룡을 위하는 척하지만 속으로는 해룡을 죽일 계략을 꾸미는 악인임.
⑥이때 홀연히~밭을 다 갈더라.
➡ 금방울의 영웅적 활약상이 나타남.

사건
③"인명은 재천이니,~하고 당부하더라.
➡ 변 씨의 계략에 빠지는 해룡: 해룡은 변 씨의 계략을 알지 못한 채 떠나고 있고, 변 씨는 거짓된 태도로 해룡을 보냄.
⑤날이 서산에~정히 위태하더라.
➡ 위기에 처한 해룡: 해룡에게 위기가 찾아오는 상황이 드러남.
⑥이때 홀연히~밭을 다 갈더라.
➡ 금방울의 조력: 해룡이 위기를 모면하고, 부당하게 주어진 과업이 금방울에 의해 해결됨.
⑧문득 사람을~토하고 거꾸러지더라.
➡ 금방울로 인해 고통스러워하는 짐승: 해룡이 짐승을 처단할 환경을 만들어 줌.

구성
⑥이때 홀연히~밭을 다 갈더라.
➡ 우연성과 전기성: '홀연히'에 우연성이, 금방울의 행적에 전기성이 드러남.

서술
⑤날이 서산에~정히 위태하더라.
➡ 구체적 묘사와 직접 제시: 해룡이 처한 위기 상황을 구체적 묘사와 직접 제시를 통해 나타냄.
⑦그 계집들이~신기하기 그지없는지라.
➡ 전지적 작가 시점: 여인들의 심리를 서술자가 직접 제시함.

ⓒ 해룡이 이 형상을 보고 하수코자* 하나 빈손으로 몸에 촌철이 없어 할 수 없이 방황하는데, 그때 한 미인이 칠보 홍군으로 몸도 가볍게 걸어오며, 벽상에 걸린 보검(寶劍)을 가져다가 급히 해룡에게 주는 것이매, 해룡이 즉시 그 보검을 받아 들고 달려들어 그 요괴의 가슴을 무수히 찌르고 보니, 그 짐승이 그제야 죽어 늘어지는지라.❾ 자세히 보니 금터럭 돋친 암톹*이어늘, 가슴을 헤치고 본즉 금령*이 굴러 나오니,❿ 해룡이 크게 반기며 소리를 질러 말하기를,

"너희 수십 명이 필경 다 요괴로 변하여 사람을 속임이 아니냐?"

하니 모든 여자가 일시에 꿇어앉아,

"우리는 하나도 요괴가 아니오. 우리 팔자가 기구하여 그릇 이놈의 요괴에게 잡혀 와서 험악한 욕을 보고 수하에 있어 사환이 되어 이처럼 부지하여 죽도 살도 못하고 어느 때를 만나야 다시 세상을 볼고 하여, 이곳에 어찌할 수 없어 억류되어 있는 급한 목숨들이로소이다.⓫ 아까 공자께 보검을 드리던 분이 곧 천자의 외따님이시며, 금선 공주 낭랑이로소이다."

– 작자 미상, 「금령전」

• **하수코자**: 손을 대어 죽이고자.
• **암톹**: 암퇘지.
• **금령**: 금방울.

사건
❾ 해룡이 즉시~죽어 늘어지는지라.
→ 요괴를 무찌른 해룡: 요괴를 금방울이 직접 죽이지 않고 해룡으로 하여금 죽게 만든다는 점에서 작품이 지닌 여성 의식의 한계가 드러남.
❿ 가슴을 헤치고~굴러 나오니,
→ 금방울의 신비한 면모와 등장: 짐승에게 잡아먹히고도 살아남은 금방울의 신비한 면모와 짐승을 죽이는 데에 있어 금방울이 활약했음에 개연성을 부여함.

서술
⓫ "우리는 하나도~급한 목숨들이로소이다.
→ 요약적 제시: 인물들의 말을 통해 여인들이 짐승에게 잡혀 와 현재까지 지낸 내력이 요약적으로 제시됨.

나 하루는 옥황상제께서 사해용왕에게 말씀을 전하시기를,

"심 소저 혼약할 기한이 가까우니, 인당수로 돌려보내어 **좋은 때**를 잃지 말게 하라."

분부가 지엄하시니 사해용왕이 명을 듣고 심 소저를 보내실 제,❶ 큰 **꽃송이**에 넣고 두 시녀를 곁에서 모시게 하여 아침저녁 먹을 것과 **비단 보배**를 많이 넣고 옥 화분에 고이 담아 인당수로 보내었다. 이때 사해용왕이 친히 나와 전송하고 각궁 시녀와 여덟 선녀가 여쭙기를,

"소저는 인간 세상에 나아가서 부귀와 영광으로 만만세를 즐기소서."❷

소저 대답하기를,

"여러 왕의 덕을 입어 죽을 몸이 다시 살아 세상에 나가오니 은혜를 잊을 수가 없습니다. 모든 시녀들과도 정이 깊어 떠나기 섭섭하오나 **이승과 저승의 길**이 다르기에 이별하고 가기는 하지마는 수궁의 귀하신 몸 내내 평안하옵소서."❸

ⓔ 하직하고 돌아서니, 순식간에 꿈같이 인당수에 번듯 떠서 뚜렷이 수면을 영롱케 하니 천신의 조화요 용왕의 신령이었다.❹ 바람이 분들 끄떡하며 비가 온들 떠내려갈소냐.❺ 오색 무지개가 꽃봉 속에 어리어 둥덩실 떠 있을 적에, 남경 갔던 뱃사람들이 억십만 금 이문을 내어 고국으로 돌아오다가 인당수에 다다라서 배를 매고 제물을 깨끗이 차려 용왕에게 제를 지내면서 비는 말이,

"우리 일행 수십 명 몸에 재액을 막아 주시고 소망을 뜻한 대로 이루어 주셔서 용왕님의 넓으신 덕택을 한 잔 술로 정성을 드리오니, 어여삐 보셔서 이 제물을 받아 주시옵소서."

하고 제를 올린 뒤에 제물을 다시 차려 심 소저의 혼을 불러 슬픈 말로 위로한다.

나 작자 미상, 「심청전」

제목의 의미
주인공 '심청'의 이름을 제목으로 삼고 있는 작품으로, 아버지에 대한 효를 바탕으로 자신을 희생하고 환생을 통해 행복한 결말에 이른다는 서사 전개가 핵심을 이룬다.

배경
❹ 하직하고 돌아서니,~용왕의 신령이었다.
→ '인당수'가 아버지를 위한 심청의 '효'를 보여 주는 동시에 그에 따른 인과응보로 환생하는 공간임을 알 수 있음.

인물
❶ 옥황상제께서~심 소저를 보내실 제,
→ 심청이 혼인할 것을 이미 알고 그에 따른 조치를 취하게 하는 옥황상제의 비범한 면모가 나타남.
❷ "소저는 인간~만만세를 즐기소서."
→ 시녀와 선녀 들이 환생 후에 심청에게 일어날 일을 암시함.
❸ "여러 왕의~내내 평안하옵소서."
→ 환생하게 해 주는 것을 은혜로 여기며 감사함을 드러내는 동시에 현실 세계와 비현실 세계 사이가 엄연히 구분되어 있다고 여기는 심청의 생각을 엿볼 수 있음.

구성
❶ 옥황상제께서~심 소저를 보내실 제,
→ 비현실적, 환상적 특징: 초월적인 존재에 의해 심청의 환생이 이루어짐.

서술
❺ 바람이 분들~떠내려갈소냐.
→ 서술자의 개입: 사건 전개의 확실성을 부여하는 판단이 드러남.

"출천 효녀 심 소저는 늙으신 아버지 눈 뜨기를 위하여 젊은 나이에 죽기를 마다 않고 바닷속 외로운 혼이 되었으니 어찌 아니 가련하고 불쌍하리오. ⓐ우리 뱃사람들은 소저로 말미암아 장사에 이문을 내어 고국으로 돌아가지만 소저의 영혼이야 어느 날에 다시 돌아올까? 가다가 **도화동**에 들어가서 소저의 아버지 살았는가 여부를 알아보고 가오리다. 한 잔 술로 위로하니 만일 아시거든 영혼은 이를 받으소서."❻

ⓓ제물을 풀고 눈물을 쏟고 나서, 한곳을 바라보니 한 송이 꽃봉이 너른 바다 가운데 둥덩실 떠 있으니 뱃사람들이 괴이히 여겨 저희들끼리 의논하기를,

"아마도 심 소저의 영혼이 꽃이 되어 떴나 보다."

가까이 가서 보니 과연 심 소저가 **빠졌던** 곳이어서 마음이 감동하여 꽃을 건져 내어 놓고 보니, 크기가 수레바퀴처럼 생겼고 두세 사람이 넉넉히 앉을 만했다.

[뒷부분의 줄거리] 연꽃을 신비하게 여긴 뱃사람들은 연꽃을 천자에게 바치고, 연꽃 속에서 심청이 나오자 천자는 옥황상제가 인연을 맺어 준 것이라 여겨 심청과 혼인한다.

– 작자 미상, 「심청전」

인물
❻ "출천 효녀~이를 받으소서."
➡ 뱃사람들은 심청의 넋을 위로하며 연민을 느낌.

[전체 줄거리]
가 동해 용왕의 아들과 남해 용왕의 딸은 부부였지만 요괴의 침입으로 죽은 후 인간 세상에 장원의 아들 해룡과 막 씨의 딸 금방울로 태어난다. 해룡은 전쟁 중 부모와 헤어져 도둑 장삼의 집에서 살게 되지만 장삼의 부인 변 씨의 음해 속에서 고난을 겪고, 금방울은 막 씨를 도우며 살아간다. 요괴에게 납치된 금선 공주를 구하러 간 해룡은 위기에 처하게 되고 해룡을 대신하여 금방울이 짐승에게 먹힌다. 해룡은 요괴를 처치해 금방울을 구하고 공주와 결혼하여 부마가 된다. 이후 금방울은 허물을 벗고 아름다운 여인이 되고 해룡과 혼인하여 부귀영화를 누리다 신선으로 승천한다.

나 심 봉사의 딸 심청은 아버지를 극진히 봉양하던 중, 몽은사의 중에게 공양미 삼백 석을 시주하면 눈을 뜰 수 있다는 말을 듣고 이를 약속한 아버지를 위해 뱃사람들에게 쌀 삼백 석을 받고 인당수 제물로 자신을 희생하며 심 봉사와 이별한다. 이후 심청은 용왕에게 구출되어 연꽃 속에 들어가 인당수로 떠오르고, 인당수를 지나던 뱃사람들은 연꽃을 신비롭게 여겨 천자에게 바친다. 연꽃 속에서 나온 심청은 천자와 혼인하여 황후가 된다. 황후가 된 심청은 아버지를 그리워하며 맹인 잔치를 열고 이에 참석한 아버지와 재회하고 심 봉사는 마침내 눈을 뜨게 된다.

한 걸음 더

「금령전」과 「심청전」에 반영된 기이성
두 작품에서는 비현실적이고 환상적인 사건 전개가 나타나는데 이를 기이성이라고 한다. 「금령전」은 「지하국 대적 퇴치 설화」를 바탕으로 요괴를 물리치는 비현실적 사건 전개가 나타난다. 또한 「심청전」은 현실적 요소가 확대되던 19세기 소설사에서 인물의 환생이라는 비현실적 사건을 다룸으로써 기이성이 서사 구성 방식의 하나로 잔존하고 있음을 확인시켜 주었다는 의미가 있다.

[01~06] 윗글에 대하여 맞으면 ○, 틀리면 ×표를 하시오.

01 (가)는 우연성에 바탕을 둔 서사 구성의 특징이 나타난다. 〔○. ×〕

02 (가)의 해룡은 변 씨의 부탁을 받고 도착한 구호동에서 두려움과 위기감을 느낀다. 〔○. ×〕

03 (가)에서는 비유적 표현을 사용하여 짐승의 위협적인 면모를 강조하여 나타내고 있다. 〔○. ×〕

04 (나)에서 옥황상제는 심청이 환생한 후에 일어날 일을 이미 알고 있었다. 〔○. ×〕

05 (나)에서 사해용왕과 달리 용궁의 시녀와 선녀 들은 심청을 업신여기며 멀리하는 모습을 보인다. 〔○. ×〕

06 (나)의 뱃사람들은 제물을 차려 인당수에 몸을 던진 심청의 혼을 위로하였다. 〔○. ×〕

[07~12] 다음 빈칸에 알맞은 말을 쓰시오.

07 (가)는 금방울의 뛰어난 활약상을 바탕으로 사건이 전개되는 여성 ⊙⊙ ㅅㅅ 이다.

08 (가)의 변 씨에게 어울리는 한자 성어는 '겉과 속이 다르다'는 뜻의 ㅍㄹ ㅂㄷ 이다.

09 (가)에서 해룡은 ㄱㅅㅅㅂ 에서 만난 여인들을 짐승과 같은 요괴라고 의심했었다.

10 (나)에서 심청은 ㄲㅂ 속에 싸인 채 인당수에 떠올라 환생하게 된다.

11 (나)의 심청은 자신이 환생하는 데에 도움을 준 왕들의 은혜에 ㄱㅅ 함을 전하고 ㅍㅇ 을 기원하였다.

12 (가)와 (나)는 모두 비현실적, 환상적 특성에 기반을 둔 ㄱㅇㅅ 이 두드러지게 나타난다.

가 금령전
- **갈래:** 영웅 소설, 전기(傳奇) 소설
- **시점:** 전지적 작가 시점
- **성격:** 전기적, 도술적
- **배경:** 시간－명나라 초엽, 공간－장원의 집, 금선수부 등
- **주제:** 금방울의 영웅적 활약상과 고난 극복을 통한 남녀의 결합
- **특징:** ① 영웅의 일대기 구조에 따라 사건이 전개됨.
  ② 전기적 요소를 통해 주인공의 활약상을 부각함.
  ③ 「지하국 퇴치 설화」 등 설화를 차용한 내용 요소가 나타남.
- **구조**

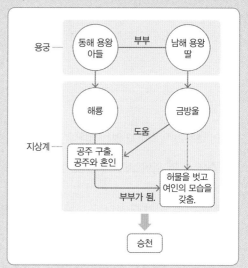

나 심청전
- **갈래:** 판소리계 소설, 설화 소설
- **시점:** 전지적 작가 시점
- **성격:** 교훈적, 환상적
- **배경:** 시간－송나라 말, 공간－도화동, 용궁 등
- **주제:** 심청의 지극한 효심과 인과응보
- **특징:** ① 설화를 모티프로 하여 '효'를 강조함.
  ② 유, 불, 도, 민간 신앙 등 다양한 사상적 배경을 바탕으로 함.
  ③ 전반부는 현실적 공간, 후반부는 환상적 공간을 배경으로 사건이 전개됨.
- **구조**

Step 3 실전 문제

01

(가)에 대한 이해로 적절하지 <u>않은</u> 것은?

① 해룡이 변 씨의 계략대로 길을 떠나는 모습에서 해룡이 겪을 고난을 예상할 수 있군.

② 해룡은 집안의 어려움을 위해 밭을 일구는 것이 필요하다고 여기는 와중에 변 씨의 부탁을 받게 되는군.

③ 해룡에게 공주를 소개하는 여인들은 짐승의 사환이 된 것이 자신들의 운명에 따른 것이라 여기고 있었군.

④ 공주가 꾸었던 꿈은 자신들을 구해 줄 존재가 나타나 현재의 고통이 해소될 것이라는 예지를 담은 것이군.

⑤ 해룡이 도착하게 되는 구호동의 날이 저무는 모습은 갈범의 등장에 따른 위기감의 고조와 호응되는 풍경이군.

02

(나)의 내용과 일치하지 <u>않는</u> 것은?

① '좋은 때'는 얼마 지나지 않아 심청과 천자가 인연을 맺게 됨을 말한다.

② '꽃송이'는 심청과 시녀가 함께 있는 곳으로 제를 올리며 슬퍼했던 뱃사람들이 재차 안타까움을 느끼게 되는 계기이다.

③ '비단 보배'는 용왕이 지배하는 세계에서 심청이 귀한 대접을 받으며 환생하게 됨을 알 수 있게 해 준다.

④ '이승과 저승의 길'은 인당수에 빠지기 전과 후의 세계가 엄연히 구별된다는 심청의 생각을 나타낸다.

⑤ '도화동'은 심청의 영혼이 아버지의 평안을 확인할 수 있게 되기를 바라는 뱃사람들의 기원과 관계되는 곳이다.

03

〈보기 1〉을 참고하여 (가)를 감상한 내용으로 적절한 것만을 〈보기 2〉에서 있는대로 고른 것은?

┤보기 1├

　　(가)에서 금방울의 비범한 능력은 당대 주요 독자였던 여성들의 흥미를 끌려는 작가의 의도가 개입된 것이라 할 수 있다. 남성 중심의 편향된 인식으로부터 여성도 강한 힘으로 남성을 이끌 수 있다는 점을 보여 주고자 한 것이다. 그러나 한편으로는 막강한 힘을 지닌 금방울이 해룡을 조력하는 정도로만 그려지고 있다는 점에서 여성 의식의 한계가 있음을 보여 주기도 한다.

┤보기 2├

ㄱ. 변 씨에게 학대를 당하던 해룡이 구호동에 이르게 되는 것은 남성 중심의 편향된 인식을 해소하고자 한 작가의 의도가 반영된 것이군.

ㄴ. 금방울이 범을 물리치는 것은 해룡을 돕는 금방울의 비범한 능력을 바탕으로 여성 독자들의 흥미를 자극하고자 한 것이군.

ㄷ. 해룡이 요괴를 처치하게 된다는 것은 당면한 위기를 극복하는 과정에서 여성 의식의 한계를 보여 주는 것이군.

ㄹ. 짐승이 피를 토하며 거꾸러지는 것은 금방울의 활약이 남성과 조화를 이룰 때 막강한 힘을 지님을 보여 주는 것이군.

① ㄱ, ㄴ　② ㄱ, ㄷ　③ ㄴ, ㄷ　④ ㄴ, ㄹ　⑤ ㄷ, ㄹ

04

윗글의 ㉠~㉤에 대한 이해로 적절하지 <u>않은</u> 것은?

① ㉠: 열거의 방법을 바탕으로 부여된 공간적 배경의 속성에 위축되지 않고 행동하는 인물의 모습을 드러내고 있다.

② ㉡: 비유적 표현을 사용하여 인물이 처한 위기의 정도가 고조되는 상황임을 부각하고 있다.

③ ㉢: 새롭게 등장한 인물이 보이는 행동을 묘사하여 적대적 존재를 처단할 수 없는 어려움을 해결할 단초가 마련되고 있다.

④ ㉣: 인과적 서술을 바탕으로 인물이 보이는 특정한 행동이 새로운 세계로 진입할 수 있게 되는 계기가 됨을 밝힘으로써 초월적 힘의 작용에 있어 개연성을 높이고 있다.

⑤ ㉤: 음성 상징어를 사용하여 작중 상황의 구체성을 높이면서 그에 따른 인물들의 심리적 반응을 직접적으로 제시하고 있다.

05

고난도 기출 변형 2017학년도 3월 고3 교육청

〈보기〉를 바탕으로 (가)와 (나)를 감상한 내용으로 적절하지 않은 것은?

┤ 보기 ├

　고전 소설의 '기이성(奇異性)'에서 가장 중요한 것이 비현실성이다. 비현실성은 초경험적, 환상적 특성을 바탕으로 인물의 성격이나 사건 전개에 있어 기이성을 부여하는 핵심이 되기 때문이다. 「금령전」은 기이성에 따른 인물의 특성과 사건 전개가 많이 나타난 17세기 소설 양상을 대표적으로 보여 주고 있고, 「심청전」은 현실적 요소가 확대된 19세기 소설 흐름 속에서도 기이성과 관련된 인물의 반응이나 작중 상황의 제시를 통해 기이성 형성이 극적인 사건 구성에서 여전히 유효함을 보여 주고 있다.

① (가)에서 금방울이 대신 밭을 갈아 주는 것은 해룡이 주어진 과업을 해결한다는 사건 전개에 기이성이 반영된 장면으로 볼 수 있겠군.

② (가)에서 해룡이 요괴를 무찌르고 위험에 처한 이들을 구하는 장면은 비현실적이라는 점에서 기이성이 구현된 장면으로 볼 수 있겠군.

③ (나)에서 바다에 몸을 던진 심 소저가 수궁의 도움을 받게 되는 것은 지극한 효성을 지닌 인물의 비현실적 경험이라는 점에서 기이성이 반영된 장면으로 볼 수 있겠군.

④ (나)에서 꽃봉을 보고 뱃사람들이 보이는 반응은 기이성에 따른 사건을 예상치 못하고 있다는 점에서 극적 사건의 전개로서의 의미를 부각하는 장면으로 볼 수 있겠군.

⑤ (나)에서 뱃사람들이 제를 올리자 꽃봉을 통해 심청이 인당수에 환생하게 되는 것은 현실적 요소가 가미된 기이성의 반영 양상을 확인할 수 있는 장면으로 볼 수 있겠군.

06

고난도

[A]와 〈보기〉를 비교하여 이해한 내용으로 가장 적절한 것은?

┤ 보기 ├

　북을 두리둥둥, 울리면서 슬픈 말로 제 지낼 적, 넋이야 넋이로다. 이 넋이 뉘 넋이야. 오장원에 낙상하던, 공명의 넋도 아니요. 삼년 무우 간에 초혜왕의 넋도 아니요. 부친 눈을 뜨라 하고, 삼백 석에 몸이 팔려, 인당수 제수 되신, 심 낭자의 넋이로구나. 넋이라도 오셨거든, 많이 흠향을 하옵소서. 제물을 물에 풀고, 눈물 씻고 바라보니, 무엇이 떠 있는데, 세상에 못 본 바라. 도사공이 하는 말이, 저것이 무엇이냐. 저것이 금이냐. 금이란 말씀 당치 않소, 옛날 진평이가, 범아부를 잡으려고 황금 사만금을, 초진중에 흩었으니, 금이 어이 되오리까. 그러면 그게 옥이냐. 옥이란 말이 당치 않소. 옥출곤강 아니어든, 옥 한쪽이 있소리까. 그러면 그게 해당화냐. 해당화란 말이 당치 않소. 명사십리 아니어든, 해당화 어이 되오리까.

－ 작자 미상, 「심청가」 중에서

① [A]는 〈보기〉와 달리, 높임의 표현을 사용하여 심청을 위하는 뱃사람들의 마음을 드러내고 있군.

② 〈보기〉는 [A]와 달리, 아버지에 대한 효심이 담긴 심청의 일화를 장황하게 열거하여 내용을 구성하고 있군.

③ 〈보기〉는 [A]와 달리, 단정적인 표현을 사용하여 꽃봉의 정체에 대해 논의하는 뱃사람들의 모습을 담고 있군.

④ [A]와 〈보기〉는 모두 뱃사람들이 심청의 안위와 관련된 안부를 묻는 모습이 나타나 있군.

⑤ [A]와 〈보기〉는 모두 꽃봉에 대한 뱃사람들의 의논이 역사적 인물과 연관지어 이루어지고 있음을 보여 주고 있군.

07

서술형

(나)의 ⓐ를 통해 알 수 있는 '민간 신앙'의 내용과 뱃사람들의 심리를 서술하시오.

_____

_____

46강

비문학백점

🔵 신라 시대
🔴 조선 전기

우리나라 전기(傳奇) 소설 | 김현감호 | 이생규장전

출제 포인트 › #전기 소설의 특징 #전기 소설 주인공의 특질 #기이한 사건 #비극적 종결

가 우리나라 전기 소설(傳奇小說)은 중국의 전기(傳奇)와 우리의 설화 등 다양한 서사 갈래의 영향을 받아 성립했다. 중국의 전기는 기이한 사건을 다채로운 문체로 엮은 서사 양식이다. 이는 당나라 문인들이 자신의 글솜씨가 담긴 작품집을 출세의 수단으로 삼았던 관습에서 유래했다. 기이한 사건은 흥미를 끌기 위한 소재로만 쓰여서, 서사 구조가 유기적*이지 못했고 결말의 양상도 다양했다. 이에 비하면 우리의 전기 소설에서 기이한 사건은 작가의 불우함을 위로하기 위한 창작 동기에 걸맞게 유기적으로 짜였다. 작가의 분신으로서 불우한* 처지에 놓인 전기 소설의 남주인공은 기이한 사건을 겪으면서 자신의 능력을 인정받고 위로받지만, 결국 ⓐ비극적 종결을 맞이하는 전형성을 보인다. 이처럼 우리의 전기 소설은 중국 전기의 영향을 받아 기이한 사건을 다루면서도, 비극적 종결을 통해 전기와 구별되는 독자성을 보인다.❶

우리 전기 소설의 성립에는 민담과 전설 등 설화도 영향을 끼쳤다. 구전되던 설화를 기록하면서 작가의 역량이 발휘되었고, 이 과정에서 새로운 유형의 인물이 등장하여 전기 소설의 갈래적 성격을 드러내었다.❷ 전기 소설 주인공의 특질은 다음과 같다. 첫째는 **외로움**이다. 주인공은 사회적으로 소외된 존재이거나 짝을 얻지 못한 상태에서 실의에 빠져 있는 존재이다. 외로운 주인공은 현실에서의 소외를 부당하다고 느껴 온갖 금기를 넘어선 사랑을 하거나 용궁과 같은 이계(異界)에 가기를 주저하지 않는다. 둘째는 내면성이다. 주인공은 풍부한 감성을 지녀서 외로움을 토로하거나 시를 자주 짓고 시를 통해 자신의 능력을 인정받거나 서로 소외감을 나누고 싶어 한다. 셋째는 **소극성**이다. 남주인공은 소심하고 나약한 존재로서 자신으로서는 받아들이기 어려운 상황이나 모순된 현실에 대해 적극적으로 저항하지는 않는다. 사랑에 몰두하거나 세상을 등지는 등 세상과 소통하지 않으려는 **폐쇄성**을 통해 모순된 현실에 대한 비극적 인식을 보여 줄 뿐이다.❸ 이처럼 전기 소설의 주인공은 서사 문학사에서 새로운 인물이었다. 이런 주인공을 내세운 작품들은 설화로부터 분기되어 '소설'로 접근하게 되었고 동시에 다른 작품들과 달리 '전기 소설'로 구분되었다.❹

물론 전기 소설의 정립은 점진적으로 진행되어서, 「조신」, 「김현감호」, 「최치원」 등은 정도의 차이는 있지만 설화와 전기 소설 중 어느 한쪽만으로 갈래적 성격을 규정할 수 없는 작품들로 평가받는다. 이들 작품은 남녀의 기이한 만남과 파국*을 그린다는 점에서 전기 소설의 성격을 지녔지만, 기이한 사건으로써 환기되는 현실에 대한 이해는 전설의 성격을 띤다. 전설에서 인물은 특정한 시공간에서 현실의 문제에 부딪히지만 이것은 인간의 힘으로는 어찌할 수 없는 경이로운 세계의 일부분으로 다루어진다.❺ 가령 「김현감호」는 벼슬에 대한 김현의 간절함에 부처가 감동하여 범의 희생으로 응답하고, 김현이 이를 기린다는 이야기이다. ㉠개인의 욕망을 포용하는 부처의 전능함을 형상화

Step 1 포인트 분석

가 「우리나라 전기(傳奇) 소설」

이 글은 우리나라 전기 소설의 정립 과정을 설명하면서 전기 소설의 특징을 서술하고 있다.

❶ 우리의 전기 소설은~독자성을 보인다.
→ 우리 전기 소설과 중국 전기의 공통점: 우리 전기 소설은 중국 전기의 영향을 받아 '기이한 사건'을 다룸.
→ 우리 전기 소설과 중국 전기의 차이점: 중국 전기는 기이한 사건이 흥미를 끌기 위한 소재로만 쓰여 짜임이 유기적이지 않고 결말이 다양하지만, 우리 전기 소설은 기이한 사건이 유기적으로 짜여 있으며 비극적 종결을 통해 독자성을 지님.

❷ 구전되던 설화를~성격을 드러내었다.

❹ 전기 소설의 주인공은~구분되었다.
→ 전기 소설이 설화로부터 받은 영향:
① 설화가 전기 소설의 인물 유형의 바탕이 되었음.
② 설화의 기록 과정에서 작가의 역량이 발휘되어 새로운 유형의 인물이 등장하게 되었음.
③ 이 유형의 인물을 주인공으로 내세운 작품들이 기존의 설화와 분리되어 전기 소설로 구분되었음.

❸ 전기 소설 주인공의~보여 줄 뿐이다.
→ 전기 소설 주인공의 특질
① 사회적으로 소외되거나 짝이 없는 존재로 '외로움'을 지녔음.
② 풍부한 감성을 지녀 자신의 외로움, 소외감 같은 감정을 토로하거나 시로써 내보이려는 '내면성'을 지녔음.
③ 현실에 적극적으로 저항하지 않는 '소극성'을 지녔음.

❺ 이들 작품은~일부분으로 다루어진다.
→ 과도기적 작품이 지닌 전기 소설의 이중적 성격
① 기이한 사건과 비극적 종결의 요소를 갖추었다는 점에서는 전기 소설의 성격을 띤다고 할 수 있음.
② 현실의 문제를 인간의 힘으로 어찌할 수 없는 것으로 이해하고 있다는 점에서는 전설의 성격을 띤다고 할 수 있음.

한 것이다. 전설과 달리 소설에서 인물은 구체적인 사회 현실에서 현실의 문제에 부딪히고 갈등함으로써 인간과 세계는 서로 맞서는 관계로 다루어진다. 가령 「이생규장전」은 사랑하는 남녀가 전쟁 때문에 이별했다가 기이한 방식으로 다시 결연하지만 결국 비극적으로 종결되는 이야기이다. ㉮생사를 초월한 사랑을 통해 개인과 세계의 갈등 관계를 형상화한 것이다. / 전기 소설은 『금오신화』를 통해 소설사에 안착했고, 『금오신화』는 현실의 문제를 드러내는 ㉡다양한 소설적 면모를 보였다. 그리고 이는 후대로 계승되었다. 사대부 남성이 이계를 체험하고 돌아오는 구도는 몽유록 소설로, 이원적 공간 구도는 적강한 영웅의 일생을 다룬 영웅 소설로 계승되었다. 금기에 도전하는 애정 추구의 구도와 능동적인 여인상 그리고 애정 교류의 매개로써의 시의 활용은 애정 소설로 이어졌다.❻ 이렇게 보면 전기 소설은 우리나라 최초의 소설 양식인 것이다.

- **유기적**: 생물체처럼 전체를 구성하고 있는 각 부분이 서로 밀접하게 관련을 가지고 있어서 떼어 낼 수 없는.
- **불우한**: 재능이나 포부를 가지고 있으면서도 때를 만나지 못하여 불운한.
- **파국**: 일이나 사태가 잘못되어 결단이 남. 또는 그 판국.

나 김현이 말하기를, "사람과 사람의 사귐은 인륜의 도리이지만 다른 유와 사귀는 것은 대개 정상이 아닙니다. 이미 조용히 만난 것은 진실로 천행이라고 할 것인데, 어찌 차마 배필의 죽음을 팔아서 일생의 벼슬을 바랄 수 있겠소?"라고 하였다.❶

처녀가 말하기를, "낭군은 그런 말 마십시오. 지금 제가 일찍 죽는 것은 천명이며, 또한 저의 소원이요, **낭군의 경사**요, 우리 일족의 복이요, 나라 사람들의 기쁨입니다. 한 번 죽어 다섯 이로움이 갖춰지니 어떻게 그것을 어길 수 있겠습니까? 다만 저를 위하여 절을 짓고 불경을 강하여 불법(佛法)을 얻도록 도와주시면 낭군의 은혜는 더없이 클 것입니다."❷라고 하였다.

드디어 서로 울면서 헤어졌다.

다음 날 과연 **사나운 범**이 성안으로 들어왔는데, 매우 사나워 감당할 수가 없었다.❸ 원성왕이 이 소식을 듣고 범을 잡은 자에게는 벼슬 2급을 주라고 하였다. 김현이 대궐로 들어가서, "소신이 **잡을 수 있습니다**."라고 아뢰자, 임금이 우선 **벼슬을 주어** 그를 격려하였다. 김현이 단도를 지니고 숲속으로 들어갔다. 범이 **처녀로 변하여 반갑게 웃**으면서, "간밤에 낭군과 함께 마음속 깊이 정을 맺던 일을 잊지 마십시오. 오늘 내 발톱에 상처를 입은 사람들은 모두 흥륜사의 간장을 바르고 그 절의 나발 소리를 들으면 나을 것입니다."라고 하였다.❹

이에 처녀가 김현의 칼을 뽑아 스스로 목을 찔러 쓰러지니 곧 범이었다.❺ 김현이 숲속에서 나와, "지금 범을 쉽게 잡았다."라고 소리쳤다. 그 사정은 누설하지 않았다. 일러 준 대로 상한 사람들을 치료하니 그 상처가 모두 나았다. 지금도 세간에서는 그 방법을 쓰고 있다.

김현은 등용된 뒤 서천(西川)에 절을 세워 호원사(虎願寺)라고 하고 항상 『범망경』을 강설하여 범의 저승길을 인도하고, 범이 제 몸을 죽여서 자기를 성공시켜 준 은혜에 보답하였다.❻

― 작자 미상, 「김현감호(金現感虎)」

---

❻사대부 남성이~애정 소설로 이어졌다.
→ 전기 소설이 후대의 소설에 미친 영향: 전기 소설이 후대의 몽유록 소설, 영웅 소설, 애정 소설 등의 발전에 영향을 주었음.

나 작자 미상, 「김현감호」

제목의 의미
'김현감호'는 '김현이 호랑이를 감동시키다'라는 뜻으로, 김현의 정성스러운 탑돌이에 감동한 부처가 호랑이 처녀로 나타나 소원을 이루어 준다는 이야기를 담고 있다.

인물
❶김현이 말하기를,~라고 하였다.
→ 김현은 호랑이 처녀와 맺은 인연을 중시하며, 낭군으로서 배필의 죽음을 원하지 않고 있음.
❷"낭군은 그런 말~클 것입니다."
→ 처녀는 '하늘, 자신, 김현, 일족, 사람들'의 이로움을 근거로 김현에게 자신을 죽일 것을 설득하고, 절을 지어 불법을 얻게 해 달라고 부탁하는 자기희생적이고 운명에 순응적인 면모를 보임.
❹"간밤에 낭군과~라고 하였다.
→ 처녀는 성안의 사람들을 해칠 의도를 갖고 있지 않았음. 자신에 의해 다친 사람들의 상처를 낫게 할 방도를 알려 줌.

사건
❸다음 날~감당할 수가 없었다.
→ 호랑이의 출현: 처녀가 예고한 대로 호랑이가 되어 나타남. 호랑이가 처녀로 변했다가 다시 호랑이로 나타나는 것은 사건의 기이성을 보여 줌.
❺이에 처녀가~곧 범이었다.
→ 비극적 종결: 처녀가 김현의 칼로 자결함. 이와 같이 비극적인 사건을 통해 이야기가 종결되는 것은 전기 소설의 전형적인 특성임.

서술
❻김현은 등용된 뒤~은혜에 보답하였다.
→ 후일담: 김현이 처녀를 위해 절을 세우고 은혜에 보답한 경과에 대한 설명을 덧붙인 것임. 이와 같이 설화에서는 사건과 관련하여 그 후에 벌어진 경과를 덧붙이는 경우가 많음.

다 "장차 백년해로의 낙을 누리려 했는데 어찌 **횡액(橫厄)**˚을 만나 **구렁에** 넘어질 줄 알았겠습니까? 이리 같은 놈들에게 정조를 잃지는 않았으나, 육체는 진흙탕에서 찢겼사옵니다. 절개는 중하고 목숨은 가벼워 해골은 들판에 던져졌으나, 혼백을 의탁할 곳이 없었습니다.❶ 가만히 옛일을 생각하면 원통한들 어찌하겠습니까? 당신과 그날 **깊은 산골짜기에서** 헤어진 뒤 속절없이 **짝 잃은 새가** 되었던 것입니다. 이제 저의 **환신**은 이승에 돌아와 **남은 인연**을 맺어 옛날의 **굳은 맹세**를 결코 헛되게 하지 않으려 하는데 당신 생각은 어떠십니까?"❷

이생은 매우 기뻐하고 감사히 여기며, "**그것이 원래 나의 소원이오.**"라고 대답했다.❸ 둘은 말을 주고받았다. / 이생은, "모든 가산은 어떻게 되었소?"라고 물었다.

"하나도 잃지 않고 어떤 골짜기에다 묻어 두었습니다."

"그럼 양가 부모님의 유골은 어찌 되었소?"

"하는 수 없이 어떤 곳에 그냥 내버려 두었습니다."

이야기를 마치고 함께 취침하니 **기쁜 정**은 옛날과 조금도 다를 바 없었다. 이튿날 부부는 **가산을 묻어 둔 곳을** 찾아갔다. 그곳에는 금은 몇 덩이와 약간의 재물이 있었다. 그들은 양가 부모의 유골을 거두고 금은, 재물을 팔아 각각 오관산 기슭에 합장하고는 나무를 세우고 제사를 드려 모든 예를 다 마쳤다.

그 후 이생은 벼슬을 구하지 않고 최낭과 함께 살았고, 피란 갔던 노복들도 찾아왔다. 이생은 이제 세상사를 완전히 잊은 채 친척의 길흉사에도 가 보지 않고 집에서 늘 최낭과 함께 **시를 지어 주고받**으며 즐거이 세월을 보냈다.❹ / 어느덧 몇 년이 지난 어느 날 밤에 최낭은, "**세 번 가약을 맺었건만, 세상일은 뜻대로 되지 않나 봅니다.** 즐거움도 다하기 전에 슬픈 이별이 닥쳐왔습니다."라고 말하고는 오열하였다.❺ (중략)

"나도 부인과 함께 **황천**으로 갔으면 하오. 어찌 무료히 홀로 여생을 보내겠소. 지난번에 난리를 겪어 친척들과 노복들이 뿔뿔이 흩어지고, 부모님의 유골이 들판에 버려졌을 때, 부인이 아니었더라면 누가 능히 장사를 지내 주었겠소. 옛사람 말씀에, '부모님이 살아 계실 때에 예의를 다하여 섬기고 돌아가신 뒤에 예의를 다하여 장례 지낸다.' 했는데, 부인이 이를 실천했소. 그것은 부인의 천성이 순효하고˚ 인정이 두터운 때문이니, 감격해 마지않았으며 스스로 부끄러움을 이기지 못하였소. **이승**에서 함께 오래 살다가 백 년 후에 같이 세상을 떠날 수는 없겠소?"❻

[A] 최낭은, "낭군의 수명은 아직 남아 있으나 저는 이미 저승의 명부에 이름이 올라 있어 더 이상 머물 수 없습니다.❼ 만일 제가 인간 세상을 그리워해 미련을 가지면 **저승의 법**에 위반되고, **죄**가 제게만이 아니라 낭군님께도 미칠 것입니다. 다만 제 유골이 아무 곳에 흩어져 있으니 은혜를 베풀어 유골을 거두어 비바람 맞지 않게 해 주십시오." 하였다.❽ / 두 사람은 서로 바라보며 눈물을 흘렸다.

"낭군님 부디 안녕히 계십시오." 말을 마치자 점점 사라져서 마침내 자취를 감추었다. 이생은 아내가 말한 대로 그녀의 시신을 거두어 부모의 무덤 곁에 묻어 주었다.

그 후 이생은 최낭을 지극히 생각한 나머지 병이 나서 두어 달 만에 세상을 떠났다.❾ 이 소식을 들은 사람들은 모두 슬퍼하고 탄식하면서 그들의 절개를 사모하지 않는 사람이 없었다.

‒ 김시습, 「이생규장전(李生窺牆傳)」

다 김시습, 「이생규장전」

제목의 의미

'이생규장전'은 '이생이 담장 너머를 엿본다'는 뜻으로, 이때 '담'은 '최낭 집의 담'과 '이생과 최낭의 사랑을 가로막는 장애물'의 의미를 모두 담고 있다. 이렇듯 제목에 주제와 내용을 모두 보여 준다.

인물

❷ 이제 저의~생각은 어떠십니까?"
→ 죽은 후에도 환신으로 이승에 돌아와 이생과 맺은 인연을 이어 가겠다는 것에서 최낭이 능동적 여인임을 보여 줌.

❸ 이생은 매우~라고 대답했다.
→ 이생은 죽은 아내의 환신과 인연을 이어 가는 것에 매우 기뻐하고 감사히 여기고 있음. 이와 같이 금기에 도전하는 애정 추구를 통해 이생의 아내 사랑이 크고 깊음을 알 수 있음.

사건

❶ 이리 같은~곳이 없었습니다.
→ 최낭의 죽음: 전쟁 때문에 이생과 헤어진 최낭은 정조를 지키다 끝내 홍건적의 손에 죽임을 당함.

❷ 이제 저의~생각은 어떠십니까?"
→ 최낭의 환신이 돌아옴: 최낭의 환신이 돌아오는 기이한 사건으로 전기 소설의 전형적 특성을 보여 줌.

❺ 어느덧 몇 년이~말하고는 오열하였다.
→ 최낭의 이별 통보: 최낭이 이생에게 다시 이별해야만 함을 말하고 있음. 이는 '이승'과 '저승'의 이원적 공간 구도를 바탕으로 이루어지는 것임.

❼ "낭군의 수명은~머물 수 없습니다.
→ 거부할 수 없는 이별: 수명이 남아 있는 이생과 이미 저승 명부에 최낭의 이름이 올라 있는 것은 두 사람의 이별이 거스를 수 없는 것임을 나타냄.

❾ 그 후 이생은~세상을 떠났다.
→ 이생의 죽음: 이생은 최낭이 떠난 후 병이 나서 두어 달 만에 죽음. 이는 전기 소설의 비극적 종결을 보여 줌.

갈등

❻~❽ "나도 부인과~주십시오."하였다.
→ 인간과 운명(세계)의 갈등: 이생은 이별을 거부하지만, 최낭은 저승에 돌아가야 하는 숙명에 따라야 함. 이는 전쟁이라는 부정적 세계와 개인이 갈등하는 것으로, 결국 인간과 운명 간의 갈등으로 인한 것임. 삶과 죽음이라는 운명과 인간의 사랑이 갈등하지만 결국 운명이 승리하게 됨.

서술

❹ 이야기를 마치고~세월을 보냈다.
→ 요약적 서술: 이생이 죽은 아내 최낭의 환신과 만난 후에 가산을 찾고 양가 부모의 유골을 수습하고 최낭과 함께 행복하게 산 과정을 요약적으로 서술함.

• **횡액**: 뜻밖에 닥쳐오는 불행.
• **순효하고**: 부모에게 순종하여 효도를 다하고.

[전체 줄거리]

나 신라 풍속에 따라 복을 빌며 탑돌이를 하던 김현은 처녀를 만나 정을 통하고 처녀의 집까지 쫓아간다. 그런데 처녀는 호랑이였다. 그때 처녀의 사나운 호랑이 오빠들이 돌아오고, 처녀가 김현을 숨기지만 김현은 오빠들에게 목숨을 잃을 위기에 처한다. 이때 하늘에서 호랑이들이 남의 생명을 많이 빼앗았으니 한 놈을 죽게 해 벌하겠다는 목소리가 들린다. 김현을 구하기 위해 처녀는 자신이 그 벌을 받겠으니 오빠들에게 멀리 도망치라고 말한다. 이후 처녀는 김현에게 자신이 성안에 나타나 고의로 사람들을 해칠 테니 자신을 죽이고 절을 세워 주기를 청한다. 다음 날 호랑이가 성에 나타나 사람들을 해치니 왕이 호랑이를 잡는 사람에게 2급의 벼슬을 준다고 한다. 김현이 호랑이를 잡으러 가니 호랑이가 처녀로 변한다. 처녀는 다친 사람에게 흥륜사의 간장을 바르고 나발 소리를 들려주면 다 나을 것이라고 말한 후 김현의 칼을 뽑아 스스로 목숨을 끊는다. 김현은 등용된 후 절을 짓고 호원사라고 이름을 붙여 호랑이의 은혜에 보답하였다.

다 이생이 담 너머의 최낭을 보게 되고, 두 사람은 시를 주고받으며 사랑하게 된다. 이생이 밤마다 그 집 담을 넘어 밀애를 계속하다 이생의 부모에게 들통난다. 이생의 부모는 이생을 울주로 쫓아 버리고 최낭은 상사병에 걸린다. 이 사실을 알게 된 최낭의 부모가 나서 이생과 최낭이 혼인한다. 그러나 홍건적의 난이 일어난다. 이생은 간신히 도망해 목숨을 보전했으나, 최낭은 정조를 지키다 홍건적의 손에 죽임을 당한다. 난이 평정된 후 집으로 돌아온 이생은 슬픔에 잠기는데, 죽은 아내가 환신으로 돌아와 3년 동안 행복하게 생활한다. 그러던 어느 날 최낭은 자신의 유골을 거두어 장사 지내 줄 것을 부탁하며 영원한 이별을 고한다. 이생은 최낭을 장사 지내고 이내 병들어 죽는다.

Step 2 포인트 체크

[01~09] 윗글에 대하여 맞으면 ○, 틀리면 ×표를 하시오.

01 중국의 전기는 문인들이 자신의 글솜씨를 출세의 수단으로 삼는 관습에서 유래해 기이한 사건을 다양한 문체로 서술하였다. 〔○. ×〕

02 중국의 전기에 비해 우리 전기 소설은 짜임이 유기적이며 다양한 양상으로 서사가 종결되는 특징을 지녔다. 〔○. ×〕

03 우리 전기 소설의 주인공은 시를 통해 풍부한 감성으로 외로움을 토로하는 모습을 보였다. 〔○. ×〕

04 「최치원」은 (나)와 마찬가지로 기이한 사건으로써 환기되는 현실에 대한 이해가 전설의 성격을 띤다. 〔○. ×〕

05 (나)에서 김현은 자신이 성안으로 들어온 호랑이를 잡을 수 있는 능력을 지니고 있는지 의심했다. 〔○. ×〕

06 (나)에서 김현이 사람들에게 치료법을 알려 준 것은 민간 치료의 유래담으로 볼 수 있다. 〔○. ×〕

07 (나)에서 김현은 처녀가 죽은 뒤에 그녀의 청대로 절을 짓고 불경을 강설하였다. 〔○. ×〕

08 (다)에서 이생은 죽은 최낭의 환신과 함께 사는 것에 전혀 거리낌이 없었다. 〔○. ×〕

09 (다)에서 이생은 최낭이 이승을 떠난 후 그녀의 유골을 찾지 못해 슬퍼했다. 〔○. ×〕

작품 정리

가 우리나라 전기(傳奇) 소설
- **갈래:** 비평문
- **성격:** 설명적, 논리적
- **주제:** 우리나라 전기 소설의 특징과 정립 과정
- **특징:** ① 우리나라 전기 소설을 중국의 전기와 대비하여 그 특징을 부각함.
  ② 우리나라 전기 소설의 정립에 영향을 미친 요소들을 분석적으로 설명함.
  ③ 우리나라 전기 소설 주인공의 여러 특질을 바탕으로 전기 소설의 정립 과정을 설명함.

나 김현감호
- **갈래:** 전설, 사찰 연기 설화, 변신형 설화
- **성격:** 불교적, 전기적, 환상적
- **배경:** 시간−신라 시대 / 공간−경주
- **주제:** 자기희생의 고귀한 사랑
- **특징:** ① 동물 변신 모티프가 나타남.
  ② 기이한 사건을 통해 신이하고 환상적인 요소가 나타남.
  ③ 설화와 전기 소설의 과도기적 작품으로 비극적 종결을 맞이하는 전기 소설의 전형성을 보임.
- **구조**

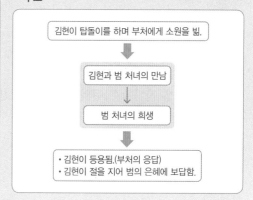

[10~14] 다음 빈칸에 알맞은 말을 쓰시오.

10 (가)에 따르면, 주인공의 외로움, ㄴㅁㅅ, ㅅㄱㅅ 등은 설화와 전기 소설을 구분하는 기준이 될 수 있다.

11 (가)에 따르면, 전기 소설 주인공이 이계(異界)에 가기를 주저하지 않는 것은 현실에서 느낀 ㅅㅇㄱ과 관련이 있다.

12 (나)는 호원사의 창건 내력을 설명하기 위한 ㅅㅊ 연기 설화이다.

13 (나)에서 처녀가 호랑이로 변하는 것과 같은 ㄷㅁㅂㅅ 모티프는 기이한 사건을 전개하는 토대가 된다.

14 (다)는 이생과 최낭이 만나 사랑하고 혼인을 하는 전반부는 ㅎㅅㅈ인 반면, 이생이 죽은 최낭의 환신과 재회했다가 다시 이별하는 후반부는 ㅂㅎㅅㅈ이다.

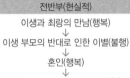

⬛ 이생규장전
- **갈래:** 한문 소설, 전기 소설, 명혼(冥婚) 소설
- **시점:** 전지적 작가 시점
- **성격:** 전기적, 낭만적, 비극적
- **배경:** 시간 – 고려 공민왕 때 / 공간 – 송도(개성)
- **주제:** 죽음을 초월한 남녀 간의 애절한 사랑
- **특징:** ① '만남–이별'의 반복을 통해 서사가 전개됨.
  ② 비극적인 종결로 전기 소설의 전형적인 면모를 보여 줌.
  ③ 시를 삽입하여 등장인물의 심리를 효과적으로 전달함.
- **구조**

> **전반부(현실적)**
> 이생과 최랑의 만남(행복)
> ↓
> 이생 부모의 반대로 인한 이별(불행)
> ↓
> 혼인(행복)
> ↓
> 홍건적의 난으로 인한 최랑의 죽음(불행)

> **후반부(비현실적)**
> 이생과 죽은 최랑이 재회하여 함께 생활함.(행복)
> ↓
> 영원한 이별과 이생의 죽음(불행)

Step 3 실전 문제

01

기출 2017학년도 9월 고3 평가원

(가)에서 설명한 중국의 전기와 우리의 전기 소설에 대한 이해로 가장 적절한 것은?

① 전기에서 작가는 현실적 사건을 통해 독자들의 관심을 유도했다.
② 전기와 전기 소설의 결말은 모두 유기적인 서사 구조 속에서 전형성을 보여 주었다.
③ 전기 소설은 작가가 자신의 글솜씨가 담긴 작품집을 출세의 수단으로 삼기 위해 창작하였다.
④ 전기는 전기 소설의 영향을 받아 다채로운 문체를 활용하면서도 서사적 독자성을 지향했다.
⑤ 전기 소설의 작가는 불우한 처지에 놓여 있는 자신의 삶을 작품 속 주인공을 통해 위로받고자 했다.

02

(나)와 (다)를 읽고 이해한 내용으로 적절하지 않은 것은?

① (나)에서 김현은 처녀와의 인연을 팔아 벼슬을 하는 것이 이치에 맞지 않다고 여겼군.
② (나)에서 처녀는 자신이 죽는 것이 호랑이와 인간 모두에게 이로운 일이 된다고 판단했군.
③ (나)에서 김현은 자신이 범을 잡았다고 사람들에게 알린 후 처녀와 있었던 일들의 제반 사정도 설명했군.
④ (다)에서 이생은 부모님의 유골을 수습해 장례를 지낸 데 최낭의 공이 크다고 생각했군.
⑤ (다)에서 최낭은 이생과 함께 지내며 느낀 즐거움을 다 누리지 못하고 이별하는 것에 대해 안타까워했군.

03

고난도 기출 2017학년도 9월 고3 평가원

(가)를 바탕으로 (나), (다)의 인물에 대해 설명한 것으로 적절하지 <u>않은</u> 것은?

① (나)의 김현은 배필의 죽음을 결국 막지 못하는 나약한 모습을 보인다는 점에서 '소극성'을 지닌 인물임을 알 수 있다.

② (나)의 범은 자신의 죽음을 통해 불법을 얻을 수 있도록 도와 달라고 김현에게 부탁한다는 점에서 (나)에서 갈등 해결은 종교적 차원에서 모색되고 있음을 알 수 있다.

③ (다)의 이생은 최낭의 환신과 더불어 지낼 뿐 벼슬을 구하려 하지 않는다는 점에서 '폐쇄성'을 지닌 인물임을 알 수 있다.

④ (다)의 최낭은 혼백을 의탁할 곳이 없어서 기이한 방식으로 이생과 인연을 이어 가려 한다는 점에서 '외로움'을 지닌 인물임을 알 수 있다.

⑤ (다)의 최낭이 이생의 말을 따르지 않고 자취를 감춘다는 점에서 (다)에서 현실의 문제는 서로 대등하게 맞서는 개인 사이의 갈등에서 비롯되고 있음을 알 수 있다.

04

기출 2017학년도 9월 고3 평가원

(나)와 [A]를 비교한 내용으로 가장 적절한 것은?

① (나)의 남주인공은 여주인공이 스스로 희생을 선택한 것을 안타까워하고, [A]의 남주인공은 여주인공과 영원히 함께하고 싶은 마음을 드러낸다.

② (나)의 여주인공은 자신의 죽음이 서로에게 이로운 일이라며, [A]의 여주인공은 자신의 죽음이 저승의 법을 어긴 대가라며 남주인공을 설득한다.

③ (나)의 여주인공은 남주인공에게 타인과의 관계에서 맺힌 한을 풀어 달라는, [A]의 여주인공은 생전에 자신에게 맺힌 한을 풀어 달라는 부탁을 한다.

④ (나)의 남주인공은 여주인공의 부탁을 실현함으로써 사회로부터 인정을 받고, [A]의 남주인공은 여주인공의 부탁을 실현함으로써 사회로부터의 소외감을 해소한다.

⑤ (나)의 남주인공은 세속적 삶에 회의를 느끼며 속세를 등지고, [A]의 남주인공은 세속적 삶의 무의미함을 견디지 못하고 세상을 떠난다.

05

기출 2017학년도 9월 고3 평가원

㉠을 참고하여 (나)를 이해한 것으로 가장 적절한 것은?

① 처녀가 자신의 죽음을 '낭군의 경사'라고 말하는 장면은 김현에 대한 부처의 응답을 암시한다.

② 매우 '사나운 범'이 사람들을 해치는 장면은 김현 개인의 욕망 실현을 가로막는 현실의 경이로움을 보여 준다.

③ 김현이 임금에게 범을 '잡을 수 있'다고 아뢰는 장면은 김현과 범 사이의 긴장감이 해소됨을 보여 준다.

④ 임금이 김현에게 '벼슬을 주어' 격려하는 장면은 부처의 전능함을 실현하려는 임금 개인의 의지를 드러낸다.

⑤ 범이 김현 앞에서 '처녀로 변하여 반갑게 웃'는 장면은 부처가 남녀의 기이한 만남에 감동하는 계기를 드러낸다.

06

기출 2017학년도 9월 고3 평가원

(다)에 나타난 주인공들의 사랑에 대한 감상으로 적절하지 <u>않은</u> 것은?

① 최낭이 '횡액을 만나 구렁에' 넘어졌다고 하는 것에서, 주인공들의 사랑이 외부적 요인에 의해 좌절되었음을 알 수 있군.

② 최낭이 '깊은 산골짜기에서' 이생과 이별한 자신을 '짝 잃은 새'로 표현하는 것에서, 사랑을 잃은 여주인공의 슬픔을 알 수 있군.

③ '굳은 맹세'를 지키자는 최낭의 말에 이생이 '그것이 원래 나의 소원'이라고 대답하는 것에서, 사랑을 지속하고 싶었던 남녀 주인공의 마음을 알 수 있군.

④ 최낭이 이생에게 '세 번 가약을 맺었건만, 세상일은 뜻대로 되지 않나 봅니다'라고 하는 것에서, 현세에서 좌절된 사랑을 저승에서 완성하고자 하는 여주인공의 의지를 알 수 있군.

⑤ 최낭이 자신의 '죄'가 이생에게도 미칠 것을 염려하는 것에서, 남주인공의 안위를 우선시하는 여주인공의 사랑에 대한 인식을 알 수 있군.

07

㉮에 대해 (다)를 읽고 이해한 내용으로 가장 적절한 것은?

① 이생이 세상사를 완전히 잊은 채 최낭과 함께 지낸 것은, 개인과 세계의 갈등을 해소하기 위한 방편을 찾고자 했음을 보여 주는군.

② 이생과 최낭이 횡액을 만나기 전 백년해로의 낙을 누리기로 서로 약속한 것은, 두 사람이 세계와의 대립을 대비했음을 보여 주는군.

③ 최낭이 홍건적에게 정조를 잃지 않기 위해 노력한 것은, 생사를 초월한 사랑을 통해 개인과 세계의 갈등 관계가 형성되었음을 보여 주는군.

④ 이생과 최낭의 환신이 함께 사는 것을 통해 난으로 인한 인연의 단절을 극복하고자 하는 것은, 두 사람과 세계 간의 갈등이 있음을 보여 주는군.

⑤ 최낭이 인간 세상을 그리워해 미련을 갖는 것에 대해 부정적인 태도를 보인 것은, 생사를 초월한 사랑을 통해 개인과 세계의 갈등을 극복하고자 했음을 보여 주는군.

08

기출 2017학년도 9월 고3 평가원

(다)에서 구현된 ㉡에 대한 이해로 적절하지 않은 것은?

① 사대부 남성이 이계를 체험하고 돌아오는 구도는 이생이 '가산을 묻어 둔 곳'을 찾아가 금은과 재물을 가져오는 데에서 나타나고 있다.

② 능동적 여인상은 최낭의 '환신'이 이생에게 '남은 인연'을 맺자고 제안하는 데에서 나타나고 있다.

③ 금기에 도전하는 애정 추구는 이생이 최낭의 '환신'과 옛날과 다름없이 '기쁜 정'을 누리는 데에서 나타나고 있다.

④ 이원적 공간 구도는 최낭의 '환신'이 '이승'에 있음에도 '저승의 법'을 따라 '황천'으로 가야 한다는 데에서 나타나고 있다.

⑤ 시가 애정 교류의 매개로 활용되는 것은 이생과 최낭이 '시를 지어 주고받는' 데에서 나타나고 있다.

09

서술형

(나)와 (다)에서 ⓐ에 해당하는 내용을 파악하여 〈조건〉에 맞게 각각 한 문장으로 서술하시오.

┤ 조건 ├
1. (나)와 (다)에서 '비극적 종결'을 나타내는 핵심 사건을 언급할 것.
2. (나)와 (다)의 남녀 주인공의 행위나 처지에 초점을 맞추어 서술할 것.

(나): _____

_____

(다): _____

_____

임진록(壬辰錄) | 명량(鳴梁)

출제 포인트 〉 #임진왜란 #이순신 #영웅성 #이순신의 활약상 #서사 갈래와 극 갈래

㉮ 행장이 거제에 진을 치고 이순신을 해치기 위해 온갖 계책을 내고 있었다.❶ 하루는 행장이 부하 장수인 요시라에게 말하였다.

"이순신을 결딴낼 계책을 행하라."❷

요시라가 명을 듣고 평소 교류가 있던 김응서를 찾아가 은근히 말하였다.

┌─ "우리 평행장은 본래 처음부터 화친하고자 했으나, 청정이 홀로 싸움을 주장하는 통
│   에, 서로 틈이 생겨 이제는 청정을 죽이려 하고 있소이다. 오래지 않아 청정이 다시
[A]│   바다에 나오리니, 내가 연락하거든 그 즉시 수군을 거느리고 나아와 공격하면 청정을
│   죽일 수 있을 것이오. 그렇게 되면 조선의 원수도 갚고 우리 장군의 한도 씻을 것이오."
└─

응서가 이 일을 조정에 고하니, 조정에서는 요시라의 말을 믿고 이순신에게 바다로 나아가 청정을 치게 하였다.❸ 권율 또한 한산도에 이르러 순신에게 말하였다.

"그대는 마땅히 요시라의 약속을 믿고 기회를 잃지 않도록 하라."

하지만 이순신은 이것이 도적의 간사한 계략인 줄 알고 출전을 주저하였다.❹

정유년 정월에 드디어 웅천에서 보고가 올라왔다.

"이번 달 십오 일에 청정의 선봉 부대가 장문포에 이르렀다."

뒤이어 요시라에게서도 연락이 왔다. / "청정이 이미 뭍에 내렸다."

이미 기회를 잃었다는 소식이었다. 조정에서는 이 소식을 듣고 그 허물을 순신에게 물었다.❺

[중략 부분의 줄거리] 통제사로 임명된 원균은 칠천도에서 크게 패하고, 선조는 이순신을 다시 통제사에 임명한다.

순신이 군관 십여 명과 아전 수십 명을 데리고 **진주를 지나** 옥과에 이르니, 백성들이 길을 메우고 순신을 따르거늘, 순신의 군사가 이미 백여 명이 넘었다. 순천에 이르러 무기를 내어 가지고 **보성에** 가서 보니, 겨우 십여 척의 전선이 남아 있을 뿐이었다.❻ 전라 수사 김억추를 불러, 전선을 수습하라 하고, 또 다른 장수에게는 서둘러 전선을 만들라 하고, 또한 장수들을 모아 엄하게 주의를 주어 말하였다.

"우리는 왕명을 받자왔으니 **마땅히 죽기를 각오**하고 나라의 은혜를 갚으리라."

말씀에 의기가 깊게 배어 있으니, 장수들 중에 감동하지 않는 이가 없었다. 한편 조정에서는 이순신이 가진 배가 적어 도적을 막지 못할까 걱정하여, 차라리 육지에 올라 싸우라고 명하였다. 그러자 순신이 이렇게 임금께 아뢰어 청하였다.❼

임진년부터 오륙 년 동안 적이 감히 전라도와 충청도를 침범하지 못한 것은 우리 수군이 요해처를 지킨 결과입니다. 이제 신이 전선 육십 척을 거느리고 나아가 죽기를 각오하고 싸우면 가히 승리할 수 있을 것입니다.❽ 만약 바다를 버리면 적이 서해 바다를 거쳐 한강으로 들어갈 것이니, 어찌 두렵지 아니하리이까. 그러하오나 신이 죽기 전에는 도적이 감히 업신여기지 못하리이다.

Step 1 포인트 분석

㉮ 작자 미상, 「임진록」

제목의 의미

'임진록'은 임진년(1592년)에 일어난 임진왜란의 기록이라는 뜻으로, 임진왜란이라는 전란 상황 속에서 활약하는 영웅들의 이야기를 담고 있다.

배경

❶ 행장이 거제에~내고 있었다.

→ 일본의 장수가 거제에 진을 치고 조선을 침략하고자 하는 상황으로 임진왜란 때 거제를 배경으로 하고 있음.

인물

❷ "이순신을 결딴낼 계책을 행하라."

→ 일본의 장수인 행장이 이순신을 해치고자 함.

❸ 응서가 이 일을~치게 하였다.

→ 요시라가 일본과 조선을 오가며 행장의 명령에 따라 김응서에게 거짓을 전함. 김응서를 비롯한 조정에서는 요시라의 말을 믿음.

❹ 하지만 이순신은~출전을 주저하였다.

→ 이순신은 행장의 계책에 속지 않고 출전을 하지 않음.

❺ 이제 신이~있을 것입니다.

→ 통제사로 임명된 이순신은 목숨을 바칠 각오로 전쟁에 임함.

사건

❺ 조정에서는 이 소식을~순신에게 물었다.

→ 이순신에게 책임을 물은 조정: 행장과 요시라의 계략인 것을 알아챈 이순신이 출전하지 않자 조정에서는 이순신에게 책임을 물음.

❼ 차라리 육지에~아뢰어 청하였다.

→ **수군으로서 싸우고자 한 이순신:** 조정에서는 이순신에게 육지에 올라와 싸우라고 명하고, 이순신은 수군으로서 싸우고자 함.

갈등

❹ 권율 또한~출전을 주저하였다.

→ **조정 사람들과 이순신의 갈등:** 김응서와 권율 등 조정 사람들은 요시라의 말을 믿고 이순신에게 출전하라고 하였으나 이순신은 출전하지 않았음. 이순신의 우월한 판단력이 드러남.

서술

❻ 순신이 군관~남아 있을 뿐이었다.

→ **요약적 제시:** 이순신이 진주에서 보성에 이르기까지의 여정을 서술자가 요약하여 서술함.

정유년 구월에 적선 수백 척이 바다를 덮어 오거늘, 순신이 **다급**하게 **명령하**길,

"십여 척 전선으로 맞아 싸우라."

하는데, 거제 부사 안위가 가만히 도망하려 하는 것이었다.[9] 순신이 이를 보고 맨 앞에서 외쳤다.

"안위 너가 어찌 군법에 죽으려 하느냐? 너가 이제 달아나면 살 수 있을 거라 생각하느냐!"

안위가 당황하여 큰 소리로 대답하길,

"어찌 진격치 아니하리이까."

하고는, 적진에 달려들어 싸우는데, 적선이 안위의 배를 둘러싸고 공격하니 안위가 거의 죽게 되었다. 이를 본 순신이 급히 구원하러 가는데, 적선 수백 척이 함께 나와 순신을 둘러싸고 어지러이 공격하니, 대포 소리가 바다에 진동하고 **창검이 사방을 둘러싸**는지라. 순신이 바다에서 곤경에 처한 것을 보고 장수들이 탄식하여 말하길,

"우리가 이곳에 있는 것은 오로지 통제사를 믿기 때문이다. 이제 이렇듯 위태로우니 어찌 가만히 있으리오."

하고는, **전선을 휘몰아 적을 공격하**니라. 조선 수군이 죽음을 각오하고 싸우니, 적이 당황하여 잠깐 물러나게 되었다. 그러자 순신이 그 틈을 타 적을 많이 죽이니 결국 적이 패하여 달아나더라.[10]

– 작자 미상, 「임진록」

나 S# 51. 우수영. 이순신 집무실.[1]

한 획… 한 획… 혼이 담기는 글씨. 숙연한 얼굴의 이순신이 붓을 들고 장계를 쓰고 있다.

[B] 이순신(NA'): 전하… 지금 신에게는 아직 열두 척의 배가 남아 있사옵니다. 죽을힘을 다하여 싸우면 오히려 할 수 있는 일입니다.[2]

글씨를 쓰던 오른손이 **경련**으로 **파르르 떨**린다. 왼손으로 잡고 **다시 글씨를 이어 가**는 이순신.

이순신(NA): (힘주어) 신이 살아 있는 한 적들이… 감히 우리를 업신여기지 못할 것이옵니다.

장계 쓰기를 마치자 지그시 눈을 감고 호흡을 고르는 이순신. 이때, 밖에서 소란스러운 소리가 들리더니 문이 벌컥 열린다. 안위를 비롯한 송여종, 김응함, 김억추, 송희립 등의 장수들이 몰려 들어온다.

[중략 부분의 줄거리] 장수들이 출병을 앞두고 대책을 묻자, 이순신은 울돌목의 좁은 수로에서 적과 싸우려는 계획을 밝힌다.[3]

안위: 장군! 소장 목숨을 걸고 한 말씀 올리겠습니다. 이 싸움은 불가합니다![4]

인물

[9] 거제 부사 안위가~하는 것이었다.
→ 왜군이 침략해 오자 거제 부사가 도망가려 함.

사건

[10] 순신이 바다에서~패하여 달아나더라.
→ 위기의 극복: 이순신이 곤경에 처하자 장수들이 탄식하며 적을 공격하여 결국 적이 패하여 달아남.

나 전철홍·김한민, 「명량」

제목의 의미

'명량'은 전라도 해남과 진도 사이의 좁은 해협으로, 울돌목이라고 칭해진다. 이 울돌목에서 이순신이 활약한 명량 해전이 벌어졌다. '명량'은 정유재란 당시에 명량에서 벌어진 명량 해전을 다루고 있다.

배경

[1] 우수영. 이순신 집무실.
→ 전라도 서쪽의 수군이 관할하던 영으로, 작품의 공간적 배경이 됨.

인물

[2] 죽을힘을 다하여~있는 일입니다.
→ 이순신은 열두 척의 적은 배로 죽음을 각오를 다해 왜군과 싸우고자 함.

[4] 장군! 소장~싸움은 불가합니다!
→ 안위는 울돌목의 좁은 수로에서 싸우고자 하는 이순신의 계획을 반대함.

사건

[3] 장수들이 출병을~계획을 밝힌다.
→ 장수들에게 전투 계획을 밝히는 이순신: 장수들이 열두 척의 배로 왜군과 어떻게 싸울지 묻자 이순신이 울돌목에서의 전투 계획을 밝힘.

• NA(내레이션): 화면 밖에서 들리는 설명 형식의 대사.

상기되는 이순신의 얼굴. 다른 장수들도 일제히 무릎을 꿇고 외친다.

장수 일동: 불가합니다!

안위: 아무리 적들을 울돌목의 좁은 수로에서 막는다 한들 구선도 없는 마당에 결코 **승산이 없는 싸움**입니다! 훗날을 도모하십시오. 전선이 귀하고 군사 한 명이 귀한 때입니다!❺

이순신: (짐짓) 정녕 그리 생각하는 것이냐?

안위: (눈물을 흘리며) 뜻을 거두지 않으시려거든 소장의 목을 베어 주십쇼. 차라리 장군의 칼에 죽겠습니다!

이순신: (의외로 **담담**하게) 그대들의 뜻이 정히 그러하다면…… . 좋다, 군사들을 마당에 모으거라.

이순신의 의외의 태도에, 장수들의 안색이 다소나마 밝아진다.

S# 52. 우수영. 마당. (밤).

바람에 흔들리는 횃불의 **화광(火光)이 어지럽게 군사들을 비추**고 있다. 두려움과 불안함, 그리고 뭔가 기대감들이 섞여 있는 긴장된 분위기다. 앞줄에 서 있는 안위 등 장수들의 표정에는 기대감이 크다. 이순신이 칼을 옆에 들고 군사들 앞으로 나온다.

이순신: (군사들을 쓱 훑고는) 김돌손과 황보만은 가져왔는가?❻

"예!" 하며 커다란 기름통을 들고 나타나는 김돌손, 황보만. 군사들의 이목이 집중된다.

이순신: 부어라!❼

김돌손, 황보만: (망설인다) …….

이순신: 붓지 않고 뭐 하느냐!

김돌손과 황보만이 동시에 "예!" 하고는 기름통을 들고 가서, 이순신의 등 뒤(군사들의 정면)에 위치한 우수영 **본채에 기름을 붓기 시작**한다. 놀라며 웅성거리는 군사들. 안위 등 장수들이 어안이 벙벙한 얼굴로 이순신을 쳐다본다. 군사들 뒤쪽, 나대용 옆에 서 있던 혜희가 두 눈을 지그시 감는다. 김돌손과 황보만이 기름을 다 붓자

이순신: 불을 놓아라!❽

김돌손: 예!

'뭔 일이래!' '안 돼!' '장군님!' '안 됩니다!' …소란스러운 소리가 터져 나온다.❾ 안위의 표정이 싸늘하게 얼어붙는다. 김돌손이 본채 앞에 횃불을 들고 서서 이순신을 쳐다본다.

이순신: 놓아!

　김돌손이 횃불을 던져 넣으면 순식간에 불길에 휩싸이는 본채. 설마설마하며 지켜보던 군사들의 낯빛이 파랗게 질린다.[⑩] 할 말을 잃고 멍한 얼굴들이다. 불타는 본채를 뒤로하고 선 이순신이 입을 연다.

이순신: 아직도 살고자 하는 자가 있다니……. 통탄을 금치 못할 일이다! 우리는 죽음을 피할 수 없다![⑪]

　탄식을 쏟아 내는 절망에 빠지는 군사들의 면면.

이순신: 우수사 배설이 그저 살고자 하는 욕심으로 구선에 불을 질렀다. 그래서 우리는 구선도 더 이상 없다! 싸움을 피하는 것이 사는 길이냐! 육지라고 무사할 듯싶으냐!

　이미 사색이 된 군사들이 고개를 떨군다.

이순신: 똑똑히 보고 있느냐! 나는 바다에서 죽고자 우수영을 불태운다! 살아도 더 이상 돌아올 곳이 없다! 우리가 죽어야! 나라가 산다!

– 전철홍·김한민, 「명량」

[전체 줄거리]

가 최일경은 선조가 꾼 꿈이 왜란이 일어날 징조라고 말하여 귀양을 가게 된다. 그로부터 삼 년 후에 왜군이 조선을 침략하고, **이순신은 거북선을 띄워 항전한다.** 강홍립, 정충남 등이 활약하여 왜군과 치열한 전투를 치른다. 선조가 피란을 가게 되자 최일경은 김응서를 천거하고 김덕령과 명에서 온 이여송이 활약한다. 김응서는 기생 월선을 통해 왜장을 죽이고, 김덕령은 억울하게 죽게 된다. 강홍립과 김응서가 군사를 거느리고 왜를 정벌하려고 나서지만 실패하고, 사명당이 일본으로 건너가 왜왕을 굴복시킨다.

나 원균이 일본의 수군과 접전하여 패하면서 이순신이 수군통제사로 임명된다. 수군의 전력이 매우 약하였으나 **이순신은 남아 있는 전선 열두 척을 가지고 죽을힘을 다해 싸우고자 한다.** 1597년 왜군이 조선을 침략하려고 하자 **이순신은 열두 척의 배를 이끌고 명량으로 향한다.** 이순신은 왜군을 유인하여 왜군의 소함대를 격퇴하고, 조류의 방향이 바뀌는 것을 이용하여 왜적의 수군을 격퇴한다.

사건

⑪ 아직도 살고자~피할 수 없다!
➔ 울돌목에서의 전투를 강행하려는 이순신: 이순신이 우수영 본채를 불태워 울돌목에서의 전투는 피할 수 없는 것임을 강조함.

한 걸음 더

「임진록」에 투영된 백성들의 의식
이 작품에는 임진왜란 때 실존했던 인물이 등장한다. 이 인물들은 영웅적 면모를 발휘하면서 임진왜란을 승리로 이끄는데, 이는 실제 역사와 차이가 있다. 역사적 사실과 달리 과장되고 허구적으로 사건을 서술한 부분이 많은 것이다. 이 때문에 이 작품은 역사적 사실과 전쟁 설화들이 결합하여 문자로 정착된 것으로 추정되며, 임진왜란의 굴욕과 참담함을 설욕하고 보상받고자 하는 백성들의 의식이 반영된 것으로도 평가된다. 또한 이 작품은 임진왜란 당시 백성들이 겪었던 고통은 물론이고 집권층의 무능함과 횡포에 시달리는 백성들의 모습도 보여 주고 있어, 백성들의 비판적 시각도 담아내고 있다는 데에 의의가 있다.

Step 2 포인트 체크

[01~06] 윗글에 대하여 맞으면 ○, 틀리면 ×표를 하시오.

01 (가)의 요시라는 조선과 일본의 진영을 오가며 의견을 교류하는 역할을 하였다.
〔○. ×〕

02 (가)의 이순신은 십여 척의 배만 남아 있는 것을 확인하고 원균에게 도움을 요청하였다.
〔○. ×〕

03 (가)의 이순신은 김응서나 권율 등 조정의 대신들과 달리 일본군의 계책을 알아차렸다.
〔○. ×〕

04 (나)에는 통제사로 임명된 이순신이 우수영에 이르는 여정이 드러나 있다.
〔○. ×〕

05 (가)와 (나)는 모두 서술자가 없다.
〔○. ×〕

06 (가)와 달리 (나)는 설화적 성격이 강하다.
〔○. ×〕

[07~12] 다음 빈칸에 알맞은 말을 쓰시오.

07 (가)와 (나)의 역사적 배경은 모두 ⭘ ㅈ ⭘ ㄹ 이다.

08 (가)에서 ㅅ ㅈ 는 이순신을 통제사에 임명한다.

09 (가)에서 거제 부사인 ⭘ ⭘ 는 일본의 수군이 오는 것을 보고 도망가려 하였다.

10 (나)는 영화 상영을 위해 창작된 대본인 ㅅ ㄴ ㄹ ⭘ 이다.

11 (나)에서 안위는 ㄱ ㅂ ㅅ 도 없는 상황에서 명량에서 해전을 치르는 것은 승산이 없다고 말한다.

12 (나)에서 이순신은 군사들에게 명량에서의 전투가 피할 수 없는 것임을 말하고자 ⭘ ㅅ ⭘ 의 ㅂ ㅎ 를 불태운다.

가 임진록

- **갈래:** 국문 소설, 군담 소설, 역사 소설
- **시점:** 전지적 작가 시점
- **성격:** 전기적, 역사적
- **배경:** 시간-조선 선조 때 임진왜란 전후 / 공간-조선 전역
- **주제:** 임진왜란 때 영웅들의 활약상
- **특징:** ① 임진왜란 때 활약한 영웅들이 다수 등장함.
  ② 임진왜란이라는 역사적 사건을 배경으로 하고 있으나 사실적이라기보다 전기적이고 설화적인 성격이 강함.
  ③ 임진왜란 당시의 국내 정치상에 대해 서술하여 사회적 모순을 드러냄.
- **구조**

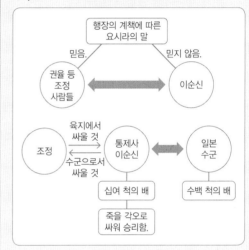

나 명량

- **갈래:** 시나리오
- **시점:** 시나리오에는 서술자가 없음. 시점이 없음.
- **성격:** 역사적, 영웅적
- **배경:** 시간-임진왜란 6년(1597년) / 공간-전라도 우수영
- **주제:** 이순신의 영웅적 면모
- **특징:** ① 명량 대첩이라는 역사적 사건을 실감나게 묘사함.
  ② 이순신을 중심으로 하여, 다양한 갈등 관계가 드러남.
- **구조**

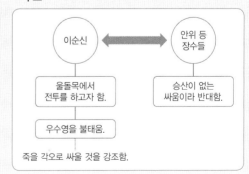

01

(가)와 (나)에 대한 설명으로 가장 적절한 것은?

① (가)는 (나)와 달리 구체적인 묘사를 통해 공간적 배경이 지닌 특징을 드러내고 있다.

② (나)는 (가)와 달리 인물의 내적 독백을 통해 인물의 성격을 드러내고 있다.

③ (나)는 (가)와 달리 오해로 인해 발생한 인물 사이의 갈등이 해소되는 과정을 다루고 있다.

④ (가)와 (나)는 모두 서술자가 사건에 대한 주관적 평가를 직접 제시하고 있다.

⑤ (가)와 (나)는 모두 여러 공간에서 동시에 일어난 사건을 병치하여 서술하고 있다.

02

(가)에서 확인할 수 있는 내용으로 적절하지 않은 것은?

① 일본의 행장은 조선과 화친을 원했으나 청정이 싸움을 주장하여 왜군이 장문포에 이르게 되었다.

② 권율은 요시라의 말처럼 청정이 바다에 나왔을 때 청정을 공격하는 것이 조선에 큰 기회가 될 것이라고 생각하였다.

③ 백성들은 통제사로 임명되어 내려온 이순신을 따르고자 군에 합류하기도 하였다.

④ 원균이 칠천도에서 패한 뒤 남은 배가 별로 없었기 때문에 조정에서는 이순신에게 육지에서 적군을 막으라고 명하였다.

⑤ 이순신은 전투에서 거의 죽게 된 안위를 구하러 가다가 적군에게 공격을 받게 되었다.

03

〈보기〉를 바탕으로 (가)를 이해한 내용으로 적절하지 않은 것은?

| 보기 |

　(가)는 「임진록」의 일부로, 임진왜란 전후의 역사적 사건을 중심으로 하여 실재했던 인물인 이순신, 김응서, 권율 등을 등장시키고 있다. 특히 (가)는 이순신의 영웅성에 초점을 맞추고 있는데, 이순신의 판단력과 의기, 전투력 등을 보여 주고 있다.

① 이순신이 요시라의 말이 간사한 계략인 줄 알고 출전을 주저한 것은 이순신의 탁월한 상황 판단력을 보여 주는 것이겠군.

② 이순신이 장수들을 모아 죽기를 각오하고 나라의 은혜를 갚으라고 하는 것은 이순신의 의기를 보여 주는 것이겠군.

③ 이순신이 임금께 자신이 죽기 전에는 도적이 감히 업신여기지 못할 것이라고 하는 것은 이순신의 기개를 보여 주는 것이겠군.

④ 이순신이 적선을 보고 도망하려 하는 안위를 향해 살 수 있는 방법을 알려 주는 것은 이순신의 의리를 보여 주는 것이겠군.

⑤ 이순신이 적이 당황하여 물러난 틈을 타 적을 많이 죽인 것은 이순신의 뛰어난 전투력을 보여 주는 것이겠군.

04

기출 2020학년도 11월 고1 교육청

(나)에 대한 설명으로 가장 적절한 것은?

① S# 51에서 이순신이 숙연한 얼굴로 장계를 쓴 것은 S# 52에서 장수들이 기대감을 키우는 원인이 된다.

② S# 51에서 안위가 이순신에게 무릎을 꿇은 것은 S# 52에서 이순신의 망설임이 표출되는 것의 근거가 된다.

③ S# 51에서 안위가 군사 한 명도 귀하다고 한 것은 S# 52에서 군사들이 생각을 바꾸어 절망을 극복하는 것의 이유가 된다.

④ S# 51에서 이순신이 군사들을 모으라 명령한 것은 S# 52에서 군사들이 두려움으로 구선에 불을 지르는 것의 동기가 된다.

⑤ S# 51에서 장수들이 싸움이 불가하다고 한 것은 S# 52에서 이순신이 우수영 본채를 불태워 자신의 결심을 드러내는 것의 계기가 된다.

05

기출 2020학년도 11월 고1 교육청

[A]와 [B]의 말하기 방식으로 가장 적절한 것은?

① [A]는 역사적 사실을 제시하며 상대를 조롱하고 있고, [B]는 자신의 신분을 언급하며 상대를 질책하고 있다.

② [A]는 현실의 상황을 고려하며 자신의 주장을 유보하고 있고, [B]는 주어진 상황을 분석하며 상대의 희생을 강요하고 있다.

③ [A]는 과거의 경험을 회상하며 자신의 행위를 비판하고 있고, [B]는 미래의 상황을 가정하며 자신의 행위를 정당화하고 있다.

④ [A]는 벌어질 상황을 언급하며 정보를 제공하고 있고, [B]는 현재의 상황을 언급하며 자신의 의지를 표현하고 있다.

⑤ [A]는 문제 상황을 언급하며 상대에게 해결 방법을 제시하고 있고, [B]는 문제가 해결된 현실을 언급하며 자신의 감정을 토로하고 있다.

06

(나)를 영화로 제작하려 할 때, 연출가의 계획으로 적절하지 않은 것은?

① 전투에 대한 뜻을 밝히는 이순신의 심정이 잘 드러나도록 장계를 쓰는 이순신의 손을 근접 촬영해야겠어.

② 이순신의 계획을 듣고 불안해하는 장수들이 많다는 것이 잘 드러나도록 무릎을 꿇은 여러 장수들의 모습을 보여 줘야겠어.

③ 장수들의 걱정이 잘 드러나도록 안위 역할을 맡은 배우에게 눈물을 흘리며 충언하는 연기를 하도록 주문해야겠어.

④ 심리적으로 갈등하고 있는 이순신의 마음이 잘 드러나도록 횃불의 화광을 불안하게 바라보고 있는 장면을 삽입해야겠어.

⑤ 불길에 휩싸이는 본채의 모습이 극적으로 표현되도록 우수영의 모습을 멀리서도 가까이서도 촬영해 보여 줘야겠어.

07

고난도 **기출 변형** 2020학년도 11월 고1 교육청

(가)와 (나)를 비교한 내용으로 적절하지 않은 것은?

① (가)에서는 순신이 '진주를 지나' '보성에' 이르기까지의 과정을 서술자가 요약하여 서술하고 있고, (나)에서는 안위가 '승산이 없는 싸움'이라며 이순신을 설득하는 과정이 대사를 통해 제시되고 있다.

② (가)에서는 '마땅히 죽기를 각오'해야 한다는 장수들의 결심에 감동하는 순신의 정서를 서술자가 직접 설명하고 있고, (나)에서는 '본채에 기름을 붓기 시작'하자 당황하는 군사들의 정서가 지시문을 통해 제시되고 있다.

③ (가)에서는 전투를 '명령하'는 순신의 '다급'한 태도를 서술자가 직접 설명하고 있고, (나)에서는 장수들에게 대답을 하는 이순신의 '담담'한 태도가 지시문을 통해 제시되고 있다.

④ (가)에서는 '창검이 사방을 둘러싸'서 순신이 위기에 처한 상황을 서술자가 묘사하고 있고, (나)에서는 '화광이 어지럽게 군사들을 비추'는 긴장된 상황이 지시문을 통해 제시되고 있다.

⑤ (가)에서는 장수들이 '전선을 휘몰아 적을 공격하'는 행동을 서술자가 직접 설명하고 있고, (나)에서는 이순신이 '파르르 떨'리는 손의 '경련'에도 '다시 글씨를 이어가'는 행동이 지시문을 통해 제시되고 있다.

08

(가)와 (나)에서 〈보기〉의 내용이 잘 드러난 부분을 각각 찾아 쓰시오.

┤ 보기 ├

　이순신은 친필로 '필사즉생 필생즉사(必死則生 必生則死)'라는 말을 남겼다. 죽고자 하면 살고 살고자 하면 죽는다는 뜻이다. 자신의 목숨을 아끼지 않고 나라를 위해 희생하려는 이러한 각오는 이순신을 등장인물로 하는 여러 작품에서도 발견할 수 있다.

(가): _____

(나): _____

우화 소설의 세계 | 서대주전 | 별주부전

출제 포인트 › #우화 소설 #풍자 소설 #지배층의 무능 풍자, 비판 #봉건 사회의 부조리

가 우화 소설(寓話小說)은 동물을 인격화하여 풍자를 바탕으로 교훈을 전달하는 작품을 말한다.❶ 동물들의 언행을 통해 그 이면에 담겨 있는 인간 세계의 진면목을 보여 준다는 점에서 우회적인 방식으로 주제를 드러내는 서사 양식이다. 우화 소설의 주요 유형으로는 소송 사건을 다루는 송사형 소설과 시비를 가리는 쟁론형 소설 등이 있다.

우화 소설은 인물의 성격이나 가치관의 대립을 보여 주는 사건을 중심으로 전개된다. 이러한 대립 구도는 소설의 갈등을 부각하는 서사적 장치로 독자의 흥미를 유발한다. 또한 동물의 외형이나 생태적 특성을 반영하여 인물을 형상화하며, 구어나 비속어 또는 기지나 재치 있는 언술을 활용하여 해학적 분위기를 조성한다. 우화 소설은 이러한 소설적 형상화 방식을 통해 인간 세태에 대한 풍자를 드러내는 문학이라 할 수 있다.❷

조선 후기의 「서대주전」은 쥐를 의인화한 대표적 우화 소설이다. 서대주가 타남주가 모아 놓은 밤을 몰래 훔치자 타남주가 서대주를 관가에 고소하는 사건을 통해 당대 관리들의 행태를 고발하고 있다. 또한 「별주부전」은 용왕이 토끼의 간을 구하기 위해 자라를 시켜 토끼를 용궁으로 데려오는 사건을 통해 인간의 잘못된 본성과 지배층의 횡포를 잘 보여 주고 있다.

이 두 작품들과 같이 우화 소설은 동물을 소재로 하여 인간의 부정적인 면모나 봉건 사회의 부조리한 모습을 풍자한다. 즉 우화 소설은 인간의 삶과 사회에 대한 문제의식을 드러내어 인간에게 필요한 윤리 의식과 도덕적 교훈을 제시한다는 점에서 바람직한 사회상을 모색하려는 문학적 시도라고 평가할 수 있다.

나 사령이 데리고 가 옥졸(獄卒)에게 넘겨주자, 옥에 끌어넣어 단단히 가두고 돈을 내라 졸라 댔다. 서대주는 갖고 온 물건을 옥의 수졸(守卒)에게 많이 주자, 수졸들이 대단히 좋아하며 큰 칼을 풀어 주어 편히 쉬게 하고, 하인과 같이 돌봐 주는 것이었으니, 돈이 마르면 귀(貴)하다고 할 수 있는 것이다.❶

서대주가 곤하여 누워 있으니, 대서(大鼠)는 그 손을 주무르고, 중서(中鼠)는 그 다리를 안마하고 동서(童鼠)는 그 허리를 밟으며 대주의 심란스러운 바를 위로하며, 대추, 밤 등속의 것을 주어 요기시키면서 밤을 새우니, 이것을 보는 자가 배를 움켜잡고 웃지 않는 사람이 없었다.❷

다음 날에 주쉬가 두 자리 크게 설치하고, 둘을 잡아들여 동서(東西)로 나누어 꿇어 앉히고, 책상을 치며 크게 꾸짖어 말하기를,

"네 이놈, 조그마한 것이 잔악하기도 심하게 남의 물건을 하룻저녁에 다 도적질해 갔다 하는데, 그게 정말이냐? 바른대로 말할 것이지, 다소라도 거짓말이 있다면 당장에 엄한 형벌로 무겁게 치죄를 할 것이다."

Step 1 포인트 분석

가 우화 소설의 세계

이 글은 우화 소설의 개념과 주요 유형, 소설적 형상화 방식 및 대표적인 우화 소설, 문학사적 의의 등을 설명하고 있다.

❶ 우화 소설은~작품을 말한다.
→ **우화 소설의 개념:** 우화 소설의 개념을 정의한 부분. 우화 소설은 동물을 인격화하여 인간과 사회의 모습을 풍자함으로써 윤리적 교훈을 제시함.

❷ 우화 소설은 인물의~할 수 있다.
→ **우화 소설의 소설적 형상화 방식**
① 등장인물 간의 대립과 갈등을 중심으로 사건이 전개됨.
② 동물의 외형이나 생태적 특성이 드러나게 인물을 형상화함
③ 구어나 비속어 또는 기지나 재치 있는 언술로 해학적 분위기를 조성함.

나 작자 미상, 「서대주전」

제목의 의미

'서대주전'의 '서(鼠)'는 '쥐'를 뜻하는 한자어로 이 작품이 동물을 인격화한 우화 소설임을 드러내고 있다. 쥐는 곡식을 훔쳐 사람에게 해를 끼치는 존재이므로 제목을 통해 서대주의 삶이 부정적인 모습임을 예측할 수 있다.

인물

❶ 사령이 데리고~있는 것이다.
→ 서대주는 뇌물을 써서 편의를 취하는 속물적 인물임. 또한 옥의 수졸은 뇌물에 의해 움직이는 부패한 하급 관리임.

사건

❶ 사령이 데리고~있는 것이다.
→ **옥졸에게 뇌물을 주는 서대주:** 소송을 당한 서대주가 옥에 갇히지만 옥의 수졸에게 뇌물을 주고 편하게 지냄.

서술

❷ 이것을 보는~사람이 없었다.
→ **서술자의 개입:** 서대주가 편하게 지내는 상황에 대해 평가하며 서술함.

라고 형리가 고성으로 소리치니, 그 소리가 우렁차, 담보*가 큰 자라 하더라도 놀래어 겁을 낼 지경이었는데, 더군다나 죄가 있는 약한 자로서는 말할 나위가 없었다.

서대주가 이 말을 듣고 속으로는 벌벌 떨리는 것이었으나, 겉으로는 일상과 같이 태연히 정신을 진정하고 안색을 변치 않고서 우러러보며 대소(大笑)하고, ❸ (중략)

[A]
"저는 본시 대대로 부유하여 이와 같은 흉년에 한 홉조차 다른 것들한테 꾸지 않아도 되는데, 빌어먹을 놈의 밤을 훔쳤다는 것이 어찌 옳겠습니까?❹ 이놈의 평상시 소행을 제가 하나하나 다 아뢰겠나이다. 매년 봄여름이 되면 농사 잘 짓는 자들을 널리 구하여 밤낮으로 가을걷이를 한 후에는, 그들 중에서 절름발이, 도둑놈, 귀머거리, 맹인, 쓸모없는 늙은 할미는 쫓아내어 흩어지게 하였는데, 또 봄여름이면 이와 같이 그대로 하였습니다. 매년 겨울이 되면 이들을 마을에 떠돌아다니는 거지가 되게 하여, 보는 자가 차마 볼 수 없고 들을 수 없는 짓을 행하였기 때문에 분개하는 바가 있었습니다. 마침 사냥하러 나갔을 때, 소토산 왼편의 용강산(龍岡山) 기슭에서 만나고도 인사조차 하지 않기에 그 행실머리 없음을 아주 심하게 꾸짖었습니다.❺

그 후로 자기의 잘못을 스스로 알지 못한 채 항상 분노의 마음을 품고는, 사리에 맞지 아니한 터무니없는 말로 저를 얽어매는, 도리에 어긋난 간악한 송사를 꾀했으니, 세상 천지에 이와 같은 맹랑하고 무뢰*한 놈이 있겠습니까?❻ 제가 비록 매우 졸렬하기는 하지만 역시 대대로 공훈이 있는 가문의 후손으로서, 이러한 무도하고 못난 놈한테 구차하게 고소를 당하여 선조의 공훈에 더럽힘을 끼치고 관정을 소란스럽게 하오니, 죽으려고 하여도 죽을 만한 곳이 없어서 사는 것이 죽는 것만 못하옵니다. 밝게 살피시는 원님께 엎드려 바라건대, 사정을 살피시어 원한을 풀어 주옵소서."❼

서대주가 옷섶을 고쳐 여미며 단정히 꿇어앉았는데, 뾰족한 입이 오물거리고 두 귀가 발쪽거리며 두 눈이 깜짝거리면서 두 손을 모아 슬피 빌고 눈물이 흘러내려 옷깃을 적시니,❽ 보는 자가 더할 나위 없이 애처롭고 불쌍하다고 할 만한 것이었다.❾

원님이 서대주의 진술하는 말을 들으니 말마다 사리*에 꼭 들어맞고, 형세가 본디부터 그러하여 죄를 주기도 어려워, 결박한 것을 풀고 씌운 큰 칼을 벗겨 주고는, 술을 내려 주어 놀랜 바를 진정케 하고 특별히 놓아주었다. 타남주는 도리에 어긋난 간악한 소송을 한 죄로 몽둥이 세 대를 맞고 멀리 떨어진 외딴 섬으로 귀양을 가니, 서대주가 거듭거듭 절하고 머리를 조아리며 갔다.❿

서대주는 후에 수백의 여자를 취(娶)하고 자손이 번성하여 주(州), 군(郡), 현(縣), 읍(邑), 항려(巷閭), 향곡(鄕谷)에 살지 않음이 없고, 그들은 다 도적질로 생활을 하매, 세상의 아동, 적은 것들, 부녀 또는 가마 메는 졸부 등이 만나기만 하면 죽여 버리니, 이것은 즉 서대주가 사람을 해친 마음에 대한 앙갚음이 아닌가 생각한다.⓫

– 작자 미상, 「서대주전(鼠大州傳)」

다 이때에 뜰아래 섰던 군사들이 일시에 달려들려 하니 토끼 무단히 허욕을 내어 자라를 쫓아왔다가 수국원혼이 되게 되니 이는 모다 자취(自取)한 화라,❶ 누구를 원망하며 누구를 한하리오. 세상에 턱없이 명리(名利)를 탐하는 자는 가히 이것을 보아 징계할지로다.❷

• **담보**: 겁이 없고 용감한 마음보.
• **무뢰**: 성품이 막되어 예의와 염치를 모르며 함부로 행동하는 사람.
• **사리**: 일의 이치.

배경
❺ 소토산 왼편의~심하게 꾸짖었습니다.
➡ 중국의 소토산 일대를 공간적 배경으로 함.

인물
❸~❹ 서대주가 이 말을~옷깃을 적시니,
➡ 공훈이 있는 부유한 집안 출신인 서대주는 재판 과정에서 속으로는 떨면서도 겉으로는 대범한 척하는 인물로, 뛰어난 언변으로 무죄를 주장하여 소송에서 이기게 됨. 서대주는 몰락한 양반으로 생산적인 일은 하지 않고 양반의 권세만 믿고 평민을 억압하여 재산을 강탈하는 존재를 상징함.
❿ 원님이 서대주의~조아리며 갔다.
➡ 원님은 잘잘못을 제대로 판단하지 못하는 무능한 재판관을 상징하고, 원님의 무능함 때문에 벌을 받고 귀양 가는 타남주는 정직하고 선량한데도 억울하게 벌을 받는 평민을 상징함.

사건
❹ "저는 본시~어찌 옳겠습니까? ❼ 제가 비록~풀어 주옵소서."
➡ 무죄를 주장하는 서대주: 서대주가 대대로 부유하며, 공훈이 있는 가문의 후손이라는 점을 강조하면서 무죄를 주장함.
❺, ❻ 이놈의 평상시~놈이 있겠습니까?
➡ 타남주에게 죄를 씌우는 서대주: 도둑질을 한 서대주가 오히려 타남주(다람쥐)의 잘못을 꾸며냄.
⓫ 서대주는 후에~아닌가 생각한다.
➡ 재판 이후 서대주 일가의 후일담: 서대주 집안에 대한 벌과 인과응보, 권선징악에 대한 서술자의 주관적 논평으로 우화 소설의 도덕적 교훈을 제시함.

서술
❸ 서대주가 이 말을~대소하고,
➡ 전지적 작가 시점: 서대주의 심리까지 서술함.
❽ 서대주가 옷섶을~옷깃을 적시니,
➡ 행동 묘사: 거짓으로 불쌍한 척 꾸미는 서대주의 행동을 묘사함.
❾ 보는 자가~할 만한 것이었다.
➡ 서술자의 개입: 서술자가 개입하여 서대주 태도를 평가함.

□ 작자 미상, 「별주부전」

제목의 의미
'별주부전'의 '별(鼈)'은 '자라'를 뜻하고 '주부'는 벼슬 이름이다. 제목을 통해 이 작품이 동물을 인격화한 우화 소설임을 드러내고 있다.

이때에 토끼 이 말을 들으며 청천벽력이 머리를 깨치는 듯 정신이 아득하여 생각하되 '내 부질없이 영화부귀를 탐내어 고향을 버리고 오매 어찌 이 외의 변이 없을소냐. 이제 날개가 있어도 능히 위로 날지 못할 것이오, 또 축지(縮地)하는 술법이 있을지라도 능히 이때를 벗어나지 못하리니 어찌하리오.' 또 생각하되, '옛말에 이르기를 죽을 때에 빠진 후에 산다 하였으니 어찌 죽기만 생각하고 살아갈 방책을 헤아리지 아니하리오.' 하더니 문득 한 꾀를 생각하고 이에 얼굴빛을 조금도 변치 아니하고 머리를 들어 전상을 우러러보며 가로되,❸

[B]
"소토(小兎) 비록 죽을지라도 한 말씀 아뢰리다. 대왕은 천승의 임금이시오 소토는 산중의 조그마한 짐승이라 만일 소토의 간으로 대왕의 환후 십분 나으실진대 소토 어찌 감히 사양하오며 또 소토 죽은 후에 후장하오며 심지어 사당까지 세워 주리라 하옵시니 이 은혜는 하늘과 같이 크신지라. 소토 죽어도 한이 없사오나 다만 애달픈 바는 소토는 비록 짐승이오나 심상한 짐승과 다르와 본디 방성정기를 타고 세상에 내려와 날마다 아침이면 옥같은 이슬을 받아 마시며 주야로 기화요초(琪花瑤草)*를 뜯어 먹으매 그 간이 진실로 영약이 되는지라. 이러하므로 세상 사람이 모두 알고 매양 소토를 만난즉 간을 달라 하와 보챔이 심하옵기로 그 괴로움을 견디지 못하와 염통과 함께 끄집어 청산녹수 맑은 물에 여러 번 씻사와 고봉준령 깊은 곳에 감추어 두옵고 다니옵다가 우연히 자라를 만나 왔사오니 만일 대왕의 환후 이러하온 줄 알았던들 어찌 가져오지 아니하였으리오."❹

하며 또 자라를 꾸짖어 가로되, / "네 임금을 위하는 정성이 있을진대 어이 이러한 사정을 일언반사*도 날 보고 말하지 아니하였느뇨."❺

하거늘 용왕이 이 말을 듣고 크게 노하여 꾸짖어 가로되,

"네 진실로 간사한 놈이로다. 천지간에 온갖 짐승이 어이 간을 출입할 이치가 있으리오. 네 얕은 꾀로 과인을 속여 살기를 도모하니 과인이 어이 근리(近理)치 아닌 말에 속으리오. 네 과인을 기만한 죄 더욱 큰지라. 빨리 너의 간을 내어 일변 과인의 병을 고치며 일변 과인을 속이는 죄를 다스리리라."❻

토끼 이 말을 듣고 또한 어이없고 정신이 산란하며 간장이 없고 가슴이 막히어 심중에 생각하되 속절없이 죽으리로다 하다가 다시 웃으며 가로되,❼

"대왕은 소토의 말씀을 다시 자세히 들으시고 굽어 살피옵소서. 이제 만일 소토의 배를 갈라 간이 없사오면 대왕의 환후도 고치지 못하옵고 소토만 부질없이 죽을 따름이니 다시 누구에게 간을 구하오려 하시나이까. 그때는 후회막급하실 터이오니 바라건대 대왕은 세 번 생각하옵소서."❽

용왕이 이 말을 듣고 또 그 기색이 태연함을 보고 심중에 심히 의아하여 가로되,

"네 말과 같을진대 무슨 간을 출입하는 표적이 있는가."❾

토끼 이 말을 듣고 크게 기뻐이 생각하되 이제는 내 살아날 도리 쾌히 있도다 하고 여쭈오되,

"세상의 날짐승 가운데 소토는 홀로 하체에 구멍이 셋이 있사오니 하나는 대변을 통하옵고 하나는 소변을 통하옵고 하나는 특별히 간을 출입하는 곳이오니다."❿

– 작자 미상, 「별주부전(鼈主簿傳)」

인물

❶ 이때에 뜰아래~자취한 화라, ❸ 또 생각하되,~우러러보며 가로되,
→ 토끼는 헛된 욕심으로 위기에 처하지만, 언변과 위기 대처 능력이 뛰어남. 지배자의 수탈과 횡포로부터 자신을 지켜내는 서민을 상징함.

❺ 또 자라를~말하지 아니하였느뇨."
→ 토끼의 말을 통해 자라(별주부)가 임금을 위하는 정성이 있는 충신임이 드러남. 자라는 맹목적 충성심을 지닌 인물임.

❻ 용왕이 이 말을~죄를 다스리리라."
→ 용왕은 자신의 병을 고치기 위해 남을 해치려는 인물임. 서민에게 횡포를 부리는 부패한 지배층을 상징함.

사건

❸ 또 생각하되,~우러러보며 가로되,
→ 자라에게 속아 용궁에 왔다가 꾀를 내는 토끼: 죽을 위기에 처한 토끼가 살아날 방책을 찾음.

❹ "소토 비록~가져오지 아니하였으리오."
→ 토끼의 기지 ①: 토끼가 꾀를 내어 육지에 간을 두고 왔다는 거짓말을 함.

❻ 용왕이 이 말을~죄를 다스리리라."
→ 용왕의 호통: 용왕이 토끼의 말에 넘어가지 않고 간을 빼앗으려 함.

❽ "대왕은 소토의~세 번 생각하옵소서."
→ 용왕을 설득하는 토끼: 토끼는 용왕이 자신의 거짓말을 믿지 않자 재차 설득함.

❾ 용왕이 이 말을~표적이 있는가."
→ 토끼에게 속아 넘어가는 용왕: 토끼의 태연한 기색에 용왕이 속아 넘어감.

❿ 토끼 이 말을~출입하는 곳이오니다."
→ 토끼의 기지 ②: 살아날 도리가 생긴 토끼가 용왕을 설득하려고 말을 꾸며 냄.

갈등

❹~❿ "소토 비록~출입하는 곳이오니다."
→ 토끼와 용왕의 갈등: 죽지 않으려고 육지에 간을 두고 왔다고 거짓말을 하는 토끼와 용왕 사이의 갈등이 드러남.

서술

❷ 누구를 원망하며~ 보아 징계할지로다.
→ 서술자의 개입: 서술자가 개입하여 토끼가 처한 상황에 대해 평가함.

❼ 토끼 이 말을~웃으며 가로되, ❿ 토끼 이 말을~출입하는 곳이오니다."
→ 전지적 작가 시점: 전지적 서술자가 토끼의 심리와 생각을 직접 제시함.

• **기화요초:** 아름다운 꽃과 풀.
• **일언반사:** 단 한 마디의 말.

[전체 줄거리]

나 서대주를 우두머리로 한 쥐 무리는 흉년이 들어 양식이 떨어지자 궁리 끝에 타남주의 다람쥐 무리를 습격해 도적질한다. 타남주는 관가에 소송을 제기하지만, 명문가의 후손인 서대주는 뇌물과 언변으로 원님을 속여 소송에서 이기고, 타남주는 벌을 받게 된다. 이후 서대주는 자손이 번성하지만 계속 도적질을 일삼아 사람들이 만나기만 하면 죽였고, 억울한 상황에도 처지를 원망하지 않고 성실히 사는 타남주는 사람들에게 귀여움을 받는다.

다 용왕이 병이 들자 별주부가 토끼의 간을 구하러 육지로 나간다. 별주부의 감언이설에 속은 토끼는 별주부를 따라 용궁으로 오게 된다. 간을 내놓으라는 용왕의 말에 육지에 간을 두고 왔다고 꾀를 낸 토끼는 위기를 벗어난다. 용궁에서 벗어나 육지에 다다른 토끼는 별주부를 조롱하고 달아난다.

Step 2 포인트 체크

[01~05] 윗글에 대하여 맞으면 ○, 틀리면 ×표를 하시오.

01 우화 소설은 동물을 인격화하여 교훈을 전달한다. 〔○. ×〕

02 우화 소설은 의인화된 동물들의 언행을 통해 인간 사회를 직접적으로 풍자한다. 〔○. ×〕

03 (나)의 원님은 서대주의 말솜씨에 속아 잘못된 판결을 하는 무능한 인물이다. 〔○. ×〕

04 (나)의 서대주와 타남주는 서로의 영토를 침범한 문제로 갈등을 겪고 있다. 〔○. ×〕

05 (나)와 (다)에서는 서술자가 작중에 개입하여 인물이나 상황에 대해 평가하기도 한다. 〔○. ×〕

[06~10] 다음 빈칸에 알맞은 말을 쓰시오.

06 우화 소설에서 동물의 외형이나 생태적 특성은 〔ㅇ〕〔ㅁ〕의 형상화를 위해 사용된다.

07 우화 소설은 인간의 삶과 사회에 대한 〔ㅁ〕〔ㅈ〕〔ㅇ〕〔ㅅ〕을 드러내어 인간에게 필요한 윤리 의식과 도덕적 교훈을 제시한다.

08 (나)는 관료의 부정부패와 무능을 〔ㅍ〕〔ㅈ〕하고 있고, (다)는 무능한 지배층의 횡포를 〔ㅍ〕〔ㅈ〕하고 있다.

09 (다)는 동물을 인격화하여 지배층과 피지배층 간의 갈등을 〔ㅇ〕〔ㅎ〕〔ㅈ〕으로 드러내고 있다.

10 (나)와 (다)는 등장인물이 〔ㄷ〕〔ㅎ〕를 통해 상대방을 설득하는 사건이 전개되고 있다.

작품 정리

가 우화 소설의 세계
- 갈래: 설명문
- 주제: 우화 소설의 개념과 특징

나 서대주전
- 갈래: 우화 소설, 풍자 소설, 송사 소설
- 시점: 전지적 작가 시점
- 성격: 풍자적, 우의적, 비판적
- 배경: 시간-옛날 / 공간-중국 농서
- 주제: 조선 후기 관료들의 부정부패와 무능함 비판
- 특징: ① 쥐와 다람쥐를 의인화하여 사건을 전개함.
  ② 말과 행동을 통해 인물의 성격을 간접 제시함.
- 구조

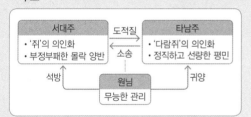

다 별주부전
- 갈래: 우화 소설, 판소리계 소설
- 시점: 전지적 작가 시점
- 성격: 풍자적, 우의적, 해학적, 교훈적
- 배경: 시간-막연함 / 공간-용궁, 육지
- 주제: 무능한 지배층의 횡포에 대한 풍자 → 용왕
  헛된 욕심 경계 및 위기 극복의 지혜 → 토끼
  맹목적 충성심에 대한 풍자 → 별주부
- 특징: ① 우화적 수법으로 인간 사회를 풍자함.
  ② '용궁↔육지'의 대립 구조로 내용을 전개함.
- 구조

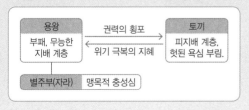

정답 | 01 ○ 02 × 03 ○ 04 × 05 ○ 06 인물 07 문제의식 08 풍자, 풍자 09 우의적 10 대화

IV. 복합 **251**

01

기출 2017학년도 3월 고2 교육청

(가)에서 언급한 '우화 소설'의 특징으로 보기 <u>어려운</u> 것은?

① 동물을 의인화한 이야기로서 송사형과 쟁론형 등의 유형이 있다.
② 구어나 비속어 등의 표현을 사용하여 해학적 분위기를 조성한다.
③ 봉건 사회의 잘못된 이념이나 현실에 대한 비판적인 관점을 드러낸다.
④ 시비를 다투는 사건을 제시하여 인물 간의 대립적 가치관을 보여 주기도 한다.
⑤ 계층 간의 갈등과 해소라는 전형적인 서사 구조를 통해 바람직한 사회상을 제시한다.

02

<보기>의 밑줄 친 내용 중 (다)에서 확인할 수 있는 것은?

┤ 보기 ├

선생님: 고전 문학은 현대 문학보다 어휘가 어려워 이해하기 힘든 경우가 많아요. 그래서 작품을 이해하려면 어휘를 해석하는 게 중요합니다. 어휘 해석을 통해 내용을 이해한 후 작품의 표현이나 서술상의 특징을 살펴보는 게 좋겠죠. 이렇게 내용 이해와 형식에 대한 이해가 이루어졌다면 이를 바탕으로 현재 우리의 삶과 관련지어 작품의 의미를 다시 한번 살펴보는 것도 필요합니다.

① 배경 묘사를 통해 인물 간의 갈등을 암시하고 있다.
② 비유법과 직접 서술을 통해 인물의 심리를 제시하고 있다.
③ 여러 가지의 삽화적 사건을 병렬적으로 서술하고 있다.
④ 등장인물의 가계와 생애를 중심으로 사건을 전개하고 있다.
⑤ 전기적(傳奇的) 요소를 활용하여 사건의 전환을 나타내고 있다.

03

(나)와 (다)의 공통된 특징에 대한 설명으로 가장 적절한 것은?

① 고도의 상징어를 사용하여 삶에 대한 철학과 신념을 밝히고 있다.
② 우의적 기법을 활용하여 당대의 부당한 사회 현실을 풍자하고 있다.
③ 반성적 어조를 사용하여 역사적 현실에 대한 회한을 드러내고 있다.
④ 유교적 사상을 기반으로 하여 인간의 도리를 직접적으로 전달하고 있다.
⑤ 현학적 표현을 사용하여 세상의 본질과 같은 철학적 주제를 탐구하고 있다.

04

<보기>를 바탕으로 (나)와 (다)를 감상한 내용으로 적절하지 <u>않은</u> 것은?

┤ 보기 ├

근대적 가치관이 태동된 조선 후기에는 우의적 방법으로 현실을 풍자하는 우화 소설이 활발하게 창작되고 유통되었다. 이는 빈부의 갈등, 계층 간의 갈등, 봉건적 가치관과 부조리한 사회상에 대한 비판이 많았던 조선 후기의 현실을 그려 내는 데에 우화 소설만큼 적절한 것도 없었기 때문에 일어난 문화적 현상이라 할 수 있다. 하지만 우화 소설이 근대적 가치관만을 추종하고 고유의 윤리 의식을 무조건 배척했다고 보기는 어렵다.

① (나)에서는 옥에 갇혀서도 편하게 지내는 서대주를 통해 뇌물이 횡행하는 사회의 부조리를 제시하고 있다.
② (나)에서는 자신의 가문을 언급하는 서대주를 통해 권위 의식에 사로잡힌 봉건 계층을 비판하고 있다.
③ (나)에서는 서대주의 후손들이 화를 입는 것을 통해 고유의 윤리 의식에 대한 옹호의 시각을 보여 주고 있다.
④ (다)에서는 토끼에게 간을 내놓으라고 하는 세상 사람들의 모습을 통해 빈부의 갈등이 있었던 당시 현실을 보여 주고 있다.
⑤ (다)에서는 토끼의 간으로 용왕의 목숨을 구하려고 했던 자라를 통해 충(忠)이라는 봉건적 가치관을 담아내고 있다.

05

 고난도 기출 2017학년도 3월 고2 교육청

(가)를 바탕으로 (나), (다)를 감상한 내용으로 적절하지 <u>않은</u> 것은?

① (나)에서 서대주의 모습을 뾰족한 입이 오물거리고 두 귀가 발쪽거린다고 묘사한 것은 '동물의 외형'을 반영한 것이겠군.

② (나)에서 타남주가 섬으로 귀양을 가도록 결말을 구성한 것은 신의를 지켜야 한다는 '윤리 의식'을 강조한 것이겠군.

③ (나)에서 서대주의 자손들이 사람에게 앙갚음을 당한 것은 올바른 삶에 대한 '도덕적 교훈'을 제시한 것이겠군.

④ (다)에서 토끼와 용왕의 대립 구도를 설정한 것은 '독자의 흥미를 유발'하기 위한 서사적 장치라고 할 수 있겠군.

⑤ (다)에서 토끼가 하체에 간이 출입하는 특별한 구멍이 따로 있다고 말하는 것은 등장인물의 '기지'를 드러낸 것이겠군.

06

기출 2017학년도 3월 고2 교육청

(가)의 인간 세태에 대한 풍자 를 바탕으로 (나), (다)의 인물을 이해한 내용으로 적절하지 <u>않은</u> 것은?

① (나)의 수졸을 통해 뇌물을 받는 부패한 관리를 풍자하고 있다.

② (나)의 서대주를 통해 타인의 권세를 빌려 위세를 부리는 간사한 인물을 풍자하고 있다.

③ (나)의 원님을 통해 시비를 올바로 가리지 못하는 무능한 판관을 풍자하고 있다.

④ (다)의 토끼를 통해 부귀영화를 꿈꾸는 인간의 허황된 욕심을 풍자하고 있다.

⑤ (다)의 용왕을 통해 민중의 목숨을 하찮게 여기는 권력자의 횡포를 풍자하고 있다.

07

기출 2017학년도 3월 고2 교육청

(나)의 [A]와 (다)의 [B]에 나타난 인물의 말하기에 대한 설명으로 적절하지 <u>않은</u> 것은?

① [A]는 [B]와 달리 무고를 당한 자신의 억울함을 풀어 달라고 호소하고 있다.

② [B]는 [A]와 달리 자신의 선행을 나열하며 남들과 다른 면모를 역설하고 있다.

③ [A]는 특정 인물의 부당한 행동을, [B]는 자신이 특별한 존재임을 강조하고 있다.

④ [A]와 [B]는 모두 자신의 말을 믿게 하려는 설득의 의도를 담고 있다.

⑤ [A]와 [B]는 모두 청자를 높이고 자신을 낮추는 겸양의 표현을 사용하고 있다.

08

 서술형

(나)와 (다)의 문제 상황을 통해 작가가 전달하고자 하는 것을 〈조건〉에 따라 서술하시오.

┤ 조건 ├

1. (나)와 (다)의 인물이 처한 문제 상황과 그 원인을 아래의 표와 같이 정리하여 명사형으로 서술할 것(1).

	설명	원인
(나)	서대주가 처한 문제 상황: (Ⓐ)	Ⓑ
(다)	토끼가 처한 문제 상황: (Ⓒ)	Ⓓ

2. 문제 상황의 결론을 통해 작가가 전달하고자 하는 것을 '(나)는 ~을/를 풍자하고, (다)는 ~을/를 경계하고 ~을/를 풍자한다.'의 형식으로 서술할 것(2).

(1) Ⓐ: _____

Ⓑ: _____

Ⓒ: _____

Ⓓ: _____

(2) _____

_____

태산이 놉다 하되~ | 사청사우 | 이옥설

출제 포인트 › #평시조 #노력의 중요성 #자연 현상 #세상 인정 비판 #유추 #잘못을 알고 고치는 일의 중요성

㉮ 태산˙이 놉다 하되 하늘 아래 ⓐ뫼히로다.❶

　　오르고 또 오르면 못 오를 리 업건마는❷

　　사람이 제 아니 오르고 뫼만 놉다 하더라.❸

– 양사언의 시조

• 태산: 중국 산동성에 있는 높고 큰 산.

㉯ 乍晴還雨雨還晴　언뜻 개었다가 다시 비가 오고 비 오다가 다시 개이니,
　　사 청 사 우 우 환 청

天道猶然況世情　하늘의 도도 그러하거늘, 하물며 세상 인정이라.❶
　천 도 유 연 황 세 정

譽我便是還毀我　나를 기리다가 문득 돌이켜 나를 헐뜯고,
　예 아 편 시 환 훼 아

逃名却自爲求名　공명을 피하더니 도리어 스스로 공명을 구함이라.❷
　도 명 각 자 위 구 명

花門花謝春何管　꽃이 피고 지는 것을, 봄이 어찌 다스릴고.
　화 개 화 사 춘 하 관

雲去雲來山不爭　구름 가고 구름 오되, ⓑ산은 다투지 않음이라.❸
　운 거 운 래 산 부 쟁

寄語世人須記認　세상 사람들에게 말하노니, 반드시 기억해 알아 두
　기 어 세 인 수 기 인 　라.

取歡無處得平生　기쁨을 취하려 한들, 어디에서 평생 즐거움을 얻을
　취 환 무 처 득 평 생 　것인가를.❹

– 김시습, 「사청사우(乍晴乍雨)」˙

• 사청사우: 날이 맑았다 비가 오다 함, 변덕스러운 날씨를 가리킴.

Step 1 포인트 분석

㉮ 양사언, 「태산이 놉다 하되~」

시적 상황

태산도 하늘 아래 있다는 생각을 통해 무슨 일이든 쉽게 포기하는 사람들에게 교훈을 전달하고 있다.

표현

❶ 태산이 놉다~아래 뫼히로다.
➔ 대조적 소재: 유한한 '태산'과 무한한 '하늘'이라는 대조적인 소재를 비교하여 노력하면 목표나 희망을 이룰 수 있다는 주제 의식을 드러냄.

정서와 태도

❷ 못 오를 리 업건마는
➔ 삶의 목표를 세우고 이를 이루기 위해 끊임없이 노력하는 자세가 필요하다는 인식이 드러남.

❸ 뫼만 놉다 하더라.
➔ 자신의 목표를 이루기 위해 노력하지 않고 쉽게 포기하며 도전하지 않는 사람들에 대한 비판이 드러남.

㉯ 김시습, 「사청사우」

제목의 의미

'사청사우'는 날이 맑았다 비가 오다 하는 변덕스러운 날씨를 가리키는 말로, 처세에 따라 달라지는 세상 인정을 비판하는 의미를 나타낸다.

시적 상황

세상 인정을 변덕스러운 날씨에 빗대어 언제 변할지 모를 변덕스러운 세태를 비판하며 순리를 따르는 삶의 중요성을 강조하고 있다.

표현

❶ 언뜻 개었다가~세상 인정이라.
➔ 유추적 표현: 변덕스러운 날씨에서 변덕스러운 세상 인정을 유추하여 적용시킴.

❷ 나를 기리다가~공명을 구함이라.
➔ 대구법: '나를 기리다~나를 헐뜯고', '공명을 피하더니~공명을 구함'에서 유사한 통사 구조의 시구를 배치하여 세상 변화에 따라 처세를 달리하는 세상 인정의 사례를 보여 줌.

❸ 꽃이 피고~다투지 않음이라.
➔ 대조와 대구: 가변적 대상('꽃', '구름')과 불변적 대상('봄', '산')의 대조와 유사한 통사 구조의 반복을 통해 순리를 따르는 삶을 살아야 한다는 화자의 의도를 드러냄.

❹ 반드시 기억해~얻을 것인가를.
➔ 도치법: '기쁨을~얻을 것인가를' '반드시 기억해 알아 두라.'라는 문장의 어순을 도치하여 세상 사람들이 얻어야 할 진정한 즐거움이 무엇인지 강조함.

정서와 태도

❷ 나를 기리다가~공명을 구함이라.
➔ 변덕스러운 세상 인정에 대한 비판적 태도를 드러냄.

❸ 꽃이 피고~다투지 않음이라.
➔ 자연의 불변적 속성에 대한 예찬을 통해 순리를 따르는 삶을 권유함.

다 행랑채가 퇴락*하여 지탱할 수 없게끔 된 것이 세 칸이었다. 나는 마지 못하여 이를 모두 수리하였다. 그런데 그 두 칸은 앞서 장마에 비가 샌 지 가 오래되었으나, 나는 그것을 알면서도 망설이다가 손을 대지 못했던 것 이고, 나머지 한 칸은 비를 한 번 맞고 샜던 것이라 서둘러 기와를 갈았던 것이다. 이번에 수리하려고 본즉 비가 샌 지 오래된 것은 그 서까래, 추녀, 기둥, 들보가 모두 썩어서 못 쓰게 되었던 까닭으로 수리비가 엄청나게 들 었고, 한 번밖에 비를 맞지 않았던 한 칸의 재목들은 완전하게 하여 다시 쓸 수 있었던 까닭으로 그 비용이 많지 않았다.❶

나는 이에 ㉮느낀 것이 있었다. 사람의 몸에 있어서도 마찬가지라는 사 실을.❷ 잘못을 알고서도 바로 고치지 않으면 곧 그 자신이 나쁘게 되는 것 이 마치 나무가 썩어서 못 쓰게 되는 것과 같으며, 잘못을 알고 고치기를 꺼리지 않으면 해(害)를 받지 않고 다시 착한 사람이 될 수 있으니, 저 집 의 재목처럼 말끔하게 다시 쓸 수 있는 것이다.

뿐만 아니라 나라의 정치도 이와 같다.❸ 백성을 좀먹는 무리들을 내버려 두었다가는 백성들이 도탄*에 빠지고 나라가 위태롭게 된다.❹ ㉯그런 연 후에 급히 바로잡으려 하면 이미 썩어 버린 재목처럼 때는 늦은 것이다. 어찌 삼가지 않겠는가.

– 이규보, 「이옥설(理屋說)」

• 퇴락: 낡아서 무너지고 떨어짐.
• 도탄: 몹시 곤궁하거나 고통스러운 지경을 이르는 말.

다 이규보, 「이옥설」

제목의 의미
'집을 수리하는 이야기'라는 뜻의 제목이다. 집을 수리하는 과정에서 얻은 깨달음을 바탕으로 잘못을 알았을 때 서둘 러 고쳐서 병폐를 막아야 한다는 교훈을 전달하고 있다.

배경
❹백성을 좀먹는~위태롭게 된다.
➡ 관리들의 부정부패가 극심했던 고려 중기 무신 집권기의 시대적 상황을 드러냄.

인물
❷나는 이에 느낀 것이 있었다.
글쓴이는 행랑채를 수리하면서 병폐를 알고 고치지 않을 때 더 큰 해악이 끼치게 된다는 점을 느끼는 인물로, 이러한 깨 달음을 세상 사람들에게 전달함.

사건
❹백성을 좀먹는~위태롭게 된다.
➡ 잘못된 정치의 폐단: 백성들을 상대로 부정부패한 행동을 하는 관료들을 없애지 않고 그대로 두면 백성들이 도탄에 빠 지고 나라가 더욱 위태롭게 되는 사건을 제시함.

구성
❶행랑채가 퇴락하여~많지 않았다. ❷나는 이에~마찬가 지라는 사실을, ❸나라의 정치도 이와 같다.
➡ 유추 및 의미 확장: 행랑채를 수리한 경험에서 얻은 깨달 음을 사람의 몸에 유추해서 적용하고, 더 나아가 나라의 정 치로 의미를 확장하는 방식으로 내용이 구성됨.

Step 2 포인트 체크

[01~08] 윗글에 대하여 맞으면 ○, 틀리면 ×표를 하시오.

01 (가)는 태산도 오를 수 있다는 화자의 인식을 반어적인 진술로 나타내고 있 다. 　　　　　　　　　　　　　　　　　　　　　　　　　[○. ×]

02 (가)는 공간의 대조와 어순의 도치를 통해 주제 의식을 드러내고 있다. 　　　　　　　　　　　　　　　　　　　　　　　　　[○. ×]

03 (나)는 변덕스러운 날씨를 제재로 사용하고 있다. 　　　　[○. ×]

04 (나)는 기승전결의 구성으로 시상이 전개되고 있다. 　　　[○. ×]

작품 정리

가 양사언, 「태산이 높다 하되~」

• **갈래:** 시조, 평시조
• **성격:** 교훈적, 비유적
• **주제:** 목표를 이루기 위한 끊임없는 노력의 중요성
• **구성:** 초장 | 태산과 하늘의 비교
　　　중장 | 노력하는 자세의 중요성
　　　종장 | 쉽게 포기하는 태도 비판
• **특징:** ① 산에 오르는 일에 빗대어 주제를 나타냄.
　　　② 노력하지 않고 쉽게 체념하는 사람들을 비판함.
• **구조**

| 태산 오를 수 있음. | ➡ | 목표, 희망 노력하면 이룰 수 있음. |

05 (다)는 유추의 방법으로 주제를 이끌어 내고 있다.   [○, ×]

06 (다)에서 '나'는 잘못을 알면 고치기 쉬운 부분부터 순차적으로 고쳐야 한다고 생각하고 있다.   [○, ×]

07 (다)에서 '나'는 백성을 좀먹는 무리들에게 반성의 기회를 주어야 한다고 생각한다.   [○, ×]

08 (가)~(다)는 모두 사람들에게 교훈적인 주제를 전달하고자 하는 의도를 담고 있다.   [○, ×]

[**09~15**] 다음 빈칸에 알맞은 말을 쓰시오.

09 (가)는 시어의 ㅂㅂ 을 통해 꾸준한 ㄴㄹ 의 중요성을 강조하고 있다.

10 (나)는 ㄴㅆ 와 세상 ㅇㅈ 의 변덕스러움이라는 유사성을 바탕으로 시상을 전개하고 있다.

11 (나)에서 '꽃'과 'ㄱㄹ'은 쉽게 변하는 존재로 제시되어 있다.

12 (나)의 화자는 당시의 세상 인심에 대해 ㅂㅍㅈ 으로 바라보고 있다.

13 (다)는 사실을 바탕으로 ㅇㄱ 을 제시하는 구성을 취하고 있다.

14 (다)는 집을 수리한 경험을 활용해 ㅈㅁ 을 알고 바로 고치는 일의 중요성을 제시하고 있다.

15 (다)는 집을 수리하고 얻은 깨달음을 '사람의 ㅁ → 나라의 ㅈㅊ'로 의미를 확장하고 있다.

나 김시습, 「사청사우」

• **갈래**: 한시, 7언 율시
• **성격**: 비판적, 비유적, 교훈적, 경세적
• **주제**: 변덕스러운 세상 인정에 대한 비판과 순리적인 삶의 중요성
• **구성**: 기 | 변덕스러운 날씨와 세상 인정
　　　　 승 | 변덕스러운 세상
　　　　 전 | 순리에 따르는 자연의 모습
　　　　 결 | 세태에 따른 처세를 경계함.
• **특징**: ① 자연 현상에 빗대어 세상 인심을 나타냄.
　　　　 ② 대조적인 속성의 소재를 통해 주제 의식을 부각함.
　　　　 ③ 도치적 표현을 통해 화자가 전달하고자 하는 바를 강조함.
• **구조**

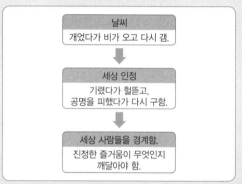

다 이규보, 「이옥설」

• **갈래**: 한문 수필, 설(說)
• **성격**: 교훈적, 경험적, 유추적
• **배경**: 시간-고려 중기 무신 정변
• **주제**: 잘못을 알고 바로 고치는 일의 중요성
• **특징**: ① 일상적 경험을 바탕으로 깨달음을 제시함.
　　　　 ② 유추의 방법을 활용하여 의미를 확장하며 내용을 전개함.
• **구조**

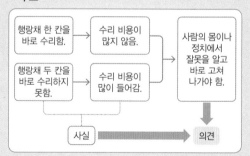

🎵 **한 걸음 더**

「이옥설」에 나타난 교훈적 태도
이 작품은 집을 수리한 경험을 바탕으로 인생을 살아가는 자세뿐 아니라 백성의 평안한 삶을 위한 올바른 정치의 필요성을 강조하고 있다. 작은 잘못이라도 빠르게 고쳐야 후일의 더 큰 폐단을 방지할 수 있다는 교훈을 제시해 독자를 설득하고 있다.

Step 3 실전 문제

정답 077쪽

01

(가)~(다)에 설명으로 적절하지 않은 것은?

① (가)는 동일한 시어를 반복해 시상을 전개하고 있다.
② (나)는 계절적 이미지를 활용해 시적 의미를 드러내고 있다.
③ (다)는 설의적 의문으로 마무리하여 주제 의식을 부각하고 있다.
④ (가)와 (나)는 화자가 작품 안에 등장하여 자신의 생각을 전달하고 있다
⑤ (나)와 (다)는 두 대상의 유사성에 기초하여 내용을 전개하고 있다.

02

고난도 기출 변형 2020학년도 6월 고1 교육청

(가)~(다)의 공통점으로 가장 적절한 것은?

① 자신의 잘못에 대한 회한이 드러나 있다.
② 고난과 시련의 극복 의지를 제시하고 있다.
③ 올바른 삶의 자세에 대한 생각이 제시되어 있다.
④ 이념과 현실 사이의 괴리에 따른 갈등이 제시되어 있다.
⑤ 자신의 운명에 순응해야 한다는 내면 의식을 드러내고 있다.

03

(가)의 '초장 – 중장 – 종장'의 언술의 성격을 나타낸 말로 가장 적절한 것은?

① 전제 – 비판 – 주장
② 단정 – 주장 – 비판
③ 단정 – 위로 – 비판
④ 비판 – 단정 – 위로
⑤ 비판 – 위로 – 주장

04

고난도

〈보기〉를 바탕으로 (나)를 이해한 것으로 적절하지 않은 것은?

┤ 보기 ├
　(나)는 변덕스러운 세상의 인심을 자연 현상에 빗대어 비판하고 있는 한시로, 세상 변화에 따라 처세를 달리하는 세상의 인심에 대한 경계를 드러내고 있다.

① '언뜻 개었다가 다시 비가 오고 비 오다가 다시 개'인다는 데서 변덕스러운 자연 현상을 제시하고 있군.
② '하늘의 도'는 변덕스러운 봄의 날씨처럼 쉽게 '꽃이 피고 지는 것'과 유사한 상황을 나타내는군.
③ '나를 기리'던 사람이 '나를 헐뜯'는 것에서 세상 인심의 변덕스러움을 드러내고 있군.
④ '공명을 피하더니 도리어 스스로 공명을 구함이라'는 데서 세상 변화에 따라 처세를 달리하는 사람들의 행태를 엿볼 수 있군.
⑤ '어디에서 평생 즐거움을 얻을 것인가'를 '반드시 기억해 알아 두라'는 데서 변덕스러운 세상 인심에 대한 경계의 의도를 드러내고 있군.

05

(다)에 대한 이해로 적절하지 않은 것은?

① 행랑채의 세 칸을 수리하는 일에서 대조적 상황이 나타나는군.
② 나무가 썩어서 못 쓰게 된 일에서 사람의 몸도 잘못을 서둘러 고쳐야 한다는 사실을 깨달았군.
③ 잘못한 사람이 다시 착한 사람이 될 수 있다는 믿음을 가져야만 해(害)를 받지 않고 나라의 인재로 쓰이겠군.
④ 몸을 고치는 일이든 정치를 바로잡는 일이든 모두 잘못을 알았을 때 그대로 방치하면 안 되겠군.
⑤ 백성을 좀먹는 무리들을 바로잡지 않고 내버려 두면 백성과 나라에 큰 위태로움을 가져다주겠군.

06

고난도 기출 2020학년도 6월 고1 교육청

〈보기〉를 참고하여 (다)를 이해한 내용으로 가장 적절한 것은?

┤ 보기 ├

　설(說)은 일반적으로 두 단계의 구조로 나뉜다. 글쓴이의 개인적인 경험을 들려주는 ㉠전반부와 그로부터 얻은 결과를 독자에게 전하는 ㉡후반부로 구분된다. 글쓴이의 주관이 직접적으로 드러나고 경험담이 기반이 되기 때문에 수필과 비슷하다.

① ㉠은 문제에 대해 다양한 해결책을 제시하고 있다.
② ㉠과 ㉡은 서로 상반되는 견해를 제시하고 있다.
③ ㉠이 사건의 결과라면 ㉡은 그 원인에 해당한다.
④ ㉡은 ㉠의 사실적 상황을 바탕으로 유추한 것이다.
⑤ ㉠은 ㉡에서 얻은 깨달음을 자신의 생활에 적용한 것이다.

07

ⓐ와 ⓑ가 나타내는 의미로 가장 적절한 것은?

	ⓐ	ⓑ
①	추구하고자 하는 목표나 바람	바람직하게 생각하는 가치 표상
②	협력이나 협조를 구해야 할 대상	조언이나 충고를 전달할 대상
③	속박에 얽매이지 않는 자유의 존재	속박에 얽매인 부자연스러운 존재
④	두려움과 혐오를 일으키는 존재	연민과 동정을 불러일으키는 존재
⑤	백성을 위한 사회적 책무감	백성을 아끼고 보살필 수 있는 방편

08

서술형

㉮의 구체적 내용에 대해 서술하시오.

09

㉯를 나타내는 속담으로 가장 적절한 것은?

① 쇠뿔도 단김에 빼라.
② 소 잃고 외양간 고친다.
③ 고래 싸움에 새우등 터진다.
④ 숭어가 뛰니까 망둥이도 뛴다.
⑤ 하룻강아지 범 무서운 줄 모른다.

10

(다)의 구성상의 특징을 다음의 〈조건〉에 맞게 쓰시오.

┤ 조건 ├

　(다)는 1~3문단이 각각 '체험, 유추, 의미 확장'의 순서로 구성되어 있다. 이 순서에 맞추어 (다)의 문단별 중심 화제가 포함되도록 한 문장으로 서술하시오. (단, '체험, 유추, 의미 확장'의 단어를 모두 활용하여 쓸 것.)

한의 문학 | 별사미인곡 | 봉산 탈춤

출제 포인트 › #한의 문학 #유배 가사 #가면극 #'한'의 정서와 극복 모습

ⓖ 한국 문학 작품들 사이에 면면히 흐르는 공통적인 특질을 '한국 문학의 전통'이라고 한다. 한국 문학에는 정(情)과 한(恨)의 정서를 담아낸 작품들이 많다. 그중 한은 인간의 감정이 억눌려 응어리가 매듭처럼 맺힌 것을 말하는데, 이러한 한은 수난이 잦은 역사의 비운이나 사회적 억눌림 그리고 어긋난 인간관계 등으로 인해 발생한다. 하지만 한국 문학 작품들을 살펴보면 단순히 한으로 인한 아픔과 슬픔만을 그리지 않고, 그것을 극복하려는 풀이의 모습도 그리고 있다. 그렇기 때문에 한국 문학은 '한의 문학'이자 '풀이의 문학'이라고 할 수 있다.**❶**

[A] 김춘택의 「별사미인곡」은 평생 벼슬을 하지 못했던 그가 당쟁에 휘말려 유배를 갔을 때 지은 가사로 송강 정철의 「사미인곡」과 「속미인곡」의 영향을 받아 지어진 작품이다. 유배 가사를 비롯한 사대부들의 시가 작품 중에는 임금과의 관계가 어긋나게 되었을 때의 슬픔과 억울함 등을 담아낸 작품들이 있는데, 이때 임금을 이별한 임으로 설정하여 임금에 대한 절절한 그리움을 표현하였다. 대개 이런 작품들은 임금에 대한 변함없는 충정으로 한을 극복한다.**❷**

[B] 「봉산 탈춤」은 황해도 봉산(鳳山) 지방에 전승되어 오던 가면극으로 재담을 통해 봉건적인 가족 제도와 양반의 무능과 허위, 부조리 등을 폭로하고 비판한다. 이러한 탈춤은 서민들을 억압하는 사회를 풍자하고, 양반을 비하하는 욕설, 행동 등을 거침없이 표현하여 서민들의 금지된 욕망을 드러낸다. 또한 익살스러운 말과 행동을 통해 대상을 조롱하고 희화화하여 서민들이 겪었던 갈등과 고통을 웃음으로 해소한다.**❸**

ⓝ **이보소 저 각시님** 설운 말씀 그만 하오
　말씀을 들어하니 설운 줄을 다 모르겠네
　인연인들 한가지며 이별인들 같을손가**❶**
　광한전(廣寒殿)＊ **백옥경(白玉京)**＊의 님을 뫼셔 즐기더니**❷**
　이별을 하였거니 재앙인들 없을손가
　해 다 저문 날에 가는 줄 설워 마소
　어떻다 이내 몸이 견줄 데 전혀 없네**❸**
　광한전 어디메오 백옥경 내 알던가
　원앙침(鴛鴦枕) 비취금(翡翠衾)에 **뫼셔 본 적 전혀 없네**
　내 얼굴 이 거동이 무얼로 님 사랑할고
　길쌈을 모르거니 가무(歌舞)야 더 이를가
　엇언지 님 향한 한 조각 이 마음을

Step 1 포인트 분석

ⓖ 「한의 문학」

한국 문학의 전통인 '한'에 대해 설명하는 글이다. 김춘택의 「별사미인곡」과 전통극 「봉산 탈춤」 등의 예를 통해 유배 가사와 가면극에 드러나 있는 '한'의 정서와 그것을 극복하는 모습에 대해 설명하고 있다.

❶ 한국 문학은~할 수 있다.
　➡ 한국 문학의 특징: 일반적으로 한국 문학을 '한의 문학'이라고 일컫지만, 한국 문학에는 '한'과 더불어 그것을 풀어내는 '풀이의 문학'으로서의 특징도 나타남.

❷ 대개 이런~한을 극복한다.
　➡ 임금과 이별한 신하가 지니는 '한'의 풀이: 「별사미인곡」과 같이 임금과의 관계가 어긋난 데서 비롯된 '한'은 대개 임금에 대한 변함없는 충정을 강조함으로써 그 한을 풀어내고자 함.

❸ 이러한 탈춤은~웃음으로 해소한다.
　➡ 탈춤에 나타난 '한'의 풀이: 탈춤은 서민들의 금지된 욕망을 드러내고 대상을 조롱하며 희화화하여 서민에 대한 사회적 억압에서 비롯된 한을 웃음으로 승화하여 해소함.

ⓝ 김춘택, 「별사미인곡」

제목의 의미
'별사미인곡'은 이별한 미인을 그리워하며 부른 노래라는 뜻이다. 여기에서 '미인'은 아름다운 사람, 즉 임금을 의미한다. 이러한 점에서 이 가사는 연군지정을 노래한 작품이라고 할 수 있다.

시적 상황
임과 이별한 상황에서 임을 생각하며 그리워하고 있다.

표현
❶ 인연인들 한가지며 이별인들 같을손가
　➡ 설의적 표현: 각자의 인연과 이별의 사연이 서로 다름을 강조함.
❷ 광한전 백옥경의~뫼셔 즐기더니
　➡ 환유적 표현: '광한전'과 '백옥경'은 천상계의 환유적 표현으로 임을 천상계의 존재처럼 높은 대상으로 상정하고 있음.

정서와 태도
❸ 어떻다 이내~전혀 없네
　➡ 광한전 백옥경에서 임을 모셔 본 적이 있는 '저 각시'가 겪는 이별의 슬픔보다 임의 곁에 있어 보지도 못한 채 임과 이별해 있는 화자의 슬픔과 서러움이 더 큼.

하늘이 삼기시고 성현이 가르치셔

정확(鼎鑊)*이 앞에 있고 부월(斧鉞)*이 뒤에 있어

일백 번 죽고 죽어 **뼈**가 갈리 된 후라도

님 향한 이 마음이 변할손가❹

나도 일을 가져 남의 없는 것만 얻어

㉮부용화 옷을 짓고 **목란**으로 꽃신 삼아

하늘께 맹세하여 님 섬기랴 원이려니

조물 시기한가 귀신이 훼방 놓았는가

(중략)

님을 뫼셔 그러한 각시님 같았던들

설움이 이러하며 생각인들 이러할가

차생이 이렇거든 후생을 어이 알고❺

[C]
　차라리 싀어져 **구름**이나 되어 이셔

　상광 오색(祥光五色)이 님 계신 데 덮었으면

　그도 마다하면 **바람**이나 되어 이셔

　한여름 청음(淸陰)*의 님 계신 데 불고지고❻

– 김춘택, 「별사미인곡(別思美人曲)」

표현

❹ 일백 번~마음이 변할손가
→ **과장법**: 임을 향한 변치 않는 마음을 과장법을 사용하여 강조함.

❺ 설움이 이러하며~후생을 어이 알고
→ **대구법**: 임의 사랑을 받아 본 적 없는 자기 신세에 대한 설움을 대구적으로 표현함.

❻ 차라리 싀어져~님 계신 데 불고지고
→ **가정적 상황을 이용한 표현**: 가상의 상황을 설정하여 임의 곁에 머물고 싶은 화자의 간절한 소망을 강조함.

정서와 태도

❹ 일백 번~마음이 변할손가
→ **임에 대한 변치 않는 사랑**

❻ 차라리 싀어져~님 계신 데 불고지고
→ **임의 곁에 머물고 싶은 소망**

・ **광한전**: 달에 있다는 전설의 궁전.
・ **백옥경**: 옥황상제가 사는 서울.
・ **정확**: 죄인을 삶아 죽이는 가마.
・ **부월**: 도끼.
・ **청음**: 시원한 그늘.

다

말뚝이: 쉬이. (반주 그친다.) 여보, 구경하시는 양반들, 말씀 좀 들어 보시오. 짤다란 곰방대로 잡숫지 말고 저 연죽전(煙竹廛)으로 가서 돈이 없으면 내게 기별이래도 해서 양칠 간죽(洋漆竿竹), 자문죽(紫紋竹)을 한 발 가웃씩 되는 것을 사다가 육무 깍지, 희자죽(喜子竹), 오동 수복(梧桐壽福) 연변죽을 사다가 이리저리 맞추어 가지고 저 재령(載寧) 나무리 거이 낚시 걸 듯 죽 걸어 놓고 잡수시오.

양반들: 머야아!

[D]
말뚝이: 아, 이 양반들, 어찌 듣소. 양반 나오시는데 담배와 훤화(喧嘩)*를 금하라고 그리하였소.❶

양반들: (합창) 훤화를 금하였다네. (굿거리 장단으로 모두 춤을 춘다.)❷

말뚝이: 쉬이. (춤과 반주 그친다.) 여보, 악공들 말씀 들으시오. 오음 육률(五音六律) 다 버리고 저 버드나무 홀뚜기 뽑아다 불고 바가지 장단 좀 쳐 주오.

양반들: 야아, 이놈 뭐야!

말뚝이: 아, 이 양반들, 어찌 듣소. 용두 해금(奚琴), 북, 장고, 피리, 젓대 한 가락도 뽑지 말고 건 건드리지게 치라고 그리하였소.

양반들: (합창) 건 건드러지게 치라네. (굿거리 장단으로 춤을 춘다.)❸

생　원: 쉬이. (춤과 장단 그친다.) 말뚝아.

말뚝이: 예에.

생　원: 이놈, 너도 양반을 모시지 않고 어디로 그리 다니느냐?

다 작자 미상, 「봉산 탈춤」

제목의 의미

'봉산'은 황해도 봉산 지방을 의미하고, '탈춤'은 탈을 쓰고 공연하는 가면극을 의미한다. 즉 '봉산 탈춤'은 봉산 지역에서 연행된 탈춤(가면극)이라는 뜻을 담고 있다.

인물

❶ 아, 이 양반들,~금하라고 그리하였소.
→ 말뚝이는 양반의 하인으로 등장함. 익살스러운 대사를 통해 양반을 조롱하고, 이에 양반들이 화를 내면 다시 말을 바꾸어 변명함으로써 양반들을 안심시키는 행동을 반복함. 이러한 점에서 말뚝이는 양반의 무지를 드러내고 양반을 조롱하는 역할을 함.

❷ 훤화를 금하였다네.~춤을 춘다.)
→ 양반들은 하인인 말뚝이가 양반을 속이면서 자신들을 놀림의 대상으로 만들어 놓고 있다는 것을 전혀 눈치채지 못함. 이로써 양반들 스스로 어리석음을 드러내며 풍자의 대상이 되고 있음.

사건

❶~❸ 쉬이. (반주~춤을 춘다.)
→ 재담 구조: '양반의 위엄 → 말뚝이의 조롱 → 양반의 호통 → 말뚝이의 변명 → 양반의 안심 → 일시적 화해'와 같은 구조가 반복되면서 양반에 대한 조롱과 풍자가 계속 이어짐.

말뚝이: 예에. 양반을 찾으려고 찬밥 국 말어 일조식(日早食)*하고, 마구간에 들어가 ⓐ노새 원님을 끌어다가 등에 솔질을 솰솰 하여 말뚝이 님 내가 타고 서양(西洋) 영미(英美), 법덕(法德)*, 동양 삼국 무른 메주 밟듯 하고, 동은 여울이요, 서는 구월이라, 동여울 서구월 남드리 북향산 방방곡곡(坊坊曲曲) 면면촌촌(面面村村)이, 바위 틈틈이, 모래 쨈쨈이, 참나무 결결이 다 찾아다녀도 ⓑ샌님 비뚝한 놈도 없습디다.

(중략)

생 원: 이놈, 말뚝아.

말뚝이: 예에.

생 원: 나랏돈 노랑돈 칠 푼 잘라먹은 놈, 상통이 무르익은 대초빛 같고, 울룩줄룩 배미 잔등 같은 놈을 잡아들여라.❹

말뚝이: ⓒ그놈이 심(힘)이 무량대각(無量大角)*이요, 날램이 비호(飛虎) 같은데, 샌님의 전령(傳令)이나 있으면 잡아 올는지 거저는 잡아 올 수 없습니다.❺

생 원: 오오, 그리하여라. 옜다. 여기 ㉯전령 가지고 가거라. (종이에 무엇을 써서 준다.)

말뚝이: (종이를 받아 들고 취발이한테로 가서) 당신 잡히었소.

취발이: 어데, 전령 보자.

말뚝이: (종이를 취발이에게 보인다.)

취발이: (종이를 보더니 말뚝이에게 끌려 양반의 앞에 온다.)

말뚝이: ⓓ(취발이 엉덩이를 양반 코앞에 내밀게 하며) 그놈 잡아들였소.

생 원: 아, 이놈 말뚝아. 이게 무슨 냄새냐?

말뚝이: 예, 이놈이 피신(避身)을 하여 다니기 때문에, 양치를 못 하여서 그렇게 냄새가 나는 모양이외다.

생 원: 그러면 이놈의 모가지를 뽑아서 밑구녕에다 갖다 박아라.

(중략)

말뚝이: 샌님, 말씀 들으시오. 시대가 금전이면 그만인데, 하필 이놈을 잡아다 죽이면 뭣하오? ⓔ돈이나 몇백 냥 내라고 하야 우리끼리 노나 쓰도록 하면, 샌님도 좋고 나도 돈냥이나 벌어 쓰지 않겠소. 그러니 샌님은 못 본 체하고 가만히 계시면 내 다 잘 처리하고 갈 것이니, 그리 알고 계시오.❻ (굿거리장단에 맞추어 일제히 어울려서 한바탕 춤추다가 전원 퇴장한다.)

– 작자 미상 / 이두현 채록, 「봉산 탈춤」

[전체 줄거리]
· 제1과장: 사방신에게 배려하는 의식무
· 제2과장: 팔먹중의 파계와 법고놀이 장면
· 제3과장: 사당과 거사들이 흥겹게 노닒.
· 제4과장: 노장이 유혹에 넘어가 파계했다가 취발이에게 욕을 봄.
· 제5과장: 사자가 파계승을 혼내고 화해의 춤을 춤.
· **제6과장: 양반의 허세를 희화화하고 풍자함.**
· 제7과장: 영감과 미얄, 첩의 삼각관계와 미얄의 죽음

Step2 포인트 체크

[01~08] 윗글에 대하여 맞으면 ○, 틀리면 ×표를 하시오.

01 한국 문학 작품들 사이에 면면히 흐르는 공통적인 특질을 '한국 문학의 전통'이라고 한다. 〔○. ×〕

02 '한'은 인간의 감정이 억눌려 응어리가 매듭처럼 맺힌 것을 말한다. 〔○. ×〕

03 (다)는 (나)와 달리 서민 계층의 언어로만 이루어져 있다. 〔○. ×〕

04 (나)의 화자는 임금을 곁에서 모셨던 과거의 일을 그리워한다. 〔○. ×〕

05 (다)에서 말뚝이는 익살과 과장을 통해 웃음을 유발한다. 〔○. ×〕

06 (다)는 여러 과장이 유기적으로 연결되어 있는 가면극이다. 〔○. ×〕

07 (다)에서는 언어유희를 통해 양반을 희화화하고 있다. 〔○. ×〕

08 (다)에서는 무대 밖의 악공이나 관중이 극 중 상황에 참여하는 것은 불가능하다. 〔○. ×〕

[09~14] 다음 빈칸에 알맞은 말을 쓰시오.

09 한국 문학에는 ㅈ과 ㅎ의 정서를 담아낸 작품들이 많다.

10 한국 문학은 한으로 인한 고통만을 그리지 않고, 그것을 극복하려는 풀이의 모습도 그리고 있다는 점에서 '한의 문학'이자 'ㅍㅇ의 문학'이라고 한다.

11 (나)는 화자가 임과 이별한 ㅇㅇ으로 설정되어 있다.

12 (나)에서 화자는 임금에 대한 변함없는 ㅊㅈ을 통해 한을 극복한다.

13 (다)에서 ㅊ은 재담을 마무리하고 장면을 구분하는 역할을 한다.

14 (다)에서는 재담을 통해 ㅇㅂ의 무능과 허위, 부조리 등을 폭로하고 비판하고 있다.

가 한의 문학
- **갈래**: 설명문
- **주제**: '한'과 '한'을 극복하려는 풀이의 모습이 드러난 한국 문학

나 별사미인곡
- **갈래**: 가사, 서정 가사, 양반 가사
- **성격**: 애상적, 서정적, 연군지사적
- **주제**: 임을 향한 일편단심
- **구성**: 1~9행 | '저 각시'와 비교한 화자의 처지
  10~15행 | 임에 대한 변치 않는 사랑
  16~32행 | 임과 멀리 헤어져 있음.
  33~40행 | 임의 옷을 전하고 소식을 듣고 싶은 심정
  41~50행 | 꽃을 보며 더욱 임을 그리워함.
  51~73행 | 환생하여 임에게 가고 싶은 마음
  74~78행 | 또 다른 이의 위로
- **특징**: ① 정철의 「사미인곡」, 「속미인곡」의 영향을 받아 창작됨.
  ② 화자를 임과 이별한 여성에 빗대어 표현함.
- **구조**

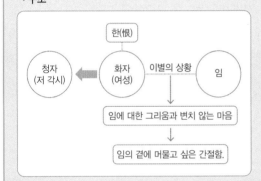

다 봉산 탈춤
- **갈래**: 가면극(탈춤) 대본, 민속극, 풍자극
- **성격**: 풍자적, 해학적, 서민적, 전통적
- **배경**: 시간 - 조선 후기 / 공간 - 황해도 봉산 지역
- **주제**: 양반에 대한 풍자와 조롱
- **특징**: ① 각 과장이 독립적인 이야기로 구성되어 있음.
  ② 언어유희, 열거, 과장, 익살 등을 통해 해학적인 성격이 강하게 나타남.
  ③ 서민 계층과 양반 계층의 언어가 함께 사용됨.
- **구조**

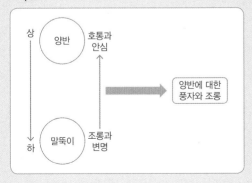

01

기출 변형 2017학년도 9월 고2 교육청

(가)를 이해한 내용으로 적절하지 않은 것은?

① 한은 한국 문학 작품에 공통적으로 나타나는 특질 중 하나이다.

② 한에는 역사의 비운, 사회적 억압으로 인해 발생한 응어리진 감정도 포함된다.

③ 탈춤은 서민들이 현실에서 겪었던 억눌림과 고통을 웃음을 통해 해소할 수 있게 한다.

④ 사대부들의 시가 작품 대부분은 임금을 이별한 임으로 설정하여 지배층의 부조리를 비판한다.

⑤ 유배 가사에 나타나는 한은 임금과의 어긋난 관계로 인한 슬픔과 억울함에서 기인하는 경우가 많다.

02

고난도 기출 2017학년도 9월 고2 교육청

[A]를 바탕으로 (나)를 감상한다고 할 때, 〈보기〉를 활용하여 탐구한 내용으로 적절하지 않은 것은?

┤ 보기 ├

◎ 「사미인곡」과 「속미인곡」의 공통점
　• 임금을 천상계에 계신 임으로 그림. ─────── ㉠
　• 임금을 모셨던 작가 자신을 임과 이별한 여인으로 그림. ─────── ㉡
　• 죽어서도 임을 따르고자 하는 의지를 드러냄. ─────── ㉢

◎ 「사미인곡」의 특징
　• 계절에 따라 임에 대한 그리움을 읊음. ─────── ㉣

◎ 「속미인곡」의 특징
　• 두 여인이 이야기하는 형식을 통해 임에 대한 마음을 표현함. ─────── ㉤

① '광한전 백옥경'을 보니 ㉠과 같이 임이 계신 곳을 천상계로 설정하고 있군.

② '뫼셔 본 적 전혀 없네'를 보니 ㉡과 달리 벼슬을 하지 못했던 작가 자신의 모습을 그리고 있군.

③ '구름', '바람'을 보니 ㉢과 같이 죽어서라도 임의 곁에 가고자 하는 마음을 드러내고 있군.

④ '목란', '한여름 청음'을 보니 ㉣과 같이 계절적 소재를 통해 임과의 추억을 회상하고 있군.

⑤ '이보소 저 각시님'을 보니 ㉤과 같이 이야기하는 형식을 취하고 있군.

03

기출 변형 2017학년도 9월 고2 교육청

(나)의 표현상 특징으로 가장 적절한 것은?

① 의태어를 활용하여 시적 상황을 구체화하고 있다.

② 말을 건네는 어투를 통해 화자의 정서를 부각하고 있다.

③ 연쇄법을 사용하여 시적 의미를 긴밀하게 드러내고 있다.

④ 공간의 이동에 따라 정서가 심화하는 과정을 제시하고 있다.

⑤ 원경에서 근경으로 시선을 이동하여 대상에 주목하도록 유도하고 있다.

04

기출 2017학년도 9월 고2 교육청

[B]를 바탕으로 ⓐ~ⓔ를 이해한 내용으로 적절하지 않은 것은?

① ⓐ: '노 생원님'과 발음이 유사하다는 것을 이용하여 양반을 희화화하고 있다.

② ⓑ: 양반을 얕잡아 보는 말을 사용하여 양반을 비하하고 있다.

③ ⓒ: '취발이'를 익살스럽게 묘사하여 서민들 사이의 갈등을 해소하고 있다.

④ ⓓ: 양반을 무시하고 조롱하는 행동을 함으로써 웃음을 유발하고 있다.

⑤ ⓔ: 돈을 받고 죄를 눈감아 주던 당시의 모습을 드러내어 부패한 사회를 풍자하고 있다.

05

기출 변형 2017학년도 9월 고2 교육청

㉮와 ㉯에 대한 설명으로 가장 적절한 것은?

① ㉮는 화자의 과거 상황을 상징하는 소재이고, ㉯는 말뚝이의 앞날을 짐작하게 하는 소재이다.
② ㉮는 화자의 절망적 상황을 나타내는 소재이고, ㉯는 말뚝이의 부정적 현실을 나타내는 소재이다.
③ ㉮는 화자의 내적 갈등을 드러내는 소재이고, ㉯는 말뚝이의 해소된 갈등을 나타내는 소재이다.
④ ㉮는 화자와 임의 약속을 상징하는 소재이고, ㉯는 말뚝이의 위임받은 권위를 상징하는 소재이다.
⑤ ㉮는 화자가 상대에 대한 애정을 드러내는 소재이고, ㉯는 말뚝이가 상대를 제압할 수 있는 소재이다.

06

[C]에 담긴 화자의 심정과 가장 가까운 것은?

① 자신의 누명을 벗고 임의 신뢰를 회복하고자 하는 심정
② 속박에서 벗어나 더욱 자유로운 존재가 되고 싶은 심정
③ 언젠가는 임이 자신의 존재를 알아봐 주기를 바라는 심정
④ 후생에서는 현재와 같은 처지에서 벗어나 있을 것임을 확신하는 심정
⑤ 임의 부름을 받지 못하는 신세지만 죽어서라도 임의 곁에 머무르고 싶은 심정

07

[D]에서 반복적으로 나타난 재담 구조를 다음과 같이 정리할 때, ㉠과 ㉡에 들어갈 적절한 말을 쓰시오.

> 양반의 위엄 → (㉠) → 양반의 호통 → (㉡) → 양반의 안심 → 일시적 화해

㉠: _____

㉡: _____

08

〈보기〉는 유치진의 희곡인 「소」의 일부로, 무대 장치가 설명된 부분이다. (다)와 〈보기〉를 통해 알 수 있는 전통극과 현대극의 차이점을 〈조건〉에 맞게 서술하시오.

┤ 보기 ├

좌편에는 헛간. 우편에는 마당. 마당에는 바깥 행길의 일부분을 경계하는 울타리. 그러나 이 집에서는 울타리 밖 행길에다가 일쑤 소를 매어 둔다. 울타리에는 길로 빠지는 조그만 삽작문이 있다. 헛간 좌편 벽에는 방문. 그 앞에 툇마루. 헛간의 후방에는 집 곁으로 통하는 입구. 마당에는 빨간 감이 군데군데 달렸다. 명랑한 늦은 가을철.

제1막

집 뒤에 타작마당이 있는 듯 거기 일꾼들이 간간이 외치는 소리와 군호마저 해 가며 노래 부르는 소리 들린다. 무대에는 절구통 뒤에 가마니를 쓰고 말똥이(더벅머리 노총각, 돼지꼬리 같은 댕기를 드렸다.)가 숨어 있을 뿐이고 아무도 없다. 웬일인지 말똥이는 오늘 아침부터 게으름을 피우고 있다. (중략)

국서: (집 곁에서 소리만) 말똥아! 말똥아! 이 배라먹다 죽을 놈이 어딜 갔어?

┤ 조건 ├

1. (다)와 〈보기〉의 무대 장치에 대한 차이점을 밝힐 것.
2. 무대와 객석의 경계에 대한 차이점을 중심으로 쓸 것.

하루 10분 독서
미래를 바꾸는 월간지
독서평설

독서평설은 30년 역사를 자랑하는
국내 최장수 독서·학습 월간지입니다.

교과서를 발행하는 지학사와 분야별 최강 필진이 만나 이룬
독서 교육의 정수가 담겨 있습니다.

학생과 교사, 학부모로부터 극찬을 받은 콘텐츠는
교과 연계 필수 지식을 제공하고 비문학 독해력을 키워 줍니다.

고등 풍산자와 함께하면
개념부터 ~ 고난도 문제까지!
어떤 시험 문제도 익숙해집니다!

고등 풍산자 1등급 로드맵

고등 풍산자 교재	하	중하	중	상	최상
개념 기본서 1위 — 풍산자 수학(상)	필수 문제로 개념 정복, 개념 학습 완성				
유형 기본서 — 풍산자 유형기본서 수학(상)		개념 정리부터 유형까지 모두 정복, 유형 학습 완성			
기초 반복 훈련서 — 풍산자 반복수학		개념 및 기본 연산 정복, 기본 실력 완성			
기본 유형 연습서 — 풍산자 라이트 유형 수학(상)		기본 및 대표 유형 연습, 중위권 실력 완성			
유형서 만족도 1위 — 풍산자 필수유형			기출 문제로 유형 정복, 시험 준비 완료		
상위권 필독서 — 풍산자 일등급 유형 수학(상)			내신과 수능 1등급 도전, 상위권 실력 완성		
단기 특강서 — 풍산자 라이트 고등 수학(상)		개념 및 기본 체크, 단기 실력 점검			

최우선순

고전 산문

문제편

정답과 해설

\+

고전 산문
실전 어휘

 지학사

차례

정답과 해설

Ⅰ 소설

01강

만복사저포기(萬福寺樗蒲記)

본문 013쪽

01. ③ **02.** ③ **03.** ② **04.** ① **05.** ④ **06.** 인연이 될 사람을 하루빨리 만나 기쁨을 얻고자 하는 여인의 바람이 자신의 소원과 같았기 때문에 여인의 글을 읽고 기쁨을 느낀 것이다. **07.** ③ **08.** (1) 이승 사람인 양생과 저승 사람인 여인이 생사를 초월한 사랑을 한다는 점에서 애정 지상주의를 엿볼 수 있다. (2) 양생이나 여인이 부처님께 소원을 빌고 있고, 그 소원이 이루어졌다는 점에서 불교적 발원 사상을, 여인이 양생에게 내세에 다시 만나기를 기약하는 것에서 불교적 윤회 사상을 엿볼 수 있다.

01 [서술상의 특징 파악] 정답 ③

양생과 여인은 홀로 지내는 외로움으로 심적 고통을 느끼는 인물로 제시되고 있다. 이러한 두 인물의 만남은 두 인물이 지닌 내적 고통이 해소되는 과정이라고 볼 수 있다.

【 오답 풀이 】

① 시간의 흐름에 따라 사건이 전개되고 있다. 그러나 이 과정에서 등장인물인 양생과 여인의 성격은 변화하고 있지 않다.

② 양생과 여인은 외로운 처지에 놓여 있다가 인연을 맺게 되는 인물로, 두 인물은 대립 구도에 놓여 있다거나 갈등이 심화되는 모습을 보이지 않고 있다.

④ 전지적 작가 시점을 바탕으로 서술자가 인물의 심리를 제시하고 있으나, 서술자가 사건의 변화를 주도하는 개입은 나타나 있지 않다.

⑤ 여인이 겪은 과거 사건이 부처에게 바친 글을 통해 요약적으로 제시되고 있으나, 서술자가 사건을 요약적으로 진술하여 사건의 전말을 밝히는 부분은 제시되지 않았다.

> **Q 서술자의 개입이 뭔가요?**
>
> **A** 고전 소설에서는 '서술자의 개입'이라는 서술상의 특징이 자주 나타나요. 이때 서술자의 개입은 주로 사건에 대한 논평적 진술, 즉 인물의 태도나 사건의 흐름에 대해 서술자가 자신의 견해를 제시하는 경우를 말하는 것으로 '편집자적 논평'이라고 부르기도 해요. 이를 통해 독자가 가질 법한 생각을 드러냄으로써 공감의 효과를 높이는 경우가 많지요. 단, 서술자의 개입이 이루어질 때도 인물을 평하는 것인지, 사건의 흐름을 예고하는 것인지 등 구체적인 효과는 다를 수 있으므로 이를 면밀하게 파악해야 해요.

02 [인물의 심리, 태도 파악] 정답 ③

양생은 여인에게 "좀 전에 부처님께 글을 바친 건 무슨 일 때문입니까?"와 "당신은 도대체 누구시기에 이 밤에 여기까지

오셨소?"라고 묻고 있다. 이러한 반응을 볼 때 양생이 여인의 정체를 궁금해하고 있음을 알 수 있다. 한편, 양생의 말에 대해 여인은 "저도 역시 사람입니다. 저를 의아한 눈으로 보지 마십시오. 당신은 다만 좋은 배필을 얻으려는 것이지요?"와 같이 양생이 바라는 바를 짐작하고 있을 뿐, 자신의 정체를 궁금해할 것이라는 짐작을 하거나 이를 일부러 모른 척하는 태도는 보이지 않고 있으므로 적절하지 않다.

【 오답 풀이 】

① '그는 달 밝은 밤이면 언제나 객회를 억누르지 못하여 나무 밑을 거닐곤 했'다는 서술을 통해 양생이 객회로 인해 나무 밑을 거니는 행동을 반복했음을 알 수 있다. 이는 '객회', 즉 만복사에서 홀로 세월을 보내느라 외로움이 깊어진 모습이라는 점에서 적절한 설명이다.

② 양생은 부처와의 '저포 놀이', 즉 저포를 던져서 미래를 결정하는 우연적인 사건에 기대어 자신의 소원이 성취되기를 원하고 있다. 이는 주사위 놀이에 자신의 운명을 맡기는 양생의 운명관을 보여 준다.

④ 여인은 양생을 데리고 간 거처에서 사흘을 보낸 후 양생에게 이별의 시간이 되었음을 밝히고 있다. 이 과정에서 여인은 '너무 서운하긴 하나'라며 양생을 인간 세상으로 보내며 이별해야 하는 상황에서 느끼는 감정을 직접 밝히고 있다.

⑤ 양생은 여인이 이별을 고하자 "이별이라니 갑작스레 그게 웬 말이오?"라며 이별을 미처 예상하지 못해 놀라는 모습을 보이면서도, 여인의 친척, 이웃 동무들을 만나고 인간 세상으로 돌아갈 것을 제안하는 여인의 말에 "그렇게 합시다."라며 이별을 받아들이고 있다.

03 [소재의 기능 파악] 정답 ②

ⓑ에서는 감정이 투영된 자연물이 나타나지 않으나, ⓐ에서는 '짝 못 지은 비취새', '짝 잃은 원앙' 등에 감정을 투영하여 양생의 외로운 심정을 드러내고 있다.

【 오답 풀이 】

① ⓐ에는 짝을 얻고 싶은 소망만 드러나 있을 뿐 다양한 소망이 열거되었다고 보기 어렵다.

③ ⓑ에는 양생의 현재 처지와 소망이 솔직하게 표현되어 있으므로, 양생이 자신의 본심을 숨기고 있다는 것은 적절하지 않다.

④ ⓑ에는 부처님의 힘을 빌려 자신의 소원을 이루고자 하는 양생의 마음이 담겨 있으므로, 미래에 대한 부정적인 전망이 암시되어 있다는 설명은 적절하지 않다.

⑤ ⓐ는 자신의 외로운 처지를 드러내고 있으며, ⓑ는 짝을 구하고 싶은 소망을 드러낸 것으로, 둘 다 화자의 강한 의지를 드러내는 것과는 거리가 멀다.

04 [외적 준거에 따른 작품 감상] 정답 ①

양생이 부처님에게 저포 놀이를 제안한 것은 현실 세계에서 이루지 못한 배필에 대한 욕망을 환상 세계의 존재인 부처님의 힘을 빌려 이루고자 하는 것이다. 이를 현실 세계와 환상 세계의 대립을 해소하려는 시도로 보는 것은 적절하지 않다.

【 오답 풀이 】

② 만복사는 현실 세계의 존재인 양생과 환상 세계의 존재인 여인이 만나는 공간이다.

③ 양생이 속한 현실 세계의 시간('사흘')과 여인이 속한 환상 세계의 시간('삼 년')이 서로 다르게 설정된 것은 두 세계가 서로 다른 질서로

이루어진 세계임을 보여 주는 것이라고 할 수 있다.

④ 양생은 환상 세계의 여인과 인연을 맺음으로써 현실 세계에서 이루지 못한 욕망을 성취하나, 여인과 이별하고 인간 세상으로 돌아온다는 것에서 성취된 욕망이 현실 세계로 이어질 수 없음을 보여 준다.

⑤ 양생은 좋은 배필을 얻고자 하나 늦도록 장가를 가지 못하고 있다. 이 것은 양생이 현실 세계 속에서 욕망을 충족하지 못한 상태임을 보여 주는 것이라고 할 수 있다.

05 [작품의 내용 파악]   정답 ④

[A]에서 양생은 저포 놀이에서 이기면 자신의 소원을 들어 달라며 부처님께 말하고 있고, [B]에서 여인은 자기 삶의 운수가 매우 좋지 않았다며 "아아, 인생이 박명하다고는 하나 어찌 이와 같을 줄 알았겠는가?"와 같이 한탄하고 있다.

【 오답 풀이 】

① [B]에서는 '얼마 안 되어'와 같이 시간의 흐름을 바탕으로 여인이 새롭게 등장하는 상황이 전개되고 있고, '곱고 얌전하였다'와 같이 직접 제시의 방법으로 인물의 면모가 드러나 있다. 그러나 [A]에서는 '그 이튿날'과 같이 시간 표현은 있지만, 이 과정에서 새로 등장하는 인물은 없으며, 양생의 인물됨도 간접 제시되고 있을 뿐이다.

② [B]에서는 자신의 인생이 박명하다고 여기며 스스로 탄식하는 모습을 보일 뿐, 상대가 소원을 들어줄 존재라고 여기는 모습은 나타나지 않는다. 오히려 [A]에서 부처를 자신의 소원을 들어줄 존재로 여기고 있다.

③ [A]에서는 '해마다 이날이 되면~제 소원을 비는 풍습이 있었다.'와 같이 마을의 전통적 풍습을 밝히면서 양생이 불전에서 소원을 비는 행동 역시 당대 마을의 풍습을 바탕으로 이루어진 것임을 보여 주고 있다. 그러나 [B]에서는 전통적 풍습과 관련된 여인의 행동이 나타나나, 공동체의 전통에 대한 설명은 나타나지 않는다.

⑤ [A]에서 양생은 "자비로운 부처님"과 같이 대상을 직접 호명하면서 부처님과 저포 놀이를 하려고 하는 모습을 보인다. 그러나 [B]에서 여인은 부처님을 완곡하게 비판하거나 부처님이 할 일을 요구하는 태도를 보이지 않고 있다.

Q 직접 제시와 간접 제시가 뭔가요?

A 소설에서 인물의 특징을 제시하는 방법으로는 직접 제시와 간접 제시를 들 수 있어요. 직접 제시는 '말하기(telling)', '분석적 제시'라고도 하는데, 서술자가 인물의 성격이나 심리를 직접 설명하는 것을 말해요. 이는 서술자가 직접 알려 주는 방식이라는 점에서 독자의 상상력을 제한하는 측면이 있지요.

한편, 간접 제시는 '보여 주기(showing)', '극적 제시'라고도 하는데, 인물의 행동과 대화 등을 통해 인물의 성격이나 심리를 간접적으로 제시하는 것을 말해요. 이는 서술자가 직접 나서서 알려 주는 방식이 아니라는 점에서 독자의 상상력을 자극할 수 있는 측면이 있어요.

---

06 [인물의 심리, 태도 파악]

양생은 배필을 빨리 만나고 싶은 소망이 있었는데, 자기 앞에 나타난 여인 역시 '기구한 운명일망정 인연이 있다면 하루빨리 기쁨을 얻게 하시어'라며 인연이 될 사람을 하루빨리 만나고 싶어 함을 글을 통해 드러내고 있다. 따라서 여인의 바

람이 자신의 소원과 같음을 알고 양생이 기뻐한 것이다.

07 [외적 준거에 따른 작품 감상]   정답 ③

여인이 데리고 간 수간 초당에서 양생은 좌우에 진열된 그릇을 보고 의아한 마음을 금하지 못했다고 했다. 이러한 양생의 반응은 여인이 데리고 간 곳이 현실의 세계와 달라 의심스러운 마음을 품는 모습에 해당한다. 그러나 여인에 대한 정으로 이내 그런 생각을 되풀이하지 않았다고 하였으므로, 의아한 생각을 되풀이했다는 것은 적절하지 않다.

【 오답 풀이 】

① 〈보기〉에 따르면, 양생이 지은 두 수의 시는 양생의 처지를 드러내는 장치에 해당한다. 이 시에서 '고운 님'은 양생의 외로운 처지를 해소해 줄 존재라는 의미를 지니고 있다는 점에서 양생이 인연을 맺게 되는 여인과 대응된다고 볼 수 있다.

② 〈보기〉에 따르면, 여인이 품속에서 꺼내어 놓았던 '글'은 여인이 겪었던 과거의 처지를 드러내는 장치에 해당한다. 이 '글'에서 여인은 '날이 가고 달이 갈'수록 '넋은 녹아 없어'지게 되고 '애간장이 찢어'지는 고통을 느끼고 있다고 했는데, 이는 외로운 처지의 현실과 이러한 처지에서 벗어나고자 하는 소망으로 인한 내적 갈등이 깊어져 왔던 것으로 볼 수 있다.

④ 〈보기〉에 따르면, 배경 묘사와 그에 따른 인물의 심리적 반응을 바탕으로 서사가 진행된다고 했는데 이는 두 인물이 맞이한 '봄'이라는 배경과 관련된다. 양생이 맞이하고 있는 '봄'은 배나무 한 그루만이 우뚝 서 있는 모습으로 묘사되고 있는데, 이는 외로움을 느끼는 양생의 불우한 처지를 심화시키는 기능을 한다. 또한, 여인의 글에 언급된 '봄' 역시 임시로 매장되어 외로운 세월을 보내는 여인이 '헛되이 세월 보냄을 가슴 아파'하는 불우한 처지가 심화되는 시간적 배경으로 제시되고 있다.

⑤ 〈보기〉에 따르면, 인물 간의 대화를 통해 이승과 저승을 둘러싼 만남과 이별이 제시되는 서사적 구도가 나타난다고 했다. 여인이 양생과 이별을 이야기하면서 '못 다 이룬 소원'을 내세에 다시 만나 다 이룰 수 있다고 밝히는 모습은 비록 이별을 하지만 두 인물 사이의 연정은 여전히 깊이 남아 있음을 보여 주는 것이라고 할 수 있다.

08 [표현론적 관점에서의 작품의 특징 파악]

이 글에서는 이승의 인물과 저승의 인물이 인연을 맺게 되는 사건이 나타나 있다는 점에서 삶과 죽음을 초월한 사랑이라는 애정 지상주의의 특징을 확인할 수 있다. 또한, 양생이 부처님께 어여쁜 아가씨를 배필로 얻기를 소원하는 것이나 여인이 자신의 기구한 삶을 한탄하면서도 인연을 맺고자 하는 바람을 부처님께 기원하고 있고, 두 사람의 소원이 둘의 만남을 통해 실현된다는 점에서 불교적 발원 사상이 반영되어 있음을 알 수 있다. 그리고 여인이 양생에게 내세에 다시 만나 못 다 이룬 소원을 이룰 것이라고 한 점에서 불교적 윤회 사상이 반영되었음을 알 수 있다.

02강

하생기우전(何生奇遇傳)

본문 018쪽

01. ① **02.** ⑤ **03.** ④ **04.** ⑤ **05.** ① **06.** 여인은 죽음의 처지에 있는 자신이 환생하여 하생과의 인연을 유지하고자 금척을 저잣거리 노둣돌 위에 두라고 부탁을 하고 있다. 이러한 부탁에 응한 하생은 금척을 매개로 여인의 부모를 만나게 된다. **07.** ② **08.** 여인의 어머니는 남편의 말을 그대로 따르겠다는 부창부수(/여필종부)의 태도를 보이는데, 이는 중요한 결정에 아녀자가 나서지 않는다는 남성 중심적 가치관을 반영한다.

01 [서술상의 특징 파악]   정답 ①

여인과 하생의 대화에서 여인은 죽은 후 옥황상제의 이야기를 듣게 되었음과 옥황상제가 자신을 환생시키고자 한다는 이야기를 전한다. 여인의 말 속에 사후 세계와 옥황상제라는 천상의 존재가 등장하고 있다는 점에서 이 글이 사건 전개상 비현실적 성격을 지니고 있음을 알 수 있다.

【 오답 풀이 】

② 이 글은 인물의 대화를 중심으로 사건이 진행되고 있다. 여인의 무덤 묘사가 일부 제시되고 있으나 이를 통해 인물의 심리 변화 양상이 암시되지는 않는다.

③ 하생, 여인, 여인 부모의 발화가 제시되고 있으나 이를 통해 특정 인물이 지닌 양면성이 부각되지는 않는다.

④ 이 글은 전지적 작가 시점에 의해 서술되고 있으며 이때의 서술자는 작품 밖에 있다. 따라서 서술자가 자신의 체험을 직접 서술하고 있다는 설명은 적절하지 않다.

⑤ 시간의 흐름에 따라 사건이 전개되고 있을 뿐, 과거와 현재 사건의 반복 교차는 나타나지 않는다.

> **Q 입체감이 뭔가요?**
>
> **A** 서술상의 특징을 묻는 선지 중에는 입체감이라는 말이 등장할 때가 있는데, 여기서 '입체감'이라는 말은 '다양한 측면'이라는 의미로 파악하면 돼요. 즉, 특정 인물이나 사건 전개에 대해 한 면만 다루지 않고 다양한 측면을 보여 주고 있을 때 '입체감이 있다'고 할 수 있지요. 인물을 구분할 때, '입체적 인물'이라는 용어 역시 한 작품 속에서 이야기의 흐름에 따라 성격이 변화하며 새롭게 발전하는 경우를 가리킨다는 것도 마찬가지 맥락에 해당해요. 참고로, 이와 대비되는 인물을 '평면적 인물'이라고 부르는 것은 반대로 작품 속에서 단일하고 일관된 성격을 지닌 경우를 가리킨다는 것도 같이 알아 두세요.

02 [작품의 내용 이해]   정답 ⑤

다시 살아난 여인은 자신이 겪은 일을 꿈인 줄만 알았다고 하면서 뭔가 수줍어하는 기색을 보이고, 부모가 재차 캐묻자 어쩔 수 없이 하생이 했던 말에 들어맞는 이야기를 하는 모습을 보인다. 이를 통해 볼 때, 여인은 자신이 겪은 일을 잊고 있었다고 보기 어렵다. 또한, 부모의 말을 듣고 하생과의 인연을 떠올린 것이 아니라, 부모가 재차 캐묻자 그것을 털어놓는 것이다.

【 오답 풀이 】

① 여인은 하생과 함께 머무는 곳이 실은 인간 세상이 아니라고 말하고, 하생은 여인의 말을 믿고 있으므로 하생은 여인에 의해 자신이 있는 곳이 인간 세상이 아님을 알게 된 것이다.

② 여인의 말을 통해 시중은 옥사를 처결하면서 수십 명의 목숨을 구해 주었음을 알 수 있고 이러한 선행으로 인해 옥황상제가 여인을 현세로 돌려보내겠다고 약속했음을 알 수 있다. 따라서 시중이 옥사를 처결하는 과정에서 보여 준 선행은 여인을 살리게 만드는 계기가 되었다고 볼 수 있다.

③ 여인은 하생에게 서울 저잣거리의 큰 절 앞에 있는 노둣돌 위에 금척을 올려 두면 알아보는 자가 있을 것이라며, 하생이 여인의 부탁으로 어떤 곤욕을 당하더라도 자신의 말을 잊지 말라고 한다. 여기서 여인은 하생이 자신의 부탁으로 인해 곤욕을 당하게 될 것을 예상하고 있으며, 어떤 상황에서도 자신의 말을 잊지 말라고 당부한다.

④ 시중은 하생의 말을 듣고 딸의 무덤으로 향하면서 하인 몇 명을 남겨 하생을 지키게 한다. 이는 하생의 말을 전적으로 믿지는 않고 있으므로 진위를 확인할 때까지 데리고 있으려는 의도라고 이해할 수 있다.

03 [작품의 내용 이해]   정답 ④

여인이 하생의 시를 보고 깜짝 놀란 것은 여인이 약속을 잊었다고 생각하며 안타까워하고 원망하는 하생의 마음을 파악했기 때문으로 볼 수 있다. 이러한 하생의 심정은 시의 내용 중 '꿈속에서나 그대를 보겠구나'와 관련되므로 적절하다.

【 오답 풀이 】

① 하생의 시에서 '옥'에 '흙탕물'이 묻었다는 것은 하생과 여인 간 만남의 상황을 나타내는 것으로 이해할 수 있다. 이 표현에서 하생은 자신을 낮추어 '흙탕물'로 표현하며, 여인과 인연을 맺게 된 것을 나타낸 것으로, 하생으로 인해 여인이 위기에 처한 상황을 드러낸 것은 아니다.

② 하생의 시에서는 '봉황은 자기 둥지를 찾았으니 잡새를 돌아보려 하겠는가?'라는 표현이 있는데, 여기서 '봉황'은 시중이 아니라 자기 둥지를 찾은 존재, 즉 집으로 돌아온 여인을 가리킨다. 따라서 이 표현을 통해 시중이 자신을 대했던 태도를 우회적으로 비판한 것이라는 설명은 적절하지 않다.

③ 하생의 시에서 '팔 위의 눈물 자국'은 과거에 여인이 눈물을 흘리며 자신의 사연을 말하고 하생이 이에 공감했던 사건을 가리키므로, '팔 위의 눈물 자국'을 여인이 알 리 없다는 설명은 적절하지 않다.

⑤ 여인은 하생의 시를 접하고 부모가 하생의 마음을 저버렸다는 사실을 알게 된 후 음식을 입에 대지 않는다. 이것은 '자기 둥지'를 찾지 못한 하생의 삶에 대한 안타까움이 아니라, 하생에 대한 미안함과 더불어 하생과 결혼하겠다는 의지를 보여 주는 행동으로 볼 수 있다.

> **Q 우회적이 뭔가요?**
>
> **A** 시적 화자나 등장인물의 태도를 나타낼 때 종종 '우회적'이라는 표현을 사용하는데, 이는 사전적 의미인 '곧바로 가지 않고 멀리 돌아서 가는'이라는 뜻부터 이해하면 돼요. 우회적 태도라는 것은 자신의 정서나 심리를 직접적, 명시적으로 드러내지 않고 돌려서 표현하는 것이에요. 즉, 전달하고자 하는 의도를 돌려서 말하고 있는 것을 말해요.

04 [외적 준거에 따른 작품 감상]　　　　　　　　　　정답 ⑤

시중이 자기 집에서 하생을 위해 잔치를 베푼 것은 여인이 다시 살아나게 도와준 것에 대한 고마움의 표시이다. 하지만 잔치 이후에 시중은 집안 차이의 문제 등을 들어 하생과 여인의 혼인을 반대한다. 이는 두 번째 시련의 발생을 의미하므로, 두 번째 시련을 극복했다는 진술은 적절하지 않다.

【 오답 풀이 】

① 여인의 집이 사실은 인간 세상이 아니고 장례 지낸 지 사흘이 된 여인의 무덤이었다는 점, 죽은 사람인 여인과 살아 있는 사람인 하생이 인연을 맺었다는 점은 비현실적 요소에 해당한다.

② 하생이 혼인을 약속한 대상은 현실 세계에서는 존재할 수 없는 죽은 여인이라는 점에서 죽은 사람과 산 사람의 혼인이 현실에서는 불가능하므로 첫 번째 시련으로 볼 수 있다.

③ 하생은 여인의 이야기를 듣고 눈물을 흘리며 생사를 걸고 여인의 뜻을 따르겠다고 말하고 있다. 이는 비현실적 존재인 여인의 환생을 돕고자 하는 심리에서 비롯되었다는 점에서 첫 번째 시련을 극복하고자 하는 태도를 드러낸 것으로 볼 수 있다.

④ 여인의 아버지인 시중은 자신의 집안과 하생의 집안이 서로 걸맞지 않는다는 이유를 들어 혼인을 반대하고 있다. 이는 집안의 차이라는 현실적 문제로 두 사람의 혼인을 반대하는 것이므로 두 번째 시련으로 볼 수 있다.

05 [배경의 기능 파악]　　　　　　　　　　정답 ①

여인은 '오늘 아침'이 옥황상제가 자신을 인간 세계로 돌려보내겠다고 약속한 시간이라고 밝히고 있다. 이는 여인의 환생을 위한 기한이 되는 시간이라는 점에서 '오늘 아침'은 여인이 환생할 수 있을지가 결정되는 시간에 해당한다고 볼 수 있다. 한편 시중이 여인을 집으로 데려온 후의 시간인 '해 질 녘'에 죽었던 여인이 깨어났다는 점에서 이 시간은 여인의 환생이 실현되었음이 확인되는 시간이라고 볼 수 있다.

【 오답 풀이 】

② '오늘 아침'은 여인의 환생 여부가 결정되는 시간이고, 하생이 여인을 돕기로 한다는 점에서 여인과 하생의 인연이 한시적이었음을 '오늘 아침'이 알려 준다고 보기 어렵다. 또한 '해 질 녘'은 여인이 환생한 시간이라는 점에서 여인의 환생이 위기에 처했음을 보여 준다는 설명도 적절하지 않다.

③ '오늘 아침'이 여인의 환생을 위해 주어진 기한에 해당한다고 보는 것은 적절하다. 그러나 '해 질 녘'은 시중으로서는 죽은 줄 알았던 자신의 딸이 살아난 시간이었다는 점에서 시중의 불안감이 가중되는 시간이라 볼 수 없다.

④ '오늘 아침'이 다가올수록 여인이 환생할 기한이 다가오는 것이라는 점에서 여인의 환생할 가능성이 줄어들 수 있다는 이해는 가능하지만, 환생할 가능성이 없어졌음을 확인하는 시간이라고는 볼 수 없다. 또한 '해 질 녘'은 사라진 가능성이 반전된 것이 아니라, 하생의 도움으로 여인이 환생하게 된 시간을 의미한다고 보아야 한다.

⑤ '오늘 아침'이라는 시간은 여인이 환생하게 되면 하생과 함께하고자 했던 소망이 실현될 수 있음을 암시하는 기능을 한다고 볼 수 있다. 그런데 여인은 하생과 오래오래 행복하게 살고 싶다는 소망을 가진 인물이므로, 그러한 여인이 환생하게 된 '해 질 녘'은 여인의 소망이 좌절되는 것이 아니라 실현될 가능성이 확인되는 시간이라고 볼 수 있다.

06 [소재의 기능 파악]

여인은 "그런데 옥황상제께서~허락해 주시겠어요?"라고 말한 바와 같이 하생과 영원히 함께하고자 하는 소망을 가지고 베갯머리에서 금척을 뽑아 하생에게 준다. 그리고 이 금척을 알아보는 자가 있을 것이니 서울 저잣거리의 큰 절 앞에 있는 노둣돌 위에 올려 달라고 부탁하고 있다. 그리고 이후의 내용에서 시중과 하생과의 대화를 통해 볼 때 금척이 여인의 부모와 하생의 만남을 이어 주는 매개로 기능하고 있음을 알 수 있다.

07 [작품의 종합적 이해와 감상]　　　　　　　　　　정답 ②

〈보기〉의 ㉮에 따르면, 하생이 여인을 만나게 된 것은 점쟁이의 예언에 따름으로써 이루어진 것임을 알 수 있다. ㉯에서 하생이 죽은 여인과 인연을 맺고 행복한 삶을 살 수 있게 되었으므로 점쟁이는 조력자라고 볼 수 있다. 따라서 '점쟁이의 예언'을 극복했다는 설명은 적절하지 않다.

【 오답 풀이 】

① ㉮에 따르면, 하생은 불우한 나날을 보내고 있었던 인물임을 알 수 있고, ㉯와 이 글의 내용을 통해 볼 때 하생은 죽은 여인과 인연을 맺게 된 것이 계기가 되어 ㉰와 같이 행복한 여생을 보낼 수 있었던 것임을 확인할 수 있다. 이를 종합해 볼 때, ㉮에서 하생이 점쟁이를 찾아가기 전의 불우한 삶은 ㉯에서 여인을 만난 사건을 계기로 전환되기 시작했다고 볼 수 있다.

③ ㉯와 이 글의 내용에서 하생과 여인의 결혼을 반대했던 핵심 인물은 시중임을 알 수 있다. 시중은 두 인물의 결혼이 세상 사람들의 입에 오르내릴 것을 걱정하는데 이는 다른 사람들의 이목을 중시하는 시중의 태도를 알게 해 주는 것으로, 이러한 태도는 시중이 하생과 여인의 혼인을 반대하는 이유 중 하나로 작용한다.

④ ㉰와 이 글의 내용을 통해 볼 때, 여인의 적극적인 행동은 부모의 결혼 반대를 극복하기 위한 모습이라고 볼 수 있는데, 이는 하생과 인연을 맺은 후 백년해로하겠다는 약속을 지키고자 한 것임을 알 수 있다. 이는 하생과의 신의를 지키려는 의지가 담긴 것으로 이해할 수 있다.

⑤ ㉮~㉰와 이 글의 내용을 통해 볼 때, 이 작품은 불우한 처지인 하생과 죽은 여인이 인연을 맺는 과정에서 고난을 겪지만 결국 부부가 되어 즐거운 여생을 보낸다는 서사가 진행됨을 알 수 있다. 따라서 결연이 이루어지는 과정을 바탕으로 행복한 결말에 이르는 서사 구조를 띤다는 설명은 적절하다.

08 [인물의 심리, 태도 파악]

㉰와 이 글의 내용에서 여인의 어머니는 하생과 여인의 결혼을 반대하는 남편의 말에 "이 일은 당신이 결정할 문제인데, 아녀자가 어찌 나서겠어요?"라고 말한다. 이는 남편의 말을 그대로 따르겠다는 모습이므로 부창부수(남편이 주장하고 아내가 이에 잘 따름. 또는 부부 사이의 그런 도리)나 여필종부(아내는 반드시 남편을 따라야 한다는 말)의 태도에 해당한다. 이러한 인물의 태도는 집안의 중요한 일을 결정할 때 아녀자는 남편의 뜻을 따르는 것이 마땅하다는 남성 중심적 가치관을 보여 준다.

03강

주생전(周生傳)

본문 023쪽

01. ④ 02. ② 03. ③ 04. ⑤ 05. ⑤ 06. ⑤ 07. ③
08. '주생은 선화를~송도에 머물렀다.' / 주생과 선화의 만남에 대한 결말을 미완성으로 처리함으로써 여운을 남기고 있다. 09. ㉮와 유사한 기능을 하는 소재는 '구름'과 '바다'이다. 이들은 임진왜란으로 고향과 선화를 떠나 외로운 처지에 놓인 주생이 바라는 바를 이룰 수 없게 만드는 장애물이라는 시적 의미를 지닌다.

01 [서술상의 특징 파악] 정답 ④

'만력 20년 임진년'이라는 구체적인 시간적 배경과 임진왜란과 관련하여 '이여송 장군'이라는 실존 인물을 작품에 제시하여 작품의 사실성을 높이고 있다.

[오답 풀이]

① 선화가 주생을 원망하는 심경을 드러내는 부분이 일부 제시되고 있으나 두 인물이 대립적인 관계라고 보기는 어렵다. 또한 이 글에서 대립적인 두 인물 간의 갈등이 구체화되는 장면은 제시되어 있지 않다.

② 작품 속의 「답사행」은 인물의 미래를 암시하는 것이 아니라, 현재의 외로운 심정과 처지, 선화에게 돌아가고 싶은 마음 등을 담고 있다.

③ 주생의 처지를 알고 이를 돕는 장 씨가 조력자로 등장하고 있을 뿐, 자연물이 조력자로 등장하여 사건의 흐름을 반전시키는 장면은 제시되어 있지 않다.

⑤ 인물 간의 대화보다는 서술자의 서술을 중심으로 서사를 진행하고 있으며, 이러한 서술 방식을 통해 사건의 진행 속도를 빠르게 하고 있다.

> **Q 사건의 진행 속도와 서술 방식 간의 관계는 어떠한가요?**
>
> **A** 소설에서 사건을 전개하는 방식은 서술자의 서술에 의한 직접 제시와 인물의 대화와 행동을 통한 간접 제시가 있어요. 직접 제시는 작중 상황이나 대상을 요약적으로 서술한다는 점에서 사건 전개 속도가 상대적으로 빠른 편이에요. 이와 달리 간접 제시는 작중 상황이나 대상의 구체적 면모나 이미지를 생생하게 그려 내는 방식이라는 점에서 사건의 전개 속도는 상대적으로 느리다고 볼 수 있어요. 그래서 소설은 일반적으로 직접 제시와 간접 제시를 적절히 활용하여 사건 진행의 완급을 조절해요. 특히, 인물의 독백은 사건을 더욱 지연시킨다고 보면 되지요. 이러한 특징들은 서술상의 특징을 묻는 문제의 선지에 종종 등장하니 잘 알아 두세요.

02 [구성 및 서사 구조의 이해] 정답 ②

이 글은 주생의 지난날에 대한 술회나 고백을 서술자인 '나'가 듣고 이를 기록하는 방식으로 이루어진 액자 소설 구조를 취하고 있다. 전반부에서는 '장 노인의 집 → 선화의 집 → 주생이 있는 곳 → 황궁 → 송도' 등으로 공간의 변화에 따라 장면이 빈번히 바뀌는데, 후반부에서는 송도의 어느 객사에서 일어난 일이 전개되면서 전반부보다 장면 전환이 적게 일어난다.

[오답 풀이]

① 전반부의 중심인물이었던 주생은 후반부에도 중심인물이고 '나'는 중심인물을 관찰자 입장에서 바라보는 주변 인물이다.

③ 전반부의 사건이 미완결 결말로 처리되어 주생이 후일 선화를 다시 만났는지는 알 수 없으므로, 후반부에서 갈등 해소 여부를 확인할 수 없다.

④ 이 글은 현실에서 일어날 법한 사건을 다루고 있으며, 기이한 사건은 발생하지 않는다.

⑤ 전반부는 전지적 시점으로 사건이 전개되고 있으나 인물에 대한 논평은 없다.

> **Q 기이한 사건이 뭔가요?**
>
> **A** 고전 소설에서 흔히 '기이한 사건'은 '전기적(傳奇的) 요소'와 관련된다고 보면 돼요. 이때 '전기적'이라는 말은 현실성 있는 이야기가 아닌 진기한 것, 일상·현실적인 것과 거리가 먼 신비로운 내용을 허구적으로 짜 놓은 것을 말해요. 보통 도술을 부리거나 이승 밖의 존재가 등장하는 경우 등이 대표적인데, 이러한 사건이 벌어졌을 때 기이한 사건이 제시되고 있다고 볼 수 있어요. 그런데 '한 사람의 일생 동안의 행적을 적은 기록'이라는 뜻의 '전기(傳 전할 전, 記 기록할 기)'라는 단어일 수도 있으니까 선지에 '전기적'이라는 말이 나왔을 땐 문맥을 통해 어떤 의미인지 잘 파악해야 해요.

03 [작품의 내용 이해] 정답 ③

선화는 주생에게 보낸 편지에서 '가지 위에 앉은 꾀꼬리 소리를 들을 때면~내 방에 찾아와서 깊은 언약을 맺지 않았습니까?'라고 말하며, 주생과 인연을 맺었던 일을 다양한 자연물을 동원하여 아름다운 기억으로 표현하고 있다.

[오답 풀이]

① 선화의 어머니는 선화가 주생을 사모하는 것을 알고 그 뜻을 이루어 주고 싶어 하므로 선화와 주생의 혼인을 못마땅해한다는 설명은 적절하지 않다.

② 주생은 선화의 집에 보낸 하인이 돌아오기를 간절히 기다리다가 하인으로부터 정혼한 뜻을 전해 듣게 된다. 이는 주생이 바라는 바에 해당한다.

④ '나'가 주생에게 병이 난 까닭을 물은 것은 주생과 함께 밤새도록 이야기를 나누기 전에 일어난 일이다.

⑤ 주생과 선화 사이에 있었던 일을 '나'는 기이한 만남과 아름다운 기약으로 여겨 이야기를 쓰게 되었음을 밝히고 있을 뿐, 그 일의 진위를 알아보고자 했다는 내용은 확인할 수 없다.

04 [외적 준거에 따른 작품 감상] 정답 ⑤

〈보기〉에 따르면, 「주생전」은 운명에서 벗어나지 못한 채 불우한 삶을 사는 인물들과 다양한 요소들이 비극적 분위기를 조성하고 있는데, 이는 현실에 적응하지 못한 작가의 삶에 대한 우울한 인식이 우회적으로 반영된 것이라고 하였다. 따라서 주생의 떠남을 통해 작가가 삶에 대한 우울한 인식을 우회적으로 해소하려 했다는 것은 적절한 감상으로 볼 수 없다.

[오답 풀이]

① 주생이 병이 들어 송도에 머무르게 된 것은 자신의 바람을 이루지 못

② 한 인물의 모습에 해당한다. 이는 〈보기〉에서 언급한 비극적 운명에서 벗어나지 못한 채 살아갈 수밖에 없는 처지를 형상화한 것으로 볼 수 있다.

② 이 글에서 주생과 선화는 끝내 혼인 약속을 이룰 수 없게 된다. 이는 〈보기〉에서 언급한 불우하게 살다 간 인물들의 삶의 모습을 형상화한 것으로 볼 수 있다.

③ 주생은 선화와 혼인하기로 약속했지만, 임진왜란이 발발하여 그 바람을 이룰 수 없게 된다. 불우한 삶에서 벗어나고자 했던 주생의 노력이 사회적 사건 때문에 허사가 된다는 점에서 작품의 비극성이 강화되는 것으로 볼 수 있다.

④ 주생과 '나'가 이야기를 나누는 동안에 비가 내리는 상황은 우울한 분위기를 조성한다. 이는 〈보기〉에서 언급한 다양한 요소 중 배경이 작품의 비극적 분위기를 조성하고 있는 것으로 볼 수 있다.

05 [소재의 기능 파악]　　　　　　　　　　　　　　　정답 ⑤

ⓒ에서 주생은 '군데군데 떨어진 눈물 자국이 배어 있'음을 발견한다. 그러나 ㉠에서 선화가 주생이 날로 수척해져 가는 모습을 확인했는지는 이 글을 통해서는 알 수 없다.

【 오답 풀이 】

① ㉠은 주생의 얼굴이 수척해져 감을 이상하게 생각한 장 씨가 그 까닭을 물어 주생의 사연을 알게 되면서, 적극적으로 도와주기 위해 아내에게 작성하게 한 것이다. 그리고 이 편지를 받은 선화 집안에서는 놀라며 기뻐하였다는 내용으로 볼 때, ㉠이 선화 집안의 분위기를 바꾸는 계기가 되었음을 알 수 있다.

② ⓒ에서 여인은 '봄은 다시 찾아왔지만~배꽃을 때렸습니다.'라고 밝힘으로써 주생과의 이별 상황에서 느끼는 슬픔으로 인해 봄의 풍경마저 부정적으로 보이게 되었던 일을 밝히고 있다.

③ ㉠은 주생이 직접 작성한 것이 아니라 장 씨의 처가 작성한 것이다. 그러나 ⓒ은 '선화가 손수 쓴 편지'로 선화가 직접 자신의 마음을 담아 작성한 것이다.

④ ㉠이 전달된 후 '마침내 두 집안은 그 해 9월에 혼인하기로 약속하였다.'에서 주생과 선화는 혼인 약속을 하게 되었음을 알 수 있다. 또한 ⓒ을 받은 주생은 '편지지만으로도 선화의 슬픔과 원망을 상상할 수가 있었다.'에서 선화가 느꼈을 고통에 공감하고 있음을 알 수 있다.

06 [작품의 종합적 이해와 감상]　　　　　　　　　　　정답 ⑤

이 글에서 '이튿날 아침' 이후의 '나'는 주생의 시를 통해 자신을 돌아보는 것이 아니라, 주생의 시에 대해 아름다웠다고 평가하고 있다.

【 오답 풀이 】

① '이튿날' 이전과 이후에서 장 씨는 주생의 혼사를 추진하고 이를 실행에 옮기는 등 변함없이 주생을 돕는 모습을 보이고 있다.

② '이튿날' 이전에 장 씨는 자신이 마땅히 주생을 위해 혼사를 추진하겠다고 약속하는데, 이후에 장 씨는 아내 노 씨로 하여금 편지를 쓰게 하고 전당에 하인을 보내는 등 약속한 바를 실행에 옮기고 있다.

③ '이듬해' 이전에 주생은 전쟁에 참가하여 서기의 임무를 맡게 됨으로써 선화와 이별하게 된다. 그리고 '이듬해'에 주생은 선화를 잊지 못해 병이 들어서 군대를 따라 남하하지 못하고 송도에 머물렀으므로, '이듬해' 이전의 전쟁 참여가 '이듬해'에 주생이 송도에 머무는 원인으로 작용한다고 볼 수 있다.

④ '이듬해' 이전에 주생은 유격장군에게 선발되어 서기의 임무를 맡아 전쟁에 참가하게 된다. 이는 선화와의 이별을 초래한다는 점에서 유격장군은 주생에게 시련을 주는 인물로 이해할 수 있다. 반면 '이듬해'에 '나'는 주생의 이야기를 들어 주고 눈물을 흘리며 이별한다는 점에서 주생과 진심으로 교류하는 인물에 해당함을 알 수 있다.

07 [관련된 한자 성어 이해]　　　　　　　　　　　　　정답 ③

'날이 저물면 문을 닫고 온갖 상념에 젖어 잠을 이루지 못하고 뒤척이었으니, 제 몸이 이렇듯 수척하게 된 것도 모두 낭군 때문입니다.'에서 주생을 잊지 못하고 그리워하며 지냈던 선화의 심정을 드러내고 있다. 이런 상황에 알맞은 한자 성어는 '자나 깨나 잊지 못함.'을 뜻하는 '오매불망'이다.

【 오답 풀이 】

① '고군분투'는 '외로이 떨어져 있는 군사가 많은 수의 적군과 용감하게 잘 싸운다는 의미로, 남의 도움을 받지 아니하고 힘에 벅찬 일을 잘해 나가는 것'을 비유적으로 이르는 말이다.

② '사고무친'은 '의지할 만한 사람이 아무도 없음.'을 의미한다.

④ '전전긍긍'은 '몹시 두려워서 벌벌 떨며 조심함.'을 뜻하는 말이다.

⑤ '진퇴양난'은 '이러지도 저러지도 못하는 어려운 처지'를 뜻하는 말이다.

08 [구성 및 서사 구조의 이해]

이 글은 내화와 외화의 액자식 구성을 보이는데, 주생과 선화의 이야기에 해당하는 내화의 마지막 내용은 주생이 군대를 따라 남하하지 못하고 송도에 머무르게 되었다는 것이다. 이러한 결말 처리 방식은 주생과 선화의 관계를 미완성으로 남겨 둠으로써 작품의 여운을 극대화하는 효과를 거두게 한다.

Q 액자식으로 소설을 구성하는 까닭은 뭔가요?

A 액자식 구성은 외화 안에 내화가 존재하는 형식을 말하는데, 작가가 전달하고자 하는 작품의 핵심적 의미나 주제는 내화에 있다고 보면 돼요. 내화만으로도 핵심을 전달할 수 있음에도 외화라는 별도의 장치를 마련하는 이유는 내화의 신뢰도를 높이기 위함이에요. 소설이라는 장르 자체가 원래 허구에 기반을 두고 있으므로 진실성을 의심할 수 있는데, 외화는 내화를 기록하게 된 배경이나 계기가 나타나기 때문에 외화가 실제 있었던 일의 기록처럼 느껴지게 하여, 독자에게 신뢰감을 주는 데 도움이 되지요. 이러한 특징과 효과를 잘 알아 두면 작품의 전체 구성을 더 잘 이해할 수 있답니다.

09 [소재의 의미와 기능 파악]

〈보기〉에서 '약수'는 화자와 '임' 사이를 갈라놓는 장애물로 화자에게 인식되고 있다. [A]에서 '낭원'과 '영주'는 '구름'과 '바다'로 막혀 있지만, 화자가 닿고 싶어 하는 곳이라는 의미를 지닌다는 점에서, '구름'과 '바다'는 고향과 선화에게 가고자 하는 주생의 바람을 가로막는 장애물로 기능한다고 볼 수 있다.

04강

숙향전(淑香傳)

본문 028쪽

01. ② 02. ③ 03. ③ 04. ⑤ 05. ③ 06. ⓐ와 ⓑ는 모두 '편집자적 논평(서술자의 개입)'이 나타나 있다. 이러한 서술을 통해 ⓐ에서는 숙향이 성숙한 마음을 지닌 인물이라는 특징을, ⓑ에서는 숙향이 극심한 고난을 겪고 있는 처지에 있음을 제시하고 있다. 07. ③ 08. 숙향은 상서의 지시로 옥에 갇혀 죽을 위기에 처하는데, 여기에는 남녀 주인공이 사랑을 성취하는 과정에서 장애를 겪는 혼사 장애 설화가 반영되어 있다. 이러한 점을 고려했을 때 [A]는 숙향이 혼사 장애로 인한 고난을 겪을 것임을 암시하는 기능을 지닌다고 볼 수 있다.

01 [서술상의 특징 파악] 정답 ②

숙부인과 대화를 나누는 이방 원통의 말을 통해 상서의 명을 받은 원님이 숙향을 죽이고자 했다는 내용과 전날 죽이지 못하고 오늘 죽이기 위해 옥에 가두었다는 내용을 제시하여 사건 발생의 과정을 드러내고 있다.

【 오답 풀이 】

① 초현실적 인물인 후토 부인은 숙향을 명사계로 인도하여 전생에서의 숙향의 정체를 깨닫게 해 주고 있을 뿐, 인물 간 갈등을 중재하는 역할은 하고 있지 않다.

③ 숙향이 죽을 위기에 처한 상황을 '연약한 몸이 큰칼 쓰고~반은 죽은 사람이라.'와 같이 외양 묘사를 통해 제시하고 있으나, 이는 인물의 성격 변화를 암시하는 것과는 관련이 없다.

④ 시대적 배경을 제시하여 사건 전개의 사실성을 부여하는 부분은 제시되지 않았다.

⑤ 숙향이 후토 부인을 만나는 사건과 그 이후 숙향의 소식을 들은 이선이 숙부인에게 전하는 장면, 숙향이 문초를 당하는 장면들이 시간의 흐름에 따라 전개되고 있다는 점에서 같은 시간에 일어난 여러 사건을 나란히 제시하여 사건 간 연관성을 부각한다고 볼 수 없다.

> **Q 사실성의 부여가 뭔가요?**
>
> **A** 고전 소설에서 사실성의 부여는 허구적 속성에 바탕을 두고 있는 소설의 본질로부터 전하고자 하는 이야기의 신뢰성을 높이기 위한 장치 중 하나예요. 흔히 실존 인물을 등장시키거나 실제 일어났던 역사적 사건이나 실제의 연도와 같은 시간을 명시하는 경우가 많지요. 이러한 장치들을 활용하면 독자들은 작가가 창작한 이야기일지라도 실제로 일어난 일인 것처럼 느끼게 되는 효과가 있어요. 따라서 사실성을 부여하기 위한 방식과 그에 따른 효과를 잘 알아 두면 선지와 지문의 요소를 대응시켜 정확히 판단하는 데 도움이 될 거예요.

02 [구성 및 서사 구조의 이해] 정답 ③

㉯에서 숙향은 부모가 난중에 죽었다면 시왕전에 올 것이고, 그렇다면 반갑게 만날 수 있는 것이 아닌지를 후토 부인에게 묻고 있다. 이는 숙향이 자신의 부모가 피난 과정에서 죽었

을지도 모른다고 생각하여 사후 세계에서 재회할 수도 있으리라 생각함을 의미한다.

【 오답 풀이 】

① ㉮에서 숙향은 명사계의 선녀에게 안겨 전각 앞에 이른 후에도 영문을 몰라 어찌할 줄 모르고 울고 있었을 뿐, 자신에게 일어날 일에 대해 예상하는 모습은 나타나 있지 않다.

② ㉯에서 후토 부인은 은혜를 갚겠다는 숙향에 대해 이를 정중히 사양하면서 잔치를 열어 주고 있다.

④ ㉱에서 숙향의 소식을 들은 숙부인은, 크게 놀라 통곡하는 이선과 달리 성급히 굴지 말라고 말하며 일의 자초지종을 차분히 살피려는 모습을 보인다.

⑤ ㉲에서 숙향은 김전이 자신의 아버지임을 알지 못한 채 김전의 문초에 따라 자신의 이름과 나이를 밝히고 있을 뿐, 김전에게 자신이 딸임을 눈치채게 하려는 의도를 보이고 있지 않다.

03 [인물의 심리, 태도 파악] 정답 ③

숙부인은 "선이 비록~아시게 하리라."라고 말한 후 즉시 행장을 차려서 황후가 있는 장안으로 간다. 이에 비추어 볼 때, 숙향과 이선의 혼사가 이루어지도록 이 상서로 하여금 황후에게 아뢰게 한 것이 아니라, 숙부인 본인이 직접 황후에게 아뢰려고 하고 있음을 알 수 있다.

【 오답 풀이 】

① "이 땅은~보내었삽더니 보셨나이까?"를 통해 후토 부인은 파랑새를 보내 숙향을 명사계로 인도하였음을 드러내고 있다. 또한, 후토 부인은 숙향에게 경액을 먹게 하여 숙향이 자신의 전생을 깨닫게 하고, "저는 한낱~어찌 하시나이까?"를 통해 숙향이 월궁의 선녀였으나 천상에서 지은 죄로 인간 세상에 내려온 존재임을 알려 주고 있다.

② '한편 이선은~죽으리라고 하더라.'를 통해 이선은 숙향이 죽을 위기에 처한 것을 알고서 숙향과 함께 죽을 것이라는 태도를 보이고 있음을 확인할 수 있다.

④ '부인의 말을~이 상서에게 회보하니라.'를 통해 김전은 아내 장 씨의 말을 옳다고 여겨 수용하면서 숙향에 대한 형 집행을 미루고 있음을 알 수 있다.

⑤ "그 여자의~처치하게 하오소서."를 통해 김전의 아내인 장 씨는 숙향이 자신의 죽은 딸과 얼굴과 이름, 나이가 같음을 알고 죽은 자식이 살아서 온 것 같은 마음에 연민을 느끼고 있다.

04 [대화의 특징 파악] 정답 ⑤

㉳에서 후토 부인은 숙향이 궁금해하는 부모의 생사에 대해 인간 세상에 반석같이 계시다며 틀림없이 살아 있다는 사실을 강조하면서, 숙향의 부모도 천상계의 인물로 인간 세상에 귀양 간 것이므로 기한이 차도 봉래로 가지 명사계로는 오지 않을 것이라는 추가적인 정보를 제공하고 있다.

【 오답 풀이 】

① ㉠에서 후토 부인은 '선녀께서'라고 표현한 것과 같이 숙향을 자신보다 고귀한 존재로 높여 부르고 있다. 또한, 숙향이 인간 세상으로 내려가 전생의 일을 모르고 있다는 현재 상황을 이야기하고는 있으나 숙향의 과거 일화를 언급하거나 이를 현재의 모습과 대비시키고 있지는 않다.

② ㉡에서 숙향은 자신을 알아보겠냐는 후토 부인의 물음에 자세히 알지

못한다고 이야기하면서 인간 세상에 내려와 정신이 바뀌었다는 자신의 상황 변화를 이유로 들고 있다. 그러나 이 과정에서 의문을 갖는다거나 이를 감추고 있지는 않다.

③ ⓒ에서 후토 부인은 자신이 이전에 잔나비와 황새 등을 통해 숙향을 도와주었다는 일을 언급하고 있지만, 자신이 도움을 줄 수 있는 뛰어난 능력을 지니고 있음을 과시하고 있는 것은 아니다.

④ ⓔ에서 숙향은 후토 부인의 시비라는 비천한 신분으로 살아가고자 한다는 생각을 내비치고 있으나, 이는 감사의 마음을 담은 발화일 뿐 자신의 잘못을 뉘우치고자 하는 태도와 관련이 없다.

05 [외적 준거에 따른 작품 감상]　　　　　　정답 ③

숙향이 "첩이 전일~하더니 그러하오이까?"라고 후토 부인에게 묻는 내용 중 명사계는 천상계에 해당한다. 여기서 명사계는 〈보기〉에 따르면 천상계와 지상계 간 순환 구조의 기반이 되는 공간이라고 할 수 있다. 그러나 숙향의 물음은 천상계라는 공간에서 부모를 만날 수 있을지 모른다는 기대감을 드러내는 것으로, 고난 극복 후의 보상에 대한 기대감에는 해당하지 않으므로 적절하지 않다.

【 오답 풀이 】

① 〈보기〉에서는 천상계와 지상계가 인과응보의 원리에 의해 연결되어 서사가 진행되고 천상계에서 죄를 지으면 지상계에서 벌을 받는 것으로 구현된다고 하였다. 이에 따르면, 숙향이 '첩은 천상에 득죄하여 인간 세상에 내려와'라고 말하는 모습은 〈보기〉의 내용을 반영하고 있음을 알 수 있다.

② 〈보기〉에서는 천상계에서 죄를 지으면 지상계에서 벌을 받는 것으로 구현된다고 하였다. 이에 따르면, 숙향이 '월궁의 으뜸 선녀'임에도 '천상에서 지은 죄로 인간 세상에 내려'왔다는 것은 높은 신분의 인물도 죄를 지으면 지상계에서 벌을 받는다는 〈보기〉의 내용을 반영하고 있음을 알 수 있다.

④ 〈보기〉에서는 천상계와 지상계가 순환 구조를 기반으로 하여 천상계에서 죄를 지으면 지상계에서 벌을 받는 것으로 구현된다고 하였다. 이에 따르면, 숙향의 부모가 봉래산의 선관 선녀였으나 인간 세상에 귀양을 왔다고 하는 것에는 이러한 〈보기〉의 내용이 반영되어 있음을 알 수 있다.

⑤ 〈보기〉에서는 인과응보의 원리를 토대로 인물에게 주어지는 고난의 정도와 기한이 결정된다고 하였다. 이에 따르면, 숙향의 부모가 '기한이 차면 봉래로 돌아갈 것'이라고 하는 것에는 이러한 〈보기〉의 내용이 반영되어 있음을 알 수 있다.

Q 천상계와 지상계 사이의 순환 구조가 뭔가요?

A 고전 소설에서 천상계와 지상계가 등장하는 이원적 구성은 일반적으로 천상계에서 죄를 지은 존재가 그에 따른 형벌로 지상계로 내려가는 형식을 띠고 있어요. 순환 구조란 천상계의 존재가 지상계에서 머무는 데에 그치지 않고 다시금 천상계로 복귀하는 것으로 서사가 진행되는 것이 전형적이기 때문에 붙여진 용어예요. 지상계에서 다양한 고난과 시련을 거치면서 죄를 씻게 되면 원래의 자리로 돌아가는 것이지요. 「숙향전」을 비롯한 천상계와 지상계 사이의 순환 구조에 의해 서사가 진행되는 작품들은 위와 같은 의미를 띠는 경우가 많다는 점에서 공간적 특징에 대한 이해를 잘 정리해 두어야 해요.

---

06 [서술상의 특징 파악]

ⓐ와 ⓑ는 모두 전지적 서술자가 작중 상황에 개입하여 자신의 생각을 드러내는 편집자적 논평(서술자의 개입)에 의한 서술이 이루어지고 있는 부분이다. 이러한 서술을 통해 ⓐ에서는 어린 나이에도 불구하고 숙향이 성숙한 마음을 지니고 있다는 인물의 특징을 제시하고 있고, ⓑ에서는 숙향이 처한 극심한 위기 상황을 제시하여 그에 대한 서술자의 시각을 보여 주고 있다.

07 [소재의 기능 파악]　　　　　　정답 ③

'경액'을 먹은 후에 숙향은 천상의 일과 인간 세상에 내려와 부모를 잃고 헤매며 고생한 일을 일일이 알게 된다. 이는 '경액'이 천상계에서 지상계로 적강한 숙향이 자신의 지난 일을 자각하게 하는 소재임을 알 수 있지만, '경액'을 통해 숙향이 후토 부인과의 과거 인연을 자각하게 되는 변화는 나타나 있지 않다.

【 오답 풀이 】

① '파랑새'는 피난을 하던 중에 부모와 헤어진 숙향에게 우연히 날아들어 꽃봉오리를 전해 주며 숙향이 배고픔을 해소할 수 있도록 돕고 있다. 이는 〈보기〉에 따르면, '파랑새'는 숙향이 처한 고난의 상황에서 우연히 등장하여 고난 해소를 돕고 있는 것으로 이해할 수 있다.

② '꽃봉오리'를 먹은 숙향은 눈이 맑아지고 배가 불러 정신이 상쾌하며 몸에 향내가 진동하는 경험을 하게 된다. 이러한 인물의 변화는 〈보기〉에 따르면, '꽃봉오리'가 전기적 사건의 장치로 활용되는 것으로 이해할 수 있다.

④ '혈서'를 통해 숙향의 사연을 알게 된 숙부인은 상서가 자신에게 묻지 않고 자신을 과부라 업신여김을 문제 삼으며 상서와 갈등을 빚게 된다. 이는 〈보기〉에 따르면, '혈서'가 인물 간 갈등 구도를 발생시키는 계기가 되는 것으로 이해할 수 있다.

⑤ '회보'는 아내 장 씨의 말을 반영한 '이 사연'을 담은 것에 해당한다. 아내 장 씨는 '그 여자'(숙향)로 인해 자신의 딸이 생각나 슬픔을 느끼게 되면서 숙향을 죽이는 것을 미루고 상서에게 기별할 것을 김전에게 부탁한다. 그리고 김전은 부인의 말을 옳게 여기고 회보를 한다. 이는 〈보기〉에 따르면, 회보는 숙향의 고난 극복 과정에서 죽음의 위기를 벗어나게 하는 소재라고 할 수 있다.

08 [서술상의 특징과 효과 파악]

[A]에서 후토 부인은 숙향이 앞으로도 고생이 많을 것이라고 말하고 있는데, 이는 '중략' 이후의 내용에서 숙향이 상서에 의해 옥에 갇혀 죽기 직전의 상황에 놓이는 것으로 구체화되고 있다. 이러한 사건은 〈보기〉에 제시된 바와 같이 이선과 숙향이 사랑을 성취해 가는 과정에서 상서에게 방해받는 상황이라는 점에서, 남녀 주인공이 사랑을 성취하는 과정에서 장애를 겪는 혼사 장애 설화가 반영된 것으로 볼 수 있다. 그리고 후토 부인의 말은 이러한 사건의 발생을 암시하는 복선의 기능을 하는 것으로 이해할 수 있다.

05강

운영전(雲英傳)

본문 033쪽

01. ④　02. ②　03. ④　04. ④　05. ①　06. 시에는 시를 짓는 사람의 마음이 반영되어 있다.　07. ③　08. 운영을 사모하는 마음이 크지만 운영을 만날 수 없기 때문이다.

01 [서술상의 특징 파악]　　　　　　　　　정답 ④

이 글은 내화와 외화로 이루어져 있는데, 내화는 작중 인물인 운영이나 김 진사가 경험한 일을 서술한 것이다. 제시된 부분은 내화의 일부로, 운영이 서술자로서 자신의 과거 경험을 타인에게 전달하는 형식으로 이야기를 서술하고 있다.

【 오답 풀이 】

① 인물이 처한 상황에 대한 서술자의 논평을 찾아볼 수 없다.

② 앞으로 전개될 사건의 방향을 암시하고 있는 배경 묘사는 찾아볼 수 없다.

③ 운영이 서술자로서 과거에 겪었던 일들을 전달하고 있다고 볼 수 있다. 그러나 이 과정에서 현재의 사건과 과거의 사건을 대비하고 있지 않다.

⑤ 구체적인 시대 상황을 서술하고 있지 않다.

02 [작품의 내용 이해]　　　　　　　　　정답 ②

운영은 대군이 일찍이 자신에게 사사로운 마음을 보인 적이 없으나 궁중 사람들은 모두 대군의 마음이 자신에게 있다는 것을 알고 있다고 서술하고 있다. 따라서 궁중 사람들은 대군이 운영 앞에서 운영을 좋아하는 마음을 드러내는 것을 보았다고 이해하는 것은 적절하지 않다.

【 오답 풀이 】

① 대군은 진사의 재주를 매우 칭찬하며 진사가 지은 시 두 편을 사람들에게 내보였다.

③ 운영은 김 진사에게 시와 금비녀를 전달해 자신의 마음을 전하고자 했으나 전달할 방법을 찾지 못하다 벽에 구멍을 뚫어 편지를 전달했다.

④ 운영은 자란에게 김 진사에 대한 자신의 마음을 털어놓았다. 그러면서 잠을 이루지 못하고 먹는 것이 줄어 옷과 허리띠가 헐렁해졌다는 말도 덧붙였다.

⑤ 운영이 김 진사에 대해 말한 것을 기억 못하겠느냐고 묻자 자란은 어슴푸레 생각이 날 듯 말 듯 하다고 말하였다.

03 [삽입 시의 내용 이해]　　　　　　　　정답 ④

'얼굴 씻을매' 흐르는 '눈물'은 운영이 사랑하는 사람과 만날 수 없는 자신의 처지에 대한 서러움을 표현한 것으로 볼 수 있다. 자란은 운영이 속마음을 털어놓은 궁녀로, '눈물'이 자란에 대한 서운함을 드러내고 있다고 볼 수 없다.

【 오답 풀이 】

① 운영의 시에서 '베옷 입고 가죽 띠 두른 선비'는 김 진사를 의미한다. 그리고 '옥 같은 얼굴 신선과 같지'는 김 진사의 모습을 표현한 것이

다. 이와 같이 김 진사를 긍정적으로 표현한 것은 김 진사에 대한 운영의 호감을 반영한 것이라고 볼 수 있다.

② '주렴 사이로만 바라보나니'는 운영이 김 진사를 만날 수 있는 방법이 없음을 나타낸다. 즉, 김 진사를 어렵게 볼 수밖에 없는 운영의 처지가 드러나는 것이라고 볼 수 있다.

③ '월하노인의 인연 어디 없는지?'는 김 진사와 인연을 맺고 싶은 마음을 보여 준다. 그런데 이 말은 현실적으로 인연을 맺을 수 없는 상황에서 한 말이다. 즉, 현실적으로 가능하지 않은 것에 대한 바람을 말하고 있는 것인데, 여기서 소망의 실현이 불가능한 처지에 대한 운영의 한탄이 드러나고 있다.

⑤ 토론 중에도 답답함을 느끼며 병풍에 기대어 말이 없던 운영의 속마음은 시에서 거문고를 타며 드러내는 한스러움과 연결되는 것으로 생각할 수 있다.

Q 삽입 시의 기능이 뭔가요?

A 고전 소설의 이야기 중간중간에 나오는 시를 '삽입 시'라고 불러요. 이러한 삽입 시는 등장인물의 내면 심리를 드러내거나, 등장인물이 놓여 있는 상황과 사건의 정황을 요약해 제시해 주지요. 또한, 다음 사건이 일어나는 계기가 되거나 미래에 일어날 일에 대한 암시와 예언이 되기도 해요.

「운영전」에서도 운영이 진사를 그리워하며 지은 시에는 진사를 향한 연모의 정과 만날 수 없는 진사와의 인연을 한탄하는 심리가 드러나 있어요.

---

04 [대화의 특징 파악]　　　　　　　　　정답 ④

[A]에서 '시를 짓는 중에 우연히 나온 말이지, 어찌 다른 뜻이 있겠습니까? 지금 주군께 의심을 받으니 첩은 만 번 죽어도 유감이 없나이다.'는 운영이 자신의 진심을 감추고 있음을 나타낸다. 그리고 [B]에서 '너는 내가 아닌데 어찌 내 마음을 안단 말이니? 지금 막 시 한 편을 지으려는데, 묘안이 떠오르지 않아 고심하느라 말하지 않았던 것뿐이야.'도 자신의 진심을 감추고 있음이 드러나고 있다. 따라서 운영이 [A]와 [B] 모두에서 자신의 진심을 우회적으로 드러내고 있다고 이해하는 것은 적절하지 않다.

【 오답 풀이 】

① [A]에서 대군은 자란의 시가 뛰어나다고 평가하고 있으며, 나머지 궁녀들의 시도 맑고 좋은데 유독 운영의 시만은 서글피 누군가를 그리워하는 마음이 보인다고 평가하고 있다.

② [A]에서 대군은 '시는 진정한 마음에서 우러나오는 것이라서 가리고 숨길 수가 없는 법이다.'라고 말하였다. 이는 대군이 시에 대한 자신의 생각을 근거로 운영의 대답이 진실되지 않다고 판단했음을 나타낸다.

③ [B]에서 토론 중에 혼자 병풍에 기대어 흙으로 빚어 놓은 인형처럼 근심스레 말이 없는 운영의 모습을 보고 소옥은 '주군에게 의심을 받더니 그 때문에 근심스러워 말이 없'는지를 묻고 있다.

⑤ [B]에서 은섬은 '어딘가 뜻이 향하는 곳이 있어 마음이 여기 있지 않으니'라고 물으며 운영이 마음을 딴 데 두고 있음을 언급하였고, '어디 내가 한번 맞혀 볼까?'라고 하며 운영이 침묵하는 이유에 대한 해명이 거짓이 아닌 사실인지를 시험해 보고자 하는 뜻을 드러내고 있다.

05 [서술 시점의 변화 효과]　　　　　　　　　　정답 ①

[C]는 1인칭으로 작중 인물인 운영의 입장에서 서술이 이루어지고 있다. 그러나 〈보기〉는 3인칭으로 서술이 이루어지고 있으며, 관찰자적 입장에서 서술하여 인물의 행동과 태도를 객관적으로 제시하고 있다.

[오답 풀이]

② 〈보기〉에서는 진사의 내면을 구체적으로 제시하고 있지 않다. 진사의 내면과 관련해 '연거푸 탄식을 내뱉을 뿐이었다'는 내용만이 제시되어 있을 뿐이다.

③ [C]에서는 편지를 본 진사의 심리를 자세히 서술하였지만, 〈보기〉에서는 이를 생략하고 행동만을 요약적으로 제시하였다. 그러나 이것이 긴장감을 높이는 것은 아니다.

④ [C]와 〈보기〉 모두 운영의 행동을 순차적으로 서술하고 있다.

⑤ 〈보기〉에서는 운영과 진사의 심리가 상황에 따라 변화하는 양상을 보여 주고 있지 않다.

06 [문맥적 의미 이해]

㉠은 시는 시를 지은 사람의 진정한 마음을 보여 준다는 생각을 전제하고 있는 말이다. 이는 시에는 시를 짓는 사람의 마음이 반영되어 있음을 의미한다.

07 [외적 준거에 따른 작품 감상]　　　　　　　정답 ③

궁녀들은 궁녀들의 원망을 담은 옛사람들의 시 중 어떤 작품이 훌륭한지 토론을 벌였다. 이는 자신들이 억압된 삶 속에서 느낀 심정에 대해 가장 잘 표현한 작품을 옛사람들의 시 중에서 찾아 논의한 것이다. 이를 통해 궁녀들이 자신들의 삶에 대한 원망, 한 등의 정서를 지녔음을 짐작할 수 있다. 즉, 문학 작품에서 억압된 삶으로부터 벗어날 희망을 찾은 것이 아니라, 자신들이 공감할 수 있는 문학 작품을 찾은 것이다.

[오답 풀이]

① 운영이 누군가를 그리워하는 마음을 품은 것에 대해 대군은 '준엄히 캐물을 일'이라고 말하였다. 이는 운영이 대군 외의 다른 사람을 사모하는 것이 큰 죄가 될 수 있음을 나타낸다.

② 운영 스스로 궁녀가 다른 남자를 사모하는 것을 죄가 된다고 여겼기 때문에 '만 번 죽어도 유감이 없나이다.'라고 말한 것이다.

④ 운영이 김 진사를 '문틈으로 엿보고 했'던 것은 궁녀로서 김 진사를 떳떳하게 만날 수 없었기 때문이다. 이와 같은 장애 때문에 운영은 김 진사와의 사랑을 힘들게 이어 갔다.

⑤ 김 진사는 운영에게 답장을 보낼 방도를 찾지 못하였다. 이는 그만큼 궁녀와 궁 밖의 사람이 소통하는 일이 어려웠음을 나타낸다.

08 [인물의 심리 파악]

㉡을 통해 진사의 얼굴이 수척해지고 예전의 기상이라곤 전혀 찾아볼 수 없게 되었음을 알 수 있다. 이는 진사가 운영을 사모하는 마음이 크지만 현실적으로 운영과 연락해 만날 수가 없어 식음을 전폐하고 있기 때문이다. 사랑을 이룰 수 없는 현실 때문에 마음이 아파 식음을 전폐해 ㉡과 같은 모습이 된 것이다.

06강

채봉감별곡(彩鳳感別曲)

본문 038쪽

01. ④　02. ④　03. ①　04. ③　05. ⑤　06. ㉮ 허 판서의 첩, ㉯ 장필성에 대한 지조　07. ⑤　08. 장필성을 향한 지조를 끝까지 지켜 나가려는 의지적 태도를 보여 주고 있다.

01 [서술상의 특징 파악]　　　　　　　　　　정답 ④

허 판서와의 약속을 못 지키게 된 김 진사가 옥에 갇히게 되자 이 부인은 평양으로 채봉을 찾아와 김 진사를 구출하기 위해 함께 서울로 가자고 한다. 그러나 채봉은 그것을 거절하고 김 진사를 구하기 위한 방도를 찾고자 고심한다. 이 과정에서 서사적 긴장감이 고조되고 있다.

[오답 풀이]

① 이 글에서는 공간적 배경이 묘사된 부분을 찾을 수 없다.

② 과거의 사건을 제시하고 있으나, 그것을 현재의 사건과 교차해 제시함으로써 서사를 입체적으로 제시하는 효과를 거두고 있지 않다.

③ 인물들이 처해 있는 현실의 부조리한 상황을 제시하고 있으나, 그것을 과장하여 제시하고 있지는 않다.

⑤ 김 진사가 옥에 갇히는 사건에 대응하는 여러 인물의 태도를 제시하고 있으나, 그것을 통해 인물들의 공통된 성격을 나타내고 있지는 않다.

02 [작품의 내용 이해]　　　　　　　　　　　정답 ④

채봉은 평양으로 돌아온 이 부인과 재회한 후, '지난날 만리교 주막에서 취향과 약속하고 밤중에 도망하여 온 말을 대강하여 말'했다. 이는 도망 온 대강의 사연을 이 부인에게 말한 것이다.

[오답 풀이]

① 이 부인은 '우리 집이 오늘날같이 불시에 망할 줄을 꿈에나 생각하였을까?'라고 말하였으므로, 재물을 잃은 것을 채봉의 탓이라고 생각했다는 것은 적절한 이해가 아니다.

② 채봉은 평양으로 도망 온 후 취향의 집에서 부친의 기별을 기다리고 있었으므로, 부모와 연을 끊으려고 했다는 것은 적절한 이해가 아니다.

③ 김 진사는 채봉을 찾아 데려오겠다고 말하지 못했기 때문에 허 판서는 김 진사를 옥에 가두었다.

⑤ 김 진사는 칙지를 받고 싶어 했으나, 허 판서에게 돈을 주지 못했고 채봉도 데려오지 못했기 때문에 칙지를 받을 수 없었다.

03 [소재의 기능 파악]　　　　　　　　　　　정답 ①

허 판서는 ㉠을 이용해 자신의 세도를 드러내며 욕심을 채우고 있다. 이는 자기 마음대로 현감을 정할 수 있는 권한을 과시함으로써 자신의 힘을 드러내고 있는 것이다.

[오답 풀이]

② ㉠은 허 판서가 김 진사의 마음을 사로잡은 계기가 되었다고 볼 수 있다.

③ 허 판서는 김 진사가 돈을 가져오고 채봉도 데려왔을 것이라고 생각하고 ㉠을 내어 주려 한 것이다. 김 진사를 향한 허 판서의 부정적 감정을 나타내고 있는 것이 아니다.

④ ㉠은 김 진사에게 벼슬을 할 수 있게 해 주는 것이다. 딸을 찾을 수 있는 수단으로 ㉠을 인식하는 김 진사의 모습은 제시되어 있지 않다.

⑤ ㉠은 허 판서와 김 진사가 벼슬을 팔고 살 수 있게 해 준 것이다. 두 사람 사이에 갈등이 발생한 까닭은 김 진사가 재산을 잃어 허 판서에게 돈을 주지 못하고 채봉마저 사라져 첩으로 주지 못하게 되었기 때문이다.

04 [인물의 심리, 태도 파악]　　　　정답 ③

허 판서는 자신의 이익만을 탐하는 인물로 다른 사람의 고초에 안타까워하는 사람이 아니다. 그는 깜짝 놀라며 "응, 그게 무슨 소리냐? 풍파를 겪다니?"라는 말을 했지만, 김 진사의 전후 사정을 듣고 조금도 가엾은 생각을 갖지 않고 김 진사를 나무라고 오히려 옥에 가두었다.

[오답 풀이]

① 허 판서는 김 진사를 보고 반기며 노독 걱정까지 하고 있다. 이는 김 진사가 자신이 원하는 돈, 첩(채봉)과 함께 왔을 것이란 기대 때문에 김 진사에게 호의를 보인 것이다.

② 김 진사는 허 판서가 내준 현감 칙지를 보고 가슴이 주저앉았다. 이는 채봉이 사라지고 도적에게 재산을 빼앗겨 현감 칙지를 자신의 것으로 만들지 못한 데서 비롯되는 절망감을 나타낸 것이다.

④ 김 진사는 "대감 위력이나 빌어 가지고 찾고자 하여 올라왔습니다."라고 말하였다. 이는 딸을 찾는 데 허 판서의 도움을 받을 수 있을 것이란 기대를 했음을 나타낸다.

⑤ 허 판서는 하인에게 김 진사를 구류시키라고 명령했다. 그러면서 "이놈, 네 딸을 데려오든지, 그렇지 않으면 돈 오천 냥을 마저 바치든지 해야 무사하리라."라고 말했다.

05 [구절의 의미, 효과 이해]　　　　정답 ⑤

ⓔ는 채봉의 내적 독백으로, 채봉의 행위에 대해 서술자의 견해를 제시하는 편집자적 논평이 아니다.

[오답 풀이]

① ⓐ는 이 부인의 내적 독백으로, 이 부인은 채봉이 취향의 집에 갔을 것이라고 생각하고 있다.

② ⓑ에서는 오랜 시간 변함이 없는 자연의 모습과 한 달 동안에 행색이 초췌해진 이 부인의 상황을 대비하면서, 이 부인의 암담한 처지를 보여 주고 있다.

③ ⓒ는 의문의 진술로, 재산도 잃고 김 진사가 옥에 갇힌 상황에서 이 부인의 막막한 심정을 드러내고 있다.

④ ⓓ에서 '범의 아구리에 들었으며'는 도적에게 재산을 빼앗기고, 김 진사가 허 판서에게 붙잡혀 있는 절박한 상황을 비유적으로 나타낸 것이다.

06 [인물의 심리, 태도 파악]

[B]에서 채봉은 사면초가의 처지에 놓여 내적 갈등을 하고 있다. 자신이 상경을 해서 허 판서의 첩이 되면 부모를 구할 수 있지만 장필성에게는 지조를 지키지 못한 죄를 짓게 되는 것이다. 그렇다고 평양에 남으면 부모가 환란을 면하지 못하게 된다. 이러지도 저러지도 못하는 상황에서 채봉은 누군가가 자신에게 부모를 구할 수 있는 돈을 주면 종노릇이든 기생 노릇이든 하겠다고 생각하고 있다.

07 [외적 준거에 따른 작품 감상]　　　　정답 ⑤

채봉은 상경하던 중에 몰래 도망을 쳐 평양으로 왔다. 채봉은 평양으로 온 이 부인을 다시 만나 부모가 만리교에서 도적을 만난 일과 김 진사가 옥에 갇힌 이야기를 들었다. 따라서 채봉이 도적이 만날 것을 예측했다고 보기는 어렵다.

[오답 풀이]

① 채봉이 상경하던 중에 평양으로 돌아온 것은 허 판서의 첩이 되지 않고 장필성과의 혼약을 지키기 위해서이다. 이는 채봉이 자신의 뜻에 따라 행동하는 인물임을 나타낸다.

② 채봉은 종노릇이나 기생 노릇도 감수하고서라도 자신에게 닥친 문제를 스스로 해결하려는 모습을 보이므로 능동적인 인물이라고 볼 수 있다.

③ 허 판서는 현감 자리를 돈을 받고 팔고 있다. 그리고 김 진사로부터 돈을 받지 못하자 김 진사를 옥에 가두었는데, 이러한 횡포로 채봉의 집안이 고통을 겪고 있다. 즉, 허 판서의 매관매직과 횡포는 조선 후기의 부조리한 현실을 나타낸다고 볼 수 있다.

④ 김 진사는 딸을 허 판서의 첩으로 보내면서까지 출세하려고 했다는 점에서 세속적인 욕망을 추구하는 인물이라고 할 수 있다.

08 [인물의 심리, 태도 파악]

㉡에서 채봉은 서울로 올라가자는 어머니의 뜻을 거스르고 있다. 이는 장필성을 향한 자신의 마음을 지키고자 하는 의지를 보여 주는 것이다.

07강

매화전(梅花傳)

본문 043쪽

01. ②　02. ③　03. ④　04. ④　05. ①　06. ⑤　07. 장단골 연화동은 조 병사에게는 매화의 근본을 알 수 있는 곳이자 최씨 부인의 간계에 속는 곳이며, 최씨 부인에게는 매화의 근본을 왜곡할 수 있는 곳이다.　08. ③　09. ㉮ 양유와 매화의 혼인, 근본, ㉯ 매화, 계략

01 [서술상의 특징 파악]　　　　정답 ②

〈중략〉 이전에는 '조 병사와 최씨 부인의 대화 → 조 병사와 연화동 사람들의 대화 → 조 병사와 최씨 부인의 대화'를 통해 사건이 전개되고 있다. 그리고 〈중략〉 이후에는 '양유와 동자의 대화 → 매화와 매화 어머니의 대화'를 통해 사건이 전개되고 있다.

[오답 풀이]

① 대상을 빗댄 우의적인 소재를 활용하고 있지 않다. 그리고 대상을 희화화하고 있지도 않다.

③ 역사적 인물을 언급하여 특정 인물을 예찬하고 있는 부분을 찾아볼 수 없다.

④ 대화 중심으로 사건이 전개되고 있는데, 이 과정에서 시대 배경을 구체적으로 서술하고 있지 않다.

⑤ 인물의 외양을 자세히 묘사한 부분을 찾아볼 수 없다.

02 [인물에 대한 이해]　　　　　　　　　정답 ③

양유가 동자에게 살려 달라고 애원하자 동자는 양유에게 살 수 있는 방도를 알려 주었다. 그럼에도 양유는 두려움을 떨치지 못하는 모습을 보여 준다. 이러한 상황에서 양유가 호랑이를 물리칠 결심을 했다고 보기는 어렵다.

【 오답 풀이 】

① 최씨 부인이 자기 동생에게 장단골에 먼저 가서 근처 사람에게 재물을 주고 조 병사가 매화의 근본을 잘못 알게 만들라고 말하자, 동생은 조 병사보다 먼저 장단골에 갔다.

② 양유가 있는 방 앞에서 매화는 방 안에 양유가 있는 줄 모르고 어머니에게 방에 들어가지 않겠다고 고집을 부렸다.

④ 주모는 조 병사 앞에서 매화가 천인의 자식이라고 말했다.

⑤ 조 병사는 양유에게 '매화로 더불어 공부하던 일이 분하도다.'라고 말했다. 이를 통해 매화가 양유와 함께 공부했음을 알 수 있다.

03 [소재의 기능 파악]　　　　　　　　　정답 ④

양유는 방 밖에 있는 낭자가 매화인 줄을 모르고 살기 위해 낭자에게 사배를 한다. 그러던 중 양유는 갑자기 방 안으로 날아 들어온 ㉠(봉서)을 보고는 낭자를 유심히 보며 상대가 매화와 흡사하다고 혼잣말을 한다. 양유는 매화가 죽은 줄로 알았기 때문에 매화라 쉽게 단정 짓지 못한 것이다. 양유의 말을 들은 매화는 얼굴을 들어 양유를 보게 된다. 이를 통해 두 사람은 서로를 알아보게 된다.

【 오답 풀이 】

① ㉠으로 인해 인물들의 성격이 변화하고 있지 않다.

② ㉠은 양유와 매화가 서로를 알아보는 데에 도움을 주고 있다. 두 사람 사이의 갈등을 촉발하는 계기가 된다는 것은 적절하지 않다.

③ 양유와 매화는 ㉠을 통해 당대의 세태를 비판하고 있지 않다.

⑤ 양유와 매화는 ㉠을 통해 불합리한 상황에 대한 분노를 표출하고 있지 않다. ㉠을 통해 두 사람이 해후하는 상황이 전개되고 있다.

04 [인물의 심리, 태도 파악]　　　　　　　정답 ④

매화는 어머니에게 방에 죽어도 들어가지 않겠다고 말하고 있다. 이는 방 안에 양유가 아닌 다른 남자가 있다고 생각했기 때문이다. 따라서 ⓓ는 양유를 향한 매화의 마음에 변화가 생겼음을 드러내는 것이 아니라, 매화가 양유에 대한 일편단심을 지니고 있음을 짐작하게 해 준다.

【 오답 풀이 】

① 조 병사가 매화의 근본을 알아보고자 하는 것은 신분을 중시하기 때문이다.

② 최씨 부인은 매화를 자기 동생과 혼인시키기 위해 계략을 꾸미고 있다. 이는 최씨 부인이 간사한 성격을 지니고 있음을 나타낸다.

③ 조 병사가 '매화는 천인 자식이라 내쫓으라.'라고 말한 것은 매화를 천인의 자식이라고 확신했기 때문이다.

⑤ 양유는 매화에게 '네가 죽은 혼이냐.'라고 말하고 있다. 이를 통해 양유는 매화가 죽었다고 생각했음을 알 수 있다.

05 [서술상의 특징 파악]　　　　　　　　정답 ①

[A]의 '정신 산란한지라', '범이 오는가 하고', '귀신인가 의심할 제' 등은 양유의 내면 심리 상태를 진술한 것이다. 그리고 [B]의 '실로 꿈만 같은지라', '귀신이냐, 호랑이냐', '행여 살려 줄까' 등도 양유의 내면 심리 상태를 진술한 것이다.

【 오답 풀이 】

② [A]의 '창천에 월색은 명랑한데'는 배경을 제시한 것이다. 그러나 이는 인물에게 일어날 사건을 암시하고 있지 않다. [B]에서는 배경을 묘사하고 있지 않다.

③ [A]와 [B]는 모두 인물이 겪은 과거의 일들을 시간적 순서대로 요약하고 있지 않다.

④ [A]와 [B]에는 서술자의 논평이 제시되어 있지 않다.

⑤ [A]에는 비현실적인 사건이 제시되어 있지 않다. [B]에만 문득 광풍이 일어나며 방문이 열려 '봉서'가 내려지는 사건이 일어나고 있다.

06 [구성 및 서사 구조의 이해]　　　　　　정답 ⑤

양유는 범에게 잡혀 어떤 방에 갇히게 된다. 양유는 그 방이 어떤 방인지 알지 못하며, 방 밖에 누가 있는지조차 알지 못하고 있다. 따라서 양유는 매화가 방에 들어오기 전에 매화와 만나 재결합하게 될 것을 확신했다고 볼 수 없다.

【 오답 풀이 】

① 조 병사는 양유와 매화의 혼사를 진행하기 전에 최씨 부인에게 그에 대한 의견을 묻고 있다.

② 최씨 부인은 자기 동생의 혼처로 매화를 탐내고 있다. 이에 간계를 내어 양유와 매화의 혼사에 장애를 초래하게 한다.

③ 조 병사는 장단골에 다녀온 후 매화가 천인의 자식임을 문제 삼아 양유에게 매화와 만나지 말 것을 명령하고 있다.

④ 매화는 양유와 헤어진 상태에서 양유를 그리워하는 마음을 품고 지냈다.

07 [배경의 기능 파악]

조 병사는 매화의 근본을 알기 위해 장단골에 가서 매화의 아버지에 대해 수소문을 하다가 최씨 부인의 간계에 속고 있다. 최씨 부인은 조 병사가 장단골에 갈 것을 알고 자기 동생을 먼저 보내 사람들을 매수함으로써 매화의 근본을 왜곡하고 있다.

08 [외적 준거에 따른 작품 감상]　　　　　정답 ③

조 병사는 최씨 부인의 간계에 속아 매화가 천인의 자식이라고 믿게 된다. 이는 '속이고 속음'에 해당하는 사건이 벌어지고 있는 것으로 매화가 '천인의 자식'이라는 말을 조 병사가 믿음으로써 양유와 매화의 혼사가 어려워지고 있다. 이를 통해 매화가 천인의 자식이라는 주모의 말을 믿는 조 병사의 모습이 서사적 긴장감을 형성하고 있음을 알 수 있다.

【 오답 풀이 】

① 동자는 양유에게 여자 혼신이 들어와 절하거든 맞절하라고 알려 주고 있다. 이는 동자가 양유의 방에 들어올 사람이 누구인지 알고 있음을 나타낸다.

② 조 병사는 관상쟁이로부터 여러 내용을 구체적으로 들었다. 조 병사가 '앞으로 닥칠 길흉'을 모른다고 이해하는 것은 적절하지 않다.

④ 매화가 양유의 방에 들어갔는데, 이는 매화의 어머니가 매화를 속여

서가 아니다.

⑤ 최씨 부인은 매화가 천인의 자식이 아니라고 생각했기 때문에 자기 동생을 시켜 장단골에 가서 매화의 근본을 천인의 자식으로 바꾸라고 시켰을 것이다. 따라서 최씨 부인이 매화의 근본을 몰랐다고 이해하는 것은 적절하지 않다.

09 [대화의 특징 파악]

최씨 부인은 매화를 자기 동생의 혼처로 탐내고 양유와 매화의 혼인을 막기 위해 ㉮에서 매화의 근본을 문제 삼고 있다. 그러자 조 병사는 매화의 근본을 확인하기 위해 장단골로 가고, 장단골에서 조 병사가 매화가 천인의 자식이라고 알고 오자 최씨 부인은 천인의 자식이라면 양유와 혼인할 수 없다는 사실을 ㉯에서 다시금 은연 중에 제시하고 있다. 이는 매화를 위하는 척하며 자신의 계략을 감추고 있는 말로 양유와 매화의 혼인을 막기 위해 한 말이다.

춘향전(春香傳)

본문 048쪽

01. ③ 02. ② 03. ① 04. ④ 05. ⑤ 06. ③ 07. ③
08. 현재형 시제를 사용하여 인물의 행동을 현장감 있게 제시하고 있다. 09. ㉮ 아니꼬워, ㉯ 절망적

01 [서술상의 특징 파악]   정답 ③

'펄펄, 부글부글, 담쏙, 벌렁벌렁, 뽀드득, 탕탕' 등의 다양한 음성 상징어를 사용하여 인물의 행위를 생동감 있게 서술하고 있다.

[오답 풀이]

① 몽룡이 서울로 떠나게 된 사건과 관련하여 춘향과 갈등하는 모습을 보여 주고 있다. 배경 묘사를 통해 감정의 변화 양상을 드러내고 있지 않다.

② 춘향과 몽룡의 관계를 바탕으로 현실적인 사건 중심으로 서사를 전개하고 있다.

④ 사또나 춘향 어미의 말에서 몽룡과 춘향의 긍정적 면모를 부각하는 내용을 찾아볼 수 없다.

⑤ 현재의 사건이 시간적 순서에 따라 전개되고 있다. 과거와 현재가 반복적으로 교차되고 있지 않다.

Q 음성 상징어가 뭔가요?

A 음성 상징어는 '멍멍'처럼 소리를 흉내 내는 말인 의성어와 '아장아장'과 같이 모양을 흉내 내는 의태어를 말해요. '음성'이라는 말 때문에 소리만을 흉내 낸 말이라고 착각하는 경우가 많은데, 소리와 모양을 흉내 낸 말을 통틀어서 가리킨다는 점이 특징적이에요. 따라서 음성 상징어를 사용하면 인물의 행위나 상황을 생동감 있게 표현할 수 있어요.

---

02 [인물의 심리, 태도 파악]   정답 ②

도련님은 어머니께 심하게 꾸중을 들은 후 춘향의 집에 와서 '너를 버리고 갈 터이니 내 아니 답답하냐.'라고 말하고 있다. 이는 도련님이 남원에서 더 이상 춘향과의 관계를 지속하기 힘들고 서울로 떠나야 한다고 인식했음을 나타낸다.

[오답 풀이]

① 춘향 어미는 춘향이 도련님과 이별하게 되었음을 알아차리고 있다.

③ 모친은 도련님에게 '양반 자식이 부형 따라 지방에 왔다가 기생집에서 첩을 만나 데려가려면 앞날에도 좋지 않고 조정에 들어 벼슬도 못한다.'고 말했다.

④ 사또는 자신의 승진 소식을 들은 아들이 슬퍼하는 까닭을 알지 못하고, 짐을 꾸려 서울로 떠나라고 말하고 있다.

⑤ 춘향은 도련님이 서울로 떠나더라도 자신이 서울로 가면 된다고 생각하고 있다.

03 [감상의 적절성 평가]   정답 ①

㉠은 춘향이 당대의 사회 현실 및 그로 인한 신분의 차이를 자각하고 보인 반응이다. 그러므로 ㉠을 현실을 비판하려 한 것으로 이해하는 것은 적절하지 않다.

[오답 풀이]

② ㉡에서 춘향은 도련님의 첩이 되어도 좋다고 말하고 있다. 이는 춘향의 욕망을 보여 준다고 할 수 있다.

③ ㉢에서 도련님은 춘향이 기생의 딸이기 때문에 이별할 수밖에 없다는 인식을 드러내고 있다. 이는 춘향의 욕망이 달성되기 어려운 이유를 나타낸다.

④ ㉣에서 춘향이 보이는 격한 반응은 욕망의 좌절에 따른 감정을 표출한 것이라고 볼 수 있다.

⑤ ㉤에서 춘향이 존비귀천이 원수라고 말한 것을 보면 신분상의 문제가 춘향의 욕망을 좌절시킨 원인으로 작용했음을 알 수 있다.

04 [서술상의 특징 비교]   정답 ④

도련님은 아버지의 승진으로 식구들을 데리고 서울로 바로 떠나야 하는 상황에 처했다. [A]를 보면, 이 상황에서 도련님은 춘향에 대한 생각으로 답답함을 느끼고 눈물을 흘리고 있을 뿐이다. 이와 달리 [B]에서 춘향은 도련님과 이별을 해야만 하는 상황에 처했음을 알고 안절부절못하고 붉으락푸르락 눈을 가늘게 뜨고 눈썹이 꼿꼿해지면서 이를 뽀드득 뽀드득 갈며 매가 꿩을 차듯 앉고 있다. 이는 자신의 불편한 심정을 표정과 행동을 통해 구체적으로 드러내고 있는 것이다.

[오답 풀이]

① [A]와 [B] 모두에서 인물의 외양 묘사를 통해 인물의 심리가 변화하는 과정을 제시하고 있다.

② [B]에서는 인물의 공격적인 행동을 매에 비유하여 표현하고 있다. [A]에서는 인물의 처지를 자연물에 비유하고 있지 않다.

③ [A]에서는 한편으로 반갑고 다른 한편으로는 답답하다는 진술을 통해 아버지의 승진을 대하는 인물의 이중적인 심정을 제시하고 있다. 그러나 [B]에서는 인물의 이중적 태도를 제시하고 있지 않다.

⑤ [A]와 [B] 모두에서 인물의 내면이 드러나고 있으나, 이를 통해 현실에 대한 인물의 불합리한 인식을 나타내고 있지는 않다.

05 [인물의 발화에 대한 이해] 정답 ⑤

'사랑에 병이 들어 애통해하다가 죽게 되면 가련한 내 영혼은 억울하게 죽은 귀신이 될 것이니, 존귀하신 도련님께 그것은 어찌 재앙 아니리오?'와 같은 말을 통해 미래의 상황에 대한 춘향의 인식이 드러나고 있다. 그런데 도련님의 처지가 어떻게 변화할지를 단계적으로 제시하고 있지는 않다.

【 오답 풀이 】

① '웬 핑계요', '가실 때는 톡 떼어 버리시니', '모질도다', '독하도다' 등과 같이 말하는 데서 당면한 문제에 대응하는 도련님의 태도를 못마땅하게 여기는 춘향의 심정이 드러나고 있다.

② 춘향은 도련님이 과거에 굳은 언약을 어기지 않겠노라고 만 번이나 맹세를 했는데, 현재는 자신을 버리고 간다면서 원망하는 심정을 드러내고 있다.

③ 춘향은 '낭군 없이 어찌 살꼬. 가을 길고도 깊은 밤 외로운 방에 홀로 님 생각 어찌할꼬.'와 같이 말하고 있다. 이는 춘향이 도련님이 떠나고 난 뒤 자신의 외로운 처지에 대해 한탄한 것이다.

④ 춘향은 '존비귀천 원수로다.'라고 말하고 있다. 이는 자신의 처지와 관련해 사회의 신분 제도를 문제 삼은 것이다.

06 [외적 준거에 따른 작품 감상] 정답 ③

춘향이 '거울이며 빗이며 두루 치'며 '자탄가'로 우는 것은 도련님과 이별하는 자신의 처지에 대한 절망감을 표출하며 한탄하고 있는 것이다. 이는 신분 상승 욕구를 보여 주는 것이 아니다.

【 오답 풀이 】

① 도련님과 아버지, 춘향의 대화를 중심으로 이야기를 전개해 나가고 있다. 이는 장면적 제시를 중심으로 이야기를 전개해 나가는 것이기 때문에 장면의 구체성을 획득하고 있다고 할 수 있다.

② 도련님과 춘향이 이별하는 사건의 요인으로 도련님의 아버지가 승진하는 것을 제시하고 있다. 동부승지로 승진하면 서울로 올라가야 하는데, 이는 도련님과 춘향의 이별을 있을 법한 사건으로 만들고 있다.

④ 도련님이 춘향에게 이별이 될 수밖에 없다고 말한 것은 양반가의 도련님과 기생의 딸인 춘향의 사랑이 실현되기 어려움을 나타낸다.

⑤ 모친은 '기생집에서 첩을 만나 데려가면 앞날에도 좋지 않고 조정에 들어 벼슬도 못 한다'고 도련님을 꾸짖었다. 이는 입신양명을 할 때 기생과의 교제가 부정적으로 작용한다고 생각했던 당대인들의 보편적 인식을 보여 준다고 할 수 있다.

07 [관련된 한자 성어의 이해] 정답 ③

ⓐ에서 춘향은 도련님이 굳게 약속한 것을 어기고 자신을 버린다고 말하고 있다. 이러한 도련님의 태도를 나타낼 수 있는 한자 성어로는 '한 입으로 두 말을 한다'는 의미의 '일구이언'이 적절하다.

【 오답 풀이 】

① '금상첨화'는 '비단 위에 꽃을 더한다는 뜻으로, 좋은 일 위에 또 좋은 일이 더하여짐을 비유적으로 이르는 말'이다.

② '동병상련'은 '같은 병을 앓는 사람끼리 서로 가엾게 여긴다는 뜻으로, 어려운 처지에 있는 사람끼리 서로 가엾게 여김을 이르는 말'이다.

④ '정저지와'는 '우물 안 개구리라는 뜻으로, 넓은 세상의 형편을 알지 못하는 사람을 비유적으로 이르는 말'이다.

08 [표현상의 특징 파악]

판소리계 소설은 판소리 공연의 현장성이 묻어나는 문체를 사용한다. 이를 잘 보여 주는 것이 현재형 시제를 사용하여 사건을 전개하는 것이다. ㉮에서 '들어간다', '간다' 등은 현재형 시제로 서술되어 사건의 현재성을 나타냄으로써 현장감을 자아내고 있다.

09 [인물의 심리 파악]

㉯는 '분한 일을 당하여 어이가 없고 기가 막혀 독기가 서린다'는 뜻의 속담으로, 춘향 어미의 앞말로 보았을 때 둘이 사랑싸움을 하는 줄 알고 그 모습이 아니꼽다는 의도로 한 말이다. 그리고 ㉰는 춘향 어미가 춘향이 도련님과 이별하게 된 것을 알고 춘향뿐만 아니라 자신도 죽을 것이라고 말한 것이다. 이렇게 죽는다고 말한 것은 그만큼 심정이 절망적임을 나타낸다.

09강

최고운전(崔孤雲傳)

본문 053쪽

01. ④ **02.** ⑤ **03.** ② **04.** ③ **05.** ③ **06.** ④ **07.** ③
08. 소저와 부부의 연을 맺기 위해 일부러 상대의 청을 거절하여 상황을 협상에 유리한 국면으로 이끌고 있다. **09.** 시를 짓지 않을 경우 죽음을 면치 못할 것이라고 겁박할 것을 제안하였다.

01 [서술상의 특징 파악] 정답 ④

중국 황제가 신라 왕에게 석함 안의 물건을 알아내 시를 지어 올리라고 명하고 신라 왕은 이를 다시 나업에게 해결하라고 명한다. 나업은 이 문제를 해결하지 못해 근심하는데, 이를 알게 된 파경노는 소저를 찾아가 자신이 소저의 근심을 없애 줄 수 있다고 말한다. 얼마 뒤 소저는 나업에게 파경노의 재주를 언급하며 파경노가 사건을 해결할 수 있을 것이라고 말한다. 이처럼 파경노와 소저의 대화, 나업과 소저의 대화를 통해 나업에게 주어진 과제, 즉 신라 왕이 나업에게 시를 지어 올리라고 명령한 사건의 해결 방안이 제시되고 있다.

【 오답 풀이 】

① 사건이 시간적인 순서에 따라 진행되고 있으며, 일이 일어난 시간 순서가 뒤바뀌어 제시되는 시간의 역전은 드러나 있지 않다.

② 전지적 작가 시점에서 서술되고 있으나, 서술자가 개입하여 사건의 전모에 대해 밝히는 내용은 나타나 있지 않다.

③ 인물을 희화화하여 의도적으로 우스꽝스럽게 표현한 장면은 나타나지 않는다.

⑤ 현실에서 일어난 사건들만 다루고 있으며, 꿈과 현실의 교차는 확인할 수 없다.

02 [작품의 종합적 이해와 감상] 정답 ⑤

석함 속 물건을 알아내 시를 지으면 후한 상을 줄 것이라고 한 승상 나업의 제안에 대해 파경노는 시 짓기를 못 하겠다며 거절하였다. 그런데 파경노가 소저에게 자신이 문제를 해결하겠다고 한 점, 파경노가 소저를 좋아하고 있다는 점을 고려할 때, 파경노의 거절은 파경노가 진심으로 시를 짓지 않고자 한 것이 아니라 소저를 얻기 위해 기지를 발휘한 것으로 볼 수 있다. 따라서 보상을 추구하지 않고 스스로 국가의 과제를 해결한다는 감상은 적절하지 않다.

【 오답 풀이 】

① 아이는 나업의 딸인 소저의 재예에 대해 듣고 거울 고치는 장사로 꾸며 승상의 집에 찾아갔다. 이때 아이는 헌 옷으로 갈아입으며 자신의 속임수가 들통나지 않도록 치밀하게 준비한 면모를 보인다.

② 천상의 선관들은 천상계 인물들이므로, 그들이 말 먹일 꼴을 파경노에게 가져다주는 것은 파경노가 초월적 존재의 도움을 받는 인물임을 보여 준다.

③ 파경노가 화초를 기른 뒤 화초가 무성하고 조금도 시들지 않으며 상서로운 새인 봉황까지 날아들었다는 것은 파경노가 신이하고 비범한 능력을 지녔음을 드러낸다.

④ 소저가 동산의 꽃을 보고 싶어 하나 부끄러움을 느껴 오지 못한다는 말을 들은 파경노는 승상에게 노모를 뵙고 오겠다고 말하였다. 그러나 실제로는 귀향하지 않고 동산에서 소저를 기다렸다가 만남을 가졌으므로, 파경노가 노모를 핑계 삼아 말미를 얻은 것은 소저와의 만남을 위해 기지를 발휘한 것으로 볼 수 있다.

03 [인물의 심리, 태도 파악] 정답 ②

아이가 손에 쥐었던 거울을 일부러 떨어뜨려 깨뜨린 것은, 이 사건을 핑계 삼아 승상 집의 종이 되어 앞으로 소저와 인연을 맺기 위한 것이다.

【 오답 풀이 】

① 승상 나업의 집에 들어가고자 한 행동으로, 승상의 눈에 띄고자 한 것은 아니다.

③ 나중에 승상 나업이 겪고 있는 문제를 해결해 주지만 이를 위해 거울을 깬 것은 아니다.

④ 소저와의 만남을 위한 것이지 소저의 마음을 확인하기 위한 것은 아니다.

⑤ 소저와의 인연을 맺을 계기를 마련하기 위한 행동일 뿐, 소저의 관심을 다른 곳으로 돌리려 한 행동은 아니다.

04 [작품의 내용 이해] 정답 ③

이 글의 내용은 비범한 능력을 지녔으며 초월적 존재의 도움을 받는 인물인 주인공(최고운)이 소저와의 인연을 맺고자 여러 가지 기지를 발휘하여 승상 집에 들어가 자신의 뜻을 이루어 가는 과정을 그리고 있다.

【 오답 풀이 】

① 자신을 신분이 낮은 인물로 위장하였으나, 주인공이 신분 상승을 이루기 위한 목적을 갖고 있는 것은 아니다.

② 주인공이 부당한 위협을 받고 있는 장면은 제시되지 않았다.

④ 주인공이 천상계에서 현실 세계로 쫓겨난 인물이라는 내용이나 이러한 사실을 주인공이 확인하는 과정은 나타나지 않는다.

⑤ 주인공은 비범한 재능을 지닌 인물로 평범한 인물이 다른 사람에게 인정을 받게 되는 과정과는 거리가 멀다.

05 [작품의 내용 이해] 정답 ③

승상 부인은 파경노가 비범한 용모와 재능을 지니고 있음을 알아차리고 이 사실을 승상에게 말하여 험한 일을 시키지 않도록 청하였다. 따라서 파경노의 비범함을 알면서도 겉으로 드러내지 않았다는 진술은 적절하지 않다.

【 오답 풀이 】

① '파경노'라는 이름은 주인공이 일부러 거울을 깨뜨려 승상 집의 노비가 된 것과 관련이 있다.

② 천상의 선관들은 스스로 찾아와 말 먹일 꼴을 다투어 파경노에게 줌으로써 파경노에게 맡겨진 일을 도왔다.

④ 소저는 파경노가 노모를 만나기 위해 집을 떠나 동산이 비어 있을 것이라고 생각하고 꽃을 보기 위해 동산을 찾았다.

⑤ 소저는 파경노가 승상에게 닥친 문제를 해결할 능력이 있음을 굳게 믿고 승상에게 시를 짓는 일을 파경노에게 맡기도록 청했다.

06 [소재의 기능 파악] 정답 ④

ⓐ는 아이가 소저의 집에 들어가 소저와 인연을 맺기 위해 일부러 깨뜨린 것으로, 결국 아이는 승상 집의 노비가 되어 소저를 만날 수 있게 된다. ⓑ는 꽃을 들고 소저를 찾아온 파경노의 모습을 비춰 주는 소재로, 소저가 이를 통해 자신을 찾아온 파경노를 발견한다. 따라서 ⓑ는 파경노가 자신의 존재감을 소저에게 드러내는 계기를 만들어 주는 기능을 한다.

【 오답 풀이 】

① ⓐ와 ⓑ 모두 소저의 환심을 얻기 위해 활용한 도구는 아니다.

② ⓐ와 ⓑ 모두 파경노가 소저의 동정심을 유발하는 것과는 상관없다.

③ 아이가 소저를 만날 수 있는 기회를 만드는 데 ⓐ가 활용된 것은 맞다. 그렇지만 파경노가 소저에게 자신의 능력을 인정받는 데 ⓑ가 계기를 만든 것은 아니다.

⑤ ⓐ와 ⓑ는 모두 인물이 가지고 있는 과거의 기억과 연결되거나 갈등 해소의 전기를 마련하고 있지는 않다.

07 [소재의 기능 파악] 정답 ③

석함 속의 물건을 알아내어 지어야 하는 '시'는 승상 나업에게 주어진 과업으로 승상의 내적 고뇌를 유발하는 어려운 문제이다(ㄱ). 그렇지만 소저는 이 과제를 파경노가 해결해 줄 것이라는 믿음을 갖고 있다(ㄷ). 또한 파경노도 이 과제를 해결함으로써 소저의 걱정을 해소할 수 있음을 예고하고 있다(ㄹ). 그렇지만 파경노가 소저와 교감하기 위해 이 시를 읊은 것은 아니다.

08 [인물의 심리, 태도 파악]

파경노는 승상에게 시를 짓는 조건으로 자신과 소저가 부부의 연을 맺게 해 달라는 요청을 하였다. 이를 통해 볼 때 파경노가 바로 시를 짓지 않고 승상을 애타게 만든 것은, 자신이 원하는 바를 얻기 위해, 즉 소저와 부부의 연을 맺기 위해 일부러 승상의 청을 거절하여 상황을 협상에 유리한 국면으로 이끈 것이라고 할 수 있다.

09 [대화의 특징 파악]
소저는 옛날 사형수의 이야기를 예로 들며 승상에게 시를 짓지 않을 경우 죽음을 면치 못할 것이라고 겁박하면 파경노가 시를 지으라는 명령에 복종할 것이라고 제안하였다.

10강

유충렬전(劉忠烈傳)

본문 058쪽

01. ⑤	**02.** ③	**03.** ④	**04.** ②	**05.** ⑤	**06.** ①	**07.** ⑤

08. (1) 서술자의 개입 (2) 반가우면서도 미안한 마음이었을 것이다. 왜냐하면 강 승상이 살아 돌아와 다시 만나게 된 반가움이 크지만, 천자가 역적의 말만 믿고 충신을 귀양 보낸 과거의 일에 대한 미안함도 클 것이기 때문이다. **09.** 정한담, 최일귀

01 [인물의 심리, 태도 파악] 　　　　　　　　　정답 ⑤
천자가 간신의 말을 듣고 충신인 유심을 귀양 보낸 일에 대한 유충렬의 한탄에 '천자도 이 말을 들으시고 후회가 막급하나 할 말 없어 우두커니 앉아 있'었다고 하였다. 여기서 알 수 있듯이 천자는 자신의 과오를 알고 후회하고 있다. 다만 위태로운 나라를 구하는 것이 우선이므로, 유충렬에게 '과인은 보지 말고' 나라를 구하라고 한 것이다. 따라서 천자가 자신의 과오를 인정하지 않고 있다는 이해는 적절하지 않다.

[오답 풀이]
① 천자가 적장의 머리를 베어 들고 오는 장수를 보고 '매우 놀라고 또 기뻐서 "그대는 뉘신데 죽을 사람을 살리는가?"라고 말하는 것에서 장수, 즉 충렬에 대한 천자의 놀라움을 확인할 수 있다.
② 유충렬이 부친 '유심의 죽음'을 원통히 여기며 통곡하는데, 결말 부분에서 유심은 살아 있는 것으로 보아, 천자를 구했을 당시 유충렬은 부친이 죽은 것으로 잘못 알고 있었음을 알 수 있다.
③ '슬피 통곡하며 머리를 땅에 두드리'는 유충렬의 슬픔에 모든 군사들이 눈물을 흘렸다는 것은 군사들이 유충렬의 슬픔에 공감했음을 의미한다.
④ '천자의 기상이 뚜렷하고 한 시대의 성군이 될 듯하여'에서 유충렬이 태자의 말과 모습에 감화되었음을 알 수 있다. 이로 인해 유충렬은 천자를 원망했던 자신을 반성하는 마음을 천자에게 전달하게 된다.

02 [대화의 특징 파악] 　　　　　　　　　정답 ③
[B]에서 '주나라 성왕도 관숙과 채숙의 말을 듣고 주공을 의심하다가 잘못을 깨닫고 스스로 꾸짖어 훌륭한 임금이' 된 역사적 사실을 언급하고는 있는데, '충신이 죽는 것은 모두 다 하늘에 달린 일이라. 그런 말을 말고'에서 알 수 있듯이 이것은 유충렬의 견해를 옹호하는 것이 아니라 유충렬의 마음을 돌려 천자를 돕도록 설득하려는 의도로 한 말이다.

[오답 풀이]
① '소장은 동성문 안에 살던 유심의 아들 충렬입니다.'라며 자신의 정체

를 밝히고, '예전에 정한담과 최일귀를 충신이라 하시더니 충신도 역적이 될 수 있습니까?'라며 천자의 이전 행위에 대한 원망을 드러내고 있다.
② 유충렬은 '해와 달이 빛을 잃은 듯'과 같은 비유적 표현으로 자신의 원통한 심경을 드러내고 있다.
④ 태자는 '하해 같은 그 은혜는 죽은 뒤에라도 풀을 맺어 갚으리라.'라고 보답의 의지를 보이며 유충렬에게 원망을 풀고 천자를 위해 싸워 줄 것을 부탁하고 있다.
⑤ 태자는 유충렬에게 '온 힘으로 충성을 다하여 천자를 도'울 것을 요청함으로써 유충렬이 충신으로서의 역할과 본분에 충실할 것을 강조하고 있다.

03 [외적 준거에 따른 작품 감상] 　　　　　정답 ④
유충렬은 '남적을 소멸하고 오는 길에 회수에 와 모친을 기리는 제사를 지내다가, 천행인지, 뜻밖에도' 모친을 만나서 함께 돌아왔다고 하였다. 이는 국가 위기의 해소(남적의 소멸)가 가족 위기의 해소(모친과의 상봉)로 이어지는 것에 해당한다.

[오답 풀이]
① 유충렬이 천자에게 말한 '사방을 떠돌아다니면서 빌어먹으며'를 통해 유충렬이 일곱 살에 부모와 이별하여 고난을 겪었음을 알 수 있다. 따라서 부친 유심의 유배가 유충렬이 겪은 첫 번째 시련의 계기가 된다.
② 〈보기〉에서 두 번째 시련은 강희주와 간신의 갈등이 계기가 된다고 하였으므로, '어려서 홀로 된 자신을 길러 준 장인 강희주'가 정한담과 최일귀로 인해 귀양을 간 사건이 유충렬이 두 번째 시련을 겪게 되는 계기가 된다.
③ '귀양 간 승상 강희주를 찾아' 구한 것은 가족 위기의 해소로, '더불어 남적을 물리친 일'은 국가 위기의 해소에 해당한다.
⑤ '이때 장안의 온 백성들이 남적에게 잡혀갔던 며느리며 딸이며 동생들이 본국으로 돌아온다는 말을 듣고, 호산대 십 리 뜰에 빈틈없이 마중 나와 손과 치마를 부여잡고 그리던 마음 못내 즐거워하는지라, 이들의 울음소리가 공중에 뒤섞이어 호산대가 떠나갈 듯하였으며, 원수 유충렬과 모친 장 부인을 치사하는 소리 낭자하고 요란하였다.'에서 국가 위기를 해결한 유충렬이 영웅으로 귀환하고 있음을 알 수 있다.

04 [독자 반응의 추리] 　　　　　　　　　정답 ②
정한담은 유충렬의 아버지인 유심을 모함하고 남적의 선봉장이 되어 명나라를 공격하지만 결국 전쟁에서 유충렬에게 패한다. 따라서 천자의 신임을 두고 정한담과 유충렬이 벌이는 지략 대결이 치열하다는 독자의 반응은 적절하지 않다.

[오답 풀이]
① 정한담의 모함으로 귀양을 갔던 충신 유심과 강희주는 결국 억울한 누명을 벗고 권력을 회복하게 된다. 따라서 이들이 명예를 회복하게 되어 다행이라는 독자 반응은 적절하다.
③ 유충렬의 영웅적인 활약으로 천자는 두 번씩이나 위기를 모면하게 되므로 적절한 반응이다.
④ 유충렬의 드높은 기개와 변치 않는 충성심이 사건을 이끌고 있으므로 이를 세상에 널리 알려 본받게 하겠다는 독자 반응은 적절하다.
⑤ 유충렬의 활약으로 연왕이 된 유심은 십 년 전에 헤어져 죽은 줄만 알았던 장 부인과 반갑게 해후하므로, 적절한 반응이다.

05 [대화의 특징 파악]　　　　　　　　정답 ⑤

ⓐ는 "소장이 아비의 죽음을~어찌 폐하를 돕지 않겠습니까?"이다. 여기에는 천자를 돕겠다는 유충렬의 의지가 나타나 있다. 그러나 자신이 하고자 하는 일이 아버지의 원수를 갚는 일이기도 하다는 의도는 드러나지 않는다.

【 오답 풀이 】

① ⓐ는 천자를 도와주면 진심을 다해 보답하겠다는 태자의 말을 듣고 나서 유충렬이 하게 된 말이다.

② ⓐ는 앞으로 천자에게 충성을 다하겠다는 유충렬의 다짐을 담고 있다.

③ ⓐ는 천자의 마음에 큰 감명을 줌으로써 천자가 직접 계단 아래로 내려와 유충렬에게 투구를 씌워 주는 행동을 하게 만든다.

④ ⓐ에는 앞서 원통하고 분한 마음에 천자에게 원망을 표출했던 것을 죄스러워하는 마음이 담겨 있다.

06 [서술상의 특징 파악]　　　　　　　　정답 ①

[C]는 인물 간의 대화가 중심을 이루고 있으며 이를 통해 십 년 만에 해후하게 된 인물의 벅찬 심리가 잘 나타나고 있다.

【 오답 풀이 】

② 행위에 대한 묘사가 있기는 하지만 이를 통해 인물의 특성이 아닌 인물의 반가운 심리를 부각하고 있다.

③ 시대적 배경의 의미를 부각하는 서술은 나타나 있지 않다.

④ 인물의 내적 독백은 나타나지 않으며, 인물의 심리 변화도 나타나지 않았다.

⑤ 특정 인물의 시각을 통해 사건이 제시되는 것이 아니며, 사건에 대한 역사적 관점도 나타나지 않았다.

07 [작품의 종합적 이해와 감상]　　　　　정답 ⑤

영웅으로 성장한 인물인 유충렬이 천자를 구한 후에 과거에 정한담 일행의 모함으로 자신의 부친과 장인이 당한 사건을 언급하며, 천자의 과오로 인한 과거의 억울한 사연을 밝혀 말하고 있다.

【 오답 풀이 】

① 인물의 내적 갈등을 강조하는 속담과 옛글은 나타나지 않는다.

② 공간의 변화는 나타나나 이에 따라 인물 간의 갈등이 심화되는 장면은 나타나지 않는다.

③ 전지적 작가 시점으로 서술자의 교체는 나타나지 않는다.

④ 동시에 일어난 사건을 병렬적으로 구성한 장면은 나타나지 않는다.

08 [서술상의 특징 파악]

ⓑ는 서술자가 작품에 개입하여 인물의 복잡한 심리를 강조한 '서술자의 개입'이다. 문맥상 태후는 강 승상이 반가우면서도 그에게 미안한 마음을 갖고 있었을 것이라고 추리할 수 있다. 왜냐하면 귀양을 보낸 강 승상이 살아 돌아와 다시 만나게 된 반가움도 크지만, 천자가 역적의 말만 믿고 충신을 귀양 보낸 일에 대해서는 미안한 마음이 매우 클 것이기 때문이다.

09 [인물의 성격 파악]

유충렬이 천자에게 과거 유심과 강희주에 관한 일에 대해 '예

Q 영웅의 일대기적 서사 구조가 뭔가요?

A 영웅 소설은 일반적으로 '고귀한 혈통 – 비정상적 출생 – 탁월한 재능 – 위기 – 조력자에 의한 구출 및 양육 – 성장 후 위기 – 고난 극복 및 승리'와 같은 구조를 지니고 있어요. 「유충렬전」도 이와 같은 구조로 서사가 전개되죠. 현직 고관 유심의 아들로 태어난 충렬은 천상에서 하강한 인물로 탁월한 재능을 타고 나지만, 간신 정한담의 박해로 부모와 헤어져 죽을 고비를 맞게 됩니다. 그때 조력자인 장인 강희주를 만나 양육되며 도승을 만나 도술을 배워요. 정한담이 호국과 함께 난을 일으켜 재차 위기를 맞이하게 되지만 영웅적 능력을 발휘해 고난을 물리치고 행복한 여생을 누리게 되지요.

11강

최척전(崔陟傳)

본문 063쪽

01. ②　**02.** ④　**03.** ①　**04.** ⑤　**05.** ③　**06.** ②　**07.** ②
08. ㉮ 순행적, ㉯ 개연성, ㉰ 전지적　**09.** ⓐ 피리 소리를 듣고 시를 읊음. ⓑ 다음 날 일본인 배를 찾아가 어젯밤에 시를 읊었던 사람이 조선 사람이 아니었냐고 물어봄.

01 [서사 구조의 이해]　　　　　　　　정답 ②

안남의 강어귀에서 최척이 피리로 조선의 곡조를 연주하자, 귀에 익은 피리 소리를 들은 옥영은 남편이 그리워서 자신이 남편과 있을 때 창작했던 시를 조선말로 읊는다. 이 소리를 들은 최척은 아내가 손수 지은 시였음을 떠올리며 일본인의 배를 찾게 되고, 두 사람은 극적으로 상봉하게 된다. 따라서 두 사람의 상봉에 조선의 곡조로 연주한 최척의 피리 소리와 옥영이 조선말로 읊은 시가 매개가 된다. 즉, 피리 소리와 옥영의 시라는, 두 인물이 공유하고 있는 과거의 기억이 두 인물을 상봉하게 한 매개가 되었다고 볼 수 있다.

【 오답 풀이 】

① 이 글에서는 최척과 옥영을 제외한 조선인은 등장하지 않는다.

③ 최척과 옥영이 주변 인물과 호의적인 관계를 맺고 있기는 하나, 그들에게 베푼 자비로 인해 두 사람의 상봉이 이루어진 것은 아니다.

④ 돈우가 옥영을 남성으로 오해하기는 하였으나, 옥영의 고난은 돈우의 오해가 아닌 전란으로 인해 발생한 것이다.

⑤ 최척과 옥영이 상봉하면서 통곡하자 주변 인물 중 울지 않는 이가 없었을 정도로 두 사람의 상봉을 환영한다. 한편 돈우는 두 사람의 상봉

으로 인해 자신이 아끼는 옥영과 이별함을 슬퍼하지만, 최척과 옥영의 상봉에 관하여 의심을 품는 것은 아니다.

02 [작품의 내용 이해]
정답 ④

두홍이 최척의 딱한 사연을 듣고 자진하여 일본인 배에 가서 시를 읊은 이가 누구인지 알아봐 주겠다고 말한 것으로, 최척이 간청한 것이 아니다. 다만 주우의 만류로 두홍은 결국 자기 뜻을 실행에 옮기지는 않는다.

【 오답 풀이 】

① 최척은 일본인 배에서 들리는 염불 소리를 듣고 처량한 생각이 들어 피리를 불게 된다.

② 최척은 조선말로 된 시를 읊는 소리가 일본인 배에서 들리자 고향에서 옥영이 읊었던 시였음을 바로 알아차리고 옥영을 떠올렸다.

③ 최척은 전쟁으로 자신의 가족이 모두 왜군에게 잡혀가 뿔뿔이 헤어지게 되었음을 같은 배를 타고 있는 사람들에게 말하였다.

⑤ 최척은 옥영을 만난 후에 헤어진 아버님과 장모님의 소식을 물었으나, 옥영은 그들의 소식을 알지 못한다고 하였다.

03 [배경의 기능 파악]
정답 ①

[A]에 제시된 달밤의 풍경 묘사와 적막한 분위기는 애상감을 자아내어 인물의 슬픈 심리를 부각하는 역할을 한다.

【 오답 풀이 】

② [A]에 자연의 모습이 묘사되기는 하였으나 이것이 아름다운 모습으로 그려진 것은 아니며, 이를 통해 주인공의 초라한 모습이 부각되었다고도 보기 어렵다.

③ [A]에서 조용한 분위기는 느낄 수 있지만, 이를 통해 주인공의 쓸쓸함이 강화될 뿐, 평안한 마음을 갖게 되는 것은 아니다.

④ [A]에 속세를 벗어난 듯한 분위기가 제시되었다고 보기 어렵고, 주인공의 회의감 또한 나타나지 않는다.

⑤ [A]가 초월적인 존재를 환기하는 상황이라고 보기 어렵고, 종교적인 깨달음을 얻고자 하는 주인공의 의지는 나타나지 않는다.

04 [배경의 의미, 기능 파악]
정답 ⑤

밤에 최척은 아내와 비슷한 목소리를 가진 인물이 아내 옥영이 창작한 시구를 읊는 것을 듣고, 시를 읊는 이가 혹시 아내가 아닌지 궁금하게 여긴다. 그리고 아침까지 잠도 자지 않고 때를 기다리다가 아침이 되어 최척은 시를 읊은 이가 아내였음을 확인하고 아내와 상봉한다. 따라서 밤에는 최척이 헤어졌던 아내와 다시 만날지도 모른다는 서사적 긴장이 조성되고, 아침에는 두 사람의 극적인 상봉을 통해 그 긴장이 해소된다.

【 오답 풀이 】

① 밤에 오고 가는 피리 소리와 시 읊는 소리는 최척과 옥영 사이에 소통이 이루어진 것으로, 초월적 존재와의 교감과는 상관없다.

② 부부가 서로의 신원을 확인하고 재회에 이르는 과정이므로, 운명과의 대결에서의 위기 조성과 해소 과정으로 보기 어렵다.

③ 밤에 사람들이 모인 곳에서 다음 날의 계획에 대한 논의가 이루어졌다고 볼 수 있으나, 아침에 계획 실행을 논의하지는 않았다.

④ 아침에 부부의 이별이라는 문제 상황이 해결된 것이지, 인물의 내면

적 갈등이 새로운 인물들 간의 갈등으로 비화된 것은 아니다.

05 [관련된 한자 성어 이해]
정답 ③

'전대미문'은 '이제까지 들어 본 적이 없음.'이라는 뜻으로, "이런 일은 옛날에도 들어 보지 못하였다."라는 말에 가장 잘 어울리는 한자 성어이다.

【 오답 풀이 】

① '신출귀몰'은 '귀신같이 자유자재로 나타났다 사라졌다 함.'의 뜻으로, ㉠에는 어울리지 않는다.

② '자업자득'은 '자기가 저지른 일의 결과를 자기가 받음.'의 뜻으로, ㉠에는 어울리지 않는다.

④ '천재일우'는 '천 년 동안 단 한 번 만난다는 뜻으로, 좀처럼 만나기 어려운 좋은 기회를 이르는 말'이므로, ㉠에는 어울리지 않는다.

⑤ '혈혈단신'은 '의지할 곳이 없는 외로운 홀몸'의 뜻으로, ㉠에는 어울리지 않는다.

06 [발화의 의미 파악]
정답 ②

'그의 단정하고 고운 마음씨를 사랑하여 친자식처럼 생각해 왔습니다.'로 미루어 볼 때, 돈우가 ㉡과 같이 말한 것은 그가 그동안 옥영을 특별히 생각해 왔기 때문임을 알 수 있다.

【 오답 풀이 】

① 돈우는 갈 곳 없는 옥영을 보살펴 준 인물로, 그가 옥영에게 갚아야 할 빚이 있는 것은 아니다.

③ 돈우는 옥영을 아껴 주었으나 옥영에게 미안한 마음을 갖고 있는 것은 아니다.

④ 돈우는 옥영을 높이 평가하고 있으나, 그의 착한 성품에 깊은 감명을 받아 ㉡처럼 말했다고 보기는 어렵다.

⑤ 돈우는 옥영에게 도움을 준 인물로, 옥영으로 인해 자신이 바라던 바를 얻은 것은 아니다.

07 [감상의 적절성 평가]
정답 ②

밤에 옥영이 읊은 시는 최척과 옥영 부부가 헤어지기 전에 옥영이 짓고 읊었던 시이다. 옥영이 옛날에 지은 시를 읊고 한숨까지 내쉰 것은 피리 소리를 듣고 떠올린 남편에 대한 그리움과 유랑하는 처지에 대한 탄식에서 비롯된 것으로 볼 수 있다. 시는 이산과 유랑 이전에 지어진 것이므로, 시가 이산과 유랑 체험을 담고 있다고 보는 것은 적절하지 않다.

【 오답 풀이 】

① 시간적 배경은 '경자년(1600년)'이고, 돈우가 옥영을 데리고 있게 된 지가 '4년'이라고 하였으므로, 옥영이 고향을 떠난 것은 1596년쯤으로 볼 수 있다. 〈보기〉에 따르면 이때는 임진왜란(1592~1598년)의 기간이므로, 이 글의 사건은 전란과 유랑 체험의 역사적 실제성을 지닌다고 할 수 있다.

③ 최척이 일본인의 배를 찾아가게 된 것은 일본인의 배 안에서 '조선말'로 시 읊는 소리가 들려와서이고, 옥영이 저절로 시를 읊게 된 것은 '조선의 곡조'로 된 피리 소리를 들었기 때문이다. 이렇듯 '조선말', '조선의 곡조'가 특별한 의미를 갖는 것은 사건의 공간적 배경이 조선이 아닌 타국이기 때문으로 볼 수 있다.

④ 부부의 상봉을 지켜보고 공감한 사람들은 중국인, 일본인 등 외국인

들이며, 이들의 눈물은 각국 백성들이 보인 인류애적 연민으로 이해될 수 있다.

⑤ 돈우가 옥영을 넘길 때 돈 받기를 사양하고 오히려 옥영에게 전별금을 주는 것은 '하늘'의 뜻에 따르는 양심을 보여 주는 행위로, 임진왜란 당시 교전국이었던 조선과 일본의 갈등을 넘어 각국 백성들이 보인 인간적 배려에 해당한다.

08 [서술상의 특징 파악]

이 글은 사건이 일어난 시간 순서에 따라 전개되는 순행적인 구성으로 되어 있다. 또한, 우연한 만남이 반복된다는 점에서 개연성이 잘 갖추어져 있다고 보기는 어렵다. 한편 전지적 작가 시점으로, 여러 공간에 걸쳐 펼쳐지는 사건을 작품 외부에 있는 전지적인 서술자가 서술하고 있다.

Q 실제 사건과 서사화한 이야기의 차이점은 뭔가요?

A 일상 세계 속에서 실제로 펼쳐지는 사건은 좀 밋밋할 수도 있고 우연한 사건이 나타나기도 하며, 불필요한 사건들이 수시로 개입하기도 해요. 그러나 소설에서 서사화된 이야기들은 그렇지 않아야 해요. 이야기 전개에 꼭 필요한 사건들만 배치하고 독자들의 흥미를 고려하여 그 비중에도 차이를 두지요. 그러면서 앞뒤 사건의 개연성이 드러나도록 사건을 구성하고 시간적 순서도 재배치해요. 특히 역사 소설은 역사적 사건을 다루지만 필요에 따라 사건의 순서를 조정하고 허구적인 사건을 삽입하기도 하며, 장면의 확장과 축소 또는 생략을 통해 흥미롭게 이야기를 재조직해 가요.

---

09 [사건 전개 양상 파악]

일본인 배 안에서 옥영은 최척이 부는 피리 소리를 듣고 고향 생각에 젖어 시를 읊게 된다. 그 소리를 들은 최척은 일본인 배에 아내가 있을 수 있다는 생각을 하게 된다. 그래서 다음 날 아침에 일본인 배를 찾아가 어젯밤에 시를 읊었던 사람이 조선 사람이 아니었냐고 직접 물어봄으로써 최척과 옥영은 드디어 재회하게 된다.

12강
임장군전(林將軍傳)

본문 068쪽

01. ②　02. ⑤　03. ⑤　04. ④　05. ①　06. ④　07. 주인공이 주어진 역경을 이겨 내지 못하고 결국 목숨을 잃게 됨으로써 영웅성을 끝까지 발휘하지 못한 채 사건이 종결된다.　08. ④　09. 상에게 경업의 죽음과 관련된 숨겨진 사실을 알려 주어, 상이 경업의 억울함을 풀어 주고 자점의 잘못을 바로잡게 한다.

01 [서술상의 특징 파악]　　　　　　　　　정답 ②

이 글에서는 임경업과 김자점 사이의 대립 구도를 중심으로 인물 간 갈등이 형성되면서 팽팽한 긴장감이 조성되며 사건이 전개되고 있다.

【 오답 풀이 】

① 이 글에는 주제 의식을 드러낼 만한 상징적 소재가 나타나 있지 않다.

③ 양면성을 지닌 인물이 등장하지 않을 뿐 아니라, 인물의 외양 묘사가 나타난 부분도 없다.

④ 서술자가 전옥 관원을 평가한 부분('전옥 관원은 강직한지라')에서 서술자 개입의 한 유형인 편집자적 논평이 활용되기는 했지만, 이것이 인물의 미래를 암시하는 것은 아니다.

⑤ 전지적 시점이 유지되고 있어 장면마다 서술자를 달리했다고 볼 수 없다.

02 [작품의 내용 이해]　　　　　　　　　정답 ⑤

경업은 자점에 의해 억울한 죽음을 맞고 상의 꿈에 나타나 '흉적 자점이 소신을 죽이고 반심을 품어 거의 일이 되었'다고 알려 준다. 이에 상은 놀라 깨닫고 자점을 국문하여 자점이 역심을 품은 일과 경업을 모해한 일을 자복하게 한다. 이로 보아 상이 꿈에 나타난 경업의 말을 듣고 자점을 국문하여 자복을 받아냈음을 알 수 있다.

【 오답 풀이 】

① 자점이 꾸며 낸 거짓 조서 때문에 경업이 옥에 갇히는데 강직한 전옥 관원이 경업을 불쌍히 여겨 이 사실을 경업에게 말한다. 이때 경업이 자점의 흉계를 알게 되므로 옥에 갇히기 전부터 자점이 거짓 조서를 꾸민 흉계를 알고 있었다는 이해는 적절하지 않다.

② 옥졸은 옥에 갇힌 경업이 목이 말라 물을 찾는데도 자점의 부딕으로 물도 주지 않을 뿐이며, 자점의 부탁으로 경업의 죄를 상에게 밀고하는 내용은 제시되지 않았다.

③ 대군은 경업이 입성했다는 소식을 듣고 시자에게 경업의 거처를 묻는다. 이에 시자가 모른다고 하자 의심하여 바삐 입궐을 하는데, 이를 통해 대군이 자점의 흉계를 의심한다고 볼 수 있다. 그러나 대군이 경업을 만난 것은 아니므로 경업에게 옥에 갇힌 경위를 물었다는 내용은 적절하지 않다.

④ 절도에 안치된 자점이 반심을 품는 등 불측지심이 나타나자 우의정 이시백은 이를 상에게 아뢰는 내용만 제시되어 있다. 우의정 이시백이 경업이 옥에 갇힐 만한 정보를 상에게 제공하는 내용은 나타나지 않는다.

03 [인물의 말하기 방식 파악]　　　　　　정답 ⑤

'오늘을 당하와 천안을 뵈오니 이제 죽어도 한이 없사옵니다.'를 통해 볼 때, 임금을 볼 수 있게 된 것을 다행으로 여기는 마음을 알 수 있다. 그렇지만 경업이 자신이 누명을 쓰고 있는 현 상황을 상에게 알리기 위해 찾아온 것이므로, 현 상황에 대한 수용 의지를 드러낸 것이라고 보기는 어렵다.

【 오답 풀이 】

① 무인년에 북경에 잡혀간 일부터 의주에서 잡히게 된 일까지 자신의 행적을 순서대로 언급하여 자신이 현재의 상황에 이르게 된 과정을 낱낱이 밝히고 있다.

② '북경에 잡혀가다가 중간에 도망한 죄는 만사무석이오나'와 같이 자신

의 잘못을 인정하며 말문을 열고 있다. 이것은 스스로 자신의 잘못을 먼저 말함으로써 자신에 대한 비판에 미리 대처한 것으로 볼 수 있다.

③ 북경에서 도망하여 명국을 도운 행위가 '병자년 원수를 갚고 세자와 대군을 모셔 오고자' 한 것이라는 점을 밝혀 자신의 행적에 정당성을 부여하였다.

④ '의주에서 잡혀 아무 연고인 줄 알지 못하옵고'와 같이 자신이 아무 이유도 모른 채 잡혀 오게 되었음을 언급하여 자신의 무고함을 제시하였다.

04 [구절의 의미 이해]　　　　　　　　　　　　　정답 ④

ⓔ에 앞서 '자점이 속이지 못하여 주왈'이라고 하였으나 이것은 상이 두려웠다는 뜻이지 경업에게 받게 될 문책이 두려웠다는 뜻이 아니다. 또한 자점은 솔직한 심정으로 사실을 고한 것이 아니라, 자신의 책임을 면하기 위해 경업이 죄를 지었다고 말하고 있다.

【 오답 풀이 】

① ㉠은 경업이 감옥에 갇혀 물조차 마실 수 없는 위태로운 상황에 처해 있음을 보여 준다.

② ㉡은 전옥 관원의 말로, 경업이 자점의 흉계로 억울하게 감옥에 갇히게 되었음을 알려 주고 있다.

③ ㉢은 그동안 경업이 억울한 누명을 쓰고 고초를 겪어 왔음을 전혀 모른 상태에서 상이 경업을 반갑게 맞으며 청죄하는 이유를 묻는 것이다.

⑤ ㉤은 행방을 알 수 없게 된 경업을 걱정하는 대군의 마음이 반영된 행동이다.

05 [인물의 성격, 유형 이해]　　　　　　　　　　정답 ①

주인공인 경업은 적대자인 자점과의 대립 구도를 형성한다. 이러한 갈등 구도를 중심으로 사건이 전개되어 작품의 긴장감이 고조된다.

【 오답 풀이 】

② 적대자와 대립 구도를 형성하지만 지략 대결을 벌이는 것은 아니며, 초월적 능력을 발휘하지도 않는다.

③ 경업이 적대자를 직접 응징하는 것이 아니라 상을 통해 벌하도록 하고 있다.

④ 경업의 신이한 성장 과정은 제시되고 있지 않다.

⑤ 치열한 수련 과정을 통해 심신이 성장하는 모습은 나타나 있지 않다.

06 [관련된 한자 성어 이해]　　　　　　　　　　정답 ④

상은 꿈에 나타난 경업의 말을 듣고 사건의 정황을 알게 된 것이므로 앞으로 벌어질 일을 이미 알고 있었다고 보기 어렵다. 따라서 '어떤 일이 일어나기 전에 미리 앞을 내다보고 아는 지혜'를 뜻하는 '선견지명'은 결말의 상황에 어울리는 한자 성어로 볼 수 없다.

【 오답 풀이 】

① 결국 상이 악인을 벌함으로써 모든 일이 바로잡히게 되었다. 따라서 '모든 일은 반드시 바른길로 돌아감.'의 뜻을 가진 '사필귀정'의 결말이라고 할 수 있다.

② 상은 자점 일당에게 죄를 물어 삼족을 멸하도록 하는 엄한 벌을 내렸다. 따라서 '한 사람이나 한 가지 죄를 엄하게 벌줌으로써 여러 사람

을 경계함.'의 뜻을 가진 '일벌백계'가 이루어졌다고 볼 수 있다.

③ 자점 일당은 결국 자신들이 과거에 지은 죗값을 받게 되었다. 따라서 '과거에 지은 선악에 따라서 뒷날 행과 불행이 있는 일'의 뜻을 가진 '인과응보'와 관련이 있다고 볼 수 있다.

⑤ 죄를 지은 자들이 응징되는 것으로 작품의 결말이 이루어지고 있다. 따라서 '착한 일을 권장하고 악한 일을 징계함.'의 뜻을 가진 '권선징악'의 주제 의식이 나타난다고 볼 수 있다.

07 [사건의 전개 양상 파악]

일반적인 영웅 서사는 주인공이 탁월한 영웅성을 발휘하거나 초월적 존재의 조력을 받아 주어진 역경을 극복하고 승리를 거두는 것으로 이야기가 전개된다. 그러나 이 글은 주인공이 주어진 역경을 이겨 내지 못하고 결국 목숨까지 잃게 되어 자신이 지닌 영웅성을 발휘하지 못한다는 특징을 보이고 있다.

08 [외적 준거에 따른 작품 감상]　　　　　　　정답 ④

[B]는 경업이 자점의 흉계로 심복들에게 난타를 당하여 중상을 입고 다시 옥에 갇혀 금부로 가는 내용이다. ⑭는 자점의 흉계로 문외의 무사, 즉 심복들에 의해 경업이 박살 나서 죽임을 당한 일을 안타까워하는 평민층의 마음을 나타낸 필사기이다. [B]를 읽은 평민층은, ⑭를 통해 경업을 습격한 자점의 행동을 비판한다고 할 수 있지만, 자점의 행위에 연민을 드러내는 것은 아니다. [B]와 ⑭를 고려할 때, 평민층이 연민을 드러내는 대상은 자점으로 인해 시련을 겪는 경업이다.

【 오답 풀이 】

① [C]는 경업이 자점으로 인해 결국 죽게 되는 내용으로, 이를 읽은 식자층은 ㉮와 같이 '대역 김자점의 소행이 혐오스'럽다는 부정적 평가를 내릴 수 있다.

② [B]는 경업이 자점의 흉계로 심복들에게 난타를 당하고 다시 옥에 갇혀 금부로 가는 내용으로, 이를 읽은 식자층은 ㉯와 같이 '잡혔으니 가히 아프고 괴로우며 애석하'다며 경업의 시련을 안타까워하는 태도를 보일 수 있다.

③ [C]는 경업이 자점 때문에 죽게 되는 내용으로, 이를 읽은 평민층은 ㉰와 같이 '임 장군'이 '남의 손에 죽'는 것이 '천운'이라며 숙명론적 반응을 보일 수 있는데, 이는 경업이 자점의 손에 죽은 것을 알면서도 경업의 죽음에 대해 운명론적인 태도를 보이는 것으로 이해할 수 있다.

⑤ [C]는 경업이 자점 때문에 죽게 되는 내용으로, 이를 읽은 평민층은 ㉱와 같이 '동국충신의 말임에 혹 만민이라도 깨달아 본받게' 하는 것이라며 경업과 같은 충신의 이야기가 널리 알려지기를 바라는 마음을 드러낼 수 있다.

09 [서사적 장치의 기능 파악]

이 글에서 '꿈'은 주인공 경업의 죽음과 관련된 숨겨진 사실을 상에게 알려 주어 경업의 억울함을 풀어 주고, 자점의 잘못을 바로잡아 권선징악의 주제 의식이 전달되도록 하는 기능을 한다.

13강

조웅전(趙雄傳)

본문 073쪽

01. ⑤ 02. ① 03. ② 04. ⑤ 05. ⑤ 06. ③ 07. ⑤
08. 조웅이 겪게 될 위기를 예고하여 조웅이 위기에서 벗어나 앞으로 영웅적 활약을 펼쳐 나갈 수 있도록 해 준다. 09. (1) 한 나비가 침상에 날아들거늘 원수도 자연스럽게 날개를 얻어 그 나비를 따라 공중에 날아 한 곳에 이르니 (2) 원수가 깨달으니 남가일몽이라.

---

01 [서술상의 특징 파악] 정답 ⑤

[A]에서 원수는 나비를 따라 꿈속의 별세계로 들어간다. '광활하여 완연한 별세계', '아름다운 궁궐이 하늘에 닿았거늘' 등에서 보듯, 꿈속 공간은 비현실적이고 신비로운 곳으로 그려져 있다. [B]는 원수가 자신의 죽음에 관한 꿈을 꾼 후, 슬프고 상한 마음으로 행군을 하여 도달한 함곡의 모습을 묘사하고 있다. 해가 지고 잔나비와 두견이 울고 '층층이 험한 산봉우리는 가슴을 찌르는 듯'한 함곡의 밤 풍경은 어둡고 불길한 분위기를 조성하고 있다.

[오답 풀이]

① [A]에서 '첩첩한 산중에 수목이 빽빽한 곳'에 들어가니 광활하다며 공간을 묘사하고 있을 뿐, 이를 통해 인물의 진취적인 기상을 드러내고 있지 않다.

② [B]에서는 함곡의 어두운 분위기가 강조될 뿐, 시간의 흐름이 두드러지지 않으며 인물의 낙관적 태도가 드러나지 않는다.

③ [A]에서 조웅이 날개를 얻어 공중에 나는 것은 비현실적 사건으로, 환상성이 드러난다. 그러나 [B]에서 구체적인 시대적 상황은 제시되지 않았다.

④ [A]에서 조웅이 '첩첩한 산중에 수목이 빽빽한 곳'에서 깊이 들어가 '아름다운 궁궐이 하늘에 닿'은 곳에 가는 것을 공간적 변화라고 볼 여지는 있으나 긴장감이 나타나지는 않는다. [B]에는 계절적 상황이 드러나지 않으며, 쓸쓸함이 아닌 불안감이 강조된다.

02 [작품의 내용 이해] 정답 ①

'큰 잔치'에 참석한 사람들은 '그대 등은 각각 공을 밝히어 올리라.'는 제왕의 분부에 따라 각각 자신의 공적을 밝히는 글을 올린다. 그러나 각자의 공적을 밝히고만 있을 뿐, 참석한 사람들이 서로의 공적을 평가하지는 않는다.

[오답 풀이]

② '큰 잔치'에 참석한 사람들은 조웅이 서번 적의 간계에 걸려들어 죽을 듯하다며 염려하기도 하고, 송 문제의 말에 조웅의 대운이 막히지 않았다며 기대를 드러내기도 한다.

③ '큰 잔치'에 참석한 사람들은 '대송이 역적에 망하니 인하여 멸송이 되오면 언제 회복되오리까?'라며 나라를 걱정하고, 또 '송나라의 복은 아직 길고 멀었는지라. 어찌 회복이 없사오리까?'라며 희망을 드러내기도 한다. 이러한 말들은 모두 국가의 흥망성쇠에 대한 관심을 드러낸 것이다.

④ '큰 잔치'에 참석한 사람들은 각각 소회를 다하고 칼을 빼들기도 하고 땅에 서거나 뛰거나 노래하고 또 춤추기도 하는 등 여러 행위를 통해

각자의 심정을 드러내고 있다.

⑤ '큰 잔치'에는 좌석에 사람이 가득 앉았으며 술과 음식이 가득하였다는 것에서 풍성한 잔치 분위기를 확인할 수 있다.

03 [외적 준거에 따른 작품 감상] 정답 ②

조웅이 행군 중에 슬퍼하는 것은 꿈속에서 '정해진 나이를 못 미치고 전쟁의 패한 혼이 될 듯하', '서번이 조웅을 잡으려고 이러저러하였'다, '시운일수를 통치 못하여 죽을 듯'하다는 등의 말을 듣고, 깨어난 후 불안감과 위기감을 느꼈기 때문이다. 이는 조웅이 꿈속의 말에 대해 확신하지 못한 것이 아니라, 꿈속의 말대로 이루어질까 걱정하고 불안해하는 것이라고 볼 수 있다.

[오답 풀이]

① 〈보기〉에서 「조웅전」에서 꿈은 초월적 세계의 뜻을 전달하는 기능'을 한다고 하였다. 조웅의 꿈속에서 송 문제는 서번의 간계로 조웅이 위기에 처할까 하여 도사를 찾아가 조웅을 구하라고 부탁한다. 이는 조웅이 초월적 세계의 비호를 받게 되는 인물임을 보여 준다.

③ 조웅은 꿈속에서 여러 사람들의 이야기를 듣는데, 그중 한 사람이 '하늘이 송나라 왕실을 회복하고자 조웅을 명하였'다고 말한다. 〈보기〉에 따르면, 이는 조웅이 꿈을 통해 자신에게 주어진 천명을 알게 되는 것에 해당한다.

④ 조웅은 자신의 꿈속에서 서번이 간계를 꾸미고 있으며 송 문제가 도사에게 자신을 구하라고 부탁하였음을 알게 되었다. 이후 꿈에서 깨어난 조웅은 노옹이 전해 준 천명 도사의 편지의 지시를 따른다. 이는 〈보기〉에 따르면, 조웅이 전달자와 구체적 증거물을 통해 꿈속에서 알게 된 바가 현실에서 일어날 것을 믿게 되었기 때문이라고 할 수 있다.

⑤ 꿈속에서 송 문제는 도사에게 조웅을 구하라고 부탁하였고, 이것은 현실에서 천명 도사가 노옹에게 자신의 편지를 조웅에게 전해 주라고 부탁하는 것으로 이어진다. 따라서 노옹은 초월적 세계의 뜻을 전달해 주는 역할을 한다고 볼 수 있다.

04 [인물의 대화 이해] 정답 ⑤

'시운일수를 통치 못하여 죽을 듯함에'라고 하였으므로 조웅의 시운일수가 좋지 않음을 알 수 있다. 따라서 타고난 시운으로 인해 조웅이 위기에서 쉽게 벗어날 것임을 예고하고 있다는 진술은 적절하지 않다.

[오답 풀이]

① '도사를 찾아가 구하라 하고 부탁하고 오노라.'를 통해 송나라 문제가 조웅을 돕기 위한 조치를 취하고 왔음을 알 수 있다.

② ⓐ는 "오늘날 만날 약속을 정하옵고 어찌 늦게 도착하시나이까?"라는 좌중의 물음에 대해 답한 것이다.

③ '송나라 왕실을 회복할 신하는 조웅이라.'를 통해 송나라 왕실의 운명과 관련해 조웅에게 거는 기대감을 엿볼 수 있다.

④ '오다가 한 곳을 보니 불측한 서번이 조웅을 잡으려고 이러저러하였거늘'을 통해 송나라 문제가 서번이 조웅을 공격하려 한다는 사실을 미리 알고 있음을 알 수 있다.

05 [구절의 의미 파악] 정답 ⑤

㉤은 조웅과 노옹이 만나게 된 과정을 서술하고 있다. 그런

데 노옹의 외양 묘사가 나타나나 이는 일상적인 옷차림이라고 볼 수 있고, 조웅과 노옹의 만남도 단순하게 제시되어 있어 이를 통해 환상적인 분위기가 조성되고 있지는 않다.

【 오답 풀이 】

① ㉠은 높은 자리에 앉아 있는 한 노인이 황금관을 쓰고 용포(임금이 입던 정복)를 입고 있는 외양 묘사를 통해 그 인물이 왕과 같은 높은 지위에 있는 인물임을 드러내고 있다.

② ㉡은 서술자의 목소리를 통해 좌중들이 자신의 공적에 대해 나눈 대화가 더 많이 있었음을 제시하고 있다.

③ ㉢은 새로 등장한 인물에게 예를 갖추는 인물들의 행동 묘사를 통해 새로 등장한 인물이 앞서 모여 있던 인물들보다 더 높은 지위에 있는 인물임을 나타내고 있다.

④ ㉣에서는 '마음이 비창하여 슬픔을 머금고', '염려가 끊이지 않'는 복잡한 내면을 제시하여 조웅이 꿈속 일로 인해 현실 속에서 겪고 있는 내적 갈등을 드러내고 있다.

06 [작품의 내용 파악]   정답 ③

노옹은 피곤한 나귀 탓으로 시간을 넘겨 버렸기에 행여 조웅을 못 만날까 염려하였다고 하였다. 따라서 조웅과의 만남이 계획된 시간보다 늦어지게 되어 노옹이 마음을 졸였음을 알 수 있다.

【 오답 풀이 】

① 위홍창은 조웅의 명을 받아 선봉을 되돌려 함곡에서 빠져나오도록 하였다.

② 위홍창의 말에 따르면 조웅의 명을 받기 전에 병사들이 이미 함곡에 들어갔다고 했다. 따라서 조웅이 함곡에 들기 전에 군마를 쉬도록 명하였다고 보기 어렵다.

④ 조웅은 노옹이 건넨 편지를 보고 노옹의 말을 사실로 쉽게 받아들였다.

⑤ 황금관을 쓴 노인은 모임에 참석한 이들에게 각각 자신의 공을 올리라고 하였지, 조웅의 탁월한 업적을 말하라고 한 것은 아니다.

07 [관련된 한자 성어 이해]   정답 ⑤

ⓑ는 절박한 위기의 순간에서 간신히 빠져나온 상황이므로, '여유가 조금도 없이 몹시 절박한 순간'을 뜻하는 '위기일발'의 상황에서 벗어난 것이라고 할 수 있다.

【 오답 풀이 】

① '견강부회'는 '이치에 맞지 않는 말을 억지로 끌어 붙여 자기에게 유리하게 함.'이라는 뜻으로, ⓑ에는 어울리지 않는다.

② '교각살우'는 '소의 뿔을 바로잡으려다가 소를 죽인다는 뜻으로, 잘못된 점을 고치려다가 그 방법이나 정도가 지나쳐 오히려 일을 그르침을 이르는 말'이라는 뜻으로, ⓑ에는 어울리지 않는다.

③ '자가당착'은 '같은 사람의 말이나 행동이 앞뒤가 서로 맞지 아니하고 모순됨.'이라는 뜻으로, ⓑ에는 어울리지 않는다.

④ '점입가경'은 '들어갈수록 점점 재미가 있음.' 또는 '시간이 지날수록 하는 짓이나 몰골이 더욱 꼴불견임을 비유적으로 이르는 말'이라는 뜻으로, ⓑ에는 어울리지 않는다.

08 [소재의 기능 파악]

문맥상 노옹이 천명 도사에게 받았다며 조웅에게 건네준 '한 통 편지'는 조웅이 앞으로 겪게 될 위기를 예고함으로써, 조

웅이 스스로 함곡에서의 위기에서 벗어나 앞으로 영웅적 활약을 펼쳐 나갈 수 있도록 해 주는 기능을 한다.

09 [서사 구조의 이해]

주인공인 조웅은 자신이 앞으로 위기에 처하게 될 것을 꿈을 통해 암시받는다. 여기서 환몽 구조의 서사적 장치가 나타난다. 환몽 구조는 '입몽 – 꿈속 세계 – 각몽 – 현실 세계'의 구조로 이루어진다. 이 글에서 '한 나비가 침상에 날아들거늘 원수도 자연스럽게 날개를 얻어 그 나비를 따라 공중에 날아 한 곳에 이르니'를 통해 조웅이 꿈속 세계로 들어가게 되었음을 보여 주었고, '원수가 깨달으니 남가일몽이라.'를 통해 조웅이 꿈에서 깨어나게 되었음을 보여 주었다.

> **Q 환몽 구조가 뭔가요?**
>
> **A** 환몽 구조란 주인공이 입몽하여 꿈속에서 새로운 인물로 태어나 새로운 삶을 체험한 뒤, 각몽하여 깨달음을 얻게 되는 서사적 구조를 말해요. 여기서 '꿈'은 현실 세계에서 필요한 깨달음을 얻게 하여 현실 세계의 문제를 해결하는 데 도움을 주는 경우가 대부분이에요. 이때 주인공이 꿈속에서 다수의 인물을 만나 이야기를 주고받거나 그들의 모임에 참석하여 보고 들은 내용을 전하는 형식으로 이루어지는 경우도 많은데, 이 작품도 그런 경우의 하나라고 할 수 있어요.

14강

소대성전(蘇大成傳)

본문 078쪽

> 01. ② 02. ② 03. ⑤ 04. ③ 05. ② 06. (1) 호왕은 겁한 이 장안을 공격하면 대성이 장안으로 향하게 될 것이므로 대성을 따돌리고 명제를 사로잡은 후에 대성을 없앨 것을 의도한 것이다. (2) 대성이 장안으로 향한 이후에 호왕이 명진을 공격하고, 이에 놀란 천자는 황강 강가로 피신하나 호왕에게 잡혀 죽을 위기에 처하게 된다.
> 07. ⓐ 공중(하늘)에서 황강에 천자가 쓰러져 죽을 위기에 처하였음 ⓑ 황강으로 가는 길에 놓인 큰 강을 건너뛰는   08. ④

01 [서술상의 특징 파악]   정답 ②

대성이 호왕의 계책에 속은 것을 알고 대진으로 돌아가려고 할 때, 홀연 공중에서 대진으로 가지 말고 황강으로 갈 것을 알려 준다. 또한 황강으로 돌아가는 길에 큰 강이 가로막혀 있지만 청총마가 이 물을 건너뛴다. 이러한 상황들은 모두 전기적 요소가 드러난 비현실적 상황이다.

【 오답 풀이 】

① 인물의 외양을 묘사하고 있는 부분은 제시되어 있지 않다.

③ 인물의 영웅적 면모를 부각할 뿐, 인물을 희화화하고 있지 않으며 사건에 반전이 일어나지도 않는다.

④ 인물의 행적을 묘사하고 인물의 심리를 서술하고 있으므로 서술자는 이야기 밖에 있는 전지적 작가라고 할 수 있다. 장면마다 서술자를 달리 설정하고 있는 것은 아니다.

⑤ 인물이 영웅성을 발휘하여 국가적 위기를 극복해 내는 장면을 제시하고 있다. 꿈속 장면이 제시되어 있지 않으므로 꿈과 현실이 교차되고 있다고 말할 수 없다.

> **Q 희화화란 뭔가요?**
>
> **A** 어떤 인물의 외모나 성격, 또는 사건 등을 의도적으로 우스꽝스럽게 묘사하는 것을 말해요. 문학 작품에서는 인물을 풍자적으로 그려 낼 때에 희화화를 해요. 다음 예에서 허세를 부리는 주인공의 가식적인 모습을 풍자하기 위해 인물을 희화화한 것을 살펴볼 수 있어요.
>
> ㉠ 배 비장이 알몸으로 썩 나서며 그래도 소경 될까 염려하여 두 눈을 잔뜩 감으며 이를 악물고 왈칵 냅다 짚으면서 두 손을 허위적허위적 헤어 갈 제　　　 — 작자 미상, 「배비장전」

02 [작품의 내용 이해]　　　정답 ②

대성이 대군을 합세하여 호나라를 짓밟고자 한다고 하자, 천자는 대성에게 기다리라고 한다. 이는 천자가 호왕이 비밀스러운 계책을 꾸미고 있을 수 있다고 예상했기 때문이다.

[오답 풀이]

① 호왕이 겸한을 불러 명제를 사로잡고 대성을 없애고자 하는 계책을 말하자 겸한이 군을 거느리고 장안으로 갔다. 따라서 겸한이 군을 거느리고 장안으로 간 것은 대성을 장안으로 유인해서 대성이 없는 틈에 명제를 사로잡으려는 호왕의 계책의 일환으로 이루어진 것이다.

③ 호왕은 대성을 따돌리고 명제를 사로잡을 계책을 세웠으므로 대성이 장안으로 갔다는 소식을 듣자 크게 기뻐한 것이다. 호왕이 대성을 장안으로 보내고자 한 것은 무공이 뛰어난 대성이 없어야 명제를 쉽게 사로잡을 수 있을 거라고 생각했기 때문이다.

④ 호왕이 명제에게 항서를 쓰라고 하자 명제는 지필이 없어서 쓸 수 없다고 답하였다. 이에 호왕이 손가락을 깨물어 쓰라고 하자 명제는 차마 그러지 못하겠다고 하였다. 명제가 호왕의 명령을 순순히 따르지 않은 것은 항복을 하고 싶지 않은 마음 때문이었다고 볼 수 있다.

⑤ 대성은 장안으로 가 호왕을 찾았으나 호왕은 없고 겸한이 삼군을 거느려 온 것을 보았다. 이때 비로소 대성은 '호왕이 나를 치우고 우리 대군을 범하고자' 하였다고 말하며 분노한다. 대성은 호왕의 계책을 뒤늦게 알게 된 것이다.

03 [서술상의 특징 파악]　　　정답 ⑤

서술자의 개입은 서술자가 상황이나 인물에 대한 자신의 생각이나 의견, 판단을 작품의 표면에 노출하여 제시하는 것이다. '대성의 손을 잡고 꿈인가 생신가 분별치 못할네라.'는 서술자의 주관이 드러난 구절이 아니라, 대성을 본 천자의 심정을 서술한 것이다.

[오답 풀이]

① '제장 군졸의 머리 추풍낙엽일네라 뉘 능히 당하리요?'는 예상치 못한 호의 침입에 명의 군졸이 대처하지 못하고 당하고만 있는 상황에 대한 서술자의 판단을 드러낸 것이다.

② '명제는 함정에 든 범이라 어찌 망극지 아니하리요?'는 명제가 호왕에게 붙잡힌 상황에 대해 안타까워하는 서술자의 주관적 심정을 드러낸 것이다.

③ '용의 울음소리가 구천에 사무치는지라 하늘이 어찌 무심하리요?'는 항서를 써야 하는 위기에 처한 호왕의 원통한 마음을 제시하면서 하늘도 무심하다는 서술자의 판단을 함께 제시하고 있다.

④ '이는 대성의 충심과 청총마 그 임자 아는 정을 하늘이 감동하사 건너게 함이라.'는 청총마가 대성의 뜻을 알아듣고 강을 건너뛰는 비현실적 사건이 가능했던 이유에 대한 서술자의 생각을 드러낸 것이다.

04 [외적 준거에 따른 작품 감상]　　　정답 ③

〈보기〉에서 소대성은 천상계의 조력을 받아 위기를 해결하고 있는 영웅이라고 하였는데, 공중의 소리는 천자가 있는 황강으로 소대성을 이끄는 천상계의 조력에 해당한다. 소대성은 천상계의 도움을 받고 있으므로, 분기충천하는 모습을 통해 천상계의 질서를 극복하고자 하는 의지를 드러냈다고 보기는 어렵다.

[오답 풀이]

① '명진이 불의의 난을 만나매 제장 군졸의 머리 추풍낙엽일네라'에서 군사들이 희생당하는 상황을 제시하고 '강촌 백성이 난을 피할 길이 없는지라.'에서 난을 만난 백성들의 모습을 제시하여 호나라의 침략으로 인한 명나라의 위기를 보여 주고 있다.

② 호왕의 급습을 받은 명제가 놀라서 도망을 치고 황강 강가의 막다른 곳에 이르러서 어찌하지 못해 '하늘을 우러러 통곡하여' 탄식하는 천자의 나약한 모습에는 명나라의 위기에 대응하지 못하는 무능한 지배층의 모습이 나타난다.

④ 항서를 쓰라는 호왕의 요구에 천자가 '차마 아파 못할네라.'라고 통곡하며 기절한 천자의 모습과, '칠성검'으로 호왕을 단칼에 죽이고 천자를 구원하는 소대성의 모습을 대비적으로 보여 주어 대상의 영웅적 면모를 부각하고 있다.

⑤ '청총마가 호왕의 탄 말을~떨어지느니라.'에서 보듯, 탁월한 능력으로 호왕을 제압하고 천자를 구해 내는 소대성의 모습은 국가적 위기를 해결하는 모습이다.

05 [인물의 발화 의도 파악]　　　정답 ②

㉠에서 천자는 호왕에게 '비계'가 있을지도 모른다는 자신의 추측을 바탕으로 '호왕이 소장의~짓밟고자 하나이다.'라는 대성의 제안을 수용하지 않고 있다. ㉡에서 대성은 '천하를 반분하'여 대성에게 주고자 하는 천자의 제안을 '일천지하에 두 천자 없'다는 군신 간의 도리를 근거로 들어 수용하지 않고 있다.

[오답 풀이]

① ㉠에서는 실행으로 인해 어떤 결과가 일어날지에 대해서는 언급하지 않았으며, ㉡에서 대성은 천자의 제안을 거부하였지만 실행을 위한 방안을 요구하지는 않았다.

③ ㉠에서는 자신의 공에 대해 언급하지 않았으며, ㉡에서 대성은 '천하를 평정함'이 가능했던 것이 '폐하의 넓으신 덕' 때문이라며 상대에게 공을 돌리고 있지만 천자의 제안은 거부하고 있다.

④ ㉠에서는 단점을 언급하지 않았으며, ㉡에서 대성은 '폐하의 덕'이라

는 천자의 장점을 언급하고 있지만 이를 통해 천자의 제안을 구체화하고 있지는 않다.

⑤ ㉠에서 천자는 '잠깐 기다리라'라며 유보적 태도를 드러내며 대성의 제안을 수용하고 있지는 않다. ㉡에서 대성은 '소신으로 하여금 후세에 역명을 면케 하옵소서.'라며 제안에 대해 적극적인 태도로 거절하고 있다.

06 [인물과 배경에 대한 이해]

(1) 호왕은 명제를 사로잡아 대성을 해치려는 계책을 마련하였다. 먼저 장안을 공격하여 대성이 명제를 떠나 장안으로 향하게 한 뒤에 명제를 사로잡고 대성도 없애자는 계책이 그것이다. 호왕은 이 계책을 수행하기 위해 겸한에게 장안을 공격하게 하였다.

(2) 호왕의 계책은 예상한 대로 진행되어 대성은 장안으로 향하고 호왕은 천자를 사로잡기 위해 명진으로 쳐들어간다. 이후에 천자는 황강 강가로 피신하나 호왕에게 잡혀 죽을 위기에 처하게 된다.

07 [작품의 종합적 이해와 감상]

소대성이 천상계와 관련성이 있는 인물이라는 것은 소대성과 관련하여 일어나는 비현실적이고 전기적인 사건을 통해 확인된다. 소대성이 장안에서 겸한을 죽이고 돌아갈 때 하늘에서 천자가 황강에 쓰러져 죽을 위기에 처하였음을 알려주는 것과 청총마가 황강으로 가는 길에 놓인 큰 강을 건너뛰는 것은 비현실적 사건으로, 소대성이 천상계의 조력을 받는 인물임을 말해 준다.

08 [외적 준거에 따른 작품 감상] 　　　　　　　　정답 ④

'요전법'은 이야기가 한참 흥겨울 대목에 쓰인다고 하였는데, 여기서 흥겨울 대목은 즐겁고 흥이 나는 부분이 아니라 다음 내용에 대한 궁금증을 유발하는 부분, 위기의 장면, 극적 장면 등이라고 할 수 있다. 그러므로 대성이 천자를 구하러 달려오는 극적 장면에서 요전법을 활용했다는 것이 적절하다.

【 오답 풀이 】

① 대성이 천자에게 호왕을 당할 장수가 자신밖에 없다고 말하는 부분은 대성의 호기로움과 자신감을 드러내는 것으로, 궁금증이나 위기감을 유발하는 장면은 아니다.

② 천자가 삼장에게 힘을 다하여 자신의 뒤를 막으라고 지시하는 부분은 천자가 처한 위기 상황을 보여 주는 장면이다. 이 장면은 궁금증을 유발하는 극적 장면이라기보다는 천자의 절망적 처지를 부각하는 장면이라고 할 수 있다.

③ 호왕이 천자에게 용포를 떼고 손가락을 깨물라고 명령하는 부분은 비극적 장면이라고 할 수 있다.

⑤ 천자가 자신의 잘못으로 수많은 장졸들이 죽었다며 죄책감을 느끼는 부분은 위기 상황이 종료된 뒤이므로 궁금증을 유발하는 부분, 즉 극적 장면은 아니다.

---

01. ① 　**02.** ④ 　**03.** ① 　**04.** ④ 　**05.** ④ 　**06.** ③ 　**07.** (1) 유림은 영철을 죽이지 않는 것이 상대방을 위해 좋은 일(상대에게 덕이 되는 일)인 것처럼 말하면서 상대방을 설득하고 있다. (2) 유림은 영철이 청노새를 자신에게 팔지 않은 것에 앙심을 품고 이에 대해 복수하려는 의도를 가지고 있다. 　**08.** ⓐ 영철이 돈을 갚지 못하자 일가친척까지 감옥에 가둔 것을 통해 알 수 있다. ⓑ 영철이 세 번 전쟁에 나가 수고하고 공적을 세웠음에도 조정에서 영철에게 상 주는 일이 없었다는 것을 통해 알 수 있다.

01 [서술상의 특징 파악] 　　　　　　　　　　정답 ①

영철을 꾸짖으며 죽이겠다고 하는 아라나의 말과, 자신의 행동이 본심이 아니었다는 영철의 말을 통해 영철과 아라나의 갈등이 제시되고 있다. 또한 영철에게 세남초값을 갚으라고 하는 유림의 말과, 자신의 공적을 생각해 갚은 것으로 해 달라는 영철의 말을 통해 유림과 영철의 갈등이 제시되고 있다.

【 오답 풀이 】

② 아라나가 과거의 사건에 대해 언급하는 부분은 있지만, 과거와 현재가 교차하면서 사건이 진행되는 것은 아니다.

③ 전기적 요소가 드러나지 않으며, 갈등이 해소되는 과정을 다루고 있다고 볼 수 없다.

④ 세남초 이백 근은 사건 전개에서 중요한 기능을 하는 소재이기는 하지만 이 소재가 인물이 앞으로 겪을 사건을 예고해 주는 것은 아니다.

⑤ 인물의 모습에 대해 세밀하게 묘사하고 있는 부분은 없다.

02 [작품의 내용 이해] 　　　　　　　　　　정답 ④

아라나가 영철에게 '어찌 말 한 마리로 용서할 수 있겠느냐?'라고 한 것은 영철의 잘못을 절대로 용서할 수 없다는 것을 강조한 것이다. 또한 실제로 영철은 몇 년 전에 이미 아라나의 조카에게 말을 돌려주었으므로, 영철이 지금 말을 돌려주고자 하는 것도 아니다.

【 오답 풀이 】

① 아라나는 영철에게 '내 이제 너를 자세히 보니 누군지 알겠거늘 네가 어찌 나를 모른다고 하느냐?'라고 말하면서 화를 내었다. 이는 영철이 일부러 자신을 모른 척한다고 여겼기 때문이다.

② 아라나는 영철에게 세 번의 은혜를 베푼 이야기를 하며 건주의 살림을 맡던 일도 언급하고 있는데, 이는 과거에 아라나가 자기의 살림을 맡길 만큼 영철을 신뢰하였음을 보여 준다.

③ 아라나가 화를 내며 영철을 포박하게 하자 영철은 '제가 그들의 계획을 따르지 않았다면 그 한족 아홉이 저를 베는 건 손바닥을 뒤집기보다 쉬웠을 것'이라고 말한다. 여기서 영철은 자신의 행동이 목숨을 지키기 위한 어쩔 수 없는 것이었음을 항변하고 있는 것이다.

⑤ 유림은 자신이 아라나에게 준 세남초 이백 근 값을 영철에게 갚으라고 하면서 '그 물건이 나랏돈에서 나온 줄은 너도 알 것'이라고 말한다. 이는 나랏돈이므로 반드시 세남초값을 갚아야 함을 강조한 것이다.

03 [인물의 말하기 방식 파악]   정답 ①

[A]에서 아라나는 과거에 자신이 영철에게 베푼 은혜 세 가지를 먼저 제시하고, 이어서 영철이 저지른 죄 세 가지를 나열하고 있다. 또한 자신이 베푼 은혜를 영철이 배신했다며 영철에 대한 적대적 감정을 드러내고 있다. 특히 '반드시 네 목을 베리라!'에서 적대감이 매우 크다는 것을 확인할 수 있다.

【 오답 풀이 】

② [B]에서 영철은 과거 자신의 잘못이 한족 때문이라고 하였으므로 과거의 잘못을 모두 자신의 탓으로 여겼다는 것은 적절하지 않다.

③ [B]에서 영철은 자신의 억울함을 호소하고 있을 뿐, 아라나에게 이익이 되는 제안을 하고 있지는 않다.

④ [A]에서 아라나는 영철의 과거 행적을 언급하며 영철의 잘못을 지적하고 있다. [B]에서 영철은 아라나의 과거 행적을 평가하지는 않았다.

⑤ [B]에서 영철은 자신의 원통함을 표출하고 있을 뿐, 자신이 아라나에게 베푼 호의는 언급하지 않았다.

04 [외적 준거에 따른 작품 감상]   정답 ④

아라나는 영철을 구해 주는 인물로 보였으나 결국 영철을 죽이고자 하였고, 유림은 영철의 몸값을 내주며 도움을 주는 것처럼 보였으나 결국 영철을 위기에 빠뜨렸다. 아라나와 유림을 반전을 주는 인물로 파악한 것은 작품 안에서 인물의 특징을 분석한 것으로, 내재적 관점에서 작품을 이해한 것이다.

【 오답 풀이 】

① 신사년에 청나라가 조선에 군대를 요청하였다는 것은 실제 역사적 사실에 부합한 것으로, 작품의 시대적 상황과 역사적 현실 등에 주목하여 외재적 관점에서 작품을 이해한 것이다.

② 작품을 읽고 조선 후기 민중의 시각을 대변하고 있는 작품들을 더 찾아 읽어야겠다고 생각하는 것은 작품이 독자에게 주는 효용과 의미에 주목한 것으로, 작품을 외재적 관점에서 이해한 것이다.

③ 작가가 작품을 통해 드러내고자 하는 비판 의식에 대해 파악한 것은 작품을 작가와 연관 지어 파악한 외재적 관점에서 이해한 것이다.

⑤ 작품을 다른 작품과 비교하여 이해한 것도 내재적 관점이 아닌 외재적 관점에 따라 이해한 것이다.

> **Q 작품의 내재적 관점과 외재적 관점이란 뭔가요?**
>
> **A** 문학 작품을 감상하는 방법은 크게 내재적 관점과 외재적 관점으로 구분돼요. 내재적 관점은 작품의 구조나 구성 요소 등 작품 자체를 분석하고 감상하는 것으로 절대론적 관점이라고도 하지요. 외재적 관점은 작품 외적 요소에 주목하는 것으로, 표현론적 관점, 반영론적 관점, 효용론적 관점으로 나누어요. 표현론적 관점은 작품과 작가와의 관계에, 반영론적 관점은 작품과 현실과의 관계에, 효용론적 관점은 작품과 독자와의 관계에 주목하는 것이에요.
>
>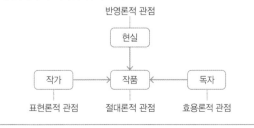

05 [사건의 전개 양상 파악]   정답 ④

사건을 일어난 순서대로 정리하면 ③→⑤→②→①→④가 된다. 영철은 금주에 있을 때 청나라 황제에게 청노새를 하사받았다. 유림이 이를 팔라고 하였으나 팔지 않고 있다가, 일가친척이 감옥에 갇히고 호조에 갚아야 할 돈도 충당할 방법이 없게 되자 청노새를 팔았다.

06 [작품의 종합적 이해와 감상]   정답 ③

〈보기〉에서 비판하고 있는 대상은 참전한 백성들을 외면했던 조선의 위정자들이다. 그런데 '아라나'는 청의 장수로 〈보기〉의 비판 대상인 조선의 위정자, 즉 '사대부'에 해당하지 않는다. 또한 아라나가 '천리마' 세 필을 잃게 된 것에 분노하여 영철을 죽이려 하는 것은 전쟁이라는 명분이 아닌 자신의 실리에 따른 감정적인 행동에 해당한다.

【 오답 풀이 】

① 김영철은 국가적 위기를 극복하는 영웅이 아니라, 전란에 참여하여 갖은 고초를 겪는 일반 백성이다. 이 작품은 일반 백성인 김영철을 주인공으로 설정하여 전란이라는 고통스러운 현실 속에서 백성이 겪는 비극에 주목하였다.

② 영철은 조선의 군사로서 청의 포로가 되기도 하고 청나라의 말을 통역하는 일을 하는 등 여러 차례 참전한다. 세남초값을 갚으라고 하는 유림에게 영철은 '제가 일찍이 나라의 부름을 받고 군문에 출입하여 재산을 모은 것이 없다'고 말하면서 자신의 사정을 헤아려 주기를 부탁하지만 유림은 영철의 청을 들어주지 않는다. 이로 볼 때, 유림은 백성의 어려움을 외면하는 위정자라고 할 수 있다.

④ 세남초값을 갚기 위해 영철은 '세간'을 다 팔고 '친족'의 도움까지 받는다. 이는 고향에 돌아온 이후에도 전쟁과 관련된 일로 고통받는 백성의 모습을 보여 준다.

⑤ 여러 차례 전쟁에 참가하며 공을 세운 영철에게 조정에서 끝내 아무런 '보상'도 하지 않았다. 이는 참전한 백성들에 대해 무책임한 위정자들의 태도를 보여 주는 것이라고 할 수 있다.

07 [인물의 심리, 태도 파악]

(1) ㉠에서 유림은 영철을 죽이지 않는 것이 '덕을 보전하는' 것이라고 말하면서 아라나를 설득하고 있다. 이는 상대방을 위해 좋은 일인 것처럼 말하면서 상대방을 설득하는 것이다.
(2) 유림이 영철의 간청을 거절하고 영철에게 세남초 이백 근 값을 갚으라고 한 것은 '금주에 있을 때 영철이 청나라 황제에게 하사받은 청노새를 자신에게 팔지 않은 것에 앙심을 품은 까닭'이라고 하였다. 따라서 ㉡에서 유림은 이 일에 대해 앙심을 품고 복수하려는 의도로 영철에게 세남초값을 갚으라고 한 것이다.

08 [작품의 창작 동기 및 배경 이해]

ⓐ: 영철이 돈을 갚지 못하자 영철의 일가친척까지 감옥에 갇힌다. 이를 통해 어떤 일에 대해 친인척까지 연대하여 책임을 지는 연좌제가 시행되고 있었음을 알 수 있다.

ⓑ: 영철이 세 번 전쟁에 나가 수고하고 공적을 세웠음에도 아무런 보상도 받지 못하였다. 이를 통해 군역을 다하고 공적을 세운 백성들에 대한 처우가 열악하였음을 알 수 있다.

16강

홍계월전(洪桂月傳)

본문 088쪽

> 01. ② 02. ⑤ 03. ⑤ 04. ③ 05. ① 06. ③ 07. 당시에 문호를 빛내는 일이 남성을 중심으로 이루어졌으며, 여성이 능력이 있어도 사회적 지위나 활동에 제약이 있었음을 알 수 있다. 08. 이때 원수 장대에서 북을 치다가 보국의 위급함을 보고 급히 말을 몰아 장검을 높이 들고 좌충우돌하며 적진을 헤치고 구덕지 머리를 베어 들고 보국을 구하여 몸을 날려 적진을 충돌할새

01 [서술상의 특징 파악]   정답 ②

'소년 급제하여~만조백관이 다 시기하여 모함하매, 죄 없이 벼슬을 빼앗기고 고향에 돌아와 농업에 힘쓰니'와 같이 홍무가 벼슬에 올랐다가 고향에 내려와 살게 된 내력을 서술자가 요약적으로 제시하고 있다. 또 '부인이 크게 기뻐하여 시랑을 청하여 몽사를 이야기하고~아이를 탄생하매 여자라.'와 같이 부인 양 씨가 태몽을 꾼 이후에 계월을 잉태하는 과정도 서술자가 요약적으로 제시하고 있다.

[오답 풀이]

① '얼굴이 도화 같고 향내 진동하니'에서 아기 계월의 외양을 묘사하고 있는데, 이는 계월의 뛰어난 외모를 나타낸 것으로 희화화에는 해당하지 않는다.

③ 홍 시랑 부부가 있는 지상계와 선녀가 있던 천상계라는 대립적 공간이 나타난다고 볼 수는 있으나, 이들 공간을 통해 천상 인물의 지상으로의 하강을 보여 줄 뿐, 인물 간의 갈등은 제시하지 않았다.

④ 계월을 잉태하는 과정에서 하늘의 선녀는 초월적인 존재라 할 수 있으나 선녀와 양 씨의 대화에서 인물의 고뇌가 드러나고 있지는 않다.

⑤ 계월의 영웅적 일대기에 따라 내용이 전개되고 있을 뿐이며, 여러 개의 이야기를 나열하거나 다양한 관점에서 사건을 재구성하고 있지 않다.

02 [작품의 내용 이해]   정답 ⑤

홍무의 부인 양 씨는 추구월 보름이 되어 달을 구경하고자 망월루에 올랐다가 홀연히 피곤을 느껴 잠이 들었다. 그리고 꿈에 선녀가 내려와 부인께 절을 하고 자신이 홍무 부부의 집으로 오게 되었음을 이야기한다.

[오답 풀이]

① '천자 사랑하사 국사를 의논하시니. 만조백관이 다 시기하여 모함하매'를 통해 확인할 수 있다.

② '만조백관이 다 시기하여 모함하매, 죄 없이 벼슬을 빼앗기고 고향에 돌아와 농업에 힘쓰니, 가세는 부유하나'를 통해 확인할 수 있다.

③ 홍무는 "나이 사십에 아들이든 딸이든 자식이 없으니, 우리 죽은 후에 후사를 누구에게 전하며 지하에 돌아가 조상을 어찌 뵈오리오."라고 하고, 양 씨는 "첩이 귀한 가문에 들어온 지 이십여 년이라. 한낱 자식이 없사오니 어찌 상공을 뵈오리까."라고 하였다.

④ 양 씨는 "원컨대 상공은 다른 가문의 어진 숙녀를 취하여 후손을 보신다면, 첩도 칠거지악을 면할까 하나이다."라고 하였다.

03 [서사적 기능 파악]   정답 ⑤

ⓐ는 "부인은 이 아기를 잘 길러 후복을 받으소서."라고 말하고 있으며, ⓑ는 "이 아이 상을 보니 다섯 살이 되는 해에 부모를 이별하고 십팔 세에 부모를 다시 만나 공후작록을 올릴 것이오, 명망이 천하에 가득할 것이니 가장 길하도다."라고 말하고 있다. 이는 계월이 후에 고난을 극복하고 크게 성공할 인물임을 암시하는 것이다.

[오답 풀이]

① ⓐ는 아이가 생기기 바라는 부인의 욕망을 해소시켜 주는 존재이다.

② ⓑ는 계월의 상을 보고 앞날을 예언하고 있으나, 천기를 누설하지 못한다고 하며 구체적인 내용을 밝히지 않아 시랑의 궁금증을 유발하고 있다.

③ ⓐ와 ⓑ 모두 계월의 내력을 소개하고 있지 않다.

④ ⓐ와 ⓑ 모두 계월이 앞으로 크게 성공할 것이라는 행복한 결말을 암시하고 있다.

04 [외적 준거에 따른 작품 감상]   정답 ③

계월이 태어났을 때 시랑은 "네가 만일 남자 되었다면 우리 문호를 더욱 빛낼 것을 애닯도다."라며 계월이 남자가 아니었음을 안타까워한다. 하지만 시랑은 계월을 장중보옥같이 사랑하였으며, [중략 부분의 줄거리]에서 보듯, 장사랑의 난으로 계월이 부모와 헤어지게 된다. 따라서 시랑이 계월이 남아가 아닌 것을 안타까워한 것이 계월이 부모와 이별하거나 죽을 고비와 같은 위기에 처하는 것을 보여 주는 것은 아니다.

[오답 풀이]

① 계월의 아버지인 홍무는 '세대 명문거족으로 소년 급제하여 벼슬이 이부시랑'에 이르렀다.

② 선녀가 득죄하여 부인 댁으로 와서 아이로 탄생한다는 꿈의 내용을 볼 때, 계월의 잉태 과정이 일반적이지 않음을 알 수 있다.

④ 부모와 헤어져 위기에 처한 어린 계월을 구해 주는 것은 여공이다. 따라서 조력자인 여공의 도움으로 위기에서 벗어난다고 할 수 있다.

⑤ 보국이 위험에 처했을 때 계월이 적장 오십여 명과 적병 천여 명을 베고 보국을 구하는 장면을 통해 알 수 있다.

05 [서술상의 특징 파악]   정답 ①

[A]에는 보국과 적과의 싸움, 계월의 활약 등 전쟁을 소재로 한 군담적 요소가 잘 드러나고 있다. 이러한 요소는 독자의 흥미를 유도한다.

[오답 풀이]

② 전쟁 장면이 제시되어 있으나, 이는 허구적인 사건으로 역사적 사실을 바탕으로 하고 있지 않다.

③ 인물 사이의 관계를 표시하는 비유적 표현이 제시되지는 않았다.

④ 적장을 향한 보국의 외침과 그에 대응한 적군의 움직임이 제시되어 있을 뿐, 문답의 방식을 활용하고 있지 않다.

⑤ 공간적 배경이 전쟁터라는 것은 파악할 수 있지만, 공간적 배경을 묘사하고 있지는 않다. 상황의 변화 가능성을 암시하고 있는 것도 아니다.

06 [외적 준거에 따른 작품 감상]　　　　정답 ③

'시랑이 계월이 행여 수명이 짧을까 하여 강호 땅에 곽 도사라 하는 사람을 청하여 계월의 상을 보인대'라는 대목은 계월에 대한 시랑의 염려와 사랑을 드러내는 부분으로, 당시 여성들이 해소할 수 없었던 불만에 대한 사회적 시선과는 관련이 없다. 〈보기〉에서 설명하는 여성들의 불만은 사회에 대한 불만에 해당하지, 수명과 같은 신체적 한계에 대한 불만은 아니다.

【 오답 풀이 】

① '원컨대 상공은 다른 가문의 어진 숙녀를 취하여 후손을 보신다면, 첩도 칠거지악을 면할까 하나이다.'라는 대목에서 당시 자손을 얻지 못하는 것이 모두 여성의 책임이라고 생각하는 사회적 풍토가 있었음을 알 수 있다.

② '부인이 사랑을 청하여 아이를 보인대', '기쁨이 측량 없으나 남자 아님을 한탄하더라.'라는 대목에서 남아를 선호하는 당시 사회의 모습을 엿볼 수 있다.

④ 원수가 중군장에게 '오늘은 중군장이 나가 싸워라.'라고 분부하는 대목에서 중군장인 보국에게 원수인 계월이 명령을 하고 있으므로, 우월한 지위인 여주인공이 남성을 다스리는 것을 보여 준다고 할 수 있다.

⑤ '저러하고 평일에 남자라 칭하고 나를 업신여기더니, 언제도 그리할까.'라는 대목에서 보국을 조롱하는 계월의 말을 직접적으로 제시하여 남녀 불평등의 사회에 불만을 가진 여성 독자층에게 통쾌함을 주었을 것으로 볼 수 있다.

07 [작품에 반영된 가치 파악]

계월에게 남복을 입혀 글을 가르쳤다는 것은 여성에게는 글공부라는 사회적 참여 기회가 제한되어 있기 때문이다. 따라서 당시 사회·문화적 가치가 남성을 중심으로 형성되었다는 것을 짐작할 수 있다

08 [갈래적 특징과 성격]

여성 영웅의 활약이 드러나는 장면 중 남성보다 우월함이 드러난 장면은, 계월이 위기에 빠진 보국을 구해 내는 장면이다. 보국은 전장에 나가 적장의 목을 베지만 곤경에 빠져 위기를 겪게 되는데, 이를 지켜보고 있던 계월이 단숨에 달려나가 보국을 구한다. 이는 남성보다 우월한 여성의 능력을 표현한 것이라 할 수 있다.

17강
박씨전(朴氏傳)

본문 093쪽

> **01.** ⑤　**02.** ②　**03.** ①　**04.** ③　**05.** ①　**06.** ⑤　**07.** 박 씨는 천기를 보고 호적이 의주가 아닌 황해수를 건너 쳐들어올 것이라고 예언하였으며, 일가친척들을 피화당에 피난시켜 장안을 약탈하는 호적으로부터 보호하였다.　**08.** ③

01 [서술상의 특징 파악]　　　　정답 ⑤

'양장이 수명하고 군사를 거느려, 동으로 황해수를 건너 바로 장안을 향하였더라.', '승상이 크게 놀라 급히 들어가 부인의 말을 낱낱이 아뢴대, 상이 놀라사 만조백관이 다 경황하여 임경업을 패초하려 의논하더라.', '우상이 이 말을 듣고 강개한 마음을 이기지 못하여'와 같이 전지적 작가 시점에서 서술자가 사건의 양상과 인물의 심리를 밝히고 있음을 알 수 있다.

【 오답 풀이 】

① 등장인물의 외양을 묘사하는 부분이 제시되어 있지 않다.

② 박 씨가 호적의 침입을 예견하는 내용이 비현실적 사건일 수 있으나 주제 의식을 부각하는 것은 아니다.

③ 서술자의 시각이 전지적 작가 시점으로 고정되어 있어 다양한 서술자의 시각으로 사건이 제시되지 않는다.

④ 새롭게 등장한 인물이 아닌 박 씨를 통해 앞으로 일어날 사건이 예견되고 있다.

02 [작품의 내용 이해]　　　　정답 ②

박 씨가 황해수를 건너 침입하려는 호병의 계략을 예견하고, 일가친척을 피화당으로 불러들여 화를 면하게 하는 대목에서 여성 주인공의 영웅적 면모가 드러난다고 할 수 있다(ㄱ). 또한, "박 씨는 요망한 계집이어늘, 전하 어찌 요망한 말을 침혹하시며, 국가 대사를 아이 희롱같이 하시나니이까."라는 김자점의 말을 통해 여성을 무시하는 남성 우월적인 태도를 확인할 수 있다(ㄷ).

【 오답 풀이 】

ㄴ. 「박씨전」에서 박 씨는 이시백과 결혼을 한 후 변신을 통해 아름다운 여인으로 다시 태어난다. 하지만 제시된 지문에서 변신 화소는 드러나지 않는다.

ㄹ. 「박씨전」에서 박 씨는 용골대 형제를 무찌르는 등 남성 중심의 사회에서 승승장구를 한다. 하지만 제시된 지문에서는 남성과의 대결을 펼치지 않는다.

03 [작품의 내용 이해] 정답 ①

황후가 "부디 우의정 이시백의 집 후원은 범치 말라. 만일 범하다가는 성공은 새로이 목숨을 보전치 못할 것이니, 부디 명심 불망하라."라며 용골대와 율대에게 특별히 이시백의 집 후원을 범하지 말라고 명을 하였다. 호왕은 의주로 가지 말고 동으로 가라고 명령하였을 뿐이다. 따라서 율대가 우상의 후원을 침범한 것은 호왕이나 황후의 명에 따른 행동에는 해당하지 않는다.

[오답 풀이]

② '중로에서 호적의 복병을 만나 우상이 칼을 잡고 죽기로 싸워 복병하였던 장수를 베고, 겨우 길을 얻어 뫼시고 남한에 들어가니라.'라고 하였으므로 적절하다.

③ '승상이 크게 놀라 급히 들어가 부인의 말을 낱낱이 아린대, 상이 놀라사 만조백관이 다 경황하여 임경업을 패초하려 의논하더라.'라고 하였으므로 적절하다.

④ '만조백관이 김자점의 말이 그른 줄 알되, 아무 말도 못하'고 임금이 '그 일로 유예 미결하'였다. 이에 결국 '호병이 동문을 깨치며 장안을 엄살'하게 되었으므로 적절하다.

⑤ 박씨가 일가친척을 피화당에 피난하게 하였는데, 용골대가 장안을 차지하여 죽는 사람이 많다는 소식에 '피화당에서 피난한 사람들이 이 말을 듣고 도망코자 하'였다고 했다. 이들이 박 씨의 말을 듣고 다시 피화당에 머물기로 한 것으로 보아, 피화당에 있던 사람들이 용골대에 관한 소식을 듣고 잠시나마 도망을 생각하였음을 알 수 있다.

04 [말하기 방식 파악] 정답 ③

[A]에서 좌의정 원두표는 박 씨의 말이 그럴듯하다며 찬성하고 있다. [B]에서 김자점은 임경업을 패초하여 의주가 비어 있는 틈을 노려 호나라가 의주를 칠 경우에 발생할 문제점을 제시하며, 박 씨의 말을 따르려는 이시백과 원두표의 말에 반박하고 있다. 즉 김자점은 임경업이 의주를 비울 때 호적이 의주를 공격한다면 국가의 운명이 위태로울 수 있다며, 임경업을 패초하라는 박 씨의 주장을 따르자는 이시백과 원두표 등의 의견대로 할 경우에 발생할 문제점을 근거로 삼아 자기주장을 펼치고 있다.

[오답 풀이]

① [A]에서 원두표는 "박 부인 말씀대로 하여 보사이다."라고 말하며 이시백이 전하는 박 씨의 예언에 동의하고 있다.

② 김자점은 "설사 기병하여 온다 하여도 북으로밖에 없사오니"와 같이 말하고 있으므로 그동안의 경험을 바탕으로 호적의 침입 경로를 예측하고 있을 뿐, 상대방에게 정보 출처의 신뢰성을 문제 삼는 것이 아니다.

④ [A]는 이시백이 전하는 박 씨의 예언에 동의하고 있다. 자신의 경험을 근거로 삼아 상대방의 의견을 반박하는 것은 [B]이다.

⑤ [B]는 자신의 경험과 박 씨가 여자라는 점을 근거로 들어 상대방의 주장에 반대하고 있으나, [A]는 상대방의 주장에 동의하고 있다.

05 [배경의 의미와 기능 이해] 정답 ①

㉠은 실제 병자호란이 일어났던 해이며, ㉡은 병자호란 때 임금이 피신했던 장소이다. 따라서 ㉠과 ㉡은 병자호란이라는 특정 역사적 사건을 떠올리게 한다.

[오답 풀이]

② ㉢은 사건의 전기성과 우연성이 나타나지만 ㉠은 역사적 사실인 병자호란이 일어났던 해를 가리키므로 사건의 전기성이나 우연성과는 관련이 없다.

③ ㉡은 임금이 피난을 하는 현실적인 공간인 남한산성이므로 천상계를 대표한다고 할 수 없다.

④ ㉠과 ㉡은 병자호란과 관련된 역사적 사실을 반영하는 배경으로, 치욕적 사건이 나타나는 배경이므로 당대 민중의 소망을 반영한다고 할 수 없다.

⑤ ㉢은 호적의 화를 피할 수 있는 신비한 공간으로 허구적 성격을 띠고 있지만, ㉠과 ㉡은 역사적 사실을 반영하는 시간과 현실적 공간이므로 사건의 사실성을 강화한다.

06 [외적 준거에 따른 작품 감상] 정답 ⑤

호적으로 인해 국가에 불행이 닥치게 될 것이라는 박 씨의 예언을 듣고 우상이 강개한 마음을 이기지 못하여 하늘을 우러러 탄식하며 수심으로 지내다가 임금에게 다시 죽기로써 간언하겠다고 다짐하는 부분에서 우상 이시백의 내적 갈등을 찾아볼 수 있다. 이때, 우상은 김자점이 조정을 좌우하는 현실과 국운이 불행하게 될 미래 상황으로 인해 내적 갈등을 한 것이지, 전쟁에 대한 두려움 때문에 갈등한 것이 아니다.

[오답 풀이]

① 율대가 박 씨의 피화당을 침입하는 것은 외적 갈등에 해당하여 구성상 긴장감이 유발된다고 할 수 있다.

② 김자점이 박 씨의 예언을 '요망한 계집의 말'이라며 폄하하는 것은 개인과 개인의 갈등에 해당하는 외적 갈등이다. 이를 통해 여성에 대한 당대 남성의 부정적 인식이 엿보인다고 할 수 있다.

③ 호적의 침입으로 백성들이 피해를 입는 것은 호나라와 조선, 즉 사회와 사회의 갈등에 해당하는 외적 갈등이다.

④ 김자점과 원두표는 이시백이 전하는 박 씨의 예언을 두고 서로 반대되는 의견을 펼쳐 대립하고 있다.

07 [갈래적 특징과 성격]

「박씨전」은 서사 갈래 중 전쟁을 소재로 다룬 군담 소설이나 여성 주인공의 영웅적 일대기를 다룬 여성 영웅 소설로 분류된다. 이 글의 제시된 부분에서 주인공인 박 씨의 영웅적 면모를 드러내는 대목은 박 씨가 호적의 침입 경로를 예측하는 대목과 피화당에 일가친척들을 모아 호적으로부터의 화를 면하게 하는 대목이라고 할 수 있다.

08 [공간적 배경의 특성 파악] 정답 ③

'백성들이 도적의 창검에 죽는 자가 무수하여 주검이 태산 같더라.'에서 보듯, 장안은 호적의 침입으로 인해 백성들이 피해를 입는 공간이다. 따라서 전쟁의 참상이 드러난 공간이라 할 수 있다.

[오답 풀이]

① 황해수를 건너 호적이 침입하였으므로 의주는 호적이 침입하는 공간적 배경이 아니다.

② 호적은 임경업이 수비하는 의주를 피해 황해수를 건너 침입하였다. 따라서 황해수는 임경업이 수비하는 공간적 배경이 아니다.
④ 피화당은 박 씨가 일가친척들이 호적으로부터의 화를 피하도록 하는 공간이다. 그리고 율대는 피화당의 신비한 분위기를 목격하였으므로, 피화당이 율대의 영웅성을 드러내는 공간적 배경은 아니다.
⑤ 남한산성은 호적으로부터의 공격을 피해 임금을 모시고 피신하는 공간이다. 우상의 충성심은 남한산성으로 향하는 중로에서 복병을 무찌르며 드러난다고 할 수 있다.

18강

이대봉전(李大鳳傳)

본문 098쪽

01. ④ 02. ③ 03. ① 04. ② 05. ③ 06. 여러 신하들이 장애황을 충효를 겸비한 인재로 칭하며 국가적 위기 해결을 위해 여성인 장애황의 출정을 지지하고 있는 내용에서 파악할 수 있다.
07. ⑤ 08. 이를 보고 장 원수가 적군을 여린 풀 베 듯하니, 군사의 주검이 산처럼 쌓였고 피가 흘러 내가 되어 겁내지 않는 이가 없었다.

01 [서술상의 특징 파악] 정답 ④
장애황과 선우 간의 전투 장면을 극적으로 제시하여 장애황의 활약으로 명나라가 승리하면서 선우와의 외적 갈등이 해결되는 과정을 보여 주고 있다.

【 오답 풀이 】
① 서술자가 사건에 개입하여 사건의 전모를 밝히는 내용은 제시되지 않았다.
② 초왕과 충렬왕후가 군대를 거느리고 전쟁터로 떠나고 충렬왕후가 적군과 싸우는 장면이 제시되어 있을 뿐, 가치관이 대립적인 인물 간의 갈등은 드러나지 않는다.
③ 인물의 대화와 행동을 중심으로 사건이 전개되고 있으며, 앞으로 일어날 사건을 예고하는 내적 독백은 제시되어 있지 않다.
⑤ 비극적 상황을 희극적으로 과장한 부분이 없고, 해학적 요소도 드러나지 않는다.

02 [인물의 심리, 태도 파악] 정답 ③
ⓒ에서 '초왕 부부가 정성이 부족하'다고 말한 것은 나라의 위기 상황에도 가정사를 돌보았음을 자책하는 것이 아니라, 외적의 침입을 자신들의 탓으로 돌리며 황제의 걱정을 덜어 주기 위해 한 말이다. 즉 황제가 애황을 부른 것에 대해 걱정하는 마음을 헤아려 자신들의 탓이니 기꺼이 출정한다는 뜻을 부각하고 있는 것이다.

【 오답 풀이 】
① ⓐ에서 천자는 전에는 애황이 있었지만 지금은 애황이 규중에 있어 한쪽을 누가 막을 것인가를 염려하고 있다. 천자는 애황이 혼인을 하여 규중에 있기 때문에 출정하기 어려울 것이라고 생각하는 것이다.
② ⓑ에서 초왕은 적병이 억만이 되더라도 염려하지 말라고 말하고 있는

데, 이는 적병을 반드시 무찌르고 올 것임을 강조하고 있는 것이다.
④ ⓓ에서 초왕은, 잉태한 몸으로 남쪽의 적군을 막기 위해 출정하는 충렬왕후에게 몸을 안전하게 지키라고 말하고 있다. 여기에는 충렬왕후를 걱정하고 염려하는 마음이 담겨 있다.
⑤ ⓔ에서 충렬왕후는 초왕에게 자신에 대한 걱정을 하지 말고 도적을 깨뜨리고 돌아오라고 말한다. 이를 통해 개인의 안위보다 국가적 위기 극복을 더 중시하는 충렬왕후의 인식을 확인할 수 있다.

03 [작품의 내용 이해] 정답 ①
[A]는 충렬왕후인 애황이 전장으로 떠나기 전 황제에게 한 말로, 죽기를 각오하고 싸워 이기겠다는 결의를 드러내고 있다. [B]는 애황이 선우와의 전투에서 승리한 후 남만의 다섯 나라의 왕을 잡아들여 항서와 예단을 받고 한 말로, 항복한 적군에게 다시 한번 반역의 마음을 품으면 용서하지 않겠다고 경고하는 말이다. 따라서 [A]에 드러난 애황의 결의가 실행되었음을 [B]에서 확인할 수 있다.

【 오답 풀이 】
② [B]는 전쟁에서 승리를 하고 난 이후에 한 말이다. 그러므로 [B]에서 인물의 권위가 추락한 것은 아니다.
③ [A]는 반드시 승리할 것임을 말하고 있으며, [B]에서는 [A]에서 예고한 전쟁의 승리가 일어났음을 알 수 있다.
④ [A]에는 인물의 내적 갈등이 드러나지 않는다.
⑤ [A]로 인해 인물들 간의 오해가 생기지는 않았다.

04 [외적 준거에 따른 작품 감상] 정답 ②
여러 신하들이 이대봉을 패초하면 장애황 또한 출정할 것임을 간언하였고 황제는 이를 수용하여 이대봉을 불러들였다. 따라서 황제가 이대봉을 불러들인 이유는 이대봉과 장애황이 능력을 발휘하여 남북 적병으로 인한 나라의 위기를 해결해 달라고 요청하기 위한 것으로 볼 수 있다. 이를 황제가 자신의 잘못을 인정하는 모습으로 이해한 것은 적절하지 않다.

【 오답 풀이 】
① 이대봉이 황제가 보낸 전교를 보고 전장에 나가기 위해 즉시 황성으로 향하는 것에서 군주에게 충성하는 유교적 가치관을 확인할 수 있다.
③ 여성인 장애황이 규중을 벗어나 다시 전장에 대원수로 참여해 활약하는 것에서 여성의 활동을 제한하였던 당대의 사회적 제약을 뛰어넘는 여성 영웅의 면모를 확인할 수 있다.
④ 장애황이 잉태를 한 지 일곱 달이 된 상황에서 자신의 몸을 돌보지 않고 출전하는 모습에서 개인적 가치보다 집단적 가치를 우선시하는 모습을 확인할 수 있다.
⑤ 이대봉은 북방의 흉노를, 장애황은 남방의 선우를 치러 떠나는 것에서 이대봉과 장애황이 각각 해야 할 역할을 나누어 협력하는 모습을 확인할 수 있다.

05 [소재의 기능 파악] 정답 ③
황제는 장애황을 대원수에 봉하고 인끈과 절월을 주며 태만한 자가 있으면 참수하라고 말하였다. 이는 황제가 장애황에게 군사를 마음대로 부릴 수 있는 절대적 권한을 주었다는 것을 의미한다.

① 황제가 보낸 '전교'를 받고 이대봉은 즉시 태상왕에게 국사를 맡기고 황성으로 향한다. 이후에 이대봉이 사자를 명하여 충렬왕후에게 사연을 전한다. 따라서 황제가 보낸 '전교'가 장애황의 출정 여부와 관련하여 이대봉에게 내적 갈등을 일으키고 있지 않다.

② 이대봉의 '청룡도'와 장애황의 '천사검'은 두 인물이 영웅성을 발휘하는 데 일조한다. 그러나 '청룡도'와 '천사검'이 이대봉과 장애황이 천상계의 조력을 받는 인물임을 드러내는 것은 아니다.

④ 다섯 나라 왕들이 보낸 '황금과 비단, 채단'은 남만의 다섯 나라의 항복 의사를 보여 준다. 이는 장애황의 영웅성을 부각하는 기능을 한다.

⑤ 장애황은 다섯 나라의 왕을 잡아들여 그들의 죄를 낱낱이 밝힌 뒤 항서와 예단을 받았다. '항서'는 다섯 나라 왕의 항복을 나타내는 문서로, 장애황이 적군에게 완벽하게 승리하였음을 나타내는 것일 뿐, 장애황이 다섯 나라가 짠 계략을 모두 알고 있었음을 말해 주는 것은 아니다.

06 [작품을 통한 시대적 의식 파악]

「이대봉전」은 이대봉이라는 남성 영웅의 활약상뿐만 아니라 장애황이라는 여성 영웅의 활약상도 다루고 있다. 특히 이 작품에서는 여성의 사회적 활동에 대해 부정적으로 평가하던 양반층조차 장애황의 공적 활동과 활약을 긍정적으로 평가한다. 이는 작품에서 조정 신하들이 장애황의 능력을 인정하여 장애황의 출정을 반대하지 않고 장애황이 있으므로 적의 침입을 걱정할 필요가 없다고 말하는 것을 통해 확인할 수 있다.

07 [작품의 종합적 이해와 감상]　　　　정답 ⑤

「이대봉전」은 영웅 소설의 도식성을 따르면서도 일반적 영웅 소설에서는 찾아볼 수 없는 서사적 모티프를 지니고 있다. 그런데 장애황이 골통과 선우의 목을 베는 장면을 직접적으로 다룬 것은 영웅의 일대기 가운데 국가적 위기 극복의 과업을 달성하는 과정으로, 일반적인 영웅 소설에서도 흔히 드러난다.

① 대봉은 죽을 위기에서 살아나 도술을 익혀 북방 흉노의 대군을 격퇴하고 초왕이 되었다고 하였다. 이는 대봉의 삶이 개인적 시련에 봉착하여 조력자의 도움으로 극복한 뒤 국가적 위기 극복의 과업을 달성한다는 영웅적 일대기에 부합하는 것임을 말해 준다.

② 이대봉과 장애황은 전장에 나가 활약하고 그 공을 인정받아 초왕과 충렬왕후가 된다. 이 둘은 부부가 된 이후에도 적군의 침입에 대항하며 각각 영웅성을 인정받는다.

③ 남과 북 양쪽에서 적군이 침입하자 북쪽은 대봉이 맡고 남쪽은 애황이 맡게 된다. 이대봉이라는 남성 영웅뿐만 아니라 장애황이라는 여성 영웅도 등장시켜 남성과 여성의 동등한 지위와 역할을 보여 주고 있는 것이다.

④ 장애황은 혼인하여 잉태한 상황에서도 전장에 나가 적군을 물리치고 공적을 세운다. 이는 여성이 혼인을 한 이후에도 영웅성을 인정받는 것으로, 일반적 영웅 소설에서는 찾아볼 수 없는 서사적 모티프라고 할 수 있다.

> **Q 영웅의 일대기 구조란 뭔가요?**
>
> **A** 영웅들이 등장하는 고전 소설들은 영웅의 일대기 구조를 따르고 있어요. 영웅의 일대기 구조에서 주인공은 일반적으로, 고귀한 혈통을 지니고 태어나며 잉태나 출생의 과정에서 비범함을 보여요. 또한 어려서부터 능력이 출중한 경우가 대부분이고, 일찍 부모와 이별하거나 죽을 고비를 넘기는 등 개인적 위기에 봉착하지요. 그러나 주인공은 양육자 혹은 조력자에 의해 그 위기에서 벗어나고, 이후 주인공은 성장하여 국가적 위기 상황에 직면하여 이 위기를 극복하고 승리자가 돼요.

08 [표현상의 특징 파악]

이 글에서는 이대봉과 장애황이 출정하는 상황을 다루고, 이후 장애황의 활약상을 보여 주고 있다. 장애황이 활약하는 부분 중에서 비유와 과장의 표현을 통해 장애황의 행동을 묘사하고, 영웅성을 부각하고 있는 문장은 '이를 보고 장 원수가 적군을 여린 풀 베 듯하니, 군사의 주검이 산처럼 쌓였고 피가 흘러 내가 되어 겁내지 않는 이가 없었다.'이다. '적진 장졸들이 원수의 용맹을 보고 물결이 갈라지듯 흩어지자, 선우가 이를 보고 죽기를 각오하고 달아났다.'에도 비유적 표현이 사용되나, 여기서는 비유를 통해 적진 장졸들의 행동을 묘사하고 있다.

19강
사씨남정기(謝氏南征記)

본문 103쪽

01. ②　**02.** ③　**03.** ③　**04.** ③　**05.** ④　**06.** 사 씨가 비현실 세계에서 현실 세계로 돌아오게 되는 계기를 마련해 준다.　**07.** ⑤

01 [작품의 내용 파악]　　　　정답 ②

사 씨의 '내가 어디 갔다 왔느냐?'라는 물음에 유모와 시비가 '부인께서 기절하는 바람에 소인들이 간호하여 이제야 깨어나셨는데 어디를 가셨단 말입니까?'라고 대답하고 있다. 이를 보아, 유모는 기절한 사 씨를 간호했을 뿐, 황릉묘에 가지 않았음을 알 수 있다. 따라서 유모가 황릉묘에 가서 사 씨를 깨울 방도를 찾아 왔다는 이해는 적절하지 않다.

① 꿈에서 왕비가 사 씨에게 '남해 도인이 그대와 인연이 있으니 잠깐 의탁하게 될 것이오.'라고 한 말을 통해 사 씨가 남해 도인과 인연이 있음을 알 수 있다. 또한 사 씨가 바다 끝인 남해를 어찌 갈 수 있겠냐고 묻자 왕비가 '조만간 길을 인도하는 자가 있을 것이니 조금도 염려 마라.'라고 대답한 것에서, 사 씨를 바다 끝으로 인도해 줄 조력자가 예비되어 있음을 알 수 있다.

③ '꿈결에 관음보살께서 어진 여자가 화를 만나 날이 저물어 갈 곳을 몰라 방황하니 급히 황릉묘로 가서 구하라고 하셨습니다.'라는 여승의

말을 통해, 여승이 관음보살의 명에 따라 사 씨를 도우러 황릉묘로 찾아왔음을 알 수 있다.

④ '사 씨가 동청을 꺼렸는데~어진 아내를 의심했으니'라는 유 한림의 탄식을 통해, 유 한림이 동청을 꺼리던 사 씨의 말을 받아들이지 않고 사 씨를 의심했었음을 알 수 있다.

⑤ '이 물을 먹은 즉시 병세가 사라지고~물로 인한 병이 없어지자'를 통해, 샘물을 먹고 병이 나은 유 한림의 사례를 보고 마을 사람들이 수질 탓으로 생긴 병을 없애는 방도를 찾게 되었음을 알 수 있다.

02 [서술상의 특징 파악]   정답 ③

이 글에서는 꿈이라는 장치를 통해 왕비와 대화를 나눈 사 씨가 꿈을 깬 후 현실로 돌아오는 모습이나 유 한림이 꿈속에서 노파를 만난 후 꿈에서 깨는 모습을 통해 비현실적 사건을 경험한 후 현실 세계로 돌아오는 사건의 전개는 나타나 있으나, 다시 비현실 세계로 돌아가는 순환 구조에 따른 사건 전개는 나타나지 않는다.

[오답 풀이]

① '맛이 달고 상쾌한 것이 마치 단 이슬을 먹은 것 같았다.'와 같이 비유적 표현을 사용하여 병세가 심했던 유 한림이 물을 먹고 병세가 낫는, 즉 유 한림의 상태가 변화되는 과정을 설명하고 있다.

② 이야기 밖에 있는 전지적 서술자가 유 한림의 외로운 심정 등 인물의 심리를 직접적으로 제시하고 있다.

④ 사 씨 일행 앞에 여승 일행이 새롭게 등장하고 여승의 도움으로 남해에 있는 수월암에 가게 되는 사건이 전개되고 있다.

⑤ 교 씨의 모함을 받고 쫓겨난 사 씨와 유배 가서 병이 든 유 한림이 꿈을 통해 각자가 처한 문제 상황을 해결하게 되는 과정이 나타나 있다.

> **Q 이야기 외부에 있는 서술자가 뭔가요?**
>
> **A** 서술자의 위치는 작품의 시점을 설명하거나 객관식 문제의 선지를 구성하는 과정에서 많이 활용되는 개념이에요. 1인칭 시점의 경우, 서술자가 '나'라는 인물로 제시되어 있으므로 이야기 내부에 서술자가 있다고 볼 수 있어요. 반면에 3인칭 시점, 즉 전지적 작가 시점이나 3인칭 관찰자 시점은 서술자가 인물의 심리까지 모두 알고 있는 전지적(全知的) 위치에 있든, 인물 관찰을 통해 사건을 전달하는 관찰자적 위치에 있든 기본적으로 서술자는 이야기 밖에 있다고 볼 수 있지요. 따라서 시점을 판단해야 하는 경우라면 먼저 1인칭의 '나'가 이야기 속에 등장하는지 여부를 통해 서술자가 이야기 안에 있는가(1인칭 시점) 밖에 있는가(3인칭 시점)를 판단하고, 그다음에 인물의 심리를 서술자가 알고 제시하는 것인가의 여부를 통해 최종 판단을 내리면 돼요.

03 [대화의 특징 파악]   정답 ③

ㄴ. '남해라면 바다 끝으로~어찌 갈 수 있겠나이까?'를 통해 사 씨는 자신이 알고 있는 바에 따르면 현재 상황에서 벗어나 남해 도인과 인연을 맺고 의탁한다는 것은 어렵다고 우려하고 있다.

ㄷ. '꿈결에 관음보살께서~구하라고 하셨습니다.'라며 여승이 관음보살의 명을 받아 사 씨를 도우러 왔음을 밝히면서

'이에 배를 저어 와서 부인을 만나게 되었습니다.'라며 사 씨에게 온 방법도 함께 말하고 있다.

[오답 풀이]

ㄱ. 왕비는 앞으로 사 씨에게 일어날 일을 이야기하고 있지만, 이 과정에서 자신의 경험을 근거로 들고 있지 않다.

ㄹ. 유 한림은 어진 아내를 의심했던 과거 자신의 행적을 회상하는 말을 한다. 그러나 사 씨에 대한 의구심을 이야기하지는 않았다.

04 [배경의 특징과 기능 파악]   정답 ③

ⓒ(황릉묘)은 꿈속에서 본 왕비의 묘로, 사당에 걸린 왕비의 초상화를 통해 사 씨가 자신이 꿈속에서 만난 왕비가 아황과 여영임을 확인하는 공간이다. 그런데 ⓑ(뜰)은 유 한림이 꿈속에서 대화를 나눈 상대, 즉 노파가 병을 놓고 사라진 곳으로 꿈을 깬 후 뜰에서 이 물병이 발견되는 것이 아니라, 샘이 생겨 물이 솟아 나왔다.

[오답 풀이]

① ㉠(남해)은 사 씨가 여승의 도움으로 당도하여 잠깐 의탁하게 되는 수월암이 있는 공간에 해당한다. 여승은 자신을 ⓓ(동정 군산)에 사는 사람이라고 밝히면서 자신의 꿈 내용이 사 씨를 찾아온 것과 연관이 있다고 말하고 있으므로 적절한 설명이다.

② ㉡(대나무 수풀)은 사 씨가 '분명히 저 길로~나를 따라오라.'라고 말한 바와 같이 자신의 경험이 꿈이 아님을 증명하고자 사 씨가 일행을 데리고 찾아간 공간에 해당한다. 한편 ⓔ(묘지기 집)은 밥을 구해 오기 위해 시비만 다녀온 공간이라는 점에서 사 씨 일행 중 일부만 찾아간 공간이다.

④ ⓐ(행주)으로 유배를 가게 된 후 스스로 뉘우치며 탄식하다 병을 얻은 유 한림은 꿈속에서 노파를 만나는데 노파는 유 한림을 보자마자 '상공의 병이 위독하니~'와 같이 유 한림의 병세를 알아보는 모습을 보인다. 이후 노파는 스스로를 ⓓ(동정 군산)에 사는 사람이라고 밝히고 있으므로 적절한 설명이다.

⑤ ⓑ(뜰)에서 만난 노파는 병을 뜰 가운데에 놓고 홀연히 사라져 버림으로써 신비로운 면모를 지닌 인물임을 보여 주고 있다. 또한 ⓑ은 병을 치유해 주는 물이 솟아나오는 공간으로 제시되고 있는데 이는 원래 수질이 좋지 않은 ⓐ(행주)과 상반된 일화, 즉 유 한림과 마을 사람들이 샘물을 먹고 병을 치유하는 사건이 일어나는 계기가 되는 공간이다.

05 [외적 준거에 따른 작품 감상]   정답 ④

노파는 죽을 위기에 처한 유 한림을 도와주는 조력자로 등장하고 있는데 이는 유 한림이 고행을 겪는 과정에서 일어난 사건에 해당한다. 그런데 〈보기〉에서 작가가 인현 왕후를 폐위시키는 숙종의 처사를 반대하며 숙종을 비판하는 입장을 취하고 있음을 고려할 때, 숙종이 겪게 될 위기 상황에 작가 자신이 숙종의 조력자가 되겠다는 인식을 작품 속에 반영하고 있다고 보기 어렵다.

[오답 풀이]

① 악인인 교 씨는 사 씨의 권유로 유 한림의 첩이 된 후 유 한림으로 하여금 사 씨를 몰아내게 만든다. 이는 〈보기〉에 따르면, 교 씨에 대응되는 장 희빈이 중전 자리에 오른 것을 비판하기 위한 문학적 형상화로 볼 수 있다.

② 사 씨는 교 씨의 모함에 넘어간 유 한림에 의해 정실 자리에서 쫓겨나

게 된다. 이는 인현 왕후 폐위에 직접 관여한 숙종의 잘못을 일깨우기 위한 설정으로 이해할 수 있다.

③ 〈보기〉에 제시된 바와 같이 사 씨와 유 한림이 겪은 고초가 교 씨를 첩으로 들임으로써 발생한다는 것을 고려할 때, 이는 처첩 제도가 지닌 모순이나 문제점에 대한 작가의 인식이 반영된 것이라고 이해할 수 있다.

⑤ 동청은 교 씨와 결탁해서 유 한림을 유배 가게 만드는 데에 일조하는 인물이다. 〈보기〉에 따르면 교 씨는 장 희빈을 암시한다는 점에서 이러한 교 씨와 결탁한 동청은 장 희빈과 결탁한 정치가들을 가리킨다고 볼 수 있다. 또한 〈보기〉에서 교 씨와 동청이 징벌당하는 것으로 형상화되고 있는데 이는 당대의 모순된 정치 현실을 만든 잘못을 일깨우기 위한 것으로 이해할 수 있다.

06 [소재의 기능 파악]

㉮(주렴을 내리는 소리)의 앞부분은 꿈속의 내용을 담고 있고 ㉮의 뒷부분은 꿈이 깬 뒤의 내용을 담고 있다. 사 씨는 ㉮를 듣고 꿈에서 깨게 된다. 따라서 ㉮는 사 씨가 비현실 세계(꿈)에서 현실 세계로 돌아오는 계기를 마련해 주고 있다.

07 [외적 준거에 따른 작품 감상]　　　　정답 ⑤

'그것을 본 사람들이~지금까지 전해진다.'에서 알 수 있듯이 행주 사람들은 유 한림이 물을 마셔 병을 고친 일을 목격하고 자신들도 그 물을 나누어 마시고 병이 없어지자 그 샘의 이름을 학사정이라 한다. 학사정에 얽힌 이야기는 사람의 일에 연관되었다는 점에서 〈보기〉에 따르면 그 이야기를 맹랑한 것으로 치부해서는 곤란한 것으로 이해할 수 있다. 그러나 이 과정에서 행주 사람들이 샘에 얽힌 이야기를 듣고 〈보기〉에 제시된 '복선화음'의 이치를 깨닫는 모습은 나타나지 않으므로 '복선화음'의 이치를 깨달았다고 말하는 것은 적절하지 않다.

[오답 풀이]

① 사 씨는 꿈에서 자신을 도와줄 이를 만날 것이라는 말을 들었고 여승 일행은 꿈에서 사 씨를 구하라는 관음보살의 명을 듣는다. 그리고 여승들은 사 씨를 찾아가고 사 씨는 실제 자신을 도우러 온 여승을 만난다. 이는 〈보기〉의 '기이한 만남이 이루어지는 양상'으로 이해할 수 있다.

② 유 한림은 유배지에서 자신의 잘못을 깨닫고 탄식하다가 병에 걸려 죽을 지경에 이르나, 꿈속에서 노파를 만난 뒤 병이 낫게 된다. 이는 〈보기〉의 잘못을 깨달은 후 '재앙이 상서로움으로 전환되는 양상'으로 이해할 수 있다.

③ 마을 사람들은 유 한림의 병을 낫게 한 샘을 학사정이라 이름 붙였는데, 이 학사정이 지금까지 전해진다고 하였다. 이는 〈보기〉의 '허구적인 이야기라도 사람의 일에 연관된다면 이를 두고 괴이하거나 맹랑한 것이라고 치부할 수만은 없다'는 내용과 관련된다.

④ 유 한림은 유배지에서 외로운 가운데 고초를 겪으면서 예전의 총명이 점점 돌아와 자신이 사 씨에게 했던 잘못을 뉘우치는 모습을 보인다. 이는 〈보기〉의 '과오가 있는 사람이라도 잘못을 깨닫고 착한 데로 나아가는 과정'에 해당한다.

Q 복선화음이 뭔가요?

A 〈보기〉에 제시된 '복선화음'이라는 용어가 다소 어려울 수 있는데 제시된 설명에 따르면 '착한 사람은 복을 받고 악한 사람을 벌을 받음.'을 의미해요. 이는 우리에게 좀 더 친숙한 용어로 말하자면, '권선징악(勸善懲惡)'에 해당하지요. 고전 소설에서는 교훈적 의미를 강조하기 위해 선인은 고난을 겪지만 결국 행복한 삶을 영위하게 되고, 악인은 자신의 행실에 따른 처벌을 받게 되는 서사 구조를 띠는 경우가 많아요. 이러한 서사 구조는 특히 '행복한 결말'이라는 고전 소설의 또 다른 전형적 특징과 깊이 관련되므로 함께 알아 두면 좋아요.

20 강

창선감의록(彰善感義錄)

본문 108쪽

01. ⑤　02. ②　03. ④　04. ④　05. ⑤　06. ⑤　07. 심 씨는 화진과 화빙선에 대한 미움과 분노를 품고 있었다. 이러한 상황에서 ㉮는 심 씨가 화진과 화빙선에게 적자인 화춘의 지위를 빼앗으려 했다는 누명을 씌울 수 있는 기회로 작용하고 있다.

01 [작품의 내용 파악]　　　　정답 ⑤

'성 부인은~깊이 염려했다.'에서 보듯, 성 부인은 심 씨가 화진과 화빙선을 미워하는 상황을 알고 있기 때문에 두 인물의 앞날에 대한 걱정이 깊은 모습을 보이고 있다. 그리고 성 부인이 잠시 옛집으로 떠난 뒤에 심 씨가 본격적으로 악행을 저지른 것으로 보아, 성 부인이 가정의 안정을 위해 화빙선을 미워하는 심 씨의 태도를 억누르는 역할을 했을 것임을 짐작할 수 있다.

[오답 풀이]

① 화욱은 화춘을 꾸짖는 과정에서 '우리 가문은 대대로~해괴한 일이로구나.'와 같이 화춘이 보였던 모습이 충효·법도·예의를 중시한 가문의 전통과 어긋난다고 여기고 있다.

② 화진은 심 씨에게 '소자는 선군자의~슬하에 있는 자입니다.'라고 말하며 자신도 심 씨의 자식에 속함을 밝히고 있다.

③ '상공께서 정 씨~것일 뿐이니라.'와 '선군을 우롱해 적장자의 지위를 빼앗으려'라는 심 씨의 말을 통해 심 씨는 화욱이 화진의 술수에 넘어가 화춘을 꾸짖고 화진만을 편애한 것이라고 여겼음을 알 수 있다.

④ 임 소저는 화춘의 잘못을 지적하는 과정에서 '그런데 근래~아름답지 못합니다.'라고 말하였는데, 이는 화춘이 윤상, 즉 일상의 도덕에서 어긋난 모습을 보이고 있음을 직설적으로 지적한 것이다.

02 [대화의 특징 파악]　　　　정답 ②

화춘은 동생을 본받으라는 화욱의 명령에 대해 '하지만 천하에~도리가 있을 수 있겠습니까?'라고 하며, 형이 동생에게

배우는 일은 일상에서는 있을 수 없는 도리에 해당한다고 불
만을 드러낸다.

【 오답 풀이 】

① '대인께서는 소자로~모두 배우게 하려고 하십니다.'에서 화욱이 화춘
에게 화진의 일부가 아니라 모든 것을 본받게 하려 했음을 알 수 있다.

③ '또한 화진이~볼만하다고는 하나'에서 화춘이 화진의 타고난 재주를
인정하는 모습을 보이고 있으나 이러한 화진에게 무릎을 꿇어야 하는
것에 대해서는 불만을 드러내고 있다.

④ '소자가 모친의~받아야 할 것입니다.'에서 화춘은 자신이 모친으로부
터 지나친 사랑을 받은 것을 인정하는 모습을 보이고 있을 뿐, 이를
화욱이 오해한 것이라는 반응은 나타내지 않고 있다.

⑤ '오늘 대인께서~말씀까지 하셨습니다.'에서 화춘이 원통해함을 알 수
있는데, 이는 화춘 자신이 가문의 번영에 도움이 되지 않는 존재라고
생각해서가 아니라 화욱의 말이 지나치다고 생각해서 원통해한 것이다.

03 [갈등의 원인, 유형 파악]　　　　　　　　　　　　　정답 ④

화빙선은 자신에게 흉악한 말을 하는 심 씨 앞에서 '기가 막
혀 아무 말도 하지 못하고 구슬 같은 눈물'만 흘리는 모습을
보이고 있다. 이는 심 씨의 횡포에 따른 고통을 나타내는 것
이기는 하지만 갈등 관계에 대한 자괴감의 심리나 태도와는
관련이 없다.

【 오답 풀이 】

① 심 씨는 상공이 화진에게 빠져 있다고 여기며 화진을 미워하는 마음
을 드러내면서 '지금 이미 무서리가 내렸으니 장차 두꺼운 얼음이 얼
고 말 것이다.'라고 말하고 있다. 이는 앞으로 가문 내에서 자신과 화
춘의 입지가 더욱 약화될 수 있음을 비유적으로 드러낸 것이라는 점
에서 심 씨가 화진과 갈등 관계를 형성하고 있음을 보여 준다.

② 심 씨는 정 부인의 손에서 자랐다는 점을 들어 화빙선을 미워하는
모습을 보이는데, 이는 화빙선이 정 부인에 의해 자란 성장 과정을 빌
미로 화빙선과 갈등 관계를 형성하고 있음을 보여 준다.

③ 임 소저가 '정 씨 어머님의~의심하고 있습니다.'라고 말하는 것을 통
해 화춘과 정 씨 모자가 갈등 관계를 형성하고 있음을 알 수 있다.

⑤ 심 씨는 화진을 마당에 무릎을 꿇게 한 후에 '성 부인의 세도를~저지
르려 하느냐?'라고 말하며 화진이 성 부인의 권세를 믿고 자신과 화
춘을 위협하고 있음을 지적하고 있다. 이에 화진은 '인생 천지에 오륜
이~하실 수가 있습니까?'라고 말하며 심 씨의 지적에 억울함을 호소
하고 자신에 대한 오해를 풀고자 하고 있다. 이는 화진이 오륜을 바탕
으로 갈등 관계 해소를 위해 노력하고 있는 것으로 이해할 수 있다.

Q 갈등 관계가 뭔가요?

A 갈등은 앞뒤 사건에 인과성을 부여하고, 사건을 전개하는
데 핵심적인 역할을 해요. 그래서 갈등 관계를 잘 파악하는 것
은 사건의 흐름을 제대로 짚어 내기 위한 필수적인 과정이지
요. 갈등은 한 인물의 마음속에서 일어나는 내적 갈등, 인물과
외부 환경 사이에서 일어나는 외적 갈등으로 나눌 수 있어요.
이 중 외적 갈등은 다시 인물－인물, 인물－사회, 인물－운명,
인물－자연 간의 갈등이 있어요. 여러 갈등의 종류와 유형 중
에서도 가장 핵심이 되는 것은 인물과 인물 간의 갈등이라고
생각하면 돼요. 소설에서 인물이라는 요소는 사건과 갈등, 배
경과 소재의 의미를 결정짓는 핵심적인 요소라는 점에서 인물

간의 관계에 따른 갈등의 형성 요인과 해소 과정을 이해하는
것이 소설 감상의 핵심이자 출발점이지요.

04 [구절의 의미 이해]　　　　　　　　　　　　　　　정답 ④

㉣은 심 씨의 편에 있는 시녀 난향이 취선의 말을 듣고 심 씨
에게 이를 고함으로써 화빙선과 화진이 고초를 겪는 계기가
된다. 그런데 난향의 행동을 서술자가 제시하고 있을 뿐 시
간적 배경의 비약은 나타나 있지 않다.

【 오답 풀이 】

① ㉠에서는 부끄러움과 두려움을 느끼는 화춘의 심리와 정서를 서술자
가 직접 제시하고 있다. 화춘은 화욱이 자신을 심하게 비난한 것에 굴
욕감을 느끼고, 화욱의 엄중한 꾸짖음에 두려움을 느끼고 있다.

② ㉡에는 화춘에 대해 '행동거지가 패악하고 언어에 법도가 없다'는 서
술자의 평가적 발언이 담겨 있다. 이를 통해 화춘이 언행이 좋지 못한
부정적 면모를 지니고 있음을 제시하고 있다.

③ ㉢에서는 '두 외로운 골육', 즉 화진과 화빙선에 대해 '주옥같은 목숨'
의 비유적 표현을 사용하여 화진과 화빙선이 심 씨로 인해 목숨이 위
태로운 상황에 있음을 나타내면서 이러한 상황에 있는 화진과 화빙선
에 대한 애틋한 마음도 드러내고 있다.

⑤ ㉤에서는 심 씨가 화진을 불러 무릎을 꿇게 하도록 명령을 내리는 모
습과, '쇠몽둥이로 난간을 쳐부수며 큰 소리'를 내는 행동 묘사를 통
해 심 씨가 화진에게 가지고 있는 분노의 심리와 함께 심 씨의 극악
한 면모를 부각하고 있다.

05 [외적 준거에 따른 작품 감상]　　　　　　　　　　　정답 ⑤

화진이 심 씨의 질책에 대해 따져 묻는 것은 심 씨를 원망하
는 말을 한 잘못은 취선에게 있을지언정 화빙선에게는 없음
을 두둔하기 위한 것이다. 화진은 아버지와 어머니는 일체라
며 심 씨를 모부인으로서 인정하고 있을 뿐, 가부장을 대신
할 수 없는 결함이 있다고 여기거나 심 씨의 가문 내 권위를
인정하지 않는 태도는 보이지 않는다.

【 오답 풀이 】

① 심 씨는 첫 번째 부인이고, 화춘은 심 씨가 낳은 장자로, 이들은 두 번
째 부인인 정 씨와 그가 낳은 차자 화진에게 반감을 가지고 있다. 심
씨 모자는 정 씨 모자 때문에 자신들이 첫 번째 부인과 장자로서의
가문 내 지위가 흔들린다고 여겨 반감을 가지고 있는 것이다.

② 화욱은 화춘의 잘못을 지적하면서 가부장의 역할을 하였는데 이후 화
욱이 죽고 성 부인이 집을 비우자 심 씨가 가문 내의 다른 구성원들
을 모함하고 횡포를 부리고 있다. 이는 화욱이라는 가부장의 부재 상
황에서 가부장 역할을 대신했던 성 부인까지 부재함에 따른 것이라는
점에서 성 부인이 화욱을 대신해 가부장의 역할을 수행했음을 짐작할
수 있다.

③ 화빙선과 수선루 시녀들이 심 씨의 학대를 받는 상황에 대해 취선이
한탄하지만 화빙선은 아무 말도 하지 않는다. 이는 심 씨와의 갈등 상
황에서 불만을 표출하기보다는 묵묵히 견뎌 내는 모습이라고 할 수
있다.

④ 화욱은 가문의 법도를 지키고 심성이 한결같은 화진과 상반된 화춘을
꾸짖는다. 이는 화춘의 결함을 드러낸 것으로, 이러한 결함 때문에 화
춘은 화욱의 질책을 받고 화진과 갈등하게 된다.

06 [작품의 종합적 이해와 감상]　　　　정답 ⑤

ㄷ. 이 글에서 화진은 자신에게 닥친 고난을 스스로 극복해 가는 모습을 보이지만, 이후에는 유배지에서 도사 곽공이라는 조력자의 도움을 받고 있다.

ㄹ. 이 글에서 화진은 집안의 적장자 자리를 **빼앗으려** 한다는 모함을 받고 있는데 이는 한 집안의 구성원으로서의 경험에 해당한다. 한편, 이후의 내용에서 화진은 나라의 어지러움을 평정하는 것과 같이 국가적 차원의 인재로서의 면모를 보이고 있다.

【 오답 풀이 】

ㄱ. 이 글에서 심 씨와 화춘은 악인으로서 갈등을 일으키는 반동 인물이지만, 그 이후 두 인물은 지난날의 잘못을 뉘우치고 개과천선하게 된다. 이러한 점에서 두 인물은 평면적 인물이 아니라 입체적 면모를 지닌 인물이라고 볼 수 있다.

ㄴ. 이 글에서 화진은 심 씨의 모함을 받아 고난을 겪게 되는데 이후의 내용에서는 화춘의 모함까지 겪어 귀양을 가게 되는 처지에 이른다. 화진의 고난이 계속 화진의 고난으로 이어지는 것이지 화진의 고난이 화춘의 고난으로 이어지는 것이 아니다.

> **Q 평면적 인물이 뭔가요?**
>
> **A** 소설에 등장하는 인물은 다음과 같이 나눌 수 있어요.
>
> | 역할 | 주동 인물 | 일반적으로 주인공을 이름. 사건을 주도적으로 이끄는 인물 |
> |---|---|---|
> | | 반동 인물 | 주동 인물과 대립하여 갈등을 일으키는 인물 |
> | 성격의 특징 | 전형적 인물 | 계층, 세대 등의 보편적 특징을 지니고 대변하는 인물 |
> | | 개성적 인물 | 개성이 뚜렷하고 독자적 성격의 면모를 지닌 인물 |
> | 성격의 변화 여부 | 평면적 인물 | 작품 전체에 걸쳐 성격이 변하지 않는 인물 |
> | | 입체적 인물 | 작품 내 사건의 흐름에 따라 성격이 변화하는 인물 |
>
> 일반적으로 고전 소설에서는 전형적 인물과 평면적 인물이 등장하는 경우가 많아요. 그런데 이 작품에서는 작품 전반에 걸쳐 다양한 개성적 인물이 등장하고 있고, 심 씨나 화춘과 같이 성격이 변화하는 입체적 인물도 등장하고 있어요. 이러한 특징 때문에 「창선감의록」은 고전 소설의 일반적 인물 유형과는 차이가 있는 특징적 면모를 띠는 것으로 평가받기도 해요.

07 [사건의 서사적 기능과 의미 이해]

㉮는 화욱이 죽은 뒤, 집안을 관장하던 성 부인이 부재하는 상황에 해당한다. 이를 계기로 심 씨는 집안 사람들을 극심하게 괴롭히게 되고, 특히 화진과 화빙선에 대한 평소의 미움과 분노를 모함으로 구체화시키게 된다. 이 과정에서 심 씨는 두 인물에게 모두 자신의 아들인 화춘의 적자 지위를 **빼앗으려** 했다고 비난을 퍼붓는다. 이러한 사건의 흐름으로 볼 때, ㉮는 심 씨가 화진과 화빙선에 대한 누명을 씌우는 행동을 하게 만드는 기회로 작용한다고 볼 수 있다.

21강

정을선전(鄭乙善傳)

본문 113쪽

> **01.** ⑤　**02.** ⑤　**03.** ⑤　**04.** ③　**05.** ③　**06.** ①　**07.** 〈보기〉의 '꿈'은 성진이 자신의 욕심이 그릇된 것임을 깨닫게 하는 기능을 하고, 이 글의 '일몽'은 원수가 충렬부인이 처한 위기 상황을 미리 알게 하는 기능을 한다.　**08.** '원수가 한 번 북 쳐 서융을 항복받고'와 같이 과장된 표현을 사용하여 원수의 활약을 강조하고 있습니다. 또한 원수는 충렬부인이 죽게 될 위기에 처했다는 소식을 접하고 편지를 다 읽지 못하며 크게 놀라고 있습니다.

01 [서술상의 특징 파악]　　　　정답 ⑤

금섬은 자신의 부모에게 행장만 있으면 유 부인을 구할 수 있는 방안이 있다고 말하고, 이에 부모는 행장을 차려 줄 것이니 충렬부인을 구하라고 한다. 또한 금섬은 월매와의 대화를 통해서도 충렬부인을 구할 방안을 제시하고 있다. 이를 통해 인물 간의 대화로 죽을 위기에 처한 충렬부인을 살릴 방안이 제시되고 있음을 확인할 수 있다.

【 오답 풀이 】

① 충렬부인은 계속되는 고난을 겪게 되지만 결국 원수에 의해 구해지고 원수와 행복한 나날을 보내다 죽게 된다. 따라서 인물이 비극적 죽음을 맞이한다거나 상징적 소재가 이를 암시한다고 볼 수 없다.

② 시간의 흐름에 따라 사건이 전개되고 있을 뿐 시간을 역전적으로 구성하는 장면은 나타나지 않는다.

③ 인물의 심리를 작품 밖의 서술자가 알고 서술하는 전지적 작가 시점에 따라 사건이 서술되고 있다. 특정 인물의 시각에서 사건을 서술하거나 이를 통해 작중 인물의 내적 심리 양상을 부각하고 있지는 않다.

④ 인물의 처지와 관련된 고사가 인용된 장면은 제시되어 있지 않다.

> **Q 시간의 역전적 구성이 뭔가요?**
>
> **A** 시간을 역전적으로 구성한다는 것은 현재에서 과거로 거슬러 간다든지, 과거로 갔다가 다시 현재로 돌아오는 등 일반적인 시간의 흐름과 다르게 사건을 전개시키는 것으로, '역순행적 구성', '입체적 구성'과 같은 의미를 지닌다고 보면 돼요. 이러한 구성을 취하게 되면 특정한 인물이나 사건의 의미를 입체적으로 보여 주거나 독자들에게 참신한 느낌을 전달하는 효과가 있지요. 참고로 고전 소설은 일반적으로 시간의 자연스러운 흐름에 따른 '순행적 구성', '평면적 구성'을 취한다는 점도 함께 알아 두면 선지 판단을 할 때 좀 더 용이할 거예요.

02 [인물의 심리, 태도 파악]　　　　정답 ⑤

이 글의 끝부분에서 원수는 부원수에게 '중군 대소사'를 맡기고 '청총마를 채쳐 필마단기로 삼 일 만에 황성에 득달하'는 모습을 보인다. 이를 통해 원수가 중군에서의 임무를 부원수에게 맡긴 채 다른 부하 없이 혼자 충렬부인을 구하려 떠났음을 알 수 있다.

[오답 풀이]

① 금섬의 부모는 금섬으로부터 충렬부인의 소식을 접하고 '너는 아무쪼록 계교를 베풀어 부인을 살려 내라.'라고 말하는 것에서 충렬부인이 계략에 빠졌다고 생각하고 도울 것을 명하고 있다. 따라서 충렬부인이 사건의 내막을 잘못 알고 있음을 알게 되었다는 설명은 적절하지 않다.

② 충렬부인은 '네 오라비 나를 살리고자 하니 이 은혜를 어찌 다 갚으리오?'와 같이 금섬의 오라비 호철에 대한 고마움을 호철이 아닌 금섬에게 전하고 있다. 또한 호철에게 편지를 직접 맡긴 것은 충렬부인이 아닌 금섬이다.

③ 금섬이 월매를 만나는 과정에서 월매가 금섬의 방문 목적을 예상하고 미리 준비를 하는 모습은 나타나지 않는다.

④ 금섬은 자신을 걱정하며 눈물 흘리는 월매에게 충렬부인을 위해 자신이 죽는 것은 당연한 일이라는 점을 밝히며 결심이 흔들리지 않는 모습을 보이고 있다. 그러나 금섬이 두려움을 보이거나 월매에게 그러한 마음을 드러내는 장면은 이 글에 나타나지 않는다.

03 [대화의 특징 파악]　　　　　　　　　　　정답 ⑤

[A]에서 금섬은 장부가 임금을 위해 충성을 다하여 죽기를 무릅쓴다는 유교적 가치를 바탕으로 자신 역시 그렇게 할 것이라는 결심을 드러내고 있다. 한편 [B]에서 충렬부인은 원수의 은덕으로 살아난 과거 상황을 겪고 그 은혜를 갚고자 하였으나 그러지 못하고 죽을 위기에 처한 자신의 현재 처지를 밝히고 있다.

[오답 풀이]

① [A]에서는 현실의 어려움을 타개하고자 하는 금섬의 의지가 나타나 있지만, 이러한 의지가 미래 상황에 대한 가정을 근거로 제시되고 있는 것은 아니다.

② [B]에서는 충렬부인이 죽었다가 살아나게 된 비현실적 사건이 있었음을 알 수 있지만, 이러한 사건이 반복적으로 일어날 것을 충렬부인이 기대하고 있는 모습은 나타나지 않는다.

③ [B]에서 충렬부인은 '죄첩', '첩'과 같이 자신을 낮추는 겸손한 표현을 사용하고 있는데 이는 원수에 대한 존경심으로부터 비롯되었다고 이해할 수 있는 여지가 있다. 그러나 [A]에서 금섬은 '너는 말리지 말라.~부인을 잘 보호하라.'와 같이 명령의 표현을 사용하고 있지만 이는 충렬부인을 충실히 돕자는 의미를 담은 것으로, 청자인 월매를 위협하는 것과는 관련이 없다.

④ [B]에서 충렬부인은 '복원 상공은 만수무강하시다가'와 같이 편지를 읽을 원수의 안위를 기원하는 모습을 보이고 있다. 그러나 [A]에서 금섬은 충렬부인을 구하기 위한 의지를 드러내고 있을 뿐 자신의 삶을 체념적으로 수용하는 모습은 보이지 않는다.

04 [외적 준거에 따른 작품 감상]　　　　　　정답 ③

충렬부인이 편지를 통해 원수에게 감사함을 드러내는 것은 과거에 원수가 자신을 살려 주었기 때문이다. 이는 자신이 사랑하는 여인을 위한 원수의 행동으로 볼 수 있을 뿐, 〈보기〉에서 제시된 전쟁에서 승리한 영웅적인 면모와는 관련이 없다.

[오답 풀이]

① '차시 원수가~울리며 즐기더라.'와 같이 원수가 잔치를 열어 삼군과

즐기는 부분에서 서융에게 항복을 받고 승리한 전쟁 장면을 압축해 제시하고 있다. 이는 〈보기〉에 따르면, 전쟁 장면을 간략하게 제시하고 있는 것이라고 이해할 수 있다.

② '나는 팔자가~죽기에 임하였으되'라는 꿈속 충렬부인의 말로 보아, 원수가 전쟁에 참여한 사이 충렬부인이 정렬부인의 모함으로 죽게 될 처지에 처하게 되었음을 알 수 있다. 이는 〈보기〉에 따르면, 전쟁으로 남편이 부재한 상황에서 처첩 간의 갈등이 심화된 상황이라고 이해할 수 있다.

④ 원수가 부원수에게 중군을 맡기고 떠나는 것은 자신의 아내인 충렬부인을 구하기 위한 것으로 이는 〈보기〉에 따르면, 국가의 한 장수로서 활약하는 사회적 차원의 가치보다 집안의 구성원을 구하기 위한 개인적 차원의 가치를 중시하는 모습이라고 이해할 수 있다.

⑤ 원수는 충렬부인의 편지를 받고 황성에 이르게 되고, 황성에 이른 목적대로 충렬부인을 구하게 된다. 이는 〈보기〉에 따르면, 충렬부인을 구해 내는 해결사로서 원수의 모습이 부각된 것으로 이해할 수 있다.

05 [외적 준거에 따른 작품 감상]　　　　　　정답 ③

ⓒ에서는 죽기로 각오한 금섬이 자신이 죽더라도 동생이 여럿이니 부모를 잘 모실 수 있을 것이라며 자신의 희생을 합리화하는 모습을 보이고 있다. 이는 충렬부인을 구하고자 금섬이 죽음까지 선택하려 한다는 생각이 처음으로 제시되고 있다는 점에서 긴장감의 이완이 아니라 그만큼 충렬부인의 위기가 심각함을 환기시켜 긴장감을 고조시킨다고 보아야 한다. 또한 금섬의 선택을 합리화하기 위한 말로, 금섬의 죽음에 대한 선택이 미칠 긍정적 영향을 제시한 것은 아니다.

[오답 풀이]

① ㉠에서는 행장을 마련하고 호철을 통해 충렬부인의 편지를 원수에게 전하고자 하는 금섬의 계획에 따라 금섬이 충렬부인에게 편지를 청하는 모습이 나타나 있다. 이는 충렬부인을 구할 가능성을 높이는 과정에 해당한다는 점에서 일시적으로 긴장감이 이완된다고 볼 수 있다.

② ㉡에서는 내일 아침이 되면 충렬부인이 죽게 될 것이고 그렇게 되면 충렬부인이 임신한 아이도 죽게 될 것이라는 점이 제시되어 있다. 이는 충렬부인의 위기를 해결해야 할 기한이 촉박함을 보여 주는 것으로 긴장감을 고조시키는 요소로 작용한다고 볼 수 있다.

④ ㉣에서는 옥에서 탈출해 목숨을 부지한 충렬부인이 지함 속에서 다시금 죽을 위기에 처했음이 나타나 있다. 충렬부인이 옥에서는 벗어났지만 지함 속에서의 위태로움이라는 새로운 위기에 봉착하고 있으므로 긴장감이 지속되는 것으로 이해할 수 있다.

⑤ ㉤에서는 충렬부인이 지함 속에서 죽을 위기에 처한 것뿐만 아니라 월매가 옥중에 갇혀 고초를 겪는 모습이 제시되어 있다. 이는 충렬부인과 관련한 위기 상황이 여전히 해소되지 않는 상황에서 충렬부인을 돕던 월매마저 위기에 빠져 있음을 보여 주므로 위기 상황에서의 긴장감이 고조되는 것으로 이해할 수 있다.

06 [작중 상황의 이해]　　　　　　　　　　　정답 ①

금섬은 충렬부인의 서간을 호철에게 전하며 '사세가 급박'하다고 말하고 있다. '풍전등화'는 '바람 앞의 등불이라는 뜻으로, 상황이 매우 위태로운 처지에 놓여 있음을 비유적으로 이르는 말'이므로 적절하다.

② 금섬은 월매에게 도움을 청하는 과정에서 충렬부인에게 일어난 일을 '참혹한 일'이라고 말하고 있다. '흥진비래'는 '즐거운 일이 다하면 슬픈 일이 닥쳐온다는 뜻으로, 세상일은 순환되는 것임을 이르는 말'이므로 적절하지 않다.

③ 충렬부인은 자신을 위해 죽은 금섬과 고생하는 월매에 대해 '박명한 죄로 금섬이 죽고 월매 또한 죽기에 이르렀으니, 어찌 참혹하지 않으리오?'라고 말하며 자탄하는 모습을 보이고 있다. '계란유골'은 '달걀에도 뼈가 있다는 뜻으로, 운수가 나쁜 사람은 모처럼 좋은 기회를 만나도 역시 일이 잘 안됨을 이르는 말'이므로 적절하지 않다.

④ 충렬부인은 지함 속에서 아이를 낳은 후 아이를 안고 '네가 살면 내 원수를 갚으려니 이 지함 속에 들었으니 뉘라서 살리오?'라고 말하고 있다. 이는 자신이 아들을 낳았으므로 '전화위복', 즉 '재앙과 근심, 걱정이 바뀌어 오히려 복이 됨.'이라고 여기는 것이 아니라, 현재의 상황에 이르게 한 원수에게 복수하기를 소망하지만 현재의 상황이 어려움을 한탄하는 것으로 보아야 하므로 적절하지 않다.

⑤ 원수의 질문을 받은 호철은 분명하게 대답하지 못하는 모습을 보이고 있다. 이는 호철이 '묵묵부답', 즉 '잠자코 아무 대답도 하지 않는' 자세로 일관한 것이 아니라 정확한 내막이나 사연을 알지 못한 채 대답을 하고 있는 것에 해당하므로 적절하지 않다.

07 [소재의 기능 파악]

〈보기〉에서 성진이 꿈에 대해 '이는 필연~알게 한 것이로다.'라고 생각하는 것과 같이 '꿈'은 부귀와 정욕에 대한 성진의 욕심이 잘못된 것임을 깨닫게 하는 기능을 하고 있다. 한편 이 글의 원수는 '일몽'에서 죽을 위기에 처해 원수를 원망하고 서운함을 토로하는 충렬부인을 만나고 있고, '일몽' 이후에 원수는 꿈속 충렬부인의 말을 실제 편지를 통해 확인한다. 따라서 '일몽'은 원수가 충렬부인이 처한 위기 상황을 미리 알게 하는 기능을 한다고 볼 수 있다.

08 [서술 방식과 인물의 반응 이해]

원수가 머물고 있는 '서평관'을 배경으로 한 내용에서는 원수가 서융을 '한 번 북 쳐' 항복을 받아 냈다고 하였다. 이는 전쟁에서 영웅적 활약상을 펼친 원수가 뛰어난 능력을 지니고 있음을 과장되게 표현한 것으로 이해할 수 있다. 한편 원수는 자신에게 전해 온 편지를 접하고 나서 '보기를 다 못하여 대경하여'와 같이 크게 놀란 채 차마 편지의 나머지 내용을 읽지 못하고 있다.

22강

황월선전(黃月仙傳)

본문 118쪽

01. ③　02. ⑤　03. ②　04. ⑤　05. ⑤　06. ⓐ는 자신이 친정에 있을 때도 한 번도 접해 보지 못한 일임을 근거로 들어 월선이 매우 흉악한 일을 저질렀으므로 처벌하는 것이 마땅하다는 의도를 드러내고 있다.　07. ④　08. 월선은 박 씨의 모함으로 인한 고통과 서글픔이 '이내 눈물 강물이 되었도다.'라고 할 만큼 매우 컸다. 그래서 자신이 살아서 집에 다녀갔다는 것을 승상과 월성에게 알리기 위해 글을 남겼다고 볼 수 있다.

01 [서술상의 특징 파악]　　　　　　　　　　　　　정답 ③

이 글의 서술자는 월선을 살리고자 월성이 노력하고 있는 작중 상황에 대해 '오누이의 화목한 거동을 차마 보지 못할 정도로 아름'답다며 두 인물 간의 관계에 대해 긍정적인 평가를 내리고 있다.

【 오답 풀이 】

① 박 씨의 모함에 의해 고난에 처한 월선이 이후 장위와 결혼하여 유수 부인이 된 후 자신의 집으로 돌아오는 과정이 나타나 있다. 이 과정에서 전기적 사건은 일어나고 있지 않다.

② 대화를 위주로 사건이 전개되고 있으며, 월선의 발화에 의해 과거 행적이 요약적으로 제시되고 있을 뿐 서술자의 요약적 제시를 바탕으로 사건의 전개 속도가 빨라지고 있지는 않다.

④ 전지적 서술자에 의해 사건이 전개되고 있을 뿐, 장면에 따라 서술자가 달라지고 있지는 않다.

⑤ 유수 부인이 된 월선이 자신의 방에 들어가면서 과거에 고난을 겪었던 상황을 언급하는 등 공간의 성격과 인물의 특징을 관련짓는 상황이 제시되어 있고, 월선을 중심으로 서사가 진행되고는 있다. 그러나 이 과정에서 초점 화자를 설정하여 사건이 진행되거나 초점 화자를 달리하고 있지는 않다.

Q 초점 화자가 뭔가요?

A 초점 화자는 전지적 작가 시점 소설의 서술 방식과 관련되는 개념이에요. 이는 서술자가 특정 인물의 시각에서 사건이나 다른 인물에 대한 심정을 드러내는 것에 해당하는데, 전지적 위치에서 각 인물들의 심정을 드러내는 것과는 구분된다는 점에서 별도로 제한적 작가 시점이라고 불러요. 초점 화자를 활용하면, ① 초점 화자가 작품의 서술자가 되어 사건을 전개시키는 듯한 서술이 나타나고, ② 다른 인물의 심리를 제시하는 것에 비해 초점 화자의 심리가 훨씬 더 많은 분량으로 제시되는 특징을 띠는 경우가 대부분이에요. 그래서 해당 인물의 심리나 태도를 보다 상세하게 드러내는 효과를 얻을 수 있지요. ①과 ②의 특징적 요소를 바탕으로 판단하면 초점 화자를 활용한 서술 방식을 충분히 파악할 수 있어요. 이때 서술 방식과 함께 그에 따른 효과도 잘 알아 두면 서술상 특징과 관련된 문제를 푸는 데 많은 도움이 돼요.

02 [작품의 내용 이해] 정답 ⑤

이 글의 마지막 부분에서 유수 부인, 즉 월선이 떠나는 모습을 보고 승상은 '어떤 사람의 따님이 저러한고?'라며 통곡하는 모습을 보이고 있다. 이는 유수 부인이 월선이라는 것을 알아채지 못하고 보인 반응으로 이해할 수 있다.

【 오답 풀이 】

① 월성이 승상에게 '빌기를 마지아니하'는 것은 월선에게 잘못이 없음을 간곡하게 호소하는 모습에 해당한다. 이 과정에서 월성은 월선의 문밖 출입이 없었고 외인의 출입도 없었다는 점을 들고 있을 뿐 월선에 대한 승상의 오해가 자신으로부터 비롯되었다는 점을 인정하고 있는 것과는 관련이 없다.

② 박 씨가 언급한 '흉악한 일'은 자신이 직접 시비 운행을 시켜 꾸민 일을 가리킨다. 따라서 미처 예상하지 못한 것이 아니라 이미 알고 있는 것에 해당한다.

③ '월성의 변명'에 승상은 더욱 분해하면서 '이제 속절없다.'라고 말하고 있다. 이는 월선에 대한 승상의 생각이 바뀌는 것이 아니라, 오히려 월선의 행실에 문제가 있다는 기존의 생각이 더욱 확고해지는 모습에 해당한다.

④ 월선이 박 씨의 말을 듣고 심장이 흘러내리며 눈물을 흘린 것은 자신이 겪었던 과거 모함에 대한 분노와 슬픔이 여전히 남아 있음을 보여 주는 것으로, 자신에 대한 새로운 모함을 안 것이 아니다.

03 [작품의 내용 이해] 정답 ②

집에서 쫓겨난 월선은 장 진사를 만나 그의 아들 장위와 혼인을 하게 된다. 또한 뒤늦게 박 씨의 소행으로 월선이 누명을 쓴 것을 안 황 승상의 명으로 월선을 찾아 떠난 월성은 장위의 도움을 받아 목숨을 구한다. 이후 월선은 자신의 정체를 숨기고 장위와 함께 자신의 집을 방문하는데, 이러한 흐름을 고려할 때 장위는 월선의 결백이 밝혀지는 과정에서 조력자의 역할을 한다고 이해할 수 있다.

【 오답 풀이 】

① 집에서 쫓겨난 월선은 장위와 결혼한 후, 박 씨와 신분 관계가 바뀌어 더 높은 신분의 입장에서 박 씨를 대하고 있다. 이 과정에서 월선은 박 씨에 대한 분노가 여전히 남아 있는 모습을 보이기는 하지만 장위와 결혼으로 그 분노가 더 커진 것은 아니다.

③ 월성은, 자신이 월선에 대해 오해했음을 안 아버지의 명에 따라 집에서 쫓겨난 월선을 찾으러 나섰다가 병이 들어 주점에 머물게 된다. 이는 월선의 문제가 해소되는 상황이 지연되는 원인이 되므로, 긴장감을 해소시키게 되는 것이 아니라 반대로 긴장감을 부여하는 경우에 해당한다고 보아야 한다.

④ 월선은 방에 있는 비단 틀을 보고 슬퍼하면서 자신의 이야기를 박 씨에게 꺼내고 있다. 따라서 비단 틀은 월선이 애초에 과거의 이야기를 꺼내려고 하던 상황에서 그 계기를 마련해 준 소재라고 할 수 있다. 그러나 월선이 자신의 슬픈 과거를 잊고 있었다가 비단 틀을 보고 떠올라 이야기를 꺼내는 것은 아니다.

⑤ 월선은 자신의 이야기를 홍주 땅에서 빌어먹는 아이의 이야기로 박 씨에게 전달하고 있는데 이 과정에서 여러 사람들이 '그런 사대부 집 여자로서 어찌 저 모양이 되었는고? 세상사도 모를 것이로다.'라고 말했다고 밝히고 있다. 이러한 주변 사람들의 평은 월선의 고난이 부당한 모함에 의한 것이라는 점이나 사건의 내막을 알지 못하는 이들

이 보이는 반응에 해당할 뿐 월선의 고난이 우연적으로 일어난 것임을 암시한다고 볼 수 없다.

04 [구성 및 서사 구조의 이해] 정답 ⑤

이 글에서 박 씨는 유수 부인의 말에 월선이 살아 있음을 눈치채고 후환을 두려워한다. 그러나 〈보기〉에 제시된 바와 같이 결국 월선은 박 씨를 용서함으로써 박 씨는 가족의 일원으로 남을 수 있게 되는데, 이 과정에서 승상의 결정이 함께 영향을 미쳤음을 짐작할 수 있다. 그러나 모함의 피해자인 월선보다 가부장인 승상의 영향이 더 컸는지는 확인할 수 없다.

【 오답 풀이 】

① 박 씨가 운행에게 '남복'을 입게 했던 것은 월선을 모함하려는 의도라고 이해할 수 있다. 이는 〈보기〉에 따르면, 집안 내의 재산 분배에서 우위를 점하기 위한 목적으로부터 비롯되었음을 확인할 수 있다.

② 박 씨가 월선을 모함하며 '처분대로 하소서.'라고 월선의 처벌에 대해 말하지만, 이러한 상황에서 한 말도 못하고 있는 승상의 모습은 사건의 내막을 정확히 알지 못한 채 집안의 문제를 처리하려는 가부장의 무능력함을 드러낸다. 〈보기〉에 따르면, 가부장의 권위는 가족을 잘 통솔할 때 인정된다고 했으므로 승상의 모습은 가부장의 권위가 제대로 서지 못한 상태를 보여 주는 것으로 이해할 수 있다.

③ 월선에게 칼을 들고 분노하는 황 승상은 박 씨의 모함을 믿고 월선의 행실을 문제 삼고 있다. 그런데 〈보기〉에 따르면, 이러한 박 씨의 모함은 황 승상의 재산 분배를 계기로 이루어진다는 점에서 황 승상의 모습은 평온했던 가문에 분열이 심화되고 있음을 보여 주는 역할을 함을 알 수 있다.

④ 월선은 박 씨에게 '분기탱천'하며 적대시하는 모습을 보이고 있다. 그러나 〈보기〉에 따르면, 이후 월선은 박 씨를 용서하는 모습을 보이는데 이는 재산 분배로 갈등이 발생하기 전의 상태로 돌아가는 과정이라는 점에서 평온한 가정의 회복이라는 주제 의식을 강화하는 장치로 이해할 수 있다.

05 [외적 준거에 따른 작품 감상] 정답 ⑤

ⓜ은 박 씨가 유수 부인의 말을 듣고, 죽은 줄 알았던 월선이 살아 있을 경우에 자신에게 닥칠 후환을 두려워하는 모습이다. 그런데 ⓜ에서는 유수 부인이 전한 월선에 대한 소문에 대해 염려하고 있는 것일 뿐, 유수 부인이 월선이라는 것을 알아차리지 못한 상황이다. 또한 후환에 대한 박 씨의 염려가 크다는 것을 의미할 뿐, 박 씨가 월선과 새로운 갈등을 형성할 것이라는 내용이 담긴 것이 아니므로 주인공의 시련이 심화되는 일반적인 계모형 가정 소설의 전형성과는 관련이 없다.

【 오답 풀이 】

① ㉠은 월선을 모함하기 위해 계모 박 씨가 계략을 꾸미는 것으로, 승상으로 하여금 월선이 외간 남자와 정을 통한 것이 사실이라고 믿게 하려는 의도로 운행에게 남장을 시킨 것이다. 이는 〈보기〉에 따르면, 계모가 전처소생을 학대하며 시련을 주는 일반적인 계모형 가정 소설의 전형을 보여 주는 것이라고 할 수 있다.

② ㉡은 월선을 살리고자 하는 월성과 달리, 아버지인 승상이 계모의 모함을 사실로 믿고 월선을 처벌하려는 모습에 해당한다. 이는 〈보기〉에 따르면, 전처소생과 계모 간의 갈등에서 아버지가 계모의 편에 서

서 행동함으로써 주인공의 시련을 심화시키는 역할을 하는 일반적인 계모형 가정 소설의 전형을 보여 주는 것이라고 할 수 있다.

③ ©은 후처 자식인 월성이 전처소생인 월선을 위로하는 말로, 후처 자식과 전처소생이 갈등 관계가 아니라 협력적 관계에 있음을 보여 준다. 이는 〈보기〉에 따르면, 후처 자식의 학대로 인해 전처소생이 시련을 겪는 일반적인 계모형 가정 소설의 서사 구조에서 벗어난 것이라고 할 수 있다.

④ ②은 박 씨의 박해로 인한 위기를 극복한 월선이 유수 부인이 되어 자신의 방에 돌아오게 되는 상황이다. 이는 〈보기〉에 따르면, 시련을 극복한 후 전처소생이 가정에 복귀한다는 서사 구조의 과정이라는 점에서 일반적인 계모형 가정 소설의 전형을 보여 주는 것이라고 할 수 있다.

> **Q 갈등의 양상이라는 말이 뭔가요?**
>
> **A** '양상'은 '사물이나 현상의 모양이나 상태'를 의미하는 말이에요. 따라서 갈등의 양상이라 함은 지문 내에서 갈등 요소가 어떠한 상태를 띠고 있는지를 포괄적으로 가리키는 말이라고 보면 돼요. 다만 '갈등의 양상'이라는 용어를 쓰는 경우는 일반적으로 갈등이 형성되거나 해소되는 과정이 두드러지게 나타나는 경우가 대부분이라는 점을 고려해서 이러한 특징이 존재하는지를 우선적으로 살피는 것이 필요하답니다.

06 [발화의 의도 파악]

ⓐ에서 박 씨는 자신이 친정에 있을 때도 이런 일을 본 적이 없음을 근거로 들고 있는데, 이는 자신도 경험해 보지 못했을 만큼 월선의 잘못이 크다는 점을 부각하려는 의도에 따른 것이다. 또한, 박 씨가 '처분대로 하소서'라고 말하는 것은 월선이 처벌을 받는 것이 마땅하다는 의도를 드러낸 것이다.

07 [대화의 특징 파악]   정답 ④

[A]에서 월성은 '소자에게 맡기시면 멀리 보내리라.'와 같이 승상에게 문제를 해결할 방법을 이야기하고 자신이 직접 실행하겠다는 의지를 밝히고 있다. 그러나 [B]에서 월선이 문제 해결 의지를 박 씨에게 밝히는 모습은 나타나지 않는다.

【 오답 풀이 】

① [A]에서 월성은 '아버님은 잠깐 분노를 참으소서.'와 같이 정중한 부탁의 말로 발화를 시작하고 있다. 한편 [B]에서 월선은 자신에 대한 정보를 밝히는 것으로 말을 시작하므로 적절한 설명이다.

② [A]에서 월성은 '아버님은 나를~허장하오면 무사하리다.'와 같이 상황 대처 방법을 제시하고 있다. 이는 월선을 죽이지 말아 달라고 승상을 설득하는 모습에 해당한다. 한편 [B]에서 상황 대처 방법을 제시하거나 상대방을 설득하는 모습은 나타나지 않으므로 적절한 설명이다.

③ [B]에서 월선은 자신의 정체를 밝히지 않고 다른 사람의 이야기를 전하듯이 박 씨에게 자신의 이야기를 하고 있다. 이 과정에서 자신이 겪었던 일을 요약적으로 제시하는 모습이 나타나 있다. 한편 [A]에서 월성이 자신의 일을 다른 사람의 일로 바꾸어 말하는 모습은 나타나지 않으므로 적절한 설명이다.

⑤ [A]에서 월성은 '~유혈을 내리오?', '~참혹한 것을 보리오?'와 같이 물음의 방식을 사용하여 월선을 살려 달라는 자신의 의도를 승상에게 우회적으로 전달하고 있다. 또한 [B]에서 월선은 '이 댁이 황 승상 댁이라 하였는가?'와 같이 물음의 방식을 통해 죽지 않고 살아 있다고 알려진 월선의 집이 바로 이곳이 맞는지를 물으면서, 자신이 살아 있다는 사실을 계모 박 씨에게 우회적으로 전달하고 있다.

> **Q 행적의 요약적 제시가 뭔가요?**
>
> **A** '행적'은 어떤 행위를 한 자취나 내용을 의미하고 '요약적 제시'는 소설에서 인물의 경험이나 사건을 압축적으로 전달하는 것을 말해요. 요약적 제시는 서술자가 직접 제시하는 경우가 일반적이지만 때때로 인물의 발화를 통해서 제시되는 경우도 있어요. 따라서 선지에 있는 '요약적으로 제시한다'는 말을 판단할 경우에는 서술자의 직접 제시뿐만 아니라 인물의 발화를 통해 인물의 경험이나 사건이 압축적으로 제시된 경우가 있지는 않은지를 함께 살펴야 정확한 판단을 내릴 수 있어요.

08 [인물의 심리, 태도 파악]

〈보기〉의 첫 번째 문단에서 월선은 '이내 눈물 강물이 되었'다는 과장된 표현을 사용하여 서글픈 심정을 밝히고 있다. 또한, 두 번째 문단에서는 '나의 한 몸이~그냥 지나가기 어렵도다.'를 통해 자신이 살아서 집에 다녀갔음을 드러내고 있으므로, 이러한 사실을 아버지와 동생에게 알리고자 글을 남겼음을 짐작할 수 있다.

23강

허생전(許生傳)

본문 123쪽

> **01.** ①   **02.** ②   **03.** ③   **04.** ②   **05.** ②   **06.** ⑤   **07.** 허생은 상업을 무시하고 허례허식을 일삼는 사대부들의 태도를 비판하면서도 정작 자신도 사농공상의 계급 질서를 옹호하고 있다.   **08.** 허생의 이인다운 면모가 부각되는 한편, 허생이 제시한 현실 대응책이 결국 실현되지 못할 것임을 암시한다.

01 [서술상의 특징 파악]   정답 ①

이 글은 사건들이 주로 우연성이 아닌 인과 관계에 따라 전개되고 있다. 또한 우연한 사건이 갈등 해소의 계기가 되는 내용은 나타나지 않는다.

【 오답 풀이 】

② 이완이라는 실존 인물을 등장시킴으로써 독자에게 허생에 관한 이야기가 현실의 이야기인 듯한 인상을 심어 준다.

③ 허생이 이 대장에게 제시한, 구체적인 현실 대응책을 통해 허생의 가치관을 알 수 있다.

④ 매점매석의 방법을 통해 부를 축적하고, 이완 대장에게 현실 대응책을 제시하는 등 허생의 비범한 면모를 드러내는 일화를 중심으로 내용을 전개하고 있다.

⑤ '실띠의 술이 빠져~코에서 맑은 콧물이 흘렀다.'에서 허생의 외양을

구체적으로 묘사하여 그가 몰락한 가난한 양반임을 드러내고 있다.

02 [작품의 내용 파악]   정답 ②

이 대장이 방에 들어왔음에도 허생은 이 대장을 무시하는 태도를 보였는데, 이를 본 이 대장은 화도 내지 못하고 오히려 당황하여 어쩔 줄 몰라 했다.

[오답 풀이]

① 허생은 이 대장이 현실 대응책을 재차 묻자, 외면하는 태도를 보이다가도 세 가지에 걸쳐 대응책을 제시해 주었다.

③ 변 씨는 허생이 당당하게 만 냥을 빌려 달라고 하자 아무 조건도 없이 만 냥을 내주었다.

④ 허생은 장사를 할 곳으로 안성을 택했는데, 그곳은 경기도와 충청도 사람들이 마주치는 곳이자 삼남의 길목으로 많은 상품이 모이는 곳이기 때문이었다.

⑤ 허생은 오랫동안 집에 머물며 글만 읽어서 바깥 사정을 몰랐다. 그래서 시중의 사람을 붙들고 서울 성중에 제일 부자가 누구인지 물었다.

03 [관련된 한자 성어 이해]   정답 ③

'허장성세'는 '실속은 없으면서 큰소리치거나 허세를 부림.'이라는 의미로, ㉠의 행위와 관련이 있다. '교언영색'은 '아첨하는 말과 알랑거리는 태도'라는 의미로, ㉡과 관련이 있다.

[오답 풀이]

①, ② '호언장담'은 '호기롭고 자신 있게 말함. 또는 그 말'을 뜻한다.

②, ④ '임기응변'은 '그때그때 처한 사태에 맞추어 즉각 그 자리에서 결정하거나 처리함.'을 뜻한다.

⑤ '적반하장'은 '도둑이 도리어 매를 든다는 뜻으로, 잘못한 사람이 아무 잘못도 없는 사람을 나무람을 이르는 말'을 뜻한다.

04 [외적 준거에 따른 작품 감상]   정답 ②

허생이 잔치나 제사에 사용하는 과일이나 상투를 틀 때 두르는 망건의 재료인 말총으로 돈을 벌었다는 설정에는 양반의 허례허식을 비판하려는 작가의 의도가 담겨 있다. 허생이 이것을 통해 부를 축적한 것과 상인 계급의 성장과는 관련이 없다.

[오답 풀이]

① 허생은 매점매석을 통해 만 냥으로 그 몇 배에 해당하는 돈을 쉽게 버는데, 이는 당대 유통 경제 질서의 취약함을 보여 준다.

③ 허생이 제시한 현실 대응책은 북벌론을 실현할 수 있는 방안인데, 이를 거부하는 이 대장의 모습을 통해 조정이 주장하는 북벌론이 허구적인 것임을 드러내고 있다.

④ 허생은 두 번째 현실 대응책에서 명나라 유족을 위해 훈척과 권귀가 기득권을 포기하도록 해야 한다고 제안하는데, 이는 북벌론이 명나라와의 의리 때문이라는 조정의 분위기를 반영한 것이다.

⑤ 허생의 제안에 대해 이 대장이 사대부들은 변발을 하거나 호복을 입지 않을 것이라고 했는데, 이는 실리보다 법도와 명분만 중시하는 사대부들에 대한 비판 의식을 드러낸 것이다.

05 [인물의 심리, 태도 파악]   정답 ②

ⓑ에는 조선 경제의 취약성에 대한 허생의 답답함과 안타까움이 담겨 있다.

[오답 풀이]

① 처음 보는 허생의 만 냥을 빌려 달라는 제안에 "그러시오."라고 말하며 선뜻 빌려준 것에서, 변 씨의 대범함과 과감함을 엿볼 수 있다.

③ 허생이 이 대장의 신분을 듣고 신임받는 신하라고 한 것은, 이 대장이 자신의 제안을 수용할 수 있는 직책에 있다고 여기고 있음을 보여 주는 것이다.

④ 이 대장이 허생의 두 번째 현실 대응책을 수용하기 어렵다고 한 것은, 훈척과 권귀가 자신들의 기득권을 포기하지 않을 것이라는 인식을 지니고 있기 때문이다.

⑤ 허생이 이 대장에게 화를 내며 사대부들을 '것들'이라며 막말을 하고 있는데, 이는 허례허식에 얽매여 현실적인 대응책을 하나도 실현할 수 없는 사대부들의 무능함에 대해 강한 불만을 표출한 것으로 볼 수 있다.

06 [작품의 내용 이해]   정답 ⑤

㉮, ㉯, ㉰는 순차적으로 수행해야 할 일이 아니다. ㉮와 ㉯를 수행하기 어렵다고 이 대장이 말하자 허생은 ㉰는 쉬운 일이라며 제시하고 있다.

[오답 풀이]

① ㉮는 인재를 얻기 위하여 임금이 수행할 일이다.

② ㉯에는 명나라 유족들에게 옛 은혜를 갚기 위해 총실의 딸들을 시집보내고 훈척 권귀의 집을 빼앗아 주라는 내용이 담겨 있다.

③ ㉯에는 명나라에 은혜를 갚으려면 권귀와 훈척들에게 기득권을 포기하도록 하라는 내용이, ㉰에는 청나라를 치려면 국중 자제에게 변발을 하고 호복을 입히라는 내용이 담겨 있다. ㉯와 ㉰는 명나라에 대한 은혜와 청나라에 대한 복수를 주장하는 사대부들의 북벌론을 실현시킬 수 있는 현실적인 방안이라며 허생이 제시한 것이다.

④ ㉰를 제시하기 전에 허생은 이 대장에게 '가장 쉬운 일이 있는데,~'라고 말하였다.

07 [비판적 감상]

허생은 조선 사회가 상업을 무시하는 정책으로 경제 질서가 취약하게 되었고, 사대부들이 허례허식만 중시하여 현실에 제대로 대응하지 못하고 있다며 비판하고 있다. 하지만 정작 허생도 글 읽기만 중시하고 사농공상의 신분 질서 체계를 옹호하는 이중적 모습을 보이고 있다.

08 [구성 및 서사 구조의 이해]

이 글은 주인공인 허생이 흔적 없이 사라진다는 결말 방식을 취하고 있는데, 이는 허생이 현실에 얽매이지 않는 이인이라는 점을 부각한다. 또 허생이 제시한 현실 대응책이 조선 사회에서는 너무 급진적인 것이어서 실현되지 못할 것임을 암시적으로 드러낸다.

01. ① 　 02. ④ 　 03. ② 　 04. ③ 　 05. ③ 　 06. ④ 　 07. 구체적인 시간적 배경을 제시하여 이야기의 사실성을 부각하였고, 1인칭 관찰자인 '나'를 등장시켜 주인공의 특성을 객관적으로 제시하려 하였다. 　 08. ② 　 09. 곁에 있는 사람에 대해서는 조롱하고 업신여기는 말하기 방식을 통해 좌중의 웃음을 유발하였다.

01 [서술상의 특징 파악]　　　　　　　　정답 ①

'불사약'과 '두려운 것'에 관한 손님의 질문에 민옹이 답한 이야기, 민옹이 탐욕스러운 양반층을 '황충'에 빗대어 풍자한 이야기, '나'가 은어라며 언어유희로 던진 말을 민옹이 재치 있게 되받아친 이야기 등 민옹과 관련한 일화를 나열하여 민옹의 개성과 달변가로서의 면모를 제시하고 있다.

【 오답 풀이 】

② 이 글에는 민옹과 손님, 민옹과 '나'의 대립이 나타나기는 하지만, 이들은 선악을 대표하는 인물이 아니다. 그리고 이들의 대립은 민옹의 비범함을 부각하기 위한 의도로 설정된 것이다.

③ '두려운 것'에 관한 민옹의 일화에 이어서 서술자가 민옹의 특성을 요약적으로 설명한 부분이 나오지만, 민옹의 성격 변화는 나타나 있지 않다.

④ 전기적 요소가 나타나지 않으며, 사건의 배경을 이루는 공간도 현실의 장소이다.

⑤ 특정 인물, 즉 민옹과 관련한 일화가 나열될 뿐, 외적 갈등이 내적 갈등으로 전이되는 내용은 나타나지 않는다.

02 [인물의 태도 파악]　　　　　　　　정답 ④

민옹은 두려운 것을 보았느냐는 손님의 질문에 자신에 대한 세상 사람들의 평가가 아니라 스스로를 경계하지 않는 '나 자신'이 가장 두렵다고 하였다.

【 오답 풀이 】

① '나'는 열일곱, 열여덟에 오랫동안 병에 시달리며 우울증에 걸려 있었고, 그즈음에 말을 잘한다는 민옹을 소개받았다.

② '나'는 민옹이 이야기를 잘하며 그의 재담을 들으면 마음이 상쾌하게 열리는 효과가 있다는 말을 듣고 몹시 기뻐하며 그를 데리고 와 달라고 부탁했다.

③ 민옹은 '나'가 '춘첩자에 방제'라고 놀렸음에도 화를 내지 않고, 재치 있게 대꾸를 했다.

⑤ 민옹은 손님의 불사약을 보았느냐는 질문에 웃으며 답을 했고, 두려운 것을 보았느냐는 질문에 화를 내며 답을 했다.

03 [소재의 기능 파악]　　　　　　　　정답 ②

민옹은 '불사약'을 보았느냐는 말에 과거 병에 걸렸던 경험을 예로 든다. 그 경험은 이웃집 할미는 민옹이 병에 걸린 이유가 굶주림 때문이라고 하였고, 민옹이 그 의견에 따라 밥을 먹고 병이 나았다는 것이다. 그리고 이를 통해 민옹은 불사약이 곧 밥임을 깨달았다고 밝히고 있다.

04 [외적 준거에 따른 작품 감상]　　　　　　정답 ③

[A]에서 '그 사람'은 황해도에 황충이 들끓어 백성들이 피해를 입고 있다는 소식을 민옹에게 전달하고 있다. 그리고 황충이 농사에 피해를 주므로 사람들이 잡아다 땅에 파묻을 계획이라며 사실을 전달하고 있을 뿐, 황충에 대해 어떠한 태도를 드러내고 있지는 않다. 이는 '그 사람'이 '~입디다', '~이랍니다'와 같이 어떤 사실을 전달하는 말투로 이야기를 하고 있는 것에서도 확인할 수 있다.

【 오답 풀이 】

① [A]는 황해도에 들끓는 황충에 관해 이야기하는 부분으로, 이후 민옹의 말을 통해 작가가 탐욕스러운 지배층을 비판하고 있다는 점에서 여기에서 언급된 황충은 작가가 자신의 생각을 드러내기 위해 활용한 소재임을 알 수 있다.

② [A]의 황충은 벼농사에 해를 끼치는 실제 해충을 가리키고, [B]의 황충은 탐욕스러운 관리층을 빗대어 표현한 것으로, 작가가 부정적인 인간을 풍자하기 위해 사용한 소재이다. 따라서 둘 다 인간에게 피해를 주는 존재로 표현되고 있음을 알 수 있다.

④ [A]의 황충은 '벼농사에 피해를 주'고, [B]의 황충은 '곡식이란 곡식은 죄다 해치우'는 존재이다. 〈보기〉를 참고할 때, [A]와 [B]의 황충의 공통된 특징(백성들에게 피해를 주는 존재)은 [B]의 황충을 백성을 수탈하는 존재를 빗댄 우의적 표현으로 볼 수 있는 근거가 된다.

⑤ [B]의 황충을 백성을 수탈하는 존재를 빗댄 우의적 표현으로 볼 때, '큰 바가지'가 있었다면 그 황충을 '잡으려고 했'다는 민옹의 말은 지배층의 백성 수탈이라는 당대의 사회 문제에 대한 비판 의식을 표현한 것이다.

> **Q 우의란 뭔가요?**
>
> **A** 우의(寓意), 혹은 우의적 표현이란 어떤 의미를 직접적으로 말하지 않고 다른 대상에 빗대어 넌지시 비추어 전달하는 표현 방법을 말해요. 예를 들어, 민옹은 곡식을 갉아 먹는 '황충'이라는 벌레보다 더 백성을 괴롭히는 벌레가 있다고 했는데, 이는 백성을 괴롭히는 지배층을 벌레에 빗대어서 표현한 것이라 할 수 있어요.

05 [인물의 심리, 태도 파악]　　　　　　　정답 ③

민옹은 뛰어난 재치를 바탕으로 '자신에 대해서는 추어올리고 칭찬하는 반면, 곁에 있는 사람에 대해서는 조롱하고 업신여기곤 하'는 달변가이다. 이러한 점에서 볼 때, ㉡에 대한 민옹의 답변은 민옹 자신에 대한 자긍심을 드러내며, 그의 달변가로서의 능력을 다시 한번 보여 주게 되는 계기가 된다. 따라서 ㉡은 '나'의 의도와 달리 민옹을 칭찬하는 말로써 기능하는 것으로, ㉡으로 인해 민옹이 비로소 자신의 능력을 자각하게 되는 것은 아니다.

【 오답 풀이 】

① ㉠의 앞부분인 '손님이 물을 말이 다하여 더 이상 따질 수 없게 되자 마침내 분이 올라'에서, 손님이 약이 오른 상태에서 ㉠과 같이 질문했음을 알 수 있다.

② ㉠에 대해 민옹은 '용', '범', '도끼', '활' 등을 신체의 일부로 비유하여 '두려워할 것은 나 자신만 한 것이 없다'는 주장을 펼치고 있다.

④, ⑤ ㉡은 한자를 사용한 언어유희로, 그 뜻을 제대로 파악하려면 한자에 대한 지식이 있어야 한다. 민옹은 한자 지식을 바탕으로 ㉡에 자신을 놀리는 뜻이 담겨 있음을 밝히고, 이를 다시 재해석하여 자신을 칭찬하는 말로 바꾸어 답변하였다.

06 [작품의 내용 파악]   정답 ④

ⓓ에서 나열하는 방식을 활용한 것은 맞지만, 이는 특정 곤충인 '황충'을 다양하게 부르는 말이 있음을 나타낸 것이다. 따라서 백성을 괴롭히는 다양한 곤충을 소개한다고 할 수 없다.

【 오답 풀이 】

① ⓐ에서는 불사약을 본 적이 있느냐는 질문에 의문문의 방식으로 답변하여 불사약을 본 적이 있다는 점을 강조하고 있다.

② ⓑ에서는 인삼을 구체적으로 묘사하여 인삼에 대한 자신의 지식을 드러내고 있다.

③ ⓒ에서는 스스로를 경계해야 함에 대한 성인의 경우를 예로 들어 두려운 것이 자신이라는 주장을 뒷받침하고 있다.

⑤ ⓔ에서 주변 사람들은 민옹의 말을 듣고 실제로 그런 벌레가 있는 듯이 놀라는 기색을 보이는데, 이는 벌레에 빗대어 '인간(지배층)'을 비판하려는 민옹의 의도를 파악하지 못한 것이라 할 수 있다.

07 [서술상 특징 파악]

'계유년, 갑술년'이라는 구체적인 시간적 배경을 제시하여 작가가 제시한 인물에 대한 이야기가 사실임을 부각하고 있다. 또한 1인칭 관찰자인 '나'를 등장시켜 주인공 민옹에 대해 본 대로 전달함으로써 독자에게 주인공의 특성을 객관적으로 파악할 수 있도록 하고 있다.

08 [관련된 한자 성어 이해]   정답 ②

민옹은 손님들이 어려운 질문을 던져도 막힘 없이 대답을 했다. 민옹처럼 '무슨 일이든지 환히 통하여 모르는 것이 없'는 상태를 이르는 한자 성어는 '무불통달'이다.

【 오답 풀이 】

① '극기복례'는 '자기의 욕심을 누르고 예의범절을 따름.'이란 뜻이다.

③ '아전인수'는 '자기 논에 물 대기라는 뜻으로, 자기에게만 이롭게 되도록 생각하거나 행동함을 이르는 말'이다.

④ '임기응변'은 '그때그때 처한 사태에 맞추어 즉각 그 자리에서 결정하거나 처리함.'이란 뜻이다.

⑤ '후안무치'는 '뻔뻔스러워 부끄러움이 없음.'이란 뜻이다.

09 [인물의 특징 파악]

민옹은 곁에 있는 손님을 귀신이라고 하면서 조롱하여 주변 사람들의 웃음을 유발하였다. 이와 관련하여 이 글에서 서술자는 민옹이 '곁에 있는 사람에 대해서는 조롱하고 업신여기곤 하였다.'라고 하였고, 이를 들은 사람들이 '배꼽을 잡고 웃'었다며 민옹의 웃음을 유발하는 방식을 설명하였다.

25강

이춘풍전(李春風傳)

본문 133쪽

> **01.** ①   **02.** ③   **03.** ⑤   **04.** ①   **05.** ②   **06.** ②   **07.** ③
> **08.** 유사한 통사 구조의 반복과 열거의 방식을 통해 춘풍 아내의 유능함을 드러낸다.   **09.** 여성보다 남성이 사회 문제를 해결하기 쉬웠다.(여성의 사회 활동에 제약이 있었다.)

01 [서술상의 특징 파악]   정답 ①

이 글은 재산을 탕진하는 춘풍과 이를 막는 춘풍의 아내 사이에 발생하는 외적 갈등을 중심으로 사건이 전개된다. 또한 춘풍과 추월, 춘풍의 아내와 추월 사이에 일어난 외적 갈등도 제시되어 있다.

【 오답 풀이 】

② 춘풍이 풍자의 대상이기는 하지만 이 글에는 그를 희화화하는 표현은 나타나 있지 않다.

③ 공간적 배경이 서울에서 평양으로 바뀌기는 하지만 공간적 배경이 바뀐다고 인물의 성격이 변하지는 않는다.

④ 이 글에서는 인물의 말과 행동을 통해 인물의 특성이 드러난다. 그러나 외양 묘사를 통해 인물의 특성을 제시하는 부분은 나타나지 않는다.

⑤ 이 글은 현실에서 발생한 사건만 나타날 뿐 꿈에서 발생한 사건은 나타나지 않는다.

02 [작품의 내용 이해]   정답 ③

ⓒ에서 춘풍은 평양으로 장사를 가기 위해 그 밑천을 마련하려고 호조의 돈을 빌린다. 그런데 춘풍이 ⓐ에서 재산을 모두 탕진하기는 했지만, ⓑ에서 춘풍의 아내가 다시 재산을 모아 '의식이 넉넉하고 가세가 풍족'하게 되었다. 따라서 ⓒ의 과정에서 호조 돈을 빌린 것이 ⓐ로 인해 가세가 기울어 장사 밑천이 없었기 때문인 것은 아니다.

【 오답 풀이 】

① ⓐ와 ⓓ에서 춘풍이 가산을 탕진한 것은 주색을 즐겨하는 그의 삶의 방식으로 인해 발생한 것이다.

② ⓑ의 과정에서 춘풍의 아내는 열심히 일을 해 번 돈으로 장변이나 월수를 놓아 큰 돈을 버는 수완을 발휘했다.

④ 춘풍의 아내가 ⓒ에 대해 반대한 것은 평양에 가면 어수룩한 사람이 돈을 빼앗긴다는 사정을 들었기 때문으로, 춘풍이 돈을 탕진하게 될 상황을 염려해서이다. 즉 춘풍이 평양에 가면 ⓓ가 발생할까 봐 염려했기 때문이다.

⑤ 춘풍의 아내는 서울에서 춘풍이 가산을 탕진했을 때는 개인적인 경제적 수완을 발휘해 이를 해결했고, 평양에서 춘풍이 호조의 돈을 탕진했을 때는 비장이라는 공적인 지위를 이용해 문제를 해결했다.

03 [작품의 내용 이해]   정답 ⑤

[중략 부분의 줄거리]를 보면, 평양에 간 춘풍이 기생 추월로 인해 가진 돈을 탕진하고 추월의 집에 종이 되었다는 소식을 춘풍의 아내가 듣는다. 그리고 이를 해결하기 위해 남장을

하고 비장이 되어 춘풍을 찾아간다. 이것으로 보아, 춘풍의 아내는 평양에 오기 전에 이미 춘풍과 추월의 일을 알고 있었으며 일부러 이를 모른 척하며 춘풍을 벌하고 돈을 잃은 이유를 묻고 있음을 알 수 있다.

[오답 풀이]

① 춘풍은 비장에게 호조의 돈을 잃게 된 경위를 말했을 뿐, 그 돈을 갚겠다는 뜻을 밝히지는 않았다.

② 춘풍이 수기를 쓴 이후에 아내가 집을 일으키자 교만한 마음이 들기는 했지만, 그가 아내를 함부로 대했다는 내용은 제시되지 않았다.

③ 춘풍의 아내는 춘풍이 수기의 내용을 지킬 것이라 맹세했기 때문에 곧바로 가세를 일으키기 위해 열심히 일하기 시작했다.

④ 이 글에서는 추월이 자신의 죄를 묻는 비장의 진짜 정체를 알았는지에 대해 언급하지 않았다. 다만 추월이 춘풍의 아내 얼굴을 알지 못하고, 또 춘풍의 아내가 남장을 한 상태이므로 그 정체를 몰랐을 것으로 보는 것이 적절하다.

04 [외적 준거에 따른 작품 감상]　　　　정답 ①

춘풍이 쓴 수기에는 가중지사, 즉 집안의 중대사를 모두 아내 김 씨에게 맡기겠다는 내용이 나온다. 이는 〈보기〉의 '경제적 능력을 상실한 가장이 속출하게 되었다. 이에 따라 많은 여성들이 집안의 경제권을 갖는 실질적인 가장이 되었다.'와 관련된 내용으로, 그동안 춘풍이 가졌던 집안의 경제권과 가장으로서의 역할이 춘풍의 아내에게 넘어갔음을 보여 준다.

[오답 풀이]

② 춘풍이 수기를 쓰게 된 것은 주색에 빠져 가세를 기울게 했기 때문으로, 집안을 일으키려던 그의 노력이 실패했기 때문이 아니다.

③ 아내가 춘풍과의 송사를 꺼린 것은 가장의 명예를 지켜 주기 위해서이지 집안의 생계를 책임지고 싶지 않아서는 아니다.

④ 아내의 말을 듣고 춘풍이 수기를 고치는 것은 춘풍의 가부장으로서의 권위가 완전히 상실됐음을 보여 주는 것이다.

⑤ 춘풍이 조상에게 누만금을 물려받았다는 것은 큰돈을 상속받았다는 것으로, 경제 체제의 변화와는 관련이 없다.

05 [인물의 심리, 태도 파악]　　　　정답 ②

춘풍이 ⓒ과 같이 말한 것은 자신이 과거에 한 잘못을 알고 있으므로, 이를 극복하기 위한 행동을 하겠다는 뜻을 밝히기 위해서이다. 따라서 ⓒ에는 자신의 과거 행동을 당당하게 여기는 태도가 담겨 있지 않다.

[오답 풀이]

① ㉠은 이후에 자신이 열심히 돈을 벌어도 춘풍이 또 그 돈을 다 쓰게 될 것을 염려하여 한 말로, 춘풍이 주색잡기로 또 탕진하게 될 것에 대해 걱정하는 아내의 마음이 담겨 있다.

③ ⓒ에는 춘풍에게 수기의 내용을 기억하고 장사하려는 뜻을 접으라는 의미가 담겨 있다.

④ ⓔ에는 남편의 죄를 추궁하고 있지만, 남편이 다치는 것을 안타까워하는 아내의 마음이 담겨 있다.

⑤ ⓜ 이전에 '네 죄를 모르느냐?'는 춘풍 아내의 질문에 추월은 '춘풍의 돈은 소녀에게 부당하다.'라고 하며 자신의 죄를 인정하지 않고 있다. 이에 춘풍의 아내는 '네 먹었는데 무슨 잔말 아뢰느냐?'라고 하며 ⓜ과 같이 말하고 있다. 따라서 ⓜ은 추월에게 빨리 죄를 인정하라고 다

그치는 말로 볼 수 있다.

06 [구절의 의미 이해]　　　　정답 ②

ㄱ. 춘풍의 행동과 심리가 수기를 쓰기 이전으로 돌아온 것으로 볼 때 춘풍이 아내와 다시 갈등하게 될 것을 짐작할 수 있다.

ㄷ. '이때에~구나', '~행실 절로 난다'는 판소리 사설의 어투로서 가세가 살아난 후 달라진 춘풍의 행동과 심리를 드러내고 있다.

[오답 풀이]

ㄴ. [B]에는 '마음이 교만하여 이전 행실 절로 난다.'라며 서술자가 인물에 대해 평가를 제시하고 있기는 하지만 당대 사회상을 제시하고 있지는 않다.

ㄹ. 춘풍이 마음이 교만해져 다시 돈을 탕진하는 모습을 표현한 것으로, 과장된 상황이 나타나지 않는다. 또한 춘풍이 춘풍의 아내와 갈등한다고는 있지만, 방탕한 인물의 전형성을 보일 뿐 악인으로서의 전형성을 보이고 있지는 않다.

07 [인물의 발화 의도 파악]　　　　정답 ③

'~에서 물어 주랴'를 반복하고 있는데, 이를 통해 춘풍이 호조의 돈을 탕진하게 된 것에 대한 책임을 추월이 져야 한다는 점을 강조하고 있다.

[오답 풀이]

① 의문문의 형식을 활용한 것은 맞지만, 이는 상대방의 잘못을 지적하기 위한 것이지 춘풍의 아내가 자신의 잘못을 추월에게 돌리기 위해 활용한 것은 아니다.

② '너를 쳐서 죽이리라'는 명령형 어조가 아니라 다짐이 담긴 영탄적 어조로, 추월에게 죄를 물리겠다는 단호한 의지가 담겨 있다.

④ 상대방이 진실을 말하도록 유도하고 있지만, 이를 위해 대조되는 상황을 제시하고 있지는 않다.

⑤ 설의법이 쓰이기는 했지만, 이는 상대방에 대한 질책을 전달하기 위해 활용되었지 상대방의 제안에 대한 거절의 뜻을 밝히기 위해 쓰인 것은 아니다.

08 [서술상의 특징 파악]

[가]에서는 '~푼(돈, 냥) 받고 ~기'와 같은 유사한 통사 구조의 구절을 반복함으로써 춘풍의 아내가 바느질 품을 팔아 돈을 버는 비슷한 성격의 행동을 나열하여 춘풍의 아내가 옷 짓기 능력을 통해 돈을 버는 유능한 면모를 부각하고 있다.

09 [배경의 기능 파악]

춘풍의 아내는 남편이 호조의 돈을 잃게 되자 남장을 한 후 비장이라는 신분으로서 문제를 해결한다. 이는 여성이 여성 그 자체가 아닌 남성의 신분으로만 문제를 해결할 수 있는 당시 사회상을 드러낸 것이다. 즉 당대가 여성보다 남성이 사회 문제를 해결하기 용이한 가부장적 사회였으며 여성이 아무리 능력이 있어도 여성이라는 이유로 제 능력을 발휘할 수 없었던 사회였음을 보여 준다.

26강

배비장전(裵裨將傳)

본문 137쪽

01. ②   02. ④   03. ④   04. ④   05. ③   06. ③   07. 자신보자 신분이 낮은 사공에게 공손하게(높여) 말할 것인지 낮추어 말할 것인지 사이에서 내적 갈등하고 있다.   08. 자신의 급박한 처지를 알려 연민을 일으키는 한편 자신을 배에 태우는 일이 상대에게도 좋은 일임을 들어 설득한다.

01 [서술상의 특징 파악]   정답 ②

이 글은 작품 외부에 있는 전지적 서술자가 인물의 말과 행동뿐 아니라 그 안에 담긴 심리까지 제시하는 전지적 작가 시점에서 서술되고 있다.

[오답 풀이]

① 미래에 인물이 불행한 상황을 겪을지에 대한 단서를 확인할 수 없다.

③ 판소리 사설의 어투가 나오기는 하지만 이 부분에는 율문투가 쓰이지 않았고, 비극적 분위기도 드러나지 않는다.

④ 인물들 사이의 갈등이 있기는 하지만 선악의 대립으로 인한 것은 아니다.

⑤ 서술자는 작품 내부가 아니라 작품 외부에 있으며, 객관적이 아니라 전지적 시점에서 주관을 담아 전달하고 있다.

02 [작품의 내용 파악]   정답 ④

사공은 배 비장에게 다른 사람을 배에 태울 수 없다고 말하였는데, 그 이유는 사공이 그를 경계해서가 아니라 먼저 돈을 지불한 부인의 허락이 없이는 다른 행객을 태울 수 없기 때문이다.

[오답 풀이]

① 계집은 배 비장이 양반답지 못하게 남녀유별 예의염치를 모르는 인물이라며 비판의 목소리를 높였다.

② 배 비장은 자신의 정체를 묻는 계집의 말에 대해 차차 알게 될 것이라며 즉답을 피했다.

③ 배 비장이 자신에게 공손하게 말하자 계집은 그에게 해남으로 가는 배편에 대한 정보를 알려 주었다.

⑤ 사공은 배 비장이 부모 병환이 급하다며 배를 태워 달라고 하자 '당신 정경이 불쌍하오.'라며 배에 탈 수 있는 방법을 알려 주었다.

03 [외적 준거에 따른 작품 감상]   정답 ④

배 비장이 계집에게 '이 노릇을 어찌하여야' 좋겠냐고 묻는 것은 서울로 갈 수 없는 처지에 대한 답답함과 그 방법을 알고 싶다는 간절함을 표출한 것이다. 이러한 배 비장의 모습에서 그가 양반의 권위를 앞세우는 경직된 관념을 버리고 제주도 사람들을 존중하는 방법을 고민한다는 점은 확인할 수 없다.

[오답 풀이]

① 처음 보는 사람에게 반말로 질문을 하고 계집이 화가 나 대답하지 않자 양반의 신분을 앞세워 꾸짖는 행동을 통해 배 비장이 자신의 신분에 대해 우월감을 지니고 있음을 알 수 있다.

② 배 비장은 자신이 지방 사람을 무시하며 한 손을 놓고 하대를 하였다고 했는데, 이를 통해 배 비장이 서울에서 온 양반이라는 우월 의식에 젖어 제주도 사람을 무시하였음을 알 수 있다.

③ 배 비장은 서울 가는 배에 대한 정보를 알기 위해 양반인 자신에게 화를 내는 계집에게 사과를 하려고 했는데, 이는 빨리 제주로를 떠나고 싶은 절박한 심정으로 인한 불가피한 선택이었다.

⑤ '어정쩡하게' 말하려고 한 것은 양반의 권위를 버리지 못해서 선택한 어투로 배 비장은 이것이 '춘몽'이라고 했다. 이를 통해 그가 양반으로서의 우월감을 지니고 행동한 자신의 태도를 되돌아보고 문제를 인지하였음을 알 수 있다.

04 [인물의 심리 파악]   정답 ④

ⓐ의 '여보게', ⓑ의 '이 사람'이라는 배 비장의 하대에 계집이 불만을 표하자 배 비장은 ⓒ의 '여보시오'라며 계집을 높이는 말을 사용하여 계집의 기분을 풀어 주고 있다. 한편, ⓓ의 '어이'라는 배 비장의 하대에 사공이 불만을 표하자 배 비장은 ⓔ의 '노형'이라며 사공을 높이는 말을 사용하여 사공의 기분을 풀어 주고 있다. 따라서 상대의 기분을 풀어 주기 위해 사용한 표현은 ⓒ와 ⓔ이다.

05 [소재의 기능 파악]   정답 ③

'지금 급한 일이 있어 서울'에 가야 한다며 배 비장이 서울로 가는 배를 가르쳐 달라고 하자 계집은 '조그마한 돛대 세운 배'가 오늘 안으로 제주도를 떠나 내륙인 해남으로 간다고 알려 주었다. 이에 배 비장은 서둘러 배로 달려 간다. 이로 미루어 볼 때 '조그마한 돛대 세운 배'는 주인공 배 비장이 당일 제주도를 떠나기 위해 타려는 대상이다.

[오답 풀이]

① 배 비장은 부모의 병환 때문에 제주도를 떠나야 한다며 배편을 알아본 것으로, 이 배에서 부모의 병환 소식을 들은 것은 아니다.

② 배는 배 비장이 아니라 해남으로 가려는 부인을 위해 준비된 것이다.

④ 배 비장은 사공에게 뱃삯에 대해 언급하지는 않았다.

⑤ 배 비장은 남이 빌린 배의 행객이 되어 제주도를 떠나려 하고 있다.

06 [인물의 태도 파악]   정답 ③

ⓒ에서 계집은 배 비장을 서울 양반이라고 말하며 공손하게 대하고 있는데, 이는 상대가 서울 양반임을 알았기 때문이 아니라, 상대가 자신을 공손하게 대했기 때문이다.

[오답 풀이]

① 계집은 권세 있는 배 비장이 아랫사람에게 망신을 당했던 사건을 언급하고 있는데, 이는 상대가 양반일지라도 예의를 차리지 않으면, 즉 품행이 좋지 않으면 자기 남편에게 혼이 날 것이라고 경고하기 위한 말이다.

② 배 비장은 자신이 애랑의 유혹에 넘어가 망신당한 일이 소문이 나서 제주도 여기저기에서 웃음거리가 된 것에 한탄하며, 문제의 근본 원인이 자기 잘못이 아니라 제주도가 사람이 살 만한 곳이 못 되기 때문이라고 말하고 있다.

④ 배의 행선지를 묻는 말에 '물로 가는 배'라며 엉뚱한 말로 답한 것은 자신을 하대하고 있는 상대에 대한 불만을 표출한 것이다.

⑤ 갑자기 사공이 배 비장에게 공손하게 답하는데, 이는 배 비장이 사공

을 공손하기 대했기 때문에 태도를 달리한 것이다.

07 [갈등의 원인 파악]

배 비장은 하층 계급인 사공에게 공손하게 말하자니 양반으로서 초라한 마음이 들고, 또 막말로 대하자니 자신의 말에 답을 해 주지 않을 것 같아 고민하고 있다. 이처럼 배 비장은 사공에게 공대를 할지 하대를 할지 정하지 못해 내적 갈등을 하고 있다.

08 [말하기 방식 파악]

배 비장은 자신이 부모 병환 때문에 급히 서울에 가야 한다고 밝힘으로써 사공의 연민을 불러일으키고 있다. 또한 자신을 배에 태우는 것이 선을 쌓는 일('적선')로 상대에게도 좋은 일임을 들어 배에 태워 주기를 설득하고 있다.

27강

옹고집전(雍固執傳)

본문 142쪽

01. ④ 02. ④ 03. ③ 04. ① 05. ④ 06. ② 07. ⓐ는 짚옹고집이 되어 참옹고집이 집에서 쫓겨나는 고난을 겪게 하고, 참옹고집의 잘못을 언급하여 참옹고집이 개과천선을 하게 만들어 인과응보, 권선징악이라는 주제를 이끌어 내는 역할을 한다.

01 [서술상의 특징 파악] 정답 ④

참옹고집과 외양이 같은 짚옹고집이 등장하여 두 옹고집이 진짜와 가짜를 가리기 위한 송사를 하게 된다. 이러한 대립 구도를 통해 사건이 어떻게 전개될지에 대한 독자의 호기심을 자극하며 서사적 흥미를 고조하고 있다.

【 오답 풀이 】

① 전지적 작가 시점으로 서술되며 각 사건마다 서술자가 바뀌지 않는다.

② 사건의 전개에 따라 시·공간적 배경이 변화하지만, 각 배경이 사건 전개의 방향을 암시하는 복선의 역할을 하지 않는다.

③ 등장인물의 외양을 상세하게 묘사하는 부분이 드러나지 않으며, 외양을 통해 인물의 성격을 암시하지도 않는다.

⑤ 사건이 발생하는 순서대로 순차적으로 전개되고 있다.

> **Q 역순행적 구성이 뭔가요?**
>
> **A** 역순행적 구성은 사건이 발생하는 순서대로 제시되지 않고 뒤바뀌어 있는 구성을 말하는데 현재에서 과거로 돌아가는 것이 일반적이에요. 역순행적 구성 외에도 소설의 구성 방식에는 순행적 구성, 병렬적 구성 등이 있어요. 순행적 구성은 가장 자연스러운 이야기의 흐름으로 사건이 발생한 순서대로 전개되는 것이고, 병렬적 구성은 두 개 이상의 독립된 이야기가 동시에 엮어지는 것을 말해요. 고전 소설은 대체로 시간 순서대로 사건이 전개되는 순행적 구성 방식을 취하고 있어요.

02 [작품의 내용 파악] 정답 ④

사환들이 가자 하니, "갈 마음 전혀 없다."라고 하는 참옹고집의 모습에서 참옹고집이 짚옹고집에 대한 분노를 버리지 못했다는 것을 추론할 수 있다. 따라서 눈물은 두려워서 흘리는 것이 아니라 억울해서 흘리는 것으로 보는 것이 적절하다.

【 오답 풀이 】

① 기가 막히고 말도 못하는 것은 당황했을 때 나오는 행동으로, 참옹고집은 짚옹고집이 자기보다 앞서 마을 사람들을 아는 척하자 당황하고 있다.

② '누가 알아보리오, 뉘 집 아들인지 알 수가 없다.'라며 행인들은 두 사람이 같은 모습이라 구별하기 어렵다고 말하고 있다.

③ 참옹고집이 말하는 '남'은 자신을 가리키므로 자신을 몰아낸 '짚옹고집'에 대해 참옹고집이 분노를 느끼고 있다는 것을 알 수 있다.

⑤ 짚옹고집이 '활인구제하여 만인적선이 으뜸'이라고 말하는 것에서 빈민 구제를 중요하게 여기고 있음이 드러난다.

03 [사건 전개 양상 파악] 정답 ③

[A]는 두 옹고집이 송사를 가는 상황으로, 마을 사람들을 먼저 아는 척하는 짚옹고집 때문에 참옹고집이 당황하는 모습이 드러나고 있다. 이런 참옹고집의 심정이 '낱낱이 내 소견대로 내가 할 말을 제가 먼저 하니 기가 질려 뒤에 오며, 실성한 사람같이'로 진술되면서 참옹고집의 답답한 심정이 드러나고 있다.

【 오답 풀이 】

① 송사의 원인은 금전적 이해관계가 아니라 외양이 비슷한 옹고집이 한 명 더 나타난 것이다.

② 송사 결과에 대해 행인들은 두 옹고집이 '상동'이라는 평가만을 하고 있으며 상반된 예측을 한 내용은 드러나지 않는다.

④ 송사를 하러 가면서 마을 사람들을 아는 척하는 짚옹고집 때문에 참옹고집이 답답함을 느끼는 것은 나타나지만 두 사람이 서로를 직접적으로 비방하는 내용은 나타나 있지 않다.

⑤ 송사 가는 길에 마을 사람들이 등장하지만 이들의 외양을 묘사하고 있지는 않다.

04 [외적 준거에 따른 작품 감상] 정답 ①

'내 좋은 형세와 처자를 빼앗기지 아니하였다.'라는 말은 송사에서 이기고 집으로 돌아온 짚옹고집이 처자 권속들에게 한 말로, 여기에 '참옹고집'이 송사 이전부터 가족에게 소외되어 온 정황이 드러나 있다고 보기 어렵다. 그리고 문맥상 뒷부분에서 마누라가 '우리 서방님이 그런 고생 또 있을까.'라고 한 말이나 '뭇 아들'의 '아버지가 큰 봉재를 보았다.'라고 한 말로 미루어 볼 때, 송사 이전부터 가족에게 소외되어 온 정황이 드러난다고 하는 것은 적절하지 않다.

【 오답 풀이 】

② '만가 동냥 거지들을 독하게 박대'하였다는 말은 송사에서 이긴 짚옹고집이 송사 이전의 일에 대해 언급한 것이다. 〈보기〉의 '가난한 이들을 구제하지 않고'를 바탕으로 하여 볼 때 참옹고집이 평소 가난한 이들을 외면해 온 것을 짚옹고집이 언급한 것이므로 ②는 적절하다.

③ '전곡을 흩어 사방에 구차한 사람을 구제'한 것은 짚옹고집이 한 일이다. 〈보기〉로 볼 때 이와 같은 행위는 참옹고집과 같은 향촌 사회의

부유층이 이행해야 할 사회적 책무인데 이것이 짚옹고집을 통해 이행되었다고 하였으므로 ③은 적절하다.

④ '백 냥 돈 천 냥 돈을 흩어' 주는 것은 참옹고집의 재산을 짚옹고집이 집행하는 것이므로 참옹고집은 조선 후기 향촌 사회의 부유층임을 확인할 수 있다.

⑤ 짚옹고집 때문에 집에서 쫓겨난 참옹고집은 사회적 책무를 다하지 않았던 자신의 과오 때문에 공동체로부터 소외된 양상을 보인다고 할 수 있다.

05 [감상의 적절성 평가] 정답 ④

[B]에서 짚옹고집은 '아무쪼록 개과하라'고 한 뒤 허수아비로 변했으며, 〈보기〉에서 도사는 '개과천선하라'고 한 뒤 부적을 써 주고 사라진다. 그러나 이러한 발화 자체가 참옹고집이 용서를 구하는 계기가 되는 것은 아니다. [B]에서는 요청이 아닌 훈계에 따라 뉘우치는 모습을 보일 뿐 참옹고집이 용서를 구하진 않았으며, 〈보기〉에서는 참옹고집이 먼저 자신의 잘못을 뉘우치고 용서를 빌고 있으므로, 개과천선을 요청하는 발화가 용서를 구하는 계기가 된다는 내용은 적절하지 않다.

[오답 풀이]

① [B]에서 짚옹고집은 자신의 어진 마음 때문에 참옹고집을 용서한다고 하였으나, 〈보기〉에서는 '정상이 불쌍하고 너의 처자 가여운' 까닭으로 놓아준다고 하였다.

② [B]에서 짚옹고집은 참옹고집이 후생에 징계 사례가 된다고 하였으므로 사회적 효용을 중시한 것이라 볼 수 있고, 〈보기〉에서는 '정상이 불쌍하고 너의 처자 가여운' 까닭으로 놓아준다고 하였으므로 가족의 피해를 고려했다고 볼 수 있다.

③ '부모 박대'와 '모친 구박'은 모두 불효로 비인륜적 행위에 해당한다.

⑤ [B]에서 짚옹고집이 허수아비로 변하거나 〈보기〉의 도사가 사라지는 것은 신이한 사건이므로 작품의 전기성과 관련이 있다.

06 [작품 간의 공통점, 차이점 파악] 정답 ②

〈보기〉의 부자와 이 글의 참옹고집은 둘 다 승려를 박대한 인색한 인물이라는 공통점이 있으며 이런 인물됨 때문에 징벌을 받게 된다.

[오답 풀이]

① 참옹고집은 집에서 쫓겨나는 징벌의 결과, 잘못을 뉘우치고 개과천선한다. 그러나 부자는 집이 연못이 되는 징벌을 받아 잘못을 뉘우칠 기회가 없으므로 징벌의 결과가 동일하다는 것은 적절하지 않다.

③ 참옹고집은 개과천선하여 징벌을 극복하는 데 비해 부자는 징벌을 극복하지 못했다.

④ 참옹고집은 집에서 쫓겨나는 징벌을 받는 데 비해 부자는 집이 연못이 되는 징벌을 받는다.

⑤ 참옹고집과 부자에게 징벌을 내리는 존재는 승려이므로 두 작품에서 징벌을 내리는 주체의 신분은 유사하다.

> **Q 신이한 사건이 뭔가요?**
>
> **A** 신기하고 이상한 사건을 이르는 말로, 신이한 사건이 일어난다는 것은 작품이 전기성을 지닌다는 의미예요. 고전 소설에서 전기성은 비현실적이고 기이한 요소를 지녔음을 뜻하는데 예를 들어 도술을 부린다거나 죽은 인물이 다시 살아난

거나 천상계의 존재가 지상계로 내려와 등장인물에게 도움을 주는 일 등이 비현실적이고 기이한 일이라고 할 수 있어요.

07 [소재의 기능 파악]

도사가 참옹고집을 징벌하기 위해 짚옹고집을 만들 때 사용한 '허수아비'는 진위를 가리는 송사에서 참옹고집을 이겨 참옹고집을 집에서 쫓아낸 뒤 그를 개과천선시키는 역할을 한다. 이를 통해 인과응보와 권선징악이라는 이 글의 주제를 이끌어 내고 있다.

28강

장끼전

본문 147쪽

01. ① **02.** ④ **03.** ⑤ **04.** ④ **05.** ③ **06.** ④ **07.** ④
08. '각설'의 앞부분은 장끼가 서대주에게 양식을 빌리러 간 내용이었고 '각설'의 뒷부분은 딱부리가 서대주를 찾아가 양식을 추심하겠다고 큰소리치는 내용으로 전개되므로 '각설'의 기능은 화제를 바꾸는 것이라고 할 수 있다.

01 [서술상의 특징 파악] 정답 ①

'주먹볏에 흑공단~위풍이 헌앙한'에서 딱부리의 외양을 상세하게 묘사하면서 딱부리의 신분이 양반이며 위풍이 헌앙한 존재임을 드러내고 있다.

[오답 풀이]

② '서대주 맹랑하다'에서 서술자 개입이 드러나지만 인물의 행동에 대해 호감을 표현하는 진술이 아니다.

③ '우마도 초분식하고, 산저도 갈분식이라.'나 '교만한 자는 집이 망한다.', '남을 대접하면 내가 대접을 받는다.'와 같이 속담이나 옛글이 삽입되어 있으나 이것이 인물의 내적 갈등을 강조하지는 않는다.

④ 과거와 현재를 대비하고 있거나 인물의 초월적 능력을 부각하는 부분은 나타나지 않는다.

⑤ 서대주의 집이 있는 협사촌과 장끼의 집이 있는 양지촌이 공간적 배경이지만 이 공간에 대한 자세한 묘사는 드러나지 않는다.

> **Q 옛말을 인용하며 말하기가 뭔가요?**
>
> **A** 어떤 상황을 설명할 때 옛날부터 전해 오는 유명한 말이나 어구를 인용하여 말하는 이의 뜻을 효과적으로 전달하는 표현을 말하는 거예요. 이때 인용하는 옛말은 고사, 속담 등으로 다양해요. 화자가 자신의 의도를 강조하기 위해 사용하는 게 일반적이지요. 예를 들어, 어릴 때의 습관이 중요하다는 의도를 전달하기 위해서 '세 살 버릇 여든까지 간다는 말이 있듯이 무슨 일이든 어릴 때 습관이 중요해.'라고 말하는 것도 옛말을 인용하며 말하기에 해당하지요.

02 [작품의 내용 파악] 정답 ④

서대주는 장끼와 고금사를 문답하며 장끼를 조롱하며 벗하고 있으나, 이에 대해 장끼가 못마땅해 콧방귀를 뀌는 장면은 이 글에서 드러나지 않는다. 장끼는 오히려 아부하는 듯 콧소리를 내며 서대주에게 자신의 방문 목적을 말하고 있다.

【 오답 풀이 】
① '콩알 하나 없으니 주린 처자를 어이할꼬?'에서 확인할 수 있다.
② '허위허위 이 산 저 산 어정어정 걸어가며 생각하되'에서 확인할 수 있다.
③ '서대주 동지란 말을 듣더니 대희하여'에서 확인할 수 있다.
⑤ '서대주 웃으며 하는 말이, / "속담에 '우마도 초분식하고, 산저도 갈분식이라.' 하였거든 우리 사이에 무엇이 어려우리오?"에서 확인할 수 있다.

03 [사건 전개 양상 파악] 정답 ⑤

장끼는 콩알 하나 먹을 것이 없는 상황에서 양식을 구하고자 서대주를 방문하였으므로 경제적 이익을 취하는 것이 방문의 목적이라고 볼 수 있다. 딱부리 또한 서대주의 도적질을 빌미로 삼아 서대주를 협박하여 양식을 가져오기 위해 방문하였으므로 도적질을 벌로 다스리고 교화하는 것이 방문의 목적이라는 진술은 적절하지 않다.

【 오답 풀이 】
① 장끼와 딱부리가 서대주를 도적이라고 하는 것에서 서대주를 방문하기 전에 서대주의 정체를 알고 있었다는 것이 드러난다.
② 서대주를 방문하기 전에 장끼는 양식을 빌리기 위해 서대주가 어떻든 대접하기로 하기로 계획했고, 딱부리는 서대주를 하대하고 겁박하여 만석을 추심하겠다고 계획했다.
③ 장끼는 시종일관 서대주를 존대하였으나, 딱부리는 건방진 태도를 보이다가 상황이 불리해지자 애걸하는 태도를 취하였다.
④ 서대주의 거처에 당도하여 장끼는 '아래위 낭청으로 다니며 관리하시는 서동지 댁'이냐고 하여 서대주의 환심을 샀으나, 딱부리는 '도적질하는 서대주 집'이냐고 물어 서대주의 반감을 산다.

04 [상황에 어울리는 속담 이해] 정답 ④

장끼는 서대주가 도적질을 하여 부유해졌다고 생각하지만 양식을 얻기 위해 그를 대접하기로 결심한다. 이런 모습에서 목적을 이루기 위해 수단과 방법을 가리지 않는 인물임을 알 수 있다. '모로 가도 서울만 가면 된다.'는 '수단이나 방법은 어찌 되었든 간에 목적만 이루면 된다는 말'이다.

【 오답 풀이 】
① '티끌 모아 태산'은 '아무리 작은 것이라도 모이고 모이면 나중에 큰 덩어리가 됨을 비유적으로 이르는 말'이다.
② '백지장도 맞들면 낫다'는 '쉬운 일이라도 협력하면 훨씬 쉽다는 말'이다.
③ '뛰는 놈 위에 나는 놈 있다.'는 '아무리 재주가 뛰어나다 하여도 그보다 더 뛰어난 사람이 있다는 뜻으로, 스스로 뽐내는 사람을 경계하여 이르는 말'이다.
⑤ '낮말은 새가 듣고 밤말은 쥐가 듣는다.'는 '아무리 비밀스럽게 한 말이라도 남의 귀에 들어가기 쉬우니 항상 말조심해야 한다는 말'이다.

05 [관련된 한자 성어 이해] 정답 ③

'지록위마'는 '사슴을 가리켜 말이라 한다는 뜻으로, 윗사람을 농락하여 권세를 마음대로 휘두름을 이르는 말'이다. 딱부리가 장끼에게 '조정을 농권하여 임금을 어둡게 하리로다.'라고 하였으므로 지록위마와 관련이 깊다.

【 오답 풀이 】
① '각주구검'은 '칼을 강물에 떨어뜨리자 뱃전에 그 자리를 표시했다가 나중에 그 칼을 찾으려 한 데서 유래한 말로, 융통성이 없고 세상일에 어둡고 어리석음을 이르는 말'이다.
② '양두구육'은 '양의 머리를 걸어 놓고 개고기를 판다는 뜻으로, 겉으로는 그럴듯하게 보이지만 속은 변변하지 아니함을 이르는 말'이다.
④ '절차탁마'는 '옥이나 돌을 갈고 닦아서 빛을 낸다는 뜻으로, 부지런히 학문과 덕행을 갈고 닦음을 이르는 말'이다.
⑤ '호가호위'는 '여우가 호랑이의 위세를 빌려 호기를 부린다는 데서 유래한 것으로 남의 권세에 의지하여 위세를 부린다'는 뜻이다.

06 [외적 준거에 따른 작품 감상] 정답 ④

시비 쥐는 자신을 딱장군이라고 말하면서 서대주의 도적질을 언급하는 딱부리의 건방진 태도에 화가 나서 골을 내는 것이지 몰락한 양반의 경제적 곤궁함을 업신여긴 것이 아니다.

【 오답 풀이 】
① 굶주리는 처자식을 위해 양식을 빌리러 부유한 서대주를 찾아간 장끼의 모습에서 가족의 생계를 위해 가장의 책무를 다하려는 몰락한 양반의 모습이 드러난다.
② 서대주가 시비 쥐를 부리면서 화려한 복색을 갖추고 손님을 맞이하는 모습에서 신흥 부호의 화려한 생활상이 드러난다.
③ 몰락한 양반 신분인 장끼는 신흥 부호인 서대주를 대접하여 양식을 빌린다. 반면 이러한 실리를 추구하는 장끼의 태도를 비판하는 딱부리는 양반의 위신을 중시하는 모습을 보여 준다. 따라서 장끼와 딱부리는 신흥 부호를 둘러싼 몰락 양반들 간의 불화를 보여 준다.
⑤ 서대주가 몰락 양반인 딱부리를 결박하는 것은 신흥 부호가 막강한 권력과 위세를 떨치는 모습을 보여 준다.

07 [외적 준거에 따른 감상] 정답 ④

딱부리가 자신을 '동지촌 사는 딱장군'이라고 높이고 '도적질하는 서대주'라고 상대방을 낮춘 것은 상대방을 겁박하여 만석이라도 추심하려는 의도에서 한 행동이지 양반 중심의 사회가 변화하고 있는 가운데 자신의 자부심을 지키려는 곧은 선비 정신 때문은 아니다. 또, 작품 뒷부분에서 서대주에게 애걸하는 모습을 참고할 때 딱부리가 곧은 선비의 정신을 지닌 인물이라고 보기는 어렵다.

【 오답 풀이 】
① '주린 처자'는 몰락 양반인 장끼 가족들의 굶주림이 드러난 것으로, 이를 통해 당대 가난한 사람들의 고통이 심했을 것임을 알 수 있다. 〈보기〉의 우화 소설이 '당대 사람들의 고통스러운 삶의 현실에 대해 문제를 제기'한다고 한 것을 바탕으로 할 때, ①은 적절하다.
② 옥관자는 양반들의 물건이므로 장끼는 양반인데, 이러한 장끼가 양식을 빌리러 다니는 것은 사회상의 변화를 드러내고 있는 것이다. 〈보기〉의 우화 소설이 '신분제 사회의 변화'와 같은 '변화하는 사회상을 담

아내기도' 한다는 것을 바탕으로 할 때, ②는 적절하다.
③ 큰소리치던 딱부리가 자신이 불리해지자 애걸하는 모습은 신분제가 동요되던 당대의 사회상을 반영한다고 볼 수 있다. 〈보기〉의 우화 소설이 '신분제 사회의 변화'를 담아내기도 한다고 한 것을 바탕으로 할 때, ③은 적절하다.
⑤ '장끼'와 '딱부리'와 같은 의인화된 동물을 주인공으로 설정함으로써 조선 후기 몰락 양반의 삶과 향촌 사회의 변화를 드러내고 있다고 하였다. 〈보기〉의 '우화 소설은 동식물을 의인화'하여 '신분제 사회의 변화' 등 변화하는 사회상을 담아내기도 한다는 것을 바탕으로 할 때, ⑤는 적절하다.

08 [서술상의 특징 파악]
'각설'은 고전 소설에서 화제를 전환할 때 사용하는 표현이다. 이 글의 경우 '각설'의 앞부분에서는 장끼가 주도적으로 사건을 진행하지만 '각설'의 뒷부분에서는 딱부리가 주도적으로 사건을 진행하고 있다.

29강

황새결송

본문 152쪽

01. ⑤ 02. ④ 03. ② 04. ③ 05. ⑤ 06. ② 07. ②
08. 수단과 방법을 가리지 않고 목적을 이루면 된다는 생각을 지닌 속물적 존재이다. 09. 직설적으로 관리들을 비판하면 자신이 피해를 볼 수 있으므로 동물들을 의인화함으로써 뇌물을 받고 판결을 내리는 부패한 관리(지배층)들을 우회적으로 비판하는 효과를 거두고 있다.

01 [서술상의 특징 파악] 정답 ⑤
부자가 관원들에게 들려주는 동물들의 송사 이야기를 통해 뇌물을 받고 판결을 내리는 부패한 지배층에 대한 비판이라는 주제를 강조하고 있다.

[오답 풀이]
① 부자가 관원들에게 들려주는 이야기는 부자가 직접 체험한 사실이 아니며, 이 글에는 다양한 이야기가 삽입되지 않았다.
② 동물들의 이야기가 중간에 삽입되어 있기는 하나 이것은 전기적인 요소가 아니라 우화에 해당한다.
③ 배경을 치밀하게 묘사한 부분을 찾을 수 없다.
④ 작품 밖의 서술자가 부자의 처지에서 이야기를 전달하지만, 객관적인 자세를 취하는 것은 아니다.

02 [인물의 심리, 태도 파악] 정답 ④
'황새에게 약 먹임을 믿고'라는 표현에서 따오기가 황새에게 미리 뇌물을 주고 자신에게 유리한 판결이 내려질 것으로 생각하고 있음을 알 수 있다. 이는 겸손과는 거리가 멀다.

[오답 풀이]
① 부자는 자신이 '크게 소리를 하여 전후사를 아뢰'면 '관전 발악이라 하여 뒤얽어 잡'힐 것이라고 생각하여 자신의 생각을 제대로 말하지 못해 '분하고 애달픔이 가슴에 가득'해 있다.
② '저놈의 말을 들으면 남들이 보는 눈이 걱정되는지라.'에서 관원이 부자의 이야기를 듣고 싶지만 다른 사람의 눈을 신경 쓰고 있음이 드러난다.
③ '그러나 이제 제 소리를 좋다 하면~'에서 황새가 따오기에게 받은 뇌물 때문에 공정한 판결을 내리지 못하는 정황이 드러난다.
⑤ '뉘 아니 아름답게 여기리이까.'에서 꾀꼬리가 자신의 청아하고 맑은 소리에 대해 자부심을 지니고 있음이 드러난다.

03 [작품의 내용 이해] 정답 ②
'시속'은 '그 시대의 풍속'이고 '물정'은 '세상의 이러저러한 실정이나 형편'을 의미한다. 친척은 세상을 두루 돌아다닌 인물이며, '송사는 눈치 있게 잘 돌면 이기지 못할 송사도 아무 탈 없이 이기노니'라는 내용을 참고하면 시속 물정에 밝은 인물이어서 뇌물을 바쳤다고 생각할 수 있다.

[오답 풀이]
① 이 글의 흐름을 보면 친척이 과거의 판례를 내세워 송사에서 이긴 것이 아니다.
③~⑤ 친척이 부자에게 재산의 절반을 달라고 위협한 것으로 보아, 인간의 도리를 알거나, 유교적 관념에 따르거나 하늘의 이치대로 살아가는 사람이라 보기 어렵다.

04 [인물의 의도 파악] 정답 ③
부자는 뇌물을 받고 잘못된 판결을 내린 형조 관원들에게 무안함을 주기 위해 동물들의 송사 이야기를 하고 있다. 따라서 이야기를 하는 의도는 송사와 관련된 형조 관원들의 부패상을 우회적으로 비판하기 위한 것이라 할 수 있다.

[오답 풀이]
① 부자는 뇌물을 받고 판결을 내린 관원들에게 분한 마음을 품고 있으므로 다른 송사를 청탁하기 위해서 이야기를 했다는 것은 적절하지 않다.
② 소송에서 진 부자는 애달픈 마음을 지니고 있으며 자신의 지혜를 뽐내려 하고 있지는 않다.
④ 부자는 자신이 크게 소리를 내어 전후사를 아뢰면 관원들에게 해를 입을 것이라고 생각하고 있으므로 관원들과 논쟁을 벌이려 한다는 진술은 적절하지 않다.
⑤ '내 송사는 지고 가거니와'에서 부자가 재산을 되찾기 위해서 이야기를 하는 게 아님을 추론할 수 있다.

> **Q** 우회적으로 비판하기가 뭔가요?
> **A** '우회'란 멀리 돌아서 간다는 뜻으로 우회적으로 비판하기는 자신의 생각을 직접적으로 전달하지 않고 돌려 말하면서 상황에 대한 비판적 의견을 드러내는 것을 말해요. 동물을 의인화하는 것도 동물에 빗대어 말하는 사람의 생각을 드러내는 거라서 우회적 말하기에 해당한다고 할 수 있지요.

05 [인물의 말하기 방식 이해]　　　　　　　　정답 ⑤

'설의적 물음'은 의문문의 형식을 지니고 있기는 하지만, 특별히 상대의 대답을 요구하지 않으면서 발화자의 의도를 강조하는 물음을 말한다. [A]의 부자의 말 중, '뇌물을 먹은즉 잘못 판결하여 그 꾀꼬리와 뻐꾹새에게 못할 노릇을 하였으니 어찌 화가 자손에게 미치지 아니 하오리까.'라는 부분이 설의적 물음에 해당하며, 이를 통해 잘못된 판결에 대한 부자의 비판을 드러내고 있다.

【 오답 풀이 】

① 감정에 호소하고 있지 않으며, 이제 물러간다고 하였으므로 상대를 설득한다고 볼 수도 없다.

② 잘못된 판결에 대해 비판하고 있으나 문제의 원인을 찾아 해결 방법을 제시하고 있는 것은 아니다.

③ 상황을 가정하고 있지 않으며 자신의 요구 사항을 드러내고 있지도 않다.

④ 상대의 행동을 문제 삼고 있지만 고서의 구절을 인용한 것은 아니다.

> **Q 감정에 호소하며 말하기가 뭔가요?**
>
> **A** 상대의 동정, 연민 등의 감정을 자극하며 말하는 방식을 감정에 호소하며 말하기라고 해요. 예를 들면, 「흥부전」에서 고난에 처한 흥부가 "애고 형님 이것이 웬말이오, 비나이다 비나이다. 세 끼 굶어 누운 자식 살려 낼 길이 전혀 없으니 쌀이 되나 벼가 되나 양단간에 주시면~"이리고 말하는 부분이 있는데, 이런 부분이 감정에 호소하며 말하기라고 할 수 있어요.

06 [외적 준거에 의한 작품 감상]　　　　　　　　정답 ②

친척이 재산을 나눠 달라고 하자 소송을 제기한 것은 부자이며, 소리의 우열을 다투다가 소송을 하자고 하는 것은 꾀꼬리, 뻐꾹새, 따오기이다. 그러므로 친척이 소송 제기의 주체라는 진술은 적절하지 않다.

【 오답 풀이 】

① 친척이 등장하여 재산을 나눠 달라고 하여 부자가 소송을 제기하게 된다.

③ '뻐꾹새 또한 부끄러워하며 물러나거늘'에서 알 수 있다.

④ '황새에게 약 먹임을 믿고'라는 표현에서 따오기가 황새에게 소송에서 이기기 위한 방법으로 뇌물을 제공하였음을 알 수 있다.

⑤ 서울 법관과 황새는 뇌물을 받고 잘못된 판결을 내리는 역할을 하고 있다.

07 [구성 및 서사 구조의 이해]　　　　　　　　정답 ②

(가)와 (나)에서 판결을 좌우하는 요인은 뇌물이며, (나)의 동물 송사 이야기는 우회적으로 (가)를 비판하기 위해 제시된 것이지 (가)를 통해 (나)의 판결 이유가 밝혀지는 것은 아니다.

【 오답 풀이 】

① (가)는 친척이 재산의 절반을 내놓으라고 요구하여 송사가 시작되었다.

③ (가)의 송사 결과에 억울함을 느낀 부자가 (나)의 이야기를 시작한다.

④ (가)에서 송사의 원인은 '돈'이지만 (나)에서는 '최고의 소리'이다.

⑤ (가)에서는 친척이 관원에게 준 뇌물이, (나)에서는 따오기가 황새에게 준 뇌물이 송사의 판결에 중요한 영향을 미친다.

08 [인물의 성격 파악]

따오기는 소리에 자신이 없었지만 황새에게 약 먹임을 하였고 이러한 자신의 행동으로 인한 결과에 대한 믿음이 있었으므로 목적을 위해 수단과 방법을 가리지 않는 속물적 존재라고 할 수 있다.

09 [표현상의 특징 파악]

부자는 자신이 크게 소리를 내어 전후사를 아뢰면 관전 발악이라 하여 뒤얽어 잡힐 것으로 생각하고 있으므로 동물 이야기를 통해 우회적으로 관리들을 비판하며 주제를 효과적으로 전달하고 있다.

30강

구운몽(九雲夢)

본문 157쪽

01. ①　02. ⑤　03. ①　04. ⑤　05. ④　06. ⑤　07. (1) 향로에 불을 (2) 말을 떨구지

01 [작품의 내용 파악]　　　　　　　　정답 ①

제시된 지문에서 '연국'이나 '토번'과 같은 국명으로 시대적 배경을 추론할 수 있지만, 배경이 되는 시대 상황을 구체적으로 서술한 부분은 나타나지 않는다.

【 오답 풀이 】

② 육관대사와 성진의 대화에서 성진이 수책하는 원인이 드러나므로 적절하다.

③ 호승이 신이한 힘을 발휘하는 장면에서 전기적 요소가 드러나므로 적절하다.

④ '소유가 십오륙 세~경사를 떠나지 않았으니'라는 승상의 말을 통해 승상의 과거 행적이 요약적으로 드러나므로 적절하다.

⑤ 성진이 불가의 적막함에 대해 생각하는 장면에서 내면 심리를 내적 독백의 형식으로 드러내고 있으므로 적절하다.

02 [서술상의 특징 파악]　　　　　　　　정답 ⑤

ㄴ. 대사(호승)는 성진이 꿈에서 현실로 돌아오게 하는 초월적 힘을 발휘하며 성진이 인생무상이라는 깨달음에 이르게 하고 있다.

ㄷ. 공간적 배경인 연화도량이 불도를 닦는 곳이며, 성진이 부귀영화를 경험한 후 연화도량에서 꿈에서 깨어난다는 것은 인생무상을 깨닫고 불교에 귀의한다는 주제와 밀접한 관련을 맺고 있다.

ㄹ. 작품 밖의 서술자가 인물의 심리까지 서술하는 전지적
　　작가 시점으로 전개되고 있다.

【 오답 풀이 】

ㄱ. 이 글의 주제는 주인공인 성진이 세속적 부귀영화를 누리는 양소유의
삶을 통해 인생무상을 깨닫는 것이므로 선악의 대결 구도로 주제를
명확하게 전달한다고 보기 어렵다. 또한 제시된 지문에서 선인이나
악인이 등장하지 않는다.

> **Q 선악 대결 구도가 뭔가요?**
>
> **A** 고전 소설은 대체로 권선징악(勸善懲惡)을 주제로 하는 경
> 우가 많은데 권선징악은 '선을 권하고 악을 징벌한다'는 뜻이
> 에요. 이렇게 권선징악이 되려면 착한 사람과 악한 사람이 대
> 립하는 구도로 사건이 전개되어야 하는데 이때 착한 사람을
> '선인(善人)' 악한 사람은 '악인(惡人)'이라고 해요.

03 [인물의 심리, 태도 파악]　　　　　　　정답 ①

성진은 팔선녀를 만난 후 세속적인 삶을 열망하며 불가의 적
막함에 갈등하지만, 팔선녀가 직접 성진에게 입신양명이나
부귀공명을 권한 것은 아니다.

【 오답 풀이 】

② '성진이 십이 세에 부모를 버리고 스승님을 좇아 머리를 깎으니 연화
도량이 곧 성진의 집이니'에서 알 수 있다.

③ '미색을 권련하여~적막함을 싫이 여기니'에서 성진의 내적 갈등을 사
부(육관 대사)가 알고 있음을 알 수 있다.

④ '네 죄인을 영거하여~'에서 신장이 대사의 명에 따라 성진을 풍도로
인도하게 됨을 확인할 수 있다.

⑤ '소유가 전일 토번을 정벌할 때~'에서 소유가 자신이 꿈에서 남악 형
산 불경 강론에 갔다고 생각하고 있음이 드러난다.

04 [소재의 기능 파악]　　　　　　　정답 ⑤

'향로에 불을 다시 피우고 의연히 포단에~'는 입몽의 순간이
고 '포단 위에 앉았으되 향로에 불이 이미 사라지고 지는 달
이 창에 이미 비치었더라.'는 각몽의 순간이므로 향로의 '불'
은 주인공의 입몽에서 각몽에 이르기까지의 시간 경과를 드
러내는 소재라고 볼 수 있다.

【 오답 풀이 】

① '염주'는 성진이 승려의 신분임을 암시한다.

② 사부가 '등촉'을 밝힌 것은 성진의 죄를 묻기 위해서이다.

③ 성진은 포단 위에서 꿈을 꾸고 있으므로 '섬돌'이 입몽과 각몽이 이루
어지는 공간이라는 것은 적절하지 않다. '섬돌'은 성진이 사부에게 죄
를 질책받는 곳이다.

④ '막대'는 호승의 등장을 암시하는 소재이다.

05 [작품의 공통점, 차이점 파악]　　　　　　　정답 ④

조신은 꿈속에서 여인과 고향으로 가서 살림을 시작했으나
극심한 가난으로 고통을 겪는다. 그러나 성진은 꿈속에서 인
간 세상에 양소유로 태어나 온갖 부귀영화를 누린다.

【 오답 풀이 】

① 「조신의 꿈」에서 조신은 장원을 맡아 관리하는 승려이고, 성진은 연화
도량에서 불도에 정진하는 승려이다.

② 조신은 태수의 딸을 만난 후 여인과 살게 해 달라고 관음보살에게 빌
었고, 성진은 팔선녀를 만난 후 세속적 욕망을 가져서 풍도에 가게 된다.

③ 조신은 여인과 떠나는 꿈을 꾸고, 성진은 양소유의 삶을 사는 꿈을 꾼다.

⑤ 조신은 꿈속 경험을 통해 인생의 덧없음을 깨닫고, 성진은 양소유의
삶에서 온갖 부귀영화를 다 누리지만 일장춘몽임을 깨닫는다.

06 [서사 내용의 파악]　　　　　　　정답 ⑤

성진은 꿈에서 깨어나 양소유로서의 삶이 하룻밤의 꿈인 것
을 알게 된다. 따라서 천상적 가치를 추구하는 성진이 세속
적 가치를 추구하는 소유의 상태에서 벗어나지 못하고 있음
을 알 수 있다는 진술은 적절하지 않다.

【 오답 풀이 】

①, ② 팔선녀를 만난 성진은 불가의 적막함 때문에 갈등하고 있다.

③ 양소유로서의 삶은 세속적 가치를 추구한 결과라고 볼 수 있다.

④ 성진이 꿈에서 깨어나도록 하는 것이 호승이므로 호승과 만난 후 천
상으로 회귀하게 된다는 설명은 적절하다.

07 [구성 및 서사 구조의 이해]

팔선녀를 만나고 돌아온 성진이 내적 갈등을 겪다가 꿈을 꾸
는 입몽 부분은 '향로에 불을 다시 피우고 의연히 포단에 앉
아~'이고, 인간 세상에서 양소유의 화려한 삶을 경험하고 꿈
에서 깨는 각몽 부분은 '말을 떨구지 못하여서 구름이 걷히니
~'이므로 입몽의 첫 2어절은 '향로에 불을'이고, 각몽의 첫 2
어절은 '말을 떨구지'이다.

31강

옥루몽(玉樓夢)

본문 162쪽

> **01.** ③　**02.** ②　**03.** ④　**04.** ⑤　**05.** ④　**06.** '옥적'은 강남홍
> 과 양창곡이 서로 만날 수 있도록 매개하는 기능을 한다. 이 과정에서
> 강남홍은 옥적을 연주하는 이가 문창성의 정기를 이어받은 사람이며
> 양창곡일지도 모른다며 기대하고 있다.　**07.** ③　**08.** ⊙의 '웃음'은
> 강남홍의 여유로운 태도를 보여 주는 것으로, 강남홍이 지니고 있는
> 뛰어난 능력에서 오는 자신감을 나타낸다. 한편 ⊙의 '웃음'은 오랑캐
> 장수가 죽은 줄로만 알았던 연인 강남홍이라는 사실을 알게 된 후 양
> 창곡이 느끼는 기쁨을 드러낸다.

01 [서술상의 특징 파악]　　　　　　　정답 ③

'장자방이 퉁소를 불어서 항우의 병사들인 강동 지역 자제들
을 흩어 버린 일'과 같은 역사적 사건을 활용하여, 강남홍이
옥적을 부는 것이 심리전을 펼치기 위함임을 드러내고 있다.

① 만왕의 남만 진영과 명나라 진영에서, 전투가 벌어지는 장소로 공간이 이동하지만, 이를 통해 인물 간의 갈등이 심화되고 있지는 않다.
② '마치 아침 햇살에 아름다운 봉황이 날아오르며 수컷이 노래를 부르자 암컷이 화답하는 듯'하다거나, '양창곡이 창을 짚고 조각상처럼 서서'와 같은 비유적 표현을 사용하고 있으나 이런 비유가 인물 간의 대립적 관계를 부각하고 있지는 않다.
④ 남만 진영과 명나라 진영 간의 대결이 시간의 흐름에 따라 제시되고 있을 뿐, 삽화식 구성은 나타나지 않는다.
⑤ 잦은 장면 전환을 통해 이질적인 사건이 제시되거나 사건 간의 관계를 드러내는 부분은 나타나지 않는다.

02 [작품의 내용 파악]   정답 ②

강남홍은 동초와의 대결에서 상모를 쏘아 떨어뜨리겠다는 첫 번째 예고를 실행에 옮긴 후, 동초의 왼쪽 눈을 맞히겠다는 위협적인 두 번째 예고를 한다. 그러나 이는 실제 성공하기도 전에 겁을 먹은 동초가 먼저 도망가는 모습으로 이어진다. 따라서 강남홍이 연속적으로 자신이 예고한 바를 성공한다는 설명은 적절하지 않다.

① 강남홍은 창을 뽑아 들고 나온 동초에게 "너는 돌격장이니 내 적수가 아니다. 빨리 다른 장수를 보내라."와 같이 말하고 있다. 이를 통해 강남홍은 동초가 돌격장의 역할을 맡은 장수임을 근거로 들어 그와 싸울 뜻이 없음을 드러내고 있음을 확인할 수 있다.
③ 뇌천풍이 자기 진영의 장수인 동초의 패배에 분노하여 강남홍과 대결을 벌이지만 강남홍의 칼 솜씨에 놀라 더 이상의 싸움을 포기한다.
④ 강남홍은 양창곡을 알아보고 일부러 칼을 땅에 떨어뜨린 후 양창곡에게 말을 걸어 자신의 정체를 밝힌다. 이후 삼경에 다시 만나자며 앞으로의 일을 예고하는 모습을 보이고 있다.
⑤ '말을 마치고 채찍질을 하여 오랑캐의 본진을 향하여 훌쩍 돌아갔다. 양창곡이 창을 짚고 조각상처럼 서서 오래도록 그쪽을 바라보다가 본진으로 돌아왔다.'를 통해 죽은 줄로만 알았던 연인 강남홍을 적군의 장수로 다시 만나게 된 양창곡의 놀라움과 기쁨의 심리를 드러내고 있다.

03 [작품의 줄거리 파악]   정답 ④

강남홍은 양창곡을 만나고 온 후, 만왕에게 "오늘 명나라 원수를 거의 사로잡을 뻔했는데, 몸이 불편하여 진을 퇴각시켰습니다. 내일 다시 싸워야겠습니다."라고 말한다. 이는 자신의 몸 상태를 핑계로 전투를 미루면서 전쟁에 승리할 의지가 있는 것처럼 말하는 것이다. 하지만 강남홍이 양창곡에게 밤중에 찾아가겠다고 약속한 것으로 볼 때 만왕에게 이야기한 것은 거짓된 진술이고, 사실은 양창곡이 있는 명나라 진영으로 돌아갈 계획임을 알 수 있다.

① 명나라의 동초와 뇌천풍이 강남홍에게 패배한 후, '명나라 진영의 여러 장수들이 서로 돌아보며 출전하려는 사람이 없었다.'를 통해 강남홍과 대적하겠다는 여러 장수들이 있었던 것이 아니라 오히려 강남홍과의 대결을 피하고자 한 것으로 볼 수 있다.

② 강남홍은 명나라 진영에서 화답하는 옥적 소리를 듣고 '잠시 옥적을 멈추고 망연자실하여 고개를 숙이고 한동안 생각'하는 모습을 보이고 있을 뿐, 전쟁에서 승리하려는 의지를 높이고 있지 않다.
③ 강남홍은 동초와 대결하기 전 손삼랑에게 상대를 자극하는 말을 하도록 시키고 있다. 그러나 이는 손삼랑을 전투에 참가시키려는 것이 아니라 본인이 전투에 참가하기 위한 선전 포고에 해당한다.
⑤ 양창곡은 강남홍의 목소리를 듣고 난 후, 상대가 강남홍임을 알게 된다. 그러나 이 과정에서 양창곡이 강남홍을 환생한 인물이라고 여기는 모습이나 태도는 나타나 있지 않다.

04 [외적 준거에 따른 작품 감상]   정답 ⑤

강남홍이 상대 장수가 양창곡인지를 확인하기 위해 만나려 했던 것은 명나라 진영에서 화답한 옥적 소리를 듣고 난 후에 해당하는 것이지 만왕을 구하라고 한 사부의 명을 수락했을 때가 아니다.

① 양창곡은 강남홍이 죽었다고 생각했기에 강남홍이 자신의 정체를 밝히기 전까지 오랑캐 복장을 한 강남홍을 알아보지 못한다. 이는 〈보기〉의 '달라진 상황이나 처지, 변장이나 변복 등으로 인해 서로를 알아보지 못하기도 한다.'를 바탕으로 이해할 수 있다.
② 양창곡은 강남홍이 죽었다고 생각했기에 지상계에서의 그녀와의 인연이 끝났다고 생각한다. 이는 〈보기〉에서 '지상계에서 만남과 이별을 반복'한다고 한 점을 바탕으로 이해할 수 있다.
③ 강남홍은 만왕을 구하러 와 남만 진영의 장수로, 양창곡은 이와 대립하는 명나라 진영의 장수로 나서고 있다. 이는 〈보기〉에 따르면, 지상계에서의 두 인물의 만남이 '아국과 적국'이라는 대립적 위치를 바탕으로 구현되고 있는 것으로 이해할 수 있다.
④ 강남홍이 '어찌 남과 북에서 그 짝을 잃어버리게 하였다가 서로 만나 합치게 되는 것이 이토록 늦었을까?'라고 생각할 만큼 전투에서 양창곡과 다시 만나기까지 오랜 시간을 이별한 상황이었다. 이는 〈보기〉에서 '양창곡과 강남홍은 지상계의 인물'이지만 천상계에서 맺은 인연을 바탕으로 '지상계에서 만남과 이별을 반복하고 있다.'라고 한 내용을 바탕으로 이해할 수 있다.

05 [외적 준거에 따른 작품 감상]   정답 ④

강남홍이 만왕인 나탁에게 '내일 다시 싸워야겠'다고 말하는 것은 양창곡이 있는 명나라 진영으로 돌아가기 위한 거짓 보고이다. 〈보기〉에 따르면, 이는 '이별했던 주인공'(강남홍과 양창곡)이 '재회'하기를 바라는 '독자들의 욕구'를 충족시키는 서사 전개 정도로 이해할 수 있다. 따라서 '전세가 기울어지는 급격한 형국의 전개'를 나타내거나 이를 정확히 진단함으로써 독자들의 욕구를 충족하는 것으로 이해하는 것은 적절하지 않다.

① 강남홍은 부모의 나라인 명나라를 저버릴 수 없는 만왕의 장수이고, 양창곡은 명나라의 장수이므로, 이는 〈보기〉에서 언급한 '적장끼리의 관계상 특이성'에 해당한다. 명나라에 대한 강남홍의 우호적인 태도는 이들의 전투가 치열하게 일어나기 어려운 개연성을 제공한다고 볼 수 있다.
② 만왕의 장수이자 전투에서 영웅적인 활약을 펼치는 강남홍은 '짝은 양 공자 한 분뿐'이라고 여기며 옥적 소리를 확인하려는 하는데, 이는

적장끼리의 치열한 갈등 관계를 바탕으로 전개되는 일반적인 군담들과 구분되는 특이성이다. 이는 〈보기〉에서 '일반적인 군담은 남성을 중심으로 적장끼리의 치열한 갈등 관계를 바탕으로 전개되지만, 이 작품에서는 적장 및 적장끼리의 관계상 특이성'을 통해 '전형적인 군담과 변별되는 양상을 보여 준다.'라고 한 내용을 바탕으로 이해할 수 있다.

③ 강남홍은 전투 과정에서 양창곡을 확인한 후 너무 기쁜 나머지 눈물을 흘리고 정신이 황홀해 어찌할 바를 모르는 모습을 보인다. 이는 〈보기〉에 따르면, 적장끼리의 관계가 '치열한 갈등 관계'가 아니라 연분이 있는 사이라는 특이성과 그에 따른 전투는 적장이 양창곡일 수도 있다는 강남홍의 '기대'가 '확인'되는 '과정의 서사적 구조'로 이해할 수 있다.

⑤ 양창곡을 만나고 돌아온 강남홍이 내일 다시 싸워야겠다고 말한 것에 대해 나탁은 강남홍의 말을 그대로 수용하고 조력하는 모습을 보인다. 이 과정에서 나탁이 '시중을 들면서 직접 간병'을 하겠다고 말하는 것은 밤에 양창곡에게 돌아가려는 계획을 실행하는 데 방해가 되는 상황에 해당한다. 이는 〈보기〉에 따르면, 이별했던 양창곡과 강남홍이 '함께하기를 기대하는 독자들의 욕구'가 '충족'되는 데에 있어, 장애 요소를 통해 긴장감을 부여하는 것이라고 이해할 수 있다.

06 [소재의 기능 파악]

강남홍이 옥적을 불자 명나라 진영에서도 옥적으로 화답한다. 이에 강남홍은 옥적을 연주한 사람이 양창곡일 것이라 짐작하고, 결국 전투에 나가 양창곡과 만나게 된다. 이로 볼 때 '옥적'은 강남홍과 양창곡의 만남을 매개하는 도구가 됨을 알 수 있다. 이 과정에서 강남홍은 옥적을 불고 있는 사람이 문창성의 정기를 이어받은 사람이며 또한 자신의 짝인데, 자신의 짝은 양 공자뿐이라고 말하는 모습을 보이고 있다.

07 [구절의 의미 이해]   정답 ③

[A]에서 소유경은 '필마단기', 즉 한 필의 말을 홀로 타고 전투에 참여하려는 양창곡의 출전을 만류하고 있다. 그러나 [B]에서 양창곡은 이러한 소유경의 말을 거절하고 다른 중심인물인 강남홍과 대결을 하러 나가며 이 과정에서 '강남홍의 무예가 절륜한 것을 알고 한번 대항해 보고 싶'다고 하였으므로 상대의 실력을 확인하려는 의도를 가지고 있음을 알 수 있다.

【 오답 풀이 】

① [A]에서 소유경은 양창곡이 '황제의 명을 받들어 삼군을 지휘하'고 '국가의 안위'가 달린 몸이라는 점을 들어 출전을 만류하고 있으므로 이에 대한 설명은 적절하다. 그러나 [B]에서 양창곡은 적장의 정체가 다른 중심인물인 강남홍인지 모르고 출전하고 있다.

② [A]에서 '종묘사직의 중대함'을 책임지고 있는 인물은 양창곡이다. [B]에서는 이러한 양창곡이 직접 출전하고 있는 상황에 해당하므로 [A]와 같이 말한 소유경이 양창곡 대신 강남홍과 맞서야 한다든지, 이를 수용하기로 결심했다는 설명은 적절하지 않다.

④ [A]에서 소유경은 '한때의 분노로 승부를 내려'한다고 말하면서 나라를 위해 신중하게 생각할 것을 당부할 뿐, 비난하지는 않는다. 또한 [B]의 과정이나 그 이후까지도 주변 인물인 소유경은 다른 중심인물인 강남홍의 정체에 대해 알지 못하는 모습을 보이고 있다.

⑤ [A]에서 '몸을 보전하고 나라를 위하는 뜻'은 대결에 나서지 말아야 한다는 의도로 소유경이 발언한 것이다. 그러나 양창곡은 출전하므로

소유경이 말한 바를 실행하고 있지 않다. 또한 '몸을 보전하고 나라를 위하는 뜻'을 가지고 양창곡이 대결에 나섰다고 보더라도 [B]에서 소유경이 양창곡의 활약을 확인하고 난 후에 그 뜻을 이해하는 모습은 나타나지 않는다.

Q 중심인물과 주변 인물이 뭔가요?

A '중심인물'과 '주변 인물'은 인물의 유형을 서사 구조 내에서의 중요도에 따라 구분하는 개념이에요. 이때의 중요도는 핵심적인 사건을 이끌어 가는 인물이냐를 기준으로 살피면 되는데, 일반적으로는 작품의 주인공이라고 생각하면 돼요. '주변 인물'은 주인공을 제외하고 사건의 진행에 기여하거나 도움을 주는 인물을 가리키는 것으로, 관계에 따라 인물이나 사건의 관계를 암시하거나 주제를 부각하는 등 다양한 역할을 하므로 주변 인물과 중심인물 간의 관계를 파악하는 것도 소설에서 서사의 흐름을 이해하는 데 필요한 경우가 많아요.

---

08 [인물의 심리, 태도 파악]

㉠은 자극을 받아 돌진하는 적장과 달리 여유로운 태도를 보이며 자신이 할 행동을 예고하는 과정에서 보이는 모습으로, 이후의 활약상을 고려할 때 뛰어난 능력을 지닌 인물로서의 자신감을 보여 준다고 할 수 있다. 한편, ㉡은 강남홍이 그냥 물러난 연유를 모르는 소유경과 달리, 죽은 줄 알았던 강남홍을 만나게 된 것에 대해 기쁨을 느끼면서도 이를 말하지 않는 양창곡의 모습을 보여 준다.

32강

공방전(孔方傳)

본문 169쪽

| 01. ④ | 02. ④ | 03. ③ | 04. ⑤ | 05. ① | 06. ④ | 07. ⑤ |

08. ⑤　09. 돈을 의인화하여 가계와 생애를 서술하는 전의 형식을 취하고 있다.

01 [작품의 내용 파악]　　　　　　　　　　　　정답 ④

공방은 물건값을 낮추어 곡식을 천하게 하고, 재화를 중하게 하여 백성으로 하여금 근본인 농업을 버리고 끝인 상을 좇게 하여 농사에 방해를 끼쳤다고 서술되어 있다.

【 오답 풀이 】

① '(공방은) 때에 따라 그에 맞게 잘 변하더니'에서 알 수 있다.

② '공방은 또 재치 있게 권세가들을 잘 섬겨'에서 알 수 있다.

③ 황제 시절에 공방의 조상을 본 관상가가 때를 긁고 빛을 갈면 그 자질이 드러난다고 하였고 이로 말미암아 세상에 이름이 나타났다고 하였다.

⑤ 공방이 오나라 왕 비에게 붙어 많은 이득을 보았다고 하였다.

02 [서술상의 특징 파악]　　　　　　　　　　　정답 ④

'공방의 성질이 욕심 많고 더러워~'라는 부분에서 인물의 성격을 직접 서술하고 있으며(ㄱ), 공방의 조상 시기부터 공방 사후의 일까지 시간적 순서로 구성되어 있다(ㄴ). 또한, 나라를 부유하게 하는 공방의 장점과 장사치의 이익만을 일으켜 나라를 좀먹게 하는 공방의 단점을 모두 제시하고 있다(ㄷ). 그러나 '돈'을 의인화한 것은 맞지만 주제를 우회적으로 제시하고 있으므로 주제를 명확하게 제시하자(ㄹ)는 계획은 적절하지 않다.

03 [서술상의 특징 파악]　　　　　　　　　　　정답 ③

'그때 공방은 죽은 지가 이미 오래였고'에서 [C]는 공방 사후의 일을 서술하고 있다는 것을 추론할 수 있다.

【 오답 풀이 】

① [A]와 [C]는 모두 과거형으로 서술하고 있다.

②, ④ [A]와 [C]에서는 모두 공방을 등용하고자 하므로 대상을 긍정적 관점으로 보고 있다.

⑤ [A]와 [C]는 각각 '무제 때'와 '당나라'라는 역사적 시기에 돈에 대한 사실을 바탕으로 대상의 상황을 서술하고 있다.

04 [관련된 한자 성어 이해]　　　　　　　　　정답 ⑤

공방의 외양이 밖은 둥글고 안은 모가 났으므로 겉과 속이 다르다는 의미의 '표리부동'이라는 한자 성어가 적절하다.

【 오답 풀이 】

① '견물생심'은 '어떠한 실물을 보게 되면 그것을 가지고 싶은 욕심이 생김.'이라는 뜻이다.

② '일취월장'은 '나날이 다달이 자라거나 발전함.'이라는 뜻이다.

③ '사면초가'는 '아무에게도 도움을 받지 못하는, 외롭고 곤란한 지경에 빠진 형편'이라는 뜻이다.

④ '자가당착'은 '같은 사람의 말이나 행동이 앞뒤가 서로 맞지 아니하고 모순됨.'이라는 뜻이다.

05 [구절의 의미 파악]　　　　　　　　　　　　정답 ①

공방의 말 한마디가 황금 백 근의 값어치가 있을 만큼 공방의 권세가 대단하였다는 의미이다.

06 [인물의 심리, 태도 파악]　　　　　　　　　정답 ④

화교는 공방에 대한 이야기를 듣고 기뻐하며 사귀어 큰 재산을 모았으나 군사 자금(군자)을 맡는 일에 공방이 적임자라고 생각하지 않았다. 군사 자금과 관련된 인물은 '곡량의 학문으로 벼슬에 나아간 이'이다.

【 오답 풀이 】

① 완적은 성격이 활달하여 속물을 즐기지 않았는데도 공방의 무리와 술집에 이르러 때로는 취하도록 마셨다.

② 왕이보는 입에 일찍이 공방의 이름을 담지 않고 다만 '그것'이라고 일컬었다.

③ 공우는 공방이 장사치의 이익을 일으켜 나라를 좀먹고 백성을 해하여 공사를 다 곤궁하게 하므로 면직시켜야 한다고 주장하였다.

⑤ 유안은 국가의 재산이 넉넉하지 못했으므로 임금께 청하여 다시 공방의 방법을 써서 나라의 씀씀이를 편하게 하자 하였다.

07 [외적 준거에 따른 작품 감상]　　　　　　　정답 ⑤

사신은 공방이 두 마음을 품고 큰 이익을 좇았으므로 충성된 사람이라고 하기 어렵다고 하면서 국가의 이익을 일으켜 주고 해를 덜어 주어야 하는데 도리어 해를 끼치는 일을 하였다고 평을 하고 있다. 그러므로 〈보기〉의 빈칸에는 공방이 끼친 부정적인 내용이 들어가는 것이 적절하다. 부민후가 되어 나라의 창고를 채웠다는 것은 국가의 이익을 일으켜 준 것이므로 빈칸에 들어갈 내용으로 적절하지 않다.

【 오답 풀이 】

① 백성이 상을 좇게 한 것은 백성이 농업을 천시하게 만든 일이므로 백성이나 나라에 해를 끼친 것에 해당한다.

② 벼슬을 팔아 올리고 내쳤다는 것은 매관매직을 하였다는 의미이다.

③ 바둑 두기와 투전하기를 일삼았다는 것은 투기를 일삼았다는 뜻이다.

④ 본전과 이자의 경중을 따졌다는 것은 욕심 많고 더러워 염치가 없었던 공방이 한 일이므로 부정적인 행위에 해당한다.

08 [작품의 공통점 차이점 파악]　　　　　　　정답 ⑤

〈보기〉의 흥보는 돈을 반기며 돈은 생살지권을 가진 것으로 돈만 있으면 사람을 살릴 수도 있고 죽일 수도 있을 정도로 모든 일을 다 할 수 있다고 생각하고 있다. [B]에서 공방이 돈만 있으면 누구든 가리지 않고 사귀고 통하였다는 것은 돈이면 안 되는 일이 없다는 의미이다. '돈만 있으면 귀신도 부릴 수 있다.'라는 것도 돈만 있으면 무엇이든 다 할 수 있다는 의미이므로 〈보기〉의 흥보가 돈을 대하는 관점 및 [B]에 서술된 '돈'에 대한 관점과 의미가 통한다.

[오답 풀이]

① '돈이 돈을 번다.'는 돈 있는 사람이 돈을 벌기 더 쉽다는 의미이다.

② '사람 나고 돈 났다.'는 사람이 돈보다 소중하다는 의미이다.

③ '돈이 일만 악의 뿌리이다.'는 돈의 부정적인 측면을 의미한다.

④ '돈 없는 놈이 큰 떡 먼저 든다.'는 자격 없는 사람이 나선다는 의미이다.

09 [서술상의 특징 파악]

밖은 둥글고 안은 모나다는 것은 엽전 즉 돈을 뜻하므로 공방은 돈을 의인화한 것이다. 또, 공방의 조상부터 아들까지 가계를 서술하고 공방의 생애를 언급하는 것은 마치 사람의 전기처럼 일대기를 다루는 것이므로 전의 형식이라고 할 수 있다.

> **Q 전(傳)의 형식이라는 것이 뭔가요?**
>
> **A** 전의 형식이란 우리가 어릴 때 읽었던 위인전을 떠올리면 이해하기가 쉬워요. 즉, 인물의 일대기를 서술하고 인물에 대한 평가를 담고 있는 서술 형식을 말하는데, 가전체의 경우엔 '인물 소개–인물의 주요 행적–인물 평'의 순서로 전개하는 게 일반적이에요. 인물의 일대기를 다루다 보면 조상이나 가계에 대해 언급하기도 하지요.

33강

국순전(麴醇傳)

본문 174쪽

01. ③　02. ⑤　03. ⑤　04. ②　05. ⑤　06. 산도의 말은 국순의 앞날을 예언하여 독자가 앞으로 일어날 일을 예상하도록 한다.
07. ⑤　08. 국순은 임금이 정사를 폐하였을 때 함구무언하였으므로 천하의 웃음거리가 되었다.

01 [서술상의 특징 파악] 　　　　　　　　　　　정답 ③

섭법사, 산도, 관상 보는 자와의 예화 등을 열거하며 국순의 성격을 드러내고 있다.

[오답 풀이]

① 작품 밖의 서술자가 전지적 시점에서 사건을 서술하고 있다.

② 시·공간적 배경은 인물 간의 대화에서 드러나는 것이 아니라 서술자의 서술을 통해 '진 후주', '당나라', '주나라' 등의 추론이 가능하다.

④ 시간 순서대로 인물의 가계와 생애를 서술하고 있다.

⑤ 이 글에는 인물 간의 갈등을 중재하는 권위 있는 인물이 나타나 있지 않다.

> **Q 갈등의 해소가 뭔가요?**
>
> **A** 갈등의 해소는 사건이나 인물과 관련된 갈등의 양상이 어떤 결말을 맺게 되는 걸 말해요. 하지만 갈등의 해소가 반드시 행복한 결말을 의미하는 건 아니라는 점을 꼭 기억해야 해요. 대립하는 상황이나 인물 중 한쪽이 승리하거나 비극적 결말에 이르는 것도 갈등 해소라고 해요.

02 [감상의 적절성 평가] 　　　　　　　　　　정답 ⑤

국순은 임금이 입에서 냄새가 나는 것으로 자신의 나이듦을 지적하고 꺼려하자 벼슬에 연연해한다는 세간의 평가를 받는 것이 두려워 스스로 물러나고자 한다.

[오답 풀이]

① ㉠에서 '만경창파'는 한없이 넓고 넓은 바다를 이르는 말로 '국순의 그릇과 도량이 크고 깊었다.'는 것을 비유적으로 강조하고 있다.

② ㉡에서 산도는 국순이 장차 세상에 해를 끼칠 것임을 예언하고 있다.

③ ㉢에서 국순은 청주종사에서 평원독우로 강등된 것에 불만을 나타내며 앞으로 더 높은 벼슬을 할 것이라는 포부와 자존심을 드러내고 있다.

④ ㉣에서 권세를 얻은 국순이 다양한 방면에 사용되었음을 보여 준다.

03 [인물의 종합적 이해] 　　　　　　　　　　정답 ⑤

'진 후주 때에 임금이 그의 그릇을 남다르게 여겨 장차 크게 쓸 뜻이 있다 하여 광록대부 예빈경의 자리로 옮겨 주었고, 공의 작위에 오르게 하였다.'에서 확인할 수 있다.

[오답 풀이]

① 관부에서 순을 불러 청주종사의 자리를 주었으나 마땅한 벼슬자리가 아니라 하여 평원독우를 시켰다는 내용은 있으나 국순이 청주종사의 관직을 싫어했다는 내용은 드러나지 않는다.

② 국순은 임금이 정사를 폐하여도 그 앞에서 간언할 줄 몰랐다고 서술되어 있다.

③ 국순은 돈을 좋아하는 습성이 있다고 서술되어 있다.

④ 임금이 순으로 하여금 군신의 회의에 참여하게 하였다고 서술되어 있다.

04 [외적 준거에 따른 작품 감상] 　　　　　　정답 ②

[B]에는 국순이 세상에 알려진 계기와 국순에 대한 산도의 평가가 드러나 있다. [C]에는 국순의 관직 입문, 국순에 대한 임금의 총애, 국순의 입신양명, 국순의 국정 문란, 은퇴와 죽음이 시간 순서대로 제시되어 있다.

[오답 풀이]

① [A]에서는 국순의 조상 모와 그 후손에 대한 내용이 서술되어 있다.

③ [C]에서는 국정을 문란하게 하고 돈을 좋아했던 국순(간신)을 비판, 풍자하고 있다. 이를 다시 [E]에서 사관은 '옳고 그름을 변론하지 못하고~천하의 웃음거리가 되었으니'라고 하며 재차 강조하고 있다.

④ [D]에서 국순의 먼 친척 가운데 아우뻘 되는 청과 그 후손의 번성에 대해 서술하고 있다.

⑤ [E]는 사신의 말을 직접 인용하는 형식을 통해 순을 평가하면서 인간 세태를 풍자하고 있다.

05 [외적 준거에 따른 작품 감상] 정답 ⑤

임춘은 숨어 지내며 존경받는 것이 벼슬을 하다가 망하는 것보다 낫다는 생각을 지니고 있지만, 과거에 연이어 응시했던 삶을 고려하면 부패한 과거 제도 자체를 거부한 삶을 살았다고 볼 수 없다.

[오답 풀이]

① 국순은 여러 벼슬을 하였으나 〈보기〉에서 임춘은 과거에 실패하고 숨어 지냈다고 하였으므로 국순의 삶과 임춘의 삶은 차이가 있다.

② 이 글에서 사람들이 술을 즐겼다고 하였고, 〈보기〉에서 임춘은 숨어 지내며 술을 즐겨 마셨다고 하였다.

③ 임금이 곤드레만드레 취하여 정사를 폐한 것은 술이 미치는 부정적 영향이라고 볼 수 있다.

④ 임금에게 간언을 하지 않은 국순의 모습은 간사한 벼슬아치의 모습에 해당한다고 할 수 있다.

06 [작품의 내용 파악]

국순이 천하의 백성들을 그르치는 자가 될 것이라고 하는 산도의 말은 국순의 미래에 대한 예언이므로 독자들은 예언의 참, 거짓을 확인하기 위해 호기심을 가지고 작품 내용에 집중하게 된다.

07 [작품의 공통점, 차이점 파악] 정답 ⑤

이 글에서 국순은 벼슬에서 물러나 집으로 돌아와 갑자기 병이 나 하룻밤 사이에 죽었다고 하였으나, 〈보기〉에서 국 씨는 스스로 물러가 능히 천명으로 세상을 마쳤다고 하였다.

[오답 풀이]

① 국순의 90대 선조는 모, 즉 보리이므로 농업과 관련이 있고, 〈보기〉에서 국 씨는 대대로 농가 태생이라고 하였다.

② 국순의 선조 모는 백성들을 먹여 공이 있었다고 하였고, 〈보기〉에서 국 씨는 태평을 이루어 그 공이 성대하다 하였다.

③ 국순은 임금이 그를 매양 감싸고돌았다고 하였고, 〈보기〉에서 국 씨는 임금의 총애가 극도에 달하였다고 하였다.

④ 〈보기〉에서 국 씨는 '나라의 기강을 어지럽혔으니, 그 화가 비록 자손에게 미쳤더라도'라고 서술되어 국 씨의 잘못으로 후손이 화를 입었을 것이라고 추론할 수 있다.

08 [관련된 한자 성어 이해]

사신의 평가에 의하면 국순이 옳고 그름을 변론하지 못하고, 왕실이 어지러워져도 붙들지 못하여 천하의 웃음거리가 되었다고 하였다. 이는 임금이 '곤드레만드레 취하여 정사를 폐하게' 되었음에도 '입을 굳게 다문 채 그 앞에서 간언할 줄 몰랐'던 것을 말한다. '함구무언'은 '입을 다물고 아무 말도 하지 않는 것'이므로 이와 관련된 한자 성어에 해당한다.

34강

심청가(沈淸歌)

본문 179쪽

> **01.** ⑤ **02.** ① **03.** 심 봉사가 맹인 잔치에 참석하게 되는 사건에 필연성을 부여한다. **04.** ③ **05.** ④ **06.** ② **07.** ③ **08.** ②
> **09.** ㉠ ㉠에는 심 봉사를 애타게 기다리는 심청의 애달픈 심정을 드러내고 있다는 점에서 진양조가 들어가야 한다. ㉡ ㉡에는 심청과 심 봉사가 서로를 알아보며 만나는 동시에 심 봉사가 극적으로 눈을 뜬다는 점에서 자진모리가 들어가야 한다.

01 [서술상의 특징 파악] 정답 ⑤

'막상 떠날라고 허니 도화동이 섭섭하든가 보드라.'를 통해 황성길에 오르려고 하는 심 봉사의 심리에 대해 서술자에 해당하는 창자가 개입하여 논평하고 있음을 확인할 수 있다.

[오답 풀이]

① '의복', '괴나리 띳빵' 등의 소재가 등장하기는 하지만 이러한 소재들은 심 봉사가 도화동을 떠날 때 가지고 가는 소재일 뿐, 사건의 방향을 암시하는 복선의 기능을 하고 있지 않다.

② 뺑덕이네가 심 봉사 곁을 떠나는 모습에서는 특정한 인물이 그 사이에 등장하지 않고, 심 봉사와 심청 간의 만남의 과정에서도 권위 있는 인물의 중재를 통해 인물 간 갈등이 해소되는 모습은 나타나 있지 않다.

③ 심 봉사와 심청이 만나게 되는 과정에서 우스꽝스러운 모습의 희극적인 분위기는 연출되고 있지 않다.

④ 시간의 흐름에 따라 사건이 진행되고 있을 뿐, 과거와 현재의 상황이 교차되거나 그에 따라 감춰진 사건의 전모가 밝혀지는 모습은 나타나 있지 않다.

> **Q 복선이 뭔가요?**
>
> **A** '복선'은 소설에서 앞으로 일어날 사건을 미리 독자에게 암시적으로 알려 주는 서사적 장치를 말하고, 여기서 '암시'는 전달하거나 뜻하고자 하는 바를 간접적으로 제시하는 방법을 의미해요. 복선은 현재 상황과 미래 사건 사이의 관계에 개연성이나 필연성을 부여하는 기능을 한다고 볼 수 있어요. 이는 독자가 사건 간의 관계, 소재나 상황 등을 최대한 연결 지으면서 읽어야 한다는 것을 뜻해요.

02 [인물의 심리, 태도 파악] 정답 ①

뺑덕이네는 심 봉사에게 시집온 후 가산을 탕진하며 떠날 기회를 엿보는 와중에 황성길을 빌미로 이를 실행해 옮긴다. 이 과정에서 뺑덕이네는 겉으로는 '여필종부'라는 명분을 내세우며 심 봉사를 따르는 척하는 모습을 보인다.

[오답 풀이]

② '심 황후께서는 아무리 기다려도 부친이 오시지 않으니 슬피 탄식 우는 말이'를 통해 아버지를 기다려도 쉽사리 만날 수 없는 상황 때문에 슬퍼하는 모습을 보이고 있을 뿐, 맹인 잔치를 연 것을 후회하는 모습까지는 드러나 있지 않다.

③ "네 여봐라.~모셔 들여라."를 통해 거주성명을 기록해 심 봉사를 찾으라고 한 것은 예부 상서가 먼저 이야기한 것이 아니라 심청이 먼저 명령을 내린 것임을 알 수 있다.

④ "아이고, 아부지!" 이후의 상황을 통해 심 봉사는 심청이 자신을 아버지라 부르고 나서야 심청을 알아보게 됨을 알 수 있다. 또한, 그 전에 심 봉사는 맹인 잔치를 연 것이 자신에게 벌을 내리려는 것이라고 여기고 있을 뿐 황후를 자신의 딸이라고 짐작하는 모습은 드러나 있지 않다.

⑤ "예, 소맹이 아뢰리다.~목숨을 끊어 주오."에서 심 봉사는 '산후 탈로 상처', 즉 심청의 어머니가 심청을 낳은 후 죽었음을 밝히고는 있지만 이와 관련하여 아내와 오랫동안 함께하지 못한 것에 미안한 마음을 드러내고 있지는 않다.

03 [구절의 서사적 기능 파악]

㉮는 황성에서 열리는 맹인 잔치에 참석하지 않으면 고을 수령이 파면될 것이라는 내용이다. 심 봉사는 이러한 점을 뺑덕이네에게 그대로 전하면서 급히 황성에 올라가고자 하는 뜻을 밝힌다. 따라서 ㉮는 심 봉사가 맹인 잔치에 참석하게 되는 사건에 필연성을 부여하는 서사적 기능을 한다고 볼 수 있다.

04 [배경의 기능 파악]   정답 ③

심청은 아버지를 만나고자 '이 잔치', 즉 맹인 잔치를 벌이고 아버지를 기다리지만 아버지를 만날 수 없는 상황에 깊은 비애를 느끼고 있다. 그럼에도 심청은 아버지를 만나려는 노력을 멈추지 않고 있다는 점에서 아버지와의 상봉을 계속 믿고 있음을 알 수 있다.

【 오답 풀이 】

① '도화동'은 심 봉사의 '고토', 즉 고향 땅으로 심 봉사가 관가에 다녀온 후 맹인 잔치에 참석해야만 하는 것과 관련된 새로운 소식을 뺑덕이네에게 이야기하는 공간이다.

② '도화동'에서 심 봉사와 뺑덕이네가 함께 '이 잔치'로 향하는 도중에 뺑덕이네는 황 봉사와 눈이 맞아 야반도주를 한다. 이는 심 봉사가 미처 예상치 못한 상황에 해당한다.

④ '별궁'은 맹인 잔치에 참석한 심 봉사가 심청과 만나는 공간으로, 이곳에서 심청은 '피골이 상접'한 심 봉사를 보게 된다. 그러나 산호 주렴에 가리어 상대가 아버지임을 확신하지 못하고 거주와 처자가 있는지 물어보라는 명령을 내리고 있다.

⑤ '이 잔치', 즉 맹인 잔치에 참석한 심 봉사는 점고 과정에서 심청이 찾던 심 맹인임을 확인받고 '별궁'으로 들어가게 된다. 이후 심청과 대화를 나누면서 서로가 부녀지간임을 확인하게 된다.

05 [외적 준거에 따른 작품 감상]   정답 ④

'인당수 제수로 죽'었던 심청이 황후가 되었다는 것은 아버지를 위해 자신의 몸을 바치는 심청의 자기희생적 모습과 그에 대한 보상이라는 점에서 〈보기〉에서 언급한 '효 사상'의 추구가 지닌 가치를 강조하는 것이라고 이해할 수 있다. 따라서 이를 자기희생적 효의 추구에 대한 비판적 인식이라 보는 것은 적절하지 않다.

【 오답 풀이 】

① 뺑덕이네는 심 봉사의 가산을 탕진했을 뿐만 아니라 세속적 욕망으로 심 봉사 곁을 떠나 부부로서의 연을 쉽게 끊어 버린다. 이는 〈보기〉에서 언급한 윤리 부재 상황에 대한 비판적 인식을 반영한 것이라고 이해할 수 있다.

② '눈물이 뚝뚝뚝뚝'이나 '버선발로 우루루루루루루루루'는 '눈물이 뚝뚝'이나 '버선발로 우루루'와 같이 표현하는 것이 일반적이나 의도적으로 판소리 창자가 상황을 강조하기 위해 동일한 음절을 반복하여 늘어뜨리는 표현에 해당한다. 이는 〈보기〉에서 언급한 상황을 강조하는 표현이 판소리 창자의 자유로움에 기반을 두어 진행됨을 보여 주는 것이라고 이해할 수 있다.

③ '예, 소맹이 아뢰리다'라고 말하며 심청을 '동냥젖을 얻어먹여' 키웠다는 심 봉사의 말은 어려운 처지에 놓인 이웃을 돕는 모습을 보여 준다. 이는 〈보기〉에서 언급한 공동체적 삶을 위한 상생의 가치라는 요소를 서사 흐름의 내용으로 반영하고 있는 것으로 이해할 수 있다.

⑤ '소리를 허니 일이 늦게 되었'다고 밝히는 것은 판소리 창자가 심 봉사의 이야기를 끝까지 듣지 않고도 심청이 심 봉사임을 알아보는 것이 당연하지만, 창을 하다 보니 늦어졌다는 판소리 창자의 설명에 해당한다. 이는 〈보기〉에서 언급한 판소리 연행의 과정에서 작중 상황의 전개 속도가 판소리 창자에 의해 달라질 수 있음을 보여 주는 것이라고 이해할 수 있다.

06 [작품 간의 공통점, 차이점 파악]   정답 ②

이 글에서는 심청과 심 봉사가 만나게 된 이후에 심 봉사가 눈을 뜨게 된다는 비현실적 사건이 벌어지게 된다. 그러나 〈보기〉의 지은의 이야기에서는 효심으로 인한 비현실적 사건은 나타나지 않으므로 적절하지 않다.

【 오답 풀이 】

① 〈보기〉에서 지은이 봉양을 하는 대상은 어머니인 반면, 이 글에서 심청이 봉양하는 대상은 아버지이다.

③ 〈보기〉에서 지은은 집안 사정이 어려워 자신을 종으로 팔았다. 한편 이 글의 심청은 아버지의 눈을 뜨게 하려고 자신을 인당수의 제물로 남경 상인들에게 팔았다는 점에서 그 목적이 다르다고 할 수 있다.

④ 〈보기〉에서 지은이 스스로를 종으로 판 사실을 안 어머니가 한스러워하고 있음을 알 수 있다. 또한 이 글의 심 봉사 역시 자신을 죽여 달라는 말을 하는 장면에서 눈도 뜨지 못하고 자식을 팔아먹었다고 한스러워하는 모습을 보이고 있다.

⑤ 〈보기〉에서 지은은 효성에 감동한 화랑과 왕으로부터 곡식, 옷, 집 등을 받았다는 점에서 주로 물질적 보상이 제시되고 있음을 알 수 있다. 한편 이 글의 심청은 자신을 인당수의 제물로 바친 후 황후에 오른다는 점에서 신분 상승으로도 효심에 대한 보상이 나타나고 있음을 알 수 있다.

07 [작품의 내용 이해]   정답 ③

[A]에서는 황후가 자신의 딸임을 알게 된 심 봉사가 "내 딸이면 어디 보자~아이고, 답답허여라! 어디, 내 딸 좀 보자!"와 같이 딸을 보고 싶어 하는 마음을 드러내다가 극적으로 눈을 뜨게 되는 상황이 벌어지고 있다. 한편 [B]에서는 눈을 뜨게 되는 유사한 상황이 여러 맹인들과 짐승들의 모습으로까지 확대되어 나타나고 있다.

① [A]는 '부처님의 도술로 눈을 번쩍 떴구나.'와 같이 심 봉사가 눈을 뜬 상황이 초월적 존재의 힘을 통해 일어났다고 볼 수 있다. 그러나 [B]는 모든 존재들이 눈을 뜨게 되는 상황을 보여 주고 있으므로 인물 간 갈등을 빚는 반목의 모습이나 그로 인한 갈등의 심화는 나타나 있지 않다.

② [A]는 심청이 여전히 눈을 뜨지 못한 심 봉사의 상황을 안타까워하고 심 봉사가 심청을 보고 싶은 마음에 보이지 않는 자신의 상황을 답답해한다는 점에서 부정적 태도가 나타나 있다고 볼 수 있다. 그러나 [B]는 맹인과 짐승들이 눈을 뜨는 현재의 상황이 제시되어 있을 뿐, 미래의 상황이 나타나 있지 않다.

④ [B]에서 맹인과 짐승이 예상치 못하게 눈을 뜨는 상황에서 인물과 자연 간의 동질적 면모가 나타나 있다고 볼 수 있다. 한편, [A]에서 심 봉사는 심청과의 만남을 미처 예상치 못한 채 만나게 되는데, 서로 극적으로 만나게 되었다는 점에서 인물 간의 이질적 심리가 나타나 있다고 보기 어렵다.

⑤ [A]에서 심 봉사는 "웬 말이여?"라는 말을 반복하며 딸을 만난 상황이 믿기지 않는다는 태도를 보이는 것이지 심 봉사가 심청에게 의구심을 가지는 것이 아니다. 한편 [B]에서는 눈을 뜨게 되는 여러 맹인들의 모습이 열거되어 있기는 하지만 이들 간에 유대감이 형성되는 모습까지 제시되어 있지는 않다.

08 [표현상의 특징 파악]　　　　　　　　　정답 ②

ⓐ에서는 '열녀(烈女)'의 '열'이 '열 십(十)'의 '열'과 소리가 같은 말이라는 것을 이용한 언어유희의 표현이 쓰이고 있다 (ㄱ). 또한, "어서 올라가세.", "짊어지고 가세."와 같은 청유형의 표현을 사용하여 황성길에 오르는 것을 재촉하고, 이를 위해 행장을 차려 가야 할 것을 제시하고 있다(ㄷ).

ㄴ. ⓐ에서는 발화 대상인 뺑덕이네를 칭송하는 모습이 나타나 있다는 점에서 동행을 기대하는 심 봉사의 마음이 드러나 있다고 볼 수는 있지만, 동행하는 것을 우려하는 모습을 나타내고 있지는 않다.

ㄹ. ⓐ에서는 '열'과 '백'이라는 수의 크기를 활용하여 남편을 따르고자 하는 의도를 겉으로 내비치는 뺑덕이네가 '열녀'보다 뛰어남을 강조하고 있다. 그러나 이 과정에서 다른 인물과의 비교는 나타나 있지 않다.

09 [갈래의 특징과 성격]

㉠의 장단이 포함된 장면은 심청이 '어찌 이리 못 오신고'와 같은 말을 반복하며 맹인 잔치를 열었음에도 아버지를 만나 볼 수 없는 상황에서 느끼는 슬픔을 보여 주고 있다. 이러한 분위기를 고려하면 ㉠에는 구슬픈 내용이 전개되는 대목에서 주로 쓰이는 '진양조'가 적절하다. 한편 ㉡의 장단이 포함된 장면은 심 봉사와 심청이 극적으로 상봉할 뿐만 아니라 심 봉사가 기적적으로 눈을 뜨게 되는 부분으로, 이러한 분위기를 고려하면 ㉡에는 극적인 분위기를 드러내는 대목에서 주로 쓰이는 자진모리가 적절하다.

35강

흥보가(興甫歌)

본문 184쪽

01. ④　　02. ③　　03. ④　　04. ③　　05. 가난 때문에 옷을 제대로 갖춰 입을 형편이 못 되는 흥보가 양반 의관을 초라하게 구색만 갖추고 팔자걸음을 걷는 모습을 통해 신분제가 붕괴되는 조선 후기의 사회 변화를 따라가지 못하는 양반의 권위 의식과 어리석음을 풍자하고 있다.　　06. ⑤　　07. ④　　08. ⑤　　09. ③

01 [서술상의 특징 파악]　　　　　　　　　정답 ④

제시된 부분에서는 초월적 힘을 지닌 존재가 등장하지 않는다.

① 앞부분 호방과 흥보의 대화에서 매품팔이 정보가 제공되고, 중간 부분 흥보와 흥보 마누라의 대화에서 돈의 출처 정보가 제공되었으며 뒷부분 사령과 흥보의 대화에서 흥보의 매품팔이를 누군가가 가로챘다는 정보가 제공되고 있다.

② 흥부의 아들들에게 '물소리 들은 거위 모양'이라고 하거나 병영에서 '볼기전'이라는 표현을 사용하여 흥보가 매품을 팔아야 하는 비극적 상황을 해학적으로 제시하고 있다.

③ 흥보의 초라한 차림새를 통해 몰락한 양반이라는 처지가 드러나 있다.

⑤ '댕강댕강', '허유허유', '벌벌'과 같은 음성 상징어를 사용하여 장면을 생동감 있게 제시하고 있다.

02 [사건 전개 과정 파악]　　　　　　　　　정답 ③

ⓒ에서 마삯을 받은 흥부는 좋아하며 의기양양하게 집으로 돌아와 자신을 맞이하지 않는 가족들에게 가부장적이고 권위적인 모습을 보이지만 세상에 고마움을 느끼는 모습은 나타나 있지 않다.

① 흥보는 양식이 다 떨어져서 질청에 곡식을 빌리러 간다.

② 호방은 마삯을 돈으로 달라고 하는 흥보의 요청을 들어준다.

④ 흥보는 병영으로 가면서 '어떤 사람 팔자 좋아~내 팔자는 왜 그런고'라며 가난의 이유가 팔자 때문이라며 한탄하고 있다.

⑤ 병영에서 매품팔이를 하지 못하게 된 흥보는 가족들의 굶주림 때문에 막막해하고 있다.

03 [작품의 내용 파악]　　　　　　　　　정답 ④

환자를 얻으러 간 질청에서 호장은 흥보에게 매품팔이를 권함으로써 양식이 없다는 문제 상황의 해결책을 제공하게 되고, 병영에서는 꾀수 애비가 매품팔이를 발등걸이함으로써 흥보가 문제 상황에 직면하게 된다.

① 흥보는 질청에 양식을 빌리러 간 것이며 공포심은 드러나지 않는다. 매품팔이를 하러 병영에 간 흥보는 병영의 모습에서 두려움을 느끼다가 매품팔이를 발등걸이 당함을 알게 되어 막막해 하므로 병영이 인

물이 만족감을 느끼는 공간이라는 진술도 적절하지 않다.

② 질청에서 양식을 빌려야 하는 흥보는 호방에게 존대를 할지 하대를 할지 고민을 하면서 가고 있으므로 인물들이 대등한 관계를 맺고 있다고 보기 어렵다. 병영에서도 볼기를 내놓는 흥보를 사령들이 놀리고 있으므로 신분 질서가 와해되는 공간이라고 볼 수 있다.

③ 흥보가 양식을 빌리러 가는 질청은 당대 사회의 문제인 서민들의 궁핍을 드러내는 공간이 맞지만, 병영 또한 매품팔이를 하는 사람들이 존재하는 곳이므로 당대 사회의 문제가 해결되는 공간이 아니다.

⑤ 질청은 양식이 부족한 흥보의 상황이 드러나며 매를 대신 맞기로 했으므로 비극성을 지닌 공간이라 볼 수 있지만, 병영에서는 결론적으로 흥보의 매품팔이가 좌절되므로 병영을 인물의 고통이 해결되는 희극적 공간이라고 보기 어렵다.

04 [인물의 심리, 태도 파악]　　　　　　　　　정답 ③

흥보 마누라는 돈의 출처를 설명하는 흥보의 말에 "소중한 가장 매품 팔아 먹고산단 말은 고금천지에 어디서 보았소."라며 깜짝 놀라고 있으므로 매품팔이로 돈을 벌 수 있다는 것에 매우 기뻐한다는 진술은 적절하지 않다.

【 오답 풀이 】

① 흥보는 마삯으로 지정된 닷 냥을 걸어서 갈 테니 돈으로 달라고 한다. 이를 통해 흥보의 가난한 삶을 추론할 수 있다.

② 마삯을 받은 흥보는 집으로 들어오면서 집안 어른이 돌아오면 영접하는 게 도리라고 하면서 가부장적 태도를 보이고 있다.

④ 흥보 마누라의 울음소리에 아버지가 병영에 간다는 걸 알게 된 흥보의 아들들은 매품 팔러 가는 흥보에게 떡을 사 오라고 한다. 이런 모습에서 철이 없다는 것을 추론할 수 있다.

⑤ 대장기와 숙정패, 군로사령들이 있는 병영의 모습을 본 흥보는 숫된 사람이라 벌벌 떨며 들어간다. 이는 무시무시한 병영의 모습을 본 흥보가 두려움을 느꼈기 때문이라고 추론할 수 있다.

05 [작품의 의도 파악]

양식이 떨어져 질청에 환자를 빌리러 가는 형편이면서도 양반이라는 신분 때문에 초라하게나마 구색을 맞춰 옷을 갖춰 입고 팔자걸음으로 걷는 모습은 신분제가 붕괴되는 조선 후기의 사회 현실을 따라가지 못하는 양반의 권위 의식과 어리석음을 드러낸다.

06 [외적 준거에 따른 작품 감상]　　　　　　　정답 ⑤

내용에 따라 창과 아니리를 교차하는 것이 드러나지만, 빠르기에 따른 창은 인물의 정서를 표현할 때 사용하고, 사건의 요약적 전개는 아니리를 사용하고 있다.

【 오답 풀이 】

① 3·4조나 4·4조의 리듬감을 드러내고 있으며 이런 리듬감을 지닌 문장이 길게 이어지면서 산문적 성향을 띤다.

② '-ㄴ다'는 현재형 시제에 해당하며 흥보가 지금 막 움직이는 것과 같은 생생한 전달이 가능하다.

③ '천불생 무록지인'은 한자어로 양반의 언어에 해당되며 '볼기전 보는 놈'은 비속어를 사용하고 있으므로 평민의 언어라고 볼 수 있다.

④ '야단났지'는 병영의 상황에 대한 서술자의 평가라고 볼 수 있다.

Q 판소리에서 창(唱)이 뭔가요?

A 판소리 사설은 '창'과 '아니리'가 교차하면서 긴장과 이완을 반복하는 특징이 있어요. '창'은 심화된 정서와 의미를 다양한 음률에 실어 노래하는 운문으로, 대개 청중의 정서적 몰입을 유발하는데 가장 느린 진양조부터 가장 빠른 휘모리까지 다양하게 있어요. 진양조는 슬픈 느낌을 주고, 중모리는 태연한 맛과 안정감을 주며, 중중모리는 흥취를 돋우고 우아한 맛이 있어요. 자진모리는 명랑하고 상쾌한 느낌을 주고, 휘모리는 흥분과 긴박감을 주는 장단이에요.

07 [말하기 방식 파악]　　　　　　　　　　　정답 ④

흥보 마누라는 '천불생 무록지인이요 지부장 무명지초라'와 '하늘이 무너져도 솟아날 구멍이 있는 법'이라는 고사와 속담을 활용하여 흥보를 설득하고 있다.

08 [감상의 적절성 평가]　　　　　　　　　　정답 ⑤

호방은 양식을 빌리러 온 흥보에게 매품팔이를 권유하고 있지만 강압적으로 권하고 있지는 않으며, 흥보에게 주는 돈도 호방의 돈이 아니므로 화폐를 유통시켜 부를 축적하려는 신흥 계급이라고 보기 어렵다.

【 오답 풀이 】

① 돈으로 죗값을 대신하는 것은 화폐 경제의 폐단이라고 볼 수 있다.

② 매품팔이를 가로챌 만큼 서민들의 삶이 힘겹다는 것을 확인할 수 있다.

③ 양반인 흥보가 중인인 호방에게 하대와 존대를 고민하는 것은 신분제 사회에 변화가 생겼다는 의미이다.

④ 돈이 사람을 살릴 수도 있고 죽일 수도 있는 권리를 지닌다는 것은 돈의 위력이 크다는 의미이다.

09 [상황에 어울리는 속담 파악]　　　　　　　정답 ③

매품팔이를 하러 갔는데 꾀수 애비가 먼저 가로채서 낭패인 상황이므로 '애써 하던 일이 실패로 돌아가거나 남보다 뒤떨어져 어찌할 도리가 없이 됨.'을 이르는 '닭 쫓던 개 지붕 쳐다본다.'와 유사한 상황이다.

【 오답 풀이 】

① '까마귀 날자 배 떨어진다.'는 '아무 관계 없이 한 일이 공교롭게도 때가 같아 어떤 관계가 있는 것처럼 의심을 받게 됨을 비유적으로 이르는 말.'이다.

② '믿는 도끼에 발등 찍힌다.'는 '잘되리라고 믿고 있던 일이 어긋나거나 믿고 있던 사람이 배반하여 오히려 해를 입음을 비유적으로 이르는 말.'인데 꾀수 애비가 흥보가 믿고 있던 사람은 아니므로 적절하지 않다.

④ '가는 말이 고와야 오는 말이 곱다.'는 '자기가 남에게 말이나 행동을 좋게 하여야 남도 자기에게 좋게 한다는 말.'이다.

⑤ '똥 묻은 개가 겨 묻은 개 나무란다.'는 '자기는 더 큰 흉이 있으면서 도리어 남의 작은 흉을 본다는 말.'이다.

III 설화·수필·민속극

주몽 신화(朱蒙神話)

본문 190쪽

01. ②   02. ②   03. ①   04. ⑤   05. ③   06. ④   07. 부모의
허락 없이 결혼하는 것을 금기시했고, '주몽'이라는 말이 있을 정도로
활 쏘는 능력을 중시했다.

01 [서술상의 특징 파악]   정답 ②

이 글에는 천제의 아들 해모수가 부여에 내려왔다는 설정이
있기는 하지만, 이를 통해 주인공의 신성성을 부각할 뿐 그
의 초월적 능력을 부각하고 있지는 않다.

[오답 풀이]

① 유화의 말이나 주몽의 말을 직접 제시하여 사건의 현장감을 높이고
있다.

③ 서술자는 금와가 왕이 되어 천도하는 과정, 주몽이 탄생하고 성장하
는 과정, 주몽이 나라를 건설하는 과정을 압축적으로 요약하여 전달
하고 있다.

④ 가섭원, 우발수, 졸본천 등의 구체적인 지명과 해부루, 금와, 송양 등
의 구체적인 인명을 통해 이야기의 진실성을 확보하고 있다.

⑤ 주몽은 위기에 처했을 때 태양이 빛을 비추고 짐승들이 도와주는 전
기적이고 우연적 사건을 통해 위기를 극복한다.

> **Q 적강 화소가 뭔가요?**
>
> **A** 적강 화소란 천상의 존재가 인간 세상에 내려오거나 인간
> 으로 태어난다는 화소를 이르는 말이에요. 인간계가 현실적,
> 경험적 세계라면 천상계는 신성한 초월적 세계예요. 대개 설
> 화나 고전 소설에 나오는 적강 화소는 인물의 신성성이나 비
> 범함 등을 드러내기 위해 활용되는데, 천상계 인물이 인간 세
> 상을 다스리거나 교화시키기 위해 내려오는 경우도 있고, 천
> 상계에서 죄를 지어 그 죗값을 치르기 위해 유배 오는 경우도
> 있어요. 「주몽 신화」에서 해모수는 천제의 아들이라는 점에서,
> 그의 등장에는 적강 화소가 쓰였다고 할 수 있어요. 그러나 주
> 몽은 천상계 인물의 자식일 뿐, 그가 천상에서 지상으로 직접
> 내려오지도 않았고, 또 천상계 인물이 죄를 지어 인간으로 태
> 어난 것도 아니에요. 따라서 그의 등장에는 적강 화소가 쓰였
> 다고 할 수 없어요.

02 [작품의 내용 파악]   정답 ②

유화는 해모수와 연을 맺고 알을 낳았는데, 금와가 이를 이
상하게 여겨 개와 돼지에게 주기도 하고, 들판에 버리기도
하였다. 그런데 유화가 자신이 알을 낳은 사실을 부끄럽게
여겼는지는 알 수 없다.

[오답 풀이]

① 주몽은 모둔곡에서 만난 세 사람이 현명함을 깨닫고 그 능력을 살펴
일을 맡겼다. 이는 건국에 필요한 인재를 등용한 것이다.

③ 비류국의 왕인 송양은 사냥을 하던 주몽을 보고는 군자라고 칭하며
만남을 반가워했다.

④ 아란불은 꿈에서 부여의 도읍에 하늘의 자손이 나라를 세우리라는 계
시를 듣고, 그 말대로 이행할 것을 왕에게 청하였다.

⑤ 금와는 후환이 될 것이라며 주몽을 제거하자는 대소의 요청에도 이를
무시하고 주몽에게 말을 기르게 했다.

03 [세부 내용의 파악]   정답 ①

금와는 주몽에게 말은 기르도록 하였는데, 주몽은 날랜 말은
더 야위게 하고, 둔한 말은 더 살찌게 하였다. 따라서 말의
외양만 본 금와는 살찐 말을 자신이 타고 야윈 말은 주몽에
게 주었다. 이를 통해 주몽이 미래에 벌어질 일을 예측하여
원하는 것을 얻는 지혜를 지녔음이 드러난다.

[오답 풀이]

② 주몽과 대소의 갈등은 주몽이 말을 기르기 전부터 발생하였다.

③ 주몽은 말 때문에 불행한 사건이 발생하리라고는 생각하지 않았다.

④ 주몽은 어머니에게 도움을 청하는 사건을 일으키지 않았다.

⑤ 주몽이 새로운 나라를 세우겠다는 뜻은 대소의 위협을 받는 과정에서
발생했다.

04 [외적 준거에 따른 작품 감상]   정답 ⑤

주몽이 송양과 영토를 두고 벌인 경쟁에서 승리할 수 있었던
것은 오로지 자신의 활쏘기 능력에 의한 것이지, 조력자의
도움을 받아서는 아니다. 조력자의 도움은 대소 일행에게 쫓
기는 위기 상황에서 받았다.

[오답 풀이]

① 주몽이 알에서 태어났다는 설정은 그가 출생부터 평범한 인물과 다르
다는 점을 드러낸다.

② 주몽이 천제의 아들인 해모수와 하백의 딸인 유화 사이에서 태어났다
는 설정은 그가 고귀한 혈통을 지녔음을 드러낸다.

③ 주몽이 어려서부터 활쏘기에 뛰어난 능력을 발휘했다는 설정은 그가
영웅으로서 비범한 능력을 지녔음을 드러낸다.

④ 주몽이 대소 일행으로부터 죽을 위기에 처하게 된 것은 그가 영웅으
로 거듭나기 위해 시련을 겪어야 했음을 드러낸다.

05 [배경의 기능 파악]   정답 ③

ⓐ에서는 주몽이 고구려를 세웠을 당시의 나이를 분명히 제
시하고, 그때의 주변국 상황을 정확히 밝히고 있다. 이러한
설정에는 주몽이 고구려를 세웠다는 사실의 신빙성을 높이
려는 의도가 담겨 있다.

[오답 풀이]

① 고구려를 세웠을 당시 상황에 대한 정보만 제시할 뿐, 주몽과 주변 국
가와 어떤 관련이 있었는지는 언급하지 않았다.

② 주몽의 나이가 22세라는 것을 제시하기는 했지만, 그의 나이와 고구
려의 신성성과는 연관이 없다.

④, ⑤ 고구려를 건국할 때 한과 신라의 통치자에 대한 정보만 언급했을
뿐, 주변 국가의 제도와 고구려의 지리적 위치에 대한 정보는 언급하
지 않았다.

06 [소재의 기능 파악] 정답 ④

대소가 주몽이 '후환'이 될 것이라고 한 것은 그가 나중에 자신과 동부여를 위협하는 인물이 될 것이라고 여겼기 때문이다. 대소는 주몽이 다른 나라를 세울 것이라는 생각을 하지는 않았다.

[오답 풀이]

① '금와'는 금색의 개구리라는 뜻으로, 어린아이가 금색의 개구리 모양을 하고 있어서 '금와'라는 이름을 붙였다.

② 해모수가 도읍으로 정한 '옛 도읍'은 부여가 가섭원으로 천도하고 이름을 동부여로 바꾸기 전의 도읍을 이른다.

③ '새'는 버려진 알, 즉 주몽의 탄생을 돕는 자연물이므로 주몽의 신성성을 드러내는 소재라고 할 수 있다.

⑤ '물고기와 자라'는 대소 일행에게 쫓기던 주몽을 도와주는 역할을 한다.

07 [작품의 배경이 되는 사회상 파악]

유화가 중매도 없이 해모수와 사통하다가 귀양살이를 했다는 점에서 당시에는 부모의 허락 없이 결혼하는 것이 법도에 어긋난다고 보는 사회였음을 알 수 있다(㉠). 또한, 부여에 활을 잘 쏘는 것을 가리키는 말이 따로 있을 정도였다는 점에서 활 쏘는 능력을 중시하였음을 짐작할 수 있다(㉡).

37강

조신(調信)의 꿈

본문 194쪽

01. ⑤ **02.** ⑤ **03.** ④ **04.** ④ **05.** ⑤ **06.** ④ **07.** ㉠ 여인과 부부의 연을 맺은 것. ㉡ 정토사를 짓고 수행한 것. **08.** 여운을 주며, 독자의 상상력을 자극한다.

01 [서술상의 특징 파악] 정답 ⑤

이 글은 '현실(외화) → 꿈(내화) → 현실(외화)'의 환몽 구조로 구성되어 있다. 이는 외부 이야기 속에 내부 이야기를 담아 전달하는 액자식 구성에 해당한다고 할 수 있다.

[오답 풀이]

① 이 글은 한 인물이 깨달음에 이르는 과정을 그리고 있을 뿐, 선악의 갈등이 나타나 있지 않다.

② 이 글은 전지적 시점으로 서술되었을 뿐, 장면에 따라 서술자를 달리하고 있지 않다.

③ 이 글은 순차적으로 사건이 전개될 뿐, 동시에 일어나는 두 사건이 병치되지 않는다.

④ 이 글은 현실과 꿈이 교차될 뿐, 천상계와 지상계를 넘나드는 인물이 등장하지는 않는다.

02 [작품의 내용 파악] 정답 ⑤

꿈에서 깬 조신은 인생의 무상함을 깨닫고 정토사를 세운 후 불도에 정진하였다. 하지만 여인이 불도에 정진하도록 도왔다는 내용은 확인할 수 없다.

[오답 풀이]

① 조신은 관음보살 앞에서 평소 연모하던 여인과 인연을 맺게 해 달라고 빌었다.

② 조신의 꿈에서 부부의 연을 맺자고 먼저 제안한 것은 조신이 아니라 여인이었다.

③ 조신은 여인과 부부의 연을 맺기는 했지만, 이후에는 가난으로 고통스럽게 살아갔다.

④ 조신은 꿈에서 깬 뒤에 세상일에 전혀 뜻을 두지 않게 되었다.

03 [구성 및 서사 구조의 이해] 정답 ④

㉯에서 조신은 오십여 년을 살았는데, ㉮에서 조신이 꿈을 꾸었다 ㉰에서 꿈을 깬 시간은 하룻밤에 불과했다. 따라서 꿈속 시간과 현실 시간이 같은 속도로 흘렀다고 볼 수는 없다.

[오답 풀이]

① 조신은 ㉮에서 여인과 인연을 맺기를 소망하였는데, 조신은 이 소망을 ㉯에서 이루게 되었다.

② ㉮에서 조신은 관음보살 앞에서 잠이 들었는데, ㉰에서 조신이 잠에서 깬 곳도 같은 곳이었다.

③ ㉮와 ㉰에서 조신은 승려로서 살아갔지만, ㉯에서는 탈속하여 여인과 부부의 연을 맺고 살았다.

⑤ ㉯에서 꿈을 꾼 후 ㉰에서 조신은 ㉮와는 달리 세속적 욕망을 추구하는 삶이 부질없음을 깨달았다.

04 [외적 준거에 따른 작품 감상] 정답 ④

꿈에서 조신이 죽은 자식을 묻은 곳이 '해현령'이라고 밝혔다. 이처럼 구체적 지명은 이야기의 신빙성을 더하는 역할을 하지만, 이것이 구체적인 증거물이라고 할 수는 없다.

[오답 풀이]

①, ② 구체적인 시대와 공간적 배경, 인명을 제시한 것은 독자에게 실제 있었던 일이라는 믿음을 주기 위한 장치라 할 수 있다.

③ 주인공 조신이 세속적 욕망을 품고 있는 평범한 승려라는 점에서 전설에 해당한다고 할 수 있다.

⑤ 조신이 '정토사'라는 절을 세웠다는 내용을 통해 이 이야기가 사찰 건립과 관련된 사찰 연기 설화에 해당함을 알 수 있다.

> **Q 전설은 신화, 민담과 어떻게 다른가요?**
>
> **A** 전설은 영웅적 인물이 주인공으로 나오는 신화와 달리 대개 평범한 인물을 주인공으로 설정해요. 또한, 시대와 공간적 배경이 모호한 민담과 달리 구체적인 시간과 공간적 배경이 제시되고, 구체적인 증거물, 지명, 인명이 제시되는 것도 민담과 다른 점이에요. 무엇보다 큰 특징은 인물의 신성성을 드러내는 것이 목적인 신화, 독자의 흥미 유발이 목적인 민담과 달리, 전설의 목적은 교훈 전달에 있다는 것이에요.

05 [소재의 기능 파악] 정답 ⑤

조신은 꿈을 통해 인생의 덧없음, 즉 인생무상을 깨닫고 불도에 정진하게 된다(ㄴ). 꿈에서 조신은 오십 년을 살면서 삶의 즐거움과 고통을 모두 맛보았다. 이런 점에서 꿈은 인생을 압축적으로 체험할 수 있는 공간이라 할 수 있다(ㄷ). 또한 꿈은 조신이 추구했던 세속적 욕망, 곧 여인과 부부의 연을 맺게 해 달라는 소망을 성취하는 통로에 해당한다(ㄹ).

[오답 풀이]

ㄱ. 꿈에서 조신은 노화, 굶주림, 자식과의 사별 등 현실의 고통을 모두 느끼게 된다. 따라서 꿈은 현실의 모든 고통을 초월하는 공간이 아니다.

06 [소재의 기능 파악]   정답 ④

'돌미륵'은 꿈에서 깬 조신이 꿈속에서 자식을 묻었던 곳에서 발견한 것이다. 돌미륵은 조신이 꾼 꿈의 내용이 현실과 관련 있음을 드러냄으로써, 이후 조신이 꿈의 내용을 더욱 확신하게 되는 계기를 제공한다.

[오답 풀이]

① '돌미륵'은 조신의 가치관이 변한 후에 발견되었다.
② 조신의 간절한 소망으로 돌미륵을 발견한 것은 아니다.
③ 사람과 사람의 인연의 소중함보다는 무상감을 일깨우는 소재이다.
⑤ 승려로서의 삶을 살아야 하는 운명을 피할 수 없음을 전달한다.

07 [다른 작품과의 연계를 통한 감상]

일연의 시에서 '즐거운 시간'은 잠시뿐이고 그 이후에는 근심 속에 젊던 얼굴이 늙었다고 했다. 따라서 이 시간은 세속적 즐거움을 누리던 젊은 날, 즉 조신에게는 여인과 부부의 연을 맺어 행복했던 시간을 의미한다. 그러나 이 모든 것이 꿈임을 깨닫고 이제는 뜻을 성실하게 하겠다고 하며 '청량한 세계'에 이르고 싶어 한다. 이는 꿈에서 깬 조신이 이르려는 불도의 세계로, 세속적 욕망의 부질없음을 깨달은 후 정토사를 짓고 수행을 하는 것과 관련이 있다.

08 [구성 방식의 특징 파악]

이 글은 일반적인 '전(傳)'과는 달리 주인공의 종적을 알지 못한다는 열린 결말 방식을 취하고 있다. 이는 독자에게 여운을 주어 감동이 지속되도록 유도하고, 독자가 조신에 대해 마음껏 상상하도록 하는 효과가 있다.

지하국 대적 퇴치 설화(地下國大賊退治說話)

본문 198쪽

01. ①   02. ②   03. ⑤   04. ②   05. ①   06. ⑤   07. [A]에서는 공주들이 마귀를 직접 처단하는 주역을 맡지만, 〈보기〉에서는 마귀 처단의 주역이 무사이고, 공주들은 조력자에 해당하므로 [A]의 공주들이 더 능동적이다.

01 [서술상의 특징 파악]   정답 ①

주인공 무사가 지하국의 통로를 발견하는 데 어려움을 겪자

갑자기 산신령이 나타나 통로를 알려 준다. 또 무사가 마귀의 집에 들어가기 위해 수박으로 변신한다. 이처럼 이 글은 비현실적인 전기적 사건을 통해 어려움에 봉착했던 주인공이 문제 해결에 다가서게 된다.

[오답 풀이]

② 이 글은 민담으로, 민담은 구체적인 시간을 배경으로 설정하지 않는다는 특징이 있다.
③ 사건이 순차적으로 진행되는 방식을 취할 뿐, 액자식 구성을 사용하고 있지는 않다.
④ 상반된 성격의 두 공간이 나오기는 하지만 그곳에서 동시에 일어나는 사건을 나란히 제시하고 있지는 않다.
⑤ 무사가 신비한 능력을 지닌 것은 맞지만 그가 고귀한 혈통을 지녔다는 내용은 나오지 않는다.

02 [작품의 내용 파악]   정답 ②

무사의 부하들은 지하국으로 내려가는 것을 두려워하며 서로 통로 안으로 들어가는 것을 미루었다. 그래서 어쩔 수 없이 무사가 내려가게 된 것이다.

[오답 풀이]

① 무사는 몇 해에 걸쳐 세상 여기저기를 찾아다녔지만 지하국으로 가는 통로를 발견하지 못하였다.
③ 무사는 술법으로 수박이 되었지만, 사람의 냄새를 완벽하게 지우지는 못해 마귀에게 의심을 사게 되었다.
④ 공주들은 독한 술을 준비하고 마귀를 위해 연회를 베풀었는데, 이는 마귀를 취하게 하여 마귀를 죽일 비밀을 캐내기 위해서였다.
⑤ 마귀는 공주들이 애교를 부리며 고분고분 대하자 자신의 목숨과 관련한 비늘 이야기를 공주들에게 털어놓았다.

03 [인물의 성격, 유형 이해]   정답 ⑤

백발노인은 마귀의 소굴을 찾지 못한 무사 앞에 나타나 자신을 산신령이라고 소개하며 지하국으로 가는 방법을 자세히 알려 주었다. 이처럼 백발노인은 문제 상황에 처한 주인공에게 그 해결 방안을 알려 주는 조력자라 할 수 있다.

[오답 풀이]

①, ② 백발노인은 주인공에게 문제 해결 방안을 알려 줄 뿐, 시범을 보이거나 문제 해결 능력을 지니도록 가르치지는 않았다.
③ 백발노인은 주인공이 앞으로 겪게 될 일에 대해서는 언급하지 않았다.
④ 백발노인은 문제를 해결하지 못하는 주인공이 스스로 반성하도록 이끌지는 않았다.

04 [외적 준거에 따른 작품 감상]   정답 ②

왕이 공주를 구하는 자에게 공주와 혼인할 자격을 주겠다고 약속한 것은 맞지만, 무사는 그 약속 때문이 아니라 나라에 은혜를 갚고자 공주를 구하려 하였다. 따라서 무사를 선인이라 할 수 있는 것은 그가 지닌 충(忠)과 관련이 있다.

[오답 풀이]

① 지하국의 마귀가 지상국을 침범하여 어지럽히고 여자를 납치하는 설정은, 지하국이 악, 지상국이 선이라는 대립적 성격을 드러낸다.
③ 무사가 술법을 써서 수박으로 변신하여 마귀의 집으로 들어가는 설정

은, 그가 악을 처단할 능력이 있음을 드러낸다.

④ 악을 상징하는 마귀에게 뛰어난 능력이 있고 좀처럼 죽이기 어려운 존재라는 설정은, 악을 물리치기가 매우 어렵다는 점을 드러내고 있다.

⑤ 지하국의 마귀를 물리쳤음에도 무사가 부하들에게 배신을 당하는 설정은, 선의 공간에서도 악이 존재할 수 있음을 경고하기 위한 의도가 담겨 있다.

05 [작품의 종합적 이해와 감상]　　　　　　　　　정답 ①

ⓐ는 무사가 자신의 존재를 공주에게 알리려고 해도 이를 알아차리지 못하는 상황으로, 공주가 무사를 만나게 되어 마귀의 집에 들어가기 전 단계에서 극적 분위기를 이완하고 있다.

[오답 풀이]

② ⓑ는 무사가 발각될지도 모른다는 위기감을 불러일으켜 극적 긴장감을 유발하고 있다.

③ ⓒ는 마귀를 죽이려는 공주들의 시도가 무산될지도 모른다는 위기감을 불러일으키고 있다.

④ ⓓ는 죽은 줄 알았던 마귀가 다시 살아날 가능성을 보여 주어 위기감을 불러일으키고 있다.

⑤ ⓔ는 믿었던 부하들에게 배신을 당한 무사가 위기에 빠지는 상황으로 긴장감을 유발하고 있다.

06 [관련된 한자 성어 이해]　　　　　　　　　　　정답 ⑤

'일각'은 아주 짧은 시간을 이르고, '여삼추'는 3년과 같이 길게 기다려진다는 뜻이다. 따라서 ㉮에는 마귀의 병이 낫기만을 간절히 기다리는 공주들의 마음이 담겨 있다고 할 수 있다. 학수고대는 '몹시 애타게 기다림.'을 뜻하므로, 공주들의 심리를 나타내기에 적절한 한자 성어이다.

[오답 풀이]

① '고진감래'는 '쓴 것이 다하면 단 것이 온다는 뜻으로, 고생 끝에 즐거움이 옴을 이르는 말'이다.

② '다사다난'은 '여러 가지 일도 많고 어려움이나 탈도 많음.'의 뜻이다.

③ '임전무퇴'는 '세속 오계의 하나로 전쟁에 나아가서 물러서지 않음을 이르는 말'이다.

④ '전화위복'은 '재앙과 근심, 걱정이 바뀌어 오히려 복이 됨.'의 뜻이다.

07 [작품 간 비교 감상]

[A]에서 무사는 공주들을 이끌고 통로 밖으로 나오는 역할만 하고, 정작 직접 마귀를 처단하는 주역은 무사가 아니라 공주들이다. 그런데 〈보기〉에서는 마귀를 처단하는 주역이 무사이고, 공주들은 마귀를 죽이는 데 도움을 주는 조력자 역할을 한다. 이처럼 [A]의 공주들이 〈보기〉의 공주들보다 훨씬 능동적이고 적극적인 모습을 보인다고 할 수 있다.

01. ①　**02.** ④　**03.** ④　**04.** ③　**05.** ④　**06.** ⑤　**07.** ③
08. 자신의 잘못된 판단으로 많은 군사들이 죽음에 이르자 그 책임을 원두표에게 떠넘기는 것으로 보아, 김류는 자신의 잘못을 다른 사람에게 전가하는 야비한 인물이라 할 수 있다.　**09.** 병자호란이라는 역사적 사건을 체험한 글쓴이가 남한산성에서 겪었던 일을 담담하고 객관적인 태도로 사실 위주로 기록했기 때문이다.

01 [서술상의 특징 파악]　　　　　　　　　　　　정답 ①

이 글은 글쓴이가 병자호란 당시 남한산성에서 하루하루 겪었던 일들을 사실적으로 기록한 일기체 수필이다. 날짜별로 사건을 기록해 놓은 일기체 형식이라는 점에서 시간의 흐름에 따라 사건이 기록되어 있다고 할 수 있다.

[오답 풀이]

② 남한산성이라는 현실적 공간을 배경으로 벌어진 사건을 나타내고 있다.

③ 인물의 내면적인 고백은 드러나지 않고 실제 사건을 간략하고 사실적으로 서술하고 있다.

④ 허구적 인물이 아니라 역사적 실존 인물에 대해 이야기하고 있다.

⑤ 당시의 세태에 대한 풍자 의식이 나타나 있는 것은 아니다.

02 [작품의 내용 파악]　　　　　　　　　　　　　정답 ④

큰비로 얼어 죽은 군사와 백성이 많아 임금과 세자가 하늘에 비니 비가 그치고 기후가 온화해져서 성안 사람들이 감읍한 것이다. 즉, 성안 사람들이 감읍한 이유는 임금의 간절한 기원에 하늘이 응했다고 생각했기 때문이다.

03 [관련된 속담 이해]　　　　　　　　　　　　　정답 ④

ⓛ은 산성 위의 군사들이 아래로 내려가면 청나라 군사들에게 죽고, 그냥 있으면 김류의 재촉에 죽게 생긴 상황을 나타낸 것으로, '이러지도 저러지도 못할 난처한 처지에 있음을 이르는 말.'인 ④가 이 상황을 나타내기에 가장 적절한 속담이다.

[오답 풀이]

① '아무리 사소한 것이라도 그것이 거듭되면 무시하지 못할 정도로 크게 됨을 비유적으로 이르는 말'이다.

② '남의 일에 공연히 간섭하고 나섬을 비유적으로 이르는 말'이다.

③ '모든 일은 근본에 따라 거기에 걸맞은 결과가 나타나는 것임을 비유적으로 이르는 말'이다.

⑤ '아무리 위급한 경우를 당하더라도 정신만 똑똑히 차리면 위기를 벗어날 수가 있다는 말'이다.

04 [작품의 내용 파악]　　　　　　　　　　　　　정답 ③

12월 28일 싸움에서 3백여 명이 죽었는데 김류는 실상을 고하기를 꺼려 사십여 명이 죽었다고 거짓으로 고하였다. 따라서 사십여 명이 죽은 일을 3백여 명이 죽었다고 고했다는 내용은 적절하지 않다.

① 12월 '27일에 날마다 성안에서 구원하러 오는 군사를 바랐으나 한 사람도 오는 이가 없었다'고 하였다.

② 12월 28일에 체찰사 김류는 우리 군사를 유인하는 도적의 꾀를 헤아리지 못하고 '군사를 독촉하여 내려가서 치라'고 하였다.

④ 1월 18일에 홍서봉 등을 통해 적진에 보낸 국서는 용골대가 "마부대가 다른 데에 나갔으니 받지 못하노라."라며 거절하였다.

⑤ '이는 이조 판서 최명길이 지은 것이다. 예조 판서 김청음(김상헌)이 비국(비변사)에 들어가 이 편지를 보고 손으로 찢고 실성통곡하니'라고 하였다.

Q 병자호란 때 주화파와 주전파의 대립은 뭔가요?

A 조선 중기 중국의 후금은 국호를 청으로 고치고, 조선에 군신 관계를 요구했어요. 청나라의 요구에 조선에서는 외교적으로 해결하려는 주화론과 전쟁을 주장하는 주전론(척화론)으로 국론이 분열되었지요. 주화론은 현실적으로 청과의 전쟁이 불가하다는 생각에서 후일을 도모해 화친을 하자는 주장이고, 주전론은 유교적 명분에 입각해서 명나라와의 의리를 지키기 위해 청나라와 결사 항전해야 한다는 주장이었어요. 당시에 조선은 분명한 입장을 정하지 못하고 우물쭈물하다가 청나라가 조선을 쳐들어왔고, 인조는 남한산성으로 피난하였으나 결국 항복하게 되었어요.

---

05 [작품 간 비교 감상] 정답 ④

[A]에서는 임금이 음식을 보내자 '너희 나라 군신이 돌구멍에서 굶은 지가 오래니 가히 스스로 쓰는 것이 옳'다고 하면서 조선을 비하하는 내용이 제시되어 있다. 그러나 〈보기〉에서는 조선을 비하하는 내용은 특별히 기록되어 있지 않다.

① [A]와 〈보기〉는 모두 음식을 가지고 가는 목적이 적들의 동태를 살피기 위함이라는 것을 언급하고 있다.

② [A]와 〈보기〉는 모두 새해 음식을 가져간다는 것으로 명분이 유사하다.

③ [A]는 자신들의 진영에 음식이 넘쳐난다는 이유로, 〈보기〉는 황제가 왔다는 이유를 들어 음식을 받지 않고 있다.

⑤ [A]에서는 이경직과 김신국이, 〈보기〉는 위산보가 청나라에 보내는 음식을 가져가고 있다.

---

06 [서술상의 특징 파악] 정답 ⑤

ⓔ는 '죽을 위기에 처한 우리 군사들이 퇴각을 알리는 기를 어떻게 보고 달아날 수 있겠는가.'라는 한탄이다. 즉, 김류의 잘못된 처사로 많은 우리 군사들이 죽임을 당한 상황을 안타까워하고 있다는 점에서 글쓴이의 생각이나 판단이 개재되어 있다고 할 수 있다.

ⓐ~ⓓ는 모두 사실적인 전달과 기록에 해당하는 서술이다.

---

07 [외적 준거에 따른 작품 감상] 정답 ③

'용기를 우러러보며 죽음의 갈림길에서 결단하'는 일을 생각한다는 것은 청나라의 요구대로 성 밖을 나갔다가 청나라 군

사들에 의해 죽임을 당할까 봐 걱정하는 마음을 나타낸 것이지 특별히 국서의 작성 서식과는 관계가 없다.

① 자신을 '조선 국왕 모'라 하며 낮추고 상대를 '대청국 관온 인성 황제'라고 높여 호칭하여 당대의 우리와 청나라의 위계 관계를 드러내고 있다.

② '대국의 위엄과 덕이 멀리까지 더하고 모든 제후의 나라가 사례해야' 한다는 데에서 청나라의 업적과 위엄을 치켜세우는 태도가 드러나 있다.

④ 소방을 '온전히 살려 주고 관대하게 길러 주는 대상에 포함'시켜 달라는 데에서 화친을 해서 청나라가 관대함을 베풀어 목숨을 살려 달라는 뜻을 드러내고 있다.

⑤ '황제의 덕'을 언급하며 '공손히 은혜를 기다'린다고 하여 청나라에 화친을 청하는 목적을 이루고자 매우 공손한 태도로 임하고 있음을 드러내고 있다.

---

08 [인물의 성격, 태도 파악]

김류는 우리 군사들을 밖으로 유인하는 청나라 군사들의 계략에 빠져 결국 수백 명의 우리 군사를 죽음으로 몰아넣은 인물이다. 김류는 자신의 잘못을 은폐하기 위해 자신의 명령을 받은 초관을 죽이고 원두표가 구원하지 않았다며 잘못을 뒤집어씌우려 한다. 이를 볼 때 김류는 자신의 잘못을 다른 사람에 전가하는 야비한 인물이라 할 수 있다.

---

09 [감상의 적절성 파악]

이 글은 날짜별로 남한산성에서 항전하며 버티다 결국 화친에 이르는 과정을 객관적으로 인용, 전달하고 있다. 즉, 개인의 생각이나 판단은 가급적 배제한 채 실제로 겪고 보고 들었던 내용만을 담담하게 기록하고 있기 때문에 사료로서 가치를 인정받고 있다.

40강

수오재기(守吾齋記)

본문 207쪽

---

01. ② **02.** ④ **03.** ⑤ **04.** ④ **05.** ④ **06.** ① **07.** ④
08. 글쓴이는 '나'를 잃지 않는 일의 중요성을 깨닫고 성현인 맹자의 말을 인용해 자신의 생각을 뒷받침하여 설득력을 높이고 있다. **09.** 천하 만물을 지키는 일에 욕심을 부리기보다는 잃기 쉬운 '나'를 굳건한 마음으로 살펴서 지키는 데 힘써야 한다.

---

01 [갈래의 특징과 성격] 정답 ②

이 글은 글쓴이의 큰형님이 자신의 집에 '수호재'라는 이름을 붙이게 된 사연을 적고, 그에 대한 글쓴이의 체험과 사색을 통한 깨달음을 기록한 수필이다.

【 오답 풀이 】
① 상연을 목적으로 인물 간의 대화를 구성하는 것은 희곡과 같은 극이다.
③ 압축과 생략의 방법은 주로 시가 양식에 나타난다.
④ 인물과 사건을 창조해 허구적 사건을 구성하는 글은 소설이다.
⑤ 인물 간의 갈등을 바탕으로 한 글은 소설, 극 등이 있다.

02 [구성 및 서사 구조의 이해]　　　　　　　정답 ④
㉮에서는 '수오재'라는 이름을 붙인 것과 관련하여 화제를 제시하고, ㉯에서 이를 바탕으로 한 글쓴이의 사색과 성찰을 통해 주제 의식을 드러내고 있다. 그러나 ㉯에서 새로운 의문을 제기하는 내용은 살펴볼 수 없다.

【 오답 풀이 】
① '수오재'라는 이름의 의미를 궁금해하는 내용을 통해 독자의 관심을 유도하는 효과를 얻고 있다.
② '수오재'라는 이름의 의미를 성찰하여 ㉯에서 본질적인 자신을 지키는 일의 중요성이라는 주제 의식을 드러내고 있다.
③ 글쓴이는 ㉮를 붙인 이유를 깊이 생각하여 해답을 얻어 내고 있는데, 이러한 생각이 ㉯에 제시되어 있다.
⑤ ㉯에서는 천하 만물은 지킬 필요가 없다고 하는 데서 지킬 필요가 없는 것과 비교해 '나'를 지켜야 한다는 자신의 생각을 뒷받침하고 있다.

03 [작품의 내용 파악]　　　　　　　　　　정답 ⑤
큰형님은 아버지께서 지어 주신 태현이라는 자를 지키려고 자신의 집에다 그렇게 이름을 붙였다고 말했다. 거실 자체를 물려받았다는 점을 기리기 위해 이름을 붙인 것은 아니다.

【 오답 풀이 】
① 글쓴이는 성현의 경전은 세상에 흔해서 없애기 어려워 지킬 필요가 없는 만물 중의 하나라고 하였다.
② 글쓴이는 과거가 좋게 보여서 조정에 나아가 벼슬에 골몰하다가 유배를 당해서야 '나'를 잃었다는 생각을 하게 되었다.
③ 글쓴이는 그 얼굴빛을 보니 마치 얽매인 곳, 즉 벼슬길에 얽매여 있어서 돌아가야 할 가정과 고향으로 돌아가지 못하고 있다고 깨달았다.
④ 둘째 형님도 벼슬에 얽매여 있다가 남해 지방으로 와서야 '나'를 잃어버렸다는 깨달음을 얻게 되었다.

04 [감상의 적절성 평가]　　　　　　　　　정답 ④
〈보기〉는 힘과 권세를 오래 지니고 있으면 원래 자신의 것인 양 착각해 잘못을 저지를 수 있다는 점을 제시하고 있다. 이 글에서는 힘이나 권세에 취해 '나'를 잃어버리면 안 된다고 하였으므로, 힘과 권세를 자기 것처럼 착각해 자신을 잃어버리면 안 된다는 충고를 할 수 있다.

05 [외적 준거에 따른 작품 감상]　　　　　정답 ④
'미인의 요염한 모습만 보아도 떠나간다.'라고 말한 것은 '나'를 잃는 행위의 일반적 사례를 제시한 것이지 글쓴이가 자신의 삶을 성찰하게 되는 단초가 되는 것은 아니다.

【 오답 풀이 】
① '큰형님이 자신의 집에다' 수오재라고 이름 붙인 것을 듣고 이상하게 생각한 것은 큰형님의 명명 행동에 의문을 가진 것이다.
② '굳이 지키지 않더라도 어디로 가겠는가?'라는 생각은, 형님이 수오재

라는 이름을 붙인 데 대해 글쓴이가 나와 떨어지지 않는 것을 굳이 지키려는 것에 대해 이상하게 생각하고 있는 내용이다.
③ 천하 만물 가운데 '오직 나만은 지켜야 한다.'라고 말한 것은 만물은 지키지 않아도 되지만 '나'는 잃기 쉬우니 잘 지켜야 한다는 글쓴이의 깨달음을 제시한 것이다.
⑤ 스스로 말한 내용을 '수오재의 기(記)로 삼는다.'라고 한 것은 앞으로 계속해서 '나'를 지켜 나가야겠다는 글쓴이의 다짐을 은연중에 나타낸 것이라 할 수 있다.

> **Q** '기(記)'는 어떤 양식의 글인가요?
>
> **A** '기(記)'는 여러 가지 사물에 대한 기술과 더불어 자기의 감정이나 주제와 관계 있는 글을 기록한 산문으로 잡기(雜記)라고도 해요. 갈래로 따지면 '수필'인데 어떤 주제나 주장, 정서 등을 자유자재로 특정한 형식 없이 써 내려간 글인 셈이지요. 고려나 조선 시대에는 주로 세상 사람들에 대한 경계나 충고를 나타낼 때 이 양식을 많이 활용해서 글을 썼어요.

06 [구절의 의미 파악]　　　　　　　　　　정답 ①
㉠은 '나'라는 것은 성품이 달아나기를 잘한다며 '나'를 잃어버리기 쉬움을 나타내고 있다. 이러한 이유로 ㉡에서처럼 '나'를 잃어버리지 않기 위해 자신을 굳게 지켜야 한다는 것이다.

【 오답 풀이 】
② ㉡은 추진해야 하지만 ㉠은 추진해서는 안 되는 것이다.
③ ㉠은 배격해야 할 사항이고, ㉡은 견지해야 할 사항이다.
④ ㉠을 이겨 내고 ㉡에 이르러야 한다.
⑤ ㉠과 ㉡은 하나를 택해야 하는 사항이 아니다.

07 [관련된 한자 성어 이해]　　　　　　　정답 ④
ⓐ는 큰형님이 자신의 집에 '수오재'라는 이름을 붙인 일에 의문을 품으며 정밀하게 생각한다는 내용이다. 따라서 어떤 일을 '깊이 잘 생각함.'을 뜻하는 '심사숙고'가 가장 적절하다.

【 오답 풀이 】
① '선견지명'은 '어떤 일이 일어나기 전에 미리 앞을 내다보고 아는 지혜'를 뜻한다.
② '이심전심'은 '마음과 마음으로 서로 뜻이 통함.'을 뜻한다.
③ '전전긍긍'은 '몹시 두려워서 벌벌 떨며 조심함.'을 뜻한다.
⑤ '허심탄회'는 '품은 생각을 터놓고 말할 만큼 아무 거리낌이 없고 솔직함.'을 뜻한다.

08 [서술상의 특징 파악]
글쓴이는 '나'를 잃지 않아서 편안히 계신 큰형님의 삶을 보며 '나'를 지키고 잃지 않는 일이 얼마나 중요한지를 깨달았다. 이러한 자신의 생각을 뒷받침하기 위해 성현인 맹자의 말을 인용하여 몸을 지키는 일이 중요하다는 자기 깨달음에 대한 설득력을 높이고 있다.

09 [감상의 적절성 평가]
글쓴이는 천하 만물 즉 '밭', '집', '정원의 꽃나무와 과일나

무', '책', '의복', '식량' 등은 지고 달아날 자가 없으므로 모두 지킬 필요가 없는데 오직 '나'는 잘 달아나서 잃어버리기 쉽다고 한다. 그러니 '나'를 지키기 위해서는 실과 끈으로 매고 빗장과 자물쇠로 잠가서 굳건히 지켜야 한다고 주장한다. 따라서 '나'를 지키는 방법은 천하 만물에 대한 욕심을 버리고 잃기 쉬운 '나'를 굳건히 지키는 데 힘써야 하는 데 있다고 할 수 있다.

41강
포화옥기(匏花屋記)

본문 211쪽

01. ①　02. ⑤　03. ②　04. ③　05. ②　06. ②　07. ④
08. 지금의 삶을 본래 정해진 운명이라고 여기며 온갖 걱정과 근심으로 자기 마음을 상하게 하는 일도 없고, 탄식해서 기운을 허하게 하는 일도 없이 사는 것.　09. A에서 나그네는 '나'의 처지에 공감하는 듯했으나, B에서는 '나'에게 충고하는 태도로 바뀐다.

01 [작품의 내용 이해]　　　　　　　　　　정답 ①
이 글은 열악한 삶의 환경에서 고통을 느끼고 있던 '나'에게 어떤 나그네가 여관집 노비의 삶의 모습을 이야기한다. 여관집 노비는 자기가 사는 곳을 잠깐 머무는 곳이라 생각하여 자신의 열악한 처지를 수긍하고 행복하게 살아간다. 즉, 삶의 태도가 대비되는 두 인물을 통해 올바른 삶의 자세를 말하고 있다고 할 수 있다.

02 [관련된 한자 성어 이해]　　　　　　　　정답 ⑤
㉠에서 '나'는 10여 개 심은 박에서 넝쿨이 자라 창문을 뜨겁게 달구던 햇빛으로부터 집을 가려 주었으나, 우거진 그늘 때문에 모기와 파리 떼들이 어두운 곳에서 서식하고 뱀들이 서늘한 곳에 웅크리고 있어 또다른 고통을 받게 되었다. 따라서 ㉠에 가장 어울리는 말은 '하나의 장점과 하나의 단점이라는 뜻으로, 같은 정도로 공존하는 장점과 단점을 아울러 이르는 말'인 '일장일단'이다.
[오답 풀이]
① '교각살우'는 '소의 뿔을 바로잡으려다가 소를 죽인다는 뜻으로, 잘못된 점을 고치려다가 그 방법이나 정도가 지나쳐 오히려 일을 그르침을 이르는 말'이다.
② '구우일모'는 '아홉 마리의 소 가운데 박힌 하나의 털이란 뜻으로, 매우 많은 것 가운데 극히 적은 수를 이르는 말'이다.
③ 다다익선은 '많으면 많을수록 더욱 좋음.'의 뜻이다.
④ '등하불명'은 '등잔 밑이 어둡다는 뜻으로, 가까이에 있는 물건이나 사람을 잘 찾지 못함을 이르는 말'이다.

03 [사건 전개 양상 파악]　　　　　　　　　정답 ②
㉡은 나그네가 자신의 경험을 통해 열악한 처지에서 고통을

호소하고 있는 글쓴이에게 보내는 위로이다. [A]는 나그네가 나루터, 정자, 역점, 여관, 작은 주막 등 발길이 닿지 않는 곳 없이 다니며 나쁜 환경에서 지냈다는 것을 말하고 있다는 점에서 나그네는 '나'에게 자신도 열악한 처지에서 고생했음을 말하여 위로를 보내고 있다고 할 수 있다.

04 [어휘의 문맥적 의미 파악]　　　　　　　정답 ③
나그네는 여관을 '하룻밤이나 이틀을 묵고 가는 곳'이라고 말하고 있다. 즉, 오래 머물지 않고 잠시 있다가 떠나는 곳인 셈이다. 노비는 현재의 괴로운 처지에 대해 이러한 여관에 머물고 있다고 생각하며 운명에 순종하며 살고 있다.
[오답 풀이]
① ㉢은 세상에 나아갈 자세와 태도를 다듬는 곳은 아니다.
② ㉢은 삶의 교훈을 나누는 곳은 아니다.
④ ㉢은 많은 사람들이 즐거움과 괴로움을 나눌 수 있지만 여관집 노비의 인식과는 거리가 멀다.
⑤ ㉢은 많은 사람들이 우연히 만났다가 헤어지지만 여관집 노비의 인식과는 거리가 멀다.

05 [작품 간 비교 감상]　　　　　　　　　　정답 ②
이 글에서 노비는 고통스럽게 살아가는 현실을 여관, 즉 잠깐 머물다 가는 곳으로 생각하며, 지금의 삶을 본래 정해진 운명이라고 여기면 마음 상하는 일이 없다고 한다. 〈보기〉의 화자도 가난한 생활이지만 떳떳하게 받아들이며 괴로웠지만 그런대로 산 인생이라 여기며 살아가는 모습이다. 따라서 이 글의 노비와 〈보기〉의 화자는 고통과 시련을 받아들이며 순응하는 태도를 보이고 있다고 할 수 있다.

06 [작품의 내용 이해]　　　　　　　　　　정답 ②
ⓑ는 우거진 그늘 때문에 서식하는 모기와 파리 떼, 뱀을 살펴보기 위해 활용하는 소재이다. 예상하지 못한 상황에 대비하기 위한 소재로 보기 어렵다.
[오답 풀이]
① ⓐ는 양반들이 쓰는 모자인데 앞에서 방 안의 높이가 한 길이 되지 않아 갓이 닿는다고 하였으므로 글쓴이가 열악한 처지에 놓인 사대부임을 나타낸다.
③ ⓒ는 나그네가 영남 땅의 나루터, 정자, 역정, 여관 등 발길이 닿지 않는 곳이 없었을 정도로 했던 일에 관련되므로, 세상을 두루 다녀 삶의 지혜가 뛰어나게 된 이유에 해당함을 나타낸다.
④ ⓓ는 노비가 분주히 맡은 바 일을 열심히 하던 모습을 비유적으로 나타낸다.
⑤ ⓔ는 노비가 생활하는 데 계절적으로 괴로움을 주거나 해칠 수 있는 상황임을 나타낸다.

07 [인물에 대한 이해]　　　　　　　　　　정답 ④
이 글에서 여관집 노비는 일자무식한 사람으로 제시되어 있다. 따라서 노비가 성현의 말씀을 배우고 실천하는 인물로 그려져 있다는 내용은 적절하지 않다.
[오답 풀이]
① ㉮에서 '포화옥'은 '박꽃이 피는 집'이라는 뜻으로, 박 넝쿨을 심어 더

위로 창문이 뜨겁게 달아오르는 일을 막으려는 의도를 나타내는 이름이다.

② ㉮에서 글쓴이는 찾아오는 손님에게 자신의 열악한 집의 상황에 대해 불만스러운 사정을 자세히 말하였다.

③ ㉯에서 '뜨거운 구들과 뜨뜻한 침상'에서 자지 못하고 잠자리를 옮겨 다니는 사람들은 열악한 처지에 놓인 사람들로, 좁은 집에서 열악한 환경으로 고통받고 있는 글쓴이의 상황과 유사한 처지의 인물들이라 할 수 있다.

⑤ ㉯에서 글쓴이는 자신의 집을 '포화옥'이라고 이름을 붙이는데, 이는 노비가 살아온 삶을 들려준 나그네의 의도를 깨닫는 일과 관련 있다.

08 [세부 내용 파악]

ⓕ는 여관집 노비의 삶의 태도와 자세를 나타내는 것인데, 노비는 현재의 고통스러운 생활을 운명이라고 여기며 스스로 걱정과 근심에 빠져 마음을 상하게 하거나 탄식으로 기운을 허하게 하는 일이 없어 천수를 누릴 수 있다. 즉, ⓕ는 현재의 생활에 만족하며 순응함으로써 스스로를 해치지 않는 일을 가리킨다.

09 [감상의 적절성 파악]

이 글은 유배지에서 열악한 처지에 놓여 고통을 호소하는 '나'에게 어떤 나그네가 위로와 충고를 전달하고 있다. 즉, 나그네는 처음에는 '나'의 처지를 듣고 그 열악함에 대해 자신이 겪은 바를 말하여 공감하는 듯한 태도를 보이다가 '그런데'를 기점으로 여관집 노비의 삶의 태도를 말하며 운명에 순종하여 현실의 괴로움을 견뎌야 한다는 충고를 전달하고 있다.

42강

일야구도하기(一夜九渡河記)

본문 215쪽

01. ⑤   02. ②   03. ①   04. ②   05. ①   06. ④   07. 깨달음을 다시 검증하겠다는 글쓴이의 태도에서 정확한 고증과 증명을 통해 학문적 진리를 탐구하려는 태도를 엿볼 수 있다.

01 [서술상의 특징 파악]   정답 ⑤

이 글은 글쓴이가 청나라 밀운성에서 요하를 만나 하룻밤에 강을 아홉 번 건넜던 경험을 통해 감정 등에 휩쓸리지 않는 삶의 중요성을 서술하고 있다. 따라서 이 글은 글쓴이가 여정 중에 겪은 체험을 바탕으로 내용을 전개하고 있다고 할 수 있다.

【 오답 풀이 】
① 인물의 일대기는 특별히 제시되지 않았다.
② 당대의 시대적 상황은 특별히 언급되지 않았다.
③ 공간의 이동 양상은 나타나 있으나, 화자의 경험과 사색이 드러나 있

을 뿐 인물들의 심리 변화는 드러나지 않는다.
④ 거센 강물이 흐르는 현상은 나타나 있으나 예찬적 태도는 나타나지 않는다.

02 [표현상의 특징 파악]   정답 ②

[A]는 거세게 흐르는 강의 모습과 요란한 물소리를 다양한 표현 방법으로 나타낸 부분이다. 그러나 대화체를 활용하지 않았고, 부정적 상황을 강조하고 있지도 않다.

【 오답 풀이 】
① '분노를 일으킨 듯한 물결, 슬피 원망하는 듯한 여울물'에서 소재를 의인화한 표현을 확인할 수 있다.
③ '강물은 두 산 사이에서 쏟아져 나와, 바윗돌과 부딪치며 거세게 다툰다'에서 시각적 심상을, '울부짖고 고함치는 듯하여' 등에서 청각적 심상을 확인할 수 있다.
④ '흡사 물귀신들이 다투어 나와 잘난 체 뽐내는 듯하고' 등에서 직유를, '전거 만 채, 전기 만 대, 전포 만 문, 전고 만 개'에서 과장을 확인할 수 있다.
⑤ '좌우에서 이무기들이 사람을 낚아채려고 애쓰는 듯하다.'에서 상상 속의 동물을 확인할 수 있다.

03 [작품의 내용 이해]   정답 ①

㉠은 글쓴이가 소리를 견주어 보고 들은 일을 가리키는데, 흥분해서 들으면 산이 갈라지고 언덕이 무너지는 듯한 소리로 들리고, 분노하면서 들으면 만 개의 축이 연거푸 울리는 소리로 들린다는 것이다. 또 깜짝 놀라서 들으면 천둥 번개가 치는 듯한 소리로 들린다는 것으로 이는 듣는 사람이 어떤 마음가짐이나 상태에 있느냐에 따라 물소리가 다르게 들리게 됨을 나타낸 것이라 할 수 있다.

04 [외적 준거에 따른 작품 감상]   정답 ②

강을 건너는 사람이 물을 외면하고 보지 않으려는 행동을 하는 것은 물을 건널 때 눈이나 귀에 사로잡혀 두려움을 일으키는 것을 막기 위한 행동이다. 이를 통해 두려움을 일으키지 않는 것은 사물을 객관적으로 판단하는 기초가 된다는 점에서 이를 객관적으로 판단하는 일을 포기하는 것이라고 이해하는 것은 적절하지 않다.

【 오답 풀이 】
① '마음속으로 가상한 바'는 이미 마음속에 어떤 가상한 바가 있다는 것으로, 편견이나 편벽에 사로잡힌 경우를 나타낸다.
③ '마음을 차분히 다스린 사람'은 눈과 귀에 현혹되지 않고 사물을 있는 그대로 관찰하는 것이 가능해진 사람을 나타낸다.
④ '제 귀와 눈만 믿는 사람'은 눈이나 귀 등 감각에 의존해서 현상을 판단하여 지식을 얻는 사람을 나타낸다.
⑤ '마음속으로 한번 추락할 것을 각오'한 것은 외물에 현혹되지 않겠다고 결심한 것으로 편견과 그릇된 관념을 배제하겠다는 결단을 내린 것을 나타낸다.

05 [작품의 내용 이해]   정답 ①

㉡은 강을 건너면서 얻은 깨달음, 즉 외물에 현혹되지 말아야 한다는 깨달음을 통해 강을 건너는 것보다 훨씬 더 위험

한 이 세상을 살아가는 데에도 외물에 현혹되지 말아야 함을 환기하고 있는 서술이라 할 수 있다.

06 [구성 및 서사 구조의 이해]   정답 ④
㉮는 글쓴이의 현재 경험에, ㉯는 글쓴이가 중국으로 오기 전의 과거 경험에, ㉰는 글쓴이가 중국에 처음 도착했을 때의 과거 경험에 해당한다. 따라서 ㉮~㉰에서 글쓴이의 경험을 시간의 흐름에 따라 차례대로 제시했다는 진술은 적절하지 않다.

【 오답 풀이 】
① ㉮에서 글쓴이는 강물이 거세고 사납게 흘러가는 형세와 백사장, 강둑 등의 주변 경관을 제시하며 자신이 바라보는 풍경의 위엄을 전달하고 있다.
② ㉯에서 글쓴이는 자신이 산중에 머물 때 집 앞을 흐르는 물소리가 다르게 들렸던 경험을 언급하며 그 원인이 마음가짐에 달린 것이라고 밝히고 있다.
③ ㉰에서 글쓴이는 마음을 차분히 다스린 사람에게는 귀와 눈이 누를 끼치지 못하지만, 제 귀와 눈만 믿는 사람에게는 보고 듣는 것이 병폐가 되는 법이라며, 강을 건널 때 사람들이 두려움을 갖게 되는 이유를 제시하고 있다.
⑤ ㉰에서 글쓴이는 처신에 능란하여 제 귀와 눈의 총명함만 믿는 사람들에게도 경고하겠다고 밝혀 조선의 산중으로 돌아간 후 자신이 취할 행동을 언급하고 이 작품을 쓴 목적을 밝히고 있다.

07 [글쓴이의 태도 파악]
글쓴이는 요하를 건너면서 외물에 현혹되는 자세를 경계해야 한다는 점을 깨닫는다. 그런데 글쓴이는 이를 단순히 깨닫는 것에 그치는 것이 아니라 고향으로 돌아가 계곡의 물소리를 들으며 다시 검증하겠다고 한다. 따라서 글쓴이는 정확한 고증과 증명을 바탕으로 학문적 진리를 탐구하려는 노력을 보이고 있다고 할 수 있다.

43강
꼭두각시놀음

본문 219쪽

01. ②   02. ③   03. ⑤   04. ④   05. ④   06. ④   07. ㉮ 인형, ㉯ 막   08. 웃음과 춤을 통해 자신의 설움과 한을 승화시켜 갈등을 해소하고자 한다.

01 [갈래별 특징, 성격]   정답 ②
ㄱ. 이 글은 인형극의 대본으로 무대에 사람 대신 인형이 등장하여 인물의 말과 행동을 표현한다.
ㄷ. 인형극이 진행되는 무대는 가설 무대로, 객석과는 분리되어 있다.

【 오답 풀이 】
ㄴ. 극의 전개에 춤과 음악의 요소가 활용되고 있지만 인물이 등장하고 퇴장할 때마다 음악이 연주되는 것은 아니다.
ㄹ. 총 8개의 막으로 구성되어 있는데, 각 막이 독립적인 내용을 담고 있으며 막과 막이 서로 유기적으로 연결되어 있지도 않다.

02 [표현상의 특징 파악]   정답 ③
이 글에서 공간적 배경은 한 장소로 유지되고 있다. 따라서 장소의 이동에 따라 인물의 심리 변화가 드러난다고 보기 어렵다.

【 오답 풀이 】
① '어리빗 사이, 참빗 사이 틈틈이 찾아다니고' 등에서 알 수 있듯이, 언어유희를 통해 골계미를 드러내고 있다.
② '작은집'이 갖는 두 가지 의미를 활용해 꼭두각시가 표 생원의 발화 의도를 오해하는 상황을 연출하고 있다. 이를 통해 해학성을 높이고 있다.
④ 박 첨지는 판결 내용을 말로 하다 중간에 창으로 내용을 부르고, 이에 대해 꼭두각시도 창으로 답한다. 음악적 효과를 주고 있다.
⑤ '해고망측스런 년 요사스런 계집도 많다.' 등에서 알 수 있듯이, 비속한 표현을 사용하여 인물의 심리를 가감 없이 표현하고 있다.

03 [인물의 심리, 태도 파악]   정답 ⑤
돌모리집은 표 생원이 꼭두각시에게 인사를 하라고 하자, '인사도 싫고 나는 갈 터이니 큰마누라하고 잘 사소.'라고 한다. 따라서 돌모리집이 자신에게 주어진 운명을 떠올리며 표 생원과의 인연을 소중하게 여기는 인물이라고 보기는 어렵다.

【 오답 풀이 】
① 표 생원은 자신의 나이가 연로한 데다 슬하에 자식이 없다는 점을 들어 첩을 얻은 사실을 합리화하고자 한다.
② '날더러 작은집이라 업신여겨 큰부인에게 인사를 하여라, 절을 하여라 하니 잣골 내시댁 문 앞인가 절은 웬 절이여?'라는 말을 볼 때, 돌모리집은 자신을 아랫사람으로 대우하는 것을 불쾌하게 여기고 있음을 알 수 있다.
③ '그러나저러나 적어도 큰마누라요, 커도 작은마누라니 인사나 시키오.'라는 말을 볼 때, 꼭두각시는 상하 질서를 강조하여 자신의 권위와 체통을 지키고자 하는 인물임을 알 수 있다.
④ '인사도 싫으니 세간을 나눠 주오.'라는 말을 볼 때, 꼭두각시는 가정 파탄에 대한 보상으로 남편에게 경제적인 혜택을 요구하고 있음을 알 수 있다.

04 [주제 의식 파악]   정답 ④
이 글은 꼭두각시와 돌모리집, 즉 처첩 간의 갈등을 통해 여성을 억압하는 가부장제 사회의 모순을 꼬집으며 이러한 사회상을 풍자하고 있다.

【 오답 풀이 】
① 수직적 질서 때문에 생긴 갈등은 다루어지고 있으나, 적자와 서자 사이의 갈등은 다루어지고 있지 않다.
② 여성의 지위와 관련된 문제는 생각해 볼 수 있으나, 과거 제도의 문제와는 관련이 없다.
③ 남아 선호 사상의 문제는 이 글에 나타나 있지 않다.

⑤ 재산 분할의 문제를 다루고 있지만, 양반 중심 사회의 문제와는 관련이 없다.

05 [대화의 특징 파악]　　　　　　　　　　　정답 ④
㉣은 세상의 법도에 따라 소실인 돌모리집이 본부인인 꼭두각시에게 예를 갖추라고 요청한 것이다. 이는 자신의 권위를 이용한 것도 아니고 상대방의 반론을 미리 차단한 것도 아니다.

[오답 풀이]
① ㉠은 꼭두각시가 앞에서 주장한 내용이 전혀 터무니없는 말임을 강조하기 위해 자신의 상황을 들어 말한 것이다.
② ㉡은 꼭두각시가 아무리 못났어도 본부인으로서의 위신은 세워 주어야 한다는 마음에서 비유적으로 한 말이다.
③ ㉢은 작은집(첩)을 들였다는 자신의 말을 진짜 집을 마련한 것으로 오해하고 좋아하는 꼭두각시에게 핀잔을 주기 위해 한 말이다.
⑤ ㉤은 자신의 상황은 아랑곳하지 않고 자기 재산을 나누어 달라는 꼭두각시에게 분개하는 마음을 드러내고자 한 말이다.

06 [작품 간의 공통점, 차이점 파악]　　　　　정답 ④
〈보기〉에서는 동일한 구절을 반복하여 리듬감을 강화하고 있지만, [A]에서는 그러한 표현 방법을 찾을 수 없다.

[오답 풀이]
① [A]와 달리 〈보기〉에서는 창을 활용한 노래의 형식으로 대사를 전달하고 있다.
② [A]와 달리 〈보기〉는 '일원산 가 하루 찾고, 이강 이틀 찾고, 삼주에 가 사흘 찾고, 사법성 가 나흘 찾고, 오강에 닷새를 찾아도'와 같이 발음의 유사성을 활용한 대사를 만들어 사용하고 있다.
③ [A]와 달리 〈보기〉는 '어디서 영감 소리가 나는 듯 나는 듯 하구려. 여보 영감 영감.' 하는 꼭두각시의 대사와 '거기 누가 날 찾나, 여보게 할멈 할멈.' 하는 표 생원의 대사가 조응하도록 내용을 구성하고 있다.
⑤ [A]와 〈보기〉는 모두 구체적인 지명을 나열하여 꼭두각시가 남편을 찾기 위해 다녔던 행적을 보여 주고 있다.

07 [갈래별 특징, 성격]
「봉산 탈춤」은 탈춤으로 탈을 도구로 사용하지만, 「꼭두각시놀음」은 인형극으로 인형을 도구로 사용한다. 또한 「봉산 탈춤」은 과장을 단위로 여러 개의 이야기가 구성되어 있지만, 「꼭두각시놀음」에서는 막을 단위로 여러 개의 이야기가 구성되어 있다.

08 [한국 문학의 전통 이해]
박 첨지가 자신에게 불리한 처분을 내렸는데도 꼭두각시가 ⓐ와 같이 말하고 춤을 추며 퇴장하는 것은, 자신의 설움과 한을 웃음과 춤으로 승화하려는 의도로 볼 수 있다. 우리의 문학 작품에는 이처럼 신명을 통해 한과 고통을 승화시켜 갈등을 해소하고자 하는 방식이 많이 나타나 하나의 전통을 형성하고 있다.

44강
하회 별신굿 탈놀이

본문 224쪽

> **01.** ⑤　　**02.** ③　　**03.** ④　　**04.** ④　　**05.** ④　　**06.** 양반과 선비의 무지와 허위의식　　**07.** ⑤　　**08.** 계략을 꾸며 양반과 선비의 갈등을 조장하고, 익살스러운 대사를 통해 양반이나 선비도 민중의 수준과 별반 다를 게 없음을 드러낸다.

01 [작품의 종합적 이해와 감상]　　　　　　정답 ⑤
이 글이 양반 사회를 풍자하고 있다는 점에서 권위에 대한 비판 의식을 드러내고 있는 것은 사실이지만 그것을 진지한 형태의 성찰로 보기는 어렵다. 또한 대안을 모색했다는 것도 이 글과는 어울리지 않는다.

[오답 풀이]
① 이 글은 춤, 노래, 대사 등의 요소로 어우러져 있는 가면극의 일종이다.
② 양반들의 허위에 대한 신랄하고 유쾌한 풍자가 이야기의 중심 내용을 이룬다.
③ 이 글에는 개성 넘치는 다양한 인물들이 등장하여 구수한 입담을 선보인다.
④ 이 글은 경상북도 안동에서 연행된 것으로 이 지역의 사투리가 사용된다.

02 [인물에 대한 이해]　　　　　　　　　　정답 ③
인물의 행동이 시작하고 멈추어야 하는 시점을 악기의 연주를 통해 상쇠가 알려 주는 것이 아니라, 인물의 행동이 시작하고 멈추는 시점에 맞춰 악기가 연주되고 멈추는 것이다.

[오답 풀이]
① 초랭이는 양반의 하인으로 익살스럽게 행동한다. 이를 통해 극 전반에 해학적인 분위기를 조성하는 역할을 한다.
② 부네는 양반과 선비 사이를 오가면서 두 사람을 모두 유혹한다. 이로써 양반과 선비 사이에는 갈등이 유발된다.
④ 양반은 초랭이가 시키는 대로 선비를 속여 선비가 객석을 돌아다니는 동안 부네를 독차지하게 됨으로써 선비와의 갈등이 심화된다.
⑤ 선비는 언어유희를 사용하여 지체와 학식에 있어 자신이 양반보다 우위에 있음을 뽐낸다.

03 [인물의 말하기 방식 파악]　　　　　　　정답 ④
[A]에서 선비가 사용한 말하기 방식은 일부 단어가 가진 음을 이용해 새로운 조어를 만들어서 의미를 확장시키는 언어유희의 일종이다. '열녀(烈女)'의 '열'을 '십(十)'으로 간주하고 이것보다 큰 '백(百)'으로 확장하여 '백녀(百女)'라는 새로운 조어를 만들어 이것이 열녀보다 한 수 위라고 말하는 것도 이러한 말하기 방식과 유사하다.

[오답 풀이]
① '재수'라는 동음이의어를 활용한 언어유희이다.
② '시다'와 '시큰둥하다'라는 음의 유사성을 활용한 언어유희이다.
③ 사람이 사용하는 물건을 보관하는 '장'의 의미(외연)를 '닭장'까지 확

장한 언어유희이다.

⑤ '사시절', '단절', '박절', '속절', '정절', '수절' 등 각운의 반복적인 효과를 활용한 언어유희이다.

> **Q 언어유희가 뭔가요?**
>
> **A** 언어유희는 소리의 유사성이나 의미의 유사성을 바탕으로 하여 전달하고자 하는 의미를 재치 있게 표현하는 방법이라고 볼 수 있어요.
>
> 예 • 개잘량이라는 '양' 자에 개다리소반이라는 '반' 자 쓰는 양반이 나오신단 말이오.   – 작자 미상, 「봉산 탈춤」
>
> • 이애 이애 그 말 마라 시집살이 개집살이
>   – 작자 미상, 「시집살이 노래」
>
> 언어유희는 작중 상황의 분위기를 해학적으로 만들어 준다는 점에서 판소리계 소설과 같은 고전 문학에서 자주 쓰여요. 우리는 이에 대해 해당 표현이 언어유희라는 점을 파악하는 것과 그러한 표현을 통해 드러내고자 하는 의미가 무엇인지를 알아 두어야 해요.

04 [무대 형상화 방안 파악]   정답 ④

ⓔ에서 초랭이가 하는 행동과 말은 양반과 선비를 모두 조롱하고자 하는 것이지 어느 한쪽 편을 들고자 하는 것이 아니다. 따라서 양반을 곤경에 빠뜨리고자 하는 의도가 드러나도록 해야 한다는 것은 적절하지 않다.

[오답 풀이]

① ㉠에서 부네는 '요염한 춤을 추며'에 어울리도록 아름다운 자태를 뽐내며 춤을 추어야 한다. 이로써 부네가 양반과 선비를 유혹하고 있음이 드러나도록 해야 한다.

② ㉡에서 양반은 초랭이의 말을 귀담아듣는 모습을 연기해야 한다. 양반은 초랭이가 자신과 선비의 다툼을 만들고자 하는 의도를 알아차리지 못하고 있기 때문이다.

③ ㉢에서 선비는 무대와 객석을 오가며 연기해야 한다. 이것은 가면극이 무대와 객석의 경계가 불분명한 특성을 갖고 있기 때문이다.

⑤ ㉣에서 악공은 명랑하고 경쾌한 분위기의 가락을 연주해야 한다. 이것을 통해 갈등이 해소된 극의 분위기와 음악이 잘 어울리도록 해야 하기 때문이다.

05 [갈래의 특징과 성격]   정답 ④

극에서 상쇠는 장단을 치는 역할을 할 뿐이다. 상쇠의 등장이 마을 사람들이 주도하는 굿의 의식을 보여 주기 위한 것이라고 볼 수 없다.

[오답 풀이]

① '하회'는 안동의 하회 마을을 가리키는 것으로, 이 글이 연행되는 공간을 말해 준다.

② 탈을 쓰고 연행하는 것은 풍자의 주체로서 극 중 역할을 수행하는 민중의 모습이 직접 드러나지 않게 하는 것이다. 이를 통해 민중은 보다 자유롭게 풍자의 목소리를 낼 수 있다.

③ 「하회 별신굿 탈놀이」는 마을 사람들이 모두 즐기는 대동적 축제로서 의미를 가진다. 극 중 인물들이 갈등을 멈추고 다 같이 춤을 추는 것은 이러한 성격을 보여 주는 것이라고 할 수 있다.

⑤ 장단을 통해 음악적 효과를 배가하고 양반과 선비의 행동을 희화화하는 것은 즐거움의 요소를 강화하는 것으로, 「하회 별신굿 탈놀이」가 축제가 되는 행사임을 보여 주는 것이라고 할 수 있다.

06 [주제 의식 파악]

이 글에서는 양반과 선비의 다툼이 계속 이어지며 이를 통해 이들의 허위의식과 무식함이 드러나 풍자의 대상이 되고 있다.

07 [갈등의 양상 파악]   정답 ⑤

초랭이가 개입한 이후에 양반과 선비가 함께 춤을 추며 화해하게 되는 것은 맞지만, 이것이 초랭이의 중재로 인한 것은 아니다. 초랭이는 두 사람의 갈등을 조장한 인물일 뿐, 두 사람의 갈등 해소를 위해서 노력하는 인물로 볼 수 없다.

[오답 풀이]

① 초랭이의 계략에 의해 부네를 둘러싼 두 사람의 갈등이 심화되었다고 볼 수 있다.

② 양반과 선비 사이를 오가며 두 사람 모두를 유혹하는 부네의 행동은 두 사람 사이의 갈등을 부추겨 긴장감을 고조한다.

③ 부네를 둘러싼 두 사람 사이의 대립은 결국 지체와 학식의 우열을 다투는 갈등으로 이어지게 된다.

④ 지체와 우열을 다투는 갈등은 양반과 선비가 자신들의 무지를 드러내는 계기로 작용하여 결국 스스로 풍자의 대상이 되도록 만든다.

08 [인물의 역할 파악]

이 글에서 초랭이는 계략을 꾸미며 양반과 선비가 부네를 두고 다투도록 유도한다. 또한 지체와 학식의 우열을 두고 다투는 양반과 선비 사이에 끼어들어 '육경'에 대한 익살스러운 대사를 함으로써 양반이나 선비가 다투는 내용이 민중의 한 사람인 자신의 수준과 별반 다를 게 없음을 폭로하는 역할을 한다.

45강

금령전(金鈴傳) | 심청전(沈淸傳)

본문 232쪽

01. ② 02. ⑤ 03. ③ 04. ④ 05. ⑤ 06. ③ 07. 뱃길의 안전과 뱃사람들의 안녕을 위해 사람을 제물로 바친다는 민간 신앙의 풍습이 반영되어 있음을 알 수 있다. 이로 인해 혼으로 남은 심청에 대해 뱃사람들은 연민을 느끼고 있다.

01 [인물의 심리 및 상황 파악]　　　　　　　　정답 ②

(가)에서 해룡은 집안과 해룡의 결혼을 위해 밭을 일궈야 한다는 변 씨의 부탁을 수용하고 있을 뿐 스스로 밭을 일구는 것이 필요하다고 여기는 모습은 보이지 않는다.

【 오답 풀이 】

① (가)에서 해룡이 '인명은 재천'이라고 말하면서 변 씨의 계략대로 구호동을 향해 가는 것에서 해룡에게 고난이 닥칠 것을 예상할 수 있다.

③ (가)에서 여인들은 "우리 팔자가~불고 하여"라고 말하며 짐승의 사환이 된 것을 팔자가 좋지 못한 탓으로 여긴다. 이후 여인들은 "아까 공자께~금선 공주 낭랑이로소이다."와 같이 공주를 해룡에게 소개하고 있다.

④ (가)에서 '그 계집들이~신기하기 그지없는지라.'의 모습을 여인들이 보이는 것은 해룡이 등장한 것과 관련된다. 이 과정에서 공주가 꾼 꿈을 신기하게 여긴다는 것으로부터 공주의 꿈이 자신들을 구해 줄 존재가 나타나는 내용을 담고 있을 것이라 짐작할 수 있다.

⑤ (가)에서 해룡이 도착한 구호동은 '날이 서산에 저물고자 하거늘'과 같이 어둠이 찾아오는 분위기로 묘사되고 있다. 이는 이후에 갈범이 등장해 위기에 처하는 부정적 상황과 어울린다는 점에서 위기감의 고조와 호응되는 풍경으로 볼 수 있다.

02 [작품의 내용 이해]　　　　　　　　　　　정답 ⑤

(나)의 "가다가 도화동에~알아보고 가오리다."에 따르면, 도화동은 심청의 아버지가 있는 곳으로, 뱃사람들은 자신들이 심청의 아버지가 살아 있는지 알아보러 가겠다고 한 것이지 심청의 영혼이 아버지의 평안을 확인할 수 있게 되기를 바라는 것이 아니다.

【 오답 풀이 】

① (나)에서 옥황상제가 사해용왕에게 전하는 말인 "심 소저 혼약할~잃지 말게 하라."를 고려할 때 '좋은 때'는 '혼약할 기한'을 말한다고 볼 수 있다. 이후의 내용에서 심청은 환생 후 천자와 혼인하게 되므로 적절한 설명이다.

② (나)에서 '큰 꽃송이에 넣고 두 시녀를 곁에서 모시게 하여'를 통해 꽃 안에는 심청뿐만 아니라 시녀도 함께 있음을 알 수 있다. 또한 심청이 죽은 줄 알고 제를 올리며 눈물을 쏟던 뱃사람들이 꽃봉을 발견하고 '마음이 감동'했다는 것은 꽃을 발견한 일을 계기로 다시금 심청의 희

생을 안타까워하는 모습으로 볼 수 있으므로 적절한 설명이다.

③ (나)에서 '비단 보배'는 심청이 인당수로 올라가는 꽃송이에 사해용왕이 넣어 주는 소재이다. 이는 심청이 옥황상제의 명에 따라 귀한 대접을 받고 있음을 짐작할 수 있게 해 주는 근거로 이해할 수 있으므로 적절한 설명이다.

④ (나)에서 심청은 '이승과 저승의 길'이 다르기 때문에 이별할 수밖에 없다고 밝히고 있다. 이는 저승의 세계와 자신이 돌아갈 수 있게 된 이승의 세계가 엄연히 구별되어 있다는 심청의 인식을 보여 주는 것으로 이해할 수 있으므로 적절한 설명이다.

03 [외적 준거에 따른 작품 감상]　　　　　　　정답 ③

ㄴ. 금방울은 구호동의 범을 해룡 대신 물리쳐 주는데 이 과정은 작은 방울이 큰 호랑이를 한 번씩 받아 쉽게 달아나게 만든다는 점에서 〈보기 1〉에 제시된 금방울의 비범한 능력을 보여 주는 것으로 이해할 수 있다. 이는 당대 주요 독자였던 여성들의 흥미를 끌려는 의도가 담겨 있다고 볼 수 있다.

ㄷ. 금방울은 요괴의 배 속에 들어가 요괴를 고통스럽게 함으로써 해룡이 요괴를 최종적으로 처치할 수 있도록 돕고 있다. 이는 〈보기 1〉에 따르면, 금방울이 요괴를 물리칠 막강한 힘을 지니고 있음에도 해룡을 조력하는 정도로만 활약하고 있다는 점에서 작품이 여성 의식의 한계가 있음을 보여준다고 이해할 수 있다.

【 오답 풀이 】

ㄱ. 변 씨에게 학대를 당하던 해룡이 구호동에 이르게 되는 것은 악인의 계략에 빠진 인물이 위기에 처하는 과정으로서의 의미를 지니지만, 이는 〈보기 1〉에 제시된 남성 중심의 편향된 인식이나 이를 해소하려는 것과는 관련이 없다.

ㄹ. 짐승이 피를 토하며 거꾸러지는 것은 금방울이 짐승에게 먹힌 후 금방울의 활약에 따른 모습으로 볼 수 있다. 이는 〈보기 1〉에 제시된 막강한 힘을 지닌 금방울의 능력을 보여 주는 것에 해당한다. 그러나 짐승이 고통스럽게 된 것에는 남성, 즉 해룡의 역할이나 활약이 나타나지 않으므로 적절하지 않은 설명이다.

> **Q 고전 소설에서 남성 중심의 편향된 인식이 뭔가요?**
>
> **A** 고전 소설에서 말하는 '남성 중심의 편향된 인식'은 남성을 중심으로 서사가 구성되는 것을 의미한다고 보면 돼요. 영웅 소설이나 가정 소설 등 대부분의 고전 소설은 남성을 주인공으로 삼고 가부장적 권위를 바탕으로 사회적 차원의 공을 세우는 활약이 남성에게 국한되어 나타나는 경우가 많아요. 또한, 처첩 제도하에서 갈등이 발생하는 것도 근본적으로는 남성 중심의 봉건적 가족 제도가 반영된 것이라고 볼 수 있지요.
> 한편 이러한 편향된 인식을 극복하려는 고전 소설도 있어요. 「박씨전」, 「홍계월전」, 「금방울전」과 같은 작품들은 뛰어난 능력과 비범성을 갖춘 여성이 주인공으로 등장하여 활약을 펼친다는 점에서 그 의미를 찾을 수 있어요. 역사적으로는 임진왜란과 병자호란의 패배라는 시대적 상황 속에서 남성 사회를 간접적으로 비판하면서 여성 영웅 소설이 등장한 것이라고 이해할 수 있어요. 여성 영웅 소설의 이러한 특성은 해당 작품을 파악하는 핵심적 요소가 되기도 하고, 〈보기〉를 통한 감상의 외적 기준으로 제시되기도 한다는 점에서 잘 알아 두어야 해요.

04 [구절의 형식적, 내용적 요소 파악]   정답 ④

㉣에서는 심청이 '하직하고 돌아서'는 행동을 보인 후에 '순식간에 인당수에 번듯 떠'오르는 장면이 제시되고 있다. 이러한 상황의 흐름은 인과 관계가 아니라 선후 관계에 해당한다. 심청이 기존에 머물던 환상적 세계에서 현실 세계로 진입하는 모습은 심청이 보이는 행동 때문에 일어나는 것이 아니라 '천신의 조화'나 '용왕의 신령'에 의한 것이기 때문이다. 따라서 ㉣이 초월적 힘의 작용에 있어 개연성을 높이고 있다는 설명도 적절하지 않다.

【 오답 풀이 】

① ㉠에서는 '사면이 절벽', '초목이 가장 무성', '호표 시랑의 자취뿐', '인적은 아주 없었으니'와 같이 구호동이라는 공간적 배경의 속성을 열거하여 어둡고 음산한 분위기를 드러내고 있다. 해룡은 이러한 분위기에서도 두려워하지 않고 옷을 벗고 쉬려는 모습을 보인다는 점에서 적절한 설명이다.

② ㉡에서는 '서편에서 또다시 큰 호랑이'가 '벽력같은 소리'를 지른다는 비유적 표현을 사용하여 해룡을 자신을 위협하는 호랑이와 맞닥뜨림으로써 위기가 고조되는 상황이 제시되고 있다. 이는 산상에서 갈범이 등장한 이후 연달아 위협적인 존재가 등장한다는 점에서 위기 상황의 고조라는 의미로 이해할 수 있으므로 적절한 설명이다.

③ ㉢에서는 '한 미인'이라는 새롭게 등장한 인물이 보이는 행동을 '칠보홍군으로 몸도 가볍게 걸어오'는 모습과 '보검을 가져다가 급히 해룡에게 주는 것'과 같이 묘사하고 있다. 특히 보검을 해룡에게 주는 것은 '몸에 촌철이 없어 할 수 없이 방황하'며 적대적 존재인 짐승을 처단할 수 없는 문제 상황을 해소하고 짐승을 물리칠 수단을 제공한다는 점에서 어려움을 해결할 단초가 마련되는 것으로 이해할 수 있으므로 적절한 설명이다.

⑤ ㉤에서는 '둥덩실'이라는 음성 상징어를 사용하여 바다 위에 꽃봉이 떠 있는 작중 상황에 구체성을 높이고 있다. 또한 이러한 모습을 뱃사람들이 '괴이히 여'긴다는 것과 같이 인물들의 심리적 반응도 서술자가 직접적으로 제시하고 있으므로 적절한 설명이다.

Q 개연성이 뭔가요?

A 개연성은 '절대적으로 확실하지 않으나 아마 그럴 것이라고 생각되는 성질'이라는 사전적 의미를 가지고 있어요. 이는 소설과 같이 허구를 기본 바탕으로 하는 문학 작품에서 실제로 일어날 법한 일을 말한다고 이해하면 돼요. 명확하게 제시되어 있지 않지만, 사건의 흐름이나 전후 맥락을 고려할 때 사건과 사건 사이의 인과성을 부여할 수 있는 경우 개연성이 존재한다고 보면 좋을 것 같아요. 또한 참고로 '필연성'과 '우연성'의 개념도 함께 알아 두는 게 좋아요. '필연성'이란 사건과 사건 사이의 인과 관계상 원인과 결과가 뚜렷하여 그렇게 될 수밖에 없는 경우를, '우연성'은 필연성과 반대되는 개념으로 관련성이 없음에도 어떤 사건이 발생하는 경우를 말해요.

---

05 [외적 준거에 따른 작품 감상]   정답 ⑤

(나)에서 꽃봉을 통해 심청이 인당수에 환생하게 되는 것은 뱃사람들이 제를 올린다는 현실적 요소에 의한 것이 아니라 옥황상제와 사해용왕 등 비현실적 존재들의 조력에 의한 것이다. 이는 〈보기〉에 따르면 현실적 요소가 확대된 소설사의

흐름 속에서도 비현실성에 기반을 둔 기이성이 심청의 환생이라는 극적 사건 구성에서 여전히 유효함을 보여 주는 것으로 이해할 수 있을 뿐, 기이성에 현실적 요소가 가미된 것이라고 볼 수 없다.

【 오답 풀이 】

① (가)에서 '방울이 번개같이~그 넓은 밭을 다 갈더라.'와 같이 금방울이 순식간에 밭을 일구는 모습을 보여 준다. 이는 해룡이 할 일을 대신 해 주는 과정에서 금방울에 의해 일어난 비현실적 사건이라는 점에서 〈보기〉에서 말하는 사건 전개에 있어 기이성이 반영된 것으로 이해할 수 있다.

② (가)에서 해룡이 요괴를 무찌르고 위험에 처한 공주와 여인들을 구하는 장면은 요괴라는 환상적 존재의 등장과 금방울의 환상적 활약을 통해 가능해지게 된다. 이는 〈보기〉에 따르면 비현실성에 바탕을 둔 기이성이 구현된 것으로 이해할 수 있다.

③ (나)에서 심 소저, 즉 심청이 수궁의 도움을 받게 되는 것은 아버지를 위해 자신을 희생하는 효성을 지닌 심청이 현실 세계에서 경험할 수 없는 비현실적인 일을 겪었다는 점에서 기이성이 반영된 것으로 이해할 수 있다.

④ (나)에서 꽃봉을 본 뱃사람들은 그것이 심 소저의 영혼이라고 여기지만, 실제로는 심청의 환생이라는 비현실적 상황과 관련된다. 따라서 뱃사람들은 기이성에 따른 사건을 미처 예상치 못하고 있는 것이라고 볼 수 있고, 이는 〈보기〉에 따르면 기이성이 극적인 사건 구성에 기여하는 요소로 작용하고 있는 것으로 이해할 수 있다.

---

06 [작품 간의 공통점과 차이점]   정답 ③

[A]에서는 꽃봉이 떠오른 모습에 대해 "아마도 심 소저의 영혼이 꽃이 되어 떴나 보다."와 같이 추측의 태도로 반응하고 있다. 한편 〈보기〉에서 이에 대응되는 부분에서 "금이란 말씀 당치 않소.", "옥이란 말이 당치 않소.", "해당화란 말이 당치 않소."와 같이 단정적인 표현을 사용하여 꽃봉오리의 정체에 대해 논의하는 모습을 보이고 있다.

【 오답 풀이 】

① [A]에서는 "한 잔 술로 위로하니 만일 아시거든 영혼은 이를 받으소서."와 같이 심청의 영혼에 대해 높임 표현을 사용하여 마음을 드러내고 있다. 또한 〈보기〉에서도 '넋이라도 오셨거든, 많이 흠향을 하옵소서.'와 같이 높임 표현을 사용하여 제를 올리는 뱃사람들의 모습을 확인할 수 있으므로 [A]만 해당한다는 설명은 적절하지 않다.

② 〈보기〉에서는 심청의 효행을 말하는 과정에서 다양한 역사적 인물들을 장황하게 언급하고 있을 뿐, 효심과 관련된 심청의 일화를 열거하고 있지 않다.

④ [A]와 〈보기〉 모두 뱃사람들이 심청의 안위와 관련된 안부를 묻는 모습은 나타나 있지 않다.

⑤ 〈보기〉에서는 꽃봉의 정체를 의논하는 과정에서 '옛날 진평'과 같이 역사적 인물을 동원하고 있다. 그러나 [A]에서는 '저희들끼리 의논하기'와 같이 이를 간략히 제시하고 있을 뿐이다.

---

07 [작품에 반영된 사상적 특징과 인물의 심리 파악]

(나)의 ⓐ는 뱃사람들이 심청의 희생 덕분에 큰 이익을 얻어 돌아오게 된 상황임을 밝히고 있는 부분으로 이를 민간 신앙과 연결지어 보면 뱃사람들의 안전과 안녕을 위해 사람을 제

물로 바치는 풍습이 반영되어 있는 것으로 이해할 수 있다. 또한, 희생의 대상인 심청을 가엾게 여기는 연민의 심리를 뱃사람들이 가지고 있음을 파악할 수 있다.

46강

우리 나라 전기(傳奇) 소설 | 김현감호 | 이생규장전

본문 238쪽

01. ⑤ 02. ③ 03. ⑤ 04. ① 05. ① 06. ④ 07. ④
08. ① 09. (나) 처녀가 자결함으로써 김현과 처녀는 인연을 이어 가지 못하게 되었다. (다) 최낭의 환신이 이승을 떠나자 두어 달 후에 이생도 죽음으로써 두 사람은 함께 생을 누리지 못하게 되었다.

01 [작품의 내용 이해] 정답 ⑤

(가)의 1문단에서 '우리의 전기 소설에서 기이한 사건은 작가의 불우함을 위로하기 위한 창작 동기'에서 비롯된 것이라고 제시하고 있다. 그리고 이와 관련하여 '작가의 분신으로서 불우한 처지에 놓인 전기 소설의 남주인공은 기이한 사건을 겪으면서 자신의 능력을 인정받'는다고 언급하고 있다.

[오답 풀이]

① (가)의 1문단에서 '중국의 전기는 기이한 사건을 다채로운 문체로 엮은 서사 양식'이며, '기이한 사건은 흥미를 끌기 위한 소재로만 쓰'였다고 제시하고 있다.

② (가)의 1문단에서 전기는 '서사 구조가 유기적이지 못했고 결말의 양상도 다양했다'고 제시하고 있다. 한편 우리의 전기 소설은 '비극적 종결을 맞이하는 전형성을 보인다'고 제시하고 있다.

③ (가)의 1문단에서 중국의 전기는 '당나라 문인들이 자신의 글솜씨가 담긴 작품집을 출제의 수단으로 삼았던 관습에서 유래'했다고 제시하고 있다.

④ (가)의 1문단에서 '우리의 전기 소설은 중국 전기의 영향을 받아 기이한 사건을 다루면서도, 비극적 종결을 통해 전기와 구별되는 독자성을 보인다'고 제시하고 있다.

Q 기이성이 뭔가요?

A '기묘하고 이상하다'라는 사전적 의미를 지니고 있는 '기이성'은 현실 세계에서는 경험할 수 없는 상황이라는 성격을 띠는 경우를 말하는데 주로 인물, 사건, 구성적 측면에서 나타나는 경우가 많아요. 이는 ①도술과 같은 비범한 인물의 능력, ②옥황상제나 선녀 등 인간 세계를 벗어난 존재의 등장에 따른 사건 전개, ③천상계나 저승 세계 등 현실 세계와 이원적 양상을 이루는 공간 설정에 따른 구성 등으로 구체화되는 경우가 많다고 볼 수 있어요. 따라서 기이성은 사전적 의미나 정의된 개념 자체를 파악하는 것뿐만 아니라, ①~③과 같이 그것이 어떻게 작품의 구체적인 맥락 속에서 구현되는지를 판단할 수 있는 사례나 상황을 이해하는 것도 실제 문제를 해결하는 과정에서는 중요해요.

02 [인물의 심리, 태도 파악] 정답 ③

(나)에서 김현은 범을 잡은 후 "지금 범을 쉽게 잡았다."라고 소리쳤다. 하지만 그 사정은 누설하지 않았다.

[오답 풀이]

① (나)에서 김현은 처녀와의 인연을 이용하여 벼슬을 바랄 수 없다고 말하고 있다.

② (나)에서 처녀는 자신이 죽으면 다섯 가지 이익을 얻을 수 있다고 김현을 설득하고 있다. 이러한 이익 중 자신이 죽으면 일족의 복이며, 나라 사람들의 기쁨이라고 말한 것은 호랑이와 인간 모두에 이로움이 됨을 말한 것이다.

④ (다)에서 이생은 최낭이 아니었으면 부모님의 유골을 찾아 장사를 지낼 수 없었다고 말하고 있다. 이는 부모님의 유골을 수습해 장례를 지낸 데 최낭의 공이 크다고 이생이 생각했음을 보여 준다.

⑤ (다)에서 최낭은 이생에게 이별해야만 한다고 말하며 "즐거움도 다하기 전에 슬픈 이별이 닥쳐왔습니다."라고 말하고 있다.

03 [외적 준거에 따른 작품 감상] 정답 ⑤

(다)에서 이생은 최낭과의 이별을 거부하지만 최낭은 자신의 이름이 저승의 명부에 올라가 있기 때문에 자신이 인간 세상에 미련을 가지면 그 죄가 이생에게 미칠 수 있다고 우려하며 떠난다. 이러한 이생과 최낭의 생사를 초월한 사랑은 개인과 운명의 갈등을 보여 준다고 할 수 있는데, 삶과 죽음의 문제를 거부할 수 없다는 비극적 결말은 인간의 힘으로는 더 이상 어찌할 수 없는 운명으로 인한 것이기 때문이다.

[오답 풀이]

① (나)에서 김현은 처녀가 스스로 목숨을 끊는 것을 막지 못한다. 이는 전기 소설의 남주인공이 소심하고 나약한 존재로서 어려운 상황이나 모순된 현실에 대해 적극적으로 저항하지 않는 것과 관련이 있다. 이러한 점에서 김현은 '소극성'을 지닌 인물이라고 할 수 있다.

② (나)에서 범(처녀)은 자신이 죽은 후 '절을 짓고 불경을 강하여 불법을 얻도록 도와'달라고 김현에게 요청하고 있다. (가)에 따르면, '전설에서 인물은 특정한 시공간에서 현실의 문제에 부딪히지만 이것은 인간의 힘으로는 어찌할 수 없는' 것이다. 이와 관련하여 범은 종교적 차원에서 갈등의 해결을 모색한 것이라고 볼 수 있다.

③ (다)의 이생은 최낭이 환신해 돌아오자 벼슬을 구하지 않고 최낭과 함께 살면서 세상사를 완전히 잊은 채 지낸다. 이는 (가)에서 전기 소설의 남주인공이 사랑에 몰두해 세상과 소통하지 않는 '폐쇄성'을 보여 준다는 것에 해당한다.

④ (다)에서 최낭은 횡액을 당해 죽은 혼백을 의탁할 곳이 없어 원통해 하다가 저승에서 이승으로 돌아와 이생과 인연을 맺고 시간을 보낸다. 이는 (가)에 따르면, 외로운 존재로서 삶과 죽음의 경계를 넘어서는 기이한 방식으로 '금기를 넘어선 사랑을 하'는 모습을 보여 주는 것이라고 할 수 있다.

04 [작품 간의 비교 감상] 정답 ①

(나)의 김현은 처녀가 스스로 희생을 선택한 것을 안타까워 하며 처녀와 헤어지고 있다. 또한, [A]에서 이생은 최낭에게 황천에 함께 가거나 이승에서 함께 오래 살다가 백 년 후에 같이 세상을 떠나자고 하면서 영원히 함께 지내고 싶은 마음을 드러내고 있다.

[오답 풀이]

② (나)의 처녀는 자신이 죽는 것이 서로에게 이로운 일이라고 김현에게 말하고 있다. 한편 [A]의 최낭은 자신은 이미 저승의 명부에 이름이 올라 있기 때문에 더 이상 이승에 머무를 수 없다고 말하고 있다. 따라서 [A]의 여주인공이 자신의 죽음이 저승의 법을 어긴 대가라며 남주인공을 설득한다고 이해하는 것은 적절하지 않다.

③ (나)의 처녀는 김현에게 불법을 얻도록 도와 달라고 요청하고 있을 뿐, 타인과의 관계에서 맺힌 한을 풀어 달라는 부탁은 하고 있지 않다. 한편 [A]의 최낭은 아무 곳에 흩어져 있는 자신의 유골을 거두어 달라며 이생에게 부탁을 하고 있으나, 생전에 자신에게 맺힌 한을 풀어 달라는 부탁은 하고 있지 않다.

④ (나)의 김현은 범을 죽인 공로로 벼슬에 올라 사회적으로 인정을 받고 호원사를 지어 범의 은혜에 보답하고 있다. [A]의 이생은 최낭이 말한 대로 그녀의 시신을 거두어 부모의 무덤 곁에 묻어 준 후에 병을 얻어 두어 달 만에 세상을 떠났다. 따라서 (나)의 남주인공은 여주인공의 절을 지어 달라는 부탁을 실현함으로써 사회적인 인정을 받고 있지 않으며, [A]의 남주인공이 여주인공의 부탁을 실현함으로써 사회로부터의 소외감을 해소하고 있지도 않다.

⑤ (나)의 김현은 범을 잡은 공로로 벼슬에 올랐으므로 세속적 삶에 회의를 느끼며 속세를 등지고 있다고 볼 수 없다. 한편 [A]의 이생은 최낭을 지극히 생각한 나머지 병이 나서 두어 달 만에 세상을 떠났다. 이는 세속적 삶의 무의미함을 견디지 못하고 세상을 떠났다고 볼 수 있다.

05 [작품의 내용 이해] 　　　　　　　　　　　　정답 ①

(가)의 3문단에서 「김현감호」는 벼슬에 대한 김현의 간절함에 부처가 감동하여 범의 희생으로 응답하고, 김현이 이러한 범의 희생을 기린다는 이야기라고 제시하고 있다. (나)에서 처녀가 자신의 죽음을 '낭군의 경사'라고 말한 것은 김현이 벼슬에 대한 욕망을 이룰 수 있음을 나타낸다. 즉 자신의 간절한 바람에 대해 부처의 응답이 있음을 암시하고 있다고 볼 수 있다.

[오답 풀이]

② (나)에서 '사나운 범'이 성안으로 들어와 사람들을 해치는 장면은 김현이 벼슬을 얻는 데 도움을 주고 있다. 이는 김현의 개인적 욕망을 실현할 수 있게 해 주는 서사에 해당한다고 할 수 있다.

③ (나)에서 김현은 처녀와의 대화를 통해 처녀와의 갈등을 해소하고 있다. 김현이 임금에게 범을 '잡을 수 있'다고 아뢰는 장면에서 김현은 임금에게서 벼슬을 얻고 있다. 이는 김현 개인의 욕망을 실현하는 서사에 해당한다고 할 수 있다.

④ (나)에서 임금은 범을 잡기 위해 김현에게 '벼슬을 주어' 격려하고 있다. 이는 부처의 전능함을 실현하려는 임금 개인의 의지로 보기 어렵다.

⑤ (나)에서 범이 김현 앞에서 '처녀로 변하여 반갑게 웃'는 장면은 범이 희생을 감행하기 직전의 일이다. 이는 김현의 개인적 욕망이 실현되는 서사에 해당한다고 볼 수 있다.

06 [감상의 적절성 평가] 　　　　　　　　　　　정답 ④

최낭은 죽은 후 환신으로 나타나 이생과 몇 년을 지낸다. 그러던 어느 날 최낭은 이생에게 이별을 통보하고 있다. 이에 이생이 만류하자 자신은 떠날 수밖에 없다며 자취를 감추고 있다. 이로 볼 때, '세 번 가약을 맺었건만, 세상일은 뜻대로

되지 않나 봅니다'는 현세에서 좌절된 사랑을 저승에서 완성하고자 하는 여주인공의 의지를 드러내고 있다고 볼 수 없다.

[오답 풀이]

① '횡액'은 '뜻밖에 닥쳐오는 불행'을, '구렁'은 '빠지면 헤어나기 어려운 환경'을 의미한다. 이는 이생과 최낭의 사랑이 외부적 요인에 의해서 좌절되었음을 나타낸다.

② 최낭은 '깊은 산골짜기에서' 이생과 헤어지게 된 자신의 처지를 '짝 잃은 새'에 비유하고 있다. 이를 통해 최낭의 슬픔을 짐작할 수 있다.

③ 최낭이 이생에게 옛날의 '굳은 맹세'를 지키자고 제안하자 이생은 '그것이 원래 나의 소원'이라며 기뻐하고 감사히 여기고 있다. 이는 사랑을 지속하고자 하는 두 남녀의 마음이 절실하다는 것을 나타낸다.

⑤ 최낭은 만일 자신이 인간 세상을 그리워해 미련을 가지면 저승의 법에 위반될 뿐 아니라 죄가 이생에게도 미칠 것이라고 염려하고 있다. 이는 이생의 안위를 걱정하는 최낭의 사랑을 보여 준다고 할 수 있다.

07 [외적 준거에 따른 작품 감상] 　　　　　　　정답 ④

(다)에서 이생과 최낭은 최낭이 홍건적에 의해 죽음으로써 현실에서 사랑이 이루어지는 데 장애가 생긴다. 그런데 최낭은 죽은 후 환신으로 나타나 이생과 인연을 이어 간다. 이것은 ㉮에서 말하는 '생사를 초월한 사랑을 통해 개인과 세계의 갈등 관계를 형상화'한 것이다. 즉, 개인들이 전쟁으로 형상화된 부정적 세계에 맞서 자신들의 사랑을 이루고자 함을 나타낸다.

[오답 풀이]

① 이생이 환신으로 나타난 최낭과 살면서 세상을 등진 것은 이생과 세계의 갈등 관계를 나타낸다고 할 수 있다. 갈등을 해소하기 위한 방편을 찾는 모습으로 보기는 어렵다.

② 이생과 최낭이 횡액을 만나기 전에 백년해로를 서로 약속한 것은 영원히 서로 사랑하자고 약속한 것일 뿐 세계와의 대립을 대비한 것을 나타내지는 않는다.

③ 최낭은 홍건적에게 정조를 잃지 않기 위해 노력했다. 이것이 생사를 초월한 사랑을 나타내지는 않는다. 생사를 초월한 사랑은 최낭이 이생과의 못다한 인연을 이어 가기 위해 환신이 되어 나타나 이생과 함께 지내는 것을 통해 드러나고 있다.

⑤ 최낭은 인간 세상을 그리워해 미련을 갖는 것에 대해 부정적인 태도를 보이고 있다고 할 수 있는데, 그것은 자신의 이름이 이미 저승의 명부에 올라가 있기 때문이다. 이것은 개인과 세계의 갈등을 극복하고자 한 태도를 보여 주는 것이 아니라 주어진 운명에 순응하는 태도라고 볼 수 있다.

08 [구성 및 서사 구조의 이해] 　　　　　　　정답 ①

(다)에서 이생이 '가산을 묻어 둔 곳'을 찾아가 금은과 재물을 가져오는 사건은 현실에서 이루어지고 있는 일이다. 따라서 이 장면이 사대부 남성이 이계를 체험하고 돌아오는 구도를 나타내고 있다고 이해하는 것은 적절하지 않다.

[오답 풀이]

② (다)에서 횡액을 만나 죽은 최낭은 '환신'으로 이승에 돌아와 이생에게 '남은 인연'을 맺자고 제안하고 있다. 이는 적극적으로 사랑을 이어 가려는 모습을 보여 주는 것으로 능동적 여인상을 나타낸다.

③ (다)에서 최낭은 이미 죽었으나 '환신'으로 이생과 만나 사랑을 나누고

'기쁜 정'을 누리고 있다. 이는 삶과 죽음의 경계를 넘어서는 것으로 금기에 도전하는 애정 추구의 구도를 보여 준다고 할 수 있다.

④ (다)에서 최낭은 저승의 명부에 이름이 올라 있으나 '환신'으로 이승에 돌아와 있는 인물이다. 이처럼 최낭이 저승과 이승을 넘나드는 인물로 설정되어 있는 것은 (다)가 저승과 이승의 이원적 공간 구도를 취하고 있음을 보여 준다.

⑤ (다)에서 이생은 세상사에 관심을 끊고 집에서 늘 최낭과 함께 '시를 지어 주고받'으며 즐거이 세월을 보내고 있다. 이는 시가 애정 교류의 매개로 활용되었음을 나타낸다.

09 [서사 전개 과정의 이해]

(나)에서 김현과 처녀는 인연을 맺는다. 그러나 이후에 처녀가 자결해 죽게 됨으로써 두 사람의 인연은 더 이상 이어지지 않고 두 사람의 사랑이 비극적으로 종결되었음을 보여 준다. 그리고 (다)에서 최낭이 홍건적에 의해 죽음으로써 현실에서 이생과 최낭은 인연을 이어 가지 못한다. 이에 최낭이 환신이 되어 나타나 이생과 함께 지내게 되는데, 이러한 상태가 지속되지 못하고 최낭은 이생과 이별해 자취를 감추고 얼마 지나지 않아 이생도 죽게 된다. 이는 비극적 종결을 맞이하는 전형성을 보여 준다.

47강

임진록(壬辰錄) | 명량(鳴梁)

본문 246쪽

01. ② 02. ① 03. ④ 04. ⑤ 05. ④ 06. ④ 07. ②
08. (가) 죽기를 각오하고 싸우면 가히 승리할 수 있을 것입니다. (나) 우리가 죽어야! 나라가 산다!

01 [서술상의 특징 파악] 정답 ②

(나)에서는 이순신의 내레이션(NA)을 통해 전력이 떨어지더라도 죽을힘을 다해 싸우겠다는 이순신의 의지적 면모를 드러내고 있다.

[오답 풀이]

① (가)에서 공간적 배경을 구체적으로 묘사하고 있지는 않다. (나)는 극 갈래에 해당하는 시나리오이기 때문에 지시문을 통해 사건이 벌어지는 공간적 배경을 보여 준다.

③ (가)와 (나)는 모두, 오해로 인해 발생한 인물 사이의 갈등을 다루고 있지 않다.

④ (가)에는 서술자가 사건에 대해 주관적으로 평가하는 부분이 없다. (나)는 극 갈래로, 서술자가 없다.

⑤ (가)와 (나)는 모두 시간적 순서에 따라 사건이 순차적으로 전개되고 있다. 여러 공간에서 동시에 일어난 사건이 병치적으로 제시되고 있는 것은 아니다.

02 [작품 내용 파악] 정답 ①

일본의 행장이 화친하고자 하였으나 청정이 홀로 싸움을 주장하였다는 요시라의 말은 사실이 아니다. 이는 행장이 이순신을 해치기 위해 마련한 계책이다.

[오답 풀이]

② 권율은 이순신에게 '요시라의 약속을 믿고 기회를 잃지 않도록 하라.'라고 하였다. 권율은 요시라의 말을 믿고 요시라의 말대로 청정을 공격하는 것이 조선에 큰 기회가 될 것이라고 생각한 것이다.

③ 백성들은 이순신이 통제사로 임명되어 내려오자 길을 메우고 이순신을 따랐다. 이에 십여 명이었던 군관이 백여 명이 넘게 되었다.

④ 원균이 칠천도에서 패한 뒤 남은 배는 십여 척에 지나지 않았다. 조정에서는 이순신이 가진 배가 적어 도적을 막지 못할까 걱정하여 이순신에게 육지에 올라 싸우라고 명하였다.

⑤ 적선이 안위의 배를 둘러싸고 공격하여 안위가 거의 죽게 되자 이순신은 안위를 구원하러 갔다. 이때 적선 수백 척이 이순신을 공격하여 이순신이 곤경에 처하게 되었다.

03 [외적 준거를 통한 작품 이해] 정답 ④

이순신은 적선을 보고 도망하려 하는 안위를 향해 '군법에 죽으려 하느냐'고 하며 '이제 달아나'도 살 수 없다고 말하면서 호통을 치고 있다. 이는 군법을 중시하고 나라를 위해 싸워야 한다는 이순신의 생각을 보여 주는 것이다.

[오답 풀이]

① 조정의 많은 신하들이 요시라의 말을 믿고 바다에 나아가 청정을 쳐야 한다고 하였으나, 이순신은 요시라의 말이 간사한 계략인 것을 간파하고 출전하지 않았다. 이는 이순신의 남다른 판단력을 보여 주는 것이다.

② 통제사로 임명되어 전라도로 내려온 이순신은 장수들을 모아 '죽기를 각오하고 나라의 은혜를 갚으'라고 말한다. 이는 이순신의 적극적인 자세와 기개, 의기를 보여 주는 것이다.

③ 이순신은 임금께 자신이 죽기 전에는 도적이 감히 업신여기지 못할 것이라고 말하면서 수군으로서 죽기를 각오하고 싸울 것이라고 말한다. 이는 이순신의 씩씩한 기상을 보여 주는 것이라고 할 수 있다.

⑤ 안위를 구원하러 갔다가 위기에 처한 이순신은 적이 당황하여 잠깐 물러난 틈을 타 적을 많이 죽였다. 이는 이순신이 뛰어난 전투력을 지닌 수장이었음을 보여 주는 것이라고 할 수 있다.

04 [작품 내용 파악] 정답 ⑤

S# 51에서 '이 싸움은 불가합니다!'라는 장수 일동의 호소를 들은 이순신이 '군사들을 마당에 모으'라 하고, S# 52에서 김돌손으로 하여금 '횃불을 던져 넣게' 하여 우수영 본채를 불태운 후 '나는 바다에서 죽고자 우수영을 불태운다!'라며 결심을 드러내고 있다.

[오답 풀이]

① S# 51에서 이순신이 숙연한 얼굴로 장계를 쓰는 것은 전투에 임하는 이순신의 자세를 보여 주는 것이다. S# 52에서 장수들이 기대감을 가지는 것은 이순신이 장계를 쓴 것 때문이 아니라, 이순신이 군사들을 마당에 모으라고 명령한 것과 관련된다.

② S# 51에서 안위가 이순신에게 무릎을 꿇은 것은 울돌목에서의 전투를 계획하고 있는 이순신의 뜻을 만류하기 위한 것이다. 그러나 이순신

은 S# 52에서 우수영 본채를 불태움으로써 그 뜻을 굽히지 않을 것임을 밝힌다. S# 52에서 이순신이 망설이고 있지는 않다.

③ S# 51에서 안위는 울돌목에서의 전투는 승산이 없다고 생각하여 군사 한 명도 귀하다고 말한 것이다. 안위의 말로 S# 52에서 군사들이 생각을 바꾸게 되는 것은 아니다.

④ S# 51에서 이순신이 군사들을 모으라 명령한 것은 군사들에게 전투 의지를 표명하기 위해서이다. S# 51에서 구선이 이미 없다고 하였으므로, S# 52에서 군사들이 구선에 불을 지르는 것은 아니다.

05 [대화의 특성 파악]　　　　　　　　　　　　　정답 ④

[A]에서 요시라는 '오래지 않아 청정이 다시 바다에 나'올 것이라며 벌어질 상황에 대한 거짓된 정보를 제공하고 있다. [B]에서 이순신은 '열두 척의 배가 남아 있'다는 현재의 상황을 언급하며 '죽을힘을 다하여 싸우'겠다는 의지를 표현하고 있다.

【 오답 풀이 】
① [A]에서 요시라가 역사적 사실에 대해 언급하고 있지는 않다. [B]에서 이순신이 자신의 신분을 언급하며 임금을 질책하고 있지도 않다.
② [A]에서 요시라는 거짓 정보를 제공하고 있다. 요시라가 자신의 주장을 유보하고 있는 것은 아니다. [B]에서 이순신은 자신의 의지를 표출하고 있다. 임금의 희생을 강요하고 있는 것은 아니다.
③ [A]에서 요시라가 과거의 경험을 회상하며 자신의 행위를 비판하고 있지는 않다. [B]에서 이순신은 자신감을 표출하고 있다.
⑤ [A]에서 요시라는 평행장과 청정의 문제 상황을 언급하고 있다고 볼 수 있다. 또한 청정을 죽일 수 있는 방법을 제시하고 있다고도 볼 수 있다. 그러나 [B]에서 이순신이 문제가 해결된 현실을 언급하고 있는 것은 아니다. 이순신은 문제를 해결하겠다는 의지를 표명하고 있다.

06 [갈래의 특징과 성격]　　　　　　　　　　　　정답 ④

이순신은 죽음을 각오하고 전투에 임해야 한다는 확신으로 우수영 마당에 군사들을 모으고 우수영 본채에 불을 질렀다. 따라서 심리적으로 갈등하고 있는 것이 아니며, 바람에 흔들리는 횃불의 화광을 보고 두려움과 불안함을 느끼는 것은 이순신이 아니라 여러 군사들이다.

【 오답 풀이 】
① '한 획… 한 획… 혼이 담기는 글씨.', '글씨를 쓰던 오른손이 경련으로 파르르 떨린다.'를 볼 때 장계를 쓰는 이순신의 손을 근접 촬영하는 것은 적절하다.
② 울돌목에서의 싸움은 불가하다는 안위의 대사에 이어 '다른 장수들도 일제히 무릎을 꿇고 외친다.'가 나온다. 그러므로 무릎을 꿇은 여러 장수들의 모습을 보여 주는 것은 적절하다.
③ 장수들이 울돌목 전투가 불가하다고 외치고 난 뒤에 안위는 눈물을 흘리며 '뜻을 거두지 않으시려거든 소장의 목을 베어 주십쇼.'라고 말한다. 따라서 안위 역할을 맡은 배우에게 눈물을 흘리며 충언하는 연기를 하도록 주문하는 것은 적절하다.
⑤ '김돌손이 횃불을 던져 넣으면 순식간에 불길에 휩싸이는 본채.', '불타는 본채를 뒤로하고 선 이순신' 등으로 볼 때 불길에 휩싸이는 본채의 모습이 극적으로 표현되도록 우수영의 모습을 다양한 각도에서 촬영해 보여 주는 것은 적절하다.

Q 알아 두어야 하는 시나리오 용어에는 뭐가 있을까요?

A 시나리오에는 장면의 촬영, 편집 등과 관련된 용어가 등장해요. 이 용어를 이해하면 시나리오를 보고 어떤 장면이 연출될지 알 수 있어요. 대표적인 시나리오 용어는 다음과 같아요.

S#(신 넘버)	장면 번호
shot(숏)	카메라의 회전을 중단하지 않고 촬영한 장면
NA(내레이션)	화면 밖에서 들리는 설명 형식의 대사
C.U(클로즈업)	어떤 인물이나 장면을 크게 확대함.
E(이펙트)	효과음
insert(인서트)	장면과 장면 사이의 장면 삽입
O.L(오버랩)	화면이 겹치면서 장면을 바꿈.
F.I(페이드인)	어두운 화면이 점점 밝아지는 것
F.O(페이드아웃)	밝은 화면이 점점 어두워지는 것

07 [작품의 종합적 이해와 감상]　　　　　　　　정답 ②

(가)의 순신이 '장수들을 모아' '마땅히 죽기를 각오하고 나라의 은혜를 갚'아야 한다며 '엄하게 주의를 주어' 말했다는 부분과, 이 말을 듣고 '장수들 중에 감동하지 않는 이가 없었다'는 부분을 통해 '마땅히 죽기를 각오하고' 싸우자는 말을 한 것은 순신이며 '감동'한 것은 장수들임을 알 수 있다. 따라서 장수들의 결심에 순신이 감동했다는 것은 적절하지 않다.

【 오답 풀이 】
① (가)의 '순신이 군관 십여 명과~보성에 가서 보니'에서 이순신이 진주에서 보성에 이르기까지의 과정을 서술자가 요약하여 서술하고 있다. (나)의 '장군! 소장~이 싸움은 불가합니다!', '아무리 적들을~귀한 때입니다!'에서 안위가 '승산이 없는 싸움'이라며 이순신을 설득하는 과정이 대사를 통해 제시되고 있다.
③ (가)의 이순신이 '십여 척 전선으로 맞아 싸우라.'라고 '다급하게 명령하'는 부분으로 보아, 인물의 태도를 서술자가 직접 설명함을 확인할 수 있다. (나)의 '(의외로 담담하게) 그대들의 뜻이 정히 그러하다면'에서 인물의 태도를 지시문을 통해 전달하는 것을 확인할 수 있다.
④ (가)의 '순신을 둘러싸고~사방을 둘러싸는지라.'에서 이순신이 처한 위기 상황을 서술자가 묘사하고 있음을 확인할 수 있다. (나)의 '바람에 흔들리는~긴장된 분위기다.'에서 긴장된 상황이 지시문을 통해 제시되고 있음을 확인할 수 있다.
⑤ (가)의 '전선을 휘몰아~물러나게 되었다.'에서 '적을 공격하'는 장수들의 행동을 서술자가 직접 설명하고 있음을 확인할 수 있다. (나)의 '글씨를 쓰던~글씨를 이어 가는 이순신.'에서 장계를 쓰는 이순신의 행동이 지시문을 통해 제시되고 있음을 확인할 수 있다.

08 [인물의 심리, 태도 파악]

〈보기〉에 따르면 이순신은 자신의 목숨을 아끼지 않고 나라를 위해 희생하려는 각오를 표현하였고, 이것이 이순신을 등장인물로 하는 여러 작품을 통해서도 확인된다고 하였다. (가)에서 이순신의 말 가운데 '죽기를 각오하고 싸우면 가히 승리할 수 있을 것입니다.'는 이순신의 나라를 위한 자기희생적 태도를 잘 보여 준다. (나)의 이순신의 대사 중에 '우리가 죽어야! 나라가 산다!' 또한 나라를 위해 자신의 목숨을 아까워하지 않는 이순신의 마음을 잘 드러낸다.

48강
우화 소설의 세계 | 서대주전 | 별주부전
본문 252쪽

01. ⑤ 02. ② 03. ② 04. ④ 05. ② 06. ② 07. ②
08. (1) ⓐ 소송을 당함. ⓑ 서대주가 도적질을 함. ⓒ 죽을 위기에 처함. ⓓ 토끼가 허욕을 부렸고 용왕이 병이 들었음. (2) (나)는 양반이 자신의 권세만 믿고 평민을 수탈하는 행태를 풍자하고, (다)는 분수에 넘치는 헛된 욕심을 경계하고, 지배자의 횡포를 풍자한다.

01 [작품의 내용 이해]   정답 ⑤
(가)에서는 인간의 삶과 사회에 대한 문제의식, 인간에게 필요한 윤리 의식과 도덕적 교훈의 제시를 통해 바람직한 사회상을 모색한다고 했다. 그러나 (가)에서 '계층 간의 갈등과 해소'가 우화 소설의 전형적인 서사 구조라고 진술한 부분은 찾을 수 없다.

【 오답 풀이 】
① 첫째 문단에서 '우화 소설은 동물을 인격화'(의인화)한 이야기이며, 그 유형은 크게 송사형과 쟁론형이 있다고 하였다.
② 둘째 문단에서 우화 소설은 '구어나 비속어~활용하여 해학적 분위기를 조성한다.'라고 하였다.
③ 넷째 문단에서 우화 소설은 '인간의 부정적인 면모나 봉건 사회의 부조리한 모습을 풍자한다.라고 하였다.
④ 첫째 문단에서 쟁론형 우화 소설은 '시비를 가리는' 내용을 담고 있다고 하였고, 둘째 문단에서 '우화 소설은 인물의 성격이나 가치관의 대립을 보여 주는 사건을 중심으로 전개된다.'라고 하였다.

Q 해학적 표현이 뭔가요?

A 힘들거나 슬픈 상황을 심각하게 다루지 않고 익살스러운 태도로 웃음을 유발함으로써 재치 있게 극복하는 것을 해학적이라고 하는데, 이때 사용하는 표현들이 해학적 표현이에요. 예를 들면, 「흥보가」에서 가난에 찌든 흥보 가족들이 급하게 배를 채우는 장면에서 '음식을 먹고 나니 콧물이 댕강댕강 매달려 있다.'와 같은 방식으로 표현하면 가난한 삶의 현실이 고통스럽지만 그 장면을 웃음으로 승화시켜 하루하루 힘겨운 삶을 고통이 아닌 웃음을 통한 극복의 대상으로 나타내게 되는 거예요.

02 [서술상의 특징 파악]   정답 ②
'청천벽력이 머리를 깨치는듯 정신이 아득하여'에서는 비유법으로, '어이없고 정신이 산란하며~'에서는 직접 서술로 인물의 심리를 제시하고 있다.

【 오답 풀이 】
① (다)에서는 배경에 대한 묘사가 드러나지 않는다.
③ (다)에서는 용궁으로 간 토끼가 꾀를 내어 위기를 극복하려는 장면 하나만 서술되어 있으므로 여러 가지의 삽화적 사건을 병렬적으로 서술한다는 이해는 적절하지 않다.
④ (다)에서는 주요 등장인물인 토끼나 용왕의 가계가 제시되지 않았다.
⑤ (다)에서 토끼는 꾀를 내어 위기를 극복하려 하고 있으며, 용궁이라는 초월적 공간(전기적 요소)이 등장하지만 토끼가 이미 용궁에 도착한 뒷부분 내용이므로 전기적 요소를 활용하여 사건의 전환을 보여 준다는 설명은 적절하지 않다. 이 글에서는 용왕이 토끼의 말을 믿기 시작하면서 사건의 전환이 암시된다.

03 [작품의 공통점, 차이점 파악]   정답 ②
(나)와 (다)는 모두 동물을 인격화하여 관료의 부정부패나 권력자의 횡포를 풍자하고 있으므로, 우의적 기법을 활용하여 당대의 부당한 사회 현실을 풍자하는 공통점이 있다.

【 오답 풀이 】
① 두 작품 모두 고도의 상징어가 등장하지 않는다.
③ (나)와 (다)는 대체로 풍자적 어조로 작품이 전개되며 역사적 현실에 대한 회한은 나타나지 않는다.
④ (나)에서 서대주의 후손이 화를 입는 것은 인간의 윤리와 관련이 있으나, 인과응보, 권선징악적 결말이 유교적 사상에 기반한 것은 아니며, (다)에서는 인간의 도리와 관련된 내용을 직접 언급한 부분을 찾을 수 없다.
⑤ (나)와 (다) 모두 세상의 본질을 탐구하는 것이 아니라 사회 현실을 풍자하고 있다.

Q 현학적 표현이 뭔가요?

A 현학적 표현은 필요 이상으로 한문 구절을 많이 사용하여 아는 척하거나 잘난 척하는 표현을 말해요. 시험에서는 '현학적 표현을 사용하여 비판적 지성인의 모습을 형상화하고 있다.', '현학적 표현을 사용하여 인물의 성격을 드러낸다.' 등과 같은 선지로 출제되고 있어요.

04 [외적 준거에 따른 작품 감상]   정답 ④
(다)에서 세상 사람들이 토끼에게 간을 내놓으라고 했다는 것은 토끼가 용왕을 속이려고 하는 말이므로, 빈부의 갈등과 관계가 없다.

【 오답 풀이 】
① (나)에서 서대주는 옥의 수졸에게 뇌물을 주고 옥에서도 편하게 지낸 것이므로, 뇌물로 인한 당시의 사회적 부조리를 드러낸다고 볼 수 있다.
② (나)에서 서대주가 공훈이 있는 가문의 후손임을 내세우며 무죄를 주장하는 것은 양반들의 권위 의식과 관련이 있다.
③ (나)에서 서대주의 후손들이 도적질로 화를 입는 설정은 권선징악이라는 고유의 윤리 의식을 옹호하는 시각과 관련이 있다.
⑤ (다)에서 자라는 토끼를 용궁으로 유인하여 토끼의 간으로 용왕의 목숨을 구하려한 인물로, 충(忠)이라는 봉건적 가치관을 드러내는 인물이라 할 수 있다.

05 [외적 준거에 따른 작품 감상] 　　　　　정답 ②

(나)에서 타남주가 섬으로 귀양을 간 것은 원님이 서대주의 말솜씨에 넘어가 무능한 판결을 내렸기 때문이므로, 신의를 지켜야 한다는 윤리 의식과는 관련이 없다.

【 오답 풀이 】

① (나)에서 서대주는 '쥐'를 인격화한 것으로, 뾰족한 입이 오물거리고 두 귀가 발쪽거린다고 한 묘사는 쥐의 모습과 관련된다. 이는 (가)의 둘째 문단에서 우화 소설은 '동물의 외형이나 생태적 특성을 반영하여 인물을 형상화'한다고 한 내용과 관련이 있다.

③ (나)에서 서대주의 후손들은 도적질로 생활하다가 사람들의 앙갚음을 받는다. 이는 (가)의 네 번째 문단에서 우화 소설은 올바른 삶에 대한 도덕적 교훈을 제시한다고 한 내용과 관련된다.

④ (가)의 두 번째 문단에서 우화 소설에서 '대립 구도는 소설의 갈등을~독자의 흥미를 유발한다.'라고 하였다. (다)에서 토끼와 용왕의 대립 구도는 인물 간의 대립을 보여 주는 것으로, 독자의 흥미를 유발하는 서사적 장치라고 할 수 있다.

⑤ (다)에서 토끼는 간이 출입하는 특별한 구멍이 따로 있다고 말하는 기지를 발휘하여 위기에서 벗어난다. 이는 (가)에서 우화 소설은 '기지나 재치 있는 언술을 활용하여 해학적 분위기를 조성한다.'라고 한 내용과 관련된 부분으로, 토끼가 위기를 벗어나려고 '기지'를 드러낸 것이라고 할 수 있다.

06 [작품의 내용 이해] 　　　　　정답 ②

(나)의 서대주는 도적질로 생활을 하며, 뛰어난 언변으로 자신의 무죄를 주장하여 송사에서 이기는 인물이다. 그런데 (나)에서는 서대주가 타인의 권세를 빌려서 위세를 부리는 내용은 나타나지 않는다.

【 오답 풀이 】

① (나)에서 옥의 수졸은 서대주에게 뇌물을 받고 서대주의 편안한 감옥 생활을 돕는 인물이므로 부패한 관리에 해당한다.

③ (나)의 원님은 서대주의 말솜씨에 넘어가 도적질한 서대주를 풀어 주고, 피해자인 타남주를 귀양 보내는 잘못된 판결을 내리는 무능한 관리에 해당한다.

④ (다)의 토끼는 '무단히 허욕을 내어 자라를 쫓아왔다가' 죽을 위기에 처하게 되므로, 이를 통해 부귀영화를 꿈꾸는 인간의 허황된 꿈을 풍자한다고 볼 수 있다.

⑤ (다)의 용왕은 힘없는 백성을 상징하는 토끼의 간을 빼앗으려는 인물로, 민중을 위협해 자신의 목숨을 구하려고 하는 이기적인 권력자, 즉 지배층에 해당한다.

07 [인물의 말하기 방식 파악] 　　　　　정답 ②

[B]는 토끼가 위기에서 벗어나고자 간을 육지에 두고 왔다며 용왕을 속이고 있는 부분으로, 간을 배 밖으로 꺼냈다가 다시 배 안으로 넣을 수 있는 남다른 면모를 제시하고 있을 뿐, 자신의 선행을 나열하는 내용은 제시되지 않았다.

【 오답 풀이 】

① [A]에서 서대주는 타남주가 '사리에 맞지 아니한~송사를 꾀했으니'라며 도리에 어긋나게 송사를 했음을 들어 자신의 억울함을 풀어 달라고 호소하고 있다.

③ [A]에서 서대주는 타남주를 맹랑하고 무뢰한 인물로 몰아가며 타남주

가 부당한 행동을 했다는 점을 부각하고 있다. 그리고 [B]에서 토끼는 자신의 간이 영약이 된다며 자신을 특별한 존재로 표현하고 있다.

④ [A]에서 서대주는 풀려나기 위해서, [B]에서 토끼는 죽을 위기에서 벗어나기 위해서 각각 원님과 용왕에게 자신의 말을 믿게 하려는 설득의 말을 하고 있다.

⑤ [A]는 서대주가 '저는 본시 대대로 부유하여', '밝게 살피시는 원님께'라고 말하는 데서 자신을 낮추어 '저', 상대를 높이어 '원님'이라 하며 겸양의 표현을 사용하고 있다. [B]는 '대왕은 천승의 임금이시오 소토는 산중의 조그마한 짐승'이라고 언급하는 데서 청자를 '천승의 임금'으로 높이고 자신을 '소토'로 낮추는 겸양의 표현을 사용하고 있다.

08 [작품 내용의 이해]

(나)의 서대주는 권세를 믿고 타남주의 밤을 훔쳐 소송을 당하게 되었는데, 이것은 양반이 자신의 권세를 믿고 평민을 수탈하는 것을 풍자한 것이다. (다)의 토끼는 허욕을 부려 간을 빼앗길 위험에 처했는데 이는 토끼의 허욕도 원인이지만 병든 용왕이 토끼의 간을 필요로 하는 것도 원인이 된다. 이를 통해 분수에 넘치는 헛된 욕심을 경계하고 지배자의 횡포를 풍자하고 있다.

49강

태산이 높다 하되~│사청사우│이옥설

본문 257쪽

01. ④　02. ③　03. ②　04. ②　05. ③　06. ④　07. ①
08. 잘못을 알고서도 바로 고치지 않으면 나중에 해가 되고, 잘못을 알고 바로 고치면 다시 쓰일 수 있다.　09. ②　10. 집을 수리한 체험을 바탕으로 사람의 몸에 유추하여 의미를 적용한 후, 정치에서 백성을 좀먹는 무리들을 없애야 한다는 것으로 의미 확장을 시키고 있다.

01 [표현상의 특징 이해] 　　　　　정답 ④

(나)는 '나를 기리다가'에서 보듯 화자가 작품 안에 직접적으로 등장하지만, (가)에서는 화자가 작품에 드러나지 않는다.

【 오답 풀이 】

① (가)는 '오르고'가 반복되면서 시상이 전개되고 있다.

② (나)는 '봄'의 계절적 이미지를 활용해 순리를 따르는 삶이라는 시적 의미를 부각하고 있다.

③ (다)는 '어찌 삼가지 않겠는가.'라며 설의적 의문으로 마무리하여 잘못을 알고 바로 고치는 일의 중요성을 강조하고 있다.

⑤ (나)는 변덕스러운 자연 현상과 변덕스러운 세상 인정의 유사성에, (다)는 집의 문제를 알고도 방치했다가 수리비가 더 많이 나오게 된 경험과 사람의 몸, 정치 등과의 유사성에 기초하여 내용이 전개되고 있다.

02 [작품의 공통점, 차이점 파악] 　　　　　정답 ③

(가)는 목표를 향하여 끊임없이 노력하는 자세를, (나)는 '봄'

이나 '산'처럼 변하지 않는 삶의 자세를, (다)는 잘못을 알았을 때는 서둘러 고쳐 나가야 한다는 삶의 자세를 언급하고 있다. 따라서 세 작품 모두 올바른 삶의 자세에 대한 생각을 제시하고 있다.

[오답 풀이]

① (가)~(다) 모두 자신의 잘못에 대한 회한은 드러나지 않는다. (다)에서 집의 문제를 알고도 수리를 미룬 자신의 잘못에 대해 이야기하고는 있으나, 이를 바탕으로한 깨달음을 제시하고 있을 뿐이다.

② (가)~(다) 모두 고난과 시련의 극복 의지는 드러나지 않는다.

④ (가)~(다) 모두 이념과 현실 사이의 괴리에 따른 갈등은 드러나지 않는다.

⑤ (가)~(다) 모두 자신의 운명에 순응해야 한다는 내면 의식은 드러나지 않는다.

03 [감상의 적절성 파악] 정답 ②

(가)는 초장에서 태산이 높다 하지만 하늘 아래에 있는 것임을 단정적으로 언급한다. 중장에서는 오르고 또 오르면 태산에 오를 수 있음을 주장한다. 그리고 종장에서는 높다는 평계만 대며 태산에 오르지 않고 포기하는 사람들에 대한 비판적 인식을 드러낸다.

04 [외적 준거에 따른 작품 감상] 정답 ②

'하늘의 도'는 쉽게 변하는 날씨처럼 변덕스러운 자연 현상을 가리키는데, 이 시에서 '봄'은 변하지 않는 대상을 나타낸다는 점에서 '하늘의 도'와는 직접적 연관이 없다고 할 수 있다.

[오답 풀이]

① '언뜻 개었다가 다시 비가 오고 비 오다가 다시 개'인다는 것은 갑작스럽게 날씨가 변하는 현상을 표현한 것이므로, 변덕스러운 자연 현상을 제시한 것이다.

③ '나를 기리'던 사람이 '나를 헐뜯'는 것은 변덕이 심한 세상 인심을 나타낸 것이다.

④ '공명을 피하더니 도리어 스스로 공명을 구함이라'는 것은 세상 변화에 따라 공명에 대한 자세를 달리하는, 즉 처세를 달리하는 사람들의 행태를 나타낸 것이다.

⑤ '어디에서 평생 즐거움을 얻을 것인가'를 '반드시 기억해 알아 두라'는 것은 세상 사람들에게 평생에 누릴 진정한 즐거움이 무엇인지를 생각해 보라는 의도가 담긴 말로, 순리대로 살아가는 삶이 진정한 즐거움을 줄 수 있다는 의미로 변덕스러운 세태에 따라 처세를 달리하는 삶을 살아가는 사람들에 대한 경계의 의미를 담고 있다.

05 [작품의 내용 이해] 정답 ③

(다)에서는 잘못한 사람은 그 잘못을 깨우쳐 서둘러 바로잡아야만 다시 착한 사람이 될 수 있다는 것을 강조하고 있을 뿐, 착한 사람이 될 수 있다는 믿음을 가져야 나라의 피해가 없고 나라의 인재가 된다고 하지는 않았다.

[오답 풀이]

① 행랑채의 두 칸은 망설이다가 손을 대지 못했고, 나머지 한 칸은 서둘러 기와를 갈았다는 데서 대조적 상황이 나타나고 있다.

② 나무가 썩어서 못 쓰게 된 일에서 유추해서 글쓴이는 사람의 몸도 잘못을 서둘러 고쳐야 한다는 사실을 깨닫고 있다.

④ 몸을 고치는 일이나 정치를 바로잡는 일 모두 잘못을 알았을 때 서둘러서 고칠 때 더 큰 병폐를 막을 수 있다고 하였다.

⑤ 백성을 좀먹는 무리들을 내버려 두어 그 잘못을 고치지 않으면 백성과 나라에 큰 위태로움을 가져다주어 나중에는 고치지도 못하게 된다고 하였다.

06 [외적 준거에 따른 작품 감상] 정답 ④

㉠은 집을 고치는 일이라는 사실적 상황을 제시한 부분으로, 집을 고칠 때 빨리 서둘러야 한다는 점을 밝히고 있다. ㉡은 ㉠의 사실적 상황으로부터 얻은 깨달음으로, ㉠의 경험을 바탕으로 유추하여 사람의 몸, 정치 등에 적용하는 방식을 통해 깨달음과 교훈을 전달하고 있다.

[오답 풀이]

① ㉠은 글쓴이의 경험과 관련된 내용으로, 문제가 발생했을 때 속히 바로잡아야 한다는 한 가지 해결책이 나타난다.

② ㉠으로부터 ㉡의 깨달음에 이르게 된다는 점에서 서로 상반되는 견해는 아니다.

③ ㉠의 경험이 바탕이 되어 ㉡의 깨달음에 이르므로 ㉠이 사건의 결과이고 ㉡이 원인에 해당한다고 이해하는 것은 적절하지 않다.

⑤ ㉠에서 얻은 깨달음을 ㉡에서 유추 적용하고 있다.

Q 설(說)은 정확히 뭔가요?

A 한문 양식에서 '설'은 어떤 일을 '해설한다'는 뜻을 지니는 논변류의 글을 말해요. 대개 설은 우언과 주장의 두 구성으로 되어 있어요. 우언은 구체적인 경험이나 체험 등을 제시하는 부분인데, 이를 바탕으로 후반부에서 글쓴이의 본격적인 주장이 제시되는 게 일반적인 구성이에요. 설은 『장자』에 그 기원을 두고 있으며 중국 유종원의 「포사자설」, 한유의 「잡설」, 「사설」 등에 이르러 그 형식이 구체화되었고, 대표적인 작품으로는 소식의 「강설」, 소순의 「명이자설」 등이 있어요. 우리나라에서는 이규보의 「경설」, 권근의 「밀봉설」, 강희맹 「도자설」 등이 대표적인 작품이지요.

---

07 [소재의 의미 파악] 정답 ①

ⓐ는 사람들이 오르고 또 올라야 하는 일정한 목표를 가리키는 것으로, 사람들이 추구하는 목표나 희망, 바람 등을 의미한다. ⓑ는 화자가 긍정적으로 생각하는 불변적인 존재로, 화자가 바람직하게 생각하는 불변의 가치를 표상하는 소재라 할 수 있다.

08 [사건 전개 양상 파악]

㉮는 뒤에 도치법을 통해 제시한 '사람의 몸에 있어서도 마찬가지라는 사실을.'에 해당한다. ㉮ 이후 글쓴이는 잘못을 알고서도 바로 고치지 않으면 곧 그 자신이 나쁘게 되는 것이 마치 나무가 썩어서 못 쓰게 되는 것과 같고, 잘못을 알고 고치기를 꺼리지 않으면 해를 받지 않고 다시 착한 사람이 될 수 있다고 하였다.

09 [작품의 내용 이해] 정답 ②

㉯는 백성을 좀먹는 무리를 그대로 내버려 두면 나라가 위태

롭게 되고 그런 다음에 바로잡으려 하면 이미 때가 늦어 고칠 수 없다는 내용이다. 이를 나타내는 속담으로는 '이미 일이 잘못된 뒤에는 후회하고 손을 써 보아야 아무 소용이 없다는 말'을 나타내는 '소 잃고 외양간 고친다.'가 가장 적절하다.

【 오답 풀이 】

① '무슨 일을 하려고 생각하였으면 망설이지 말고 곧 행동으로 옮기라는 것을 비유적으로 이르는 말'이다.

③ '강한 자들끼리 싸우는 통에 아무 상관도 없는 약한 자가 중간에 끼어 피해를 입게 된다는 말'이다.

④ '남이 한다고 하니까 무작정 따라나섬을 비유적으로 이르는 말'이다.

⑤ '경험이 적고 세상 물정 모르는 어린 사람이 철없이 함부로 덤비는 것을 비유적으로 이르는 말'이다.

10 [감상의 적절성 파악]

이 글은 1문단에서 잘못을 알고 바로 고치는 일의 중요성에 대해 깨닫는 계기가 된 집을 수리한 경험을 제시하고 있다. 2문단에서는 1문단의 경험으로부터 얻은 깨달음을 사람의 몸에 유추하여 의미를 적용시켰고, 3문단에서는 이를 정치로 의미 확장하여 백성을 좀먹는 무리들을 없애서 나라와 백성을 위태롭게 하는 일이 없어야 한다는 점을 강조하고 있다.

50강

한의 문학 | 별사미인곡 | 봉산 탈춤

본문 263쪽

01. ④ 02. ④ 03. ② 04. ③ 05. ⑤ 06. ⑤ 07. ㉠ 말뚝이의 조롱, ㉡ 말뚝이의 변명 08. (다)와 같은 전통극은 특별한 무대 장치가 없어 무대(극 중 장소)와 객석(공연 장소)의 구분이 없는 반면, 〈보기〉와 같은 현대극은 작품의 배경을 드러내기 위한 사실적인 무대 장치로 설치되어 있어 무대(극 중 장소)와 객석이 구분된다.

01 [한국 문학의 전통에 대한 이해] 정답 ④

(가)에서 유배 가사와 같은 사대부들의 시가 작품 경우에 임금을 이별한 임으로 설정하여 임에 대한 그리움을 그리고 있다고 설명하였다. 따라서 사대부들의 시가 작품 대부분이 임금을 이별한 임으로 설정하고 있다고 단정하기 어려우며, 또한 이러한 설정을 통해 지배층의 부조리를 비판한다는 이해는 적절하지 않다.

【 오답 풀이 】

① (가)의 첫 번째 문단에서 한은 정과 함께 수많은 한국 문학 작품에 공통적으로 나타나는 특질 중 하나라고 하였다.

② (가)의 첫 번째 문단에서 한은 응어리진 감정의 일종으로 역사의 비운, 사회적 억압으로 인해 발생하기도 한다고 하였다.

③ (가)의 세 번째 문단에서 탈춤은 서민들이 겪었던 현실의 억눌림과 고통을 웃음이라는 장치를 통해 해소함으로써 한을 풀어냈다고 하였다.

⑤ (가)의 두 번째 문단에서 유배 가사에 주로 나타나는 한은 임금과의

어긋난 관계로 인한 경우가 많다고 하였다.

02 [작품 간의 비교 감상] 정답 ④

'목란'으로 만든 꽃신은 임을 섬기고자 하는 마음이 담긴 소재로, 임에 대한 정성이나 애정을 나타낸다. '한여름 청음'은 화자가 바람이 되어 가고자 하는 임이 계신 곳으로, 임에게 가고 싶은 화자의 마음을 드러낸다. 그런데 이것들이 계절감을 드러내는 소재이기는 하지만, 화자는 임을 모신 적이 없으므로 이들 소재를 통해 임과의 추억을 회상하고 있다는 감상은 적절하지 않다.

【 오답 풀이 】

① '광한전 백옥경'은 '저 각시'가 임을 모셔 본 적이 있는 곳이자, 화자가 임이 있는 그곳을 알지 못해 임을 모셔 보지 못하게 만든 곳이다. 이곳은 천상계와 관련이 있는 공간으로, 이것을 임과 함께 언급함으로써 임이 계신 곳을 천상계로 설정하고 있음을 보여 준다.

② '뫼셔 본 적 전혀 없네'는 임의 곁에서 임을 모신 적이 전혀 없다는 것으로 (가)의 [A]를 볼 때, 벼슬을 하지 못했던 작가 자신의 모습을 보여 준다. 이것은 ㉡의 내용과 대비되는 것이다.

③ (나)에서 화자는 이생(차생)에서 임을 모셔 보지 못하는 상황에 한탄하며 차라리 죽어서 구름이 되어 임이 계신 데를 덮거나 바람이 되어 임이 계신 데에 불고 싶다고 한다. 따라서 '구름', '바람'은 죽어서라도 임의 곁에 가고자 하는 마음을 함축한다. 이것은 ㉢과 같은 것이다.

⑤ '이보소 저 각시님'은 '저 각시'를 청자로 설정하여 ㉣과 같이 이야기하는 형식으로 시상을 전개한 것이다.

03 [표현상의 특징 파악] 정답 ②

'이보소 저 각시님 설운 말씀 그만 하오', '인연인들 한가지며 이별인들 같을손가' 등과 같이 상대방에게 말을 건네는 어투를 사용하여 화자가 자신의 정서를 전달하고 있다.

【 오답 풀이 】

① (나)에는 의태어와 같은 음성 상징어가 사용되지 않았다.

③ (나)에는 앞 구절의 끝 어구를 다음 구절의 앞부분에 이어받으며 의미를 강조하는 표현 방법인 연쇄법은 사용되지 않았다.

④, ⑤ (나)에는 화자가 상대에게 말을 건네는 방식으로 자신의 정서를 드러내고 있을 뿐, 공간의 이동이나 시선의 이동은 나타나지 않는다.

04 [작품의 내용 이해] 정답 ③

ⓒ에서 '무량대각'은 취발이가 힘이 세다는 것을, '비호'는 취발이가 날랜 것을 비유한 것이다. 따라서 ⓒ에서는 취발이의 힘과 날램을 부각하고 있으므로 익살스럽게 묘사했다고 볼 수 없으며, 또한 서민들 사이의 갈등을 해소하는 내용에도 해당하지 않는다.

【 오답 풀이 】

① ⓐ에서는 '노생원님'과 '노새 원님'의 발음이 유사하다는 것을 이용하여 양반을 짐승인 노새로 표현하는 희화화가 나타나 있다.

② ⓑ에서는 '샌님 비뚝한 놈'에서 양반을 얕잡아 보는 '놈'이라는 비속어를 사용하여 양반을 비하하고 있다.

④ ⓓ에서는 '취발이' 엉덩이를 양반 코앞에 내밀게 하는 등과 같은 행동을 통해 양반을 무시하고 조롱하여 웃음을 유발하고 있다.

⑤ ⓔ에서는 취발이에게 돈이나 받고 풀어 주자고 하는데, 이를 통해 돈

을 받고 죄를 눈감아 주던 당시의 사회상을 그대로 드러내어 부패한 사회를 풍자하고 있다.

05 [소재의 함축적 의미 비교]   정답 ⑤

㉮는 임을 섬기고자 하는 마음을 담고 있는 것으로, 임에 대한 정성과 사랑을 나타내는 소재이다. 한편, ㉯는 취발이를 잡아 오라고 양반이 말뚝이에게 준 것인데, 말뚝이가 전령을 보여 주자 취발이가 말뚝이에게 순순히 잡힌다. 따라서 ㉯는 말뚝이가 상대인 취발이를 제압할 수 있게 하는 소재이다.

【 오답 풀이 】

① ㉮는 화자의 과거 상황을 상징하는 소재가 아니고, ㉯도 말뚝이의 앞날을 짐작하게 하는 소재가 아니다.
② ㉮는 화자의 절망적 상황을 나타내는 소재가 아니고, ㉯도 말뚝이의 부정적 현실을 나타내는 소재가 아니다.
③ ㉮는 화자의 내적 갈등을 드러내는 소재가 아니고, ㉯도 말뚝이의 해소된 갈등을 나타내는 소재가 아니다.
④ ㉯는 말뚝이가 양반에게 위임받은 권위를 상징하는 소재라고 볼 수 있으나, ㉮는 화자와 임의 약속을 상징하는 소재가 아니다.

06 [시적 화자의 심리 파악]   정답 ⑤

화자는 현재 임과 헤어져 임의 부름을 받지 못하고 있는 상황이다. 그렇지만 화자는 '차라리 싀어져 구름이나 되어 이셔~님 계신 데 덮었으면,' '바람이나 되어 이셔~님 계신 데 불고지고'라며 차라리 죽어서라도 임의 곁에 머무르고 싶은 간절한 심정을 밝히고 있다.

【 오답 풀이 】

① (나)는 작가가 당쟁에 휘말려 유배를 갔을 때 지은 가사이기는 하지만, [C]에 자신의 누명이나 억울함에 대한 언급이 없으며 임의 신뢰 회복에 대해 언급하지도 않았다.
② [C]는 임의 곁에 가고 싶은 심정을 노래한 것이지, 속박에서 벗어나 더욱 자유로운 존재가 되고 싶은 심정을 말한 것은 아니다.
③ [C]는 죽어서라도 임의 곁에 가고 싶다는 것이지 임이 자신의 존재를 알아봐 주기를 바라는 것은 아니다.
④ [C]에 현재 자신의 처지에서 벗어나고 싶은 심정은 담겨 있지만, 후생에서 반드시 그러할 것이라고 확신하는 마음이 담겨 있는 것은 아니다.

07 [재담 구조에 대한 이해]

「봉산 탈춤」의 양반 과장에서는 '양반의 위엄 → 말뚝이의 조롱 → 양반의 호통 → 말뚝이의 변명 → 양반의 안심 → 일시적 화해'와 같은 재담 구조가 반복되면서 양반에 대한 조롱과 풍자가 이어진다. [D]에서도 이와 같은 구조가 두 번 반복된다.

08 [갈래상의 특징 파악]

(다)는 무대 장치가 없어서 무대와 객석의 구분이 엄격하지 않다. 따라서 악공이나 관객의 무대 진입과 이동이 쉽다. 또한 특별한 무대 장치가 없기 때문에 시간적, 공간적 배경의 제약이 없어 다양한 장면을 연출할 수 있다. 반면에 〈보기〉는 작품의 배경이 되는 집이 사실적인 무대 장치로 설치되어 있고, 객석과 분리된 무대 위에서 극이 상연되도록 하고 있다.

고전 산문
실전 어휘

ㄱ

001 가긍(可矜)하다   불쌍하고 가엾다.   ◻

옳을 (가), 불쌍히 여길 (긍)   예 모자 나아가 안하(案下)에 엎드려 크게 울지 못하고 눈물을 흘리며 슬피 울어 가슴을 두드리며
애통하니 그 모양이 가련(可憐) 가긍(可矜)한지라.   – 작자 미상, 「조웅전」

002 가로다   말하다.   ◻

예 허 판서가 왈칵 성을 내어 큰 소리로 꾸짖어 가로되,
"이놈, 부모가 되어서 난(亂)중에 자식을 잃고 찾을 생각도 아니하고, 뉘 위력을 빌어서 찾으려고
내버리고 왔어. 맹랑한 놈."   – 작자 미상, 「채봉감별곡」

003 각골통한(刻骨痛恨)   뼈에 사무칠 만큼 원통하고 한스러움. 또는 그런 일.   ◻

새길 (각), 뼈 (골), 아플 (통),   예 "너는커니와 내 일즉 무삼 일 사람의 손에 보채이며 요악지성(妖惡之聲)을 듣는고. 각골통한(刻
한할 (한)   骨痛恨)하며, 더욱 나의 약한 허리 휘드르며 날랜 부리 두루혀 힘껏 침선을 돕는 줄은 모르고 마
음 맞지 아니면 나의 허리를 브르질러 화로에 넣으니 어찌 통원하지 아니리오."
– 작자 미상, 「규중칠우쟁론기」

혼동되는 어휘   **각골명심(刻骨銘心)** 어떤 일을 뼈에 새길 정도로 마음속 깊이 새겨 두고 잊지 아니함.

004 각설(却說)   이때.   ◻

물리칠 (각), 말씀 (설)   예 각설. 이때 박 씨 피화당에서 천기를 보고 승상을 청하여 가로되,
"북방 호적이 금방 들어오는가 싶으니, 급히 탑전에 아뢰어 임경업을 내직으로 불러 군사를 조발
하여 막으소서."   – 작자 미상, 「박씨전」
→ 고전 소설에서 사건이나 장면이 바뀔 때 이야기를 끌어내는 말

005 간계(奸計)   간사한 꾀.   ◻

간사할 (간), 꾀할 (계)   예 "불쌍하도다 조웅이여! 일시가 극난하여 명일 미명에 서번 적의 간계(奸計)에 걸려들어 죽을 듯
하니 불쌍하도다."   – 작자 미상, 「조웅전」

006 겁(劫) 길고 오랜 시간.

위협할 (겁)

예 성진이 고두하며 눈물을 흘려 가로되,
"성진이 이미 깨달았나이다. 제자가 불초하여 염려를 그릇 먹어 죄를 지으니 마땅히 인세에 윤회할 것이거늘, 사부가 자비하사 하룻밤 꿈으로 제자의 마음을 깨닫게 하시니 사부의 은혜를 천만겁이라도 갚기 어렵도소이다."

– 김만중, 「구운몽」

007 경각(頃刻) 눈 깜짝할 사이. 아주 짧은 시간.

밭 넓이 단위 (경), 새길 (각)

예 "만일 임경업을 패초하였다가 호적이 의주를 쳐 항성하면 그 세를 당치 못하며 국가 흥망이 경각에 있을지니, 어찌 요망한 계집의 말을 듣고 북방을 비우고 동을 막으리이까."

– 작자 미상, 「박씨전」

008 경상(景狀) ① 좋지 못한 몰골. ② 자연이나 지역의 모습.

경치 (경), 형상 (상)

예 숙향이 화월(花月) 같은 용모에 머리를 흐트러뜨리고 눈물이 밍밍하여 슬피 우니 그 경상(景狀)이 차마 못 볼러라.

– 작자 미상, 「숙향전」

* 경상(景象): 산이나 들, 강, 바다 따위의 자연이나 지역의 모습.

009 계교(計巧) 요리조리 헤아려 보고 생각해 낸 꾀.

꾀할 (계), 교묘할 (계)

예 "유 부인이 명일에 형장 아래 곤욕을 당하시리니, 다만 구하여 낼 계교가 있사오되 행장(行裝)이 없으매 한이로소이다."

– 작자 미상, 「정을선전」

010 계하(階下) 섬돌이나 층계의 아래.

섬돌 (계), 아래 (하)

예 한림이 갓을 벗고 맨발로 계하(階下)에서 통곡하니

– 조성기, 「창선감의록」

예 나졸이 수명하고 일시에 따라 들어 관대를 벗기고 옥계하에 꿇리니,
대궐 안의 돌층계

– 작자 미상, 「소대성전」

011 고두(叩頭)하다 머리를 조아리다.

두드릴 (고), 머리 (두)

예 성진이 고두(叩頭)하고 울며 가로되,

– 김만중, 「구운몽」

012 고(告)하다 알리다.

알릴 (고)

예 응서가 이 일을 조정에 고하니, 조정에서는 요시라의 말을 믿고 이순신에게 바다로 나아가 청정을 치게 하였다.

– 작자 미상, 「임진록」

013 곡절(曲折) | 순조롭지 않게 얽힌 이런저런 복잡한 사정이나 까닭. ☐

굽을 (곡), 꺾을 (절)

예 어찌할 바를 몰라 강변을 헤매다가 날은 저물고 행인은 드문지라 사면을 돌아봐도 의지할 곳이 없는지라, 하늘을 우러러 통곡하다가 손에 깁 수건을 쥐고 치마를 뒤집어쓰고 물속으로 뛰어들었다. 행인이 놀라 급히 구하려 하였으나 이미 어쩔 수 없는지라 모두 탄식하며 그 곡절을 알고자 하더라.
　　　　　　　　　　　　　　　　　　　　　　　　　　　　　－ 작자 미상, 「숙향전」

014 곡직(曲直) | 굽음과 곧음이라는 뜻으로, 사리의 옳고 그름을 이르는 말. ☐

굽을 (곡), 곧을 (직)

예 "내가 들으니 훌륭한 낚시꾼은 갈퀴를 만들지 않는다고 합니다. 낚시꾼의 크고 작음은 곡직(曲直)에 있으니, 곧은 것은 나라를 낚을 것이요, 굽은 것은 고기를 얻는 데 불과할 것입니다."
　　　　　　　　　　　　　　　　　　　　　　　　　　　　　－ 이곡, 「죽부인전」

015 공맹(孔孟) | 공자와 맹자를 아울러 이르는 말. ☐

구멍 (공), 맏 (맹)

예 '남아가 세상에 나 어려서 공맹의 글을 읽고, 자라 요순 같은 임금을 만나, 나면 장수 되고 들면 정승이 되어 비단 옷을 입고 옥대를 띠고 옥궐에 조회하고,'
　　　　　　　　　　　　　　　　　　　　　　　　　　　　　－ 김만중, 「구운몽」

016 공명(功名) | 공을 세워서 자기의 이름을 널리 드러냄. 또는 그 이름. ☐

공 (공), 이름 (명)

예 '비단 옷을 입고 옥대를 띠고 옥궐에 조회하고, 눈에 고운 빛을 보고 귀에 좋은 소리를 듣고 은택 (恩澤)이 백성에게 미치고, 공명이 후세에 드리움이 또한 대장부의 일이라.'
　　　　　　　　　　　　　　　　　　　　　　　　　　　　　－ 김만중, 「구운몽」

017 괴이(怪異)하다 | 정상적이지 않고 별나며 괴상하다. ☐

기이할 (괴), 다를 (이)

예 얼마 뒤 소저는 파경노의 말을 괴이히 여겨 승상께 말했다.　　　　　－ 작자 미상, 「최고운전」

018 구고(舅姑) | 시아버지와 시어머니를 아울러 이르는 말. = 시부모 ☐

시아버지 (구), 시어미 (고)

예 "여자의 행실은 출가하면 구고(舅姑)를 봉양하고 군자 섬기는 여가에 남녀 자식을 엄숙히 가르치고 비복을 가르치나니"
　　　　　　　　　　　　　　　　　　　　　　　　　　　　　－ 김만중, 「사씨남정기」

019 구곡간장(九曲肝腸) | 굽이굽이 서린 창자라는 뜻으로, 깊은 마음속 또는 시름이 쌓인 마음속을 ☐
비유적으로 이르는 말.

아홉 (구), 굽을 (곡), 간 (간), 창자 (장)

예 "구천(九泉)에 돌아간들 이 동생이 그리워서 피눈물 지으실 제 구곡간장(九曲肝腸)이 다 녹았으리로다."
　　　　　　　　　　　　　　　　　　　　　　　　　　　　　－ 작자 미상, 「장화홍련전」

020 과인(寡人) | 덕이 적은 사람이라는 뜻으로, 임금이 자신을 낮추어 이르던 말. ☐

적을 (과), 사람 (인)

예 "과인의 수족을 만리타국에 보내고 밤낮으로 염려하였는데, 이렇듯 무사히 돌아오니 즐거운 마음을 어찌 다 말로 하겠는가."
　　　　　　　　　　　　　　　　　　　　　　　　　　　　　－ 작자 미상, 「유충렬전」

DAY 02 고전 산문 필수 어휘 ❷

ㄴ

학습 체크

021 낭자(娘子) 예전에, '처녀'를 높여 이르던 말. ☐

아가씨 (낭), 아들 (자) 예 김전이 숙향을 올리라 하니 이때 <u>낭자</u>가 옥 같은 두 귀 밑에 흐르나니 눈물이라.

– 작자 미상, 「숙향전」

022 낭자(狼藉)하다 여기저기 흩어져 어지럽다. ☐

이리 (낭), 깔개 (자) 예 뇌천풍이 자신의 갑옷을 내려다보니 칼자국이 <u>낭자했다</u>.

– 남영로, 「옥루몽」

023 노복(奴僕) 종살이를 하는 남자. = 사내종 ☐

종 (노), 종 (복) 예 <u>노복</u> 종이며 마을 사람들이 다 칭찬하거늘,

– 작자 미상, 「옹고집전」

ㄷ

024 대경(大驚)하다 크게 놀라다. ☐

큰 (대), 놀랄 (경) 예 상이 들으시고 <u>대경하사</u> 신하더러 왈,
　"경업을 무슨 죄로 잡아온고?"

– 작자 미상, 「임장군전」

025 대경실색(大驚失色) 몹시 놀라 얼굴빛이 하얗게 질림. ☐

큰 (대), 놀랄 (경), 잃을 (실), 빛 (색) 예 원수가 편지를 다 보고는 <u>대경실색</u>하여 좌장군 위홍창을 불러 왈,
　"장졸을 함곡에 들어가지 못하게 하라."

– 작자 미상, 「조웅전」

026 대노(大怒)하다 크게 화를 내다. ☐

큰 (대), 성낼 (로) 예 비장이 <u>대노</u>하여 분부하되,
　"네 어찌 모르리오. 막중 호조 돈을 영문에서 물어 주랴, 본부에서 물어 주랴? 네 먹었는데 무슨 잔말 아뢰느냐? 너를 쳐서 죽이리라."

– 작자 미상, 「이춘풍전」

027 대성통곡(大聲痛哭) 큰 소리로 몹시 슬프게 곡을 함. ☐

큰 (대), 소리 (성), 아플 (통), 울 (곡)

예 슬프다. 참옹고집이 <u>대성통곡</u> 절로 난다.
사환들이 가자 하니, "갈 마음 전혀 없다."

– 작자 미상, 「옹고집전」

028 대작(大作) 바람, 구름, 아우성 따위가 크게 일어남. ☐

큰 (대), 지을 (작)

예 달빛이 사면(四面)에 조요(照耀)하니 바다가 어젯밤보다 희기 더하고 광풍(狂風)이 <u>대작(大作)</u>하여 사람의 뼈에 사무치고 물결치는 소리

– 의유당, 「동명일기」

029 대장부(大丈夫) 건장하고 씩씩한 사내. ☐

큰 (대), 어른 (장), 남편 (부)

예 공명이 후세에 드리움이 또한 <u>대장부</u>의 일이라.

– 김만중, 「구운몽」

030 대저(大抵) 대체로 보아서. ☐

큰 (대), 거스를 (저)

예 "<u>대저</u> '짐을 지고 또 타게 되면 도둑이 이르게 된다.' 한 것은 옛날의 분명한 경계이니 청컨대 그를 면직시켜 욕심 많고 더러운 자를 징계하옵소서."

– 임춘, 「공방전」

031 대희(大喜) 크게 기뻐함. 또는 큰 기쁨. ☐

큰 (대), 기쁠 (희)

예 서대주 동지란 말을 듣더니 <u>대희</u>하여 외헌으로 청하고, 정주(頂珠) 탕건 모자 쓰고 평복으로 나아가 장끼를 맞아 예하고 자리를 정하니

– 작자 미상, 「장끼전」

032 돌연(突然) 예기치 못한 사이에 급히. ☐

부딪칠 (돌), 그럴 (연)

예 주생은 오로지 선화만을 생각했다. 몸은 나날이 여위어 갔다. 끝내는 병을 빙자해 자리에 눕고 말았다. 스무날이 지나갔다. <u>돌연</u> 국영이 병으로 죽었다는 전갈이 왔다.

– 권필, 「주생전」

033 득죄(得罪)하다 남에게 큰 잘못을 저질러 죄를 얻다. ☐

얻을 (득), 허물 (죄)

예 비몽간(非夢間)에 선녀 내려와 부인께 재배하고 말하기를,
"소녀는 상제(上帝) 시녀옵더니, 상제께 <u>득죄하고</u> 인간에 내치시매 갈 바를 모르더니 세존(世尊)이 부인 댁으로 지시하옵기로 왔나이다."

– 작자 미상, 「홍계월전」

034 만경창파(萬頃蒼波) 만 이랑의 푸른 물결이라는 뜻으로, 한없이 넓고 넓은 바다.

일만 (만), 밭 넓이 단위 (경), 푸를 (창), 물결 (파)

예 순은 그릇과 도량이 크고 깊었다. 출렁대고 넘실거림이 <u>만경창파(萬頃蒼波)</u> 같으며, 맑게 하려 해도 더는 맑아질 수 없고 뒤흔든대도 흐려지지 않았다.

– 임춘, 「국순전」

035 만단정회(萬端情懷) 온갖 정과 회포.

일만 (만), 바를 (단), 뜻 (정), 품을 (회)

예 "어느 때나 고국을 갈지, 무주공산 해골이 될지, 생사(生死)가 조석이라. 어서 수이 고향을 가서 그립던 마누라 손길을 부여잡고 <u>만단정회(萬端情懷)</u> 풀어 볼거나. 아이고 아이고, 내 일이야."

– 작자 미상, 「적벽가」

036 만조백관(滿朝百官) 조정의 모든 벼슬아치.

찰 (만), 아침 (조), 일백 (백), 벼슬 (관)

예 <u>만조백관</u>이 김자점의 말이 그른 줄 알되, 아무 말도 못 하더라.

– 작자 미상, 「박씨전」

037 망극(罔極)하다 ① 어버이나 임금에게 상서롭지 못한 일이 생기게 되어 지극히 슬프다.
② 임금이나 어버이의 은혜가 한이 없다.

그물 (망), 지극할 (극)

예 삼장과 군사를 다 죽이고 명제는 함정에 든 범이라 어찌 <u>망극지</u> 아니하리요?

– 작자 미상, 「소대성전」

038 망연(茫然)히 아무 생각이 없이 멍한 태도로.

아득할 (망), 그럴 (연)

예 나직이 읊조리는 소리나 음식을 씹는 소리가 문밖에 들리지 않아 흘낏 곁눈질해 보면 듣던 이는 <u>망연히</u> 책상에 기대 졸고 있습니다.

– 유득공, 「유우춘전」

039 면전(面前) 보고 있는 앞.

낯 (면), 앞 (전)

예 "가까이 오지 마라! 예전에 듣기를 유(儒)는 유(諛)라더니, 과연 그렇구나. 너는 평소에 천하의 못
└ 선비는 아첨만 한다
된 이름을 다 모아 함부로 나에게 갖다 붙이다가, 이제 급하니까 <u>면전</u>에서 아첨을 하니, 장차 누가 너를 신뢰하겠느냐?"

– 박지원, 「호질」

040 모름지기 사리를 따져 보건대 마땅히. 또는 반드시.

예 "차후로는 <u>모름지기</u> 마음을 고치고 행실을 닦아 동정 일체를 반드시 네 동생에게 배우도록 하거
사람이 일상적으로 하는 일체의 행위
라."

– 조성기, 「창선감의록」

041 모해(謀害)하다　꾀를 써서 남을 해치다. ⬜

꾀할 (모), 해로울 (해)

⟨예⟩ 자점이 자복하여 역심을 품은 일과 경업을 <u>모해</u>한 일을 승복하거늘, 상이 노하여 자점의 삼족을 다 내어, / "저자 거리에서 죽이라." ― 작자 미상, 「임장군전」

042 목욕재계(沐浴齋戒)　부정(不淨)을 타지 않도록 깨끗이 목욕하고 몸가짐을 가다듬는 일. ⬜

머리 감을 (목), 목욕할 (욕),
재계할 (재), 경계할 (계)

⟨예⟩ 『맹자』에 아무리 추악하게 생긴 사람이라도 <u>목욕재계</u>하면 하느님께 제사 드릴 수 있다는 말이 있사옵니다. 그러니 하계에 사는 이 천한 신하는 감히 그 아랫자리에서 모시고자 하옵니다." ― 박지원, 「호질」

043 무고(無故)　아무런 까닭이 없음. ⬜

없을 (무), 옛 (고)

⟨예⟩ "여보 사공님들 들어 보소. 당신들도 사람인데 죄 없는 우리 인생을 왜 그리 <u>무고</u>하게 우리를 죽이려 하오. 나만은 자결할 테니 우리 낭군 살려 주소." ― 작자 미상, 「옥단춘전」

044 무도(無道)하다　말이나 행동이 인간으로서 지켜야 할 도리에 어긋나서 막되다. ⬜

없을 (무), 길 (도)

⟨예⟩ "이러한 <u>무도</u>하고 못난 놈한테 구차하게 고소를 당하여 선조의 공훈에 더럽힘을 끼치고 관정을 소란스럽게 하오니, 죽으려고 하여도 죽을 만한 곳이 없어서 사는 것이 죽는 것만 못하옵니다." ― 작자 미상, 「서대주전」

045 무색(無色)하다　겸연쩍고 부끄럽다. ⬜

없을 (무), 빛 (색)

⟨예⟩ 정욱이 웃고 대답허되, / "승상님 목이 없으시면 어찌 말씀을 허오리까?"
조조 <u>무색</u>허여,
"그게 메초리더냐? 소금 발라 바싹 구면 한 잔 술 안주감 좋으니라." ― 작자 미상, 「적벽가」

046 미구(未久)　얼마 오래지 아니함. ⬜

아닐 (미), 오랠 (구)

⟨예⟩ "슬프다, 호적이 <u>미구</u>에 도성을 범하려 하되, 간인이 나라의 총명을 가리워 사직을 위태케 하니 절통치 않으리요." ― 작자 미상, 「박씨전」

047 미혹(迷惑)　무엇에 홀려 정신을 차리지 못함. ⬜

미혹할 (미), 미혹할 (혹)

⟨예⟩ "인간 세상에 오랫동안 머물면서 산 사람을 <u>미혹</u>시킬 수는 없답니다." ― 김시습, 「이생규장전」

048 박명(薄命) 복이 없고 팔자가 사나움. ◯

얇을 (박), 목숨 (명) 예 "애고 애고 내 일이야. 여보 도련님 춘향 몸이 천하다고 함부로 버려도 되는 줄로 알지 마오. 박명한 신세 춘향이가 입맛 없어 밥 못 먹고 잠이 안 와 잠 못 자면 며칠이나 살 듯하오."

– 작자 미상, 「춘향전」

049 박장대소(拍掌大笑) 손뼉을 치며 크게 웃음. ◯

손뼉칠 (박), 손바닥 (장), 예 호승이 박장대소하고 가로되,
큰 (대), 웃을 (소) "옳다. 옳다. 비록 옳으나 몽중에 잠깐 만나 본 일은 생각하고 십 년을 동처하던 일을 알지 못하니 뉘 양 장원을 총명타 하더뇨?"

– 김만중, 「구운몽」

050 발원(發願) 신이나 부처에게 소원을 빎. 또는 그 소원. ◯

필 (발), 바랄 (원) 예 "여선의 뜻이 비록 아름다우나 불법이 깊고 머니 큰 역량과 큰 발원이 아니면 능히 이르지 못하나니 선녀는 모름지기 스스로 헤아려 하라."

– 김만중, 「구운몽」

051 방불(彷彿)하다 거의 비슷하다. ◯

배회할 (방), 비슷할 (불) 예 양유 그 글을 보고 여자를 살펴보니,
(비슷할 髣, 비슷할 髴) "연연한 거동은 매화와 방불하다마는 이러한 산중에 어찌 매화가 왔으리요." – 작자 미상, 「매화전」

052 방성대곡(放聲大哭) 큰 소리로 몹시 슬프게 곡을 함. ≒ 대성통곡(大聲痛哭) ◯

놓을 (방), 소리 (성), 큰 (대), 예 심 씨 크게 노하여 쇠채찍을 잡고 소저(화빙선)를 치려 하니, 공자는 방성대곡(放聲大哭)한대,
울 (곡)

– 조성기, 「소대성전」

053 배회(徘徊) 아무 목적도 없이 어떤 곳을 중심으로 어슬렁거리며 이리저리 돌아다님. ◯

노닐 (배), 노닐 (회) 예 그 후로는 공중에 높이 떠서 사방을 배회하면서 천하의 경치 좋은 곳과 명산을 찾아 십주(十州)와 삼도(三島)를 빠짐없이 유람했소.

– 김시습, 「취유부벽정기」

054 **백골난망**(白骨難忘) 죽어서 백골이 되어도 잊을 수 없다는 뜻으로, 남에게 큰 은덕을 입었을 □
때 고마움의 뜻으로 이르는 말.

흰 (백), 뼈 (골), 어려울 (난), **예** "나으리 덕택으로 호조 돈을 다 거두어 받으니 은혜 백골난망이로소이다. 경성 가서 댁에 먼저
잊을 (망) 문안하오리이다."

– 작자 미상, 「이춘풍전」

055 **백년해로**(百年偕老) 부부가 되어 한평생을 사이좋게 지내고 즐겁게 함께 늙음. □

일백 (백), 해 (년), 함께 (해), **예** "장차 백년해로의 낙을 누리려 했는데 어찌 횡액(橫厄)을 만나 구렁에 넘어질 줄 알았겠습니까?"
늙을 (로)   뜻밖에 닥쳐오는 불행

– 김시습, 「이생규장전」

056 **범상**(凡常)**하다** 중요하게 여길 만하지 아니하고 예사롭다. □

무릇 (범), 항상 (상) **예** "하생의 용모와 재주가 참으로 범상치 않으니 사위로 삼는다 해도 문제 될 건 전혀 없겠소만 집
안이 서로 걸맞지 않는구려."

– 신광한, 「하생기우전」

057 **벽력**(霹靂) 벼락. □

벼락 (벽), 벼락 (력) **예** 그제야 멀리 바라보니 상이 강변에 넘어졌는지라 원수가 우레 같은 소리를 벽력같이 지르며,
"호왕은 나의 임금을 해치 말라."

– 작자 미상, 「소대성전」

058 **복록**(福祿) 타고난 복과 벼슬아치의 녹봉이라는 뜻으로, 복되고 영화로운 삶. □

복 (복), 복 (록) **예** 임금이 유 상서의 벼슬을 돋우어 좌승상으로 삼고 황후 또한 사 부인의 덕을 들으시고 자주 보시
니 유문의 영광이 비길 데 없고, 또 사추관이 높은 벼슬에 이르니 그 복록(福祿)의 거룩함이 한 세상
에 으뜸이었다.

– 김만중, 「사씨남정기」

059 **복지**(伏地) 땅에 엎드림. □

엎드릴 (복), 땅 (지) **예** 원수 달려들어 한담의 목을 산 채로 잡아 들고 말에 내려 천자 앞에 복지했다.

– 작자 미상, 「유충렬전」

060 **부귀영화**(富貴榮華) 재산이 많고 지위가 높으며 귀하게 되어서 세상에 드러나 온갖 영광을 누림. □

부유할 (부), 귀할 (귀), **예** "첩이 본디 빈한한 집 자식으로 상공의 은혜를 입사와 부귀영화가 이 같사오니 비록 죽어도 한
꽃 (영), 빛날 (화) 이 없겠나이다만"

– 김만중, 「사씨남정기」

고전 산문 필수 어휘 ❹

061 부마(駙馬)　　임금의 사위.　　☐

곁마 (부), 말 (마)
예 과거에 급제하여 <u>부마</u>된 전후 사연과
　　　　　　　　　　　　　　　　　　　　　－ 작자 미상, 「적성의전」

062 부창부수(夫唱婦隨)　　남편이 주장하고 아내가 이에 잘 따름. 또는 부부 사이의 그런 도리.　　☐

남편 (부), 부를 (창),
아내 (부), 따를 (수)
예 예로부터 <u>부창부수(夫唱婦隨)</u>는 남녀의 정이고 여필종부(女必從夫)는 부부의 의이어늘
　　　　　　　　　　　　　　　　　　　　　－ 작자 미상, 「서동지전」

063 분기(憤氣)　　분한 생각이나 기운.　　☐

성낼 (분), 기운 (기)
예 "앞에 큰 강이 가렸으니 건넬 길이 없는지라."
때는 늦어 가고 <u>분기</u>는 울울하여 말더러 경계하여 말하기를,
"네 비록 짐승이나 사람의 급함을 알지라. 물을 건네라."
　　　　　　　　　　　　　　　　　　　　　－ 작자 미상, 「소대성전」

064 분연(奮然)히　　떨쳐 일어서는 기운이 세차고 꿋꿋한 모양.　　☐

떨칠 (분), 그럴 (연)
예 명나라 진영의 여러 장수들이 서로 돌아보며 출전하려는 사람이 없었다. 양창곡이 크게 노하여
<u>분연히</u> 일어났다.
　　　　　　　　　　　　　　　　　　　　　－ 남영로, 「옥루몽」

065 불초(不肖)　　아버지를 닮지 않았다는 뜻으로, 못나고 어리석은 사람을 이르는 말.　　☐

아닐 (불), 닮을 (초)
예 "소자가 모친의 사랑을 과도하게 받은 나머지 멋대로 놀며 학업을 폐했으니, <u>불초</u>하다는 책망은
본디 달게 받아야 할 것입니다."
　　　　　　　　　　　　　　　　　　　　　－ 조성기, 「창선감의록」

066 불측(不測)하다　　생각이나 행동 따위가 괘씸하고 엉큼하다.　　☐

아닐 (불), 잴 (측)
예 자점이 반심을 품은 지 오래다가 절도(絕島)에 안치되매 더욱 앙앙(怏怏)하여 <u>불측</u>지심이 나타나
거늘
　　　　　　　　　　　　　　매우 마음이 차지 아니하거나 야속하여　　－ 작자 미상, 「임장군전」

067 비복(婢僕)　　계집종과 사내종을 아울러 이르는 말.　　☐

여자 종 (비), 종 (복)
예 이때 승상이 유수 부인이 떠남을 보고 슬퍼하며 말하였다. / "어떤 사람의 따님이 저러한고?"
이어 통곡하니, 월성도 통곡하고 <u>비복(婢僕)</u>들도 슬피 울었다.
　　　　　　　　　　　　　　　　　　　　　－ 작자 미상, 「황월선전」

학습 체크

068 사주(使嗾) 남을 부추겨 좋지 않은 일을 시킴. ☐

부릴 (사), 부추길 (주)

예 "그 집 주인 할멈의 <u>사주</u>를 받아 나를 속이고 술 빚은 걸 숨겨 주고는 도리어 고발한 사람을 꾸짖어?"

– 송지양, 「다모전」

069 사지(死地) 죽을 곳. 죽을 지경의 매우 위험하고 위태한 곳. ☐

죽을 (사), 땅 (지)

예 "주군께서 이처럼 영명(英明)하시면서 죄 없는 시녀로 하여금 스스로 <u>사지(死地)</u>로 나가게 하시니, 지금부터 저희들은 맹세코 붓을 들어 글을 쓰지 않겠습니다."

– 작자 미상, 「운영전」

070 산천초목(山川草木) 산과 내와 풀과 나무라는 뜻으로, '자연'을 이르는 말. ☐

뫼 (산), 내 (천), 풀 (초), 나무 (목)

예 슬피 통곡하며 머리를 땅에 두드리니, 산천초목이 슬퍼하며 진중의 군사들도 눈물을 흘리지 않는 이가 없더라.

– 작자 미상, 「황월선전」

071 삼경(三更) 밤 11시~새벽 1시. 하룻밤을 오경(五更)으로 나눈 셋째 부분. ☐

석 (삼), 고칠 (경)

예 철기 삼천을 거느려 그날 밤 삼경에 명진에 다다르니 일진이 고요하여 인마 다 잠을 들었는지라

– 작자 미상, 「소대성전」

* 초경: 저녁 7시~9시 / 이경: 밤 9시~11시
삼경: 밤 11시~새벽 1시 / 사경: 새벽 1시~3시
오경: 새벽 3시~5시

072 서자(庶子) 양반과 양민 여성 사이에서 낳은 아들. ↔ 적자(嫡子) ☐

여러 (서), 아들 (자)

예 차시 남방 남촌에서 사는 상서 벼슬 최국양은 당금 임금의 총이 으뜸이오, <u>서자</u> 하나 있으되 인물과 재주, 학문이 뛰어났음에 명사 재상의 딸 둔 자가 구혼할 이 무수하나

– 작자 미상, 「백학선전」

073 설법(說法) 불교의 교의를 풀어 밝힘. ☐

말씀 (설), 법도 (법)

예 "제자가 아득하여 꿈과 참된 것을 알지 못하니 사부는 <u>설법</u>하사 제자를 위하여 자비하사 깨닫게 하소서."

– 김만중, 「구운몽」

074 성혼(成婚) 혼인이 이루어짐. 또는 혼인을 함. ☐

이룰 (성), 혼인할 (혼)

예 "소녀는 다섯 살 때 피란 가던 중에 부모를 잃고 동서로 구걸하며 다니다가 할미 집에 의지하였는데 이랑이 빙례(聘禮)로 구혼(求婚)하여 상하 체면에 거스르지 못하여 <u>성혼(成婚)</u>하였습니다. 이는 진실로 첩의 죄가 아닙니다."

– 작자 미상, 「숙향전」

075 소저(小姐)   '아가씨'를 한문 투로 이르는 말.   ☐

작을 (소), 누이 (저)

☞ 사해용왕이 친히 나와 전송하고 각궁 시녀와 여덟 선녀가 여쭙기를,
　"<u>소저</u>는 인간 세상에 나아가서 부귀와 영광으로 만만세를 즐기소서."
　　　　　　　　　　　　　　　　　　　　　　　　　　　　　　　－ 작자 미상, 「심청전」

076 송사(訟事)   백성끼리 분쟁이 있을 때, 관부에 호소하여 판결을 구하던 일. ≒ 소송   ☐

송사할 (송), 일 (사)

☞ "가운이 불길하여 어떠한 놈이 왔으되 용모 나와 비슷해 제가 내라 하고 자칭 옹고집이라 하기
　로, 억울한 분을 견디지 못하여 일체 구별로 <u>송사</u>하러 가는지라. 뒤에 오는 사람이 기네. 자네들
　도 대소간 눈이 있거든 혹 흑백을 가릴쏘냐."
　　　　　　　　　　　　　　　　　　　　　　　　　　　　　　　－ 작자 미상, 「옹고집전」

077 수말(首末)   일의 시작과 끝. = 수미(首眉)   ☐

머리 (수), 끝 (말)

☞ 차설(且說). 금섬이 제집에 돌아와 제 부모더러 부인의 하던 <u>수말(首末)</u>을 낱낱이 전하니, 제 부
　모가 참혹히 여겨 가로대,
　"너는 아무쪼록 계교를 베풀어 부인을 살려 내라."
　　　　　　　　　　　　　　　　　　　　　　　　　　　　　　　－ 작자 미상, 「정을선전」

078 수작(酬酌)   서로 말을 주고받음. 또는 그 말.   ☐

술 권할 (수), 따를 (작)

☞ "중의 공부가 세 가지 행실이 있으니 몸과 말씀과 뜻이라. 네 용궁에 가 술을 취하고, 석교에서
　여자를 만나 언어를 <u>수작</u>하고 꽃을 던져 희롱한 후에 돌아와, 오히려 미색을 권련하여 세상 부귀
　를 흠모하고 불가의 적막함을 싫이 여기니, 이는 세 가지 행실을 일시에 무너뜨림이라."
　　　　　　　　　　　　　　　　　　　　　　　　　　　　　　　－ 김만중, 「구운몽」

079 수절(守節)   절의(節義)를 지킴.   ☐

지킬 (수), 마디 (절)

☞ 내 얼굴 못 보아 서러워 말고 자네 몸 <u>수절</u>하여 정렬부인 되어 주게. 불쌍하다 불쌍하다, 이내 신
　세 불쌍하다.
　　　　　　　　　　　　　　　　　　　　　　　　　　　　　　　－ 작자 미상, 「장끼전」

080 시비(侍婢)   곁에서 시중을 드는 계집종.   ☐

모실 (시), 여자 종 (비)

☞ 이때는 추구월 보름이라. 부인이 <u>시비(侍婢)</u>를 데리고 망월루에 올라 월색을 구경하더니 홀연 몸
　이 곤하여 난간에 의지하매
　　　　　　　　　　　　　　　　　　　　　　　　　　　　　　　－ 작자 미상, 「홍계월전」

081 식경(食頃) | 밥을 먹을 동안이라는 뜻으로, '잠깐 동안'을 이르는 말. ☐

먹을 (식), 밭 넓이 단위 (경) | 예 채봉이는 만리교에서 도적이 들기 전 두어 식경이나 앞서 도망한 고로, 김 진사가 그 지경이 된 줄은 모르고 있더라. — 작자 미상, 「채봉감별곡」

082 심중(心中) | 마음의 속. = 마음속 ☐

마음 (심), 가운데 (중) | 예 토끼 이 말을 듣고 또한 어이없고 정신이 산란하며 간장이 없고 가슴이 막히어 심중에 생각하되 속절없이 죽으리로다 하다가 다시 웃으며 가로되 — 작자 미상, 「별주부전」

083 심회(心懷) | 마음속에 품고 있는 생각이나 느낌. ☐

마음 (심), 품을 (회) | 예 이 부인이 다 읽고 난 후 눈물이 물 흐르듯 하여 능히 말을 이루지 못하다가 심회를 진정하여 답서를 써서 보내었는데 — 작자 미상, 「장풍운전」

ㅇ

084 연고(緣故) | 일의 까닭. = 사유 ☐

인연 (연), 옛 (고) | 예 "사형은 잠들었느냐? 사부가 부르시나이다."
성진이 놀라 생각하되, / '깊은 밤에 나를 부르니 반드시 연고가 있도다.' — 김만중, 「구운몽」

085 연후(然後) | 그런 뒤. ☐

그럴 (연), 뒤 (후) | 예 "내가 처음에 너희들과 이 섬에 들어올 때엔 먼저 부(富)하게 한 연후에 따로 문자를 만들고 의관을 새로 제정하려 하였더니라." — 박지원, 「허생전」

086 완연(宛然)히 | 눈에 보이는 것처럼 아주 뚜렷하게. ☐

완연할 (완), 그럴 (연) | 예 스스로 제 몸을 보니 일백 여덟 낱 염주가 손목에 걸렸고 머리를 만지니 갓 깎은 머리털이 가칠가칠하였으니, 완연히 소화상의 몸이요 다시 대승상의 위의 아니니 — 김만중, 「구운몽」

087 왈(曰) | 말하기를. ≒ 가로되, 가라사대 ☐

가로 (왈) | 예 부인 왈,
"선녀께서 인간 세상에 내려와 더러운 물을 많이 먹었으니 정신이 바뀌어 전생 일을 모르나이다." — 작자 미상, 「숙향전」

088 용렬(庸劣)하다 사람이 변변하지 못하고 졸렬하다. ☐

떳떳할 (용), 못할 (렬) **예** 허 씨가 그 피 묻은 쥐를 가지고 여러 가지로 날뛰거늘 <u>용렬</u>한 좌수는 그 흉계를 모르고 매우 놀라며 이르기를

– 작자 미상, 「장화홍련전」

089 원수(元帥) 전시의 군사를 통솔하는 일을 맡아 보던 장수. 또는 한 지방의 군대를 통솔 ☐
하던 으뜸 장수.

으뜸 (원), 주장할 (수) **예** 이때 <u>원수</u>가 적진을 대하여 진욕을 무수히 하되 호왕이 끝내 나오지 아니하거늘 원수 천자께 아뢰되,

"호왕이 소장의 살아남을 꺼려 접전치 아니하니 대군을 합세하여 짓밟고자 하나이다."

– 작자 미상, 「소대성전」

090 위의(威儀) ① 위엄이 있고 엄숙한 태도나 차림새. ② 예법에 맞는 몸가짐. ☐

위엄 (위), 거동 (의) **예** 머리를 만지니 갓 깎은 머리털이 가칠가칠하였으니, 완연히 소화상의 몸이요 다시 대승상의 <u>위의(威儀)</u> 아니니

– 김만중, 「구운몽」

091 입신양명(立身揚名) 출세하여 이름을 세상에 떨침. ☐

설 (립), 몸 (신), 오를 (양), **예** "사람이 세상에 나매 장부는 <u>입신양명(立身揚名)</u>하여 나라를 섬기다가 난세를 당하면 충성을 다
이름 (명) 하여 죽기를 무릅써 임금을 도움이 직분이요, <u>노주간(奴主間)</u>은 상전이 급한 일이 있으면 몸이
종과 주인 사이
미치도록 섬기다가 죽는 것이 당연하니"

– 작자 미상, 「정을선전」

ㅈ

092 작위(爵位) 벼슬과 지위를 통틀어 이르는 말. ☐

벼슬 (작), 자리 (위) **예** 진 후주(陳後主) 때에 임금이 그의 그릇을 남다르게 여겨 장차 크게 쓸 뜻이 있다 하여 광록대부
예빈경의 자리로 옮겨 주었고, 공(公)의 <u>작위</u>에 오르게 하였다. – 임춘, 「국순전」

093 장졸(將卒) 예전에, 장수와 병졸을 아울러 이르던 말. ☐

장수 (장), 마칠 (졸) **예** 적진 <u>장졸</u>들이 원수의 용맹을 보고 물결이 갈라지듯 흩어지자, 선우가 이를 보고 죽기를 각오하
고 달아났다. – 작자 미상, 「이대봉전」

094 재배(再拜) 　두 번 절함. 또는 그 절. 　　⬜

다시 (재), 절 (배) 　📖 비몽간(非夢間)에 선녀 내려와 부인께 재배하고 말하기를,
"소녀는 상제(上帝) 시녀옵더니, 상제께 득죄하고 인간에 내치시매 갈 바를 모르더니 세존(世尊)
이 부인 댁으로 지시하옵기로 왔나이다." 　　　　　　　　　　　　　　　– 작자 미상, 「홍계월전」

095 저어하다 　염려하거나 두려워하다. 　　⬜

📖 막 씨 기이히 여겨 남이 알까 저어하여 낮이면 막 속에 두고 밤이면 품속에 품고 자더니

　　　　　　　　　　　　　　　　　　　　　　　　　　　　　　　　– 작자 미상, 「금방울전」

096 적강(謫降) 　신선이 인간 세상에 내려오거나 사람으로 태어남. 　　⬜

귀양갈 (적), 내릴 (강) 　📖 숙향이 받아먹으니 그제야 월궁 소아로서 태을과 글을 지어 창화하고 월연단을 훔쳐 태을을 준
죄로 인간 세상으로 적강한 일과 그 아이 둘이 부리던 시녀였던 것이 기억났다. 　– 작자 미상, 「숙향전」

097 전말(顚末) 　처음부터 끝까지 일이 진행되어 온 경과. 　　⬜

머리 (전), 끝 (말) 　📖 그리고는 자기 일가가 왜적에게 당했던 일의 전말을 자세히 말했다. 배 안에 있던 사람들이 모두
놀랍고 희한한 일로 여겼다. 　　　　　　　　　　　　　　　　　　　　– 작자 미상, 「최척전」

098 전장(戰場) 　싸움을 치르는 장소. = 전쟁터 　　⬜

싸울 (전), 마당 (장) 　📖 "폐하의 은덕이 오직 우리 초왕 부부에게 미쳤사온데, 불행하여 전장에서 죽은들 어찌 마다하겠
습니까? 엎드려 바라건대 폐하께서는 근심하지 마옵소서." 　　　　　　– 작자 미상, 「이대봉전」

099 전폐(全廢)하다 　아주 그만두다. 또는 모두 없애다. 　　⬜

온전할 (전), 폐할 (폐) 　📖 "학업을 전폐(全廢)하고 잠자기를 숭상하니, 어찌 공명을 바라리오?" 　– 작자 미상, 「소대성전」

100 조강지처(糟糠之妻) 　지게미와 쌀겨로 끼니를 이을 때의 아내라는 뜻으로, 몹시 가난하고 천 　⬜
할 때에 고생을 함께 겪어 온 아내를 이르는 말.

지게미 (조), 겨 (강), 갈 (지), 　📖 고인이 일렀으되 조강지처(糟糠之妻)는 불하당(不下堂)이요, 빈천지교(貧賤之交)는 불가망(不可
아내 (처) 　忘)이라 하였나니, 오늘날 가난하고 못살 때의 쓰고 단 것을 함께한 것은 생각지 아니하고 나를 이같
이 욕보이니, 두 귀를 씻고자 하나 영천수(潁川水)가 멀어 한이로다. 　　　– 작자 미상, 「서동지전」
* 조강지처~불가망: 『후한서』의 「송홍전」에 나오는 고사로, 가난을 함께 한 아내는 내쫓을 수 없고, 가난하고
천한 시절의 친구는 잊어서는 안 된다는 말.
* 영천수에 귀를 씻다[潁川洗耳]: 요임금이 장차 나라를 맡길 사람으로 허유를 찾아가 천하를 부탁하자, 허
유가 귀가 더러워졌다며 냇물에 귀를 씻었다는 고사.

101 **조물**(造物) ① 조물주가 만든 온갖 물건. ② 우주의 만물을 만들고 다스리는 신. = 조물주 ☐

지을 (조), 만물 (물) 예 "혹시 조물주가 도우시고 보살께서 자비를 베푸셔서 우리 공자님께서 지금 명나라 진중에 원수로 와 계신 것일까?"
— 남영로, 「옥루몽」

102 **조회**(朝會) 모든 벼슬아치가 함께 정전에 모여 임금에게 문안드리고 정사를 아뢰던 일. ☐

아침 (조), 모일 (회) 예 만조백관이 김자점의 말이 그른 줄 알되, 아무 말도 못 하더라. 상이 그 일로 유예 미결하시고 조회를 파하시는지라.
— 작자 미상, 「박씨전」

103 **종시**(終是) 끝까지 내내. = 끝내 ☐

마칠 (종), 옳을 (시) 예 아무리 만류하되 종시 듣지 아니하고 감영으로 내려가더니, 아니 되는 놈은 자빠져도 코가 깨진다고, 마침 나라에서 사가 내려 죄인을 방송하시니, 흥부 매품도 못 팔고 그저 온다.
국가적인 경사가 있을 때 죄인을 용서해 주던 일
— 작자 미상, 「흥부전」

104 **좌중**(座中) 여러 사람이 모인 자리. 또는 모여 앉은 여러 사람. ☐

자리 (좌), 가운데 (중) 예 좌중의 여러 사람들이 각각 소회를 다하고, 혹 노기 등천하며, 혹 칼을 빼들고 매우 성을 내고, 어떤 자는 땅에 섰고, 어떤 자는 깡충깡충 뛰며, 어떤 자는 노래하고, 어떤 자는 춤추기도 하는지라.
— 작자 미상, 「조웅전」

105 **주렴**(珠簾) 구슬 등을 엮어 만든 줄을 늘어뜨려 주로 무엇을 가리는 데 쓰는 물건. ☐

구슬 (주), 발 (렴) 예 심 황후 기가 막혀 산호 주렴을 걷어 버리고 버선발로 우루루루루루루루루루. 부친의 목을 안고, "아이고, 아부지!"
— 작자 미상, 「심청전」

106 **진언**(眞言) 진실하여 거짓이 없는 말이라는 뜻으로, '비밀스러운 어구'를 이르는 말. ☐

참 (진), 말씀 (언) 예 가만히 진언을 외워 몸을 삼백에 나눠 적진을 짓치고자 하더니, 적장이 또한 진언을 염하여 삼백 해룡을 막는지라.
— 작자 미상, 「곽해룡전」

107 짐짓　① 마음으로는 그렇지 않으나 일부러 그렇게.　② 아닌 게 아니라 정말로. ☐

예 해룡이 흔연히 허락하고 이에 장기를 거두어 가지고 가려 하거늘, 변 씨가 <u>짐짓</u> 말리는 체하니

– 작자 미상, 「금령전」

혼동되는 어휘　진짓 진실로

ㅊ

---

108 차설(且說)　주로 글 따위에서, 화제를 돌려 다른 이야기를 꺼낼 때, 앞서 이야기하던 내 ☐
용을 그만둔다는 뜻으로 다음 이야기의 첫머리에 쓰는 말. = 각설(却說)

또 (차), 말씀 (설)　예 <u>차설(且說)</u>. 금섬이 제집에 돌아와 제 부모더러 부인의 하던 수말(首末)을 낱낱이 전하니, 제 부
모가 참혹히 여겨 가로대,　– 작자 미상, 「정을선전」

---

109 차시(此時)　이때, 지금. ☐

이 (차), 때 (시)　예 <u>차시</u>, 경업이 자점에게 매를 많이 받아 천명이 진하게 되매 분기대발하여 신음하다 죽으니, 시년
사십팔 세요, 기축(己丑) 9월 26일이라.　– 작자 미상, 「임장군전」

---

110 참언(讒言)　거짓으로 꾸며서 남을 헐뜯어 윗사람에게 고하여 바침. 또는 그런 말. ☐

참소할 (참), 말씀 (언)　예 "너를 취함이 다 부인의 권한 바요, 일찍이 부인이 너 대접하기를 극진히 하여 한 번도 낯빛을
변함을 보지 못하였으니 이는 아마 비복들이 <u>참언(讒言)</u>을 주출(做出)함이라. 부인은 본디 유순
하니 결코 네게 유해(有害)함이 없을지니 너는 부질없는 염려를 말고 안심하라."

– 김만중, 「사씨남정기」

---

111 책망(責望)　잘못을 꾸짖거나 나무라며 못마땅하게 여김. ☐

꾸짖을 (책), 바랄 (망)　예 배 비장 그중에도 분해서 목소리를 돋우어 다시 <u>책망</u> 겸 묻것다.　– 작자 미상, 「배비장전」

---

112 처소(處所)　사람이 기거하거나 임시로 머무는 곳. ☐

곳 (처), 바 (소)　예 토끼 <u>처소</u>로 찾아가니, 토끼가 바위 아래로 들어가며 조금만 놓아 달라 하니　– 작자 미상, 「토끼전」

---

113 천지개벽(天地開闢)　천지가 처음으로 열림을 이르는 말. ☐

하늘 (천), 땅 (지), 열 (개),
열 (벽)　예 뭇 소경이 밝은 세상을 보게 되고, 집 안에 있는 소경, 계집 소경도 눈이 다 밝고, 배 안의 소경,
배 밖의 맹인, 반소경 청맹과니까지 모조리 다 눈이 밝았으니, 맹인에게는 <u>천지개벽(天地開闢)</u>이나
└ 겉으로 보기에는 눈이 멀쩡하나 앞을 보지 못하는 사람
다름없었다.　– 작자 미상, 「심청전」
* 원래 하나의 혼돈체였던 하늘과 땅이 서로 나뉘면서 이 세상이 시작되었다는 중국 고대의 사상에서 나온 말.

114 추호(秋毫) 매우 적거나 조금인 것을 비유적으로 이르는 말. ☐

가을 (추), 가는 털 (호) 예 "계월이 너를 욕뵘이 다름 아니라 어명으로 너와 배필을 정하매 전일 중군으로 부리던 연고라 마음이 다시는 못 부릴까 하여 희롱함이니, 너는 <u>추호</u>도 혐의하지 말라." — 작자 미상, 「홍계월전」

115 출장입상(出將入相) 나가서는 장수가 되고 들어와서는 재상이 된다는 뜻으로, 문무를 다 갖 ☐ 추어 장상(將相)의 벼슬을 모두 지냄을 이르는 말.

날 (출), 장수 (장), 들 (입), 서로 (상)

예 '처음에 스승에게 <u>수책</u>하여 풍도로 가고 인세에 <u>환도</u>하여 양가의 아들 되어 장원급제 한림학사
　　　　　　　　└ 꾸지람을 들음　　　　　└ 다시 태어나
하고 출장입상하여 <u>공명신퇴</u>하고 두 공주와 여섯 낭자로 더불어 즐기던 것이 다 하룻밤 꿈이라.'
　　　　　　공을 세우고 벼슬에서 물러남　　　　　　　　　　　　　　　　　　— 김만중, 「구운몽」

116 침소(寢所) 사람이 잠을 자는 곳. ☐

잠잘 (침), 바 (소) 예 위 공이 택일단자를 가지고 계월의 <u>침소</u>에 들어가 전하니 — 작자 미상, 「홍계월전」

E

117 탄복(歎服) 매우 감탄하여 마음으로 따름. ☐

탄식할 (탄), 입을 (복) 예 "파경노는 용모가 기이하고 <u>탄복</u>할 일이 많으니 필시 비범한 사람일 것입니다. 마부일도, 천한 일도 맡기지 마세요." — 작자 미상, 「최고운전」

118 통분(痛憤) 원통하고 분함. ☐

아플 (통), 성낼 (분) 예 경업이 그제야 자점의 흉계로 알고 <u>통분</u>을 이기지 못하여 바로 몸을 날려 옥문(獄門)을 깨치고 궐내에 들어가 상을 뵙고 <u>청죄</u>한데 — 작자 미상, 「임장군전」
　　　　　　저지른 죄에 대하여 벌을 줄 것을 청함

π

119 필경(畢竟) 끝장에 가서는. ☐

마칠 (필), 마칠 (경) 예 해룡이 크게 반기며 소리를 질러 말하기를,
"너희 수십 명이 <u>필경</u> 다 요괴로 변하여 사람을 속임이 아니냐?" — 작자 미상, 「금령전」

ㅎ

학습 체크

120 하계(下界) 천상계에 상대하여 사람이 사는 이 세상을 이르는 말.

아래 (하), 경계 (계)

📵 "명성이 신령스러운 용과 나란히 드높아, 하나는 바람을 일으키고 하나는 구름을 일으키니, 하계에 사는 이 천한 신하는 감히 그 아랫자리에서 모시고자 하옵니다." – 박지원, 「호질」

---

121 하례(賀禮) 축하하여 예를 차림.

하례할 (하), 예도 (례)

📵 마숙과 최철로 각각 좌의정과 우의정을 삼고, 나머지 여러 장수에게도 각각 벼슬을 내리니, 조정에 가득 찬 신하들이 만세를 불러 하례(賀禮)하였다. – 작자 미상, 「홍길동전」

---

122 하릴없이 ① 달리 어떻게 할 도리가 없이. ② 조금도 틀림이 없이.

📵 원수가 크게 놀라고 듣지 않으니 하릴없이 모든 여자를 분배하고 방울을 일시에 흔드니, 지혈을 지키는 군사가 방울 소리를 듣고 일시에 줄을 당기어 지혈 밖으로 올렸다. – 작자 미상, 「김원전」

---

123 하직(下直) ① 먼 길을 떠날 때 웃어른께 작별을 고하는 것. ② 어떤 곳에서 떠남.

아래 (하), 곧을 (직)

📵 소매 속에서 한 통 편지를 내어 주고는 팔을 들어 하직하거늘 원수 다시 노옹을 바라보니 행색이 아득하였다. – 작자 미상, 「조웅전」

---

124 한림(翰林) 학사원·한림원에 속한 정사품 벼슬. 임금의 명령을 글로 짓는 일을 함.
= 한림학사

문장 (한), 수풀 (림)

📵 한편 한림학사 유연수는 유배지에 도착하니 바람이 거세고 인심이 사나워 갖은 고초를 겪게 되었다. – 김만중, 「사씨남정기」

125 항서(降書) 항복을 인정하는 문서. = 항복서

항복할 (항), 글 (서)
예 호왕이 황제 탄 말을 찔러 거꾸러치니 상이 땅에 떨어지거늘 호왕이 창으로 상의 가슴을 겨누며 꾸짖어 말하기를, / "죽기를 서러워하거든 항서를 써 올리라." — 작자 미상, 「소대성전」

126 행실(行實) 실지로 드러나는 행동.

다닐 (행), 열매 (실)
예 "마음을 고치고 행실을 닦아 동정 일체를 반드시 네 동생에게 배우도록 하거라. 화씨 종사를 네 손으로 망하게 하지는 말아야 할 것이니라." — 조성기, 「창선감의록」

127 허탄(虛誕)하다 거짓되고 미덥지 아니하다.

빌 (허), 탄생할 (탄)
예 "하생은 용모와 기개로 보아 실로 보통 사람이 아니니, 사위로 삼는 데 있어 망설일 게 없지만 다만 집안이 우리와는 맞지 않고 일도 또한 꿈같이 허탄하니" — 신광한, 「하생기우전」

128 호령(號令) ① 부하나 동물 등을 지휘해 명령함. 또는 그 명령. ② 큰 소리로 꾸짖음.

부르짖을 (호), 명령할 (령)
예 오십 대를 중히 치며 서리같이 호령하니, 추월이 기가 막혀 질겁하여 죽기를 면하려고 아뢰되, — 작자 미상, 「이춘풍전」

129 호병(胡兵) 오랑캐의 병사.

오랑캐 (호), 군사 (병)
예 동대문 밖으로서 방포 일성에 금고 함성이 천지 진동하며 호병이 동문을 깨치며 장안을 엄살하니, 장안이 불의지변(不意之變)을 만나 모두 분주하는지라. — 작자 미상, 「박씨전」

130 화설(話說) 고전 소설에서 이야기를 시작할 때 쓰는 말.

말할 (화), 말씀 (설)
예 화설, 경상·전라 양 도 지경(地境)에서 사는 사람이 있었으니, 놀부는 형이요 흥부는 아우라. — 작자 미상, 「흥부전」

131 환난(患難) 근심과 재난을 통틀어 이르는 말. ☐

근심 (환), 어려울 (난)

예 "예전에 정한담과 최일귀를 충신이라 하시더니 충신도 역적이 될 수 있습니까? 그자의 말을 듣고 충신을 멀리 귀양 보내어 죽이고 이런 <u>환난</u>을 만나시니, 천지가 아득하고 해와 달이 빛을 잃은 듯합니다."

– 작자 미상, 「유충렬전」

132 황망(慌忙) 마음이 몹시 급하여 당황하고 허둥지둥하는 면이 있음. ☐

어렴풋할 (황), 바쁠 (망)

예 옥영은 자기를 찾는 사람의 목소리를 듣고는 <u>황망</u>하게 뛰어나와 최척을 보았다. – 조위한, 「최척전」

133 횡액(橫厄) 뜻밖에 닥쳐오는 불행. = 횡래지액(橫來之厄) ☐

가로 (횡), 재앙 (액)

예 "장차 백년해로의 낙을 누리려 했는데 어찌 <u>횡액(橫厄)</u>을 만나 구렁에 넘어질 줄 알았겠습니까?"

– 김시습, 「이생규장전」

134 훼절(毀節) 절개나 지조를 깨뜨림. ☐

헐 (훼), 마디 (절)

예 지난날 운영이 <u>훼절(毀節)</u>한 것은 죄가 저에게 있지 운영에게 있지 않습니다. – 작자 미상, 「운영전」

135 흠모(欽慕) 기쁜 마음으로 공경하며 사모함. ☐

공경할 (흠), 사모할 (모)

예 호를 '국(麴) 처사'라 하매 공경대부로부터 머슴에 이르기까지 그 향기로운 이름을 접하는 이마다 모두 그를 <u>흠모</u>하였으며, 성대한 모임이 있을 때마다 순이 오지 아니하면 모두 슬퍼하여 말하기를, "국 처사가 없으면 즐겁지 않다."
했다.

– 임춘, 「국순전」

136 희롱(戲弄)하다 ① 말이나 행동으로 실없이 놀리다. ② 악기 따위를 능숙하게 다루다. ③ 감상하다. ☐

놀 (희), 희롱할 (롱)

예 "박 씨는 요망한 계집이어늘, 전하 어찌 요망한 말을 침혹하시며, 국가 대사를 아이 <u>희롱</u>같이 하시나니이까."

– 작자 미상, 「박씨전」

예 남쪽 벽 촛불 아래에 한 소년이 칠현금(七絃琴)을 무릎 위에 놓고 줄을 <u>희롱</u>하며 노래하였다.

– 작자 미상, 「소대성전」

예 좋은 날을 당하여 풍경을 <u>희롱</u>하며 꽃다운 술은 잔에 가득하며 사랑하는 사람이 곁에 있으니
감상하며

– 김만중, 「구운몽」

ㄱ

학습 체크

001 **각골난망**(刻骨難忘) 남에게 입은 은혜가 뼈에 새길 만큼 커서 잊히지 아니함. ☐

[2017년 고3 10월] **예** 그동안 보살펴 주신 선생님의 은혜는 실로 각골난망입니다.

002 **각골통한**(刻骨痛恨) 뼈에 사무칠 만큼 원통하고 한스러움. 또는 그런 일. ☐

[2019년 고3 4월] [기출 유형 **예**] ㉠에 드러나는 인물의 심리를 한자 성어로 표현하는 문제

> "귀신이 시기하고 조물주가 투기한 탓에 ㉠ 이렇게 누명을 쓰고 형벌을 받게 되었
> 으니, 제가 무슨 면목으로 부모님께 말씀을 아뢰며, 또한 낭군의 얼굴을 어찌 마주
> 할 수 있겠나이까? 차라리 죽어 모르고자 하나이다."
> 하고 스스로 목숨을 끊으려 하다가, 낭군과 자식을 생각하여 차마 죽지 못하고 땅에
> 엎어져 기절하더라. – 작자 미상, 「숙영낭자전」 중에서

→ ㉠에서 숙영 낭자는 부정한 짓을 저질렀다고 오해받아 상공에게 문초를 당하자 자신의 억울하고 원통한
마음을 호소하고 있음.

003 **각주구검**(刻舟求劍) 융통성 없이 현실에 맞지 않는 낡은 생각을 고집하는 어리석음을 이르는 ☐
말. ≒ 각선구검.

[2016년 고2 9월] **예** 그렇다 하여 조심성 많은 사람이 변통시키기를 두려워하여 각주구검(刻舟求劍)하듯 한다면 병폐
만을 기르는 선거가 되기에 알맞을 것이다.

＊ 초나라 사람이 배에서 칼을 물속에 떨어뜨리고 그 위치를 뱃전에 표시하였다가 나중에 배가 움직인 것을
생각하지 않고 칼을 찾았다는 데서 유래한다.

004 **간난신고**(艱難辛苦) 몹시 힘들고 어려우며 고생스러움. ☐

[2013년 고3 4월 A형] [기출 유형 **예**] ⓐ에 대해 인물이 보일 반응을 상상하여 〈보기〉의 빈칸에 들어갈 한자 성어 찾기

> • **상황**: 안락국은 장자의 핍박을 견디지 못하여, 하늘에서 온 동자의 도움을 받아 부
> 친을 찾아 서역국에 가서 사라수 대왕을 만나게 됨.
>
> "소자는 안락국이로소이다."
> 하고 아뢰오니, 대왕이 이 말을 들으시고 어찌하실 줄을 모르시고 안락국의 손을 잡
> 으시고 눈물을 흘리시며 가라사대,

"너의 어머님이 어찌 지내시더냐?"

하시니, ⓐ 안락국이 장자에게 당하시던 전후 사연을 낱낱이 다 아뢰니, 대왕이 더욱 슬픔을 이기지 못하시며 안락국을 데리고 숙소에 들어가서 수삼 일 후 꽃 세 송이를 주시며,

　　　　　　　　　　　　　　　　　　　　　　　　　　　　　　　　 – 작자 미상, 「안락국전」 중에서

┤ 보기 ├

사라수 대왕: 안락국아, 너와 네 어미의 (　　　　)을/를 생각하니 눈물을 금할 수 없구나.

→ ⓐ는 '대왕이 더욱 슬픔을 이기지 못하여'를 볼 때, 안락국이 장자에게 겪은 고초에 대한 내용임을 알 수 있음.

005 감개무량(感慨無量) 마음속에서 느끼는 감동이나 느낌이 끝이 없음. 또는 그 감동이나 느낌. ☐

[2018년 고2 3월]

[기출 유형 ㉑] 글을 읽고 〈보기〉의 독자의 반응에서 ㉠에 들어갈 적절한 한자 성어 찾기

• **상황**: 이랑이 숙향을 간절히 찾아다니다 할미의 도움으로 숙향이란 이름이 세 곳에 있음을 알아냄.

"하나는 태후 여감의 딸이요, 하나는 시랑 황전의 딸이요, 하나는 부모 없이 빌어먹는 아이였습니다. 세 곳에 기별한 즉 둘은 응답하나 걸인은 허락하지 아니하고 말하기를, '내 배필은 진주 가져간 사람이니 진주를 보아야 허락하리라.' 하더이다."

이랑이 대희하여 말하기를,

"필시 요지에 갔을 적에 반도를 주던 선녀로다. 수고스럽지만 이 진주를 갔다가 보아라."

하고 술과 안주를 내어 관대하니 할미 응락하고 돌아가 낭자더러 이생의 말을 이르고 진주를 내어 주거늘 낭자가 보고 '맞습니다.' 하니 할미는 웃고, 즉시 이랑에게 가 말했다.

　　　　　　　　　　　　　　　　　　　　　　　　　　　　　　　 – 작자 미상, 「숙향전」 중에서

┤ 보기 ├

"이어지는 장면에서 이랑과 숙향의 만남이 이루어진다면 이랑은 (　 ㉠ 　)하겠군."

→ 이랑은 숙향과의 만남을 위해 여러 가지 고난을 마다하지 않고 적극적으로 노력하고 있으므로, 숙향을 만난다면 가슴이 벅차오를 것임을 알 수 있음.

006 감언이설(甘言利說) 귀가 솔깃하도록 남의 비위를 맞추거나 이로운 조건을 내세워 꾀는 말. ☐

[2014년 고1 11월]

㉑ 그는 떼돈을 벌어 주겠다는 감언이설에 속아 장사 밑천을 떼이고 말았다.

007 감탄고토(甘呑苦吐) 달면 삼키고 쓰면 뱉는다는 뜻으로, 자신의 비위에 따라서 사리의 옳고 그름을 판단함을 이르는 말.

[2014년 고2 11월 B형] **예** 경영인들은 경기가 호황일 땐 야근을 시키며 노동자들의 희생을 강요하고 불황일 땐 임금부터 삭감하려 드는 감탄고토의 자세를 버려야 한다.

008 개과천선(改過遷善) 지난날의 잘못이나 허물을 고쳐 올바르고 착하게 됨. ≒ 개과자신

[2019년 고3 6월] **예** 망나니였던 그가 지금은 봉사 활동을 하며 개과천선의 길을 걷고 있다.

009 건곤일척(乾坤一擲) 주사위를 던져 승패를 건다는 뜻으로, 운명을 걸고 단판걸이로 승부를 겨룸을 이르는 말. ≒ 일척건곤

[2015년 고2 9월] **예** 건곤일척의 혈투를 벌이다.

010 견강부회(牽強附會) 이치에 맞지 않는 말을 억지로 끌어 붙여 자기에게 유리하게 함.

[2016년 고2 9월] **예** 자신의 생각과 부처의 생각을 동일시하려 한 그의 말은 그저 현재의 상황을 넘겨 보려는 견강부회일 뿐이었다.

011 견물생심(見物生心) 어떠한 실물을 보게 되면 그것을 가지고 싶은 욕심이 생김.

[2017년 고1 3월] **예** 견물생심이라고 무심코 열어 본 경대 서랍에서 돈을 본 순간 자신도 모르게 손이 갔다고 한다.

012 결자해지(結者解之) 맺은 사람이 풀어야 한다는 뜻으로, 자기가 저지른 일은 자기가 해결해야 함을 이르는 말.

[2017년 고2 11월] **예** 제가 이 일을 시작했으니, 결자해지 차원에서 제가 수습하겠습니다.

013 결초보은(結草報恩) 풀을 엮어 은혜를 갚는다는 뜻으로, 죽은 뒤에라도 은혜를 잊지 않고 갚음을 이르는 말.

[2021년 고2 6월] **예** 영감의 은혜는 백골난망이외다. 죽어 저승에 가서라도 결초보은을 하오리다.

* 중국 춘추 시대에, 진나라의 위과(魏顆)가 아버지가 세상을 떠난 후에 아버지의 첩을 개가시켜 순장으로 죽지 않게 하였더니, 그 뒤 싸움터에서 그 서모 아버지의 혼이 적군의 앞길에 풀을 묶어 적을 넘어뜨려 위과의 생명을 살리고 공을 세울 수 있도록 하였다는 고사에서 유래한다.

014 경거망동(輕擧妄動) 경솔하여 생각 없이 망령되게 행동함. 또는 그런 행동.

[2020년 고2 6월] 예 중벌을 받고 있는 적객 신분으로서 조용히 근신하지 못하고 난리에 가담하여 난민 대장이 되다니 이 무슨 경거망동일까?

015 고군분투(孤軍奮鬪) 남의 도움을 받지 아니하고 힘에 벅찬 일을 잘해 나가는 것을 비유적으로 이르는 말. ≒ 고전분투

[2014년 고2 6월 A형] 예 흰돌머리의 기업을 지키기 위한 고군분투의 몇 년이 그를 한 쇠약한 노인으로 만들어 버린 것이었다.

016 고립무원(孤立無援) 고립되어 구원을 받을 데가 없음.

[2013년 고2 11월 B형] 예 요즘은 고립무원, 외톨이가 된 것 같고 길을 가다가도 목덜미가 설렁해지는 것을 느낍니다.

017 고식지계(姑息之計) 우선 당장 편한 것만을 택하는 꾀나 방법. 한때의 안정을 얻기 위하여 임시로 둘러맞추어 처리하거나 이리저리 주선하여 꾸며 내는 계책을 이른다. ≒ 목전지계

[2013년 고3 4월 B형] 예 내 나라 팔아 가며 내 권리 주어 가며 고식지계 도모하여 인군에게 득죄하고 백성에게 적원하여⋯.

018 고육지책(苦肉之策) 자기 몸을 상해 가면서까지 꾸며 내는 계책이라는 뜻으로, 어려운 상태를 벗어나기 위해 어쩔 수 없이 꾸며 내는 계책을 이르는 말. ≒ 고육지계

[2017년 고2 3월] 예 지겨운 가난을 면하기 위해 고육지책으로 개가해 간 게 오히려 고생문으로 자청해 들어간 꼴이 되었다.

019 고장난명(孤掌難鳴) 외손뼉만으로는 소리가 울리지 아니한다는 뜻으로, 혼자의 힘만으로 어떤 일을 이루기 어려움을 이르는 말. ≒ 독장난명, 척장난명

[2018년 고1 3월] 예 누구 한 사람 도와주는 사람이 없으니 실로 고장난명이라, 일을 하기가 너무 어려웠다.

020 고진감래(苦盡甘來) 쓴 것이 다하면 단 것이 온다는 뜻으로, 고생 끝에 즐거움이 옴을 이르는 말.

[2015년 고2 11월] 예 고진감래라더니 이렇게 좋은 일도 있구나.

021 과유불급(過猶不及) 정도를 지나침은 미치지 못함과 같다는 뜻으로, 중용(中庸)이 중요함을 이르는 말.

[2013년 고3 10월 B형] 예 성인도 <u>과유불급</u>이라 하셨잖소. 너무 깊숙이 파고들어 갈 건 없단 말이에요.

022 괄목상대(刮目相對) 눈을 비비고 상대편을 본다는 뜻으로, 남의 학식이나 재주가 놀랄 만큼 부쩍 늚을 이르는 말.

[2016년 고1 9월] 예 사람들이 모두 이 정신을 가지고, 이 방향으로 힘을 쓸진대 삼십 년이 못 하여 우리 민족은 <u>괄목상대</u>하게 될 것을 나는 확언하는 바이다.

023 교언영색(巧言令色) 아첨하는 말과 알랑거리는 태도.

[2014년 고3 3월 B형] 예 이 밖의 일은 아무리 미사여구, <u>교언영색</u>으로 장식해도 전부가 거짓이고 사기다.

024 군자삼락(君子三樂) 군자의 세 가지 즐거움. 부모가 살아 계시고 형제가 무고한 것, 하늘과 사람에게 부끄러워할 것이 없는 것, 천하의 영재를 얻어서 가르치는 것을 이른다.

[2015년 고3 4월 A형] 예 신(臣)은 조실부모하였고 여섯 형제 중 아우 하나를 잃었으니, <u>군자삼락</u> 가운데 그 첫 번째를 얻지 못하였습니다. 그리하여 신의 비통함이 하늘에 사무칩니다.

025 권토중래(捲土重來) 땅을 말아 일으킬 것 같은 기세로 다시 온다는 뜻으로, 어떤 일에 실패한 뒤에 힘을 가다듬어 다시 그 일에 착수함을 비유하여 이르는 말.

[2017년 고2 3월] 예 임술년의 강제검 난리와 지난번 방성칠 난리를 주장했던 그 마을에 올라가 대오를 가다듬고 <u>권토중래</u>의 모략을 세움도 뜻있는 일이었다.

* 중국 당나라 두목의 「오강정시(烏江亭詩)」에 나오는 말로, 항우가 유방과의 결전에서 패하여 오강(烏江) 근처에서 자결한 것을 탄식한 말에서 유래한다.

026 근묵자흑(近墨者黑) 먹을 가까이하는 사람은 검어진다는 뜻으로, 나쁜 사람과 가까이 지내면 나쁜 버릇에 물들기 쉬움을 비유적으로 이르는 말.

[2015년 고3 7월 A형] 예 승적을 박탈당한 사람을 받을 수 없으니 그리 알고 법운 수좌도 그런 사람과 가까이하지 마요. <u>근묵자흑</u>이라고……

027 금상첨화(錦上添花) 비단 위에 꽃을 더한다는 뜻으로, 좋은 일 위에 또 좋은 일이 더하여짐을 ☐ 비유적으로 이르는 말.

[2014년 고1 6월]

예 맹인에게는 살결이 고우면 그것으로 미인의 자격은 충분했다. 맑고 정답고 고운 음성은 금상첨화라 할 수 있었다.

028 금의환향(錦衣還鄉) 비단옷을 입고 고향에 돌아온다는 뜻으로, 출세를 하여 고향에 돌아가거 ☐ 나 돌아옴을 비유적으로 이르는 말.

[2013년 고2 3월 A형]

[기출 유형 예] 글에 담긴 인물의 심리를 한자 성어를 통해 표현하기

> 이처럼 말하면서 과거에 응시할 차림과 여정의 행장을 갖추어 주었다. 행장이 차려지자 낭자는 다시 강경한 다짐을 선군에게 하면서,
> "낭군께서 이번 과거에 급제하시지 못하고 낙방거사(落榜居士)가 되어 돌아오신다면 저는 결코 살지 아니할 것이옵니다. 하오니, 다른 잡념 일체를 버리시고 오직 시험에 대한 일념으로 상경(上京)하셔서 꼭 급제하여 돌아오시기 바라옵니다."
> – 작자 미상, 「숙영낭자전」 중에서

> 낭자는 낭군이 (   )하기를 간절히 바라고 있음.

→ 숙영은 남편 선군이 과거에 응시해서 꼭 급제하여 돌아오기를 간절히 바라고 있음. 그래서 낭군의 응시 차림과 여정의 행장을 직접 챙겨주면서 강경한 다짐의 말을 하고 있는 것임.

029 기사회생(起死回生) 거의 죽을 뻔하다가 도로 살아남. ☐

[2017년 고2 11월]

[기출 유형 예] ㉠의 상황을 〈보기〉와 같이 이야기할 때, 빈칸에 들어갈 적절한 한자 성어 찾기

> • **상황:** 이장이 장발의 공격으로 죽을 뻔하다가 유 원수에 의해 간신히 구출되어 목숨을 구하게 됨.
>
> 삼십여 합에 승부를 결단치 못하매, 장발은 한 팔을 잃고 자연 기운이 태반이나 감하고, 유 원수는 또 한편에 사람을 안았으매 자연 군속함이 많더라. ㉠이장이 정신없어 장발에게 잡혀가는가 하였더니, 이윽고 진정하여 가만히 본즉, 유 원수에게 안겨 한 말에 실렸는지라, 필시 나를 위하여 한편 팔을 쓰지 못하면 반드시 기력이 쇠진하여 극히 곤색할까 저어하여, 몸을 요동하여 내리고자 하나,
> – 작자 미상, 「유문성전」 중에서

> ◀ 보기 ▶
> "사건의 흐름을 고려하면 이장은 (   )한 것이로군."

→ 이장은 장발에 의해 거의 죽을 뻔하다가 유 원수에게 구출되는 덕에 목숨을 구하게 된 상황임.

ㄴ

030 난형난제(難兄難弟) 누구를 형이라 하고 누구를 아우라 하기 어렵다는 뜻으로, 두 사물이 비 ☐
슷하여 낫고 못함을 정하기 어려움을 이르는 말. ≒ 백중, 백중지세

[2018년 고1 3월] 예 결승전에서 만난 두 선수는 <u>난형난제</u>라 결과를 점치기 어렵다.

031 노심초사(勞心焦思) 몹시 마음을 쓰며 애를 태움. ☐

[2015년 고3 4월 A형] [기출 유형 예] ㉠에 관한 〈보기〉의 반응에서 빈칸에 들어갈 알맞은 한자 성어 찾기

> • **상황**: 추한 외모 때문에 시어머니와 남편(이시백)에게 냉대를 받던 박 씨가 허물을
> 벗고 절세미인으로 변함.
>
>   설마 장부가 되어서 처자에게 박대함이 있다 한들 그다지 말 못 할 바가 아니로되
> 3, 4년 부부간 지낸 일이 참혹할 뿐, 박 씨 또한 천지조화를 가졌으니 짐짓 시백으로
> 말을 붙이지 못하게 위엄을 베풂이라.
>   ㉠ 이러하기를 여러 날을 당하매, 시백이 철석간장인들 어찌 견디리오. 자연 병이
> 되어 식음을 전폐하고 형용이 초췌하니, 어화 이 병은 편작(扁鵲)인들 어이하리오.
>   – 작자 미상, 「박씨전」 중에서

┤ 보기 ├
"시백이 그동안 얼마나 (   )했을지 짐작할 수 있군."

→ 앞뒤 상황을 통해 시백이 박 씨가 허물을 벗고 아름답게 변하자, 여러 날 동안 박 씨에게 다가가지 못하고
마음만 태우다 병이 났음을 짐작할 수 있음.

032 누란지위(累卵之危) 층층이 쌓아 놓은 알의 위태로움이라는 뜻으로, 몹시 아슬아슬한 위기를 ☐
비유적으로 이르는 말. ≒ 누란지세

[2014년 고2 9월 B형] 예 논개는 <u>누란지위</u>에 처한 나라를 구하기 위해 왜장을 안고 진주 남강에 떨어져 죽었다.

ㄷ

033 동병상련(同病相憐) 같은 병을 앓는 사람끼리 서로 가엾게 여긴다는 뜻으로, 어려운 처지에 ☐
있는 사람끼리 서로 가엾게 여김을 이르는 말.

[2018년 고2 11월] 예 저 두 사람은 같은 병을 앓다 보니까 <u>동병상련</u>이라고 형제보다 그 우애가 더하다.

034 동분서주(東奔西走) 동쪽으로 뛰고 서쪽으로 뛴다는 뜻으로, 사방으로 이리저리 몹시 바쁘게 돌아다님을 이르는 말. ≒ 동서분주, 동치서주

[2014년 고3 6월 B형]　　　예 그는 문제를 해결하기 위해 동분서주하였다.

035 동상이몽(同牀異夢) 같은 자리에 자면서 다른 꿈을 꾼다는 뜻으로, 겉으로는 같이 행동하면서도 속으로는 각각 딴생각을 하고 있음을 이르는 말. ≒ 동상각몽

[2017년 고2 6월]　　　예 저들이 지금은 함께 고생하고 있지만 각자 꿍꿍이속들이 있어 서로 동상이몽을 하고 있다.

036 두문불출(杜門不出) ① 집에만 있고 바깥출입을 아니 함. ② 집에서 은거하면서 관직에 나가지 아니하거나 사회의 일을 하지 아니함을 비유적으로 이르는 말.

[2016년 고1 6월]　　　예 아버지는 문을 굳게 닫고 사람들과의 접촉을 끊은 채 두문불출이시다.

037 득의양양(得意揚揚) 뜻한 바를 이루어 우쭐거리며 뽐냄. ≒ 의기양양

[2017년 고3 10월]　　　예 이 말을 들으매 내 마음은 말할 수 없이 만족해지며 무슨 승리자나 된 듯이 득의양양하였다.

　

038 만시지탄(晚時之歎) 시기에 늦어 기회를 놓쳤음을 안타까워하는 탄식. ≒ 후시지탄

[2017년 고3 10월]　　　예 오래 길들인 생활의 터전을 내준 걸 후회했다. 후회해 봤자 만시지탄이었다.

039 맥수지탄(麥秀之歎) 고국의 멸망을 한탄함을 이르는 말.

[2019년 고3 4월]　　　예 국권을 빼앗긴 후, 많은 사람들이 맥수지탄의 눈물을 흘렸다.
　　　　　　　　　　* 『사기』의 「송미자」에 나오는 말로, 기자(箕子)가 은(殷)나라가 망한 뒤에도 보리만은 잘 자라는 것을 보고 한탄하였다는 데서 유래한다.

040 면종복배(面從腹背) 겉으로는 복종하는 체하면서 내심으로는 배반함. ≒ 면종후언, 양봉음위

[2018년 고2 3월]　　　예 "전하께선 면종복배하는 자가 적지 않음을 통촉하셔야 됩니다."

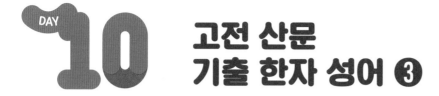

DAY 10 고전 산문 기출 한자 성어 ❸

---

041 명재경각(命在頃刻) 거의 죽게 되어 곧 숨이 끊어질 지경에 이름. ≒ 명재조석 ⬜

[2013년 고1 9월]

[기출 유형 **예**] ⓐ를 나타내기에 적절한 한자 성어 찾기

> 까투리는 장끼의 말을 듣고 그러려니 여겨 장끼의 맥을 짚어 보다가,
> "ⓐ 비위맥은 끊어지고, 간맥은 서늘하고, 태충맥은 굳어져 가고 명맥은 떨어지오.
> 아이고 이게 웬일이오? 웬수로다."
>   – 작자 미상, 「장끼전」 중에서

→ ⓐ에서 까투리가 짚은 장끼의 맥상으로 볼 때, 장끼가 죽음에 직면해 있음을 알 수 있음.

---

042 목불식정(目不識丁) 아주 간단한 글자인 'T' 자를 보고도 그것이 '고무래'인 줄을 알지 못한다 ⬜
                   는 뜻으로, 아주 까막눈임을 이르는 말. ≒ 일문부지, 일문불통, 일자무식

[2014년 고3 4월 A형]

예 소인이 아는 바가 무엇이겠습니까, 그저 <u>목불식정</u>을 면하였을 따름이지요.
* 우리 속담 '낫 놓고 기역 자도 모른다.'와 같은 의미.

---

043 목불인견(目不忍見) 눈앞에 벌어진 상황 따위를 눈 뜨고는 차마 볼 수 없음. ⬜

[2016년 고1 9월]

[기출 유형 **예**] ㉠의 상황을 나타내기에 적절한 한자 성어 찾기

> "내가 너를 죽이고 낸들 어찌 살겠느냐? 너를 죽이고 나도 따르리라."
> 하고 월선의 머리를 잡아엎치니, ㉠ 월선이 엎드러지는 거동을 차마 보지 못할 지경
> 이었다. 월성이 망극하여 월선의 등에 엎드러져 울며 말하였다.
>   – 작자 미상, 「황월선전」 중에서

→ 월선·월성의 부친인 승상이 월선의 머리를 잡아엎치고, 이로 인해 엎드러지는 월선의 거동을 '차마 보지
못할 지경'이라고 상황을 드러내 줌.

---

044 무위도식(無爲徒食) 하는 일 없이 놀고먹음. ≒ 유식, 낭유도식 ⬜

[2017년 고2 11월]

예 남편이란 자는 아내가 벌어 오는 돈으로 <u>무위도식</u>이나 하며 지낸다.

ㅂ

---

045 방약무인(傍若無人) 곁에 사람이 없는 것처럼 아무 거리낌 없이 함부로 말하고 행동하는 태 ⬜
                   도가 있음.

[2016년 고3 6월 B형]

예 남이 싫어하는 줄도 모르고 <u>방약무인</u>으로 떠들어 댄다.

046 배은망덕(背恩忘德) 남에게 입은 은덕을 저버리고 배신하는 태도가 있음. ☐

[2016년 고2 9월]   **예** 그 같은 배은망덕을 저지르고서 다시 나를 찾아오다니 기가 찰 노릇이다.

---

047 백골난망(白骨難忘) 죽어서 백골이 되어도 잊을 수 없다는 뜻으로, 남에게 큰 은덕을 입었을 ☐ 때 고마움의 뜻으로 이르는 말.

[2019년 고2 6월]   [기출 유형 **예**] 말하는 내용을 바탕으로 ㉮에 들어갈 적절한 한자 성어 찾기

> "뉘신지는 모르거니와 뜻밖에 죽어 가는 사람을 살려 본국 귀신이 되게 하시니
> (㉮)이오나, 이제 패군한 장수가 되어 군부(君父)를 욕되게 하오니 무슨 면
> 목으로 군부를 뵈오리오? 차라리 이곳에서 죽어 죄를 갚을까 하나이다."
>
>   – 작자 미상, 「백학선전」 중에서

→ 목숨을 잃을 위기에서 자신을 구해 준 사람에게 하는 말임.

---

048 백척간두(百尺竿頭) 백 자나 되는 높은 장대 위에 올라섰다는 뜻으로, 몹시 어렵고 위태로운 ☐ 지경을 이르는 말. ≒ 간두

[2015년 고3 7월 A형]   **예** 집안은 폐족이 되어 팔대 옥당의 명문이 백척간두에 서 있는 것이 원통하고 억울하다.

---

049 부창부수(夫唱婦隨) 남편이 주장하고 아내가 이에 잘 따름. 또는 부부 사이의 그런 도리. ☐

[2014년 9월 고2 B형]   **예** 부창부수라더니, 나한테 그리 대하자고 둘이서 약조했는가.

---

050 부화뇌동(附和雷同) 줏대 없이 남의 의견에 따라 움직임. ☐

[2014년 고2 3월 B형]   **예** 남이 무어라고 한다 해서 쉽사리 부화뇌동하는 것은 아예 처음부터 하지 않음만 못합니다.

---

051 분기탱천(憤氣撑天) 분한 마음이 하늘을 찌를 듯 격렬하게 북받쳐 오름. ≒ 분기등천, 분기충천 ☐

[2014년 고2 9월 B형]   [기출 유형 **예**] ㉠을 나타내기에 적절한 한자 성어 찾기

> "나를 생각하여 시원스레 도와준다면 수백 석 줄 것 아니요, 많으면 일이 석이요,
> 적으면 일이 두(斗) 줄 것이어늘 내가 이 같이 아무것도 얻지 못한 채 돌아가는 것
> 에 대해 마음을 쓰지 아니하니 ㉠ 어찌 통분치 않으리오. 살아도 죽은 것만 못하고
> 욕됨에 죽으려도 죽을 자리가 없는지라. 내 마땅히 산군(山君)에게 송사(訟事)하여
> 이놈을 잡아다가 재물을 허비토록 엄중한 형벌로써 몸을 괴롭게 하여 나의 분을 풀
> 리라."
>
>   – 작자 미상, 「서동지전」 중에서

→ ㉠에서 다람쥐는 서대주가 곡식을 빌려주지 않자, 서대주에게 원한을 품고 격하게 화를 내고 있음.

052 비분강개(悲憤慷慨) 슬프고 분하여 마음이 북받침. ⬭

[2015년 고3 10월 A형]

예 이놈의 세상이 끝장에 가서는 어떻게 되겠느냐고 익준은 <u>비분강개</u>를 금하지 못하는 것이었다.

ㅅ

053 사고무친(四顧無親) 의지할 만한 사람이 아무도 없음. ≒ 사고무탁 ⬭

[2013년 고3 3월 A형]

[기출 유형 **예**] ⊙과 같은 상황을 나타낼 수 있는 한자 성어 찾기

> 그해 겨울, 여유문이 병들어 죽었다. 또다시 ⊙ 의탁할 곳이 막막하게 된 최척은 강호(江湖)를 떠돌며 두루 명승지를 유람하였다. 용문과 우혈을 찾아보고 동정호를 유람하고 악양루와 고소대에도 올라보았다.　　　　　－ 작자 미상, 「최척전」 중에서

→ 그동안 의지하며 살아가던 여유문이 죽자 의탁할 곳이 막막해진 최척의 상황이 드러남.

054 사면초가(四面楚歌) 아무에게도 도움을 받지 못하는, 외롭고 곤란한 형편을 이르는 말. ⬭

[2018년 고2 6월]

[기출 유형 **예**] ㉮의 상황을 드러내기에 적절한 한자 성어 찾기

> 임금이 듣고는 하늘을 보고 통곡하며 말했다.
> ㉮ "안에는 훌륭한 장수가 없고 밖에는 강적이 있으니 외로운 산성을 어찌 보전하며, 또한 양식이 다 떨어졌으니 이는 하늘이 나를 망하게 하려 하심이라."
> 　　　　　－ 작자 미상, 「임경업전」 중에서

→ 호군에 포위되어 남한산성 내 고립된 임금이 하는 말로, 임금이 곤경에 처해 있음이 드러남.
* 『사기』의 「항우본기」에 나오는 말로, 초나라 항우가 사면을 둘러싼 한나라 군사 쪽에서 들려오는 초나라의 노랫소리를 듣고 초나라 군사가 이미 항복한 줄 알고 놀랐다는 데서 유래한다.

055 사필귀정(事必歸正) 모든 일은 반드시 바른길로 돌아감. ⬭

[2014년 고2 11월 A형]

[기출 유형 **예**] 글을 읽은 학생의 반응인 〈보기〉의 빈칸에 들어갈 적절한 한자 성어 찾기

> 정 씨가 이 기별을 듣고 간계가 나타났으매 피하지 못할 줄 알고 즉시 자결하니, 슬프다! 무심한 사람을 해하려다가 도리어 앙화를 입으니, 정 씨가 잉태한 지 팔삭에 그 어미의 죄로 모자(母子)가 모두 죽으니, 천도 어찌 무심하리오. 천하 사람이 전파하여 정 씨의 소행을 불쌍타하는 사람이 없더라.　　　　　－ 작자 미상, 「월영낭자전」 중에서

> ┨ 보기 ┠
> "정 씨가 결국 비극적인 최후를 맞게 되는 것은 (　　　　)이라 할 수 있군."

→ 악인인 정 씨가 자신의 죄상이 드러나자 자결한 상황으로, 이에 대해 서술자는 정 씨에 대해 천도가 무심하지 않아 무심한 사람을 해하려다가 도리어 앙화를 입었다고 서술하고 있음.

056 상부상조(相扶相助) 서로서로 도움. ☐

[2021년 고2 6월]   **예** 도덕적 차원이나 윤리적인 차원을 떠나서라도 이웃과 친구와의 협동과 상부상조의 정신은 반드시 있어야 한다.

057 상전벽해(桑田碧海) 뽕나무밭이 변하여 푸른 바다가 된다는 뜻으로, 세상일의 변천이 심함을 ☐
비유적으로 이르는 말. ≒ 상전창해, 상해지변

[2013년 고3 7월 B형]   **예** 어린 시절 뛰놀던 고향은 상전벽해라는 비유가 어울릴 만큼 큰 변화가 있었다.

058 설상가상(雪上加霜) 눈 위에 서리가 덮인다는 뜻으로, 난처한 일이나 불행한 일이 잇따라 일 ☐
어남을 이르는 말.

[2014년 고1 9월]   [기출 유형 **예**] ㉠의 흥부의 상황을 드러내기에 적절한 한자 성어 찾기

> "수고스럽지마는 이 뺨마저 쳐 주시오, 밥 좀 많이 붙은 주걱으로. 그 밥 갖다가 아
> 이들 구경이나 시키겠소."
> ㉠이 몹쓸 년이 밥주걱은 놓고 부지깽이로 흥부를 흠씬 때려 놓으니, 흥부 아프단 말
> 도 못하고 하릴없이 통곡하며 돌아오니 천지가 망망하더라.   – 작자 미상, 「흥부전」 중에서

→ 흥부가 밥이 많이 붙은 밥주걱으로 뺨을 쳐달라고 하자, 놀부 아내가 밥주걱이 아닌 부지깽이로 흥부를 흠씬 때리는 상황이므로, 굶주림에 밥풀이라도 얻으려다 더 큰 매를 맞는 불행한 상황을 맞이하게 된 처지임.

059 속수무책(束手無策) 손을 묶은 것처럼 어찌할 도리가 없어 꼼짝 못 함. ☐

[2015년 고2 3월]   [기출 유형 **예**] ㉠의 상황을 〈보기〉와 같이 표현했을 때, ㉡에 들어갈 적절한 한자 성어 찾기

> 미인이 구슬발을 치고 안으로 들어간 것이 약수를 사이에 둔 것처럼 여겨졌다. ㉠ 어
> 쩔 수 없이 시동과 돌아가는데 한 걸음 걸을 때마다 한 번씩 돌아보았으나 굳게 닫힌
> 문은 끝내 열리지 않았다. 소유는 안타까운 마음으로 여관에 돌아왔고 그만 넋을 잃고
> 말았다.   – 김만중, 「구운몽」 중에서

┤ 보기 ├
소유는 채봉이 창 안으로 사라지자 (㉡) 돌아올 수밖에 없었다.

→ ㉠에서 양소유는 미인이 구슬발을 치고 안으로 들어가자, 더는 미인을 보는 것을 포기하고 어쩔 수 없이 시동을 따라 돌아가는 상황임.

060 수구초심(首丘初心) 여우가 죽을 때에 머리를 자기가 살던 굴 쪽으로 둔다는 뜻으로, 고향을 ☐
그리워하는 마음을 이르는 말.

[2019년 고3 4월]   **예** 수구초심이랍니다. 짐승도 죽을 때면 따뜻한 곳을 찾아 눕는다는데 하물며 사람이 고향 생각을 해야지.

DAY 11 고전 산문 기출 한자 성어 ❹

---

061 수수방관(袖手傍觀) 팔짱을 끼고 보고만 있다는 뜻으로, 간섭하거나 거들지 아니하고 그대로 버려둠을 이르는 말. ☐

[2015년 고2 3월]

예 그 군대는 지금까지 <u>수수방관</u>만 일삼아 왔으니 이게 될 말인가?

---

062 수원수구(誰怨誰咎) 누구를 원망하고 누구를 탓하겠냐는 뜻으로, 남을 원망하거나 탓할 것이 없음을 이르는 말. ☐

[2013년 고2 11월 B형]

[기출 유형 **예**] ㉮와 관련 있는 적절한 한자 성어 찾기

> 진 공이 옥에서 나오자 부인과 채경이 붙들고 통곡하는데, 진 공은 강개한 모습으로 길게 탄식할 따름이었다.
> "㉮ <u>내가 미리 기미를 알아차려 벼슬을 그만둘 것을, 우유부단하게 지체한 탓에 이같은 몹쓸 일을 당했으니 누구를 원망하겠소.</u> 그렇지만 죽을 목숨을 폐하께서 너그러이 용서하셨으니 이 또한 천지신명이 보살핀 덕이오." – 조성기, 「창선감의록」 중에서

→ ㉮에서 진 공은 옥에 갇혔던 일을 누구의 탓으로도 돌리지 않고 자신의 탓이라 하고 있음.

---

063 순망치한(脣亡齒寒) 입술이 없으면 이가 시리다는 뜻으로, 서로 이해관계가 밀접한 사이에 어느 한쪽이 망하면 다른 한쪽도 그 영향을 받아 온전하기 어려움을 이르는 말. ☐

[2015년 고3 7월 A형]

예 이웃 나라가 침범을 당하니 <u>순망치한</u>이 될까 염려스럽다.

---

064 승승장구(乘勝長驅) 싸움에 이긴 형세를 타고 계속 몰아침. ☐

[2015년 고2 9월]

예 우리 국군은 <u>승승장구</u>로 진격을 했다.

---

065 신신당부(申申當付) 거듭하여 간곡히 하는 당부. ☐

[2020년 고2 6월]

[기출 유형 **예**] 〈보기〉에 제시된 내용의 빈칸에 들어갈 한자 성어 찾기

> 이때 애황은 잉태한 지 일곱 달이었다. 각자 말을 타고 남북으로 떠나면서 대봉이 애황의 손을 잡고 말하였다.
> "원수가 잉태한 지 일곱 달이니, 복중에 품은 혈육 보전하기를 어찌 바랄 수 있으리오? ㉠ <u>부디 몸을 안보하소서.</u> 무사히 돌아와 서로 다시 보기를 천만 바라노라."
> – 작자 미상, 「이대봉전」 중에서

┤ 보기 ├

㉠을 보니, 무사히 돌아오라고 대봉은 애황에게 (   )하고 있군.

→ 이대봉은 임신한 몸으로 출정하는 아내 장애황이 전장에서 무사히 돌아오기를 간절히 바라며 당부하고 있는 상황임.

ㅇ

066 아연실색(啞然失色) 뜻밖의 일에 얼굴빛이 변할 정도로 놀람.

[2015년 고2 3월]   **예** 그는 자기 쪽으로 차가 다가서자 <u>아연실색</u>하였다.

---

067 아전인수(我田引水) 자기 논에 물 대기라는 뜻으로, 자기에게만 이롭게 되도록 생각하거나 행동함을 이르는 말.

[2018년 고2 11월]   [기출 유형 **예**] 제시된 인물의 말을 이해한 내용으로 빈칸에 들어갈 적절한 한자 성어 찾기

> • **상황:** 수적 장수백은 해선을 납치하여 자신의 아들로 키우지만, 후에 어사가 된 해선은 이 사실을 알게 되어 장수백을 문초함.
>
> "일이 이미 발각되었으니 어찌 그럴듯한 말로 속일 수 있겠습니까. 서역국도 남의 자식을 수양자로 삼았고 나도 자식이 없어 남의 자식을 수양자로 삼았으니 저와 내가 마찬가지입니다. 또한 상벌과 공훈으로 말해보더라도 서역국의 아들이 되는 것이나 나의 아들이 되는 것이나 남의 자식이 되는 것은 마찬가지입니다. 제가 그 아이의 성명을 고친 것만 허물이라 할 수 있겠습니까? 길러 준 은혜를 생각하신다면 이다지 괄시할 수 있습니까?"　　　　　 – 작자 미상, 「강릉추월전」 중에서

> (   )의 논리로 자신의 행위를 정당화하고 있다.

→ 이 말은 장수백의 말로, 장수백은 자신에게 내려질 벌을 모면할 생각으로 자신이 저지른 죄에 대해 변호하며 남의 자식을 납치한 것을 정당화하고 오히려 기른 공에 대해 말하고 있음. 이는 자신이 저지른 잘못된 행위에 대해서도 자기에게만 유리하게 말하는 것이라 할 수 있음.

---

068 안분지족(安分知足) 편안한 마음으로 제 분수를 지키며 만족할 줄을 앎.

[2014년 고3 3월 B형]   **예** 나무는 훌륭한 견인주의자요, 고독의 철인이요, <u>안분지족</u>의 현인이다.

---

069 안하무인(眼下無人) 눈 아래에 사람이 없다는 뜻으로, 방자하고 교만하여 다른 사람을 업신여김을 이르는 말. ≒ 안중무인

[2016년 고1 9월]   **예** 사람이 돈을 좀 벌더니 그는 <u>안하무인</u>이 되었다.

070 애걸복걸(哀乞伏乞) 소원 따위를 들어 달라고 애처롭게 사정하며 간절히 빎. ☐

[2020년 고2 6월]

📵 처음에는 들은 체도 아니 하데. 그래서 덮어놓고 애걸복걸 빌었지 별수 있나.

071 어부지리(漁夫之利) 두 사람이 이해관계로 서로 싸우는 사이에 엉뚱한 사람이 애쓰지 않고 가 ☐
로챈 이익을 이르는 말. ≒ 어인지공

[2019년 고2 6월]

📵 이번 선거에서는 여당 후보와 야당 후보의 다툼 속에서 무소속 후보가 어부지리로 당선되었다.

＊ 도요새가 무명조개의 속살을 먹으려고 부리를 조가비 안에 넣는 순간 무명조개가 껍데기를 꼭 다물고 부
리를 안 놔주자, 서로 다투는 틈을 타서 어부가 둘 다 잡아 이익을 얻었다는 데서 유래한다.

072 역지사지(易地思之) 처지를 바꾸어서 생각하여 봄. ☐

[2018년 고1 3월]

📵 다른 사람을 이해하기 위해서는 역지사지의 자세가 필요하다.

073 오매불망(寤寐不忘) 자나 깨나 잊지 못함. ☐

[2018년 고1 11월]

[기출 유형 📵] ⓐ를 통해 알 수 있는 '초운의 심정'을 드러내기에 적절한 한자 성어 찾기

> 초운의 마음이 철석같아서 몸을 허하지 아니하고 ⓐ 매일 장경만 잊지 못하니
>
> – 작자 미상, 「장경전」 중에서

→ ⓐ는 장경을 자나 깨나 잊지 못하는 초운의 심정을 드러냄.

074 오월동주(吳越同舟) 서로 적의를 품은 사람들이 한자리에 있게 된 경우나 서로 협력하여야 ☐
하는 상황을 비유적으로 이르는 말.

[2018년 고2 6월]

📵 해외 기업의 국내 진출로, 경쟁 관계의 두 국내 기업이 오월동주 신세가 되었다.

＊『손자』의 「구지편」에 나오는 말로, 중국 춘추 전국 시대에, 서로 적대시하는 오나라 사람과 월나라 사람이
같은 배를 탔으나 풍랑을 만나서 서로 단합하여야 했다는 데에서 유래한다.

075 와신상담(臥薪嘗膽) 불편한 섶에 몸을 눕히고 쓸개를 맛본다는 뜻으로, 원수를 갚거나 마음 ☐
먹은 일을 이루기 위하여 온갖 어려움과 괴로움을 참고 견딤을 비유적으
로 이르는 말.

[2017년 고2 3월]

📵 절치부심에다 와신상담을 짬뽕해 가지고 언젠가는 내가 되로 받은 것을 상대방한테 말로 갚아
버릴 작정이지.

＊『사기』와 『십팔사략』에 나오는 이야기로, 중국 춘추 시대 오나라의 왕 부차가 아버지의 원수를 갚기 위하여
장작더미 위에서 잠을 자며 월나라의 왕 구천에게 복수할 것을 맹세하였고, 그에게 패배한 월나라의 왕 구
천이 쓸개를 핥으면서 복수를 다짐한 데서 유래한다.

076 유방백세(流芳百世) 꽃다운 이름이 후세에 길이 전함. ≒ 유취만년 ☐

[2013년 고3 7월 B형]

[기출 유형 **예**] ⓐ에 어울리는 한자 성어 찾기

> 관 공은 화용도 좁은 길에 조조를 살려주니 인후(仁厚)하신 관 공 ⓐ 이름 천추에 빛나더라. 그 뒤야 뉘가 알리. 더질 더질.　　　　　– 작자 미상, 「적벽가」 중에서

→ 관우의 너그러움을 칭송하며 그 이름이 길이 전해질 것이라 하고 있음.

077 유유상종(類類相從) 같은 무리끼리 서로 사귐. ☐

[2014년 고2 11월 B형]

예 <u>유유상종</u>이라고 하더니 고만고만한 녀석들끼리 모였다.

078 의기소침(意氣銷沈) 기운이 없어지고 풀이 죽음. ☐

[2018년 고2 3월]

예 그는 사업에 실패한 뒤 <u>의기소침</u>하여 집 밖을 나오지 않았다.

079 이실직고(以實直告) 사실 그대로 고함. ≒ 이실고지, 종실직고 ☐

[2021년 고2 6월]

[기출 유형 **예**] [A]의 내용을 이해하고 이와 관련된 한자 성어 찾기

> "그놈을 능지가 되도록 때려서 문초하라."
> 　추상같은 엄명을 내리매, 형방조차 겁을 내고 뱃사공들을 치면서 얼러 대기를,
> [A]　"이놈들 들어 보라. 저번에 너희들은 저기 저 양반을 영대로 물에 던져 죽였느냐? 바른대로 고하라!"　　　　　– 작자 미상, 「옥단춘전」 중에서

→ [A]는 형방이 김 감사의 명령대로 뱃사공들이 이혈룡을 죽였는지를 다그치며 문초하는 말임.

080 이심전심(以心傳心) 마음과 마음으로 서로 뜻이 통함. ☐

[2017년 고1 3월]

[기출 유형 **예**] ㉠의 상황과 가장 관련 있는 한자 성어 찾기

> 밤이 이미 다하여 손님들이 모두 취했을 때입니다. ㉠ 제가 벽에 구멍을 뚫고 엿보니 진사 역시 제 뜻을 알고 모퉁이를 향해 앉아 있더군요. 저는 봉한 편지를 구멍 사이로 던졌습니다. 진사는 편지를 주워 집으로 돌아가서 뜯어보고는 슬픔을 이기지 못해 편지를 차마 손에서 놓지 못했답니다.　　　　　– 작자 미상, 「운영전」 중에서

→ ㉠은 벽에 구멍을 뚫고 진사를 엿보는 운영과 이러한 운영의 뜻을 알고 모퉁이를 향해 앉아 있는 진사의 모습이 드러나 있어 마음과 마음이 서로 통하고 있음을 보여 줌.
* 『전등록』에 나오는 말로 원래는 불교의 법통을 계승할 때 쓰였다.

081 인과응보(因果應報) 전생에 지은 선악에 따라 현재의 행과 불행이 있고, 현세에서의 선악의 ☐
결과에 따라 내세에서 행과 불행이 있는 일. ≒ 종과득과, 종두득두

[2017년 고1 3월] **예** 그 미안하던 마음의 <u>인과응보</u>를 받았는지, 똑같은 마당에서…오늘은 거꾸로, 바로 그 자리에서
춘복이가, 쇠여울네 당한 만큼 직사하게 맞은 것이다.

082 일거양득(一擧兩得) 한 가지 일을 하여 두 가지 이익을 얻음. ≒ 일석이조 ☐

[2015년 고3 7월 A형] [기출 유형 **예**] ㉠의 상황을 드러내기에 적절한 한자 성어 찾기

> 비장이 감사께 여주되, / "㉠ 추월에게 설욕하고 춘풍도 찾삽고 호조 돈도 거두어
> 받으니 은혜 감축 무지하온 중, 소인 몸이 외람되이 존중한 처소에 오래 있삽기 죄
> 송하여 떠날 줄로 아뢰나이다."　　　　　　　　　　　　　　　　　　 – 작자 미상, 「이춘풍전」 중에서

→ 춘풍의 아내는 남장을 하고 비장이 되어, 춘풍을 유혹하여 돈을 빼앗은 추월을 문초하여 춘풍이 잃은 호
조의 돈을 되찾음.

083 일구이언(一口二言) 한 입으로 두 말을 한다는 뜻으로, 한 가지 일에 대하여 말을 이랬다 저 ☐
랬다 함을 이르는 말.

[2014년 고1 6월] [기출 유형 **예**] ⓐ에 나타난 도련님의 행동을 표현하기에 적절한 한자 성어 찾기

> 오월 단오 밤에 내 손길 부여잡고 우둥퉁퉁 밖에 나와 맑은 하늘 천 번이나 가리키
> 며 ⓐ 굳은 언약 어기지 않겠노라고 만 번이나 맹세하기에 내 정녕 믿었더니 결국 가
> 실 때는 톡 떼어 버리시니 이팔청춘 젊은 것이 낭군 없이 어찌 살꼬.
> 　　　　　　　　　　　　　　　　　　　　　　　　　　　　　 – 작자 미상, 「춘향전」 중에서

→ ⓐ는 몽룡이 굳게 약속한 것을 어기고 한양을 갈 때는 맹세를 저버리고 자신을 버렸다는 춘향의 말임.

084 일망타진(一網打盡) 한 번 그물을 쳐서 고기를 다 잡는다는 뜻으로, 어떤 무리를 한꺼번에 모 ☐
조리 다 잡음을 이르는 말.

[2017년 고2 11월] **예** 그는 부하들에게 범죄자들의 <u>일망타진</u>을 명령했다.

085 일벌백계(一罰百戒) 한 사람을 벌주어 백 사람을 경계한다는 뜻으로, 다른 사람들에게 경각 ☐
심을 불러일으키기 위하여 본보기로 한 사람에게 엄한 처벌을 하는 일을
이르는 말.

[2018년 고2 11월] **예** 회장은 예전엔 용인해 줄 만한 사안도 <u>일벌백계</u> 차원에서 엄중 문책하겠다고 밝혔다.

086 일편단심(一片丹心) 한 조각의 붉은 마음이라는 뜻으로, 진심에서 우러나오는 변치 아니하는 마음을 이르는 말.

[2016년 고1 6월]

[기출 유형 **예**] ㉠의 상황을 나타내기에 적절한 한자 성어 찾기

> 말을 마치자 점점 사라져서 마침내 종적을 감추었다. 이생은 아내가 말한 대로 그녀의 유골을 거두어 부모의 무덤 곁에 장사를 지내 주었다. / ㉠ 그 후 이생은 최낭을 지극히 생각한 나머지 병이 나서 두어 달 만에 세상을 떠났다. – 김시습, 「이생규장전」 중에서

→ 이생이 아내를 지극히 사랑하여 곧 따라 죽는 상황에서, 이생의 진심에서 우러나오는 변치 않는 마음을 확인할 수 있음.

087 일희일비(一喜一悲) 한편으로는 기뻐하고 한편으로는 슬퍼함. 또는 기쁨과 슬픔이 번갈아 일어남. ≒ 일비일희

[2014년 고3 4월 B형]

예 그런 기사를 읽을 때마다 일희일비라고 할까. 어떻게 보면 괜찮을 것 같기도 하고 어떻게 보면 아무래도 무슨 일이 일어나고야 말 것만 같고…….

088 임기응변(臨機應變) 그때그때 처한 사태에 맞추어 즉각 그 자리에서 결정하거나 처리함.

[2017년 고2 3월]

[기출 유형 **예**] 글에 나타난 토끼의 태도를 평가한 한자 성어 찾기

> • 상황: (「토끼전」에서) 토끼가 자신의 간을 내놓으라는 용왕의 요구에 태연하게 간을 육지에 두고 왔다고 말하며 위기에서 벗어나려 함.

> 토끼는 (   )으로 자신이 처한 위기에서 벗어나려 하는군.

ㅈ

089 자가당착(自家撞着) 같은 사람의 말이나 행동이 앞뒤가 서로 맞지 아니하고 모순됨.

[2013년 고2 11월 B형]

예 이 논문은 처음의 주장을 스스로 부인하는 자가당착에 빠졌다.

090 자승자박(自繩自縛) 자기의 줄로 자기 몸을 옭아 묶는다는 뜻으로, 자기가 한 말과 행동에 자기 자신이 옭혀 곤란하게 됨을 비유적으로 이르는 말.

[2015년 고2 6월]

[기출 유형 **예**] ㉠에 나타난 인물의 상황과 어울리는 한자 성어 찾기

> 채란이 명을 받들어 즉시 가서 데려왔거늘, 양후가 귓속말로 가로되,
> ㉠ "이제 남을 해하려다가 우리가 도리어 근심을 맡았도다. 이 일을 장차 어찌하면 좋을꼬?" – 작자 미상, 「금우태자전」 중에서

→ 양후는 자신들이 남을 해하려고 한 것 때문에 근심이 생겼다고 말하고 있음.

091 자업자득(自業自得) 자기가 저지른 일의 결과를 자기가 받음. ⬜

[2014년 고2 3월 B형]

[기출 유형 **예**] ㉠의 상황에 대해 평가할 때, 빈칸에 들어갈 적절한 한자 성어 찾기

> "부인은 한하지 마십시오. 이것은 모두 하늘이 정하신 것입니다. 장 승상 집 인연도 다만 십 년 뿐이었습니다. ㉠ 사향이 부인을 모함한 죄로 옥제께서 진노하시어 이에 벼락을 내려 죽였으며, 부인의 애매함도 이미 장 승상 집에서 알고 있습니다. 사람을 시켜 들에 와서 부인을 찾다가 못 찾고 도로 갔으나 모든 것이 이미 밝혀졌거니와 앞에 또 두 횡액이 있으니 조심하십시오." — 작자 미상, 「숙향전」 중에서

> 사향이 옥제에게 벌을 받은 것은 (   )(이)라고 할 수 있군.

→ 사향은 숙향을 모함하여 이 벌로 인해 옥황상제에게 벌을 받아 죽은 상황임.

092 자포자기(自暴自棄) 절망에 빠져 자신을 스스로 포기하고 돌아보지 아니함. ≒ 포기 ⬜

[2013년 고3 10월 B형]

[기출 유형 **예**] ⓐ에 나타난 참옹고집의 심리를 표현하기에 적절한 한자 성어 찾기

> "네가 흉측한 놈으로 음흉한 뜻을 두고 남의 세간 탈취하려 하니 네 죄상은 마땅히 법에 따라 귀양을 보낼 것이로되 가벼이 처벌하니 바삐 어서 물리쳐라."
> 대곤 삼십 도를 매우 쳐서 엄문죄목하되,
> "인제도 옹가라 하겠느냐?"
> 실옹이 생각하되 만일 옹가라 하다가는 곤장 밑에 죽을 듯하니,
> "ⓐ 예, 옹가 아니오. 처분대로 하옵소서."
> 아전이 호령하여,
> "관원을 시켜 저놈을 마을 밖으로 내쫓게 하리라." — 작자 미상, 「옹고집전」 중에서

→ 참옹고집은 송사에서 진 데다 매질까지 당하게 된 상태라서 더 이상 자신이 옹가가 아니라고 말하고 있는 것임.

093 자화자찬(自畫自讚) 자기가 그린 그림을 스스로 칭찬한다는 뜻으로, 자기가 한 일을 스스로 ⬜ 자랑함을 이르는 말.

[2014년 고1 11월]

예 이 말이 자화자찬처럼 들릴지는 모르겠지만 이 작품은 내가 심혈을 기울인 것이다.

094 적반하장(賊反荷杖) 도둑이 도리어 매를 든다는 뜻으로, 잘못한 사람이 아무 잘못도 없는 사 ⬜ 람을 나무람을 이르는 말.

[2019년 고2 6월]

예 당신네들 치안이 물샐틈없었다면 이런 일이 일어났겠소? 적반하장이라더니 피해자를 보고 뭐 어째요?

095 **전전긍긍**(戰戰兢兢) 몹시 두려워서 벌벌 떨며 조심함.

[2016년 고1 11월]

[기출 유형 **예**] ㉠의 상황을 〈보기〉와 같이 이야기할 때, 빈칸에 들어갈 적절한 한자 성어 찾기

> 이화가 눈을 부라리고 꾸짖기를,
> "나는 조선 예의국 사람이라. 조그만 조선에서도 옷을 벗고 뵙는 일이 없거늘 하물며 황제 만승지전(萬乘之前)에 옷을 벗고 뵙는 도리가 있으리오?"
> ㉠ 사관을 물리치고 점점 나아오니 귀인이 겁을 내어 말하기를,
> "이화가 저렇듯이 황명을 거역하니 지난날 꿈속의 일을 생각사오면 어찌 흉악하지 아니하리이까? 빨리 장사를 시켜 옷을 벗기고 죄를 물으소서."
>
> – 작자 미상, 「이화전」 중에서

> ┥ 보기 ┝
> "귀인은 이화가 자신에게 다가오니 (   )하고 있군."

→ 〈보기〉는 ㉠에서 이화가 점점 가까이 다가오자, 이에 겁을 내고 두려워하는 귀인의 상황을 표현하고 있음.

096 **전전반측**(輾轉反側) 누워서 몸을 이리저리 뒤척이며 잠을 이루지 못함.

[2021년 고3 6월]

예 오매불망하던 장필성이 적막 공방에 혼자 몸이 전일의 답시를 내놓고 보며 울고 울고 보며 전전반측 누웠거늘

097 **전화위복**(轉禍爲福) 재앙과 근심, 걱정이 바뀌어 오히려 복이 됨.

[2021년 고2 6월]

예 현재의 어려움을 전화위복의 계기로 삼다.

098 **절치부심**(切齒腐心) 몹시 분하여 이를 갈며 속을 썩임.

[2018년 고2 3월]

예 그는 절치부심의 원한을 가슴에 묻고 다녔다.

099 **조변석개**(朝變夕改) 아침저녁으로 뜯어고친다는 뜻으로, 계획이나 결정 따위를 일관성이 없이 자주 고침을 이르는 말.

[2016년 고1 11월]

예 국가의 정령은 조변석개하고 위령이 서지 못하니 백성이 어이 이것을 믿사오리까.

100 **조삼모사**(朝三暮四) 간사한 꾀로 남을 속여 희롱함을 이르는 말.

[2017년 고1 11월]

예 그들은 근본적인 대책을 제시하기보다는 조삼모사로 우리를 구슬릴 것이다.

* 중국 송나라의 저공(狙公)의 고사로, 먹이를 아침에 세 개, 저녁에 네 개씩 주겠다는 말에는 원숭이들이 적다고 화를 내더니 아침에 네 개, 저녁에 세 개씩 주겠다는 말에는 좋아하였다는 데서 유래한다.

학습 체크

101 **좌불안석**(坐不安席) 앉아도 자리가 편안하지 않다는 뜻으로, 마음이 불안하거나 걱정스러워 ☐
서 한군데에 가만히 앉아 있지 못하고 안절부절못하는 모양을 이르는 말.

[2013년 고1 3월] [기출 유형 **예**] 글에 드러난 토끼의 심리를 나타내는 적절한 한자 성어 찾기

> 토끼 이때까지 살갑게 굴던 자라가 묻는 말에 대답도 하지 않고 입을 꾹 다물고 있
> 는 것이 불안하다. 그래도 더더욱 빨리 내닫는 자라의 등에서 떨어질까 봐 딴딴한 등
> 껍질만 잔뜩 붙들고 안절부절못하더라. — 작자 미상, 「토끼전」 중에서

→ 토끼는 물속을 들어오자 이전과는 확연하게 달라진 자라의 태도에 불안감을 느끼며, 의지할 곳이 없어 자
라의 껍질만을 붙들며 안절부절못하고 있음.

102 **좌충우돌**(左衝右突) ① 이리저리 마구 찌르고 부딪침. ☐
② 아무에게나 또는 아무 일에나 함부로 맞닥뜨림.

[2020년 고2 6월] **예** 이어 <u>좌충우돌</u>하며 적진을 누비니, 오늘의 용맹이 전날의 용맹에 비해 배나 더하였다.

103 **주객전도**(主客顚倒) 주인과 손[客]의 위치가 서로 뒤바뀐다는 뜻으로, 사물의 경중·선후·완 ☐
급 따위가 서로 뒤바뀜을 이르는 말. ≒ 객반위주

[2017년 고1 11월] **예** <u>주객전도</u>라더니 위로를 받아야 할 분이 위로를 주시는군요.

104 **주마간산**(走馬看山) 말을 타고 달리며 산천을 구경한다는 뜻으로, 자세히 살피지 아니하고 ☐
대충대충 보고 지나감을 이르는 말.

[2014년 고2 11월 B형] **예** 그곳을 다 구경하려면 약 세 시간 정도가 걸리나 대부분의 관광객은 <u>주마간산</u>으로 지나친다.

105 **중과부적**(衆寡不敵) 적은 수효로 많은 수효를 대적하지 못함. ☐

[2018년 고1 3월] **예** 군민이 힘을 합해 도처에서 항거해 나섰으나 결국 <u>중과부적</u>으로 적에게 쫓기고 말았다.

106 진퇴양난(進退兩難) 이러지도 저러지도 못하는 어려운 처지.

[2018년 고1 3월]

[기출 유형 예] ⓐ의 상황을 나타내기에 적절한 한자 성어 찾기

> 배 비장이 방자 말을 옳게 듣고 두 발을 모아 들이민다. 방자놈이 안에서 배 비장의 두 발목을 모아 쥐고 힘껏 잡아당기니, ⓐ 부른 배가 딱 걸려서 들도 나도 아니하는구나.
>
> – 작자 미상, 「배비장전」 중에서

→ ⓐ는 배 비장이 방자의 말을 듣고 두 발을 모아 담 구멍을 지나가려다, 방자가 안에서 두 발목을 쥐어 당기는 바람에 오도 가도 못하게 되는 상황에 처해 있음을 드러냄.

ㅊ

---

107 천려일실(千慮一失) 천 번 생각에 한 번 실수라는 뜻으로, 슬기로운 사람이라도 여러 가지 생각 가운데에는 잘못되는 것이 있을 수 있음을 이르는 말. ↔ 천려일득

[2017년 고3 10월]

예 전하께서는 기미를 조금은 믿으시어 적이 오지 않기를 바라시는 듯하니, 만약 참으로 그렇게 생각하고 계신다면 어찌 천려일실(千慮一失)이 아니겠습니까.

* 『사기』의 「회음후열전」에 나오는 고사로, 한나라의 군사 한신이 적장인 조나라의 장수 이좌거를 사로잡고 후하게 대접한 후 연나라와 제나라를 이기는 법을 묻자, '지혜로운 사람이라도 많은 생각을 하다 보면 반드시 하나쯤은 실책이 있고, 어리석은 사람도 천 번 생각하면 한 번은 얻음이 있다.'라고 말한 후 마음을 열어 한나라의 장수가 되었다는 데서 유래되었다.

---

108 천생연분(天生緣分) 하늘이 정하여 준 연분. ≒ 천정연분

[2018년 고1 9월]

예 그대와 더불어 인간 세상에 태어났으나 천생연분의 인연이 없거늘 평생의 인연이 중하다 하오니 알지 못하겠습니다.

---

109 천우신조(天佑神助) 하늘이 돕고 신령이 도움. 또는 그런 일.

[2013년 고3 4월 B형]

[기출 유형 예] ㉠의 상황에서 왕비가 할 말을 예상하여 빈칸에 들어갈 적절한 한자 성어 찾기

> • 상황: 일영주를 구하러 떠났던 성의가 돌아오지 않자 그를 걱정하던 왕비는 성의가 기르던 기러기의 다리에 편지를 매어 날려 보내려 함.
>
> 기러기 세 번 머리를 조아리거늘, 왕비 즉시 서찰을 기러기 다리에 매고 경계하여 가로되,
> "네 두 날개로 만리를 가는 재주라 부디 이 글을 잘 전하라."
> 이르니, ㉠ 기러기 세 번 소리하고 두 날개를 치며 청천에 올라 운간(雲間)으로 서북을 향하여 가는지라.
>
> – 작자 미상, 「적성의전」 중에서

"(   )(으)로 성의의 소식을 들었으면 좋겠구나."

→ 성의의 생사를 모르는 상황에서 기러기를 통해 편지를 보내는 것이므로, 하늘이 도와 성의에게 편지가 전달되기를 바라는 간절한 마음일 것임.

학습 체크

110 청천벽력(靑天霹靂) 맑게 갠 하늘에서 치는 날벼락이라는 뜻으로, 뜻밖에 일어난 큰 변고나 사건을 비유적으로 이르는 말.

[2014년 고1 11월]

[기출 유형 예] 〈보기〉의 학생의 반응에서 ⓐ에 들어갈 적절한 한자 성어 찾기

• 상황: 별주부가 토끼를 잡으러 세상으로 나간다고 어머니에게 말하고, 이를 들은 어머니의 반응임.

주부 세상에 간단 말을 듣고 울며불며 못 가게 만류를 허는듸,
[진양조]
"여봐라, 주부야, 여봐라, 별주부야. 네가 세상을 간다 허니 무얼 허로 갈라느냐? 장탄식, 병이 든들 어느 뉘가 날 구하며, 이 몸이 죽어져서 까마귀와 솔개의 밥이 된들, 뉘랴 손뼉을 뚜다려 주며 후여쳐 날려 줄 이가 뉘 있더란 말이냐? 여봐라, 별주부야, 위험한 곳에는 들어가지를 말어라."   – 작자 미상, 「별주부전」 중에서

┤ 보기 ├
별주부가 토끼의 간을 구하기 위해 세상에 나간다는 말이 주부 모친에게 처음에는 (ⓐ)와/과 같은 말이었겠군.

→ 별주부의 모친이 별주부가 세상에 나간다는 말을 듣고 울며불며 못 가게 만류하며 자신의 앞날을 걱정하고 있으므로, 별주부가 세상에 나간다는 말은 별주부 모친에게는 마른 하늘에 날벼락 같은 깜짝 놀랄 사건이라 할 수 있음.

E

111 타산지석(他山之石) 다른 산의 나쁜 돌이라도 자신의 산의 옥돌을 가는 데에 쓸 수 있다는 뜻으로, 본이 되지 않은 남의 말이나 행동도 자신의 지식과 인격을 수양하는 데에 도움이 될 수 있음을 비유적으로 이르는 말.

[2016년 고2 9월]

예 그처럼 종술이를 심하게 욕하는 이유도 실상은 <u>타산지석</u>으로 들으라고 막내 놈을 은근히 겁주기 위함이었다.

112 **토사구팽**(兔死狗烹) 토끼가 죽으면 토끼를 잡던 사냥개도 필요 없게 되어 주인에게 삶아 먹 ☐
히게 된다는 뜻으로, 필요할 때는 쓰고 필요 없을 때는 야박하게 버리는
경우를 이르는 말.

[2017년 고2 3월]

예 그는 회사를 위해 온몸을 바쳤지만, 회사가 번성하자 그는 <u>토사구팽</u>되어 회사에서 쫓겨나게 생겼다.

＊「사기」의 「회음후열전」에 나오는 말로, 중국 춘추 시대의 월나라 왕 구천과 신하 범려, 문종에 대한 말이다.
월나라가 춘추 시대의 패권을 쥐게 된 후 구천에게 큰 벼슬을 받은 범려는 구천을 '고난을 함께할 수는 있
지만 영화를 함께 누릴 수 없는 인물'이라 판단하여 월나라를 탈출하였고, 문종에게도 "새 사냥이 끝나면
좋은 활도 감추어지고, 교활한 토끼를 다 잡고 나면 사냥개를 삶아 먹는다."라고 경고한 것에서 유래되었
다. 후에 한나라의 통일을 도운 일등 공신인 한신이 한고조 유방과 황비인 여비에 의해 축출되자 구천과
범려의 이 고사를 들며 한탄했다고 한다.

Ⅱ

113 **파죽지세**(破竹之勢) 대를 쪼개는 기세라는 뜻으로, 적을 거침없이 물리치고 쳐들어가는 기세 ☐
를 이르는 말.

[2016년 고2 3월]

[기출 유형 **예**] ㉠의 상황을 나타내기에 적절한 한자 성어 찾기

> 몇 년 뒤 황소(黃巢)가 3만 군사를 모아 ㉠<u>지방의 여러 고을을 거침없이 함락시켰
> 는데,</u> 조정에서는 몇 년 동안이나 토벌에 나섰지만 이길 수 없었다. 마침내 황제가 최
> 치원을 대장으로 삼아 황소의 반란군을 토벌하게 했다. ― 작자 미상, 「최고운전」 중에서

→ ㉠은 황소가 여러 고을을 거침없이 물리치고 쳐들어가는 기세를 드러냄.

114 **표리부동**(表裏不同) 겉으로 드러나는 언행과 속으로 가지는 생각이 다름. ☐

[2014년 고2 11월 B형]

[기출 유형 **예**] 글을 읽은 학생의 반응인 〈보기〉의 Ⓐ에 들어갈 적절한 한자 성어 찾기

> • **상황**: 정창린은 박 소저와 최 소저를 부인으로 맞이하고 이조 판서가 된 후 기생 출
> 신인 일지라는 첩도 얻지만, 정 판서가 청나라 사신으로 가자 일지는 박 소저와 최
> 소저를 모해하려 함.
>
> 　상서가 최 부인과 박 부인 침소에 이르러 별회를 고하고, 일지에게 그 사이 잘 있으
> 라 하니, 일지는 내심에 상서가 부중을 떠남을 다행히 여겨 은근히 기뻐하나, 겉으로
> 는 가장 결연함을 일컫더라. ― 작자 미상, 「정진사전」 중에서

> ┤ 보기 ├
> "청나라로 떠나는 '상서'에 대한 '일지'의 태도는 한마디로 (　　Ⓐ　　)(이)라고 할
> 수 있군."

→ 일지는 마음속으로는 상서가 부중을 떠남을 다행히 여겨 은근히 기뻐하지만, 겉으로는 이러한 마음을 드
러내지 않고 '결연함'을 드러냄.

115 풍수지탄(風樹之嘆) 효도를 다하지 못한 채 어버이를 여읜 자식의 슬픔을 이르는 말.

[2019년 고3 4월]　　　**예** 풍수지탄이라는 말이 있듯이, 부모님이 살아 계실 때에 섬기기를 다해야 할 것이다.

ㅎ

116 학수고대(鶴首苦待) 학의 목처럼 목을 길게 빼고 간절히 기다림.

[2016년 고1 3월]

[기출 유형 예] ㉠에 담겨 있는 심 봉사의 심리를 드러내기에 적절한 한자 성어 찾기

> 이때에 심 봉사는 홀로 앉아 심청을 기다릴 제, 배고파 등에 붙고 방은 추워 턱이 떨어질 지경인데, 잘 새는 날아들고 먼 절에서 쇠북 소리 들리니 날 저문 줄 짐작하고 혼자 하는 말이,
> ㉠'내 딸 심청이는 무슨 일에 빠져서 날이 저문 줄 모르는고. 주인에게 잡히어 못 오는가, 저물게 오는 길에 동무에게 붙잡혀 있는가?'　　　– 작자 미상, 「심청전」 중에서

→ ㉠은 날이 저물도록 심청이가 오지 않자, 심 봉사가 걱정하며 애타게 기다리고 있음을 보여 줌.

117 함구무언(緘口無言) 입을 다물고 아무 말도 하지 아니함. ≒ 함구불언

[2014년 고3 9월 B형]

[기출 유형 예] @를 나타내기에 적절한 한자 성어 찾기

> 이후로 임금은 곤드레만드레 취하여 정사를 폐하게 되었다. 그러나 순은 @ 입을 굳게 다문 채 그 앞에서 간언할 줄 몰랐다. 그리하여 예법을 지키는 선비들은 그를 마치 원수처럼 미워하게 되었다. 그러나 임금은 매양 그를 감싸고돌았다.
> 　　　　　　　　　　　　　　　　　　　　　　　　　– 임춘, 「국순전」 중에서

→ 순은 신하의 도리로 임금에게 간언해야 하는 상황임에도 불구하고 입을 다문 채 가만히 있음.

118 함분축원(含憤蓄怨) 분한 마음을 품고 원한을 쌓음.

[2017년 고3 10월]

[기출 유형 예] @에 나타난 인물의 심리를 표현한 한자 성어 찾기

> 차설. 이전에 철통골이 겨우 일명(一命)을 보전하여 호왕을 보고 패한 연유를 고한대 호왕이 대성통곡 왈
> @ "허다 장졸을 죽이시니 어찌 원수를 갚지 아니하리오?"
> 　　　　　　　　　　　　　　　　　　　　　　　　　– 작자 미상, 「정수정전」 중에서

→ @에서 호왕은 자신의 병사들을 다 죽인 것에 대해 복수하려고 결심하고 있음.

119 호가호위(狐假虎威) 여우가 호랑이의 위세를 빌려 호기를 부린다는 뜻으로, 남의 권세를 빌 ☐ 려 위세를 부린다는 말.

[2018년 고2 11월]

예 성품이 그토록 올곧은 자네가 중전에 기대어 <u>호가호위</u>할 생념을 품을 것도 아닐 터, 내 간지(懇志)
                                                                                            간곡한 뜻
를 그토록 내치지 말게.

＊『전국책』의 「초책」의 고사이다. 중국의 전국시대에 초나라에는 나라의 실권을 쥔 소해휼이라는 재상이 있
었는데, 북방의 나라들이 이 소해휼을 매우 두려워했다. 초나라 선왕이 다른 나라에서 이 소해휼을 두려워
하는 까닭을 궁금해하자 신하 강을이 다음과 같은 이야기를 들려주었다. '호랑이가 여우 한 마리를 잡아서
먹으려 하자 여우가 자신이 천제로부터 백수(百獸)의 왕으로 정해졌으므로 자신을 잡아먹으면 하늘의 명
을 어겨 천벌을 받을 것이라 하였다. 호랑이가 이 말을 믿지 않자 여우는 증명해 보이겠다며 자신을 따라
오라고 하였는데, 과연 여우의 말대로 만나는 산의 짐승들이 모두 여우를 보고 두려워하며 달아났다. 이에
호랑이는 여우의 말을 믿게 되어서 여우를 풀어 주었다. 그러나 사실 짐승들이 두려워한 것은 여우가 아닌
여우의 뒤를 따라오는 호랑이였다.' 강을은, 이와 마찬가지로 북방에서 소해휼을 두려워하는 것은 그 인물
자체가 아니라, 소해휼이 등에 업은 초나라의 군세인 것이라고 하였다.

120 호사다마(好事多魔) 좋은 일에는 흔히 방해되는 일이 많음. 또는 그런 일이 많이 생김. ☐

[2013년 고3 3월 A형]

예 <u>호사다마</u>라고 덕산 댁은 복남이를 낳고 산후조리가 잘못되었던지 얼마 후 중풍에 걸려 몸져눕고
말았다.

121 혼비백산(魂飛魄散) 혼백이 어지러이 흩어진다는 뜻으로, 몹시 놀라 넋을 잃음을 이르는 말. ☐

[2014년 고3 6월 B형]

[기출 유형 **예**] ㉠에 드러나는 인물의 심리를 표현하는 한자 성어 찾기

> 삼대의 죽음을 보고 ⓐ 적진이 대경 황망하여 일시에 도망하거늘 원수와 강장이 본
> 진에 돌아와 승전고를 울리니 여러 장수와 군졸이 치하하며 모두 즐기더라.
>
> – 작자 미상, 「조웅전」 중에서

→ 적장인 삼대가 조웅에게 죽임을 당하자, 이를 본 적의 군사들이 놀라서 황급히 달아나고 있는 상황임.

122 환골탈태(換骨奪胎) ① 뼈대를 바꾸어 끼고 태를 바꾸어 쓴다는 뜻으로, 고인의 시문의 형식 ☐ 을 바꾸어서 그 짜임새와 수법이 먼저 것보다 잘되게 함을 이르는 말.
② 사람이 보다 나은 방향으로 변하여 전혀 딴사람처럼 됨.

[2016년 고1 6월]

예 달주는 편지를 읽고 나서도 한참 멍청한 기분이었다. <u>환골탈태</u>라고 하지만 사람이 달라져도 이
렇게 달라질 수 있는 것인지 놀라울 뿐이었다.

＊중국 남송의 승려 혜홍의 「냉재야화」에 나오는 말이다. 혜홍은 '시의 뜻이 끝이 없지만 사람의 재주는 한계
가 있다. 한계가 있는 재주로 무궁한 뜻을 추구하려 한다면 도연명이나 두보라 해도 그 교묘함에 잘 이르
지 못할 것이다. 뜻을 바꾸지 않고 자기 말로 바꾸는 것을 '환골'이라 하고, 그 뜻을 가지고 형용하는 것을
'탈태법(奪胎法)'이라 한다.'라고 하였다.

최우선순
고전 산문
문제편

지학사 고등 국어
'문법'교재 라인업!

리얼 후기가 증명한 바로 그 문제집!
고등 전학년 내내 계속 찾게 되는 문법 필수 교재!

 지학사

영역별 핀셋 전략으로 선택형 수능을 대비하는
나만의 원픽 시리즈